DE WOLKENBERG

Aimee E. Liu

DE WOLKENBERG

dB

1997 – De Boekerij – Amsterdam

Oorspronkelijke titel: Cloud Mountain (Warner Books)
Vertaling: Atty Mensinga
Omslagontwerp: Studio Wondergem

ISBN 90 225 2323 3

Ter nagedachtenis aan
Liu Ch'eng-yü (Don Luis),
Jennie Ella Trescott Luis
en
Blossom Luis Robertson

WOORD VOORAF

Dit boek is een roman. Hoewel het in grote lijnen de chronologie volgt van het huwelijk van mijn grootouders, Liu Ch'eng-yü en Jennie Trescott Luis, en er verhalen in verweven zijn die me door verscheidene familieleden zijn verteld, is het in geen enkel opzicht een familiegeschiedenis. Ik heb mijn grootouders nooit gekend en heb beslist *niet* geprobeerd Hope en Paul Leon in alles op hun karakters te baseren, want dat zou hun nagedachtenis en deze roman niet ten goede zijn gekomen. Ik heb echter wel geprobeerd de historische achtergrond van de tijden die mijn grootouders en hun kinderen hebben doorgemaakt, getrouw weer te geven. Om dat te bereiken zijn vele gebeurtenissen waarvan in dit boek wordt verhaald, ontleend aan een verzameling van mijn grootvaders *Herinneringen* die in 1946 is gepubliceerd, en aan andere verhalen uit de eerste hand over de Bay Area aan het begin van deze eeuw, en over de daaropvolgende decennia in China.

Net zo goed als ik persoonlijke verhalen heb aangepast, heb ik ook aan bepaalde data en gebeurtenissen gesleuteld om ze in te passen in deze roman. Het betreft hier meestal incidenten van weinig historisch belang. Wel moet worden opgemerkt dat mijn geromantiseerde portret van de rellen van de Vierde Mei in Sjanghai, hoewel gewelddadiger dan de feitelijke gebeurtenis in 1919, wel degelijk de wreedheid weergeeft van latere gevechten tussen Chinezen en buitenlandse politiemachten, zoals het bloedbad van de Dertigste Mei, die niet expliciet in dit boek vermeld worden.

In het belang van de historische samenhang zijn alle Chinese woorden, namen en plaatsen die in het boek worden genoemd gespeld volgens het Wade-Giles systeem, en niet in het moderne *pinyin*. Ook heb ik de spelling gehandhaafd van meer algemene termen en plaatsnamen die gebruikelijk was in de periode waarin het verhaal zich afspeelt.

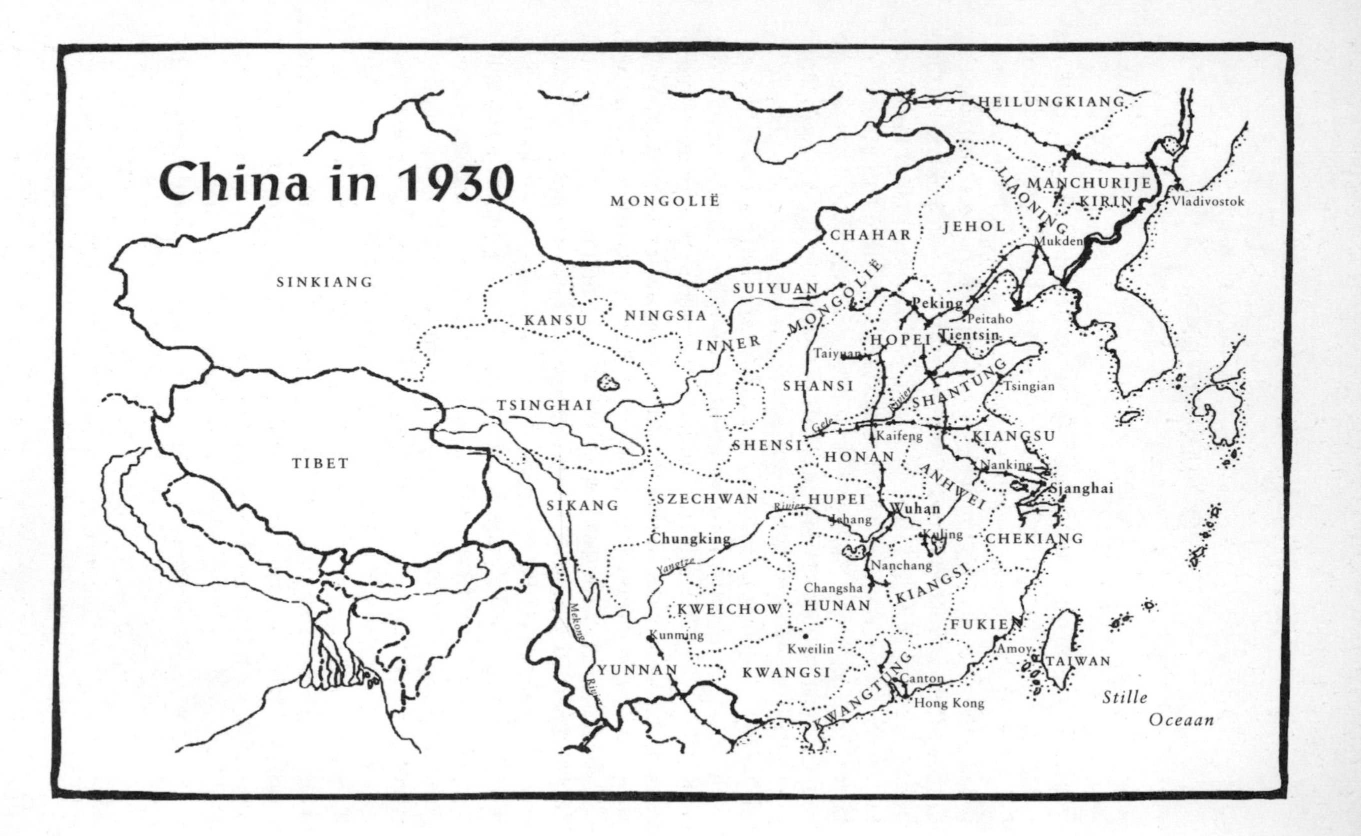
China in 1930
MONGOLIË
SINKIANG
TIBET
KANSU
NINGSIA
TSINGHAI
SIKANG
SUIYUAN
INNER MONGOLIË
CHAHAR
JEHOL
HEILUNGKIANG
LIAONING
MANCHURIJE
KIRIN
Vladivostok
Mukden
Peking
Peitaho
Tientsin
HOPEI
Taiyuan
SHANSI
SHANTUNG
Tsingian
Gele Rivier
Kaifeng
KIANGSU
SHENSI
HONAN
Nanking
ANHWEI
Sjanghai
SZECHWAN
HUPEI
Rivier
Ichang
Wuhan
Chungking
Kuling
CHEKIANG
Yangtze
Nanchang
Changsha
KIANGSI
KWEICHOW
HUNAN
FUKIEN
Mekong
Kunming
Kweilin
Amoy
TAIWAN
YUNNAN
Rivier
KWANGSI
KWANGTUNG
Canton
Hong Kong
Stille
Oceaan

CHRONOLOGIE

1840-'42	• Opiumoorlog. Groot-Brittannië dwingt China om buitenlandse handel te accepteren, in het bijzonder de opiumhandel.
1853-'64	• Taiping-opstand tegen Manchu-overheersing, de kop ingedrukt door Manchu-legers, geholpen door Britse beroepsmilitairen en Europese en Amerikaanse huurlingen.
1866	• Sun Yat-sen (oprichter van Kuomintang, of Nationalistische Partij, 1912) geboren in de provincie Kwangtung.
1882	• Exclusion Act verbiedt toegang van Chinese arbeiders tot Verenigde Staten.
1885	• Gewapende blanke mijnwerkers vallen honderden Chinese arbeiders aan in Rock Springs, Wyoming, achtentwintig Chinezen worden vermoord, vijftien raken gewond.
1894-'95	• Chinees-Japanse Oorlog. China verliest Taiwan aan Japan, erkent onafhankelijkheid van Korea.
1895	• Sun Yat-sen's eerste plan voor een opstand tegen de Manchu's wordt ontdekt. Sun vlucht naar het buitenland.
1900	• De Boxer-opstand. Geheim genootschap der Boxers leidt een Chinese opstand tegen de westerse mogendheden die wordt neergeslagen. Geallieerde represailles omvatten massa-executies, verpletterende schadevergoedingen, nieuwe concessies, gelegaliseerde buitenlandse garnizoensplaatsen tussen Tientsin en Peking.
	• Sun Yat-sen keert in het geheim uit Europa terug naar China, beraamt plan met revolutionaire studenten onder T'ang Ts'ai-ch'ang om Hankow van Manchu-overheersing te bevrijden. Het plan lekt uit. Sun Yat-sen ontsnapt naar Japan. T'ang Ts'ai-ch'ang wordt door Chang Chih-tung geëxecuteerd.

1903	• Chinese studentenactivisten roepen tijdens Nieuwjaarsviering in Tokio publiekelijk op tot omverwerping van het Manchu-regime.
1904	• Begin Russisch-Japanse oorlog.
	• Chinese Vrijmetselaars in San Francisco geven Sun Yat-sen redactionele leiding over hun krant, de *Ta-t'ung jih-pao*.
	• Sun Yat-sen vormt revolutionair Alliantie-genootschap in Tokio (naam in 1912 gewijzigd in Kuomintang).
	• Traditioneel Chinees examensysteem wordt afgeschaft.
1906	• Grote aardbeving en brand in San Francisco.
1908	• Dood van de keizerin-weduwe en de keizer.
1909	• Sun Yat-sen reist door Verenigde Staten om geld voor revolutie in te zamelen.
1911	• Op 10 oktober breekt in Wuchang de revolutie uit. Muiterij van Manchu-troepen.
	• 25 december, Sun Yat-sen komt aan in Sjanghai.
1912	• 1 januari, voorlopig parlement van Nanking kiest Sun Yat-sen tot president van de republiek China.
	• 12 februari, kind-keizer P'u-yi doet formeel afstand van de troon.
	• Sun Yat-sen trekt zich terug ten gunste van Yüan Shih-k'ai, de volgende president van de republiek China. Sun wordt directeur van de Spoorwegen.
1913	• 20 maart, Kuomintang-leider Sung Chiao-jen komt in Sjanghai bij een aanslag om het leven.
	• Zomer, Tweede (Republikeinse) Revolutie mislukt.
1914	• Begin van de Eerste Wereldoorlog.
	• Japan verovert Tsingtao, Duitse kolonie in China.
1915	• 18 januari, Japan presenteert de Eenentwintig Eisen aan China.
	• 12 december, Yüan Shih-k'ai probeert de monarchie te herstellen, met zichzelf als keizer.
1916	• Sun Yat-sen roept de Zuidelijke Provincies op tot de vorming van een revolutionaire regering in Kanton.
	• 22 maart, Yüan Shih-k'ai ziet af van zijn monarchie.

	• 6 juni, dood van Yüan Shih-k'ai. Vice-president Li Yüan-hung wordt president. • Begin van het tijdperk van de krijgsheren.
1917	• Augustus, de Pekinese regering in Peking en generaal Sun Yat-sen, leider van een zelfstandig, voorlopig regime in Kanton, verklaren Duitsland de oorlog. 175.000 arbeiders worden naar Europa gestuurd om de geallieerden te helpen.
1918	• 11 november, einde Eerste Wereldoorlog.
1919	• April, verdrag van Versailles kent Duitse concessies in China aan Japan toe. • Beweging van de Vierde Mei. Studenten in opstand, protesten tegen Verdrag van Versailles.
1921	• Oprichting Chinese Communistische Partij in Sjanghai.
1923	• Oktober, Michael Borodin komt aan in Kanton.
1924	• Kuomintang wordt met Russische hulp erkend. Kuomintang en Chinese Communistische Partij vormen voor het eerst een front. • Chiang Kai-shek wordt benoemd tot commandant van de militaire academie van Whampao. • Sun Yat-sen bereidt Noordelijke Expeditie voor met als doel de hereniging van China.
1925	• Maart, dood van Sun Yat-sen.
1926	• Noordelijke Expeditie onder aanvoering van Chiang Kai-shek tegen noordelijke krijgsheren gaat van start. • Kuomintang, geleid door linkervleugel en Michael Borodin, kiest Hankow als hoofdstad. • 5-8 december, Chiang Kai-shek en Michael Borodin proberen wapenstilstand te bereiken op ontmoetingen in Kuling.
1927	• Britse Settlements in Hankow en Kiukiang worden onder de voet gelopen door Chinese demonstranten en worden aan China teruggegeven. • Nanking-incident. Buitenlanders worden in Nanking door Chinese troepen vermoord en gemolesteerd. • 12-13 april, Chiang Kai-shek begint Witte Terreur, slachting onder linkervleugel in Sjanghai en zuidelijke provincies. Duizenden slachtoffers.

	• Juli, Michael Borodin vlucht naar de Sovjet-Unie.
1928	• Juni, Peking valt in handen van de nationalisten.
	• Oktober, Chiang Kai-shek vestigt nationalistische hoofdstad in Nanking.
1931	• September, invasie Japan in Mantsjoerije.
1932	• Januari, Japan valt Sjanghai aan.
1937-40	• Japanse legers veroveren West- en Centraal-China.
	• Nationalisten trekken zich terug in het westen, vestigen oorlogshoofdstad in Chungking.
1939	• Maart, Japanners beginnen bombardement op Chungking.
	• Tweede Wereldoorlog begint in Europa.
1941	• 7 december, Japanners vallen Pearl Harbour aan.
	• Verenigde Staten verklaren Japan de oorlog.
1945	• 6-8 augustus, Verenigde Staten gooien atoombommen op Hiroshima en Nagasaki.
	• 14 augustus, Japan capituleert.
	• Chiang verklaart communisten opnieuw de oorlog.
1946-49	• Tweede Burgeroorlog, door de communisten de Bevrijdingsoorlog genoemd.

PROLOOG

Over de drie klippen van mist
Daalt de kilte van augustus neer.
Dieren in het woud schreeuwen verschrikt.
Gele bladeren zijn getekend door wormen.
De herfst verrast deze oude man.
De stroom oversteken wordt zwaar.
Winden en wolken zijn van één aard.
Mijn dromen omspannen de vier bergen.

VERZOEK

Los Angeles (oktober 1941)

IK HEB EEN BRIEF VAN MIJN MAN. EEN KLEINE, GEKLEDE MAN MET een panamahoed op kwam hem een paar minuten geleden bij het hek afgeven. Hij was slank, met smalle schouders en een geelbruine huid, en toen hij mij zag deinsde hij terug. Mijn gemarmerde haar en bleekblauwe ogen waren duidelijk niet wat hij verwacht had. En toen ik mijn Chinese naam zei, *Liang Hsin-hsin*, vervlakten de tonen door gebrek aan praktijk. Maar hij reageerde met een minzame buiging en overhandigde me plichtsgetrouw de meegebrachte envelop. Hij zei dat hij hem van zijn neef had ontvangen, wiens naam me in het geheel niet bekender voorkwam dan de naam van de jongeman zelf. Maar zoveel begreep ik wel: met de oorlog in China zijn dergelijke menselijke ketenen de enig zekere manier om een boodschap over te brengen.

Hoewel ik wist dat het nutteloos was om op aanvullende informatie te hopen, vroeg ik mijn bezoeker toch binnen te komen voor een kop thee, alvorens naar de stad terug te keren.

Maar hij blikte wantrouwig naar de in terrassen aangelegde patio, het zwembad met de zwarte bodem, de witgewassen muren en terracotta daken van de uitgedijde villa in Spaanse stijl waar mijn dochter en haar man hebben besloten dat ik met hen moet wonen. Ik kon het hem niet kwalijk nemen. Hij moet hebben gedacht dat hij bij de schuilplaats van een of andere gangster of filmster terecht was gekomen. Ook voor mijn gevoel staat deze villa op de top van de heuvel net zo ver van de rest van de bewoonde wereld af als een wolk.

Aangezien de kinderen niet thuis waren om hem over te halen, liet ik mijn bezoeker gaan. Maar ik wachtte met het openmaken van de brief. De vorige was jaren geleden. Me nu te haasten leek nutteloos, en de zon was bezig onder te gaan.

Vanuit het gastenverblijf waar ik woon kan ik een dunne streep van de Stille Oceaan zien, boven de vormeloze wirwar van Los Angeles. Overdag verandert deze streep van groen in blauw in zilver in goud en dan, plotseling, in zwart. Natuurlijk ken ik beter dan wie ook de verbinding tussen deze glinsterende streep en de andere kant van de wereld, maar toch vertrouw ik er nog op dat de zon, nadat hij elke avond over de rand is geglipt, weer verslag aan mij komt uitbrengen. Wanneer de hemel boven die donkere horizon vlam vat, voel ik me gerustgesteld dat Paul de gloed van de andere kant als morgenrood ziet.

Nu trek ik de gordijnen dicht en onderzoek de brief. Onder het schijnsel van mijn bureaulamp ziet de envelop er verfomfaaid uit, groezelig door het vet van honderd handen. Maar het papier erin bevat alleen het handschrift van mijn man. Het is verzonden vanuit een genummerde flat in Chungking en gedateerd op 2 april, mijn verjaardag een half jaar – nee, *tweeënhalf* jaar geleden. Ik staar naar het jaartal, 1939, met een eigenaardig mengsel van verdriet en afkeuring, alsof de langdurige vertraging die dit levensbericht heeft opgelopen op de een of andere manier onze eigen schuld was. Ik weet dat alleen de oorlog en de tijd, de geografie en de geschiedenis hier debet aan zijn, en toch was mijn onvermogen om die bijzondere tegenstrevers als zodanig te accepteren altijd ons grootste probleem. Nu weet ik niet hoe ik verder moet gaan. Hoeveel relevantie kunnen woorden die tweeënhalf jaar geleden geschreven zijn vandaag nog voor mij hebben?

Maar de dringende gepenseelde letters stijgen ver uit boven de jaartallen boven aan het blad. Pauls handschrift is zo herkenbaar in deze scherpe halen, ik zie gewoon voor me hoe hij voorover geleund aan tafel zit, de ogen samengeknepen van inspanning achter hun ronde glazen, een strook grijs haar boven zijn oren, de wijde mouwen van zijn gewaad uitwaaierend vanaf zijn schouders. Hij schrijft Engels als de vreemde die hij geworden is, onhandig met zijn kalligrafeerpenseel, en niet op het elegante rijstpapier waar hij ooit op gestaan zou hebben, maar op ruwe vellen papier, uit schrijfblokken van de overheid gescheurd. Voor ik het eerste woord lees, voel ik alles wat hij mij bespaard heeft door mij weg te zenden. Door mij toe te staan weg te gaan. Na een scheiding van bijna tien jaar weet ik nog steeds niet wat het nu eigenlijk geweest is.

Hij schrijft dat we alles kwijt zijn van wat we samen opgebouwd hebben. Alles wat hij bezat. Hij is aan de bombardementen en vuurstormen ontsnapt, en door China gevlucht met slechts één tas met zomerkleding en de shetland-deken die ik hem onze eerste kerst in Sjanghai had gegeven. Hij heeft de Japanners, de communisten en de verschroeide-aardepolitiek van Chiang overleefd, net zoals hij de zwarte lijsten en moordbrigades heeft overleefd die het tijdens onze jaren samen regelmatig op hem gemunt hadden. Ik was degene die niet kon overleven.

Maar nu worden zijn penseelstreken onvast. Hij schrijft de taal van de rouw.

> Liefste Hope, hier is alles weg voor mij, alles veranderen. Ik weet niet hoe ik moet doen in de toekomst. Ik denk als ik naar jou kom, zal nu beter zijn. Alleen zoveel tijd verstreken. Houd je nog plaats voor mij in je hart, je huis? Ik weet pas zeker als jij antwoord. Ik wacht je antwoord af,
> Je man, Paul

Het licht flikkert. Tweeënhalf jaar. Ik staar met droge ogen naar de brief, zonder nog te lezen. Gelach bij het hek wijst erop dat de kinderen terugkomen. Ik weet niet of, of wanneer, of wat ik hun vertellen zal. Zelfs niet of ik het hun wel moet vertellen. Dus doe ik de lamp uit. Laat ze maar denken dat ik slaap, mama heeft haar rust nodig. Mijn dochter paradeert tegenwoordig rond als 'Euraziatisch' sterretje en haar sombere jonge echtgenoot onderhoudt ons van zijn vaders beleggingen in de spoorwegen. Ze vinden me oud nu ik zestig ben. Ze denken dat mijn moeilijkste keuzes gemaakt zijn. Ze kennen mij niet beter dan ik de man ken die deze brief geschreven heeft.

Toch weet Paul wat zijn antwoord moet zijn. Hij herinnert zich wanneer onze geschiedenis begon... en ik ook.

DEEL EEN

Driehonderd witte strengen worden hooggehouden.
Samen vallen ze als de wortels van wolken,
Splijten het klif en springen uit de lucht,
Hangen stromen tussen de rotsen.
Yin en Yang vormen tweelingtorens,
Mist en nevel mysterieuze poorten.
De dronken hemel weeft zijn zomerbrokaat,
Berggeesten durven het niet te beroeren.

1

MEETING

Berkeley, Californië (1906)

I

IK HERINNER ME DAT DE JONGE VROUW DIE IK TOEN WAS NIET VAN plan was haar vijfentwintigste verjaardag te vieren. Hope Newfield gaf er de voorkeur aan haar leeftijd voor zich te houden, en die dag was sowieso te heet voor festiviteiten. Onredelijk heet, vond ze. Berkeley in april zou of kil en winderig moeten zijn of in nevels gedompeld. In plaats daarvan kon Hope vanaf de veranda van het huis waar ze inwoonde stofdeeltjes zien glanzen als pyriet. Het gazon bood een verdorde aanblik, en alle vocht waar het om smeekte stroomde door de plooi tussen haar opgesloten borsten, plakte dat oude baleinkorset aan haar rug en smoorde haar voeten in hun nette maar ondraaglijke zwarte rijglaarsjes.

'Veel jongere meisjes,' zei Eleanor Layton, met een blik over Hope's schouder op de brief in haar schoot, 'zouden er alles voor over hebben om met professor Chesterton te trouwen.'

Terwijl Hope op haar volgende student zat te wachten, had ze haar vaders verontschuldigingen voor haar verjaardag gelezen. Hij verklaarde dat de goudmijn in Oregon die hij in 1904 had gekocht waarschijnlijk geen echte was. *Mijn meisje, ik beloof je, met kerst heb ik een kleinigheidje om jouw kant uit te sturen. Moeilijke tijden, maar dankzij jouw professor Chesterton ben jij tenminste in goede handen...*

Eleanor deed een stap terug, wiegde haar grijze pompadourkapsel en zwaaide met haar heggenschaar. 'Als je nog veel langer wacht, Hope, ben jij er straks nog slechter aan toe dan ik. Mijn lieve man mag er dan niet meer zijn, maar ik heb mijn herinneringen.'

En een riant inkomen, en onroerend goed, dacht Hope. En

daarmee de wetenschap dat ze niet alleen tot de society van Berkeley behoorde, maar er met open armen door werd binnengehaald. Haar hospita was een bemoeizieke weduwe van middelbare leeftijd. Ze was nauwelijks groter dan Hope, maar wel vele malen breder. Ze had een voorkeur voor crinoline schouderjurken en fluwelen hoeden, en leverde onophoudelijk strijd met haar overgewicht. Hope deed erg haar best om haar met mededogen of humor op te nemen, in plaats van zich aan haar te ergeren – vijf dollar huur was een schijntje dat ze zich niet kon veroorloven te verspelen – maar de bemoeizucht van Eleanor begon wel vervelend te worden.

De hospita plukte de gele blaadjes van haar gardenia. 'Weet je,' zei ze, alsof ze plotseling een ingeving kreeg, 'je kunt het niet beter treffen.'

Hope rolde met haar ogen. 'Of ik het wel of niet beter kan treffen, is niet belangrijk.'

'O, is dat niet belangrijk!' riep Eleanor. 'Nou, als het liefde is waar jij op uit bent, zou ik me maar haasten. Liefde is een spel voor jong en mooi, en de spiegel, mijn liefste, liegt nooit.' Ze knipte met haar schaar om haar woorden te onderstrepen en smeet de hordeur achter zich dicht toen ze naar binnen ging.

'Ook gefeliciteerd,' fluisterde Hope. Opstandig wendde ze zich tot haar spiegelbeeld in het raam van de salon.

In een gewone spiegel lieten haar heldere blauwe ogen en de bleekheid van haar huid geen twijfel bestaan over haar 'schoonheid'. Helaas haalde het lichtspel in deze donkere ruit de kleur uit haar huid, terwijl het de dubbelzinnigheden van haar gezicht alleen maar benadrukte. Maar, zo stelde ze zichzelf gerust, haar gebogen neus kon net zo goed de erfenis zijn van Engelse of Romeinse voorouders, als van haar Irokese grootmoeder – die allang dood was voor Hope geboren werd. En haar haar, hoewel donker, was dun en golvend zoals ze nog nooit bij een indiaan gezien had. Als haar afkomst niet algemeen bekend was geweest onder de jongens in Fort Dodge, zouden ze het zeker nooit geraden hebben. En hier in Californië had zelfs Eleanor Layton er geen idee van dat ze deels inheemse was. Nee, de spiegel liegt nooit, dacht Hope. En dat was precies de reden dat ze zich nergens zorgen over hoefde te maken.

'Halloooo!'

Ze keek op, verbaasd door de nonchalante toon van de begroeting. Maar toen ze een hand boven haar ogen hield zag ze dat het niet de nieuwe student was, maar Collis Chesterton die om de treurwilg onder in de tuin kwam aanlopen. Ondanks de hitte droeg hij zijn karakteristieke tweedpak en bolhoed, en bewoog hij zich met lompe precisie voort, alsof zijn bovenlijf in wankel evenwicht op zijn middel rustte. Hope zag dat zijn recente reisje naar Los Angeles zijn neus en voorhoofd hadden verbrand.

Ze stond op toen hij boven aan de trap was. 'Ik had je niet zo snel terug verwacht!'

Hij pakte haar hand beet en drukte er een kus op die meer snor dan mond was. 'Ik heb me weer terug gehaast.'

'O ja,' zei ze. Hij liet haar los. 'En... hoe ging het gesprek?'

'Fantastisch!' Hij grijnsde, en stak zijn duimen in zijn vestzakjes. 'G.R. Granville – die bouwkoning uit Pasadena over wie ik je heb verteld – die heeft vijfduizend dollar ter beschikking gesteld voor een afdeling die hij...' – hij schraapte zijn keel – '...Moderne Oostenrijks-Germaanse Studies noemt. Granville heeft besloten dat Oostenrijk *de* wieg is van de twintigste-eeuwse beschaving.'

'En jouw rol...?'

'Wat zou je zeggen van decaan?'

'Ik denk gefeliciteerd.'

'Dank je, mijn lieve.' Hij maakte een hoffelijke buiging.

'Anders zou ik je wel binnen vragen, Collis, maar ik verwacht die nieuwe student. Meneer Liang, weet je wel?'

'Ja. Eigenlijk...' Hij trok een gele zakdoek uit zijn borstzak en snoot zijn neus. 'Dat is een van de redenen van mijn komst, om je te waarschuwen. Ik heb gehoord dat het een reltrapper is.'

Als faculteitsadviseur en haar tussenpersoon voor de Aziatische studenten die ze Engelse les gaf, had Collis belang bij dit soort zaken, maar zijn timing vandaag maakte haar wantrouwig. 'In welk opzicht?' vroeg ze.

'O, niks bijzonders. Oosterlingen en hun mystieke culten en intriges. Maar je kunt maar beter op je hoede zijn, hoor.'

Hope wist daar weinig van. Van haar tien Chinese en Japanse studenten had er niet een haar ooit recht aangekeken of haar de hand geschud. En vragen over hun persoonlijke leven of geloof werden onveranderlijk met één lettergreep beantwoord.

'Is meneer Liang dan een mysticus?'

'Nauwelijks! Meer een moderne Chinees, hij noemt zichzelf republikein. Hij wil de keizer afzetten. Anderen noemen hem een verrader.'

'Aha.' Hope had in *Harper's* een en ander gelezen over deze revolutionairen die onder leiding van Sun Yat-sen campagne voerden om van China een democratie te maken. Meneer Liang leek haar wel een interessante man.

Collis deed een stap naar haar toe. 'Het is al drie weken geleden, Hope.'

Op dat moment kraakte binnen een vloerplank en de lijvige schaduw van Eleanor trok zich terug van de hor. Hope pakte de elleboog van haar vriend en nam hem weer het trapje mee af.

'Ik heb erover nagedacht,' zei ze, net zozeer tegen zichzelf als tegen Collis.

'Nou, dat mag ik hopen!'

En de manier waarop hij boven haar uittorende beviel haar wel degelijk. Hij was knap, sterk, talentvol, gerespecteerd. Het zou heel makkelijk moeten zijn om ja te zeggen. Maar bij nadere beschouwing rook Collis Chesterton naar vleeswaren, en hij was altijd zo *overtuigd* van alles... vooral van zijn toekomst met haar.

'Het spijt me, Collis,' zei ze. 'Maar hij kan elk moment hier zijn.'

Hij trok aan zijn oor, de ogen op het dorre gras gericht, en knipte toen met zijn vingers. 'Ik heb het mooiste nog niet eens verteld! Granville wil dat ik deze zomer een studiereis naar Europa maak. En toen ik *onze* plannen noemde opperde hij dat jij maar met mij mee moest gaan als mijn eh – nou ja, onderzoeker. Op kosten van de afdeling, begrijp je. Gewiekste ouwe rakker, zei dat ik het maar als zijn huwelijkscadeau moest beschouwen.'

'Collis...'

'Nee, nog niks zeggen. Ik kom over een paar dagen langs.'

Toen hij voorover leunde en een kus op haar wang plantte, zocht, nee, hunkerde Hope naar een greintje gevoel dat ze met hartstocht zou kunnen associëren. Het enige wat ze voelde waren zijn bakkebaarden.

Toen hij uiteindelijk vertrokken was, nam ze haar plaats op de veranda weer in en probeerde een artikel te lezen in *Lesley's Weekly* over het veranderende leiderschap van de Associatie voor Vrouwenkiesrecht. Maar zoals zo vaak na een bezoekje van Collis, gingen haar gedachten al gauw weer terug naar de ware reden waarom ze zoveel moeite had om zijn aanzoek te accepteren. Zijn naam was Frank Pearson.

Tegen Frank zou Hope zonder meer ja hebben gezegd – en dat had ze geweten vanaf het allereerste moment dat ze hem zag, nu vier jaar geleden. Hij was toen in Adeline Street gestopt om een jongetje te helpen dat van een rijdende wagen was gevallen. Frank was sterk en warm, een arts vol medeleven met een onverzadigbare honger naar boeken en verkenningsreizen. Samen waren ze de Oakland Hills ingereden en helemaal langs de kust naar Albany gelopen. Op een dag hadden ze een boot gehuurd en waren ze om de punt naar Cliff House gevaren en verder, helemaal tot aan het eind van het schiereiland, zo ver dat ze in het donker terug moesten, navigerend bij maanlicht. Maar al die tijd dat ze samen waren had Hope nooit ook maar een zweem van bezorgdheid of angst gevoeld. Franks bescherming was als een handschoen geweest die haar stevig vasthield, haar warm en droog hield, en haar toch alle bewegingsvrijheid liet. Hij vond dat vrouwen kiesrecht moesten hebben. Hij beschouwde educatie als een doel voor het leven. Hij vond dat de wereld er was om ontdekt te worden en dat er niets zo verstikkend was als de zelfgenoegzaamheid van de Amerikaanse high society. Dat laatste bracht Hope op het idee om hun relatie op de proef te stellen. De ultieme proef. Nadat ze Frank geheimhouding had laten zweren, onthulde ze dat haar moeders moeder een indiaanse was. Frank had gereageerd door haar in zijn armen te nemen en lachend te zeggen dat hij altijd al had gevonden dat er *iets* heel mooi aan haar was. Frank Pearson, zoon van een staalbaron uit Baltimore, bood Hope het verrukkelijke vooruitzicht dezelfde elementen van de society die haar minachtten met de nek aan te zien, en tegelijkertijd in hun kringen te trouwen.

De volgende avond werd Frank naar de Barbary Coast gestuurd om een paar mensen op te lappen die gewond waren geraakt bij een vechtpartij in de haven. Een stuwadoor trof hem de volgende ochtend aan met een harpoen door zijn keel.

Na Franks dood verscheen Hope voor het eerst weer in het openbaar op een bijeenkomst voor vrouwenkiesrecht. En hoewel iedereen juichte en danste bracht de uitzinnige menigte haar tot tranen. In haar haast om weg te komen liep ze blindelings Collis Chesterton tegen het lijf, en hij stond erop dat zij het weer goedmaakte door hem toe te staan haar op een kop koffie te trakteren. Toen hij hoorde dat ze zojuist was afgestudeerd op Mills College en zelf in haar onderhoud kon voorzien door overdag les te geven aan verwende rijke kinderen en in de avonduren aan immigranten, nam hij aan dat haar wanhoop een financiële oorzaak had. Hij legde uit dat hij als de facto adviseur voor de Aziatische studenten van de universiteit (hij doceerde Europese, geen Aziatische geschiedenis en viel in omdat er verder geen gegadigden waren) altijd op zoek was naar bekwame leraren Engels. Hoewel Hope geen woord Chinees of Japans sprak, stelde Collis haar gerust: die kennis zou er alleen maar toe leiden dat ze de jongens ging verwennen. Hij beloofde ook dat ze in ieder geval een inkomen van tien dollar of meer per week zou hebben – bijna het dubbele van wat ze tot dan toe had verdiend.

Ze had Collis nooit over Frank Pearson verteld, en zijn geflirt nooit uitgelokt, maar dat ze het werk had aangenomen was voor hem al voldoende. Na een jaar nam hij haar mee naar de schouwburg, naar lezingen en concerten in het park. Na twee jaar begon hij bepaalde 'bedoelingen' te suggereren. Toen zij terloops opmerkte dat ze er 'alles voor over zou hebben' om door Europa te reizen, beloofde Collis haar dat hij haar mee naar Wenen zou nemen – als zij hem haar hand schonk.

De *Leslie's* gleed van haar schoot en viel open op de advertenties achterin: combinatiewasmachines en Acme ovens, verzilverde theeserviezen, croquetsets. Geborduurd beddengoed en antimakassars. Veiligheid. Comfort. Kinderen. Een huis. Wat Collis haar allemaal graag zou geven.

Ze sloot haar ogen en luisterde naar haar eigen verwarde ademhaling. Een ekster zong. Een eekhoorn kwetterde. Wagenwielen rolden de heuvel op, begeleid door het zware geklepper van paardenhoeven. Maar opeens voelde ze een verandering. Een fractie van een seconde maar, iets dat zo klein was dat het duizend van de duizend-en-één-keer onopgemerkt bleef, alleen nu luisterde ze. Wat was het? Een stroom koelere lucht die de bries veranderde? Een opstijgende leeuwerik? Of iets nog subtielers, zoals het schuiven met licht van de tijd. Wat het ook was, ze keek op en ontdekte dat ze werd gadegeslagen.

Gewoonlijk zou ze van zo'n ontdekking schrikken – zou iedereen ervan schrikken, zo stilletjes als ze was benaderd. Toch voelde ze geen verwarring, noch angst of verrassing, zelfs niet de normale werveling van verlegenheid. Hij stond onder aan de trap – lang en slank met sluik zwart haar dat kort geknipt was, met oren als schelpen en een huid die de kleur had van zand. Zijn gezicht, gedomineerd door hoge, gladde jukbeenderen, was breed en hoekig bij het voorhoofd, maar versmalde geleidelijk tot een zachte kin. Neus iets te delicaat voor het brede gezicht. Gewelfde lippen – een vraag talmde – en tedere ogen onder vage wenkbrauwen. Hij droeg geen pak maar een donkerblauw jasje dat slecht combineerde met zijn grijze broek en grijsgroene das. Zijn witte overhemdkraag rees op als een paar vleugels, en hij hield zijn bolhoed tussen vingers die zo lang en zacht waren dat ze haar aan veren deden denken.

'Miss Newfiel.' De stem verbrak niet de stilte tussen hen maar bewoog zich eroverheen, laag en zinnelijk, en zijn uitspraak van haar naam gaf er een soepelheid aan die zowel onschuldig als verleidelijk was.

'Ja?' Ze liep naar de trap.

'Ik ben Liang Po-yu.'

'O?' De jongeman die naar haar had staan kijken leek in niets op de student die ze verwacht had. 'Het spijt me, Mr. Liang, ik had niet door... Alstublieft, komt u boven. Ja. Ik ben Hope Newfield.'

Het was het korte haar, in een scheiding gekamd, waar ze door misleid was. Ze was gewend aan hoog opgeschoren voorhoofden en lange onderdanige paardenstaarten. Haar studenten hadden haar verteld dat ze door hun Manchu-overheersers zouden worden geëxecuteerd als ze zonder staartvlechten naar China terugkeerden. Maar goed, dat waren dan ook geen revolutionairen.

Ze wilde buigen... maar aarzelde. Hij stak zijn hand uit. Ze nam die aan, maar hij leek de kunst van het handenschudden niet te beheersen, want hun vingers bleven al gauw ergens haken tussen de Amerikaanse en de Europese manier van aanraken. Ze lachte, en keek op om hem aan te kijken.

Op dat moment hoorde ze Eleanor aan de andere kant van het huis vals neuriën. Eleanor, die volhield dat zelfs de meest geleerde Chinezen, in laatste instantie, hopeloze gokkers en leeglopers waren. Hope liet meneer Liang snel los en ging hem voor naar binnen, langs een muffe gang vol portretten van de familie van de weduwe, het kantoor binnen dat Hope tot haar domein had gemaakt.

Een zacht briesje blies de witte kanten gordijnen naar binnen. Een bureautje met lederen blad, stoelen met hoge rugleuningen en geborduurde zittingen, en een lichtblauwe divan vulden een kant van de kamer. De andere kant werd gedomineerd door een ronde walnoten tafel met genoeg ruimte voor boeken, schrijfpapier en een vol theeservies. Misschien omdat het minder intimiderend was om alleen van top tot taille met een vrouw te maken te hebben, leken de meeste studenten van Hope het prettiger te vinden aan de tafel te werken dan in het zitgedeelte. Maar meneer Liang ging op de divan zitten. Hope nam de stoel tegenover hem.

'Alstublieft.' Hij stak haar een envelop toe. Ze zag dat zijn vingers misleidend waren. Hoewel zacht en slank over de hele lengte bleken de vingertoppen stomp, met tot in het vlees afgebeten nagels.

Afgezien van het rode zegel onder aan het papier was de introductiebrief van meneer Liang keurig in blokletters in het Engels op doorschijnend rijstpapier geschreven. Ze las de eerste zin drie keer over voor de woorden begonnen door te dringen.

> 18 juni 1903
> Zeer eerwaarde heer,
> Deze brief introduceert u meneer Liang Po-yu, zoon van Liang Yu-sheng, eerbiedwaardige onderkoning van Kanton. De voorvaderen van de familie Liang resideren in Wuchang, provincie Hupei, China.
> Meneer Liang Po-yu, met de titel van Yu-fen, werd geboren in een zeer geleerde familie. Hij bekwaamde zich in de klassieke studies vanaf jonge leeftijd. Toen hij zijn adolescentie bereikte werd hij toegelaten tot twee universiteiten in de provincies Hunan en Hupei waar hij in het bijzonder uitblonk in de geschiedenis van etnische groepen zoals de Liao, de King en de Yuan, en in de geografie van Noordwest-China. Meneer Liang studeerde Engels en Russisch en schreef drie dichtbundels voor hij naar Hong Kong en Japan ging om zijn studies voort te zetten. Nadat hij zestien delen geschiedenis had geschreven over de oorlogen van het Hemelse Rijk van Taiping, keerde meneer Liang terug naar China om zich te onderscheiden in de Latijnse studie aan de Chentan Universiteit. Hij was toen nog geen zesentwintig. Op dit moment staat meneer Liang op het punt zich in te schepen voor een reis naar de Verenigde Staten om aan de Universiteit van Californië te studeren. Hij zal zijn familie en zijn land zeker tot eer strekken tijdens zijn studies in Amerika.
> Alstublieft verwelkomt u deze gewaardeerde geleerde in uw grote land.
> Allernederigst,
> Ma Hsiang-po Docent Latijn, Chen-tan Universiteit

Toen Hope opkeek, was hij haar weer aan het opnemen. Ze sloeg haar ogen neer. *Hij was toen nog geen zesentwintig*. Was dat wel mogelijk? Die baardeloze huid, zo lang en slank als hij was... Toch moest hij zeker dertig zijn om alles te hebben bereikt wat in deze brief stond. Als maar de helft waar was, zou hij op Berkeley intellectueel gezien iedereen ver achter zich laten!

'Dit kan niet.' Met een nadrukkelijk gebaar gaf ze het papier aan hem terug. 'Ik ben niet geleerd genoeg om u les te geven, meneer Liang.'

'O nee! Ik ben niets.' Hij leunde voorover, en ze was bang dat hij misschien zijn hand zou uitsteken en haar weer zou aanraken. In plaats daarvan sloeg hij de brief tegen zijn handpalm. 'Deze woorden niet waar!'

'Natuurlijk zijn ze waar.'

'Ik ben niet goed, geen parade...' Hij viel stil, maar begon vrijwel meteen weer te praten. 'Te veel ik weten... zou meneer Ma niet moeten schrijven – *pu chih i t'i!*'

Ze zou het voor een pose hebben aangezien als hij niet zo rood was geworden en was gaan snuiven. Hij trok een brilletje uit zijn zak, frummelde de stangetjes om zijn oren en vouwde met trillende handen de brief uit, als om haar de leugen aan te wijzen.

'Alstublieft. Het is in orde. Ik haal de thee.'

Ze ontsnapte naar de keuken, waar ze haar duim aan de ketel brandde en de suikerlepel op het linoleum liet kletteren, terwijl vanuit de tuin Eleanors bezielde vertolking van 'Castles in the Air' naar binnen zweefde.

Liang Po-yu had meer dan een jaar in Amerika gewoond, maar nooit had hij zich meer geschaamd voor zijn slechte beheersing van de Engelse taal dan deze paar minuten. Toen Chesterton hem verteld had dat zijn leraar een vrouw zou zijn, had Po-yu zich een oudere dame voor de geest gehaald met vastgeplakt haar en kille ogen en enorme kamelenvoeten. Hij had de schaamte tegenover zo'n *yang kueitsu* nog wel kunnen verdragen, dacht hij, maar nu schaamde hij zich niet alleen, maar was hij ook nog woedend.

Vanaf het moment dat hij Hope Newfield voor het eerst had gezien, vanaf het tuinhek, had hij gevochten tegen een druk in zijn borst, als de deksel van een doos waaruit iets gevaarlijks dreigde te ontsnappen. Dat was nog bijna gelukt ook toen zijn woorden over zijn lippen rolden. Nu, terwijl zij zich bezighield met de thee, herinnerde hij zich het verhaal dat zijn scheepsmaten hem hadden verteld over een geleerde uit Kwangsi die tijdens een bezoek aan Amerika gevoelens had ontwikkeld voor de dochter van een brandweerman in San Francisco. De vader was argwanend geworden en droeg zijn ploeg op om de geleerde te kidnappen, en hem bij zijn polsen en staartvlecht aan de achterkant van de brandweerwagen vast te binden. Vervolgens hadden ze, voor zonsopgang, een paar uur lang door de heuvels van de stad gereden. Ze waren pas gestopt toen het haar van de geleerde van zijn hoofd getrokken was en de stalen kabels waarmee zijn polsen waren vastgebonden de handen van zijn armen hadden getrokken. Toen hadden ze hem midden in Chinatown laten liggen, waar hij was doodgebloed.

Maar er waren ook andere verhalen, die Po-yu gehoord had van mensen die hij veel meer respecteerde dan die lafaards op de boot. In Hong Kong was hij jaren geleden de volgeling geworden van een oudere man genaamd Jung Ch'un-fu die was afgestudeerd aan Yale, de eerste Chinees die een Amerikaanse graad had behaald. Jung was getrouwd met de dochter van een senator uit Connecticut, die hem voor haar vroege dood twee Amerikaanse zonen had geschonken. Toch had Jung nog patriottische gevoelens gehad. Hij reisde vaak naar China om met de buitenlandse mogendheden te onderhandelen over modernisering van zijn vaderland. Jung was een man van de wereld, dacht Po-yu, en hoewel het niet eenvoudig voor hem kon zijn geweest om een blanke vrouw uit zo'n hoge klasse te beminnen en te trouwen, was het hem toch gelukt, en misschien had hij zelfs baat gehad bij zijn huwelijk. Twee decennia na haar dood had de tachtigjarige Jung opgebiecht dat hij nog steeds elke dag om zijn vrouw rouwde.

Po-yu schudde zijn hoofd en riep zichzelf tot de orde. Hij had zoveel dwaasheid tentoongespreid dat Miss Newfield zo'n beetje de kamer was uitgevlucht om bij hem weg te komen, en hij zat te fantaseren over een huwelijk!

'Ik spreek als kind,' verontschuldigde hij zich toen ze terugkwam. Ze gingen tegenover elkaar aan de ronde, donkere tafel zitten, en de thee die ze had gebrouwen smaakte naar vergaan gras. Dat hielp om zijn schaamtegevoel te beteugelen.

'Meneer Liang, in dit land is het gebruikelijk om de persoon met wie men in gesprek is aan te kijken.'

Zijn blik kroop omhoog tot aan de witte ruche bij haar keel.

'Heb u ook eigen boeken meegenomen naar Amerika?'

Hij begreep het niet.

'De gedichten en geschiedenis waar meneer Ma het over had.'

'O. Ja. Een paar.'

'Die zou ik graag willen zien.'

Hij keek net lang genoeg op om te zien dat haar blauwe ogen glimlachten.

'Collis zegt dat u republikein bent,' ging ze verder.
'Collis.'
'Meneer Chesterton.'
'O.'
'Hij zegt dat u het niet eens bent met het keizerlijke systeem. Maar is het niet zo dat dat het enige systeem is dat China ooit gekend heeft?'
Hij knikte langzaam. Collis, noemde ze hem.
'Denkt u dan dat er een revolutie zal komen? In uw land?'
Uw land. Mijn land. Hij zag hen beiden voor zich, lachend, breed gebarend. Deze Amerikaanse schoonheid en die barbaar met die rode bakkebaarden, Chesterton.
Ze praatte maar door: 'Ik weet gênant weinig van China. Maar ik heb de indruk dat onze landen enorm van elkaar verschillen. En het zou zo'n radicale verandering zijn. Denkt u echt dat China rijp is voor democratie? Collis...'
'Ja! Ik denk!'
Ze keek hem recht in de ogen. 'Ik wilde u niet beledigen.'
Hoewel haar expressie verontschuldigend noch vernederend was, kon hij haar blik niet verdragen. 'Meneer Chesterton wil dat,' zei hij.
Ze wreef over de tafel met haar duim. Na een korte stilte antwoordde ze: 'U hebt gelijk. Maar het is niet echt gemeen bedoeld... Collis is niet tot gemenigheid in staat. Het is meer zijn – beperktheid...'
Maar hij merkte dat ze zich verontschuldigde. Ze voelde zich verlegen. '*Che shih wo te pu tui*,' zei hij, terwijl hij naar voren leunde. 'Ik spreek te scherp. Mijn vriend zegt ik leen problemen.'
'Meneer Liang, hoe akelig de waarheid ook zijn mag, dat maakt haar niet minder waar.' De pot beefde toen ze de kopjes volschonk, die ze niet aanraakten. Ze presenteerde hem een wafel van een zilveren schaal, die hij aannam maar niet proefde. Uiteindelijk brak ze de spanning met een schrille lach. 'O, wat kan mij het schelen wat Collis denkt! Vertelt u me eens over China.'
Hij haalde diep adem en deed zijn verhaal, of probeerde dat althans, in zijn lukrake Engels. Het keizerlijke systeem moest ten val worden gebracht, legde hij uit, want elke keer dat de westerlingen hun geweren op hen richtten gaf de keizerin-weduwe alles wat ze vroegen – zelfs als dat betekende dat ze er hele provincies voor moest uithongeren. Buitenlanders hadden de spoorwegen, mijnrechten, douane en havens van China in handen, en elke keer dat

de heersende Ch'ing-dynastie geen geld meer had, schreven de westerse mogendheden nieuwe leningen uit tegen hogere rentes. En zo kregen ze steeds meer macht over de Ch'ing-regering. Chinese mensen hadden geen rechten.

Toen ze vroeg waarom hij, als hij er dan zo over dacht, naar het land van de vijand was gekomen om te studeren, knikte hij instemmend. Chinezen stellen die vraag wel vaker, maar het was hem nog nooit door een westerling gevraagd. Hij legde uit dat alhoewel hij van zijn land hield, hij het gevoel had dat China zich pas tegen de buitenwereld kon verdedigen als zijn leiders de moderne technologie, politiek en oorlogsvoering beheersten. En de Han-meerderheid van China die meer dan twee eeuwen onder Manchu-tirannie had geleefd, kon pas weer de macht overnemen als ze dezelfde principes van zelfbestuur en zelfbeslissingsrecht hanteerden die Amerika tot wereldmacht hadden gemaakt.

Ze daagde hem uit. 'De Amerikaanse revolutie was vreselijk bloedig. En hij werd gevolgd door de Burgeroorlog, die zelfs nog meer levens heeft gekost.'

'Ah.' Hij zuchtte. 'U wilt vrederevolutie.'

'Ik wil een *vredige* revolutie,' corrigeerde ze hem. 'Hier...' Ze knikte naar een lelijke bruine mot die zich op de schaal met wafels had genesteld. 'Laten we zeggen dat dat de vijand is, en ik wil van hem af.' Ze legde een hand over het insect en droeg de schaal naar het raam. Toen ze zich omdraaide was de mot verdwenen. 'Revolutie voltooid!'

Hij grinnikte. 'Gelukkig insect geen geweer.'

'Ai, daar zit hem de kneep.' Ze lachte. Een stralend lachje.

Heel even zaten ze als ondeugende kinderen bij elkaar. Toen, net als een kind, verloor hij zijn gêne.

Hij stak een hand in zijn jaszak.

'Wat is dat?'

'Mijn krant. *Ta T'ung Jih Pao*. Chinatown Free Press. U kunt Chinees lezen, alstublieft geef mening.'

'Uw krant?'

Hij knikte, en stopte haar de krant toe. 'Ik ben redacteur.'

Maar hoe langer ze naar de krant staarde, hoe mismoediger hij werd.

Voorzichtig draaide hij de pagina's om. 'Chinezen lezen zo. Achter voor. Rechts links.'

'O! Sorry hoor.' Ze bracht haar pols naar haar mond, en toen ze opkeek zag hij dat haar wangen gloeiden. Ze had alleen maar uit beleefdheid naar zijn boeken geïnformeerd, om hem op zijn gemak te stellen. Ze kon ze niet lezen.

'*Mei yu kuan hsi*, hoe u kunt weten?' Hij nam de krant weer aan, vouwde hem op en stopte hem in zijn zak.

'Meneer Liang,' zei ze zachtjes, 'ik geloof niet dat ik geschikt ben om u les te geven, maar ik zou vereerd zijn als u het me wilde laten proberen.'

Hij boog zijn hoofd. 'Dank u, Miss Newfield.' Hij beet hard om de juiste *d* te produceren, en voegde eraan toe: 'Ik vind niet leuk als kind praten.'

Een glimlach trok aan haar mondhoeken. 'Dat begrijp ik.'

En zo spraken ze af om elke maandag- en donderdagmorgen bij elkaar te komen. Hij vroeg of ze hem wilde vereren met een Amerikaanse naam. Ze antwoordde dat dat een grote verantwoordelijkheid was, maar dat ze erover na zou denken.

2

'GEEF ME HET GROEN EENS AAN,' ZEI MARY JANE LOCKYEAR.

Hope schoof het blik met klosjes over het spandoek naar haar toe. GELIJKE BELONING VOOR GELIJK WERK zou de satijnen tekst luiden als ze klaar waren. Maar het was al na negenen. De laatste trolleybus uit Oakland vertrok om tien uur, en ze waren nog niet half klaar.

'Jij blijft hier slapen,' zei Mary Jane, die haar gedachten gelezen had. 'Heb je een les morgenvroeg?'

Hope knikte en schudde haar hoofd.

'Jij krijgt niet veel gedaan vanavond. En als je meer dan tien woorden hebt gezegd, heb ik ze niet gehoord.'

'Sorry. Het was lief van je dat je die cake gebakken hebt.'

'Je hebt hem nauwelijks aangeraakt.'

Hope zuchtte. 'Verjaardagen zijn voor kinderen.'

'En jij bent een oude vrijster.' Mary Jane gaf de tafel een ongeduldig tikje met haar vingerhoed. 'Volgende maand word ik veertig. Help me herinneren dat ik je *niet* voor mijn feestje uitnodig!'

Hope forceerde een glimlach. Mary Jane was haar beste

vriendin en het was niet haar bedoeling haar buiten te sluiten. 'Collis is terug.'

De violette ogen knepen samen. 'En jij hebt hem je antwoord gegeven.'

'Kort en bondig.'

'Ik kan drie jaar niet bepaald kort en bondig noemen!'

'Hij is een goede man.' Hope staarde naar de glinsterende stalen punt van haar naald.

'Je bent te slap, Hope. Er zijn mannen die geen genoegen met nee nemen, tenzij je domweg grof wordt.'

'Ja, jij kunt het weten!' Ze flapte de woorden er zomaar uit. 'O, Mary Jane. Het spijt me, zo bedoelde ik het niet.'

Mary Jane stond op en draaide de lamp hoger. In haar geruite gingang huisjasje, het dunne haar in slierten, leek ze die avond ouder dan anders, maar een oude vrijster was ze niet. Als Hope het kon opbrengen de waarheid te zeggen, wist ze dat haar vriendin haar met gelijke munt zou terugbetalen.

Maar Mary Jane sprak als eerste. 'Dus je denkt er echt over om ja te zeggen.'

'Ik weet het niet. Soms denk ik dat ik beter af zou zijn.'

'Als de vrouw van Collis Chesterton?'

'Ik denk nog steeds aan Frank.'

'Dat kan ik je niet kwalijk nemen.' Mary Jane was hen een keer tegengekomen toen ze op weg waren naar Demetrak's om een picknick voor op het strand te kopen. Ze had tegen Hope gezegd dat Frank Pearson de knapste man was die ze ooit gezien had. 'Maar des te meer reden om die flauwekul met Collis te beëindigen.'

'Dat weet ik nog zo net niet. Als ik vrijgezel blijf, maak ik misschien wel weer een vreselijke vergissing.'

'Dat met Frank Pearson was anders geen vreselijke vergissing. Ik heb geen meisje ooit zo verliefd gezien – *jij* kon er niets aan doen dat hij doodging!'

'Dat is het niet. Maar het soort man... het effect dat hij op me had. Stel dat ik met hem getrouwd was geweest? Als we kinderen hadden gehad, zou dat hem ervan weerhouden hebben zijn eigen dood tegemoet te gaan? Erger nog, soms vraag ik me af of de ware reden dat ik nog steeds van Frank hou niet is dat hij *overleden* is – voor hij de kans kreeg mij teleur te stellen.'

'Hope Newfield. Als je je leven baseert op als-dit en als-dat zul je nooit echt leven.'

'En dat is nou net waar ik bang voor ben.'
De naald van Mary Jane bleef in de lucht hangen. 'Heb je iemand anders ontmoet?'
Hope probeerde te lachen, maar het klonk meer als snakken. 'Ik heb wel een nieuwe Chinese student.'
Mary Jane pakte haar naaiwerk weer op. 'Da's maar goed ook. Als je het nu met een andere man ging aanleggen zou dat de zaken alleen maar erger maken.'
Hope keek de andere kant op. 'Je weet dat ik het jou wel zou vertellen als er iemand anders was.' Maar voor het eerst tijdens hun vriendschap vertrouwde ze Mary Jane niets meer dan ze zichzelf vertrouwde.

Toen ze de volgende dag thuiskwam pakte ze haar beschadigde Chinese woordenboek en zocht *Po-yu* op. Het was altijd moeilijk te zeggen, met al die variatie in toonhoogtes in het Chinees, en met die vertalingen door Britten die nog van die oude, pre-Wade-Giles-woordenboeken hadden samengesteld, maar zijn naam leek Vreugdevolle Geest te betekenen. Een prachtige naam. Helaas kon ze geen Engels equivalent bedenken. En haar andere Chinese studenten waren ook weinig inspirerend. Ho Han-chang, Yang Kuokan, Jin Feng-pao en Willy Chang waren ernstige jongelieden, producten van missionaire geestdrift of koninklijke privileges. Ze deden hun werk en waren aandachtig, maar ze had vaak het gevoel dat het allemaal een maskerade was. Han-chang was een glimlach met een spleetje, Yang de slome prins, Feng-pao was nors en Willy was grauw en ziekelijk. Het maakte niet uit dat er één Willy heette, net zomin als het wat uit zou maken als de anderen John, Sam of Charley hadden geheten – van die overduidelijke Chinatown-namen. Deze jongemannen zouden zich door beledigingen noch vleierij laten verleiden hun ware ik te onthullen. Maar Liang Po-yu was een uitzondering.
Op donderdagochtend hing ze de was op. Nog een uurtje en dan begon zijn les, en ze had nog steeds geen naam. *Charles*, dacht ze. *Walter. Nathaniel. Ralph.* Het was wat koeler geworden. De zon dook af en toe op uit grote vlokkerige wolken. Ze staarde naar het wapperende laken alsof het een doek was, en zij de schilder die vanuit haar geheugen werkte. Ze kon zijn gezicht zo voor zich zien, maar ze wist dat ze hem nooit zou kunnen vastleggen.
'Po-yu', fluisterde ze.
'Paul,' beet de wind.

Paul! Ze zette haar handen op haar heupen, hief haar gezicht naar de knipogende zon. Ze had een halfhartige presbyteriaanse opvoeding genoten, en ze had nooit veel gevraagd van God. Daarom had ze de wendingen in haar leven ook zelden aan Zijn wil toegeschreven. Maar deze keer prees ze Hem.

Po-yu, op zijn beurt, had drie rusteloze dagen en nachten doorgebracht met de vraag of zijn lerares de voorkeur zou geven aan jasmijn- of chrysantthee. Er was veel te zeggen voor de chrysantthee, nog afgezien van het feit dat dat zijn favoriete thee was. De zoetheid en het gewicht van de thee gaven hem een stimulerende werking. En de chrysant was het symbool voor een lang en gezond leven. En dan was er nog Tu Mu's grote lyrische gedicht:

Doe chrysanten in je haar!
Je moet met bloesems bedekt zijn
als je me naar huis vergezelt.

De werkelijkheid was dat hij niet los kon komen van het verlangen haar aan te raken. Terwijl hij de eentonige colleges uitzat, stelde hij zich voor dat haar vingers nog steeds met de zijne verstrengeld waren. Op zijn redactiekantoor in Chinatown voelde hij in elke dreun van de drukpers het bonzen van een vrouwenhart. En als hij zijn collega's op de rug klopte, was de textuur niet het ruwe weefsel van westerse jasjes, noch het garen van gewaden, maar de zijde van haar handpalm.

Hij had nooit eerder zo'n obsessie gekend – en hij was er niet blij mee. Zeker, in Japan was veel gediscussieerd over de vrije liefde in het Westen, en hij had die idee net zo verleidelijk gevonden als ieder ander. Hij vond ook dat de afschaffing van het gearrangeerde huwelijk deel zou moeten uitmaken van de revolutie. Toch, tegelijkertijd, had de ervaring hem geleerd dat seksuele lustgevoelens het best beperkt konden blijven tot de echtelijke sponde of het bordeel. Zijn lustbeleving deed hem niet het gezelschap van mannen zoeken, overschaduwde niet zijn geestelijke arbeid of gedachten. En zijn omgang met Amerikaanse vrouwen mocht er ook niet door beïnvloed worden.

Op donderdagochtend keek hij naar de twee rode doosjes op zijn nachtkastje en koos de jasmijn, heel eenvoudig, omdat dat een mooiere bloem was. Miss Newfield vond de thee hemels en beloofde dat ze voortaan alleen nog Chinese thee bij de les zou serveren. Hij zei dat hij blij was dat de thee haar beviel.

'Wat denkt u van de naam Paul?' vroeg ze.

Hij knikte. De soepele rondheid van de klank beviel hem. Net als de maan. Maar de naam begaf het toen hij hem voor het eerst uitsprak, en kwam er in drie stukken uit – Pa-ou-ah. Daarna in tweeën – Pau-eh. Tenslotte veroverde hij de rol van de l, en ze juichte zijn prestatie toe.

Hij oefende nog een paar keer, waarderend. 'Die Paul bevalt me. Zeer. Dank u wel.'

'En hoe heet ik dan?'

'Chinese naam?'

Ze knikte. 'Ik weet dat in het Mandarijnenchinees het woord voor hoop chin-chin is. Zou u adviseren om gewoon die vertaling te gebruiken?'

Hij weerhield zich ervan om te glimlachen om haar onbeholpen uitspraak. 'Kent u Mandarijnenchinees?'

'Nauwelijks! Ik heb een paar woordjes geleerd, via mijn Chinese studenten, maar ik ben maar een beginneling. Misschien kunt u mij helpen.'

Paul knikte en demonstreerde rustig hoe de tong vlak achter de tanden moest worden geplaatst, in een kruising tussen een s en sj-klank. 'Hsin-hsin,' zei hij. 'Dat is uw Chinese naam.'

'Hsin-hsin.' Ze lachte. 'Ja, dat klinkt veel beter. Bedankt – meneer Liang?'

'U geeft mij deze naam Paul. Niet meer nodig om meneer Liang te zeggen.'

'Nou, dan sta ik voor een dilemma. Wilt u me dan Hope of Hsin-hsin noemen?'

Geen enkele aarzeling. 'Hope.'

In tegenstelling tot haar andere studenten, die de voorkeur gaven aan de zekerheid van boeken voor beginners en van handboeken, wilde Paul meteen de klassieken lezen die hij op haar boekenplanken had zien staan. Poe, Melville, De Tocqueville, Rousseau. Hij las de namen op alsof het staatsgeheimen waren. Misschien waren ze dat in China ook wel. Hope beloofde dat ze daar wel aan toe zouden komen, maar stelde voor om de eerste paar sessies de conversatie aan te pakken. Ze bracht het alsof ze dat met alle studenten deed.

'Begin maar met wat je het beste kent,' opperde ze. 'Je leven.'

En zo begon hij: 'Ik ben enige zoon van Liang Yu-sheng. Mijn moeder, Nai-li, derde concubine...'

Hij sprak eerst aarzelend, en benaderde onbekende woorden

als verraderlijke stromingen, maar elke keer dat hij dreigde kopje onder te gaan, schoot ze hem te hulp en trok hem weer naar boven. Het haperende Mandarijnenchinees dat ze van haar andere studenten had overgehouden, was van hetzelfde niveau als zijn beginners-Engels en gaf hem een illusie van gelijkwaardigheid, en algauw werd zijn uitspraak meer ontspannen. Hope merkte dat ze een wereld rond zijn verhaal opbouwde, die haar tegelijkertijd deed watertanden en walgen.

Hoewel Paul was geboren in Kanton, waar zijn vader als onderkoning had gediend, had hij het grootste deel van zijn kindertijd in het voorouderlijke huis van de familie Liang in Wuchang gewoond. Vanaf zijn vijfde was hij – op last van zijn vader – onderwezen door Fong Yao-li, een verlichte geleerde van de oude school die met een rood penseel in rode inkt schreef en zijn salaris ontving in een speciale rode envelop. Fong begon de opvoeding van de jonge Po-yu met een enkele regel van Confucius: 'Studeren is een groot genoegen.'

'En was je het daarmee eens?' vroeg Hope.

Paul grijnsde naar zijn gevouwen handen. 'Mijn grote genoegen is goudvissen.' Zijn handen vormden een denkbeeldige kom, die hij naar zijn lippen bracht voor een kus, waarna hij zijn handen opende met de handpalmen omhoog. 'Ik niet studeren, meester Fong zal mij slaan, niet kunnen vis vangen.'

Hope moest lachen. Ze stelde zich de donkere ogen van het kind voor, vol onschuld bedelend bij zijn wrede leermeester. 'Dus je was het er wel mee eens dat studeren in elk geval genoegen *mogelijk* maakt.'

Paul hield zijn hoofd een beetje scheef en keek haar bijna aan. 'Ja,' zei hij heel zorgvuldig, 'studeren maakt genoegen *mogelijk*.'

Tot haar afschuw voelde Hope dat ze begon te blozen. Ze ging druk in de weer met het bijvullen van hun theekopjes en vroeg hem om verder te gaan met zijn verhaal.

Zijn jeugd, zoals hij hem beschreef, was een maalstroom van ceremoniële rituelen, scherpe kritiek, het opzeggen van lessen en onophoudelijke penseelstreken. Hij sliep, at, studeerde en droomde binnen de hoge muren rond zijn huis, en ging zelden naar de verblijven van de andere vrouwen van zijn vader, laat staan naar buiten, naar de stad. Paul herinnerde zich dat zijn moeder hem op zijn zesde betrapt had bij het tikkertje spelen met de dochter van de eerste vrouw en een vriendje, waarbij ze de hele tijd rondjes renden om de geestenmuur, met de draak met de groene rug en de krullende wolken die verondersteld werden de kwade geesten af te schrikken. Zijn moeder had hem meegesleurd naar haar kamer en hem gedwongen te knielen met de handpalmen omhoog, en te wachten op een afranseling die nooit kwam. Hij wachtte maar en wachtte maar, tot zijn knieën wit werden en toen paars, terwijl zijn heupen en enkels bonsden. Toen zijn armen begonnen te beven had ze een lange taps toelopende houten kist te voorschijn gehaald, die een kromzwaard bevatte.

'Dat van mijn vader toen hij keizerlijk examinator is,' legde Paul uit, en hij liet zien hoe zijn moeder het zwaard heen en weer kantelde, zodat haar zoon goed kon zien hoe sterk en scherp het was. 'Ze zegt hij gebruikt deze zeis een keer om student uit Fukien te slaan. Deze student liegt, bedriegt, maar hij niet meteen dood, eerst schrijven met zijn tong in stof: "tragedie".'

'Wat afschuwelijk!' riep Hope. 'Je eigen vader... en je *moeder* liet je dat zien, dreigde jou, haar eigen kind!'

Maar aan de manier waarop hij zijn lippen samenkneep, zag ze dat ze het verkeerd begrepen had. 'Mijn vader is staatsambtenaar,' legde hij uit, 'heel druk, veel weg. Ik moet mijn vader respecteren, mijn moeder gehoorzamen.'

Hope slikte met moeite, gelouterd en vol afkeer. Maar toen Paul haar op de slaande klok wees, wilde ze niet dat hij meteen na dit misverstand opstapte. 'Alsjeblieft,' zei ze. 'Ik had dat niet moeten zeggen. Mijn eigen moeder is overleden toen ik een baby was en mijn vader was, net als die van jou, meestal weg.'

Hij nam haar opeens bezorgd op. 'Wie zal dan voor u zorgen?'

Ze glimlachte en reageerde niet op de foutieve tijdsvorm. 'Ik ben bij een ander gezin opgegroeid, Paul. Vrienden van mijn vader. Geeft niet, ik werd goed behandeld... Maar ik zou niet zo vrijpostig moeten zijn om jouw ouders te veroordelen.'

'Ik ben verdrietig voor jou, Hope,' zei hij. 'Elke baby heeft een moeder nodig.' Zijn donkere ogen bleven op haar rusten, nu eens niet neergeslagen, maar toen ze geen antwoord gaf, stond hij op.

'Wacht.' Ze stak een hand uit. 'Mijn volgende les is pas vanmiddag. Zou je willen blijven? Ik zou graag meer horen.'

Hij tilde zijn smalle kin op en ze kon zien dat hij gevleid was, maar hij protesteerde dat hij haar tijd niet waardig was. Pas toen ze aandrong, ging hij verder.

Jaren later vertelde een neef hem dat de tragische Fukienees helemaal geen zondige student was geweest, maar een corrupte ambtenaar die zich had laten omkopen om een ondermaatse student te laten slagen. Tegen die tijd had het kromzwaard zijn doel echter al bereikt. Paul studeerde hard en probeerde een plichtsgetrouwe zoon te zijn.

'Ik zat niet achter mijn zus vriendin aan,' zei hij met een komische zucht. 'Mijn vriend allemaal jongen.'

Hope barstte in lachen uit, opgelucht over deze opening, al zag ze zich meteen gedwongen hem te corrigeren. 'Mijn vrienden *waren* allemaal jongens. Vertel me eens over die vrienden?'

Omdat Paul geen broers had, zei hij, had hij neven en klasgenoten, en zelfs een paar zonen van dorpshandelaren en boeren aangenomen als 'geestelijke broers'. Je had Chen, die lachte als een vogel, Deng, die in rijmende coupletten sprak, en Shi die hagedissen als huisdier hield. Samen klommen ze in bomen, ontdekten de verlaten tempels en oude ruïnes buiten de stadsmuren, of maakten uitstapjes langs de rivier naar Hankow of Hanyang. Intussen onderhielden ze elkaar met verhalen over struikrovers en taoïstische mysteriën, wilde verhalen over westerse barbaren, de kwade macht van buitenlandse onderzeeërs en het wonder dat glas als bliksem liet branden, metaal uit zichzelf liet voortbewegen.

Paul glimlachte verontschuldigend naar Hope. 'We studeren nog geen westerse wetenschap. We hebben geen elektriciteit. Wij nooit zien blanke mens.'

Maar in het klaslokaal van meester Fong droegen de jongens gedichten voor uit de Song- en Ming-dynastieën en leerden de geschiedenis van de Strijdende Staten, de vijf Dynastieën, de Tien Koninkrijken, evenzoveel bewijzen (rechtmatige bewijzen, dacht Hope, terwijl ze zich Pauls positie voorstelde) dat China inderdaad het centrum van het universum was, en dat al meer dan drieduizend jaar geweest was. Doorschijnende schrijfblokken, gesneden inktstokjes, de afdruk van een bamboepenseel in een vinger. Dat waren de getuigen van het verstrijken van uren en weken en jaren waarin Paul zijn klassieke opleiding volgde, de lessen van Confucius en Mencius van buiten leerde en zich voorbereidde op de keizerlijke examens.

Zijn vader, een oudere man wiens lange grijze baard Paul omschreef als 'een vervagende stroom', vond het belangrijk zijn zoon elke keer dat hij in Wuchang was – twee, misschien drie keer per jaar – raad te geven. Dan zaten ze uren in de Hal van de Voorouders en namen de luisterrijke geschiedenis door van de Liang-clan, vele generaties van geleerden en bestuurders. Liang Yu-sheng verwachtte dat zijn enige zoon de familienaam ook eer aan zou doen. Hij zag in dat China aan het veranderen was, en dat Paul zich op een heel andere toekomst moest voorbereiden dan waar enige voorouder ooit mee te maken had gehad. Maar eerst moest hij slagen voor zijn examens.

Weer sloeg de klok, en weer wierp Paul tegen dat hij weg moest. Voor het eerst kwam het bij Hope op dat ze hem misschien van andere verplichtingen afhield – zijn colleges, zijn krant...

'O, het spijt me,' begon ze, maar toen werd er op de deur geroffeld.

Eleanor stak haar hoofd om de deur. 'Alles goed, Hope? Ik besefte net dat je hier al vanaf negen uur zit.' Ze nam Pauls neerwaarts gerichte gezicht op. 'Je lessen duren toch niet langer dan een uur?'

'Dank u, mevrouw Layton,' zei Hope, haar insinuatie negerend. 'We redden ons uitstekend.'

'Nou –'

'Dank u,' herhaalde Hope, en Eleanor trok zich schoorvoetend terug.

Hope zuchtte. 'Nu spijt het me echt. Het was niet mijn bedoeling je hele dag in beslag te nemen. Je hebt vast betere dingen te doen.'

'Nee,' zei Paul. 'Dit mijn genoegen. Alsjeblieft.'

Ze straalde en ving andermaal zijn donkere blik op. En hield hem even vast. 'Zoals je al zei. Studeren is jouw genoegen.'

Toen hij vertrokken was leunde ze tegen de deur, half lachend, half verbijsterd. Wat was er in godsnaam met haar aan de hand?

'Het is een pindachinees!' Maar ook al zei ze het hardop, ze kon het onmogelijk accepteren.

Hij was tien minuten te vroeg voor zijn volgende les, maar ze zat al op de veranda te wachten. Ze ging hem vlug voor naar haar kantoor zodat Eleanor hem niet zou zien. En toen ze zijn thee inschonk, die ze van tevoren had laten trekken, vulde het aroma de kamer.

'Examens,' bracht ze hem in herinnering.

Hij glimlachte, toegeeflijk alsof zij het lievelingetje van de leraar was, niet hij, en ging verder met zijn verhaal.

Meer dan drie eeuwen lang, vertelde hij haar, had elke mannelijke Liang de lange en slopende rij examens moeten afleggen die toegang gaf tot de keizerlijke academie. Generaties lang had elke mannelijke Liang de bonthoed met gouden kanarie gedragen, het symbool van wetenschappelijk succes, en uiteindelijk de officiële 't'ing tai' muts met fazantenveren, en de gewaden met het insigne van de gouden fazant die magistraten en ministers droegen.

'Alleen zuiverste olie rijzen naar top,' herinnerde Paul de waarschuwende woorden van zijn vader.

Hope begreep dat Pauls zuiverheid nooit een seconde in twijfel was getrokken. En de naam Liang, had zijn vader hem als onomstotelijk feit voorgehouden, was onveranderlijk opgedoken in de rijen van de meest begaafde studenten. Toch was Pauls faalangst zo groot geweest dat hij weken voor en na elk examen gillend wakker was geworden uit dromen over het aanplakbiljet met kandidaten, waar op de plek waar zijn naam had moeten staan slechts de omtrek was te zien van een kromzwaard. Niet het eerbetoon van drie kanonnen, noch de band die de toelatingslijst begeleidde, die in optocht door de straten werd gedragen, en ook niet de uitbundige felicitatiegeschenken die de familie van zijn bruid...

'Je bruid?' viel Hope hem in de rede. Haar blik ging automatisch naar zijn ringloze handen, zijn gladde wangen en neergeslagen ogen. Weer verloochende zijn uiterlijk zijn ware leeftijd en ervaring.

Hij aarzelde en dempte zijn stem. 'Mijn ouders kiezen hun dochter, regelen huwelijk na examen. Ik ga toen, studeren westerse wetenschap in Hong Kong, Tokio. Spoedig mijn vader, mijn vrouw ook sterven.'

Hope keek weg. Ze wist niet wat schokkender was, zijn onthulling, of haar eigen brutaliteit om die vraag te stellen. 'Paul, het was niet mijn bedoeling...'

Hij wuifde met zijn handen. 'Geen probleem.' En vertelde verder.

Op een dag, in de nazomer van 1902, had hem het nieuws bereikt dat zijn vader en zijn vrouw beiden waren overleden in een cholera-epidemie. De staf van het *Hupei Studentenjournaal*, waar Paul redacteur van was, wilde per se met hem naar het strand om met wijn op de vertrokken geesten te toosten, en hen te eren door een ham te eten, die ze helemaal uit Chekiang hadden meegenomen. Het draaide er zoals gewoonlijk weer op uit dat ze over hun gedeelde haat jegens de Manchu's begonnen. In een daad van spontane vrijheid en roekeloosheid hadden ze vismessen geleend van de plaatselijke dorpelingen en hun staartvlechten afgesneden. Vervolgens hadden ze de afgesneden vlechten op vlotten van afvalhout gelegd en die versierd met brandende papierkaarsen, waarna ze hun broekspijpen tot aan de knieën hadden natgemaakt om de scheepjes aan het tij mee te geven. Vanaf die dag zou Paul niet meer dromen over onvoldoendes of kromzwaarden, maar over de toekomst, het vrije en moderne Westen, scènes uit boeken zoals Jules Verne's *Rond de wereld in tachtig dagen*, dat een van zijn vrienden onlangs in het Chinees had vertaald.

De regels waarmee ze waren opgegroeid waren dood, had Paul zijn mederevolutionairen voorgehouden. Het verleden was een val waar China van bevrijd moest worden. En het was hun taak, hun plicht China's bevrijders te worden.

Hij keek op naar Hope en kon een glimlach niet onderdrukken. 'Deze dag alles veranderen. Alles nieuw. Alles kan zijn.'

'Alles is mogelijk,' corrigeerde Hope hem, meer ontroerd dan ze hem durfde laten zien.

Deze keer hield ze hem niet tegen toen het lesuur voorbij was. En toen hij vertrokken was zat ze lange tijd naar het dikke groene gordijn van bladeren voor haar raam te staren. Eleanor was uit en er was geen enkel geluid om haar eigen verlangen en afkeer te verdringen. Ze liet zich door die man van haar verstand beroven! Die idealist. Die briljante onschuldige die getrouwd was en zijn bruid had achtergelaten om te sterven. Natuurlijk, het huwelijk was gearrangeerd. Kon ze hem redelijkerwijs kwalijk nemen dat hij niet geweigerd had? Had ooit één man in China geweigerd? Als hij eenmaal getrouwd was met de bruid die door zijn ouders was gekozen, kon hij tenslotte net zoveel vrouwen – concubines – nemen als hij hebben wou. Net als zijn eigen vader. Was Paul, toen Po-yu, wel tot liefde in staat?

Liefde of geen liefde, hij had zijn bruid wel ervaren, uiteraard. Had dat sterke, lenige lijf tegen haar dijen geduwd. Was bij haar binnengegaan, had zich in haar geplant. Zij die geen gezicht of naam had. Had ze hem genot verschaft? Had ze de geheime regels gekend, de trucs en plagerijtjes van het vlees? Hoe? Had ze dat soort zaken van haar moeder, haar zus, geleerd – of van het gekreun en gefluister van haar man? Die vrouw die voor hem gestorven was.

Ze haalde haar dagboek uit haar geheime la. Ze had zich eerder een weg door donkere tijden heen geschreven; als ze deze waanzin op papier kon krijgen, zou ze zich er misschien van kunnen bevrijden.

Wat is deze vreselijke storm die door me heen jaagt? Is het verdriet, zoals mijn verstand volhoudt, of is het de misdadige werking van een dwalend hart? Paul is een man voor mij. Een lieve, tedere, gevaarlijke man. Een overweldigende vreemdeling. Maar in elke betekenis van het woord een man, en wanneer ik met hem praat voel ik me op en top vrouw.
Ik zou willen dat ik hem kon dwingen om weg te gaan. Zelfs nu, als ik mijn ogen sluit, is daar zijn lieve gezicht. Ik word naar hem toegetrokken. Ik verfoei hem. Ik luister naar zijn verhaal over lijden en plicht, en denk dat ik de ogen uit zijn vaders en moeders hoofd zou hebben geklauwd, terwijl hij in plaats daarvan zichzelf kwelt (die gescheurde en afgebeten nagels). Ik zal zijn wereld nooit begrijpen, maar zonder het te willen weet ik wat het betekent om niet begrepen te worden. We lijken in de verste verte niet op elkaar. We zijn een en dezelfde. Hij maakt me bang...

3

DE VOLGENDE KEER VROEG ZE WAT ER NA DIE BRANDENDE VLOTten gebeurd was. Ze sprak met lage, weloverwogen stem en keek naar de pagina's van het notitiebloc die voor haar op de tafel lagen. Ze maakte aantekeningen, legde ze uit, omdat het moeilijk was alle namen en plaatsen te onthouden die voor hem zo bekend waren.

Paul zou wel willen dat ze meer over zichzelf vertelde, maar welke Amerikaanse vrouw vertrouwde nou een Chinees? Hij kon slechts hopen dat ze hem zo af en toe met een hapje zou voeren in ruil voor zijn feestmaal, dus hervatte hij zijn verhaal alsof hij het volgende van een reeks colleges gaf.

Hij vertelde over de Nieuwjaarsbijeenkomst van de Chinese Studenten Bond in Tokio, 1903, toen hij een publiek van honderd medestudenten en de Chinese ambassadeur in Japan had toegesproken en een oproep had gedaan de Ch'ing-dynastie omver te werpen. 'Dr. Sun Yat-sen geeft mij moed. Ik weet dat veel studenten dezelfde overtuiging hebben, maar als ik roep, geeft niemand antwoord. Niemand drinken. Niemand eten. Alle ogen wenden zich naar ambassadeur Ts'ai. Hij wil ook niet kijken, alleen wijzen. Dan politie komen.'

'Dit zeer slecht,' probeerde hij haar duidelijk te maken. 'Niemand doet zoiets ooit.'

'Dat was heel erg,' sprak ze tegen haar heen en weer bewegende potlood. 'Niemand had ooit zoiets gedaan.' Ze hield op met schrijven en keek op. 'Wat had je dan precies gezegd?'

'Ik zeg: Han-volk kan bestemming van China niet meer aan indringers geven! Wij vertrouwen alleen onszelf. Wij moeten Manchu van macht verdrijven!'

'Ik *zei*, Paul. We *kunnen* alleen *op* onszelf vertrouwen. Wat gebeurde er toen?'

'Ik *werd* gearresteerd. Ambassadeur laat mij deporteren. Sjanghai is enige plek in China waar ik veilig ben. Ik blijf daar een jaar tot dr. Sun Yat-sen regelt ik kom naar San Francisco, zijn krant leiden.'

Ze fronste en liet na de fouten te corrigeren waarvan hij zeker wist dat hij ze gemaakt had. 'Ik dacht dat je hier als student was gekomen.'

'Ja.' Hij zweeg, bekeek haar blanke hand die over het blad schoof. Als hij geen student was geweest zou hij geen visum hebben gekregen, maar uiteraard stond zij daar niet bij stil. 'Ja,' herhaalde hij.

'Wat zou er gebeurd zijn als je Sjanghai verlaten had?'

Hij zei enkel: 'Ik word geëxecuteerd.'

'Omdat je een speech gehouden had!'

'En mijn staartvlecht. Verraad.'

Ze schudde haar hoofd. 'De Manchu's moeten vreselijke lafaards zijn.'

Hij glimlachte somber, maakte vuisten en legde de een op de ander. 'In China macht knijpt van boven uit. Buitenlander knijpt Manchu uit. Manchu knijpt Chinees uit. Rijke man knijpt arme man uit.' De ene hand omvatte de andere. 'Is als een doos die kleiner wordt geduwd. Moet exploderen.'

'In een revolutie,' zei ze zachtjes. Toen hij geen antwoord gaf, vroeg ze: 'Heb je gevangen gezeten... in Japan?'

Hij haalde zijn schouders op, blij om haar gespannen toon en onzeker over hoeveel hij haar durfde te vertellen. 'Slechts een nacht. Japanse politie goede vriend van dr. Sun Yat-sen.'

Ze speelde met haar potlood. 'En door hier te komen en zijn krant te leiden, betaal je dr. Sun Yat-sen terug voor het feit dat hij je gered heeft?'

'Ik ben vereerd met dr. Sun te werken,' zei hij vastberaden.

'O, natuurlijk. Ik wil niet... Het is alleen dat je verhaal, Paul. Je moed is opmerkelijk.'

'En jouw verhaal, Hope. Ook opmerkelijk. Jonge vrouw, gestudeerd, zo onafhankelijk.'

Maar ze glimlachte niet, zoals hij wel verwacht had. In plaats daarvan deed ze alsof ze niets gehoord had. Ze stond op en trok een boek van haar boekenplank, liep naar het raam en bladerde erin. Ze droeg een abrikooskleurige jurk die op de teen van haar laars hing. Het was de eerste keer dat hij haar voeten zag. Ze waren kleiner dan zijn handen.

'Wat je beschreef,' zei ze, toen ze gevonden had wat ze zocht, 'de *manier* waarop je het beschreef... Luister hiernaar.'

Hij voelde een golf van opluchting. Ze was alleen maar in beslag genomen door wat hij haar verteld had, door haar wens hem op de een of andere manier te antwoorden. Maar toen ze begon te lezen, werd haar toon somberder, en hij werd onverwachts zes jaar in de tijd teruggeslingerd. Ze sprak over een kerker met benauwende muren. Ratten. Druppend water. Een onzichtbare bron en een lemmet dat steeds dichterbij zwaaide terwijl de muren steeds meer naderbij kwamen tot de gevangene 'niet meer vocht, maar mijn gemartelde ziel lucht kreeg in een harde, lange en laatste schreeuw van wanhoop'. Hij kon de stank van angst bijna weer ruiken in zijn eigen bloed. Kon het zijn dat Hope Newfield van zijn gevangenname door Chang Chih-tung wist?

'Wie schrijft die dingen?' vroeg hij.

Ze keek op. 'Edgar Allen Poe.' Ze legde het boek weg en liep terug naar de tafel, hem nieuwsgierig aankijkend. 'Een van de grootste schrijvers van dit land. Maar het gevoel... het is net wat *jij* beschreef.'

Nee, dacht hij. Ze wist niets, dit Amerikaanse meisje – dacht dat marteling een literaire kunstgreep was! Maar haar blauwogige onschuld was te sterk voor hem om haar dat te verwijten. Hij greep naar het enige woord uit haar voordracht dat hij zich nog herinnerde: '*Despair?*'

'Dat betekent zoveel lijden dat je elke gedachte aan ontsnapping van je afzet. Wanhoop.'

'Ah. Chinezen zeggen *chüeh-wang*. Alleen geen Chinees zou zo'n verhaal schrijven.'

'Waarom niet?'

Hij dacht na en zei toen: 'Ik ben boos, maak gedicht over zwarte berg, sneeuwwitte leeuw, jager. Misschien deze man en leeuw sterven in gevecht. Die berg is nog steeds mooi. Weet je?'

Ze aarzelde. 'Ik denk het.'

'Jouw meneer Poe zal nee zeggen. Zwarte wolk verzwelgt die berg. Alles is donker. Of alles licht. Dat is zijn manier.'

'Niet *mijn* meneer Poe.' Een gegeneerde glimlach. Ze hield haar hoofd scheef. '*Jij* bent een ware gelovige!'

'Gelovige?'

'Jij gelooft dat het leven in wezen goed is, dat zwart wit is.'

Hij liet zijn handen op de tafel vallen. 'Niet alles wit, alles zwart. Wit *en* zwart. Dag, nacht. Goed, kwaad. Chinezen zeggen *yin* en *yang*.' Hij pauzeerde. 'Als man en vrouw. Altijd twee tegenpolen zijn samen één.'

Die laatste woorden vielen als kiezelsteentjes. Plotseling wreef ze weer met haar hand over de tafel, cirkelde met haar duim tot het hout bleek werd van haar warmte en hij besefte dat dit een nerveuze gewoonte was. Dat hij haar nerveus had gemaakt. De gedachte maakte een diepe siddering van verwarring in hem los. Hij wilde niets meer dan haar draaiende hand met zijn eigen hand bedekken. Om haar te kalmeren en de angsten die hij ontketend had te bezweren, maar wat voor nieuwe angsten zouden volgen?

De klok sloeg. Hij stond op, aarzelend. 'Twee ambtenaren van de Manchu-regering houden morgen redevoering op universiteit. Misschien ben je geïnteresseerd om te kijken?'

Ze keek op. 'Jouw minister Ts'ai?'

'Andere ministers. Manchu denkt misschien grondwet geven macht. Maar ministers kennen grondwet niet, dus moeten reizen naar westen, leren wat wij studenten vele jaren geleerd hebben!'

'En jij? Ben jij van plan om op te staan en weer een van je speeches te houden?' Ze tuitte haar lippen alsof ze niet wist of ze zou glimlachen of fronsen.

Hij liet het kleingeld in zijn zak rammelen. 'Ik heb niet besloten.'

'Maar je gaat er wel heen?'

Hij knikte.

'Nou. Misschien zie ik je dan wel.'

13 april 1906

Ik was niet van plan te gaan. Ik weet nog steeds niet wat me ertoe bewogen heeft, of het moet het telefoontje van Collis vanochtend geweest zijn – en mijn behoefte een excuus te verzinnen om hem niet te hoeven ontmoeten. Misschien was het een betere strategie geweest om mezelf voor een trolleybus te gooien. Zoals alles wat met Paul Liang te maken heeft, was het college heel anders dan ik had kunnen vermoeden.

Ik dacht dat ik veilig was toen ik de zaal binnenkwam en die twee Manchu-ministers zag. Rechtstreeks uit een sprookje van Hans Christian Andersen kwamen ze gestapt, in hun schitterende brokaten gewaden en knoophoedjes met kwastjes. Een andere wereld. Een andere eeuw. Had niets met mij te maken. Toen kreeg Paul me achter in de collegezaal in de gaten, kwam naast me staan, en hoewel hij beleefd was, zeer gereserveerd, begon mijn hart zo hard te bonken dat ik er zeker van was dat hij het kon horen. En toen hij vermeldde dat de aanwezige minister Tuan tijdens zijn examens in Hupei voorzitter van de examencommissie was geweest en hem daarom als zijn student beschouwde, trok een zeer eigenaardige kilte – als een pijn – door me heen. Ik keek van Paul, in zijn mooie, mannelijke pak, naar die twee oude mannen in hun sprookjesgewaden, en de ware omvang van zijn zonde drong in alle hevigheid tot me door – de afstand die hij genomen had, niet alleen fysiek, van zijn vaderland, maar van alle tradities en verwachtingen die ooit zijn hele leven hadden beheerst! Het was alsof zijn voorouders tot leven waren gekomen in die twee lichtgeelbruine ministers, en ik niet anders kon dan het geloven.

Toch bewonderde ik zijn rebellie nog meer toen het 'college' op een dwaze vertoning uitliep. De ministers bleken de Chinese versie te zijn van Fiedeldum en Fiedeldie. Eerst maakten ze ruzie over wie de eer zou hebben om te spreken. De oudste boog het hoofd voor Tuan omdat Tuan de westerlingen beter kende. Maar na elke zin draaide Tuan zich om en vroeg aan de oudste: 'Klopt dat?' 'Ja, ja,' zei die andere dan, en zo ging dat maar door, heen en weer, terwijl ze pochten over de grootse plannen van de Ch'ing-regering om China te moderniseren. Elk zinnetje werd afgerond met: 'Klopt dat?' en 'Ja, ja.' Paul liet het, zijn armen over elkaar en breed grijnzend als de Kollumer Kat, over zich heenkomen.

Na afloop kwam een jonge journalist van de studentenkrant naar hem toe en vroeg waarom er twee Chinezen nodig waren om één toespraak te houden. Paul gaf uitgebreid antwoord over de oude code van respect in China, en impliceerde dat de ministers zich zo hadden gedragen om deze universiteit te eren! De jongeman krabbelde het plichtsgetrouw neer en ik vertrouw er volledig op dat de 'wijsheid' van Paul morgen de blijde boodschap van China is in de *Berkeley Banner*.

'Klopt dat?' vroeg ik toen de journalist vertrokken was.

'O, nee.' Paul glimlachte. 'Ministers zijn Manchu. Maken altijd cirkel, niemand durft voortouw te nemen.'

Maar inmiddels was het publiek bezig te vertrekken. Ik was een van slechts een handjevol vrouwen en de mensen hadden opgemerkt dat ik naast Paul stond. Ik stond op het punt afscheid te nemen toen niemand minder dan minister Tuan op ons afstormde! Hij nam Paul apart en begon met zijn grote mouwen te zwaaien, snel en hard pratend. Zijn frustratie nam zichtbaar toe, terwijl Paul hem met een pokergezicht bleef aankijken. Ik stond perplex. Tuan beende plotseling weer weg, zichtbaar verontwaardigd. Paul kwam terug met een geamuseerde grijns op zijn gezicht en ik vroeg om een vertaling. Die leek hij maar al te graag te geven...

Tuan: Voor ik naar San Francisco kwam heb ik je artikelen in de *Ta T'ung Daily* gelezen. Laat me je dit zeggen, zeg na vandaag niet meer van die dingen.

Paul: Ik weet niet welke dingen u bedoelt.

Tuan: Die dingen die je zegt.

Paul: Ik heb niets gezegd.

Tuan: Ik bedoel de dingen die je elke dag zegt.

Paul: Ik zeg niets elke dag.

Tuan: Weet je het zelf niet? Die dingen die uit je mond komen. Jij weet het. Ik weet het. Zeg die niet meer na vandaag. Wij Chinezen moeten de buitenlanders als een eenheid benaderen. Als wij terugkeren van deze reis zul je profiteren van onze vriendschap. Stel me niet teleur. Broeder, zeg die dingen niet meer.

Toen Paul was uitgepraat keek hij me met zo'n duivelse twinkeling in zijn ogen aan dat we allebei in lachen uitbarstten. Ik zei dat hij een punt moest zetten achter die revolutie en Amerika's eerste Chinese komiek moest worden. Maar toen besefte ik dat het minister Tuan menens was. Ik vroeg of het wel verstandig was hem zo te plagen. Paul werd meteen ernstig en er trok een rilling door me heen. Maar zijn antwoord overdonderde me.

'Je hebt gelijk, Hope,' zei hij. 'Deze dingen die jij en ik grappig vinden kunnen minister Tuan misschien ellende bezorgen.'

Ik zal nooit die combinatie vergeten van spijt in zijn stem, zachtheid in zijn ogen, en zijn oprechte bezorgdheid om Tuan... en het feit dat hij mij in vertrouwen had genomen. In die kortstondige gloed van onze gezamenlijke lach had ik geprobeerd me voor te stellen dat ik mijn obsessieve verlangen naar Paul terzijde kon schuiven, om vriendschappelijk als een zuster met hem om te gaan. Nu ben ik weer ondergedompeld.

4

DAT WEEKEND ZOU HOPE MARY JANE LOCKYEAR HELPEN BIJ HET organiseren van een tuinfeest om geld in te zamelen voor het Chinese presbyteriaanse zendingshuis van Donaldina Cameron. Donaldina, al heel lang een vriendin van Mary Jane, stond in heel San Francisco en omstreken bekend als de reddende engel van Chinese slavinnen. Al meer dan tien jaar had ze een grotendeels eenzame strijd gevoerd tegen de handelaren en zwendelaars die het geld opstreken dat prostituees voor hen verdienden in Chinatown, in smerige bordelen in achterafsteegjes, in verborgen kamertjes. Ze identificeerde pas gearriveerde slavinnetjes, regelde politie-invallen om hen te bevrijden, en nam hen vervolgens op in haar Tehuis aan Sacramento Street. Velen in San Francisco roemden Donaldina als een heilige, maar er waren ook mensen, zowel binnen als buiten Chinatown, die profiteerden van de prostitutie en die de Schotse weldoenster liever dood zouden zien. Dit alles wist Hope van Mary Jane en uit de kranten. Zelf had ze de vrouw nooit ontmoet, en tot op heden had ze nooit meer dan een voorbijgaande nieuwsgierigheid naar haar gevoeld. Al gaf ze dan les aan Chinezen, ze had er altijd de voorkeur aan gegeven te doen alsof ze immuun waren voor de boze verleidingen van Chinatown, alsof ze daar helemaal los van stonden. Maar Paul dwong haar om in te zien dat haar Chinese studenten net zo goed in staat waren de veerboot over de Bay te nemen als de eerste de beste vieze blanke. Sterker nog, hij maakte dat tochtje iedere dag, om naar zijn redactiekantoor in Grant Street te gaan. En hij moest net zo goed op de hoogte zijn van het reilen en zeilen van Chinatown als Donaldina. Maar wat, zo vroeg Hope zich af, was de *aard* van zijn vertrouwdheid met dat stadsdeel? En kon ze het aan om daarachter te komen?

Zondagochtend kwam ze bij het huis van Mary Jane aan met armen vol bloemen, koekjes en cakes voor de receptie. De twee vrouwen sleepten met stoelen en tafels, zetten schalen vol lekkernijen klaar en schonken sherry en port in karaffen. En terwijl ze zo bezig waren bestookte Mary Jane Hope met vragen over Collis, maar Hope zei alleen dat hij gevraagd had of hij bij haar langs mocht komen. En dat ze had toegezegd hem dinsdag te zullen ontvangen.

'Toe maar, wat formeel,' merkte Mary Jane op. 'Op audiëntie bij de koningin. Dat belooft een warm en gezellig rendez-vous te worden.'

'Mary Jane!'

'Zomaar een observatie, schat.'

'Collis probeert mijn wensen te respecteren.'

'Sommige mannen die zich heren noemen, omdat ze een deur openhouden voor een dame, zien er geen been in die deur op slot en op de knip te doen zodra die dame binnen is. Als je niet uitkijkt denken de mensen dat je duivelse eieren met bloed zijn gevuld.'

'Hè, verdikkie!' Hope zette de pot met paprikapoeder met een knal neer en pakte een lepel om de rode berg poeder die uit de kom met eierdooiers oprees er weer af te scheppen. 'Kijk nou eens, dat komt door jou!'

Mary Janes sterke vingers omvatten haar schouder. 'Hope, niemand kan jou laten doen wat je niet zelf wilt.'

'Nee, jou niet, nee,' bitste Hope, 'jouw vader heeft goddomme zijn fortuin gemaakt en dat jou vervolgens in de schoot geworpen!'

De vader en grootvader van Mary Jane hadden over evenveel

praktisch vernuft beschikt als waar het de vader van Hope aan ontbroken had. Ze hadden een bloeiend bedrijf in Missouri gehad dat eerst huifkarren voor de trek naar het Westen had vervaardigd, en later stoommachines voor boten die op de Mississippi voeren. Mary Jane was de enige erfgenaam geweest toen haar vader en moeder tijdens een vakantie bij een bootongeluk waren verdronken in hetzelfde jaar dat Mary Jane haar studie had voltooid. Hope had haar afgunst op het fortuin van Mary Jane haar gevoel van medeleven met de tragische verliezen van haar vriendin nooit laten overschaduwen, maar het was moeilijk kritiek te aanvaarden van iemand die werkelijk alles kon doen waar ze zin in had!

Mary Jane klonk bot en kortaf. 'Dat heeft met geld niks te maken.'

Misschien niet, dacht Hope, maar ik heb wel heel veel moeten doen waar ik nooit voor gekozen heb. Op school was ze gedwongen veren in het haar te dragen. Toen haar klas breuken deed, werd ze voor de klas gehaald om aan te tonen dat een vierde een kwartbloed-indiaan kon zijn. Dan was er die keer dat Lester en Duncan Beasley, de zoontjes van de plaatselijke rechter, haar omver hadden geduwd en door de modder gerold, en hun handen over haar borst en buik hadden gesmeerd met de woorden dat ze van binnen net zo smerig was.

'Als je met die man trouwt,' drong Mary Jane aan, 'dan zeg je tegen hem en tegen de hele wereld, dat je het verkiest met hem te slapen, je voor zijn ogen uit te kleden en hem bij jou te laten binnengaan, lichaam en ziel. Dat je zijn kinderen wilt dragen, je leven op wilt geven – hem wilt toebehoren, Hope! Ik ken je goed genoeg om te weten dat jij je wil nooit zult onderwerpen aan een man van wie je niet houdt. En ik weet dat je niet van Collis Chesterton houdt.'

'Nou, dan vergis je je!' schreeuwde Hope, en ze draaide zich om zodat Mary Jane haar ogen niet kon zien.

'Waarin?'

'In alles!'

Ze werkten een uur lang door zonder nog een woord te zeggen.

Tegen drie uur stak er een briesje op dat enige verlichting bood in de drukkende warmte. Donaldina Cameron arriveerde met twee schoongeboende Chinese meisjes op sleeptouw, het ene net zo klein als een porseleinen pop en het andere lang en stevig. Stalen, dacht Hope bitter, om te laten zien hoe nobel zij is, en hoe primitief die wilden.

Maar Donaldina was één compacte uitbarsting van efficiëntie, met vroegtijdig zilveren haar, een te grote neus en een stem die zo vriendelijk positief klonk dat Hope haar met geen mogelijkheid onaardig kon vinden. Ze pakte Hope's handen stevig vast en bedankte haar voor haar grote inzet, waarop Hope zich jammerlijk te kort voelde schieten. De meisjes maakten een buiging, betoverend in hun jurkjes met ruches en sjerp, ogen gericht op de tafel met lekkernijen. Hope zorgde ervoor dat ze elk een petitfour kregen voor de andere gasten arriveerden, maar hun vreugde kon haar geweten nauwelijks sussen. Niet alleen had ze nagelaten haar leven te wijden aan het redden van de verloren ziel van andere mensen, maar heel waarschijnlijk was ze op dit moment ook bezig haar eigen leven te verkwanselen. Gelukkig werd haar zelfkastijding onderbroken door de komst van de 'donateurs' van Donaldina.

In een mum van tijd was het terras gevuld met witte organza, gebloemde hoeden en modieuze kostuums. De crème de la crème van de filantropie van de East Bay was aanwezig, bewaarders van de vlam van het sociale bewustzijn. Terwijl ze vooroverbogen naar Donaldina's 'Chinese dochters' deden hun opmerkingen Hope ineenkrimpen.

'Wat spreek *jij* goed Engels!'

'Nee maar, wat een popje ben jij!'

'Een knap staaltje werk hebt u verricht, Miss Cameron. Het zijn volmaakte oosterse prinsesjes.'

'Wat ben jij een ontzettende geluksvogel dat je gered bent door iemand als Miss Cameron.'

En intussen fluisterden de mannen achter hun handen en de vrouwen onder hun parasols. *Zij kent Chinatown als haar broekzak, stormt regelrecht die bordelen in. Als er een verborgen deur is, dan vindt ze die, en sleept de meisjes uit hun kamertjes die stinken als varkensstallen. Sommigen hebben sinds ze van de boot gekomen zijn geen daglicht meer gezien. Ze slaan ze en branden ze op, gebruiken ze tien, twintig keer op een nacht. In die gore tenten is het vijfentwintig cent per keer en speciaal tarief: vijftien cent voor jongens. Heb je ze ooit gezien? Als gekooide dieren zitten ze achter die vergrendelde ramen, achteraan in die vieze donkere steegjes. Ze moeten hun eigen klanten verleiden om zich vrij te kopen, ze roepen je dat je bij hen moet komen en zeggen dan dat ze net je vader hebben gehad. Chinezen denken dat dat een soort eer is, zo vader zo zoon. Ai, die Donaldina is een heilige dat ze die ellendige apen in huis neemt. Verdorven sletten, dat zijn het.*

Donaldina stond onder de grote lommerrijke els, geflankeerd door haar onbezoldigde dochters, en hield een meeslepend betoog over waardigheid, geloof en de veerkracht van de menselijke ziel. Waarna ze, ter illustratie, een hand om de schouder van het oudere meisje legde en haar vroeg haar verhaal te doen.

Het kind heette Li-li. Haar Engels was uitstekend. Haar verhaal aangrijpend.

'Ik kom uit Shenyang,' begon ze, 'in het noorden van China, in Manchurije. Toen de Russen en Japanners mijn vaderland binnenvielen, werd mijn dorp platgebrand en vele ooms en buren werden weggevoerd. Mijn familie is vele weken door de sneeuw naar de havenstad, Tientsin, gelopen. Maar mijn vader heeft geen geld. Mijn moeder heeft geprobeerd hem tegen te houden, maar hij zei hij heeft geen keus.'

Toen nam Donaldina het over, en zinspeelde zodanig op de meer weerzinwekkende details, dat de dames in het publiek hun handen naar hun mond brachten. Li-li's vader had haar en drie zusters aan een makelaar verkocht, die de meisjes in het vooronder van een vrachtboot had gestopt die op San Francisco voer. De eerste week op zee waren haar drie zusjes aan dysenterie bezweken, maar Li-li, volgens eigen zeggen 'de oudste en de dikste', overleefde de reis door zich vast te klampen aan de enige spleet waardoor frisse lucht in het potdicht afgesloten compartiment kon komen. Donaldina, die door een andere passagier op het schip op de aankomst van het kind attent was gemaakt, eiste Li-li op in die fractie van een seconde dat haar zogenaamde vader uit Chinatown even bezig was een bekende douanier om te kopen. Er was gedreigd met represailles, maar Li-li had de afgelopen drie jaar zonder incidenten op de presbyteriaanse missiepost gewoond. Ze zou binnenkort eindexamen doen op de middelbare school en had te kennen gegeven lerares te willen worden. (Bij die laatste details steeg er onder de aanwezigen een geroezemoes op, alsof dat nog het meest verbazingwekkende van alles was.)

Donaldina besloot met de vaststelling dat moed en mededogen altijd wonnen. 'En de duivels van slavernij en verderf mogen, nee, *zullen* aan onze kusten niet getolereerd worden.' De combinatie van zalving en walging sorteerde het bedoelde effect, en de handen fladderden als vleugels boven de her en der geopende chequeboekjes, hoewel Hope, toen de gasten vertrokken, meer dan eens hoorde mopperen: 'Het zou heel wat minder kosten als ze gewoon werden teruggestuurd naar waar ze vandaan komen.'

Later, onder het opruimen, vroeg Hope aan Donaldina wat er met haar meisjes gebeurde als ze het zendingshuis verlieten.

'Sommigen krijgen een baan,' antwoordde ze. 'Anderen trouwen of worden door andere families geadopteerd.'

'Blanke families?'

'En Chinese.'

'Dan sta je dus niet helemaal op voet van oorlog met de Chinese gemeenschap.'

'Goeie genade, nee!'

'Maar hoe kun je daar nu vrede mee hebben, na wat die meisjes is aangedaan...' Hope keek naar de kinderen die aan de andere kant van de tuin stonden te giechelen. 'Ik heb gehoord dat de meisjes die je niet redt voor hun twintigste doodgaan aan een ziekte.'

Donaldina zuchtte. 'Dat gebeurt inderdaad vaker dan ik wil toegeven. Maar weet je, elk ras heeft zijn goede en slechte kanten. Onze eigen mensen hebben de negers tot slaaf gemaakt; moeten we dan de blanken die voor afschaffing van de slavernij hebben gestreden over één kam scheren met de blanke slavenhouders, alleen omdat ze allebei blank zijn? Veel inwoners van Chinatown doen er meer aan dan ik om een einde te maken aan dit kwaad. Ik beschouw het als een treurig neveneffect van mijn werk dat zich onder mijn meest loyale aanhangers de meest rabiate anti-Chinezen bevinden.'

'En toch accepteer je hun donaties.'

'Ja zeker. En ik probeer ze op te voeden.'

'En lukt dat?'

Donaldina veegde een handvol kruimels van de tafel naar een verwachtingsvol roodborstje. 'Eén man is met een van mijn meisjes getrouwd. Ik heb de indruk dat hij haar goed behandelt, maar hij heeft haar volledig van haar ras afgesneden. Ik ben bang dat dat soms het best haalbare is.'

'Maar je laat de meisjes wel zelf een huwelijkspartner uitkiezen?'

'Natuurlijk!' Ze leek geschokt dat Hope er anders over zou kunnen denken.

'Zelfs als het Chinezen zijn?'

'Ja, zeker.'

'Dus er zijn Chinese mannen die je respectabel vindt,' vroeg Hope, die eindelijk de moed had verzameld om uiting te geven aan haar eigen, persoonlijke bezorgdheid.

'O, heel veel. Vooral onder de gestudeerde mannen – of liever gezegd, onder diegenen die opleiding belangrijker vinden dan geld. Helaas is geld vaak een nog krachtiger motor voor Chinezen dan voor onze eigen mensen, en dat maakt velen van hen zo hard.' Ze pakte een stapel borden op en draaide zich om naar de keuken. 'Er zijn geen makkelijke antwoorden in dit soort kwesties, Hope. Wat ik onder andere van mijn Chinese vrienden heb geleerd, is te erkennen – en te aanvaarden – dat het leven zeer complex kan zijn. Wij Amerikanen hebben de nare gewoonte alles zo zwart-wit te willen zien.'

Dat had Paul ook al gezegd. Misschien was dat ook haar probleem. Maar het leek wel of sommige kwesties gewoon geen compromis duldden, en hoe vager je ze liet worden, des te schadelijker vaak de gevolgen.

Toen de anderen waren vertrokken zei Hope tegen Mary Jane: 'Volgens Donaldina trouwen sommigen van haar meisjes uiteindelijk met een blanke man, of worden ze door een blanke familie geadopteerd. Ik vraag me af of het omgekeerde ook weleens gebeurt.'

'Je bedoelt of er weleens een blanke familie door een Chinees meisje wordt geadopteerd?'

'Ach, jij!' Hope schudde haar hoofd. 'Of er weleens een blanke *vrouw* met een Chinese man trouwt.'

'Onmogelijk,' zei Mary Jane beslist. 'Dat is bij wet verboden. Natuurlijk heb ik gehoord van vrouwen die in zonde leven. Vrouwen van een lagere klasse. Wasvrouwen, gescheiden vrouwen. Maar ik krijg alleen al de kriebels als ik eraan denk.'

'Waarom dat?'

'Jak. Een man zonder haar op zijn lijf. Alsof je met een kind naar bed gaat, stel ik me voor. Het lijkt me gewoon zo... onnatuurlijk. En hun eten, en al die vreemde akelige geurtjes.'

'Maar als die man Amerikaanse manieren heeft?'

'Een Amerikaanse Chinees! Toe nou, Hope. De meisjes van Donaldina zijn een zeldzame soort, en wat ze zijn hebben ze geheel en al aan haar te danken. Chinezen worden niet voor niets inwoners van het Hemelse Rijk genoemd. Ze behoren tot een ander universum.'

Alsof je met een kind naar bed gaat, herhaalde Hope bij zichzelf, terwijl ze door de donkere straat naar de trolleybus liep. En steeds weer, de hele lange rit naar huis, herhaalde ze dat ene zinnetje.

's Ochtends belde ze naar het pension van Paul en liet de boodschap achter dat ze ziek was en dat de les niet door kon gaan.

11

REDDING

Berkeley (april 1906)

I

DE OCHTEND VAN DINSDAG 17 APRIL BRACHT MEER HITTE EN vochtigheid onder een hemel van zeekleurig glas. Terwijl Hope zich schrap zette voor het bezoek van Collis, maakte Eleanor Layton zich gereed voor een tripje naar San Francisco voor het society-huwelijk van een nicht. Het rijtuig was voor elf uur besteld om haar naar de veerboot van twaalf uur te brengen. Helaas was het onderweg over de kop geslagen. Een andere koets werd gestuurd, maar toen Eleanor de whisky uit de adem van de koetsier rook, stuurde ze hem weg en begon te wauwelen dat dit een teken was dat ze maar beter thuis kon blijven.

Hope bood haar hospita sherry aan om haar zenuwen tot bedaren te brengen en belde om een rijtuig met een muilezel. Tegen de tijd dat dat aankwam was ze erin geslaagd Eleanor ervan te overtuigen dat het huwelijk van haar nicht beslist dé gebeurtenis van het seizoen in San Francisco zou zijn. En Eleanor zou het zichzelf nooit vergeven als ze er niet bij was geweest. De hospita, twee sherry's rijker, liet zich er zelfs van overtuigen dat de ongelukkige groene kleur waarin ze haar haar per ongeluk voor de gelegenheid had geverfd haar eigenlijk heel goed stond. Ze klampte zich in een huilerige omarming aan Hope vast alsof ze naar de Stille Zuidzee vertrok in plaats van vier dagen naar de overkant van de Baai.

'Voorzichtig zijn, meisje. Ik vind het zo akelig dat ik je hier zo achterlaat...' De koetsier knalde met zijn zweep. Eleanor liet haar los. 'Tot ziens!' riep ze, en wuifde met een bevend handje.

Hope draaide zich om naar de tuin. Geen grassprietje, geen blaadje bewoog. Het was als de stilte voor een storm. Misschien had dat Eleanor ook wel de kriebels gegeven. Hope had zich te hard opgesteld door haar zo weg te jagen. Nou ja, niet aan denken. Ze was tenminste weg.

Ze hurkte bij de border neer en wroette met haar vingers door de warme sponzige aarde. Na een wiedbui van Eleanor zaaide Hope hier soms stiekem zaadjes van wilde bloemen. Sprookjeslantaarn, akelei, gentiaan, ze schoten steevast uit de losgewoelde aarde op als paddestoelen, en haar hospita stond steevast met de handen in het haar. 'Hoe zijn *die* hier gekomen! Wat zijn het eigenlijk?' Het onbedoelde karakter van wilde bloemen maakte haar bezeten, en de schoonheid van die bloemen die ondanks haar hark tot bloei waren gekomen maakte haar woest. 'Ze zijn niks beter dan onkruid en veroorzaken net zoveel problemen.'

Hope glimlachte boosaardig, schudde de aarde van haar handen en stond ze net bij de pomp af te spoelen toen ze Collis aan de overkant van de straat zag lopen. Hij liep te fluiten en had zijn armen vol gladiolen uit een bloemenstalletje. Begrafenisbloemen, vond Hope. Maar duur, en goedbedoeld. Ze glipte de keuken in.

Toen ze de salon binnenkwam met een dienblad met limonade drukte hij zijn neus tegen de hor. 'Je ziet er mooi uit.'

'Kom binnen, Collis. Binnen is het koeler.' Ze zette het dienblad neer en liep hem tegemoet. 'Bedankt voor de bloemen.'

Ze kneep ertussenuit om de bloemen in het water te zetten en liet hem de glazen volschenken. Maar in de keuken viel haar oog op het rode pakje van de jasmijnthee die ze van Paul had gekregen. Ze stond even te dralen en gooide het pakje toen in de afvalbak.

'Eleanor thuis?' vroeg hij toen ze terugkwam.

'Ze is naar een...' Hope hield zich in. 'Nee.'

'Nou, mooi. Heb ik jou voor mezelf. Kom je hier naast me zitten?'

Ze zaten op fluwelen bekleding die hier en daar begon te slijten en inhaleerden de elkaar overlappende geuren van de salon – lavendelzakjes, de olie waarmee Eleanor haar grammofoon had ingesmeerd, de dampen van haar kippensoep. De klok in de hal benadrukte elke seconde.

Hope pakte een glas van het blad en rolde dat langs haar wang. Ze liet haar blik over de delen van Collis' gezicht gaan. De metaalachtige krulling van zijn snor en bakkebaarden. De moedervlek boven zijn rechteroog. Zijn zachtroze mond, en de zweetdruppeltjes onder zijn onderlip.

Hij stak een hand in de zak van zijn jasje. 'Doe je ogen dicht.'

Ze hoefde nauwelijks te kijken om te weten dat de ring prachtig was. Goud, ingelegd met robijnen, die een diamanten traan omringden. Toen ze niets zei schoof hij de ring onhandig om de ringvinger van haar rechterhand.

'Hij past!' Een jongensachtige grijns.

'Hij is schitterend.'

'Wat is er, Hope, je huilt! Kom.' Hij droogde haar tranen met zijn eigen zachtgele zakdoek met monogram, schoof steeds dichter naar haar toe totdat al zijn onderdelen oplosten in één enkele massa. Ze sloot haar ogen en hield haar adem in tegen de stank van zijn bakkebaarden en adem.

Ze stond op onder het voorwendsel dat ze bij het licht van het raam naar de stenen wilde kijken. Hij volgde haar, liet een hand op haar schouder vallen. 'Ja, dus?'

Ze draaide de glanzende stenen rond. Ze waren hard en glad en onwrikbaar als rotsen, maar hadden toch ook iets levendigs.

Er volgde een intieme lunch om het te vieren, en een eenzijdige discussie over data, gastenlijsten, receptiegelegenheden, kerkdiensten (Collis was weliswaar episcopaals, maar kon zich goed vinden in Hope's presbyteriaanse opvoeding), en uiteraard, als een vergiftigde wortel aan het puntje van de stok bungelend, hun huwelijksreis naar Europa. Op de een of andere manier kwam ze de middag door. Maar toen hij eindelijk weg was begon ze te klappertanden. Ondanks de aanhoudende hitte, ondanks sweaters, sjaals, wollen sokken, en, later, haar dikste flanellen nachthemd, kon ze het maar niet warm krijgen.

Aangezien ze alleen in het lege huis was, draaide ze alle sloten op slot en controleerde ze allemaal twee keer voor ze zich boven terugtrok. Ze zocht haar toevlucht bij *De eenzaamheid van het zelf* van Elizabeth Cady Stanton, maar haar hoofd vertikte het de trotse en zelfbewuste woorden tot zich te nemen. Ondanks haar interesse verschenen de donkere ogen van Paul tussen de regels. En de aanblik was haar een kwelling.

Hope bekeek de stenen die tegen haar huid glinsterden. Ze zag er de doffe grijze ogen van Collis in, zijn dikke witte vingers met hun plukjes haar. Ze deed de ring af, verborg hem zoals moeder Wayland haar geleerd had met alle juwelen te doen, in een kous in de la bij haar ondergoed. Wat zou haar echte moeder haar geadviseerd hebben, vroeg ze zich af. Maar die was overleden aan difterie toen Hope net twee maanden oud was.

Opeens kreeg ze het heel warm. Ze deed alle lagen die ze over elkaar aangetrokken had uit tot haar nachtpon langs haar naakte huid schoof. Ze besloot dat een beker koude melk nu wel lekker zou zijn en liep door het lege huis langs de trap naar beneden. Ze glimlachte om de opwaartse luchtstroom, net koele handen tussen haar benen. In de keuken trok ze de koelkast open, vond de fles melk en pakte een beker. Maar het zachte, zwetende oppervlak, het glijdende gewicht van de fles tegen haar handpalm deed haar automatisch haar arm omdraaien om het glas langs de binnenkant van haar pols te laten glijden. Ze duwde haar mouw omhoog tot haar elleboog en verder, bijna tot aan haar schouder, en sloot haar ogen. Het gevoel alsof haar huid zelf vloeibaar werd, maakte een ander soort dorst in haar los. Maar geen onbekende soort – ze had hem al meer dan eens onderdrukt. Maar deze keer verzette ze zich er niet tegen. Ze tilde haar nachthemd op en streek met de fles over haar platte buik, en langs de holten tussen haar ribben, duwde hem zachtjes naar beneden over haar heupen, en liet zich op de stoel zakken. Opeens ongeduldig trok ze haar nachthemd op tot boven haar middel. Toen bracht ze het vochtige oppervlak naar haar borstbeen en over beide borsten. Zachtjes streek ze langs de blauwige tepels, toen nog eens met iets meer druk, en nog een keer, koud en hard zodat haar tepels strakker werden. De gordijnen waren open. Iedereen die de achtertuin inliep kon haar zien, kijken hoe ze zichzelf aan het ontdekken was, maar de betovering was zo sterk dat ze dat niet in de gaten had. En al had ze het gewild, dan had ze nog niet kunnen stoppen. Ze liet het instrument van deze vreemde heerlijkheid naar beneden gaan – langzaam – en langs de binnenkant van haar dijen. Van knie naar knie trok ze de fles tegen de samentrekking van spieren en zenuwen in, langzaam – nog steeds langzamer – tot de druk tegen haar centrum tot rust kwam. De koude harde witheid smolt in haar weg en bracht tot rust wat naar ze nu pas begreep haar vertwijfeling was.

Ze liet haar nachthemd terugvallen, veegde vliegensvlug de fles schoon en zette hem met een ironische glimlach terug in Eleanors hardhouten koelkast.

Ze droomde die nacht van een hoge, poortloze muur die mijlen voortkronkelde onder sterren die stroomden als een oceaan.

2

TOEN HOPE HAAR OGEN WEER OPEN DEED WAS ZE AAN HET VLIEGEN. Een fractie van een seconde dacht ze echt dat ze magische krachten had gekregen. Toen vloog ze tegen een muur. Maar de pijn was nauwelijks merkbaar door het geweld dat ze nu om zich heen hoorde en voelde. Schokken. Schudden. De donkere kamer ging omhoog, de vloer deinde onder een waterval van glas, aardewerk en boeken. Een nachtmerrie. Kon niet anders. Gevangen in een schip in een grijze fles die – heel hard – door een of andere reus door elkaar werd geschud, terwijl de omringende zeeën bonzend en kletterend openbarstten onder het gegil en gejank van dieren.

Ze moest opstaan, zich vermannen en gaan helpen... wie, of wat maar die afschuwelijke geluiden maakte. Maar toen ze haar hoofd optilde bewoog de vloer weer. En het massieve eiken bed dat haar had afgeworpen, slingerde tegen de kast aan, rakelings langs haar schouder. Nuchter en klaarwakker rolde ze zich op en vormde een helm met haar handen. Wachten tot dit voorbij was. Maar de seconden regen zich aaneen op die monsterlijke golven. Het huis hield maar niet op met zwaaien. Ze hoorde de bakstenen van de schoorsteen als regen neerkletteren, en door het kozijn van haar gebroken raam zwaaide een halvemaan in een rokerig groene lucht.

Er leek geen einde aan te komen, en toen het schudden eindelijk ophield vertrouwde ze de stilte niet. De kamer was gevuld met onherkenbare schaduwen en de sinistere schittering van nachtglas. Ze stak haar arm uit en voelde de muur, tilde de spookachtige vorm van haar hand op alsof het een vreemd voorwerp was. Ze was opgelucht toen het wervelende stof haar deed niezen, het eerste bekende gevoel sinds ze wakker was geworden. Nu herkende ze het beieren van kerkklokken en het gestamp van hoeven buiten. Het geroep van de dieren was opgehouden.

Ze had geen ervaring met aardbevingen, maar ze had gehoord dat de trillingen dagenlang, met wisselende intensiteit, konden aanhouden. En dit huis voelde niet aan alsof het een volgende schok nog zou overleven. Ze moest wegwezen hier. Maar al haar bezittingen waren hier. En Eleanor was weg, en had al haar wereldlijke bezittingen ook aan haar toevertrouwd – Eleanor. Was het denkbaar dat de beving alleen deze kant van de Baai getroffen had? De gedachte dat heel San Francisco net zo door elkaar was geschud als zij – dat haar hospita misschien wel lag dood te gaan, of verminkt was – en dat zij er zo op had aangedrongen dat Eleanor naar die bruiloft ging, haar zo ongeveer in dat rijtuig had geduwd. Eleanor, Mary Jane, Collis – Paul. Hope duwde haar handpalmen tegen haar ogen. Ze moest kalm blijven. Naar buiten gaan en kijken wat er gebeuren moest. Wat ze doen kon om te helpen.

Hope stond op en duwde de deur open. De hal was stikdonker en stil op het kraken van gescheurd hout na. Ze liep heel voorzichtig, gleed op blote voeten door het puin, maar ze had nog maar een paar meter afgelegd of de reuzenhand greep het huis weer, draaide en trok, en richtte nog meer vernielingen aan. Pleisterwerk viel naar beneden en dwong haar op de knieën. Ze hoorde het trappenhuis slingeren. De vloer raakte ontwricht, muren gingen hangen. Toen een plotselinge, oorverdovende dreun, als de explosie van een enorme, massieve steen.

Toen de naschok afnam kroop ze verder door de hal, met iets meer schaafwonden, maar verder nog intact. De lucht was spookachtig geworden, met stof zo dik dat ze de korrels in haar keel en op haar ogen voelde. Ze trok de kraag van haar nachthemd op om neus en mond te bedekken, en gaf zichzelf een fikse uitbrander voor de kinderlijke wrevel die ze voelde omdat ze verder niets aan had. Geen tijd om kleren te gaan zoeken en zich aan te kleden, ze moest de wereld maar zo tegemoet treden. In elk geval, hield ze zichzelf voor, leefde ze nog. Maar ze moest naar beneden.

Vanaf de hoek waar het alkoof op de centrale hal uitkwam ontwaarde ze een paar bekende vormen. Het donkere vlak van de muur aan de andere kant. De gestreepte schaduw van de balustrade. De blekere ruimte van het open trappenhuis. Maar waar kwam die tocht vandaan? Ze deed een stap. Nog een. De vloerplanken kreunden en bogen door onder haar gewicht. De tocht werd snel een bries.

Ze drukte zich plat tegen de muur en staarde. De vallende schoorsteen had het trappenhuis in zijn val meegenomen en een gapend gat geslagen van drie verdiepingen hoog.

Het besef dat ze in de val zat stopte het wiebelen in haar benen, verdreef alle bezorgdheid om haar vrienden en het gegil buiten, en deed haar al duizelend haar kamer weer opzoeken. Zij was degene die hulp nodig had. Ze moest zien dat ze bij een raam kwam. Er zou vast iemand komen. Er zou beslist iemand komen. Maar hoe hard ze ook duwde, de deur ging niet open. Het bed of het dressoir was er zeker tegenaan geschoven.

Opnieuw wierp ze zich tegen de deur. En weer werd ze teruggeworpen. Bij de derde vergeefse bestorming dacht ze, ik ga hier dood.

Volgens een Chinees bijgeloof rust de aarde op de rug van een slapende draak. Wanneer deze Aarddraak zich ergert reageert hij door te kronkelen en te woelen. Soms wordt hij wakker, rekt zich lang en breed uit en rolt zich om. Chinezen noemen dit *ti lung chen*. Aarddraak schudt.

Die ochtend, toen Paul in de groene schemering voor de dageraad uit zijn slaap werd geschud, was zijn eerste gedachte dat de Aarddraak heel boos moest zijn. Zijn tweede gedachte was dat hij zo snel mogelijk af moest zien te komen van dat feodale bijgeloof. Zijn derde gedachte, terwijl de draak zich nog eens uitrekte en de bewoners van zijn pension begonnen te schreeuwen, gold zijn lerares, Hope Newfield.

Hij zette verder geen vraagtekens bij die gedachte en nam ook niet de tijd om zich aan te kleden. Hij betreurde het dat hij geen schoenen aan had toen hij merkte dat de straat bezaaid lag met glasscherven. Maar net als in een droom was hij immuun voor verwondingen, hij rende als een speeltje aan een touw, zonder de grond te voelen. Hij holde langs de gehavende straten van Berkeley, van Addison naar Telegraph en verder naar Stuart Street, en zag de huizen als uitgehakte figuren – gebroken vierkanten van grijze en terracotta daken, het bloedrood en bruin van gevallen schoorstenen, vallende massa's paarse klimplanten. Paul was bekend met de kleuren en vormen van de razernij van de natuur. Tien jaar geleden was hij in Japan geweest toen de grote aardbeving en *tsunami* achtentwintigduizend slachtoffers had geëist. Berkeley, zo leek het, had geluk gehad. Als dit geluk zich ook maar tot Hsin-hsin zou uitstrekken.

Hij passeerde tientallen ontredderde mensen die buiten in nachtkleding en peignoirs naar hun gebroken daken stonden te staren of met elkaar aan het praten waren, maar in Stuart Street stonden de huizen verder uit elkaar en zag hij niemand buiten. Het huis van zijn lerares had, net als de andere huizen, zijn schoorsteen en het omringende deel van het dak verloren, maar verder stond het nog overeind. De voordeur was naar binnen gevallen, zodat hij zo naar binnen kon. Met die gebroken muren, het rokerige stof, de vernielde meubels die omgesmeten waren, leek het wel of de kamer door bandieten geplunderd was. Achterin, waar het trappenhuis had moeten zijn, torende een berg neergekomen bakstenen en spanten boven zijn hoofd uit. De schacht erboven was leeg. Hij luisterde maar hoorde geen geluid. Als ze op de trap was geweest toen die instortte lag ze er nu misschien wel onder. Hij haalde diep adem, vormde met zijn handen een luidspreker om zijn mond, legde het hoofd in de nek en riep luidkeels haar naam.

'Ik ben hier!' Ze krabbelde overeind. 'Ik ben hier boven, Paul. Help me!'

Een ogenblik en hun stemmen vervlogen. Ze moest zien dat ze bij een raam kwam. Haar slaapkamer was gebarricadeerd. Een andere kamer dan. De logeerkamer! In de waanzin van de angst worden de meest voor de hand liggende oplossingen over het hoofd gezien. En ja, er was een ladder in het schuurtje achter in de tuin. Die moest hij ophalen. Ze zou een touw maken om zich te laten zakken. Hij zou omhoog klimmen om haar te ontmoeten. 'Ik je opvangen,' riep hij.

'Ik *vang* je op,' plaagde ze, vrolijk van opluchting, hoewel hij alweer weg was.

De deur naar de logeerkamer ging net ver genoeg open om er doorheen te wringen. Het bureau lag hier op zijn kant, omgeven door gebroken raam- en spiegelglas dat de stralende zonsopgang weerkaatste. Op de vloer lag een tapijt van spaanders cederhout en gedroogde lavendel, met rokken, kousen, korsetten en blouses uit de grote kleerkast: de wintergarderobe van Eleanor. Hope merkte dat ze zich weer schuldig voelde, deed zonder te kijken een stap en gleed door het bloed.

'Eén ding tegelijk,' hield ze zichzelf voor, en verwijderde de scherf uit haar hiel. Een bijbel en een catalogus van Sears Roebuck lagen binnen handbereik. Ze schudde het stof van de pagina's en gleed op de opengevouwen boekbanden naar het raam.

De wereld lag er anders bij, maar de herinrichting was subtiel. De voorkant van een nabijgelegen schuur helde net zo netjes naar voren als de deksel van een krat. De drie huizen die je vanuit het raam kon zien waren, afgezien van de verdwenen schoorstenen, allemaal ongeschonden. Verderop aan Telegraph Avenue lag een auto ondersteboven, wielen ten hemel gericht, en een geit draaide rondjes op de naar boven gekeerde buik. Twee paarden zonder berijder stormden de heuvel op, maar over het algemeen was het zo stil dat het leek of iedereen gewoon weer was gaan slapen. Er was, in wat uren leken te zijn, geen naschok meer geweest, en het zachtgrijze licht van de dageraad beloofde dat het ergste voorbij was.

Hope bedacht zich dat ze zich gewoon binnen kon terugtrekken om te wachten. Paul kon niet bij haar komen zolang zij geen touw of iets dergelijks naar beneden gooide. Hij zou hulp moeten halen. Dan zouden ze niet meer alleen zijn.

Maar daar kwam hij al de hoek om, met de ladder. Hij droeg een loszittende zwarte broek en een blauwe tuniek die achter hem aanzeilde. Lange blote voeten. Vierkante schouders. Haar nog in de war van de slaap. Ze worstelde even met zichzelf en met het schuifraam, leunde naar buiten en zwaaide.

'Opschieten,' antwoordde hij, en zette de ladder al onder het raam tegen de muur.

Onder de kledingstukken bij haar voeten lagen winterpeignoirs, nansoek rokken, katoenen rijglijfjes en wollen kousen. Ze bond de stevigste weefsels aan elkaar vast, bond het ene eind om de poot van het bureau en liet het andere over de vensterbank vallen. Paul trok eraan om te kijken of het zou houden en riep dat hij klaar was. Ze reikte een laatste keer naar de stapel kleren, maar een nieuwe naschok deed het huis deinen, en ze vergat onmiddellijk wat ze had willen pakken. Ze zwaaide een been over de vensterbank, greep met beide handen het provisorische touw beet, haalde diep adem, trok het andere been erover en liet zich zakken.

Hand over hand, voetzolen vastgeklemd, was ze nog geen meter gedaald of ze merkte dat haar nachthemd bol ging staan en de koele lucht langs haar benen streek. Een lange onderbroek. Ze had een zwart wit gestreepte onderbroek willen pakken toen die laatste schok haar hoofd leeg had geschud.

In het plotselinge besef dat ze open en bloot boven hem hing drukte ze haar knieën tegen elkaar en haalde ze meteen open aan de muur. Ze hield zich met één hand stevig aan de aan elkaar geknoopte kleren vast en greep met haar andere hand haar nachthemd beet, maar dat ging niet. Ze krulde ineen als een slak en bleef hangen. 'Ga weg,' riep ze over haar schouder. 'Alsjeblieft.'

'Pu yao chin te,' smeekte hij onverstaanbaar. Hij bleef de streng kledingstukken onder haar vasthouden.

Hij ging niet weg, en zij verroerde zich niet. Hoe lang ze daar nog zou hebben gehangen valt moeilijk te zeggen. Ze was koppig en sterk voor haar postuur. Maar de knopen gleden, het weefsel rekte uit. En eindelijk drong het absurde van haar positie tot haar door, en daagde het besef dat ze allebei in een even lastig parket zaten. Beiden gedwongen niets te zien of te voelen. Dat hield ze zichzelf voor terwijl ze zich verder liet zakken, hand over hand over hand. Ze hield zichzelf voor dat hij het lef niet had.

Toen, zoals beloofd, ving hij haar op. Zijn vingers omvatten haar enkel. De breedte van zijn handpalm bedekte haar gehele voetzool, maar de intimiteit van zijn aanraking en zijn relatieve grootte beangstigden of vernederden haar niet. En vormde daarmee nog een grotere bedreiging dan wanneer hij haar wapperende nachthemd had opgeslagen en een hand tussen haar benen had geduwd.

Hij leidde haar naar de bovenste sport van de ladder en liet haar toen meteen los.

Zodra Paul haar veilig op de grond had, klom hij weer de ladder op.

'Dit jouw kamer?' vroeg hij wijzend.

'Ja, maar hoe kom je daar naar binnen?'

Hij schudde zijn hoofd om haar ongerustheid en trok zich langs het touw omhoog, kroop over de richel en klom door het kapotte raam haar slaapkamer binnen. Zijn actie was niet geheel onbaatzuchtig. Hoewel hij zijn ogen had afgewend, had hij tijdens haar afdaling genoeg gezien om te begrijpen dat ze kleren aan moest hebben voor ze samen ontdekt werden. Hij verbood zijn gedachten verder te gaan dan deze praktische vaststelling.

Haar door elkaar gegooide eigendommen lagen onder een mist van parfum – buitenlandse bloemen die zo krachtig geurden dat hij er geweldig van moest niezen en hij bijna zijn voet openhaalde aan haar gebroken spiegel. Haar kaptafel stond midden in de kamer, omgeven door wat tot voor kort de inhoud was geweest. Die begon hij te doorzoeken. Intussen verweet hij zichzelf dat hij niet oplettender was geweest. Amerikaanse vrouwen gebruikten geen stokjes om hun haar op te steken. Maar wat dan wel? Haakjes? Of spelden? Hij veegde met zijn hand over de hardhouten vloer. Wat het ook zijn mocht, hij moest het vinden. Hij had zich nooit een voorstelling gemaakt van zulk haar, van het verlangen dat die donkere, geëmancipeerde massa in hem zou wekken.

Tussen verstoven poeder en handdoeken, de restanten van een lampetkan en een waskom ontdekte hij tien bruine haakjes en een borstel met een zilveren achterkant. Hij trok een plukje haar uit de borstel en wreef dat tussen zijn duimen terwijl hij bedacht wat hij nog meer voor haar mee kon nemen. Op de vloer naast het bed vond hij het witte bloesje met de ruche langs de hals en de zwarte rok die ze had aangehad op de dag dat ze elkaar ontmoet hadden; de jurk met de hoge hals en met jade en abrikooskleurige strepen van zijn laatste les; smalle, bruine knoopschoenen; handschoentjes; een jasje dat paste bij de rok, en een andere blouse. Hij maakte van al die kledingstukken een bundeltje en knielde neer om de boeken en papieren te inspecteren die her en der op de kapotte vloer lagen.

Daar had je het werk van Poe waar ze hem uit had voorgelezen, een foto van een oudere man die eruitzag alsof hij haar vader was, en hier, een in leer gebonden schrijfblok dat was volgestroomd met haar notities. Pagina na pagina gevuld met tere golfjes. Hij was niet bekend met het westerse schrift, en stond op het punt het blok dicht te slaan toen zijn naam op hem af kwam. LIANG PO-YU. PAUL LIANG. Dat alleen had ze in leesbare zwarte letters geschreven. Hij kneep zijn ogen toe, staarde, maar de regels liepen door elkaar heen en verstopten alle gevoelens of beschuldigingen die ze bevatten.

'Paul!' riep ze van buiten. 'Alles in orde?' Hij stak het dagboek in het bundeltje kleren. Het was beter dat hij niets van haar gevoelens wist. Hij had het recht niet daar iets van te weten.

Hij stond op het punt af te dalen toen hij een hoop zachte, bleke kledingstukken zag. Prachtige roze en ivoren weefsels, met ruches en plooien en lange benige ribbeltjes. Hij hield een van de korsetten in zijn arm een bekeek de ingewikkelde vorm, bracht hem naar zijn neus en ademde een geur in die lichter, zachter en bedwelmender was dan uit een fles. Hij had sinds hij, vier jaar geleden, zijn vrouw voor het laatst had achtergelaten, nooit meer de verborgen kleding van een vrouw aangeraakt. Dat was in de zomer en het weefsel was van de mooiste kwaliteit zijde geweest, en geurde als een tintelende bergmist. De vrouw zelf was heel anders.

Hij voegde nog wat kledingstukken en wat kousen bij het bundeltje kleding. Hope Newfield, hield hij zichzelf krachtig voor, leek in niets – maar dan ook helemaal niets op zijn vrouw.

Terwijl Paul in haar kamer was had Hope uit haar vernielde werkkamer haar portemonnee met zevenentwintig dollar erin, haar bankboekje, waarop nog eens eenenzestig dollar spaargeld stond, en haar zwarte kamgaren cape en vilten gleufhoed gered. Maar de ravage bij het trappenhuis, in het ochtendlicht onverhuld zichtbaar, waarschuwde haar niet meer tijd in het huis door te brengen dan absoluut noodzakelijk was. Toen Paul met haar kleren naar beneden kwam ging ze zich in het benauwde maar onbeschadigde tuinschuurtje achter het huis omkleden.

Ze maakte de bundel in het stoffige licht open en verwachtte op zijn hoogst een jurk, een paar laarzen, misschien een jasje en wat sokken. Ze was stomverbaasd toen ze ook haar intiemste bezittingen aantrof. Haar petticoat die hij had aangeraakt, haar korsetten, haar onderbroeken. Hij had haar dagboek gevonden, met zijn naam in grote letters binnenin, en zijn beslissing dat in ieder geval ook mee te nemen toonde natuurlijk aan dat hij haar dwaze onsamenhangende krabbels had gelezen. Het schaamrood steeg haar naar de kaken. Zelfs het portret van haar vader erin kwam over als een arrogante belediging, terwijl het werk van Poe haar op vernederende wijze herinnerde aan haar eigen vleselijke zwakheid en stompzinnigheid. Maar de ernstigste inbreuk van haar redder was wel dat hij, midden in dit pakket, haar ingelegde schildpad haarspelden had verstopt. Die spelden waren het laatste geschenk van Frank Pearsons aan haar geweest.

Hope had het gevoel alsof ze helemaal doorzichtig was geworden, alsof deze man die ze nauwelijks kende door muren, haar huid, haar hoofd kon kijken. Ze kleedde zich gehaast aan, struikelend over het vuile gereedschap, en werd opeens misselijk. Toen werd ze boos.

Ze moest weg. Hij zou wel buiten staan te wachten, maar ze kon links afslaan en om het huis heen naar de straat lopen. Er moesten inmiddels mensen op de been zijn. Misschien zelfs Collis wel. De gedachte aan haar vrijer – verloofde – stookte haar woede alleen nog maar meer op. Natuurlijk, Collis woonde aan de andere kant van Albany, maar hij was beslist onderweg. Had ze maar gewacht tot hij haar was komen redden. Ze speldde haar haar vast in strakke windingen, en propte het in haar hoed. Toen rolde ze haar overige spullen in haar cape. Ze ging ervandoor, haar besluit stond vast, en ze greep een kleine handzeis die naast de schuurdeur hing. Als die Chinees achter haar aankwam ging ze gillen.

Maar toen ze de schuur uitstapte lag het moestuintje er verlaten bij.

Mooi, dacht ze. Ze moest naar de stad lopen. Als de trams, als door een wonder, reden, zou ze op de tram naar Oakland stappen.

Zo niet, dan zou ze een rijtuig nemen naar het huis van Mary Jane. Van daaruit zou ze wel bekijken wat ze verder met Collis ging doen. Vooral niet aan Paul denken.

Maar wat was het dan dat maakte dat ze nog even achterom keek, naar de moestuin? Een bries die kwam opzetten, misschien. De roep van een vogel. Of iets zo subtiels als een verandering van licht. Hij was nauwelijks zichtbaar, een donkere streep in de nog donkerder schaduw achter het oude, met mos begroeide gemakhuisje. Hij had een bank ontdekt waar klimop overheen hing, en daar zat hij, rechtop en roerloos. Een blote voet rustte op de knie van zijn andere been, terwijl zijn handen met de handpalmen naar boven in zijn schoot lagen, in een houding van stilte en complete overgave. Zijn lange nek rees als een steel op uit zijn mandarijnenkraag. Zijn ogen waren gesloten.

Ze liep voetje voor voetje verder, stapte zachtjes tussen rijen lavendel en tijm door, en voelde haar woede volledig in het niets oplossen. Ze zou hem bedanken, dacht ze, en afscheid nemen. Maar hij wilde niet opkijken. Ze bevochtigde haar lippen en schraapte haar keel. Nog steeds geen reactie. Een kil, zeker weten doortrok haar: hij moest haar helemaal niet.

Toen eindelijk zijn ogen openflitsten keken ze elkaar aan in onverwachte, maar absolute stilte.

Wat dachten ze? Hadden ze een plan toen ze die ochtend opstapten, haar bezittingen onder zijn arm, met grote passen de wereld in? Van uitgesproken bedoelingen was in elk geval geen sprake. Ze moesten weg van dat huis, van de eenzaamheid die het bood, en de daaruit voortvloeiende verleiding. Maar ze hoefden niet bij elkaar te blijven. Bij de eerste opgetrokken wenkbrauw zouden ze uit elkaar zijn gegaan. Maar Berkeley verkeerde in shocktoestand en was alleen maar met zichzelf bezig.

Voordat ze de tuin zelfs maar uit waren werden ze al geroepen door een van de jongens van Burgess, aan de overkant van de weg. Zijn ouders lagen nog in bed, beklemd onder een bureau. Tegen de tijd dat Hope en Paul het gevangen echtpaar hadden bevrijd, geholpen hadden hun gebroken benen te zetten en in de behoeften van hun drie kleine kinderen hadden voorzien, waren er twee uur verstreken. De familie vond voedsel en water voor hen, en verstrekte Paul een paar sokken en schoenlaarzen van meneer Burgess. Ze boden hem ook een jas en een lange broek aan, maar de buurman van Hope woog meer dan tweehonderd pond. Het was al een wonder dat de schoenen pasten.

Toen ze vertrokken keek Hope naar Paul en zag tot haar verbazing dat hij breeduit grijnsde. Ze vroeg wat er zo grappig was. Hij legde uit dat Mrs. Burgess al die tijd haar nachthemd had aangehouden en haar haar niet had opgestoken.

'Ze bedekt zich niet eens voor een Chinees.'

Hope vroeg of hij mevrouw Burgess daarom als al te los beschouwde.

Of hij het echt niet begreep zou ze nooit weten, maar hij antwoordde met een komische blik: 'Ze is niet los. Ze is gebroken.'

Hope barstte in lachen uit. O, wat moest ze lachen! Opluchting, dankbaarheid, verwondering stroomden door haar heen. Het zou allemaal goed komen.

Natuurlijk waren er geen trams, geen elektriciteit, geen telefoons of telegraafdienst, maar er waren genoeg rijtuigen te huur. En Hope had nog steeds naar Mary Jane kunnen gaan. Maar ze kon zich niet voorstellen dat ze Paul mee zou nemen. En ze kon hem nu ook niet alleen laten. Alle ramen op Shattuck waren gebroken en de straat was overspoeld met melk uit gekantelde wagens en whisky uit gekapseisde saloons. Knollen en uien die uit de winkels waren gerold vulden de goten en tramrails. Kooplieden stonden zich achter de oren te krabben en wisselden schattingen van hun verliezen uit die elke beschrijving tartten, terwijl de paar winkels die het die dag klaarspeelden open te blijven over klandizie niet te klagen hadden. Alle gesprekken gingen over de schade, over de branden die aan de andere kant van de baai woedden, over de vluchtelingen die deze kant op kwamen. Iemand riep dat ze in het tijdelijke hospitaal dat in Hearst Hall was opgezet hulp nodig hadden. Paul heeft later nooit gevraagd waarom Hope die mededeling met gejuich begroette. Maar hij ging met haar mee.

In het noodhospitaal werden ze als partners behandeld, omdat ze samen binnengekomen waren. Toen de hoofdverpleegster eenmaal had vastgesteld dat geen van beiden zelf hulp nodig had en dat ze met elkaar konden communiceren, werden ze aan het werk gezet om verband op te rollen, zalfjes en gaasjes te inventariseren, bedden op te zetten en de boel verder klaar te maken voor slachtoffers uit de stad. Volgens de laatste berichten stond het hele zakendistrict van San Francisco in brand en ontstonden elke minuut nieuwe brandhaarden. De verpleegster zei dat Hope en Paul maar moesten samenwerken, want dat was efficiënter. Misschien meende ze het. Misschien vertrouwde ze Paul niet alleen aan het werk, maar ze werd snel afgeleid. De vluchtelingen uit San Francisco stroomden al binnen. Mensen met brandwonden, botbreuken, snijwonden of in shocktoestand. Paul en Hope werkten zo ver mogelijk bij de ellende vandaan.

Ze praatten niet veel – het kabaal van arriverende patiënten en het gegil zou zelfs een oppervlakkig gesprekje onmogelijk hebben gemaakt, zo een dergelijk gesprekje al gewenst was geweest. Op een gegeven moment, het was in de middag, kregen ze boterhammen en melk, die ze mee naar buiten op het gras hadden kunnen nemen. Maar in plaats daarvan werden ze zo als het ware aangetrokken door een paar stoelen in de centrale hal. De onuitgesproken reden was natuurlijk dat ze elke schijn van intimiteit wilden vermijden. Maar Hope was niet voorbereid op de intimiteit van samen eten en drinken, zij samen in die zee van vreemdelingen. Ze merkte dat hij na het slikken zijn lippen tegen de rug van zijn handen depte, dat hij de boterham met argwaan behandelde, de melk niet eens aanroerde. Het grootste deel van de maaltijd waren haar ogen echter gefixeerd op een rozetknoest in de vloerplank naast haar rechtervoet.

Ze waren natuurlijk niet als oprechte Samaritanen binnengekomen. Die grote hal vol bedrijvigheid was gewoon een veilig gebied. Hope kon tussen zoveel mensen dicht genoeg bij hem staan om hem aan te raken, en af en toe raakten hun handen elkaar: niemand die er iets van dacht. Ze waren daar om hulp te bieden – een nobele rechtvaardiging van het feit dat Hope de puinhoop van haar huis had achtergelaten. (Ze had naar haar hospita geïnformeerd en was gerustgesteld dat er geen E. Layton op een van de slachtofferlijsten vermeld stond.) Maar de medische vaardigheden van Hope en Paul waren minimaal, en zodra alle civiele voorbereidingen in orde waren, werd hun 'team' ontslagen.

Het was vijf uur en de westelijke hemel stond stijf van de rook. Hope kon de creosootolie proeven, de as zien die als sneeuw traag naar beneden kwam. Dieren die die ochtend op de vlucht waren geslagen, vormden nu zwervende meutes die brutaler werden naarmate hun aantallen groeiden. Ratten stroomden als schaduwen uit steegjes en kelders. En er waren hele horden zwervers. Overal waren posters opgehangen met de waarschuwing dat plunderaars zouden worden neergeschoten. En de meeste winkeliers hadden hun zaken al dichtgetimmerd om problemen te voorkomen.

Hope en Paul troffen het pension van Miss Bertha leeg maar onbeschadigd aan. In de kamer van Paul op de eerste verdieping lag de vloer bezaaid met kranten. Het bureau stond scheef en de gelakte opbergdozen met zijn Chinese gewaden, geschriften, en wat er over was van de gedroogde en ingemaakte groenten en medicinale wortels die hij uit Hupei had meegenomen, lagen als mahjongstenen in het rond gestrooid. De zwaardere kamferkisten met daarin zijn bont en winterkleding stonden nog netjes in de kleine hoekkast, terwijl de mouwen en pijpen van zijn westerse pakken onder uit de walnoten kast staken.

Paul schoof zijn smalle bed tegen de muur, trok de dekens strak en ging zitten. Hope had niets gevraagd maar was hem simpelweg naar boven gevolgd. En nu knielde ze neer tussen zijn bezittingen en legde boeken, penselen en papieren op zinloze stapeltjes. In het licht van de lantaarn was haar gezicht van goud. Ze had haar hoed afgezet, haar haar hing los langs haar gezicht. Een losse krul plakte aan haar wang, onder een roetvlek. Ze geeuwde uitgebreid en wiegde haar bovenlichaam heen en weer, zonder één keer haar ogen op te slaan. Hij kon wel zien dat ze uitgeput was. Maar ze was alleen met hem in zijn kamer.

Buiten hoorde hij vaag mannen roepen en klepperen. Hij voelde zijn eigen vermoeidheid niet.

Ze pakte een van zijn kalligrafeerpenselen op en trok die over haar pols. 'Wat doen we?' vroeg ze.

'Je moet rusten.'

'Hier?'

'Je bent hier veilig.'

'Echt waar?' Het klonk ondeugend. Toen lachte ze, en stak het penseel achter haar oor. Een traan liep over haar linkerwang.

'Ik zal ergens anders slapen,' zei hij.

Ze gaf geen antwoord.

Hij kwam naar haar toe, boog zich voorover, en legde zijn vingertoppen zachtjes op haar naar boven gekeerde pols. 'Eerst breng ik eten en water.'

'Paul?'

Hij trok zich terug.

'Dankjewel.'

Even later, nadat hij Hope had achtergelaten om te gaan slapen, stormden de twee andere huurders, Ma Lung-sing en Ho Yao-fan, de keuken binnen. Ze spraken enkel over de witte duivels die ze hadden zien worstelen met hun rampspoed. Ho vroeg net aan

Paul waar hij die ochtend heen was geweest, toen Miss Bertha Miles zich bij hen voegde. De hospita was zo lang dat ze moest bukken om binnen te komen, en ze had de gewoonte om van de ene vierkante heup naar de andere te hippen als ze praatte. Paul had sinds zijn aankomst in Amerika, meer dan een jaar geleden, in dit huis gewoond, maar hij kon er nooit genoeg van krijgen om naar Miss Bertha te kijken. Zij was de eerste mens met een zwarte huid die hij ooit had ontmoet. En ze was zo donker dat hij in het begin nauwelijks kon geloven dat haar gezicht en handen niet geverfd waren. Ze waren vrienden geworden toen zij had opgemerkt dat ze vroeger ook zo over Chinese ogen had gedacht.

De hospita zei dat ze net was teruggekeerd van de haven, waar het Leger des Heils bezig was een grote tent op te zetten. Er waren al duizenden vluchtelingen. Ze reageerde niet toen Paul haar vertelde dat er vannacht iemand bleef slapen.

'Dit zijn vreemde tijden,' zei ze, en ze draaide zich om. 'Zorgelijke tijden. Niets kan hetzelfde zijn na een dag als vandaag.'

Een paar minuten later kwam de stem van Miss Bertha aanrollen vanuit haar slaapkamer, als een wolk van kolenstof. Ze zong luid en diep, vol liefde voor haar christelijke Heer. Ma en Ho informeerden naar de gast van Po-yu. Omdat hij ervan uitging dat ze haar uiteindelijk wel te zien zouden krijgen, vertelde hij de waarheid.

'Oei oei oei,' klonk het uit hun monden. '*Chipa jen!* Je bent gek.'

'Verdoemd!'

'Ze kan hier niet blijven – ze hakken onze lul af.'

'Liang, je weet toch dat als je je lusten niet kunt bedwingen, er slavinnen zijn in Chinatown!'

'Ik heb gehoord dat Chinatown in brand staat.'

'Nee!'

'Ik heb gehoord dat iedereen is weggevlucht.'

In het noodhospitaal had Paul niets over Chinatown gehoord, maar Ma beweerde dat de vernietiging totaal was; geen straat had het overleefd. Dat betekende dat de burelen van de Chinese kranten, inclusief de Free Press, ook verwoest moesten zijn. Het verlies van de kranten zou de politieke activiteiten van de republikeinen ernstig schaden. De volgelingen van dr. Sun zouden twee keer zo hard moeten werken om de apparatuur terug te krijgen die nog te redden was, een nieuwe locatie te vinden, een nieuwe drukpers te installeren. Als redacteur, dacht Paul, zou dat mijn eerste zorg moeten zijn. En toch...

Er valt geen water te putten uit een droge bron. Het wederopbouwen van de huizen en zaken in Chinatown zou alle geld en aandacht opeisen die anders naar de revolutie in China zouden gaan, weken, misschien wel maanden achtereen. Onder zulke omstandigheden hielpen mensen alleen zichzelf.

3

PAUL WERD BIJ ZONSOPGANG WAKKER NA EEN NACHT MET VOLdoende gefluit en gekreun om een Peking-opera naar de kroon te steken. Vanuit het kleine slaapkamerraam kon hij de onophoudelijk opstijgende, lichtgrijze en pikzwarte rook boven San Francisco zien die de zon verduisterde. De straat was tot leven gekomen, overal brandden vuurtjes, overal bivakkeerden mensen. Families in vreemde kledingcombinaties klampten vast wat ze maar hadden weten te redden: aan flarden gescheurde kussens, sieradendoosjes, eenogige knuffels, miauwende katten en gekooide kanaries. Ze hadden gezichten als in een nachtmerrie, gezichten die Paul zo vaak had gezien bij vluchtelingen in China, maar hij had nooit gedacht ze hier ook te zien.

Paul lette op dat hij de andere mannen niet wakker maakte, en trok zijn visgraatkostuum met vest aan dat hij te voorschijn had gehaald, nadat hij Hope gisteravond wat te eten had gebracht. Maar toen hij weer in zijn kamer keek was die leeg, en toen hij naar beneden ging trof hij Hope al bij de voordeur aan, waar ze haar handschoenen stond aan te trekken. ‘Ik ga terug,’ zei ze zonder op te kijken. ‘Als Eleanor het heeft overleefd, komt ze vast naar huis, en dan moet ik er ook zijn.’

Een roze vouw liep over haar wang. Daar had ze de hele nacht mee op zijn kussen gerust. Haar bagage lag aan haar voeten. Hij pakte deze zonder een woord te zeggen op en volgde haar naar buiten.

Ze konden de metamorfose al vanaf de Telegraph Avenue zien. Op het gazon van mevrouw Layton waren tenten als paddestoelen uit de grond geschoten. Kookdampen kringelden op langs de zijkant van de tuin en de veranda was ommuurd met papieren zakken, dozen, koffers en kratten. Baby's gilden vanaf de ene kant van het huis. Mannen met gereedschap vielen op de andere kant aan. Vrouwen in bezoedelde avondjurken taterden terwijl kinderen die erbij liepen als bedelaars heen en weer draafden. In een gestoffeerde leunstoel net binnen het hek zat een vrouw met dofgroen haar onder iets wat een dood vogeltje bleek te zijn in een nest van verdord stro. Ze glimlachte eigenaardig, overdreven sentimenteel, en wuifde met de verschroeide overblijfselen van een Chinese waaier onder haar kin.

Het deed Paul denken aan reproducties die hij eens gezien had van schilderijen van de Nederlandse schilder Jeroen Bosch. Vreemde beelden, waarin mensen klein en talrijk als insecten een landschap bewoonden van gapende wonden. Die schilderijen hadden op hem de indruk gemaakt niets met de werkelijkheid te maken te hebben, maar nu dacht hij er anders over.

Pas toen Hope haar naam riep en zich naar het hek haastte herkende Paul de groenharige vrouw. Hij trok zich onmiddellijk terug. Eleanor Layton kon hem niet gebruiken, en hij haar niet.

'Eleanor, ik ben zo blij dat je in veiligheid bent,' zei Hope, 'maar wie zijn al die mensen?'

'Wij zijn de bruiloft!' Een klein meisje met een hoge stem keek Hope boos aan.

'De Mackays,' knikte mevrouw Layton naar het gezelschap bij het huis, 'en de Breckinridges.'

'Toen de branden begonnen moest iedereen het hotel uit,' begon het meisje weer, rondjes draaiend terwijl ze vertelde. 'We moesten lopen en lopen om weg te komen en toen moesten we heel lang wachten voor papa een boot voor ons vond. Die stonk naar bedorven vis en het was al na *middernacht* toen we hier aankwamen. Ik moest op het gras slapen terwijl mijn neef Delbert vlak boven mijn oor snurkte. O, o. Duizelig!' Ze liet zich theatraal vallen, met haar armen over haar hoofd.

'Mijn fantastische nicht Jennifer.' Mevrouw Layton schudde haar hoofd naar het ter aarde gevallen kind. 'Zo, en nu je ons verhaal dan hebt gehoord, Hope, vertel me dan eens waar *jij* geweest bent, nadat je mijn huis in zo'n janboel had achtergelaten?'

'O,' sprak Hope tegen de wind in, en ze haalde haar schouders op. 'Bij een kennis.'

Maar toen ze achteromkeek zag ze hem nergens meer. Een stel mannen in hemdsmouwen was bij het hek met planken aan het slepen. Vlakbij trokken twee jongetjes graspollen uit de grond en bekogelden elkaar daarmee. Er klonk gehamer uit het huis, en vrouwenstemmen vanuit de tuin aan de zijkant. Hope speurde de straat af, de hele tuin, de groepjes kinderen die aan het knikkeren en touwtjespringen waren. Er waren hier zeker wel twintig mensen. Maar Paul was verdwenen.

Ze hield zichzelf voor dat dat maar beter was ook. Het was niet eens haar bedoeling geweest dat hij meekwam. Het was al storend genoeg geweest om de hele nacht in zijn geur te moeten slapen. En hij had hier niets te zoeken. Maar de manier waarop hij steeds opdook en weer verdween, maakte haar rusteloos. En hij had haar kleren – dat dagboek dat ze had moeten verbranden zodra ze zijn naam erin geschreven had. Hoe kon hij zomaar weggegaan zijn!

'Ja, ik zag de aan elkaar geknoopte kleren waarlangs je ontsnapt bent.' Eleanor grinnikte. 'Je bent me er eentje, maar ik ben blij dat je weer bij je positieven bent.'

Hope hoorde haar maar half. Ze dacht eraan hoe Paul over haar heen had geleund, zijn gezicht boven haar, de verwarrende warmte die door haar heen was geschoten toen hij haar pols had gestreeld. Ze huiverde, en dwong zich haar aandacht weer op het hier en nu te richten. Gisteren had ze berichten gehoord over vlammen zo hoog als Russian Hill, gebouwen die van de hitte explodeerden, straten die waren gesmolten tot rivieren van vloeibaar macadam. Vertrapte kinderen. Politie die op iedereen schoot die eroverheen wilde. Ze keek naar de gescheurde kleding van haar hospita – die verfomfaaide hoed!

'Ik had je niet moeten overhalen om naar de stad te gaan, Eleanor. Het moet daar een hel voor je geweest zijn.'

'Hou op! We hebben geluk gehad. Een avontuur om nooit te vergeten. De opwinding als je er levend uitgekomen bent is grandioos. Bovendien zal mijn huis spoedig weer als nieuw zijn. En ik heb eindelijk een gezin om het mee te vullen.'

'Hoe bedoel je?'

Eleanor wuifde met haar waaier naar een groepje mensen bij de veranda. 'Zie je die breedgeschouderde man daar en die lange, mooie vrouw naast hem? Dat zijn Reggie en Stella Mackay, en acht van deze kinderen zijn van hen. Ze zijn op het nippertje uit hun huis op Dupont ontsnapt, arme drommels, en Reggie zegt dat ze nooit meer terug wil. Dus heb ik meteen gevraagd, waarom komen jullie niet hier bij mij wonen?' Ze glimlachte naar Hope. 'Je weet dat ik altijd kinderen heb willen hebben.'

'Maar waar moeten we die allemaal bergen?'
De hospita knipoogde. 'Gelukkig maar dat jij gaat verhuizen, lieve.'
Hope probeerde in haar verwarring de dag voor de aardbeving te reconstrueren. Eleanor was ruim een halfuur voor de komst van Collis vertrokken, dus kon ze onmogelijk op haar verloving doelen...
Aan de andere kant van het huis huilde de bruid en maakte zich los van een man die geprobeerd had haar te omhelzen. Ze trapte op haar lange sleep, viel op de grond en sidderde als een kreupele mot. 'Dat zijn Prudence en Robert,' zei Eleanor. 'Het arme kind blijft volhouden dat het een slecht teken is om die jurk uit te trekken – al zit hij dan onder de modder – voor ze deze bruiloft hebben gehad. Alsof ze *nog* meer pech zou kunnen hebben.'
Hope keek de andere kant uit. Ze had in de *National Geographic* gelezen dat Chinese bruiden altijd in het rood gekleed gaan, met één belangrijke uitzondering. Als de bruidegom voor het huwelijk sterft, wordt er van de bruid nog steeds verwacht dat ze zijn weduwe wordt, en de gehoorzame schoondochter van zijn ouders. Dan wordt er een geestelijk huwelijk voltrokken. Alleen dan, als een meisje een dode man trouwt, moet haar trouwkleding wit zijn.
'Hope!'
Het was Collis, die de straat overstak.
'Daar is je ridder op het witte paard. Het zou nog een dubbele bruiloft kunnen worden, Hope,' suggereerde Eleanor. 'De dominee is al onderweg.'
'Dubbele bruiloft!' Het irritante meisje danste al klappend naar het huis. Hope deed haar mond open, maar de wind legde haar het zwijgen op. Dezelfde wind die de branden aanwakkerde en de stad met de grond gelijkmaakte.
De weduwe rolde met haar ogen. 'Je hebt er al één nacht opzitten. Als je nu niet in het huwelijksbootje stapt komen de tongen echt in beweging.'
Eindelijk begon het haar te dagen. Geen wonder dat Eleanor haar met zo'n pikante ondertoon had bejegend.
Collis liep gehaast door het hek naar binnen. Zijn broek zat onder de modder, de kraag van zijn overhemd stak half uit zijn colbert en hij had de knoopjes scheef vastgemaakt, zodat een deel boven zijn haastig geknoopte das uitstak, maar hij had in elk geval een das om. En terwijl hij op hen toeliep zette hij zijn grijze bolhoed recht alsof hij een formele visite kwam afleggen.

Hope wierp een laatste blik door de straat, maar ze had niet kunnen zeggen of ze bang was of bad dat Paul daar nog ergens zou staan. Het was niet belangrijk. Hij was weg.

'Hope, waar ben jij in 's hemelsnaam geweest? Ik heb de hele nacht gezocht, ik was buiten zinnen van bezorgdheid.'

Ze liep bij Eleanor vandaan en trad hem tegemoet. 'Collis, het spijt me...'

'Het kostte uren om hier te komen, en geen spoor van Hope.' Hij legde zijn hand op haar schouder en ze deinsde achteruit. Zijn toon veranderde. 'Het komt allemaal goed, Hope. Je bent nu in veilige handen.'

De hoogte en breedte van zijn gestalte omsloten haar als de muren van een graftombe. Veilige handen. Ze was allesbehalve veilig. Ze drukte haar wang in het grijs van zijn schouder terwijl hij op die bezitterige toon bleef doorpraten en haar stevig vasthield. En ze zei niets. Maar de wind bleef om hen heen waaien, de boomtoppen zwiepten en de lange takken van de wilg sloegen tegen het hek. En opeens kwam, tussen die lange, heldergroene takken, Paul te voorschijn. Hij had al die tijd naar haar staan kijken.

Ze probeerde met haar hoofd te schudden, hem een teken te geven dat wat hij zag niets met haar te maken had, dat het een heel ander meisje was dat zich in de armen van Chesterton bevond. Maar Paul maakte geen beweging of gebaar meer. Doe wat je wil, leek hij te zeggen. Wat je moet doen.

Niemand kan je iets laten doen wat je zelf niet wilt.

Ze legde haar handen plat op de borst van Collis en duwde hem ruw van zich af. Uit zijn ogen spatte een vonk van gekwetstheid, maar meteen stonden ze alweer even saai als altijd. Hij hield haar afwijzing voor pittigheid. 'Zo ken ik je weer,' fleemde hij.

Ze keek vliegensvlug de tuin rond en zag dat niemand anders Paul gezien had, hoewel Collis en zij ieders aandacht hadden getrokken. Een rijtje vrouwen bij de pomp hield een hand boven de ogen om beter te kunnen kijken. De kinderen smakten luid met hun lippen en Eleanor klokte als een bruidsjuffer. Alleen de man op wie ze geen acht sloegen begreep de ware betekenis van die harde duw. En hij liet merken dat hij het begrepen had door langzaam haar spullen verder onder zijn arm te schuiven, zijn mond geluidloos te openen. Hij verloor haar geen seconde uit het oog.

Ze trok haar portemonnee uit de zak van haar cape. 'Ik heb me vergist,' zei ze.

Collis lachte welwillend. 'Vergist?'

'Ik kan niet met je trouwen.'

Collis keek haar aan alsof hij het niet gehoord had. 'Wat ben je aan het doen?'

'Hier.' Hope pakte zijn hand en duwde daar de ring in die ze die ochtend in haar kous gevonden had.

'Ze is gek,' gilde Eleanor, die op hen af kwam. 'Professor, geloof geen woord van wat ze zegt.'

'Mevrouw Layton, alstublieft!' schreeuwde Collis. Hij hief zijn hand, en hield die pas vlak voor haar wang stil. Eleanor schudde zich als een hond uit en greep haar achternicht beet als om zich tegen verdere aanvallen te beschermen.

'Wat is er, tante?' vroeg het naïeve kind, terwijl ze werd weggevoerd. 'Dubbele bruiloft?'

'In elk geval niet in mijn huis,' stamelde Eleanor. 'Alle kinderen meekomen. Laat ze zelf hun rotzooi maar opruimen.'

'Wat is er in jou gevaren, Hope?' vroeg Collis toen de weduwe buiten gehoorafstand was. 'Waar heb je vannacht gezeten?'

'Wil je niet zo'n neerbuigende toon aanslaan. Ik heb geen klap op mijn hoofd gehad, en ik heb niet mijn verstand verloren.'

'Eergisteren wilde je nog graag met me trouwen.'

'O ja?' Ze durfde niet naar Paul te kijken uit angst dat Collis haar ogen zou volgen, maar ze voelde dat hij gespannen stond te wachten en elke beweging taxeerde.

'Dat heb je me tenminste doen geloven.'

'Je bent veel te goed voor me geweest, Collis.' Ze slikte. 'Het is niet jouw fout.'

'Alsof dat wat uitmaakt.'

Ze keek hem woedend aan. 'Je dwingt me te zeggen dat ik niet van je hou!'

Hij lachte. Dikke tranen glinsterden in de hoeken van zijn ogen. Hij veegde ze weg met de rug van zijn pols en keek naar de ring die hij nog steeds in zijn hand hield, alsof hij niet begreep wat die ring daar moest. Je hebt mij niet horen zeggen dat liefde een voorwaarde was.'

Voor het eerst kwam de gedachte bij haar op dat Collis net zo ongelukkig met haar zou zijn geweest als zij met hem.

Vanuit de hoek van de tuin begon een zangerige jongensstem het oude kinderliedje te zingen: 'Pinda, pinda, lekka, lekka, pinda pinda poep-Chinees!' Maar Collis draaide zich al om en schonk er geen aandacht aan. Hij sloeg zijn armen achteruit naar Hope. Toen ze verzuimde zijn armen te pakken om hem tegen te houden, liep hij door. Pas toen hij het hek uitliep zag hij Paul voor zich staan. Collis nam hem van top tot teen op alsof hij een varkenslapje beoordeelde.

'Je had kunnen weten dat er geen les is vandaag, Liang.' Collis deed een paar passen, bleef weer staan, keek naar de ring, keek nog eens achterom en smeet de ring voor de voeten van Paul in de modder.

4

ZE LIEPEN VLUG, GEHAAST, HEUVELOPWAARTS. HET STOF WOLKTE op onder hun voeten, en af en toe spatte een grindsteen weg. Al gauw hijgden ze van de inspanning die het kostte om de steile helling te beklimmen. Als Hope met een andere man was geweest, en de omstandigheden anders, had ze misschien zijn elleboog of hand gepakt of tegen hem aangeleund om makkelijker te kunnen klimmen. Maar zelfs toen ze het laatste huis al ver achter zich hadden gelaten en door weiden liepen waar ze alleen nog werden opgenomen door grazend vee, hield ze haar handen bij zich en bewaarde haar afstand. Af en toe keken ze elkaar aan en zagen elkaars verwarring. En dan werd Hope vuurrood en trok ze de rand van haar gleufhoed naar beneden. En Paul richtte zijn blik op de wolken. Geen van beiden zei een woord.

Na twintig minuten geen mens te zijn tegengekomen, kwamen ze aan de rand van het woud dat zich over Grizzly Peak uitspreidde. Hier vormde een baldakijn van cipressen en eucalyptussen een schaduwrijke werkplek, waar Hope vaak was geweest om in haar dagboek te schrijven of gewoon van het uitzicht te genieten, dat zich helemaal over de baai uitstrekte. Vandaag was het een uitzicht vol rampspoed. De ingestorte daken van hun eigen, vernietigde stad. De haven lag volgeklonterd met boten. De overblijfselen van San Francisco leken wel verpletterd onder een berg van rook die zo groot en zwart was dat de hele hemel erin verdween. Alleen hier, waar zij stonden, scheen de ochtendzon, fel en gepolijst als zilver, en viel een schaduw die fris was als regen.

Hope ging op een grote kei zitten en trok haar knieën naar haar kin. Paul legde de bundel die hij gedragen had naast haar neer. Heel even stond hij zo dicht bij haar dat ze zich verbeeldde de warmte van zijn lichaam te voelen, maar toen trok hij zich terug.

Hij hield de ring op die Collis hem voor de voeten had gesmeten. 'Hoe noem je dit?'

Ze trok haar handschoenen uit met verbeten concentratie. 'Collis noemde het een verlovingsring. Jij mag hem noemen wat je wilt. Hij is van jou.'

'Waarom besluit jij op deze manier?'

'Om niet met hem te trouwen, bedoel je?'

Hij knikte.

'Ik hou niet van hem.' Ze plukte een handvol van het lange gras dat naast de kei groeide. 'Ik heb het geprobeerd, maar ik kon het niet.'

Paul liet de ring weer in zijn zak glijden. Toen leunde hij tegen de steen en staarde naar de berg van rook. 'Maar eerst jij instemmen?'

'Ja.'

'Je familie zal ontstemd zijn, dan?'

'Mijn familie!'

'In China, als een man wil trouwen, hij zal vragen tussenpersoon regeling treffen met familie. Jouw familie...?'

'Ik heb alleen een vader.' Ze kauwde op haar onderlip. 'Hij heeft Collis nooit ontmoet, maar hij is zo romantisch als wat. Hij zal het begrijpen.'

'Romantisch.'

Ze trok het gras uit elkaar dat ze aan het vlechten was geweest. 'Hij zou er nooit helemaal achter staan als ik met iemand als Collis trouwde.'

Paul draaide zijn schouders naar haar toe. 'Waarom kies je deze dag uit om nee te zeggen?'

'Ik...' Ze kromp in elkaar. 'Je weet waarom.'

'Ik zie mijn naam in je notitieboek.'

'Dus je hebt het gelezen.'

'Ik zie mijn naam. De rest – die aantekeningen zijn als knopen.'

Een golf van opluchting zwiepte door haar heen. Ze lachte. 'Ja, je hebt gelijk.'

'Als een man niet vragen familie, hoe wordt het dan gedaan?'

'Wat bedoel je, Paul?'

'Ik wil met je trouwen.'

De botheid van zijn aanzoek en de onmogelijkheid erop in te

gaan, maakten dat ze zich terugtrok, maar hij stak zijn handen naar haar uit en pakte haar bij haar polsen beet, trok haar naar zich toe. Zijn armen gleden om haar rug, en weer voelde ze zich omringd door de warmte van zijn lichaam, ademde ze dezelfde zoete geur in die haar die hele nacht uit haar slaap had gehouden.

'Nee!' riep ze. 'Paul, dat moeten we niet doen.'

'Waarom niet?' vroeg hij zachtjes.

Maar zijn nabijheid verlamde haar overredingskracht, en een of twee seconden ging ze zo op in de sensatie van zijn adem tegen haar oor dat ze geen antwoord kon bedenken. Toen trok hij haar dichter naar zich toe en flapte ze eruit: 'Het is in strijd met de wet!'

'*Pu*,' fluisterde hij. 'Niet in Wyoming.'

Ze boog zich naar achteren, opeens rationeel, en staarde naar zijn lange jongensachtige wimpers, die blik vol zelfvertrouwen. 'Wat zeg je?'

Hij streelde haar oogleden. Haar neus. Haar lippen. Ze wachtte.

Zachtjes liet hij haar hoed van haar hoofd afglijden, beroerde haar haar. 'In Wyoming kan het. Daar gaan we heen, trouwen.'

'Maar *huwelijk*... kinderen...'

'We zullen hele mooie kinderen krijgen,' murmelde hij.

En plotseling huilde ze. Hij pakte haar gezicht tussen zijn handen. 'Niet bang zijn, Hsin-hsin.' De intensiteit van zijn ogen, zijn stem was als een belofte. Ze besefte dat ze hem volkomen vertrouwde.

Toen wreef hij in zijn ogen, alsof hij wilde kijken of hij niet droomde. Dit gebaar brak haar laatste weerstand en bracht haar ertoe hem te kussen. Vlug en ademloos ging ze op haar tenen staan om zijn mond te bereiken, bleef nauwelijks lang genoeg zo uitgerekt staan om de verbazingwekkende zachtheid van zijn lippen en hun donkere, zoutige smaak te registreren, maar toen ze zich weer liet zakken boog hij zich voorover en ving haar weer op. Plotseling ademde ze hem in, proefde hem, raakte hem aan, haar handen verbaasd over de zachtheid van zijn wangen en keel en haar, en zijn verlangen was zo hevig dat het niet meer van haar eigen verlangen te onderscheiden was.

III

BRUILOFT

Van Berkeley naar Evanston, Wyoming (1906)

I

2 MEI 1906
p/a Mary Jane Lockyear
57 Hawthorne
Oakland

Liefste papa,

Ik neem aan dat je mijn telegram hebt ontvangen en je je daarginds in Oregon geen zorgen maakt over je dochter – laat staan dat je hierheen jakkert! De aardbeving *was* heel dramatisch, alsof een reusachtig bokkend paard onder de huid van de aarde zat en eruit wilde. Maar Berkeley is er zonder één brand en met slechts een paar gewonden van afgekomen. Ik was aangeslagen, maar ben niet gewond geraakt. Zoals je aan het afzendadres kunt zien, logeer ik sinds de ramp bij Mary Jane Lockyear. Eleanor Layton had de kamer nodig voor haar dakloze familieleden van de andere kant van de Baai. Ja, ze heeft wel lef, maar eerlijk gezegd bevalt het me beter hier, aangezien het gezelschap aanzienlijk verlichter is dan Eleanor ooit zou kunnen opbrengen. Mary Jane heeft een aantal van huis en haard beroofde vrienden in huis genomen, en we zijn allemaal voorstanders van kiesrecht voor vrouwen en een menselijker behandeling van de niet-blanke rassen, dus gewoon met elkaar praten is niet de bezoeking die het was met Eleanor.

Maar nu komt de grote verrassing. Hou je je goed vast?

Ik ga trouwen, en niet met Collis Chesterton. (Ik had je

nooit met hem om de tuin moeten leiden – ik heb nooit van hem gehouden en zou heel ongelukkig geworden zijn als ik met hem getrouwd was.) Mijn toekomstige echtgenoot heet Paul. Paul Leon. Hij is een ontwikkelde man – studeert aan Berkeley – en zijn familie is gigantisch rijk. Ze wonen in het buitenland en zullen beslist net zo verbaasd zijn als jij wanneer ze van onze plannen horen. Ik weet dat het plotseling is, maar misschien zul je het begrijpen als ik vertel dat Paul mijn leven gered heeft. Dat klinkt een beetje dramatisch, maar als hij niet langsgekomen was en die ladder opgegaan was, zat ik misschien nog steeds gevangen op de derde verdieping van het huis van Eleanor! Het trappenhuis was tijdens de aardbeving ingestort, zie je, en ik kon zelf niet naar beneden komen.

Nou paps, dankzij Paul ben ik veilig, gezond en gelukkig en spoedig een getrouwde dame, en we zijn absoluut van plan je als een vorst te onthalen zodra je je weer de bergen uit waagt. Maar ik zou me ellendig voelen als je die hele reis zou moeten maken alleen om te zien hoe wij in het huwelijksbootje stapten, en aangezien ook niemand van zijn familie in de buurt zal zijn, hebben we besloten ons bij een clubje vrienden aan te sluiten voor een vlugge en eenvoudige plechtigheid later deze maand. Aangezien ze in het hele gebied rond de Baai nog druk aan het graven en bouwen zijn is niemand in de stemming voor grote feestelijkheden, dus ga niet denken dat je iets mist. Zodra je dit leest, is het jawoord gegeven. Tegen de tijd dat ik je weer zie hoop ik in een heerlijk huis van onszelf genesteld te zijn met een logeerkamer voor jou.

Ik mis je heel erg, papa, maar ik weet dat je Paul zult mogen. Wens ons alsjeblieft alle goeds.

Je liefhebbende dochter.
Hope

Ze loog. Niet alleen over Paul, maar ook over Mary Jane. De tussenliggende weken waren allesbehalve rooskleurig geweest. Zo deed haar beste vriendin alles wat in haar vermogen lag om haar huwelijk te dwarsbomen, waarbij ze ook alle andere huisbewoners inschakelde om het te voorkomen. Maar in de brief aan haar vader stonden niet alleen maar leugens: ze had levendig en ongewoon gezelschap in haar tijdelijke onderkomen. Dorothea Marr, de Franse literatuurwetenschapster, had de suffragettesbeweging van Mills College opgericht. Antonia Laws droeg een ooglapje en rookte een pijp, en Anne, de jongere zuster van Antonia, was in haar jeugd rodeorijdster geweest. Het waren net zomin studietutjes als Mary Jane, maar niettemin namen ze Hope om beurten apart om een beroep te doen op haar 'gezond verstand', haar 'superieure vrouwelijke wijsheid', haar 'ongewone intellect', haar 'onafhankelijke aard', haar 'competentie' en – die vond Hope nog wel de mooiste, uit de mond van Antonia met het zwarte lapje – het feit dat ze 'zedelijk zo hoogstaand' was. Ze waarschuwden haar voor de onherstelbare gevolgen. Hope zou worden vervolgd. Belachelijk gemaakt. Ze zou in armoede leven. Ze zou haar land en haar vrijheid verliezen. Paul zou proberen haar te bekeren, voorspelde Mary Jane. Hij zal je leren hoe je paling en berenpoot moet klaarmaken. Hij zal je zijden gewaden laten dragen, en van je verlangen dat je vijf passen achter hem blijft lopen, of erger nog, je opsluiten uit angst dat andere mannen je zullen zien.

'Ik kan wel zien hoeveel je van hem houdt, Hope,' zei ze toen alle andere argumenten faalden. 'Dat is mijn zaak niet, en ik bied je mijn oprechte verontschuldigingen aan als ik daar ooit iets vals over gezegd heb. Maar als je met die man trouwt komt er meer bij kijken dan liefde alleen. De wereld zal heus niet veranderen enkel en alleen omdat jij vindt dat dat hoog tijd wordt. En de wereld kan heel wreed zijn in haar afwijzing.'

Hope bleef bij Mary Jane wonen omdat ze nergens anders heen kon. Het pension van Paul zat nu vol vrienden en familieleden van Miss Miles uit San Francisco. En Paul had geen eigen kamer meer. Bovendien was ze bang om met hem gezien te worden. Op de dag van de aardbeving waren ze door de chaos beschermd, maar die dag was nu voorbij, en er werd weer gretig op los geroddeld. Op de markten werd breeduit gepraat over overspeligen die tijdens de aardbeving waren betrapt, over prominente stedelingen die uit bordelen waren weggevlucht, en over de haastig gesloten huwelijken onder vluchtelingen in de tentenkampen. Maar het geklets had ook nog een donkerder kant. De mensen maakten zich zorgen over al die duizenden Chinezen uit Chinatown die zich in Oakland zouden vestigen als niemand hen tegenhield.

En daar kwam nog bij, beweerde op een dag een vrouw met een opgeblazen gezicht bij de kruidenier, dat alle immigratiedossiers in vlammen waren opgegaan, en nu claimden alle Chinezen dat ze hier geboren waren, dat ze Amerikaanse *staatsburgers* waren. Wie kon uitmaken welke er logen? Nou konden ze op geen enkele manier meer van die gelen afkomen.

Nou, antwoordde haar vriendin, haar man wist anders wel een manier om van ze af te komen, en die stond geladen en gespannen naast zijn bed.

Het Gele Gevaar dreigde weer, net zoals twintig jaar geleden, toen de anti-Chinese koorts op zijn hoogtepunt was. Hope wist dat als zij en Paul zich nu samen op straat zouden wagen, hun gevoelens voor elkaar voor elke voorbijganger zichtbaar zouden zijn. Zelfs als ze zich alleen onder de mensen begaf, had ze al het gevoel dat ze een grote R op de borst droeg: de R van rassenvermengster.

Ze hield zichzelf voor dat dat voorbij zou zijn zodra Paul en zij getrouwd waren. Dat de wettige en religieuze institutie van het huwelijk hun schild zou zijn. In de tussentijd ontmoetten ze elkaar, heel gespannen, in de kleine besloten serre achter de zitkamer van Mary Jane. Dan kraakte het eikenhouten zitje, dwarrelde het gouden stof in het rond en nam de afkeuring van de wereld als een koude oorlog tussen hen plaats. Paul hield zijn hoed op schoot en de hielen van zijn laarzen tegen elkaar gedrukt. Het brilletje op het puntje van zijn neus maakte hem minstens twintig jaar ouder. Hope hield haar handen bezig met het inpakken van liefdadigheidspakketten voor de vluchtelingen, en dan praatten ze, niet over hun liefde – nooit over hun liefde – of over het hunkeren naar elkaars huid die alles benadrukte, maar over hun toekomst als de logistieke onderneming die zij nu geworden was. Twaalfhonderd kilometer was niet zomaar een afstand, maar de feitelijke afstand tussen deze kamer en de grens waarachter zij bevrijd zouden worden. Het veelkoppige probleem om over die grens heen te komen maakte hem alleen maar tastbaarder, en het uiteindelijke doel van hun huwelijk reëler. En elk nieuw probleem dat zich voordeed droeg ertoe bij dat Hope nog koppiger zijn zijde koos.

Ze hadden samen nog geen honderd dollar, even afgezien van wat de ring van Collis waard was, die Paul op haar aandringen bewaarde. Als en wanneer de Bank van San Francisco waar Paul zijn zaken deed werd herbouwd, en oude rekeningen ging honoreren, zou hij nog eens vijftig hebben. En half juni zou hij van thuis zijn kwartaalstipendium van tweehonderd dollar ontvangen. Hij kon zijn familie een telegram sturen voor een noodondersteuning, maar op dat punt was er sprake van complicaties. Hoewel hij het probleem liever niet expliciet uiteenzette, had Hope wel door dat de Chinezen net zo racistisch konden zijn als de Amerikanen tegenover de Chinezen, vooral wanneer blanke vrouwen met hun zonen trouwden. Paul was ervan overtuigd dat zijn moeder alles in het werk zou stellen om hun huwelijk te dwarsbomen. En aangezien zijn vader was overleden en zij het familiekapitaal beheerde, zou haar eerste stap het inhouden van zijn toelage zijn.

Hope had sinds haar achttiende in haar eigen levensonderhoud voorzien, en ze moedigde Paul aan om zijn moeder de waarheid te schrijven en haar gang te laten gaan. Ze waren zoveel duizenden kilometers van haar verwijderd, en er waren zoveel studenten die Hope les kon geven, ook zonder de referentie van Collis Chesterton. En zodra de Free Press weer ging publiceren, zou Paul zijn salaris weer hebben.

'We redden het wel,' stelde ze Paul gerust.

'Je begrijpt het niet,' zei hij.

De eerste van de vele keren dat hij die woorden sprak stond hij in een zee van late middagzon met zijn handen op zijn rug gevouwen alsof hij handboeien om had. Hij stond met zijn rug naar haar toe. Er was geen boosheid in zijn stem, nooit, maar een intense droefheid, een soort berusting die als een dikke glasplaat tussen hen in schoof. Ze wilde zich er wel tegenaan werpen, dat dikke glas verbrijzelen met beloften van vrijheid en liefde. Ze wilde haar gezicht wel in zijn schouder begraven.

'Nee,' zei ze, en ze hield haar afstand. 'Dat geloof ik ook.'

Hij stuurde geen bericht naar China; hun honderd dollar was meer dan genoeg om er hun reis naar Wyoming van te bekostigen. Maar er waren nog andere zorgen dan geld. De tolerantie van de wet in Wyoming met betrekking tot gemengde huwelijken was in strijd met de houding van die staat tegenover Chinezen. Een stuk of twintig jaar geleden hadden blanke mijnwerkers in een stadje genaamd Rock Springs op klaarlichte dag hun Chinese collega's aangevallen, hun tenten verbrand, tientallen Chinezen in de rug geschoten en honderden uit de stad verdreven. Hope vond dat ze, in plaats van er op de bonnefooi heen te gaan, beter eerst een dominee konden inschakelen die kon inschatten hoe die wet in de praktijk werkte, en die van tevoren zou toestemmen zich eraan te houden. Via zijn netwerk van Chinese vrijmetselaars, mederevolutionairen, studenten en journalisten, hoorde Paul van twee andere gemengde echtparen in de omgeving. Vlug werd een plan beraamd om met die 'vriendenclub' gezamenlijk naar Wyoming te reizen om in het huwelijk te treden. Een rechtenstudent genaamd

Donald Lim, die verloofd was met een jonge Ierse naaister, had al contact gehad met een presbyteriaanse dominee, die bereid was hen in de echt te verbinden in Evanston, de eerste halte van de Union Pacific voorbij de staatsgrens. Dominee Leander C. Hills had geschreven dat hij geen vooroordelen koesterde jegens oosterlingen of verliefde stelletjes, en aangezien Wyoming geen ondertrouw kende zoals andere staten, konden Donald en zijn vrienden binnen een paar uur trouwen en weer op de trein naar huis stappen. Er werd besloten dat het huwelijk op de laatste dinsdag in mei zou plaatsvinden.

2

OP DE DAG VAN HUN VERTREK KWAMEN HOPE EN PAUL OM ZES uur 's ochtends aan op het station van Oakland. Door de dikke mist leek het wel avond. De omringende schepen, veerboten en treinen waren slechts als donkere schaduwen zichtbaar. En de gestalten van kruiers en dokwerkers kwamen en gingen als schimmen. Hope wenste half en half dat de mist haar en Paul ook zo zou inslikken, in elk geval tot ze in de trein zaten en onderweg waren. Ze omzeilden de wachtkamers en liepen rechtstreeks naar het perron waar hun trein stond, en de rest van het 'huwelijksgezelschap' ook net aankwam.

Paul en de beide andere mannen glimlachten breed naar elkaar en begroetten elkaar met enthousiaste knikken. Ze droegen dezelfde westerse pakken en zorgvuldig geborstelde zwarte bolhoeden met een band op kortgeknipte kapsels. Zo op het eerste gezicht hadden het wel broers kunnen zijn. De vrouwen namen elkaar met de nodige reserve op en wachtten tot ze werden voorgesteld.

'Alstublieft, dames,' zei Paul, 'ik ben...' Hij aarzelde, wierp een blik op Hope, en rechtte zijn schouders. 'Ik ben Paul Liang. En mijn... Dit Hope Newfield.'

Hope glimlachte bij zichzelf om de worsteling van Paul met de juiste gebaren, woorden en rolomschrijving, maar liet niets merken. Daar was dan de rechtenstudent Donald Lim, een magere, gespannen, jongensachtige man, met zijn Ierse naaister Sarah. Ze was mooi, op een nerveuze manier, met harde groene ogen en glanzend kastanjebruin haar, en een glimlach die Hope niet vertrouwde. Ze lachte toen Donald haar voorstelde en stond erop om iedereen de hand te schudden. Dat verraste het derde paar, een buikige koopman in manufacturen genaamd Ong Ben Joe en zijn Kathe, een ronde en rossige Scandinavische die nog gebrekkiger Engels sprak dan Ong. Die twee, herinnerde Hope zich van de verhalen van Paul, hadden elkaar onderweg ontmoet toen ze voor de grote brand op de vlucht waren geslagen en naar het Presidio waren gelopen. Ong had het vertrouwen van zijn Kathe gewonnen door voor haar tent de wacht te houden en een groot olieverfschilderij met zwanen, haar dierbaarste bezit, overal mee naartoe te sjouwen.

Terwijl de mannen wegslenterden moest Hope weer aan dat verhaal denken en ze vroeg Kathe wie het schilderij gemaakt had. Ze vroeg het alleen om wat te praten te hebben, maar Kathe fronste heel ernstig haar voorhoofd en antwoordde: 'Ik weet het niet.'

'Waarom dan zoveel moeite doen om het te redden?' vroeg Sarah zich hardop af.

'Misschien houdt ze wel van zwanen,' zei Hope.

'Haar leven riskeren en met een Chinees trouwen, alleen omdat ze die mooie witte *vogels* zo leuk vindt!' Sarah slaakte een gilletje bij de gedachte.

Hope keek waar Paul was en of hij niet wat aardigs kon zeggen. Hij stond tegen een lantaarnpaal geleund. Ze waren overeengekomen een zekere afstand te bewaren. Ze zouden elkaar niet aanraken, zich op de vlakte houden, en niet aan iedereen tonen wat ze voor elkaar voelden. Hij keek haar aan. Toe maar, leek hij te zeggen, bijt maar van je af.

'En hoe hebben jij en Donald elkaar ontmoet?' vroeg Hope aan Sarah toen Paul zich weer naar de mannen omdraaide.

Sarah antwoordde kortaf. 'Donald en ik hebben elkaar vijf jaar geleden op de zeilboot van een wederzijdse vriend ontmoet. We hadden direct een hekel aan elkaar, maar onze wegen bleven elkaar kruisen tot we geen andere keus hadden dan met elkaar te trouwen.'

De trein floot. Aan de andere kant van het perron zat een groepje niet-blanke mijnwerkers gehurkt in een rij het laatste restje ontbijt weg te werken. Geen blanke vrouw zou met een Chinees trouwen als ze het idee had dat ze zelf mocht kiezen, dacht Hope, maar Sarah sprak alsof iemand haar *dwong*. Met die grove Ierse en die Kathe die nauwelijks Engels sprak, leek er weinig kans op nieuwe vriendschappen, wat jammer was gezien alles wat ze gemeenschappelijk hadden – of zouden hebben. Terwijl Hope haar bagage pakte en de grote mand met eten en water aan Paul overhandigde, die een kaartje had dat hem het recht om in de restauratiewagon te eten ontzegde, voelde ze zich opeens schrijnend eenzaam. De zwaaiende armen van de conducteur dirigeerden hen naar de tweede-klasrijtuigen in het midden. Om redenen van zuinigheid en fatsoen zou Paul haar daar achterlaten. En zou ze alleen met die twee vreemden verder reizen. Op weg naar het altaar.

Voor ze bij hun rijtuigen aankwamen, stroomden massa's passagiers uit het stationsgebouw hun kant op, en voor het eerst ervoer Hope de aandacht die ze de afgelopen maanden had gevreesd. Ogen draaiden open en dicht als deksels op potten, kinnen zwaaiden opzij en schoten naar hen terug. Vrouwen schudden ongelovig hun hoofd, en Hope wapende zich tegen dezelfde ongegeneerde blikken die ze bij cowboys uit Kansas had gezien, dezelfde vunzige sneren die de gebroeders Beasley eruit hadden geflapt toen ze haar door het slijk haalden.

Ze draaide zich snel om en deed alsof ze haar ogen voor een wegspattende sintel beschermde. Paul was achteropgeraakt, anders had ze haar minachting wel getoond door zijn arm vast te grijpen. In plaats daarvan liep ze tegen Kathe aan, en duwde het zware mens spartelend boven op dat groepje hurkende koelies.

Wat er toen gebeurde zag Hope als een reeks beelden, als segmenten van een droom. Daar waren de verbouwereerde, omver gerolde mijnwerkers, Donald en Ben Joe die ertussen doken en Kathe als een omgevallen kegel overeind zetten. Toen verscheen in een waas een conducteur. Hij had stalen ogen en grimaste terwijl hij de geleerde en de koopman wegduwde. De mannen staken hun haarloze, ongeschoren gezichten bij elkaar en begonnen ruw te praten. En Paul... Waar was Paul? Ergens achter haar, ze kon hem niet zien, ze zag alleen Kathe die nu tegen Ben Joe aangeleund stond, en de opkomende afkeer rond de mond van de conducteur. De dagloners met een touw om hun broek borgen gehaast hun kommen en eetstokjes weg in manden, en walgden net als de conducteur bij de aanblik van een blanke vrouw aan de arm van een Chinese man.

Hope weifelde. Ze maakte aanstalten om achteruit te deinzen, maar Sarah hield haar tegen en draaide haar om. Haar groene ogen vlamden. 'Wen eraan,' zei ze. 'Of stop er nu mee.'

Hope liet zich goed afstraffen door de onverwachte felheid van Sarah. Er werd geen woord meer gewisseld. Tegen de tijd dat Paul hen had ingehaald, bonsde haar hart niet meer in haar oren.

'Ik...' Ze zocht een verklaring om de bezorgdheid in zijn ogen weg te nemen. 'Ik dacht dat ik een fluit hoorde, en...' Sarah sloeg haar ogen ten hemel en liep snel terug naar Donald.

'Ik ben zenuwachtig, Paul. Ik raakte in paniek. Het spijt me,' begon Hope opnieuw.

Hij nam haar op. 'Het spijt mij. Je zou echte bruiloft moeten hebben. Vrienden. Familie...'

'Ik wou dat ik je kon kussen. Of gewoon je hand vasthouden.'

'Weet ik.'

'Maar het is verboden.'

'Drie dagen, Hope.' Hij glimlachte.

'Drie lange dagen.'

Hij keek naar het kaartje in zijn hand. 'Dit is je coupé.'

Hun vingers streelden elkaar bij het overhandigen van de tassen. En toen stond ze tussen Sarah en Kathe in en keken ze vanuit het raampje van hun coupé naar Paul, Ben Joe en Donald, die zwaaiden en wegliepen. Ze dacht eraan hoe Paul haar zover had gekregen om hem en zijn vrienden derde klas te laten reizen. De vrouwen moesten comfortabel zitten, had hij gezegd, en de mannen vonden het geen probleem om in hun stoelen te slapen. Toen ze geprobeerd had daar een discussie over te beginnen, had hij een woordenwisseling uitgelokt over de kleur van haar trouwjurk. Die was ermee geëindigd dat hij haar de robijnrode en perzikkleurige zijde had geschonken, waarvan ze de rok met bijpassende blouse had gemaakt die nu in hun eigen speciale reistas zaten. Ze had niet meer over hun plaatsen in de trein nagedacht, tot op dit ogenblik.

Op dat moment, uit haar raam hangend, turend in de mist, besefte ze dat die snauwende conducteur automatisch alle Chinezen naar achteren dreef, naar hetzelfde derdeklas treinstel, van haar toekomstige echtgenoot en zijn vrienden tot en met dat hele stel sjofele mijnwerkers aan toe.

De vrouwen streken zonder veel woorden neer in hun nauwe, met houten panelen beklede coupé. Kathe duwde haar neus in een Zweeds romannetje met een goudblond stel in innige omarming op de omslag. Sarah bladerde door een *Vogue*. Het werd beduidend lichter in het compartiment toen de trein de mist langs de kust verliet en het boerenland in reed, maar de andere twee keken nauwelijks op. Je zou bijna denken, dacht Hope terwijl ze heen en weer schommelde, dat ze dit reisje geregeld maakten.

Ze haalde haar in marokijn gebonden dagboek tevoorschijn dat ze speciaal had aangeschaft om haar huwelijksreis vast te leggen, maar legde na een aantal valse starts haar potlood neer en voelde in haar verborgen gordeltasje de gouden ring die haar vader haar op haar zestiende verjaardag gegeven had. 'Als je dit als je trouwring neemt wanneer het moment daar is,' zei hij, 'garandeer ik je dat je huwelijk gezegend zal zijn.' Er hadden tranen in zijn ogen geblonken. De ring droeg de inscriptie: *Aan mijn geliefde Jennie. Altijd.* En toch, dacht Hope somber, ondanks deze ring, ondanks de eeuwige liefde van een echtgenoot, was haar moeder, nog geen twee jaar getrouwd, op eenentwintigjarige leeftijd overleden. Er waren geen garanties.

Ze probeerde zich weer op het voorbijtrekkende landschap te concentreren, krabbelde indrukken neer over zonneschijn en groei, eindeloze boomgaarden en witte boerderijen met buitenmuren van overnaadse planken. Kathe haalde een spel kaarten tevoorschijn en ging kaarten met Sarah. Hope verbaasde zich weer over hun ongepassioneerde houding, alsof ze – nou, alsof ze op zakenreis waren. Haar eigen romantische instincten kwamen hiertegen in opstand, maar hoe meer ze erover nadacht, des te beter begreep ze dat het ook een soort pantser kon zijn. Ze stelde zich voor hoe ze haar hoofd hoog optilde, naar Paul keek en meedeelde: 'Deze man en ik moeten op reis voor zaken.' Als ze vanochtend zo gewapend geweest was, had ze misschien die blikken op het station kunnen weerstaan, had ze misschien naar die aanmatigende conducteur geknikt en was ze doorgelopen. Doen alsof ze zakenpartners waren in een warenhuis in Colorado, net terug van een inkoopreisje. Of administratief medewerkers van Donaldina Cameron, die de omzwervingen nagingen van een slavinnetje dat voor het laatst in Sacramento gesignaleerd was. Of diplomaten die naar Washington reisden met een petitie voor president Roosevelt om het Chinese verzoek om onafhankelijkheid te steunen.

Hope glimlachte terwijl ze deze fantasieën in haar dagboek noteerde. Was het echt zo'n absurde gedachte, dat zij misschien betrokken was bij de revolutionaire activiteiten van Paul? Ze was zijn lerares geweest. Als ze eenmaal getrouwd waren, zou ze hem ongetwijfeld met zijn correspondentie helpen. De gedachte aan al die mogelijkheden deed haar helemaal opleven.

Het was laat in de middag toen ze de Sierras in begonnen te klimmen. Bij Kaap Hoorn passeerden ze de sneeuwgrens. En vlak na het donker worden begonnen de sneeuwtunnels. Die beschermende tunnels, gemaakt van plaatstaal en stalen staven, bogen zich mijlenlang over het spoor.

'Het lijkt wel of we in een science-fictionverhaal van Jules Verne zitten.' Hope overzag de restanten van hun maaltijd in de spijswagen in het spiegelbeeld van het verder lege raam. 'Alsof we naar het middelpunt van de aarde reizen.'

'Ja, komen we in China uit,' vulde Sarah aan. 'Zitten onze nieuwe schoonmoeders op ons te wachten met hun rode sluiers en potdichte draagstoelen.'

Hope roerde haar thee en probeerde haar verbazing te verbergen dat haar reisgenote een en ander afwist van Chinese huwelijken en schoonmoeders. Die paar keer die dag dat Sarah over Donald had gesproken, was dat alleen geweest om over zijn vooruitzichten bij een advocatenkantoor aan de Oostkust op te scheppen, of over de bruine Fredonia die hij beloofd had voor haar te kopen als ze een jaar getrouwd waren.

'En wat zou je dan doen?' vroeg Hope.

'Ik geloof dat ik de eerste de beste trein terug zou nemen.' Sarah pakte de appel van haar bord en poetste die op met het witte damasten tafellaken. Net als met de rest van haar eten leek ze liever met het fruit te spelen dan het op te eten.

'En als Donald daar zou willen blijven?'

'In China?' Kathe deed haar best om wijs te worden uit de klinkers en lettergrepen die haar om de oren vlogen. 'China is niet goed. Geen vlechtstaarten.' Ze trok een zelfverzekerde vinger langs haar vlezige hals en schudde nadrukkelijk haar blonde krullen terwijl ze haar laatste hap cake nam.

'Klopt,' zei Sarah. 'Onze jongens zouden ten dode opgeschreven zijn. Nou ja, Donald wil ook helemaal niet terug.'

'Nooit?' vroeg Hope.

'Ga me niet vertellen dat jij jezelf als een Chinese vrouw ziet!'

'Nou...' begon Hope toen de elektrische lampen werden gedimd, uitfloepten en ze even in het stikdonker zaten, voor ze weer aan gingen. 'Na de revolutie,' ging ze verder, 'zal alles in China anders zijn. Modern.'

'Je bent een dromer,' zei Sarah. 'En een dwaas als je in je dromen gelooft.'

'Jij eet die?' vroeg Kathe met een blik op de appel.

Sarah gaf hem aan haar. 'Ik heb geen honger.'

Die nacht, na het onwennige gedoe van uitpakken, verkleden en terugzetten van bagage, ging Hope languit, rug aan stijve rug met Sarah, achter de zware dichtgetrokken gordijnen voor de bovenste couchette terwijl Kathe, die ze vanwege haar omvang het onderste bed hadden gegeven, een avondgebed murmelde. Maar hun eerdere gesprek bleef nazeuren bij Hope. Hoe kon iemand een vreemdeling trouwen en er zeker van zijn dat hij niet naar zijn moederland zou terugkeren – dat hij zelfs toestemming zou krijgen in dit land te blijven! Tot nu toe waren Chinese studenten en kooplieden uitgesloten van de Exclusion Acts die nieuwe immigratie van Chinese arbeiders verhinderde, maar wie kon zeggen voor hoe lang? Misschien zouden Donald en Ben Joe tot die duizenden behoren die van plan waren van de grote brand te profiteren door te beweren dat ze in Amerika geboren waren, maar Hope betwijfelde of ze op hun woord geloofd zouden worden. Ze wist in elk geval zeker dat Paul nooit zulke leugens zou verkondigen. Een man die zo fanatiek in de democratische toekomst van zijn moederland geloofde, zou beslist een van de eersten zijn om terug te gaan als het imperialistische systeem ten val was gebracht. Dat vooruitzicht ontmoedigde haar net zozeer als dat het haar opwond – op een bepaalde manier stelde het haar zelfs gerust. China kon hen nauwelijks meer dwarsbomen dan Amerika al deed. En wat was er nou fascinerender dan getuige te zijn van de transformatie van een oud keizerrijk in een moderne republiek?

Sarah stuiptrekte en rolde in haar slaap. Hope trok het katoenen laken op tot aan haar kin. Wat er in de toekomst ook ging gebeuren, wat nu van belang was, was dat zij en Paul een toevluchtsoord zouden vinden waar ze alleen konden zijn – echt alleen. Vorige week hadden ze elkaar in de geheime vallei ontmoet waar hij haar ten huwelijk had gevraagd. Ze had het gevoel gehad dat ze het niet langer uithield en zijn hand onder haar rokken geleid, terwijl ze zelf begonnen was het boordje van zijn overhemd los te knopen. Het was Paul geweest die haar had tegengehouden, haar in zijn armen had genomen en haar tegen zijn borstkas had gedrukt. 'Gauw,' had hij gezegd. 'Heel gauw.' Ze was nog meer van hem gaan houden, omdat hij haar het vertrouwen had gegeven dat hij van haar hield, hoewel hij het nooit met zoveel woorden zei. Hij kon het woord voor liefde niet zeggen, dacht ze, maar toonde met elke vezel van zijn lichaam dat dat was wat hij voelde.

Ze duwde haar neus tegen de bevroren ruit. De sneeuwtunnels

waren opgehouden en Donner Lake kwam tevoorschijn, en weerspiegelde de maan, de wolken, en de zwarte overhellende silhouetten van bomen.

De volgende dag voerde hen door de snikhete woestijnen van Nevada, en de derde ochtend over de grote zoutvlakten naar Ogden, Utah, aan de voet van de Wasatch Mountains. Hier, midden tussen groepjes rimpelige, in lappen gehulde mormonen, stapte het gezelschap bruiloftsgangers over van de Central op de Union Pacific, en zat eindelijk samen in het achterste treinstel voor de laatste korte etappe naar Evanston. Maar de opwinding van Hope over het feit dat Paul weer bij hen was verflauwde nog voor ze bij hun stoelen waren. De atmosfeer was totaal anders dan in hun deftige pullmanrijtuig. In dit treinstel spreidden families hun ontbijt uit in het gangpad. Mijnwerkers, trappers en kolonisten spogen hun ochtendrochel in stenen kwispedoren. Baby's krijsten, jongens schoten met propjes. Er waren geen ventilators, en hoewel alle ramen open stonden was de lucht één grote wolk van rook en stof, hete adem van brandend metaal, stank van ongewassen lichamen. Hope, Kathe en Sarah gingen dicht tegen elkaar aan op een kale houten bank zitten, terwijl hun mannen elkaar bezighielden. Paul zag er uitgeput uit. Hij weigerde Hope aan te kijken en keek zelfs niet op toen de conducteur – deze keer een fluitende opafiguur – langskwam om hun kaartjes te controleren. Maar tien minuten later, toen ze onderweg waren, en Paul opstond en haar met een kromme wijsvinger wenkte, stond Hope zo gewoon mogelijk op, alsof ze dit lang van tevoren gepland hadden.

Ze trof hem alleen op het balkon tussen het treinstel en de eerste van de vele goederenwagons van de trein. De wielen maakten een vreselijk lawaai en de trein schudde zo dat ze zich aan de reling moesten vasthouden om overeind te blijven. Voor hen doemde het grijsgroene en paarse gebergte van de Wasatches op. Achter hen lag de withete woestijn. Hope voelde zich heel wat minder nonchalant nu ze eindelijk alleen waren. Er was iets in Pauls gelaatsuitdrukking – als een schaduw – dat haar waarschuwde hem aan te spreken noch aan te raken.

Toen hij eindelijk sprak was zijn stem zo zacht dat ze zijn lippen moest lezen. 'Deze dagen,' zei hij, 'heb ik gelegenheid te denken. Er is veel dat je niet weet. Ik dacht ik vertel je niet. Mijn vader arrangeert mijn eerste huwelijk toen ik zeven jaar was. Na trouwen ik ga studeren in Hong Kong. Mijn vrouw is dood zes jaar.' Hij zweeg. 'Cholera.' Hij liet een hand over zijn onbedekte hoofd gaan en schrok opeens, alsof zijn eigen haarlijn hem verbaasde. Hope besefte met enige ongerustheid dat ze die koelies net zo over hun voorhoofd had zien wrijven toen Kathe over hen heen viel. Een nerveuze reactie, een gewoonte. Paul had hetzelfde gladde gevoel verwacht en was verbaasd dat het veranderd was.

Ze klommen en het werd koeler. Hope huiverde. 'Dat heb je me allemaal al verteld,' zei ze.

Maar voor hij antwoord kon geven gingen ze een tunnel binnen, en in die plotselinge, onverwachte duisternis trok hij haar in zijn armen en hield haar zo stevig vast dat ze de trilling van steen en ijzer en stoom zowel in zijn als haar eigen botten kon voelen. De geur van zijn huid en haar leek niet te onderscheiden van de vochtige minerale geuren van de bergen. Ze sloot haar ogen en de duisternis verdiepte zich, het oorverdovende lawaai van de wielen leek nog luider te worden. Het was een angstaanjagende en wonderbaarlijke sensatie die haar naar adem deed snakken. Net voor de duisternis ophield liet Paul haar weer los.

'Je moet weten.' Hij observeerde haar van dichtbij. 'Ik heb één zoon, één dochter.'

Niets van wat hij ooit had gezegd of gedaan, zeker niet de afgelopen momenten, had haar op deze aankondiging voorbereid. Ze had geweten – aangenomen – dat hij met zijn vrouw naar bed moest zijn geweest, maar hij had haar zo spoedig en zo jong verlaten. Hope had tegen zichzelf gezegd dat hij nu van haar was, dat ze elkaar konden ontdekken door het licht van het huwelijk alsof ze opnieuw geboren waren. Maar nu, met één enkele verklaring, had Paul niet alleen haar naïeve fantasie weggevaagd, maar ook haar mening over hem, en wellicht hun gehele toekomst samen op losse schroeven gezet.

Toen de trein slingerde greep ze de reling weer vast. 'Ben je al die tijd van plan geweest me dat op deze manier te vertellen? Hier? Nu?'

Voor hij kon antwoorden, doken ze weer een tunnel in, maar deze keer metselden de duisternis en het lawaai een ondoordringbare muur tussen hen in. Haar spitsvondigheid over een reis naar het midden van de aarde galmde na in haar oren – net als het bittere antwoord van Sarah. Ze had gelijk, dacht Hope, ik ben een dromer. Wat zou hij nog moeten zeggen om me te troosten? Dat zijn leven in China er niet toe doet? Dat hij niet van plan is ooit nog naar de familie die hij heeft achtergelaten terug te keren? Dat hij bang was om het me te vertellen, bang dat hij me zou verliezen?

Toen ze uit de tunnel kwamen stond Paul nog net zo, één schouder schrap tegen de deur van het treinstel, beide handen diep in de zakken van zijn jas.

'Misschien vergeef ik je dit wel nooit, weet je.'

'In China...' begon hij, maar zijn belerende toon maakte haar weer ziedend.

'Het kan me niets schelen hoe dat in China geregeld is!' schreeuwde ze. 'Begrijp je het dan niet, Paul? Jouw kinderen zullen mijn stiefkinderen zijn. Ze zullen broer en zus van onze kinderen zijn. Waarom heb je me dit niet *eerder* verteld!'

'Ik jou vertel ik getrouwd. Ik denk jij niet meer wil weten.'

Hope huiverde. 'Hoe oud zijn ze?' vroeg ze zonder hem aan te kijken. 'Waar zijn ze?' Maar haar stem sprong weer op toen ze plotseling de ware aard van haar wanhoop begreep. 'Hoe kon je ze achterlaten en nooit één woord over ze zeggen!'

Paul perste zijn lippen op elkaar. Hij wachtte tot het gedreun van de wielen de laatste echo van haar geschreeuw had overstemd. Toen gaf hij haar antwoord. 'Mijn dochter Mulan is de oudste, elf jaar. Mijn zoon Jin nu zes jaar.' Hij keek weer naar Hope. 'Ze wonen in Hankow, Hsin-hsin. Ze wonen bij mijn moeder.'

Hope zat alweer drie uur bij Sarah en Kathe. Haar woede over de onthulling was weggeëbd, maar daarvoor in de plaats voelde haar hele lijf nu loodzwaar en waren haar zintuigen verdoofd. Ze kon de opwinding die haar huwelijksdag zou moeten omgeven niet afroepen. In plaats daarvan rouwde ze om het feit dat ze geen wit zou dragen, dat haar vader haar niet naar het altaar zou leiden – er, door haar eigen keuze, niet eens bij zou zijn. Ze stond op het punt schoondochter te worden van een Chinese concubine, stiefmoeder van twee kinderen die zeker tegen haar opgestookt zouden zijn voor ze hen ook maar één keer gezien had. Het ergste was dat ze niet kon zeggen of dat laatste detail een bron van verdriet of van opluchting was.

Kathe onderbrak haar gedachten met een zachte maar dringende vraag. 'Waarom zoveel kus-kus?'

Hope volgde haar blik langs het gangpad naar een jong stel dat verstrengeld zat in een hartstochtelijke omhelzing. Ze haalde haar schouders op.

'Nee,' hield Kathe met een armzwaai vol. 'Iedereen!'

'Wist je dat niet?' vroeg Sarah te luid. 'Evanston is razend populair bij trouwlustige mensen. Daar kunnen zelfs de Niagara Falls niet aan tippen.'

Voor het eerst keek Hope om zich heen en zag dat er, naast de ruwe mijnwerkers, kolonistenfamilies en Chinese reizigers, verbazingwekkend veel stelletjes in de coupé zaten die intens door elkaar in beslag werden genomen. Sommigen waren gehuld in boerenarbeiderskleding, anderen in chique kostuums en volants. Sommigen waren oud, anderen jong, sommigen uitgelaten, anderen stil. Sommigen zaten arm in arm, terwijl anderen op hun lippen beten. Met een schok kwam Hope tot het besef dat al die paren aan dezelfde voorhuwelijkse kriebels leden die zij ook voelde. Nou ja, niet helemaal dezelfde. Geen van deze aanstaande echtgenoten, stelde ze zich voor, had al kinderen in China.

'Ik weet waarom *wij* hier naartoe moesten,' zei Hope, 'maar waarom *zij* allemaal?'

'God is handel,' antwoordde Donald. Hij stond achter haar en strekte zijn armen uit naar het rek boven zijn hoofd.

'Sorry?'

'Andere staten eisen lange ondertrouw.' Paul sprak zachtjes, met zijn ellebogen op de rugleuning van haar bankje. 'Maar Wyoming niet. Evanston eerste treinstation over de grens. Daarom zoveel geliefden.'

'Geliefden.' Ze draaide zich fel naar hem om. 'Net als wij?'

Het was een rechtstreekse uitdaging. En een smeekbede. Om te helen, te beloven, een etiket te plakken op de zaken die ze hier samen beleefden.

Zijn gezicht verstrakte.

'Waarom kun je het niet zeggen?' vroeg ze.

De trein stopte, slingerde hen en alle andere passagiers in een golfslag naar achteren en naar voren. Om hen heen waren hun reisgenoten bezig met hun tassen, alsof niemand Hope gehoord had. Paul bukte zich om zijn zwarte tas te pakken. Toen rekte hij zich om zijn weekendtas te pakken met zijn trouwkleren erin. Zijn bewegingen hadden een grote waardigheid, een gladheid die net zo hard en onverzettelijk was als graniet.

'Alsjeblieft.' Het was geen verzoek. Hij gaf haar het teken dat ze moest opstaan, het gangpad in moest stappen, de ene voet voor de andere moest zetten om zich bij hem te voegen in die lange stoet mannen en vrouwen die de trein verliet om te trouwen.

Hope slikte met moeite en volgde hem. Net als Mary Jane had gewaarschuwd dat ze doen zou.

Waarom, hekelde ze zichzelf, waarom moesten liefde en koppigheid iemand zo blind maken! Maar toen stond Paul daar, onder aan het afstapje, zijn vermoeide gezicht naar boven gericht, handen uitgestrekt naar haar om haar te helpen, haar naar zich toe te tillen.

'Ja,' fluisterde hij toen zij alleen het kon horen. 'Ja. Geliefden.'

3

EVANSTON, DAT ZICH UITSTREKTE LANGS DE ZUIDELIJKE OEVER van de Bear Rivier, was een druk stadje met brede modderige straten en houten trottoirs, elektrische straatverlichting, een weelde aan saloons en een operahuis – en tot Hope's grote verbazing ook massa's Chinezen die allerlei handel dreven. Chinezen baanden zich een weg door de menigte rond het station, reden paard en brachten hun paard en wagen tot stilstand. Ze verschenen voor de ramen boven en op hotelveranda's, in deuropeningen van winkels, en naast groente-en-fruitstalletjes op de hoeken van de straten. Met hun vlekkeloos witte serveerjasjes of losse blauwe jasjes, zwaaiende vlechten en voorliefde voor hoeden – alles van stetsons en bolhoeden tot strohoeden met linten – stonden ze niet zozeer buiten de menigte maar domineerden die stilletjes. Alle arbeiders die uit Rock Springs waren verdreven, dacht Hope, hadden zeker hier in Evanston een schuilplaats gevonden. Tel de toeristen niet mee en het leek erop of de Chinezen in de meerderheid waren. Toch waren het niet hun winkels, hun hotels, hun huizen die aan Front Street stonden. De Chinezen woonden in een verzameling barakken, ondergedompeld in kookdampen, nauwelijks zichtbaar voor de blanke stad, onder de rook van het station.

Hope keek naar Paul, die apart van haar met de andere mannen opliep. Hoe anders zagen zij eruit, die knappe jonge moderne Chinezen. Het beste van twee werelden, hield ze zichzelf voor. Hoe zou iemand Paul ooit voor een gewone arbeider kunnen aanzien? Die gasten zouden die vergissing in elk geval niet maken.

Moest je zien hoe ze naar hem keken, vol ontzag, verbouwereerd. Moest je zien hoe ze onbewust hun hand uitstaken om zich ervan te vergewissen dat hun eigen vlechten nog stevig aan hun hoofd vastzaten. Hoevelen van hen hadden ooit poëzie geschreven? Konden ze Latijn lezen? Hadden ze de hele Grondwet van de Verenigde Staten in het Chinees uit hun hoofd geleerd? Ze keek langs de reizigers naar de groezelige smederij verderop aan de straat, naar die groentejongen met zijn kattenogen boven op zijn kar. Ze dacht aan de vernietigende blik van die conducteur in Oakland. Geen van die lui, van welk ras dan ook, kon ook maar bij Paul in de schaduw staan.

Ondanks haar geestelijke peptalk ging Donald het gezelschap niet voor naar het statige en luxueuze Union Pacific Hotel tegenover het station, en ook niet naar het Marx Hotel, een iets strenger, maar ruim gebouw even verderop. In plaats daarvan leidde hij hen, met hun armen vol bagage, hoeden schuin in de warme wind, door de blubber naar een steegje achter die gelegenheden aan Front Street, naar een klein slonzig huis dat kamers aanbood voor vijftig cent. Daar werden ze begroet door ene mevrouw Cassandra Lopez, met het gezicht van een melkmeid en de stem van een geit, maar ze was beleefd en ze wees hun de kamers die van tevoren besproken waren. Daar konden ze zich klaarmaken. Dominee Hills verwachtte hen om vier uur bij de Presbyteriaanse kerk. Dat was al over een uur. Hope verbeet haar frustratie en schaamte, en voegde zich bij Sarah en Kathe. Ze verkleedden zich in de ene kamer, terwijl de mannen in de andere samendromden. Het hotel was schoon en goedkoop en ze hadden kamers, zei Sarah terwijl ze hun petticoats en trouwblouses uitschudden. 'En we hadden nog geluk dat we dit konden krijgen. Er is een conventie van schaapherders in de stad, moet je je voorstellen. Bovendien, voor één nacht maakt het weinig uit, toch?'

Hope keek om te zien of Sarah zich alleen maar groot hield, betrapte haar tot haar verbazing op het lurken aan een tinnen flacon. Kathe glimlachte en wrong haar handen, ten teken dat Sarah wel nerveus zou zijn, maar Hope betwijfelde het, althans in die zin dat Kathe zelf nerveus was.

'Voor me keel.' Sarah liet de fles zakken. Haar verontschuldiging klonk uitdagend, haar Ierse accent overdreven. 'Ik moet toch zeker weten dat ik straks een stem heb om mijn jawoord te geven.'

Hope zag wel dat Sarah noch Kathe problemen had met hun sjofele accommodatie. En dat ze ook niet leken te zitten met het feit dat er, met drie stelletjes in twee kamers, slechts één stel was dat vannacht privacy zou hebben.

Paul had nog nooit een voet in een kerk gezet, maar hij herinnerde zich nog hoe Europeanen in China na de dienst massaal buiten de grote, dreigende deuren rondhingen. Bedelaars kwamen er als aasgieren op af om een beroep te doen op hun christelijke zondagsgeweten. Rondreizende snoepverkopers en poppenmakers trokken de rondzwermende kinderen aan, en riksjalopers streden onderling om de families af te voeren voor de ondernemenden of de kreupelen hen aan konden raken. De sfeer rond China's kerken was een kruising tussen festival en strijdtoneel, maar toen het gezelschap bruidsparen het plein voor de Presbyteriaanse Kerk van Evanston naderde, werd duidelijk dat festival het hier gewonnen had van strijdtoneel.

Een krachtige bergzon leek het hele schouwspel in goud te dopen, en terwijl de paartjes hun beurt voor het altaar afwachtten konden ze onderhandelingen voeren met juweliers, bloemenhandelaren, muzikanten en verkopers van gezouten vlees, broodjes en zelfs draagbare bruidstaarten. Oudere stadsbewoners boden zich aan als getuige voor zestig dollarcent per huwelijksvoltrekking. 'Bedenk eens wat je daarmee uitspaart, wij kunnen mooi gratis voor elkaar getuigen!' fluisterde Hope tegen Paul.

Sarah hoorde haar ook en zei: 'Nou, ik weet niet wat jij doet, maar ik moet er geld voor hebben. Mijn handtekening kost één dollar.' Ze duwde haar arm onder die van Donald en hij trok bleek weg bij dat openlijke contact. Hij rechtte zijn elleboog en haar arm schoot door. Ze lachte breeduit terwijl haar trekkoordtasje tegen haar heup bonkte.

'Wat zit er in dat tasje van Sarah?' vroeg Paul.

'Ze zei dat het een hoestdrank was. Voor haar keel.'

'Hoestdrank.' Paul draaide zich net op tijd om om te zien dat Donald de fles uit Sarah's tas trok en die tegen de kerkmuur leeggoot. Sarah stond met haar armen over elkaar te kijken, veren hoed schuin op het hoofd. Een koele glimlach was op haar lippen geplakt.

'Paul.' Hope had haar blik afgewend van de bokkensprongen van Sarah en trok met haar teen een cirkel in de modder. 'Ik heb nagedacht. Het zou beter zijn – voor de huwelijksakte, bedoel ik – als we een verengelste naam gebruikten.'

'Jij geven mij Amerikaanse naam. Paul.'

'Ik bedoel je achternaam. We zouden de g gewoon weg kunnen laten, en L-E-O-N spellen. Dat is bijna hetzelfde...'

'Leon.' Paul wreef over zijn kin. 'Leon is Spaanse naam.'

'Mensen *zouden* je voor een Spanjaard kunnen houden. Dat is mogelijk.'

Paul haalde zich de Spanjaarden voor de geest die hij gekend had. Brede, dikke mannen die met hun schouders naar achteren liepen, hun borstkas als een dienblad voor zich uit. Zwarte krulsnorren. Piratenhuid en duivelsogen.

'Nooit.'

'Dat is niet wat *ik* denk, Paul. Maar het zou bepaalde dingen makkelijker voor ons kunnen maken. We moeten praktisch zijn. In Californië kun je beter Spanjaard zijn dan Chinees.'

'Beter Spanjaard dan Chinees.' Hij staarde haar aan.

'O, schat. Je weet wat ik bedoel!'

Hij wist dat in China namen makkelijk veranderen. Bij de geboorte kregen baby's 'melknamen' om aan te geven bij welke generatie van de familie ze hoorden – alle Liangs van zijn generatie heetten Po-en-nog-wat. Later kregen kinderen bijnamen zoals Stompie of Kaal of Spieren, die hun persoonlijke eigenschappen of vaardigheden weergaven. Meisjes die trouwden werden de *taitai* van hun man – als Hope Chinese was geweest zou ze met Liang Taitai worden aangesproken. En studenten die voor hun examens slagen, worden beloond met 'aanspreektitels' die voor wetenschappelijke doeleinden gebruikt worden. Zijn eigen aanspreektitel was Yu-fen. Maar zelfs vrouwen veranderen hun familienaam niet. Afkomst is heilig, en de familienaam is de sleutel tot iemands afkomst. Hoewel veel van de vrienden en bekenden van Paul hun namen hadden zien sneuvelen onder de pen van een immigratiebeambte, had niemand ooit vrijwillig de naam van zijn voorouders opgegeven, laat staan er een Spaanse verbastering van laten maken.

'Nee,' zei hij.

'Paul.' Hope's stem werd zachter, maar kreeg een strenge en vastberaden toon, alsof ze het over een zakelijke regeling hadden. Ondanks zijn ergernis was hij onder de indruk van haar vasthoudendheid. 'Je Chinese naam zal nooit veranderen. Je vrienden zullen je kennen als Liang Po-yu, net als nu. Dit zal geen enkele invloed hebben op de karakters waarmee jij je artikelen ondertekent...' Ze aarzelde. 'Of je brieven naar huis. Alleen de huurbaas en de belastinginspecteur ziet die andere naam. En dan zullen ze ons ook niet meer proberen een poot uit te draaien omdat ze niet weten dat we Chinees zijn. Als we een huis willen kopen, zal dat onder deze naam misschien gaan.'

'Waarom zullen ze ons niet proberen poot uit te draaien?' Hij kon een ondeugende ondertoon in zijn stem niet onderdrukken toen hij haar woorden herhaalde.

Ze rechtte haar rug en keek hem recht in de ogen. 'Omdat ze niet weten dat *wij* Chinees zijn.'

Hij zuchtte en schudde zijn hoofd. Ze had het over zaken. Amerikaanse zaken. Het was voor het eerst dat hij merkte dat de vrouw die hij liefhad briljant was in het optrekken van rookgordijnen.

'Oké,' zei hij. 'Amerikaanse naam voor Amerika alleen.'

'Begrepen.' Ze trok haar linkerhandschoen uit, stak haar vingers in de ceintuur van haar rok en haalde de gouden ring te voorschijn die hij van haar om haar vinger moest doen zodra ze elkaar hun jawoord hadden gegeven. Hij vroeg zich af of ze hem die ring ook gegeven zou hebben als hij haar verzoek om een Spaanse naam te nemen geweigerd had en, zo niet, wat ze dan gedaan zouden hebben. Maar voor die vraag kon gaan knagen, zwaaiden de kerkdeuren open en snelde een man met het postuur en de kleur van een wortel al roepend en zwaaiend met zijn zwaanwitte cowboyhoed de ruwe houten trap af. Hij draaide zich om en tilde een jongedame rond haar middel op van wie Paul in eerste instantie dacht dat ze een Chinese trouwjurk droeg, maar het bleek alleen haar hoogrode kleur te zijn die hem in die waan bracht. Ze schopte met haar hielen terwijl de man haar als een wiebelend kind vasthield, sloeg haar armen om zijn hals en verfde zijn mond rood met haar lippen. Toen rukte ze zijn hoed uit zijn hand en smeet die de straat in. De man kraaide als een dronken haan terwijl de vrouw achteroverhelde en schetterde: 'Vol-gen-de!'

Het gezelschap bruidsparen ging een zeer schemerig verlichte kamer binnen en kwamen tegenover een man te staan die de vader van Collis Chesterton had kunnen zijn. Hetzelfde uitgerekte smalle hoofd, de stakerige ledematen en de kleurloze ogen deden Paul onwillekeurig huiveren. Maar de stem van de dominee klonk even rustig en beminnelijk als zijn naam.

'Ik ben dominee Leander C. Hills.' Hij knikte, keek allen met een ernstige glimlach aan en krabbelde de namen neer zoals ze op de huwelijksakten zouden worden vermeld. Toen greep hij zijn bijbel en begon: 'Wij zijn hier bijeen voor het aangezicht van God...'

Toen Paul steels een blik op Hope wierp, wendde ze zich af van de slaapverwekkende stem van de dominee en keek op naar Paul.

'...als iemand onder u,' zei dominee Hills, 'nog bestaande huwelijksbanden heeft?'

Paul maakte zich los van haar blik en zag Donald strak naar het eenvoudige houten kruis boven het altaar kijken. Sarah hield haar gezicht in de plooi en keek naar beneden. Ong leek bijna in slaap te sukkelen en Kathe keek niet-begrijpend.

'De wet vereist een antwoord,' zei dominee Hills. 'Aangezien dit mormonenland is.'

'Sorry,' zei Hope. 'Ik... ik heb even niet opgelet.'

'U moet zeggen of u al getrouwd bent.'

'O, nee!' antwoordde ze, vol afschuw over de implicatie. 'Natuurlijk niet.'

'Nee,' antwoordde Sarah duidelijk.

'Nee,' herhaalde Kathe de anderen.

'En de heren?' vroeg de dominee.

'Nee,' antwoordde Paul.

Ong Ben Joe knipperde. Paul vermoedde dat hij de vraag nog steeds niet begreep, wat maar goed was ook. 'Nee.'

'Waar?' vroeg Donald, de jurist.

'Pardon, jongeman?'

'Waar zou ik die huwelijksbanden moeten hebben?'

De dominee verplaatste zijn gewicht van de ene heup naar de andere. 'Dat weet jij beter dan ik.'

Sarah maakte een zuigend geluid en Paul zag dat het dagende inzicht Hope's mond in een volmaakte cirkel trok.

'Ik...' Donalds stem klonk opeens veel hoger en gedempter toen Sarah haar hiel in zijn teen draaide. Dus ze wist het wel, dacht Paul. Donald had haar verteld over zijn eerste vrouw die nog in Wuhan woonde, en toch wilde ze met hem trouwen. Geen wonder dat ze gedronken had.

'Is er iets wat je me vertellen moet?' De woorden van de dominee klonken indringend. Paul was er niet uit of de dominee de waarheid wilde horen of een verzinsel, of het hem iets kon schelen of dat hij alleen maar de wet gehoorzaamde, maar hij voelde Hope naast zich de adem inhouden.

'Nee.' Donald boog zijn hoofd.

Sarah kuchte krampachtig.

Dominee Hills geeuwde. Toen zei hij: 'Nou, zullen we dan maar verder gaan?'

Dankzij het gebrekkige Engels van Kathe en Ong hadden die twee niet het flauwste benul van het drama dat zich zojuist had afgespeeld, maar Hope stond verstijfd naast Paul, en hij kon zich slechts de gedachten voorstellen die door haar hoofd moesten gaan. Hij rechtte zijn arm langs zijn zij en pakte de stof van haar rok tussen zijn vingers, waarop hij haar heimelijk naar zich toe trok. Ze verzette zich eerst, maar toen de dominee maar doordreunde bleef Paul doorgaan, en geleidelijk liet ze zich tot bedaren brengen. Hij stelde zich voor dat hij de spanning in haar voelde breken toen ze zich tegen hem aan duwde, en hij haar met zijn geestkracht probeerde gerust te stellen.

Dominee Hills richtte zich tot hen. Hij keek op zijn aantekeningen.

'Neemt u,' hij keek nog even, 'Paul Po-yu Leon, deze vrouw tot uw wettige echtgenote?'

Paul ademde diep in terwijl Hope weer wat afstand nam. 'Ja.'

'Belooft u haar lief te hebben, te eren en te beschermen zolang u beiden leeft?'

'Ja.'

De dominee herhaalde de vragen voor Hope. Zij antwoordde net als Paul had gedaan, en hield haar ogen op dominee Hills gericht.

'Hebt u de ring?'

Paul wriemelde in zijn zak en haalde de gouden ring van haar moeder te voorschijn. Ze hield haar hand op, die onwaarschijnlijk licht en smal leek. Maar hij was verbaasd door de koelte van haar huid en de afwezigheid van zelfs maar de geringste trilling of aarzeling. Hij deed de ring om haar vinger en schoof hem naar de plek die haar voor de rest van haar leven tot zijn vrouw zou maken.

De voorgedrukte akten waren allemaal versierd met een tekening van palmbladeren en loshangende linten en de bijbel. Dominee Hills spreidde drie formulieren uit op zijn volle bureau achter het altaar. Ze stonden in een cirkel om hem heen om opengelaten regels met namen en data in te vullen. De dominee zette als laatste zijn handtekening en droogde de inkt met een deegrol waar een lap leer omheen zat, waarna hij vijf dollar per formulier in ontvangst nam. Hope besefte haar vergissing pas toen de inkt droog was.

Dit is een verklaring
Dat op de 29ste dag van mei in het jaar onzes Heren 1906
Paul Poyu Leon
en mejuffrouw Hope Jennie Newfield
door mij
in Evanston
werden verbonden in het
Heilig Huwelijk
in overeenstemming met de voorschriften van God en de wetten van de Staat Wyoming.
Leander C. Hills van de Presbyteriaanse Kerk
Getuigen:
Sarah O'Malley Lim
Ong Ben Joe
Kathe Nilssen Ong

Paul Poyu Leon. De naam sprong opeens in het oog. De verzonnen naam. Als iemand de geldigheid van dit huwelijk zou gaan controleren, welk bewijs hadden ze dan dat Paul – haar ware Paul – hier vandaag zelfs maar aanwezig was geweest? Dit was geen denkbeeldig probleem, wist ze, want immigratiebeambten zouden hun huwelijk beslist in twijfel trekken als zij en Paul ooit zouden proberen het land te verlaten. Ze zouden haar nooit een visum geven om met hem naar China te reizen, tenzij ze kon bewijzen dat hij haar man was.

Ze voelde hem over haar schouder meelezen. 'Hoe maakt u het?' zei hij. 'Mijn naam is Paul Poyu Leon.'

'Ik ben veel slimmer dan goed voor me is,' zei ze.

Maar Paul had een idee. Buiten, aan de andere kant van het kerkhof, stond een grote zwarte kar met de sierlijke gouden tekst: *Landschappen, Portretten, Souvenirs*. Toen Paul op de fotograaf afkwam, een gladgeschoren jongeman die zijn vak verstond, bood die aan om hun hele gezelschap gratis op de foto te zetten.

'Het k-k-omt niet elke dag v-voor dat ik een g-g-groep m-m-mensen als jullie zie.'

'Waarom gratis?' vroeg Donald argwanend.

'O, hé.' De fotograaf gooide zijn armen op alsof hij capituleerde. 'Ik weet wat j-j-jullie denken en jullie h-h-hoeven je geen zorgen te maken. Ik respecteer de p-privacy van mijn modellen, maar het is voor een wedstrijd van Ko-kodak. De p-prijs is een r-reis naar Sjang-Sjanghai.' Hij zette zijn hoed af en liet een woeste massa lange oranje krullen zien. Hij stak een hand naar Donald uit. 'De naam is J-J-Jed Israel.'

De stamelende jongeman – eigenlijk meer een jongen – was zo aardig en onschuldig dat Donald zich gauw gewonnen gaf. Ze stelden zich op tegen de planken muur van de kerk en bleven stokstijf staan toen hij onder zijn zwarte laken verdween. Maar er dook een windvlaag onder de hoed van Hope, de hoed rolde over het gras en Sarah kwam in actie. 'Nee, nee, nee!' schreeuwde ze en ze dook achter de gleufhoed aan. 'We lijken potdomme wel een stelletje lijken zoals we hier staan! Even een beetje dollen.'

Ze negeerde de protestroepen en de grimas van haar echtgenoot, die zich vreselijk geneerde, en verwisselde de hoeden van de mannen met die van hun vrouwen. Hope wierp een blik op Ong die gebukt ging onder Kathe's tropische nepfruit en barstte in lachen uit. 'Schitterend,' zei ze, en ze duwde de rand van Pauls bolhoed uit haar ogen. 'Ontken het maar niet, Donald, het is veel leuker zo.'

Donald keek naar de rood en groen geverfde pluimen van Sarah alsof het levende dieren waren. '*Ni yeh, lai ma?*' vroeg hij aan Paul. *Doe jij het?*

Paul stak zijn handen op. Hope dacht dat haar gleufhoed hem heel goed gestaan zou hebben als hij niet vier maten te klein was geweest. '*Hao pa,*' zei hij grijnzend.

'Ze heeft gelijk,' riep de fotograaf, die even van onder zijn laken tevoorschijn was gekomen. Merkwaardig genoeg stotterde hij niet meer. 'Dit gaat hem beslist worden.'

'Dat is dan geregeld,' zei Sarah onverstoorbaar, en pakte Donalds arm. 'Iedereen pokergezicht op. Het is alleen maar grappig als we allemaal heel serieus kijken.'

Hope kon die opmerking niet helemaal plaatsen, gezien de voorechtelijke cocktail die Sarah genomen had, maar ze zei niets. Alles aan Sarah en Donald was vreemd of erger. En ze besloot dat ze beter af was als ze niet wist wat hen in elkaars armen gedreven had. Sterker nog, ze zou volmaakt tevreden zijn als ze nu met Paul kon ontsnappen en die twee paren nooit weer zou zien. De trouwplechtigheid was achter de rug. Dan hadden ze nu toch eindelijk weleens het recht om even alleen te zijn?

Maar de mannen hadden andere plannen. Donald, die zijn privileges als organisator opeiste, had al te verstaan gegeven dat hij en Sarah een kamer voor zichzelf zouden hebben, hoewel nog niet duidelijk was of ze op die kamer zouden gaan vechten of vrijen.

En nog voor het zover was, wachtte hun nog een huwelijksbanket.

Hope begreep dat die grandioze benaming op geen enkele manier paste bij wat hun te wachten stond, maar het woord leek automatisch van Pauls lippen te rollen toen hij haar apart nam om het uit te leggen. 'In China nemen wij bruid niet mee naar kerk, we knielen alleen voor voorouders. Geven feest voor vrienden en familie. Deze manier tonen respect.' Hij knikte naar de anderen, die de camera van de jonge fotograaf stonden te bewonderen. 'Dus Ong en Donald en ik besluiten, ja, we houden huwelijksbanket, Amerikaanse stijl. Verrassing jou.'

Hij leek zo tevreden met zichzelf dat ze niet het lef had te protesteren. Het lukte haar echter niet veel enthousiasme op te brengen. 'Waar?'

'Union Pacific Hotel.'

'Hoe heb je dat geregeld?'

Hij knipoogde. '*Kuan hsi*. Connecties.'

Die 'connecties' betroffen een royaal smeergeld voor de Chinese nachtmanager van de Union Pacific, ene meneer Fu. Deze oudere man met zijn kogelronde gezicht ontmoette hen aan de achterkant van het hotel en ging hen haastig voor naar een kleine eetzaal met kastanjebruine fluwelen draperieën en een verlichting van koperen muurlantaarns. De stoelen waren sierlijk gesneden en bekleed, het linnen fris gesteven. Het zilver lag als geld zo zwaar op het zuiver witte kleed. Maar het was allemaal een schrale troost. Hope zou Paul het liefst bij de hand grijpen en naar de lobby stormen, een tafel in de grote eetzaal bestellen en daar uitdagend gaan zitten dineren, compromisloos, maar met enorme, openlijke gratie, om vervolgens naar de balie te stappen en een kamer voor de nacht te nemen.

Paul duwde zijn been onder de tafel tegen het hare. Hij nam haar op met een geamuseerde glimlach.

'Moet dit nu echt allemaal?' fluisterde ze.

'Jij geen honger?'

'Ik ben eerder moe dan dat ik honger heb.' Ze keek de tafel rond, naar Donald en Sarah die in hun hoekje zaten te ruziën, naar Kathe die haar royaal met boter besmeerde broodje zat te verorberen alsof ze in geen maanden had gegeten, naar Ong die zijn neusgaten onverstoorbaar met snuiftabak zat vol te proppen. Twee Chinese obers stapten op touwzolen rond en vermeden ijverig elk oogcontact, vooral met de dames. Ze begreep niet hoe ze hier gekomen was, en het enige wat haar ervan weerhield te gaan huilen, was de onophoudelijke aanraking met de knie van Paul.

'Ik dacht...' begon hij.

'Geeft niet.' Ze legde haar hand op zijn hand, zacht, om hem gerust te stellen dat ze hem niet in verlegenheid zou brengen, en trok haar hand terug voor het gebaar door iemand anders kon worden opgemerkt. De hand van Paul bleef de voet van zijn glas vasthouden, maar onder de tafel voelde ze hem nog steviger duwen, als verontschuldiging en belofte. Hij handhaafde die druk de hele maaltijd, en die ene, onophoudelijke sensatie werd de draad waaraan alle herinneringen aan die avond zouden worden opgehangen. Het was of zij en Paul in een eigen zone van intense concentratie zaten, terwijl de rest één vlek van spiegelend licht en geluid werd. Het eten, het drinken, de geuren van het hotel van most en oud hout, de bewegende gezichten en handen van hun gezelschap werden vervormd tot achtergrondmuziek. Het gedrag van Sarah gaf Hope het gevoel dat ze naar een extra voorstelling keek die schaamteloos om haar aandacht vroeg, maar de hoofdact domweg niet kon evenaren.

'Als dit China was,' kondigde Sarah aan, 'zouden wij bruiden niet eens bij dit banket aanwezig mogen zijn. Waar of niet, Donald?'

Donald verschoof de kom met tomatensoep die zojuist voor hem was neergezet. Hij gaf zijn vrouw geen antwoord.

'Nee, in China,' ging ze verder, en ze keek de tafel rond, 'heeft een bruiloft eigenlijk helemaal niets met het huwelijk te maken, toch? Nee. Bezitsuitbreiding, dat is de ware reden waarom er feest gevierd wordt. Daarom worden wij bruiden niet uitgenodigd. Omdat wij het nieuwe bezit zijn. Net als kostbare vazen, of antieke perkamentrollen. Een nieuwe aanwinst voor de schatkist, toch? Wij worden in optocht, onder gegalm en geklingel, door de straten gevoerd. Om de wereld te laten zien dat je weer een prijs hebt gewonnen. En vervolgens wordt die prijs voor privé-consumptie achter slot en grendel gezet, bij je andere kostbaarheden.' Ze nam een flinke slok wijn. 'Wat ik niet begrijp is wat de andere vrouwen van een man tijdens zijn huwelijksnacht doen. Gaan ze het bruidsvertrek binnen en bereiden ze het nieuwe meisje voor? Verklappen ze haar wat hij lekker vindt? Verstoppen ze zich onder het bed om te luisteren? Of halen ze opgelucht adem en genieten ze van hun vrije nacht?'

Ong boerde luid en blafte een reeks lettergrepen naar Donald, lachend en zwaaiend met zijn lepel. Donalds gezicht ontspande zich toen hij zijn instructie opvolgde, en hief zijn glas naar Ong. De twee mannen toostten om beurten op elkaar en leegden vlug hun glas om ze meteen weer vol te schenken. Sarah gebaarde dat haar onaangeroerde soep verwijderd moest worden, terwijl Kathe een teken gaf dat ze nog meer wilde.

'Zeg eens, Ong Ben Joe,' zei Sarah. 'Weet jij of er in Chinatown goede minnen zijn?'

Ong zette zijn glas neer en staarde haar met zijn waterige oogjes aan.

'We zullen ze allemaal snel genoeg nodig hebben.' Ze hief haar glas naar Hope op. 'Chinese dames zogen hun eigen baby's namelijk niet. Dat bederft hun figuur voor de mannen.'

Hope bestudeerde de volgende gang. Kalkoen met saus, gekookte aardappelen, rode bieten. Bekend als de keuken van moeder Wayland. Ze had er nog geen idee van met wat voor soort eten Paul was grootgebracht.

'Zeg, Sarah, hoe komt het dat jij zo goed met de Chinese cultuur op de hoogte bent?' vroeg ze.

'Van Donald,' antwoordde Sarah. Toen Hope verbaasd keek legde ze uit: 'Mijn lieve man heeft me alles geleerd wat ik over zijn geliefde moederland weet, daar kun je wel van uitgaan.'

Misschien, maar Hope betwijfelde het of Donald haar dat allemaal geleerd had met de bedoeling dat ze hem daar op deze avond mee om de oren zou slaan. Niettemin leek noch Donald noch een van de anderen bereid om Sarah de mond te snoeren terwijl ze het ene glas wijn na het andere achteroversloeg en het speciaal bestelde eten niet voor consumptie geschikt verklaarde. Ze vroeg waarom haar echtgenoot de chef geen *chow mein* had laten maken. Kathe at intussen onverschrokken door en de mannen zochten hun heil in hun glaasjes. Paul dronk niet alleen dapper mee, hij was de anderen met elk glaasje te vlug af. Daarbij hield hij Hope steeds omklemd in hun geheime omhelzing. De scherpe kritiek van Sarah, zo duidelijk genegeerd, verstomde tot een wazig gemompel.

Ten slotte kwam de bruidstaart, een ronde, witte, mierzoete taart, versierd met gesuikerde viooltjes, en daarbij een fles *pai kan chiu* – een speciaal geschenk van hun gastheer, persoonlijk door hem binnengebracht. Meneer Fu richtte zijn toespraakje tot Donald.

'*Che chih shih yi tienerh hsin yi. Chu nimen yung yüan hsing fu.'* Meneer Fu hijgde licht fluitend, wapperde met zijn hand en knikte heftig, terwijl hij Donald de fles tegen zijn borstkas duwde. Donald duwde hem weer terug naar zijn gastheer. Die boog, schudde zijn hoofd en bleef aandringen. Paul en Ong knikten goedkeurend vanaf de zijlijn. De vrouwen wisselden vragende blikken uit. Geen van de mannen vond het kennelijk noodzakelijk een vertaling te geven.

Meneer. Fu rekte zijn hals en liet een nieuwe serie lettergrepen uit zijn mond rollen. Donald protesteerde een laatste keer en de manager vertrouwde de fles aan een van de obers toe. Met een ronddraaiende beweging beval hij dat alle glazen gevuld moesten worden. Maar niet één keer liet de nachtmanager blijken dat de vrouwen voor hem aanwezig of zelfs maar zichtbaar waren. Toen hij zich tot Paul richtte, was Hope gefascineerd door de vaardigheid waarmee hij het knipperen van zijn ogen precies afstemde op de momenten dat zijn blik de hare kruiste.

Toen de glazen allemaal gevuld waren brak op het gezicht van hun gastheer een brede grijns door. Hij boog over naar Donald en hief toostend het glas *'Pan nimen tsao sheng kuei tsi.'*

Sarah wilde ook haar glas heffen. Donald keek haar boos aan, stond op en straalde naar meneer Fu. Hij leegde zijn glas en beantwoordde de toost. Pas toen dit tweezijdige ritueel door Paul en Ong was herhaald en de gastheer zich met buigingen uit de voeten had gemaakt, verroerden de vrouwen zich. Sarah zei geen woord maar sloeg achter elkaar drie glazen likeur achterover. Bij elk glas kokhalsde ze een beetje, maar ze schonk niettemin elke keer zelf het glas weer vol. Toen ze opkeek, was het of haar ogen gevuld waren met dezelfde bleke vloeistof. Hope verwachtte dat die tranen wel weer een nieuwe vlaag van woede bij Donald zouden losmaken. Ze wist niet hoe zijn woede eruit zou komen – in zachte, vernietigende bewoordingen misschien, of weer zo'n gelaatsuitdrukking als toen hij op het punt had gestaan de dominee voor te liegen – maar ze was in elk geval niet voorbereid op een vertoon van bezorgdheid in plaats van woede. Donald leek zich echt om haar te bekommeren. Hij deed Hope aan een vader denken, zoals hij zachtjes tegen haar sprak en voorzichtig het tafelgerei aan de kant schoof, alsof ze meer ruimte nodig hadden. Eindelijk begreep ze het. 'Ze is zwanger van hem,' fluisterde ze tegen Paul. 'Ja, hè?'

Hij haalde zijn schouders op. 'Donald zeggen niets. Ik geloof je hebt gelijk.'

'Wat zei meneer Fu tegen hem toen hij met hem toostte?'

Paul grinnikte. 'Hoop jij heel spoedig gezegend met kostbare kinderen.'

'Aha.' Ze voelde dat ze bloosde terwijl ze probeerde haar tegenstrijdige gevoelens van geamuseerdheid en verlegenheid te verbergen. Naast Paul zat Kathe mechanisch de afgewezen portie gebak van Sarah naar binnen te werken, haar derde portie alweer, en ze deed evenveel suiker in haar kop als thee.

Hope kon deze vrouwen op geen enkele manier helpen, en kon op geen enkele manier iets veranderen aan de levensweg die ze, om wat voor reden dan ook, waren ingeslagen. Dat hadden ze haar ook niet gevraagd. Maar de eenzaamheid die ze gevoeld had omdat ze *anders* was, bleek in het niet te verzinken bij haar droefheid over het inzicht dat zij en Paul de enigen waren die elkaar uit liefde hadden gekozen.

Tegen de tijd dat ze het hotel verlieten was het donker en viel er een fijne regen. De lucht was vervuld van de geuren van brandend pijnbomenhout en vers omgewoelde modder. Ergens dichtbij klonk dronken gebral en fel licht viel uit de deuren van saloons naar buiten. Verderop, uit de richting van Chinatown, klonk een enkele melancholische gong. Het pension van mevrouw Lopez was net zo hel verlicht als welke saloon dan ook, maar hier dienden de schreeuwende stemmen, het pianospel en het gestamp van dansende voeten uit de gastenkamer als een schild waarlangs pasgetrouwden ongemerkt naar boven konden glippen. De kamer met puntdak waar de mannen zich eerder hadden omgekleed, was nu in tweeën verdeeld door een blauw katoenen gordijn dat vanaf het plafond naar beneden hing. Dit was dan de bruidskamer die Paul en Hope met de Ongs zouden delen, hun serenade de herrie beneden.

Helaas konden het dreunende kabaal noch het dunne gordijn de geluiden verhullen die algauw aan de andere kant van de kamer loskwamen. Even nadat de stellen elkaar welterusten hadden gewenst, doemde het silhouet van Ong op, een gigantische schaduw op de golvende muur. Het licht floepte uit. De kamer stond bol van het geritsel van kledingstukken die werden uitgetrokken, het onhoffelijke geklets van spiermassa tegen zachter vlees, een vreemd ingehouden gegrom, dan gehijg, hoog en vlug als vleermuisvleugels, dat binnen enkele seconden escaleerde in het indringende gekerm van seksuele ontlading. Vrijwel even snel gevolgd door gesnurk.

Tijdens dit hoorspel stond Hope roerloos bij het open raam, terwijl Paul de door mot aangevreten deken zat te betasten die over het doorgezakte eenpersoonsbed lag waar ze samen de huwelijksnacht in zouden doorbrengen. Zijn ogen raakten aan de duisternis gewend. Hij bestudeerde de klankloze vormen van allerlei rommel waar de vloerplanken het hellende dak ontmoetten. Hij voelde de zachte botsing van de gekoesterde warmte onder het hout en de koele, binnenvallende lucht van de nacht. En terwijl de schaduwen over het blauwe gordijn rimpelden en het geluid van de andere kant verstomde, gingen zijn gedachten onophoudelijk naar die andere huwelijksnacht. Toen viel, als een waterval, rode zijde van het plafond tot op de vloer, rond een vierkant bed en de gestalte van een vrouw die van top tot teen in nog meer rood was gedrapeerd. Eén gordijn dicht, het andere open. Sluier omhoog. Sluier omhoog. Bemoeizuchtig gefluister in de kamer ernaast. Vingers die door ramen van oliepapier priemden. Onder de zijde en bungelende juwelen, onder het stugge verfmasker op haar gezicht wachtte een meisje met een ijskoude huid en brandende ogen. De volgende ochtend zou zijn moeder de lakens controleren op rode vlekken.

Paul keek abrupt op. Hope zat neergeknield in de hoek. Langzaam, bewust, kwam ze overeind, en hij zag dat ze haar bruidskleding had verwisseld voor een los zijden hemd dat dreef op de wind. Verbleekt en vergrijsd door de afwezigheid van licht was het of ze op hem wachtte, maar hij wist het niet zeker.

Toen draaide ze zich om. Maanlicht, bevrijd van een langstrekkende wolk, plonsde door het raam naar binnen en deed de stralende kleur van het kledingstuk ontvlammen. Paul hapte naar adem. Voor hem, deze kleur. Voor hem alleen.

'Als baby's geboren,' fluisterde hij, 'oude man in maan neemt zijn toverdraad, verbindt babymeisje met jongen. Later moeten deze baby's trouwen.'

Zijn handen overbrugden de korte afstand die hen scheidde en trokken haar naar de smalle matras naast hem, toen leidde hij haar handen bij het uitdoen van zijn colbert, zijn das en het losknopen van zijn overhemd. Ze trok haar knieën op onder de vlammende stof en krulde zich tegen hem aan, terwijl ze zijn huid verkende. 'Dat verklaart het gearrangeerde huwelijk,' zei ze zacht. 'Maar hoe zit het met ons?'

Zijn vingers gleden langzaam omhoog over haar zachte arm, en hij voelde de siddering die als antwoord door haar hele lichaam trok. 'Lot is gearrangeerd.'

'Lot.' Ze legde haar hoofd in de nek. Paul kuste haar hals.
Zachtjes veegde hij de haarlokken van haar voorhoofd, toen tilde hij de rode sluier op.

4

LATER KONDEN ZE ZICH NIET MEER HERINNEREN WIENS IDEE HET was geweest, want het leek of ze allebei met dezelfde gedachte wakker waren geworden. Honingkleurig licht stroomde door het raam naar binnen. De blauwe draperie rimpelde langs hun bed. Gestamp van vroege vogels klonk uit andere kamers, maar van Kathe en Ben Joe kwam geen geluid. Paul bracht zijn mond naar haar oor en fluisterde de vraag die voor de hand lag. 'Hoe?'

Hope draaide zich in zijn armen om, een glimlach trok aan haar mondhoeken. 'Ooit gekampeerd?'

'Gekampeerd?'

'We slapen buiten. Weg van de stad. Onder de sterren.'

'Als cowboys?'

'Ja.' Ze lachte en kuste zijn ongelovige mond. 'En indianen.'

Ze hielden hun plan geheim bij het ontbijt in de keuken van mevrouw Lopez, dat bestond uit bacon, biscuits, opgewarmde bonen en cichoreikoffie. Dat was niet moeilijk want ze deelden de tafel met drie schaapherders met bloeddoorlopen ogen die de jonge bruidsparen aanstaarden alsof ze deel uitmaakten van een duistere en onverbiddelijke kater. De bruiden hadden zich allemaal dichtgeknoopt en met riemen en veters ingesnoerd zodat ze wel nonnen leken, maar de ringen om hun vinger, de bleke tint van hun wangen (bij Sarah grenzend aan gebleekt groen), de schuwe verwondering in hun ogen, terwijl ze toekeken hoe de handen van hun echtgenoten hun voedsel aanpakten, hun lippen het eten proefden – alles verraadde de kennis die net in hun vlees was getrokken. Vleselijke waarheid hing als een krachtig en onontkoombaar parfum boven de tafel.

De eerste taak van het huwelijk is voortplanting, dacht Hope, en iedereen in deze kamer weet dat net zo goed als dat ze allemaal weten dat blanke vrouwen niet met Chinese mannen trouwen. Zo weten ze hier ook dat deze drie vrouwen de ene regel hebben overtreden, om de andere te gehoorzamen. Maar dat inzicht drong op een dromerige, slordige manier tot haar door, vrij van angst of woede. De langverwachte zonde van haar verbintenis met Paul had haar een gevoel van doorzichtigheid gegeven, alsof ze in die ene verboden omhelzing een spirituele waarheid was binnengegaan die zo machtig was dat ze erdoor beschermd zou worden tegen alle valsheid en onwetendheid die de wereld wist uit te delen. Voor allen behalve Paul zou ze onzichtbaar worden. Voor haar geliefde alleen zou ze haar ware zelf kunnen onthullen. En omdat anderen alleen de buitenkant zagen van de vrouw die ze geworden was, zou niets van wat ze eventueel konden doen of zeggen of denken haar nog kunnen raken.

Terwijl ze in haar eten zat te prikken, stond ze zichzelf slechts vluchtige zijdelingse blikken op Paul toe. En elke keer werd ze beloond met een blik zo vol verbaasde vreugde dat ze onmiddellijk wegkeek uit angst dat ze zich ofwel in zijn armen zou werpen of in lachen of huilen zou uitbarsten. Ze was dankbaar voor het verhullende gekletter van pannen op het fornuis, het geslurp en geboer van de herders, het nette gerinkel van bestek op tafel, de omzwachtelende geuren van voedsel, smeulend hout en het zweet en de leren hoeden van de blanke mannen. Maar toen de herders gegeten hadden, schoven ze hun zware houten stoelen achteruit, lichtten hun hoed voor mevrouw Lopez en liepen, minachtend hoofdschuddend, naar buiten. Alsof ze zich schaamde met de echtparen alleen te blijven, veegde de pensionhoudster abrupt haar handen af en volgde de andere mannen naar buiten, iets mompelend over de andere 'gasten'.

'Ze hebben nu alles gezien,' fluisterde Hope tegen Paul.

'En niets,' antwoordde hij, haar blik beantwoordend.

Ong stond op, zwaaide met zijn zakhorloge en deelde mee dat hun trein over een halfuur vertrok. Hij werd onderbroken door een krassend geluid aan de keukendeur, die openstond om de kookluchtjes te helpen verdrijven.

'Vollek?' Een stakige gestalte onder een versleten hoed duwde zijn beschaduwde gezicht tegen de hor. 'Ik h-h-heb jullie foto's.'

Paul trok de hor open. De fotograaf zette zijn hoed af en keek rustig de keuken rond, rechtte langzaam zijn arm en hield een zwarte papieren map voor zich uit.

Ze gingen om hem heen staan. 'Het is g-g-gelukt.' Jed Israel duwde elk stel een op karton geplakte afdruk van de foto in de hand. Hope glimlachte toen ze meekeek over de schouder van Paul en barstte vervolgens in lachen uit.' Wat kijken we verbijsterd!'

Het was allesbehalve een doorsnee trouwfoto. Ze hadden hun armen om elkaars schouders en middel geslagen, zodat niet uit te maken viel wie bij wie hoorde. Hun formele kleding zat als gegoten – colberts en dassen en met kant afgezette jurken. De meesten keken alsof ze onder de verveling zouden bezwijken. Maar dan, onverklaarbaar, waren daar die malle hoeden, de mannen versierd met veren, fruit en linten, de vrouwen streng onder een mannelijke hoedenrand. De magnesiumflits weerkaatste tegen de brillenglazen van Paul, zodat het net was of hij door twee plasjes melk tuurde. De kerk achter hen was donker. Het portret had net zogoed midden in de nacht op een verlaten stuk zandgrond genomen kunnen zijn.

'Nee,' zei Sarah meesmuilend. 'We kijken alsof we... alsof we schipbreukelingen zijn.'

Jed Israel mompelde een verontschuldiging, maar Hope raakte zijn elleboog aan. 'Let maar niet op ons. Het is echt een prachtfoto, alleen hij is anders dan wanneer je in een spiegel kijkt, snap je. Zo zien wij onszelf niet.'

De jonge fotograaf perste zijn lippen op elkaar en hipte van zijn hakken op zijn tenen en weer terug, zijn lichaam stijf van teleurstelling. Hope was bang dat ze het hem alleen nog maar moeilijker had gemaakt en klopte machteloos tegen zijn elleboog. Plotseling liet Paul een bulderende lach horen en wendde zich tot Donald, zwaaiend met de afdruk. 'Ik zie minister Tuan hiermee zwaaien voor rechtbank. "Kijk hoe deze jonge rebellen ons schande maken!" Heel goed. Ik vind dit heel goed!' Hij grijnsde naar de verbaasde fotograaf. 'Bedankt, meneer Israel. Heel hartelijk bedankt.'

Ze lieten de verlegen jongen in de keuken achter met de vijftig cent in zijn hand die Paul hem beslist had willen betalen. Tien minuten later sloten ze zich aan bij de menigte op het station die op de trein naar het westen stond te wachten. Terwijl Paul hun gewijzigde plannen aan de anderen meedeelde, liep Hope op de bank af waar Sarah nog alleen zat, met holle wangen en in gedachten verzonken.

'We gaan niet met jullie mee terug,' zei ze. 'Maar ik beloof dat ik je opzoek als we weer in Frisco zijn.'

'Vast wel.' Sarah zei het op bijtende toon, maar Hope weigerde zich te laten intimideren. Ze had medelijden met Sarah. Sarah intrigeerde haar. Maar ze was totaal anders dan zijzelf.

'Vast wel.' Ze aarzelde. 'Dat wil zeggen, als jou dat leuk lijkt.'
Sarah keek haar recht aan. 'Jij denkt zeker dat je weet waarom ik met Donald getrouwd ben, hè? Omdat ik zwanger ben. Ja, maar van wie?' Ze zweeg om de betekenis van die laatste woorden te laten bezinken. 'Begrijp je het nu? Donald is mijn redder, niet-waar? En ik moet hem zijn fouten vergeven, zoals hij de mijne vergeeft. Het heeft niets met liefde te maken. Het is een regeling. Een afspraak.'

'Zaken,' mompelde Hope, vol afschuw.

'Dus,' zei Sarah, en haar stem werd zachter, 'Paul en jij blijven nog. Hier.' Hope gaf geen antwoord. 'Ik heb nooit erg in de liefde geloofd,' ging Sarah verder. 'Ik had echt nooit gedacht dat een blanke vrouw uit liefde met een Chinees zou kunnen trouwen. Daarom heb ik je een dwaas genoemd, snap je. Maar ik moet je zeggen dat ik me vergist heb. Dat heb ik vanochtend gezien. Jou en Paul. Jullie zijn anders. Jij bent een van de geluksvogels, Hope. Of misschien ben je alleen maar nog meer verdoemd dan ik, ik weet het niet. Maar ik benijd je.'

Sarah's nare onthulling, gevolgd door deze biecht, de onverwachte zachtheid en rauwe waarheid gaven Hope het gevoel alsof ze binnenstebuiten was gekeerd. De trein reed binnen. Paul wenkte.

'Het spijt me,' zei ze en ze sloeg haar armen om Sarah heen. 'Het spijt me zo voor je.'

'Hoeft niet,' zei Sarah. 'Pas goed op jezelf.'

Toen de trein vertrokken was, volgden Hope en Paul de spoorlijn langs de rivier naar het begin van de barakken die Chinatown vormden. Ze bleven staan voor een vervallen gebouw met gescheurd teerpapier als dakbedekking, een uitgezakte halve deur, gebroken ramen, dichtgemaakt met krantenpapier, en een uithangbord met bladderende groene en witte verf waarop een aantal Chinese karakters stond en, in slordige letters, *Joe Gon Warenhuis*. Paul zei: 'Meneer Fu vertelt me deze winkelier van Hupei. Zijn neef vriend van Sun Yat-sen. Hij zal ons helpen.'

Een vlugge blik op het sjofele interieur leerde Hope dat Joe Gon alles had wat ze nodig hadden – en nog meer. De houten tafels en planken waren beladen met eten en manufacturen, veelal voorzien van Chinese labels. Een rek met worstjes en gedroogde repen vlees hing achter de toonbank – samen met de verschrompelde, oogloze kop van een beer – en in de uiterste hoek stond mijnwerkersgereedschap: olielampen, aluminium pannen en gereedschap, geteerd zeildoek, muskietennetten, aanzetstenen, spades, boorkoppen, canvas tenten, vuurstenen, lucifers, zwarte teerzeep.

Maar de handelaar was op zijn hoede, wat te begrijpen was. Een Chinese man die alleen met een blanke vrouw de stad verliet, was voorbestemd te worden opgemerkt, en buiten de stad waren de reacties van de mannen nog minder voorspelbaar dan in de stad. Sommige plaatselijke boeren waren bevriend met Chinezen, maar Joe Gon, een gedrongen, gerimpelde man van in de vijftig, had Rock Springs meegemaakt. In zijn nachtmerries hoorde hij nog steeds de strijdkreet van de blanke mijnwerkers: 'De Chinezen moeten weg!'

'Soms,' zei hij tegen Paul, 'is deze Amerikaanse wildernis helemaal niet zo groot of leeg als je zou willen.' Hij schudde nadenkend het hoofd.

Hope deed een stap naderbij. Ze spraken dialect, maar de houding van de handelaar was duidelijk genoeg. 'Wij betalen wel.'

'Dit is niet...' begon Paul, maar Hope viel hem in de rede.

'Wilt u een onderpand? Paul, laat hem de ring van Collis eens zien.'

'Hope, geld is het probleem niet.'

Maar ze kon aan de zware gefronste wenkbrauwen van Joe Gon wel zien dat dat niet helemaal waar was. 'Een indiaans onderpand,' zei hij, te nonchalant.

Paul overhandigde haar met tegenzin de ingelegde ring. Ze legde hem op de toonbank, maar Paul griste hem onmiddellijk weg en trok haar een eindje bij de man vandaan. 'Niet goed. Hij zal die vergokken.'

'Als deze ring ouwe Joe Gon rampspoed brengt, heb ik liever dat dat hem treft dan mij. Hij kent de omgeving. Hij moet een plek weten waar we door niemand lastig gevallen worden. En hij heeft zo te zien alle spullen die we nodig hebben. Laat hem de ring houden als onderpand.'

Paul aarzelde nog steeds. 'Je hebt geen gevoelens voor deze juwelen?'

'Niet meer dan voor de man die je deze ring voor de voeten heeft gesmeten.'

Toen de handelaar begreep dat de ring echt aan hem zou worden toevertrouwd, lachte hij vier houten tanden bloot en dook onder de toonbank. Er klonk wat geschuifel en gevouw, en toen dook hij weer op met een arm vol stoffige zwarte doeken en twee vilten flaphoeden. Hij duwde één bundel in de handen van Hope en de andere in die van Paul.

'Veiliger.' Joe Gon wees naar het donkere haar van Hope, en vormde met zijn handen haar ranke figuur. 'Als Chinese jongen.' Hij wees haar een deuropening met een gordijn ervoor. Daarachter was een kleine ruimte met een veldbed, een kacheltje en een ruwhouten wastafel, daar kon ze zich verkleden.

Toen ze de kledingstukken uitschudde haalde ze haar neus op. Ze roken naar gras en zand en uien en rook – en menselijk zweet. Maar bij nadere inspectie kwam ze geen sporen van ongedierte tegen, geen stank van de een of andere ziekte. En die stank, hield ze zichzelf voor, was niet zozeer erg, als wel eigenaardig. Niettemin haalde ze een fles rozenwater uit haar tas en sprenkelde wat over het weefsel, onder haar armen, in haar hals en achter haar knieën. Ze had haar korset, hemd, onderbroek en kousen nog aan toen ze zich in de ruwe omhulsels hees. De broek kon met een touw om haar middel worden aangetrokken, de pijpen zouden haar laarzen verbergen. Het jasje zat onder haar kin dichtgeknoopt, en toen ze haar armen ophief kreeg ze een hoestbui van het stof. Zware stof, leek het, poederwit als het kalksteen dat ze in deze streek dolven. Plotseling vroeg ze zich af hoe de handelaar aan deze kleren kwam, maar vastberaden zette ze die gedachte meteen uit haar hoofd en trok de haarspelden uit haar haar. Met haar vingers kamde ze de klitten eruit. Toen vlocht ze, zoals ze als klein meisje zo vaak had gedaan, een lange, dansende vlecht. De rand van de hoed trok ze tot vlak boven haar ogen, en zo kwam ze weer van achter het gordijn te voorschijn.

Paul floot zachtjes toen hij zag hoe lang haar vlecht was, en toen hij de rand van haar hoed optilde grijnsde ze: hij was precies hetzelfde gekleed – alleen moesten de mensen bij hem geloven dat zijn staartvlecht opgerold onder zijn hoed zat. Joe Gon bromde toen haar lichaam naar hem overhelde. Ze zette vlug een voet naar achteren en maakte een buiging. Nadat ze hun provisie hadden uitgezocht, laadde de handelaar die in twee rieten manden, die hij aan een bamboestok vastbond. Paul liet het geheel met de flair van een geboren globetrotter op zijn schouder balanceren.

Toen ze vertrokken schoot Hope in de lach. Al die trotse energie die ze erin had gestoken om haar man los te zien van al die landarbeiders – de volmaakte ironie dat ze zich nu allebei, uit vrije keus, als Chinese arbeiders hadden uitgedost!

Maar de ironie verschrompelde toen ze aan de rand van de stad een stel hertenjagers tegenkwamen. Van diep onder haar afhangende hoed, op een afstand van zo'n twintig meter, had Hope al gezien dat de jagers elkaar aanstootten. De mannen veranderden van richting om niet te dichtbij te komen, maar richtten tegelijkertijd hun geweren, zodat Hope recht in de zwarte gaten van de lopen keek.

'Blijven lopen,' fluisterde Paul toen ze over een wagenspoor struikelde. De mannen waren blijven staan.

Toen hoorde ze een grommend gelach. 'Verdomde Chinezen. Zelfs een hert heeft nog het lef je recht in de ogen te kijken voor je hem neerknalt.'

Ze liepen aangeslagen door, in een angstig stilzwijgen, maar na de jagers zagen ze alleen nog iemand met wit haar die naast zijn wasmand bij de rivier zat. De Bear River bracht hen naar een stroom die naar links aftakte. Ze doorkruisten een weide vol gele mosterdplanten en stralend blauwe lupine. De weide had de vorm van een driehoek, een pijl wees naar een beschaduwd meertje waar een elandenfamilie was blijven staan om wat te drinken. Ze volgden de routebeschrijving van Joe Gon en bleven langs het riviertje lopen, tot in een hoge smalle cañon. Daar was het stil. Het geklater van water vermengde zich met geritsel van vleugels en poten in de struiken. Grote eiken en platanen en enorme holstammige pijnbomen sprongen op aan weerskanten van de cañon. Ze zagen geen spoor van mensen, wat zowel geruststellend als onhandig was, omdat dat betekende dat ze hun eigen pad moesten kappen. Paul stelde een aantal keren voor om te stoppen, maar Hope hield vol dat als ze maar doorliepen, de cañon op een gegeven moment wel weer breder zou worden.

'We hebben een vlak stuk grond nodig om een tent op te zetten,' legde ze uit. En toen hij vroeg hoe ze dat soort dingen wist, vertelde ze hem van de uitstapjes die ze vroeger met haar vader had gemaakt, in de zomers en vakanties uit haar jeugd, toen hij een rondtrekkende natuurgenezer was. Ze vertelde over hun rood met goud gekleurde wagen, met *Dokter Wonders Kuren* op de zijkanten geschilderd. Dat ze zo trots was om naast haar vader te rijden, dat hij haar zijn 'assistente' had genoemd, al was ze pas vijf. In Fort Dodge met de Waylands was ze het gelukkigst wanneer ze op reis was, en hun avonturen werden alleen nog maar ruiger toen Doc ook nog een boerderij was begonnen. Ze hadden in onweersbuien hun tent opgezet op indiaanse ruïnes. Op een nacht waren ze gewekt door het gedreun van een op hol geslagen kudde langhoorns. En één keer hadden ze twee vreemdelingen een warme maaltijd gegeven en waren ze er de volgende ochtend in de stad achtergekomen dat hun gasten drie dagen eerder een bank hadden beroofd.

'Ben je bang?' vroeg Paul, en hij stak een hand uit om haar over een brede, knokige boomwortel heen te helpen.

'Was,' corrigeerde ze. 'Daar had ik geen reden toe. De bandieten deden mij niets. Ze hebben me zelfs verhalen zitten vertellen. Jack en de Bonestaak, Robin Hood, natuurlijk. Maar het allerbelangrijkste was de reactie van mijn vader. Die lachte. Papa is nergens bang voor.'

'Hij jou leren dapper te zijn,' zei Paul.

'Of dwaas, als je Sarah mag geloven.'

Paul trok een grimas. 'Sarah is niet goed.'

'Ik heb met haar te doen.'

'Verknoei geen tijd voor haar.'

Als om te bewijzen dat Sarah inderdaad over vernietigende krachten beschikte, viel er een ongemakkelijke stilte. Steeds verder liepen ze de steeds nauwere cañon in. Opeens werd de kloof breder en stonden ze op een kleine, ronde open plek.

'Kijk!' Hope klapte in haar handen. 'Perfect!'

Recht voor hen, omzoomd door bessenstruiken, bloesemende appelbomen en enorme oude eiken, stond een verlaten mijnwerkershut. Het bouwwerk had lang geleden zijn dak verloren, maar de muren van op elkaar gestapelde keien stonden nog stevig overeind. Treurduiven hadden op een hoek een nest gebouwd. En een familie eekhoorntjes gebruikte een andere hoek als opslagruimte. Bladeren en dennennaalden bedekten de moddervloer, en je kon de lucht zien door de kachelpijp die zich nog steeds op zijn plek boven de open haard bevond, hoewel hier in geen jaren een vuurtje meer in gestookt was. Het enige andere teken van menselijke bewoning was een aluminium teil die omgekeerd bij de haard lag en nu een actieve kolonie spinnen huisvestte.

'Zie je wel!' Hope hing hun hoeden aan een roestige spijker naast de deur. 'Het is een *vrijplaats*. Dat is het.'

Paul glimlachte, toegeeflijk als een vader, en vroeg zich af of ze de frambozen die buiten de hut groeiden en die net gerijpt waren, ook konden eten. Na een lunch van die vruchten, wat crackers en worst uit hun manden, en water uit het riviertje waar Paul per se thee van wilde zetten, gingen ze aan de slag. Hij flanste een bezem van berkentakken in elkaar en veegde de vloer, borstelde de spinnenwebben uit de hut, maakte de teil schoon en hing een dak van oliedoek over één hoek voor het geval het mocht gaan regenen. Hope waste in de beek hun bestek af, pakte de rest van de proviand uit en richtte op een plank naast het haardvuur een keuken in. Toen ging ze buiten op onderzoek uit tot ze een ring sparren had gevonden die mooi als een scherm konden dienen voor een privaat. Met een grote platte steen groef ze een kuil in de zachte modder, zoals haar vader haar geleerd had, en spreidde een tapijt uit van schone dennennaalden rond dat wat papa altijd 'de troon van de wildernis' had genoemd.

Toen ze terugkwam stond Paul haar op blote voeten op te wachten. Hij pakte haar hand en trok haar naar de matras die hij gemaakt had door hun rollen beddengoed uit te spreiden over een kussen van lavendel, vlotgras en vederachtige salie. 'Ik wil naar je kijken,' zei hij eenvoudig.

Na afloop vroeg ze zich af hoe ze het over het hoofd had kunnen zien, toen zijn kleren wegvielen, toen haar handen, bevend, langs zijn rug gingen, of toen ze hem tijdens hun liefdesspel tegen zich aan had geklemd. Was het haar eigen aangeboren wens geweest om zijn lijden te ontvluchten, of had hij zijn lichaam, zelfs in de stuiptrekkingen van de hartstocht, telkens zo gehouden dat ze het niet zien kon? Wat de reden ook mocht zijn, het was pas toen ze gevreeën hadden, toen het tedere gefluister van vragen en onderzoeken was weggezakt, toen Paul bij haar was weggerold en naar de volle tobbe was gestapt, dat haar ogen ontdekten wat haar handen hadden gemist: een heel netwerk van witblauwe en paarse striemen dat zich uitstrekte van zijn lendenen tot aan zijn bilnaad.

Het was alsof een etsnaald keer op keer op keer door zijn vlees had gesneden. Sommige groeven waren recht, andere beverig. Hope kon aan de littekens zien dat de verminkingen tot op het bot waren gegaan. Hoeveel jaar geleden kon ze niet zeggen, maar ze wist wel dat een dergelijk letsel niet door een ongelukje veroorzaakt kon zijn.

Ze werd verlamd door twee tegengestelde impulsen: de ene om het beschadigde vlees te liefkozen in een onzinnige, vrouwelijke poging om te troosten, de andere om zich vol walging van hem af te keren.

Toen hij zich omdraaide en de teil dichterbij bracht, hield ze haar adem in en sloeg haar armen voor haar borsten over elkaar. Hij zei niets, maar stak zijn vingertoppen in het water en streelde ermee over haar wangen. Hij maakte haar armen los en raakte de onderkant van haar hals aan. De scherpe kou van het vocht dwong haar om adem te halen. Ze maakte een geluid dat het midden hield tussen een geeuw en een schreeuw. Hij maakte haar lippen nat om haar tot zwijgen te brengen, kuste haar stevig en vroeg haar in de tobbe te gaan staan. Hij waste haar beide borsten alsof het zeldzame vruchten waren. Hij maakte zachtjes de plek open waar hij bij haar naar binnen was gegaan, waste zijn eigen zaad en zweet weg alsof dat nu iets onnatuurlijks was, niet langer gewenst.

'Nee!' Ze greep zijn pols, bang om plotseling zijn geur op haar huid te moeten missen, alsof Paul daarmee ook zou verdwijnen.

Hij stopte en tilde haar als een kind uit de tobbe, waarop hij er zelf in ging staan. 'Nu jij,' zei hij, net zozeer met zijn ogen als met zijn stem. En hij draaide zich om, zodat ze kon beginnen zijn littekens te wassen.

'Vertel,' zei ze.

'Lang verhaal,' waarschuwde hij.

Ze streelde het gemarmerde vlees. 'Ik heb geen haast. Wanneer is het gebeurd?'

'Westerse kalender, negentienhonderd. Eerst moet je weten over een man Chang Chih-tung. Chang is mijn leraar vele jaren in Hupei. Hij heeft veel macht, onderkoning van provincies Hupei en Hunan. Chang begint Two Lakes Academy. Ik ben student in eerste jaar. Chang veranderen hele onderwijssysteem, stoppen klassieke examens, open voor modern onderwijs. Hij doet veel goede dingen, kan ook duivels zijn. Heel interessant, maar...'

Paul verstrengelde zijn vingers om het woord te illustreren dat hem niet te binnen wilde schieten.

'Complex?'

'Complex, ja. Chang bewonderen Jezus, Socrates, dus hij volgen hun voorbeeld. Enige tijd elke dag hij brengen zijn studenten en volgelingen om zich heen voor dit soort discussie. Deze manier hij horen veel ideeën. Hij neemt veel ideeën, besluiten welke volgelingen hij kan vertrouwen.'

'En jij was een van degenen die hij kon vertrouwen?'

Hij nam haar hand en leidde haar terug naar het bed, waar ze gingen liggen, gezichten naar elkaar toe. 'Chang geniet van mij. Ik studeer hem. Ik leer hem uit het hoofd. Ik leer hem over buitenlanders en het Westen. Hij zal dit gebruiken. Hij zeggen Japan is goede plek voor Chinezen om te studeren – modern land, hele goede militaire opleiding, maar nog Azië, dus beter dan Westen. Vele Chinezen denken nu zo, maar Chang was eerste.'

'Was het dan Chang die jou naar Japan stuurde om te studeren?'

'Eerst wel. Ja. Ik ga naar Seijo Gakko militaire academie.'

'Je hebt een militaire opleiding gehad!' Hope was stomverbaasd. Ondanks zijn revolutionaire geestdrift, vertoonde zijn houding of gedrag geen spoor van militarisme. 'Ik leer krijgskunst. Troepenbewegingen. Strategie.' Paul glimlachte. 'Schaak.'

'En wapens dan?'

Hij haalde zijn schouders op en wikkelde haar vochtige haar als een verband om zijn hand. 'Ik leer artillerie, ballistiek, munitie. Waarde van deze dingen.'

'En hoe je een revolutie moet organiseren.'

'In Japan ik ontmoeten dr. Sun, die mij leert dat revolutie de enige manier is waarop China vrij kan zijn van Manchu's en buitenlanders.'

'Maar dat was allemaal voor je naar dat Nieuwjaarsfeest ging en je landgenoten opriep de Manchu's van hun troon te stoten.'

'Dat is 1903, ja, dit pas 1900. Door dr. Sun ik sluit me aan bij plan om Hankow in te nemen. Ik regel fondsen, maak contact met Chinatowndonoren in Honolulu, Singapore. Ik keren terug naar Hupei om plannen te maken met revolutionaire leiders. Maar daar is brand in Honolulu, en het geld is traag. Wij moeten uitstellen. Andere sponsors trekken terug. Sommige mannen krabbelen terug, biechten aan Chang Chih-tung in ruil voor hun leven. Dus arrestaties beginnen. Het is niet als Japan of Sjanghai, waar politie voorzichtig is met Chinese gevangenen. In Hupei bestaat ondervragingen nooit uit woorden alleen. Chang neemt hoofd van tien mijn vrienden, sommigen zelfde studenten die hij met mij naar Japan laten gaan om te studeren.'

'En hij bezorgde jou die littekens die je nooit meer kwijtraakt.'

'Chang weet niet wat hij met me aanmoet. Mijn vader is onderkoning van Kanton geweest, zie je. Mijn moeder stuurt elke dag geschenken, smeekt voor mijn leven. Op een dag komt ze persoonlijk, biedt Chang beeld van godin Kuanyin, godin van genade, van appeljade meer dan vijfhonderd jaar oud. Onderkant van dit beeld is hol. Binnenin drie goudstaven. Volgende ochtend, deur van mijn gevangeniscel open, geen cipiers. Ik ontvluchten. Zie je, dat Chinese justitie.'

Hope slikte met moeite. 'Je moeder heeft je gered.'

'Mijn moeder geeft mij twee keer leven. Dit is waar.'

'Dan zou ik haar ook dankbaar moeten zijn.' Maar de woorden bleven in haar keel steken. Paul merkte het.

'Mijn moeder heeft één kind, Hope, en hij is zoon. Dat middelpunt van alles in China.'

'In *jouw* China, of in het hare?'

'Hope.' Hij schudde zijn hoofd.

'Ik kan het niet helpen, ik ben bang voor haar, Paul. Voor de macht die ze over jou heeft. Alles wat je me over haar vertelt lijkt bij te dragen aan die macht en toch kan ik me geen beeld van haar vormen. Ik kan haar met niemand vergelijken afgezien van koninginnen in sprookjes. In sprookjes kan de koningin onzichtbaar worden, ze kan geliefden tegen elkaar uitspelen zonder dat ze zelfs maar weten dat ze er is.'

'Je maakt te veel zorgen.'

Ze legde haar hand op het netwerk onder op zijn rug. 'O ja?'

'Ik moet niet vertellen deze verhalen. Ik denk jij kunnen begrijpen, ik wil jij mij kennen, om me geven. Jij stelt vragen, ik geef antwoord. Maar je luistert naar woorden die je hoort, niet woorden die ik spreek.'

'Had niet moeten vertellen,' corrigeerde Hope. Ze trok zich terug achter haar façade van lerares zodat ze, dat hadden ze allebei wel door, even niet hoefde in te gaan op de inhoud van wat hij gezegd had. '*Ik had deze verhalen niet moeten vertellen.* Ik wil *dat* jij mij *kent*. Maar, Paul?' Ze richtte zich op een elleboog op, zodat ze op hem neer kon kijken. 'Ik ben blij dat je het gedaan hebt, en ik wil dat je ermee doorgaat. Sommige dingen zijn zo anders – ik kan niet anders dan me bedreigd voelen. Maar als jij mij niets vertelt over waar je vandaan komt, over de krachten die je gemaakt hebben tot wie je bent, zal ik je nooit echt kennen. En wanneer de wereld zich dan tegen ons keert, en we weten allebei dat dat gaat gebeuren, hebben we geen schijn van kans om te overleven – samen of apart.'

'En jij?' vroeg Paul. 'Jij wilt me leren kennen, maar jij zegt weinig over jezelf.'

Een plotselinge beweging trok haar aandacht. Ze keek op en zag een eekhoorntje zo plat als een vlieger tussen de takken hoog boven hen zeilen. 'Mijn verhalen zijn niet zo interessant als die van jou.'

'Ik vind die over je vader mooi. Kamperen met bandieten.'

Ze schudde haar hoofd, nog steeds naar boven kijkend. 'Die wereld ligt achter me. Die van jou ligt voor je.' En toen, onverwachts: 'Begreep je je eerste vrouw ook zo goed?'

'Hsin-hsin.' Hij wilde haar omarmen, maar trok zich weer terug. 'Ik weet meer over mijn vrouw dan ik misschien ooit jou zal kennen. Ik ken de namen van haar ouders, neven, nichten, voorouders, dorp, geboorteteken, geschiedenis van familie. Ik leer die dingen als les voor examen. Dat examen is huwelijk. Maar ik haar nooit begrijpen. Ik niet proberen. Deze manier is makkelijk haar te verlaten.'

Hij stak zijn hand uit naar haar borst, raakte die niet helemaal aan, maar hield hem zo dicht bij dat ze voelde hoe haar huid naar hem werd toegetrokken.

'Hope, help me jou te begrijpen.'

Die middag trokken ze nog verder de cañon in. De lucht was heet en droog, muskieten beten in hun hals. Hope trok haar laarzen uit, rolde haar broekspijpen op en liep het water in, van de ene steen op de andere springend. Paul bleef op de oever lopen, handen op de rug, hoofd in de nek, zwijgend. Het lijkt wel of hij over een gedicht nadenkt, dacht Hope. Of over de mysteriën van het universum, voor zover dat niet hetzelfde was. Voor het eerst had ze een helder beeld van hem als geleerde, zag ze hem ingesnoerd in een mandarijnengewaad, stijfjes over een rol geleund met een pen – nee, penseel – in de hand. Ze stelde zich voor dat ze op haar tenen om hem heen liep om hem niet te storen.

Maar terwijl Hope zich op haar man concentreerde, was de concentratie van Paul naar buiten gericht. Hij was helemaal niet in gedachten verzonken, hij werd juist helemaal in beslag genomen door de wereld om hem heen. Hij wilde de lichtstrepen in het geboomte in zijn geheugen vastleggen, het sponzige oppervlak van deze bosaarde, de muziek van de stroom en de gratie van zijn vrouw, die hem deed watertanden zoals ze zich naast hem voortbewoog. Paul had de ogen van een dichter en een militair strateeg, en, in dit land, van een gefascineerde toerist. Ze hechtten betekenis aan details die anderen over het hoofd zagen. 'Kijk.' Hij wees.

Rechts voor hen, op de oever, rees een enorme boom op waarvan de bovenste helft eruitzag alsof hij door de bliksem gespleten was. Paul duwde zijn bril omhoog. 'Ze lijken op ons.'

'Ze?' Hope kwam spattend naderbij.

'Het is twee bomen. Kijk, twee kleuren.'

Hoewel even groot en zo dicht bij elkaar geplant dat hun zaden uit dezelfde peul afkomstig konden zijn, had een van beide bomen de diepgrijze bast en in bosjes groeiende bladeren van een eik, terwijl de andere een bleke bast had en de grotere, meer handvormige bladeren van een plataan. Het waren duidelijk twee verschillende soorten, toch waren ze letterlijk in en om elkaar heen gegroeid, hun beider schors zo dicht tegen elkaar aangedrukt dat ze naadloos in elkaar overgingen, en het was of ze dezelfde stam deelden. Sterker nog, het leek juist ongeloofwaardig dat het ze niet gelukt was om helemaal in elkaar door te dringen.

Hope en Paul grepen elkaar bij de hand terwijl ze om dit vreemde botanische monument heen liepen. Elk detail suggereerde de intensiteit van een omhelzing, van de verstrengeling van ledematen en bladeren tot de wortels, die stenen, mos en versteende noten in hun gezamenlijke greep hielden. In tegenstelling tot de stammen, hadden de wortels dezelfde donkere kleur, dus het was onmogelijk te zeggen welke bij welke ouder hoorde. Eén stel wortels was tot een bank ineengevlochten die zich over het water uitstrekte. 'Kijk eens wat een intiem bankje,' zei Hope, en ze trok Paul neer.

Ook hij trok zijn laarzen uit en liet zijn voeten door het ijzige water ranselen. 'Ik denk dat deze geliefden in een vorig leven gedwongen waren uit elkaar te gaan. Nu zullen ze voor de eeuwigheid samen zijn.'

'Eeuwigheid.' Hope leunde achterover en staarde omhoog door het netwerk van bladeren. 'Mijn vader vertelde me vroeger altijd dat soort verhalen. Over geliefden. Hij zei dat het oude verhalen waren uit de overlevering van de indianen.'

Paul dacht even na en vroeg toen: 'Zal ik je vader ontmoeten?'

'O, ik hoop het wel!' Ze keek hem scherp aan. 'Het zou me niets verbazen als hij bij onze terugkomst in Berkeley op ons zit te wachten.'

Paul haakte zijn bril los, vouwde hem op en gebaarde ermee naar de boom. 'Ik denk deze geliefden uit elkaar gaan omdat vader bruid niet goed vinden.'

'Je hoeft je over mijn vader geen zorgen te maken, hoor. Zoals ik je al zei, hij is het romantische type.'

Hij keek naar haar. 'Jij praten niet over je moeder.'

'Ik weet niet veel van haar af. Alleen...' Ze kauwde op haar onderlip. 'Die verhalen van papa. Hij vertelde over zichzelf en mijn moeder. Dat voelde ik aan zijn stem.'

‘Waarom indiaanse verhalen?’

Ze leunde voorover en stak haar hand in het water. Ze voelde de stroom trekken. *Jij wilt me leren kennen, maar je zegt weinig over jezelf.*

Ze ging weer rechtop zitten en dwong zichzelf naar zijn gezicht te kijken. Zijn kleur. De ronding van zijn jukbeenderen en het plat van zijn oogleden boven die donkere ogen. ‘Mijn moeder,’ antwoordde ze langzaam, ‘was half indiaanse. Haar moeder behoorde tot de Seneca-stam, maar ze is tijdens de bevalling gestorven. Mijn grootvader was legercommandant bij Fort Dodge. Hij was Engelsman. Mijn vader heeft altijd veel respect getoond, hij zei dat het indiaanse bloed van mijn moeder haar heel mooi en eigenzinnig maakte, maar ik ben opgegroeid bij een blanke familie in een blanke stad. Mijn vader kwam uit Boston en als ik nog indiaanse familie heb, hebben we die nooit gekend. Begrijp je?’

Paul duwde haar kin met zijn vingertoppen omhoog. Ze voelde dat hij de vorm van haar neus en ogen opnieuw bekeek, de kleur en de glans van haar haar, en ze bespeurde een ergerlijke gretigheid in zijn blik, als van een wetenschapper die een zeldzame soort bestudeert. Maar diezelfde blik was zo volledig van ieder vooroordeel gespeend dat ze hem zijn nieuwsgierigheid onmogelijk kwalijk kon nemen.

‘Toen ik studeren geschiedenis,’ zei hij, ‘ik denken Europeanen doen oorspronkelijke bewoners van Amerika zelfde aan wat buitenlanders en Manchu’s Chinezen aandoen. Het is goed jij vertellen over je moeder. En vader. Ja.’ Hij knikte langzaam. ‘Ja, Hsinhsin. Ik begrijpen.’

Hij beroerde haar wang en glimlachte, eerst naar Hope, toen naar de verstrengelde takken boven hun hoofden. ‘Deze boom is geschiedenis van onze kinderen,’ zei hij. ‘We moeten deze plek nooit vergeten, nooit.’

IV

THUIS

Berkeley (1906-1911)

I

Berkeley Daily Gazette, 21 juni 1906

BEZWAREN TEGEN DE CHINEZEN
Burger vreest dat oosterlingen kostbaar huizenbezit in stadshart in bezit nemen

Toen de afschuwelijke ramp van San Francisco duizenden mensen aan deze kant van de baai dakloos maakte, hebben een paar avontuurlijke individuen zich niet alleen schuldig gemaakt aan het verhuren van een huis aan Grant Street aan zes of meer Chinezen, maar zijn ze ook van plan het aangrenzende pand aan een ander stel Chinezen te verkopen. De betreffende panden zijn in het hart van de stad gesitueerd, nog geen twee straten van de middelbare school, en in een wijk waar veel comfortabele en smaakvolle huizen zijn gebouwd. Nu worden deze bedreigd door een instroom uit Chinatown en een zekere waardevermindering.

Als deze horde gele Chinezen, met al hun vuil en ziekten die hun aanwezigheid daar met zich meebrenkt [sic], binnen de stadsgrenzen moet blijven, laat dat dan op een plek zijn, afgezonderd van nette woonwijken, waar ze onder strikt toezicht bij elkaar kunnen hokken...

'Botterik!' Mary Jane zwaaide met de krant alsof het een vijandelijke vlag betrof. 'Wat is het Chinese woord voor walgelijke types als deze vent?'

Paul tuurde naar haar over de rand van zijn bril. Hij en Hope hadden het erover gehad of ze het artikel aan Mary Jane zouden laten zien, maar Hope had erop gestaan – om hem te bewijzen dat

haar vriendin aan hun zijde zou staan. *'Sha jiba,'* antwoordde hij.
'Ik hoop dat dat erger is dan wat ik zei.'
'Ik zeg betekenis niet in gezelschap van dames,' antwoordde hij met een hoffelijk knikje.
'Helaas zijn er heel wat van zulke types,' zei Hope. 'En veel te weinig van die "avontuurlijke individuen" om ons een huis te bezorgen. Wat gaan we doen?'
'Blijf zitten waar je zit,' zei Mary Jane, in antwoord op het knikje van Paul. 'Sinds het vertrek van de drie musketiers verzuip ik in de ruimte, en jullie gezelschap heeft mij zo verwend dat ik niet meer alleen kan zijn.'
Toen Mary Jane Dorothea, Anne en Antonia de drie musketiers was gaan noemen kwam het trio tot de slotsom dat ze langer waren gebleven dan hun gastvrouw lief was, en betrokken ze een appartement in Albany. Hope en Paul zouden de hint ook wel begrepen hebben, als ze een andere keus hadden gehad, maar waar de huizenmarkt voor Chinezen al krap was – en ter discussie stond – leken huizen voor Chinezen die een blanke vrouw hadden niet eens te bestaan. Kathe en Ben Joe hadden de jacht opgegeven en waren naar een Chinese gemeenschap vlak bij Fresno verhuisd, en Sarah en Donald waren er al tussenuit geknepen voor Hope en Paul terug waren uit Wyoming, naar verluidde omdat hij een baan aangeboden had gekregen in Maine. Mary Jane was de enige vriendin van Hope die hen kon, en wilde hebben. Maar ze waren al bijna een maand bij haar.
Paul schraapte zijn keel en knikte mee op de maat van het Mozartconcert dat op de grammofoon werd gedraaid. Met zijn benen languit, de enorme mosterdkleurige kat van hun gastvrouw op schoot en zijn voeten op de met chintz beklede ottomane, was hij het toonbeeld van comfort. Hope zag het met enige wrevel aan. Spanningen die haar kwelden leken volledig langs hem heen te gaan. En soms gedroeg hij zich alsof het hem niets kon schelen of ze ooit een huis zouden vinden!
Voorzichtig, om de kat niet te storen, haalde Paul een stukje papier uit zijn jaszak te voorschijn. 'Morgenochtend om half elf treffen we elkaar in dat huis. Als je wilt, kunnen we daar wonen.'
Hope staarde hem verbluft aan. 'Maar hoe in 's hemelsnaam...'
'Laat de hemel maar zitten,' zei Mary Jane die zich stond te verdringen om ook een blik op het papiertje te werpen, 'maar in *vredesnaam*, hoe heb je het klaargespeeld om precies midden in Berkeley zo'n huis te vinden?'

Het adres was 1919 Francisco Street, vlak om de hoek van de universiteit en één straat van de Key-tram naar de veerboot. Het was inderdaad een prachtlocatie, dacht Hope met een blik op het krantenknipsel dat Mary Jane nog verfrommeld in haar vuist hield. Er waren veel meer 'comfortabele en smaakvolle huizen' aan dat stuk van Francisco Street dan waar die Chinezen aan Grant zaten.

'Heb je al met de eigenaar gesproken?' vroeg ze.

'Ja, ja.' Paul aaide de spinnende kat.

'Kind, je moet een gegeven paard niet in de bek kijken.' Mary Jane gooide de krant in het haardvuur. 'Als het je bevalt, hoop ik dat het lukt. Zo niet, maak je dan vooral niet druk. Ik ga naar bed. Vergeet niet om ouwe Methusalem buiten zijn behoefte te laten doen voor je erin gaat.'

Maar het liet Hope niet los. Ze had een neus voor een goed verhaal en ze liet zich niets wijsmaken door de minzame maskers van Paul. 'Vertel het me nou,' smeekte ze toen Mary Jane weg was. 'Hoe ziet het eruit?'

'Ik heb het niet gezien.'

'Niet gezien!'

'Dit huis voor ons niet gezien.'

'Nou, wat heb je dan wel gezien?'

'Het huis van die meneer.'

'Welke meneer?'

'Eigenaar.'

'Toe nou, Paul. Begin bij het begin.'

Hij bleef de kat maar aaien, als in een trance. Hope stampte met haar voet en trok de naald van de plaat. Het gespin van de kat had de kamer nu voor zich alleen. Pauls oogleden waren net als die van de kat halfdicht.

'Wat kwam eerst, de man of het huis?'

'Man,' mompelde hij.

'En hoe heb je die man ontmoet?'

'Hij stak de straat over. Vrachtwagen kwam eraan. Ik trok hem weg.'

Ze legde haar handen op haar heupen. 'Je bedoelt dat je zijn leven hebt gered.'

Paul haalde zijn schouders op. De kat maakte een krampachtige beweging en wierp hem een waarschuwende blik toe.

'Dus hij bood je zomaar een huis aan?'

'Dit gebeuren voor zijn huis. Groot huis, veel kamers. Ik vraag misschien hij aan mij en mijn vrouw verhuren.' Paul fronste en duwde zijn handen onder het dier, zette het zachtjes op de vloer waarop ze zich allebei, naast elkaar, begonnen uit te rekken. Paul geeuwde. 'Hij schudde mijn hand. Zegt hij zal mij cottage achter geven, ik morgen komen kijken, halfelf. Toen liep hij weg en werd bijna aangereden door andere wagen.'

Hope duwde de kat met haar schoen opzij en kroop in de armen van haar man. 'Jij leidt een toverachtig bestaan.'

'Ik denk het,' stemde hij in en kuste de punt van haar neus.

Meneer Thomas Wall woonde in een bescheiden huis met een mansardedak, met klimop bedekte muren, een lange veranda en enorme erkers. 'Als Sjanghai,' merkte Paul op toen ze vanaf het hek naar het huis opkeken.

'Wat is als Sjanghai?' Ze zocht tevergeefs naar een Chinese speksteen, een gouden godsbeeld, een exotische versiering.

'Deze stijl. Alle buitenlanders bouwen zo.'

'O. *Buitenlanders*.' Ze voelde een steek van wanhoop. Er leek geen eind te komen aan de tegenstrijdigheden in de wereld waar haar man in leefde.

Ze klopten vier keer en hadden het bijna opgegeven toen de deur langzaam openzwaaide en ze oog in oog met een mistroostige figuur stonden waar het verhaal van Paul haar op geen enkele manier op had voorbereid. De geredde man was lang, mager, met een baard als een beer en bolle bloeddoorlopen ogen. Zijn huid was gegroefd en onnatuurlijk bleek, en zijn zwarte wollen kostuum was veel te warm voor dit weer. Het zag eruit alsof hij erin geslapen had. Slechts met zijn schouders gaf hij een teken dat ze binnen moesten komen. Hij nodigde ze niet uit om plaats te nemen in zijn stoffige zitkamer, bood ze geen verfrissing aan en stelde geen vragen. Hun identiteit of achtergrond leek hem hoegenaamd niet te interesseren, hij ging hen eerder als een butler dan als eigenaar voor door een smoezelige, onopgeruimde keuken en een paar treden af naar de tuin, die aan de ene kant opliep naar een grote wagenschuur en aan de andere kant naar een witte houten cottage. Het was een snoezig huisje, met een veranda en overal onstuimig bloeiende, gele klimrozen.

'Ik heb dit gebouwd,' zei meneer Wall op begrafenistoon, 'voor de ouders van mijn vrouw. Voor de aardbeving.'

Hope trok aan de punten van haar jasje en keek naar Paul of ze ook aan hem kon zien of hij dit eerder gehoord had, maar hij leek er net zo van op te kijken als zij. Meneer Wall bleef weer zwijgend staan, armen levenloos als de wijzers van een stilstaande klok. Het was niet moeilijk om je voor te stellen hoe hij zonder op te letten een weg over kon steken.

'Mijn vrouw,' besloot hij, 'en haar ouders zijn weg. De cottage heb ik nu niet meer nodig. Ik ben blij dat jullie hier zijn.' Voor ze antwoord konden geven draaide hij zich om en liep houterig naar het grote huis terug. Hope dacht dat ze nog nooit een man had gezien op wie het woord 'blij' minder toepasselijk was dan op Thomas Wall.

'Wat denk je?' vroeg Paul.

'Ik denk dat hij veel verdriet heeft. Zouden ze bij de aardbeving zijn omgekomen?'

'Misschien.' Hij keek naar de cottage. 'Wil je kijken?'

'Ik geloof niet dat we een keus hebben.'

De vorige bewoners moesten klein geweest zijn, te oordelen naar de deuren – Paul moest bukken als hij van de ene naar de andere kamer liep – en alles in de keuken en de badkamer was ongewoon laag. Maar dat laatste was voor Hope, die bij de meeste mensen op haar tenen moest staan om in de spiegel te kijken, een zegen. En hoewel het meubilair in haar ogen een beetje saai was, met gehaakte kleedjes en geborduurde liefdesliedjes uit de jaren negentig, geloofde ze niet dat het de bedoeling van meneer Wall was dat zij die dingen allemaal hielden. De kamers waren ruim en vol licht, maar koel, dankzij het steile dak. In de zitkamer bevond zich een grote gepleisterde open haard en in de keuken stond een houtkachel. De Chinese perkamentrollen en gelakte koffers van Paul zouden hier inderdaad heel mooi staan, en met de twee slaapkamers en een toilet binnenshuis met stromend water, overtrof het huisje haar stoutste verwachtingen.

'Kijk hier eens,' riep Paul vanuit de grootste slaapkamer.

Hij stond voor een hoeketagère met een verzameling ingelijste foto's, waaronder een van Thomas Wall die diep in de ogen van een jonge blonde vrouw keek. Achter hem stond arm in arm een ouder paar.

'Sommige mensen achten niet verstandig het huwelijk op zo'n plaats te beginnen.'

'Onverstandig?'

'Als de geesten nog niet tot rust zijn, komen ze misschien terug.'

'Ik dacht dat bijgeloof met de revolutie was verdwenen.' Ze

klopte op zijn hand. 'Hoe dan ook, als die Amerikaanse geesten hun huis wilden houden, denk je dan niet dat ze ons geholpen zouden hebben een ander huis te vinden?'

'Ik weet niet.' Hij keek de kamer rond, dacht na en wierp toen een zijdelingse blik op haar. Hij drukte zijn handen tegen elkaar aan en maakte drie keer plechtig een buiging voor de foto, zachtjes een soort bezwering mompelend. Na de laatste buiging deed hij zijn ogen dicht alsof hij moed verzamelde om een speciaal, lastig verzoek te doen. Hope zei niets, een beetje in verlegenheid gebracht door deze ceremonie, en tegelijkertijd onder de indruk dat hij het goed had gevonden dat zij er gewoon bij was. Paul had haar verteld dat hij boeddhistisch was opgevoed, had haar het geparfumeerde kralensnoer laten zien dat hij soms om zijn pols droeg, had haar de geornamenteerde tempels beschreven waar zijn moeder hem als kind mee naartoe had genomen, maar ze had hem nog nooit zien bidden. Eigenlijk had ze het idee gehad dat de Chinese religies zo nauw verbonden waren met bijgeloof dat haar revolutionaire echtgenoot ze allemaal uit zijn leven had gebannen.

Eindelijk gingen zijn ogen knipperend open. Hij liet zijn handen vallen en bleef even als verdoofd staan. Toen draaide hij zich om, sloeg zijn armen om haar middel en tilde haar op. Het was zo'n uitbundige, oneerbiedige daad dat ze in lachen uitbarstte. 'Gek! Zet me neer!'

Hij straalde naar zijn spartelende vrouw. 'Zeg dat je gelukkig bent.'

'Ik ben gelukkig.'

'Harder.'

'Ik ben gelukkig!'

Hij grinnikte en zette haar neer. 'Chinezen liegen om boze geesten te misleiden. Misschien respecteren Amerikaanse geesten de waarheid.'

28 juni, 1906

Wat voor ras of religie onze goden ook mogen hebben, ze zijn Paul en mij beslist gunstig gezind. We hebben een huis dat mijn dromen overtreft en waarvoor we slechts vijf dollar betalen (en dat alleen omdat ik mij niet wilde laten kennen, van meneer Wall mochten we er gratis in en Paul was bereid dat aanbod aan te nemen!). Wat ik alleen spijtig vind is dat we ons geluk te danken hebben aan het tragische verlies van onze huiseigenaar. Na bijna een week hier hebben we de legpuzzel van zijn trieste verhaal eindelijk compleet.

Het schijnt dat Thomas architect is. Een paar dagen voor de aardbeving moest hij naar Santa Cruz, waar hij bezig was de laatste hand aan een huis te leggen. Terwijl hij weg was brachten zijn vrouw en haar ouders een bezoek aan vrienden aan de overkant van de Baai. Op de ochtend van de aardbeving is het huis van die vrienden tot de grond toe afgebrand. En vrouw en schoonouders van Thomas zijn – bepakt en bezakt – voor het laatst in de buurt van het gemeentehuis gezien. Even later lag het hele gebied als gevolg van een vuurstorm in de as.

Ik kan me geen grotere gruwel indenken dan te weten dat je geliefden op zo'n afgrijselijke manier aan hun einde zijn gekomen. Of een groter schuldgevoel, dan het enige gezinslid te zijn dat overleeft. Alles wat Thomas zegt is zwaar, door de loden last van zijn verdriet. Zijn hele lichaam straalt pijn uit. Ik denk dat als Paul zo aan zijn einde kwam, ik beter achter hem aan zou kunnen gaan dan één seconde die hel te moeten doorstaan waar die arme Thomas nu doorheen gaat.

Maar Paul is zo vol energie en levenslust dat zo'n lot niet voor te stellen is. Elke morgen bij zonsopgang staat hij op en vertrekt naar zijn andere wereld aan de overkant van de baai. In de afgelopen twee maanden hebben zijn mensen al een nieuw gebouw opgetrokken dat onderdak biedt aan de kantoren die waren afgebrand. En hij verwacht dat binnen een week zijn krant weer van de persen zal rollen. De middagen brengt hij in de collegebanken door, want de universiteit is deze zomer weer geopend. En zijn avonden wijdt hij aan het schrijven – gedichten, vertalingen, artikelen, bundels correspondentie in zijn eeuwige jacht naar geldschieters voor Sun Yat-sen. Ik span me intussen in om bezig te blijven met het maken van gordijnen en het leren hoe je een goeie pan Chinese rijst stoomt! Er is nog minder geld dan anders, en ik voel me een nietsnut vergeleken bij Paul. Ik zal niet op mijn blote knieën naar Collis terugkruipen, maar ik moet werk vinden. De zusjes Mason die de Chinese Educatieve Missie van Berkeley leiden, zoeken een leraar Engels, en ik ben van plan deze week bij hen langs te gaan.

2

BERKELEY DAILY GAZETTE, 13 juli 1906

Chinees trouwt met plaatselijke vrouw
Rechtvaardiging voor rassenvooroordeel in Bay Area

Vrienden is ter ore gekomen dat mejuffrouw Hope Newfield, sinds kort in Berkeley woonachtig, onlangs in het huwelijk is getreden met de Chinese student Po-yu Liang. Het huwelijk tussen die twee, ingezegend in Wyoming, waar ze heen waren gegaan met drie andere interraciale paren uit San Francisco, brengt acuut een van de onbetwistbare gevaren naar voren, die het toelaten van Aziatische studenten aan de Universiteit van Californië met zich meebrengt. De Aziaten oefenen op bepaalde Amerikaanse vrouwen grote aantrekkingskracht uit, en zolang ze toegang krijgen tot de Amerikaanse universiteiten en samen met vrouwelijke studenten studeren, en zoals in dit geval persoonlijke contacten onderhouden met vrouwelijke docenten, moeten we ons schrap zetten voor toenemende golven van bastaardisering.

Hoewel voornoemde interraciale paren naar Wyoming zijn afgereisd om de plaatselijke anti-rassenvermengingswetten te ontduiken, was het onvermijdelijk dat vrienden en collega's hun daad zouden ontdekken wanneer ze eenmaal als man en vrouw zouden zijn teruggekeerd. Dat heeft voor de bruid geleid tot sociale uitstoting. Voorheen gaf zij Engels aan buitenlandse studenten. Wanneer het nieuws van dit huwelijk zich buiten onze stadsmuren verspreidt, zullen vele vaders en moeders zich zorgen maken dat hun dochter, naast een opleiding of een salaris, wellicht een Aziatische echtgenoot zal verwerven als ze naar Californië komt om te studeren of te werken. Academici opgelet!

'Inderdaad ja, academici!' schreeuwde Hope. '*Collis* heeft deze vuilspuiterij ingezonden, dat weet ik zeker.'

'Stil even,' zei Paul, die probeerde over haar schouder mee te lezen. Zijn vastbeslotenheid om het artikel eerst uit te lezen alvorens erop te reageren maakte haar zo kwaad dat ze de krant in zijn handen duwde en door de kamer stormde.

'We zouden ze voor de rechter moeten slepen wegens smaad!

Collis is een gemene kwal. Hij heeft niet eens het lef dit rechtstreeks uit te vechten, maar zorgt wel dat de hele stad het te horen krijgt. Wat veracht ik die man!'

Paul las het artikel uit en vouwde de krant twee keer op. Toen gaf hij een roffel met de krant op zijn knie en keek haar aan over zijn goudgerande bril.

'Kijk niet zo vaderlijk! En ga me ook niet vertellen dat jouw bloed hier niet van gaat koken!'

'Het is eigenaardig,' antwoordde hij onverstoorbaar. 'Amerikanen behandelen Chinezen nog slechter dan honden, maar vrezen ons als draken.' Hij duwde zijn bril omhoog en keek het artikel nog eens glimlachend in. 'Ze maken bezwaar omdat ik *aantrekkingskracht uitoefen*. Ik ben geïnteresseerd dat Amerikanen zichzelf zo zwak zien, Chinezen zo sterk.'

'Dit is niet grappig, Paul! Je weet niet waar deze mensen toe in staat zijn. Collis is een lafaard en een slappeling. Daarom heeft hij dit bekendgemaakt – zodat anderen ons namens hem zullen straffen.'

Hij legde de krant opzij en liep op haar toe. Ze liet zich door hem kalmeren. Maar drie ochtenden later werden ze wakker van een salvo voor hun raam.

De knallen hielden aan, overlapten elkaar en klonken scherp als messteken. Hope dook op de grond, en Paul boog zich over haar heen om haar te beschermen, terwijl de kamer zich vulde met zwart poeder en rook. Na enkele oorverdovende minuten stierf de uitbarsting met een paar doffe klappen weg. Stilte.

Paul kwam langzaam overeind en nam Hope in zijn armen. 'Alles goed?'

Ze knikte, maar trilde toen hij haar optrok. Samen liepen ze voorzichtig naar de hal en controleerden de andere kamers. De binnenkant van het huis leek onbeschadigd, maar buiten hing een zware, metaalachtige wolk in de veranda en de tuin. Geen vogel zong. Geen eekhoorntje gaf een kik.

Paul liet Hope bij de voordeur achter en liep op de tast naar het eind van de veranda. Even later was hij terug, zijn gezicht asgrijs.

'Wat is er?'

'Geeft niet.' Hij deed de deur dicht.

'Is daar iemand?'

'Nee.' Hij ging opzettelijk voor haar staan.

'Laat me kijken,' zei ze met meer bravoure dan ze voelde. Ze drong zich langs hem heen naar buiten.

De vieze lucht deed haar kokhalzen. Het was erger dan de donkere, loden stank van explosieven op Onafhankelijkheidsdag. Deze stank was dik, organisch, drong de neusgaten binnen en deed de maag draaien – de geur van verbrand haar en vlees. Ze kroop verder maar hield, halverwege de veranda, abrupt stil. De rozen waren veranderd. Hun geel en groen was plotseling gevlekt met duisternis. Stukjes vlees en bont, bruin en wit en een diep, ziekelijk rood. Ze viel slap tegen Paul aan toen haar blik ten slotte genadeloos bleef rusten op de bron van die walgelijke explosie.

Onder aan het trapje naar de veranda lagen de opengereten karkassen van een stuk of twintig ratten, overdekt met stukjes zwart en vermiljoen, de restanten van het vuurwerk dat tussen de lijken was geplaatst.

'Godverdomme. Godverdegodverdomme!'

Hij probeerde haar weer naar binnen te trekken. 'Ze hebben ons geen pijn gedaan, Hope. Ze zullen ons geen pijn doen.' Maar ze wilde getroost noch meegetrokken worden.

'Ik haat ze,' bleef ze maar zeggen, terwijl ze bang en geboeid naar die nietige, uit elkaar gespatte schedels staarde.

'Hope, alsjeblieft,' smeekte hij. 'Wat zij denken maakt niet uit. Zij zijn niets.'

Haar tanden begonnen te klapperen en ze sloeg haar armen om zich heen. Het liefst zou ze Paul bij de hand pakken en naar binnen gaan, de deur dichtsmijten en nooit meer buiten komen. Hij had gelijk, zij waren niets. Maar wat zij dachten regeerde de wereld.

Hij haalde een deken en legde die om haar schouders.

'Ik wist dat er zoiets zou gebeuren,' zei ze.

'Ik jou vertellen.' Hij streelde haar haar. 'Ze zijn bang.'

'Ja, en ik ook. Maar wat nu, Paul! Wat moeten we nu doen?'

Hij keek langs haar heen. 'Thomas.'

'O, nee.' Wat ze ook over zichzelf hadden afgeroepen, Thomas Wall was onschuldig en veel te kwetsbaar om hiermee geconfronteerd te worden. Hij kwam op hen af als een wakker geschrokken vogelverschrikker in zijn verfomfaaide zwarte pak, met in zijn handen een klein zilveren pistool.

'Geen probleem,' riep Paul. Met een vlugge, geruststellende blik op Hope haastte hij zich van de veranda, omzeilde de hoop dode ratten en riep: 'Geen schade. Geen probleem.'

Hope trok de deken stevig om zich heen en kwam achter haar man aan. 'Het was maar een grap,' zei ze schor. 'Chinees vuurwerk.'

Ze dachten dat ze Thomas wel konden tegenhouden, dat ze hem rechtsomkeert konden laten maken, terug naar bed, en hem onderweg wel even van dat pistool konden verlossen, maar hij liet zich niet afleiden. Sterker nog, met elke stap werd hij alerter en beheerster. Bij de berg uit elkaar gespat vlees boog hij voorover, snoof, en keek naar de blote voeten van zijn huurders. 'Jullie hebben dit toch niet aangeraakt?'

Hope en Paul staarden hem verbluft aan. 'Nee.'

'Goed. Laat me dit maar opruimen. Als het pestratten zijn, zouden ze dood net zo dodelijk kunnen zijn als levend. Jullie moeten je voeten voor alle zekerheid in een desinfecterend middel baden.'

'Pestratten?' Paul keek naar Hope. Kon zij dat voor hem vertalen?

'Er heerst al jaren builenpest in de stad.' Thomas gebaarde dat ze naar zijn huis moesten gaan. 'Ze proberen het in de doofpot te stoppen omdat het uit Azië is overgekomen. Burgemeester Ruef verdient zoveel aan de handel in Chinatown dat hij het zich niet kan veroorloven die schepen terug te sturen.' Hij keek Paul verontschuldigend aan. 'Ik heb ook in het orgaan van toezicht gezeten. Zolang er alleen Chinezen aan doodgingen, dachten ze dat niemand het zou merken. Maar nu de aardbeving de boel op zijn kop heeft gezet, wemelt het overal van de ratten.'

'En u denkt...' Hope ontdook de ongeruste blik van Paul.

'Ik heb gelezen wat ze over u geschreven hebben,' zei Thomas.

Paul knipperde met zijn ogen. 'We hebben u in gevaar gebracht.'

Thomas haalde een hand door zijn woeste bruine haar en slaakte een zucht. 'Jullie zijn de minste van mijn lasten. Hoe dan ook, jullie kunnen hier niets aan doen. Toe nou maar. Een desinfecterend middel voor jullie en een paar handschoenen en een masker voor mij. Ik moet de tuin bepoederen – het zijn de vlooien die de ziekte overdragen. Nou ja, morgen zijn jullie vergeten dat dit gebeurd is.'

Maar ze vergaten het niet en Hope noch Paul was bereid de aanval onbeantwoord te laten. Thomas Wall gaf hun slechts de munitie die ze nodig hadden. Bijgekomen uit de verdoving van zijn verdriet onderzocht hij diezelfde ochtend nog de overblijfselen van de ratten, en ontdekte dat eenderde inderdaad het pestvirus droeg. Of de ratten met opzet voor dit achterbakse doel uit de stad waren overgebracht, of zelf hierheen getrokken waren voor ze gevangen werden was niet te zeggen, maar toen Hope en Paul de kwestie met Mary Jane hadden besproken, besloten ze van het ergste uit te gaan.

Twee dagen na de explosie publiceerde de *Berkeley Gazette* het volgende...

Gemene streek levensgevaarlijk voor alle inwoners van Berkeley
Rassenvooroordeel bedreiging voor allen

Aan de redactie,

Afgelopen vrijdag stond in deze krant een ongeautoriseerd bericht over ons huwelijk dat de plaatselijke bevolking nagenoeg instrueerde de wapens tegen ons op te nemen. Nog geen week na deze publicatie werden wij het slachtoffer van een gemene en laffe aanval die het leven van alle inwoners van Berkeley in de waagschaal stelde. Heden schrijven we u om te protesteren tegen het beleid van de krant dat racistische gevoelens aanwakkert. Bovendien willen we het publiek attent maken op de droeve en onmiddellijke dreiging die uitgaat van vooroordeel, niet alleen voor degenen die behoren tot, of willen omgaan met de niet-blanke rassen, maar voor elk lid van deze gemeenschap. De persoon die deze voor ieder leesbare woorden tegen ons heeft geschreven is net zo goed een vandaal die ons privé-leven geweld aandoet, als de persoon of personen die heel Berkeley in gevaar brachten door ons gisterochtend fysiek aan te vallen.

Wat was dat dan voor gemene daad? We zullen niet in details treden, maar we willen wel zeggen dat het te maken had met verspreiding van ratten – die geïnfecteerd waren met de builenpest – op het grondgebied van ons huis. Gelukkig beseften we het risico dat deze dieren niet alleen voor ons betekenden maar voor de gehele buurt. Elke dreiging van ziekte door dit incident is verwijderd, zoals gecontroleerd door de gezondheidsautoriteiten.

We zullen zeker niet uitweiden over de mate waarin deze vijandigheden ons verbijsteren en ontmoedigen. Amerika is toch het Land van Vrijheid en Rechtvaardigheid? Het is toch het Thuis van de Vrije Mensen? Zouden we niet allemaal het recht mogen hebben op de juiste gronden iemand lief te hebben, echt man en vrouw te zijn op grond van de wetten van zowel het heilige evangelie als het land? We zijn fervente aanhangers van de basisprincipes van het recht en de gerechtigheid waarop deze natie gesticht is. We geloven dat China, de oudste beschaving ter wereld, veel van Amerika, de grootste republiek ter wereld, kan leren. Echter, we geloven ook dat onze twee volken slechts wederzijds van elkaar kunnen profiteren als we een bepaalde basis van vriendschap, tolerantie en vertrouwen tussen de rassen kunnen vormen. We zullen alles doen wat binnen ons vermogen ligt om dit te bevorderen.

Hoogachtend,
De heer en mevrouw Paul Leon

De daaropvolgende weken kwam een stortvloed van brieven bij de redactie binnen, waaruit bleek dat de meerderheid van de inwoners van Berkeley de burgerrechten van de Aziatische studenten onderschreef. En dat een Amerikaanse vrouw vrijelijk zou moeten kunnen kiezen of ze met een Chinees wilde trouwen. Dat niemand, behalve haar familie, daar iets mee te maken had. Uitgerekend Eleanor Layton sloot zich bij dit koor aan met een ingezonden brief waarin ze stelde dat Hope Newfield een modelhuurster was geweest en hoewel ze niet zover ging te zeggen of ze het huwelijk van Hope goed vond, en ze er zelfs met geen woord over repte, beweerde ze met klem te hebben ervaren dat haar Aziatische studenten zich altijd voorbeeldig hadden gedragen. (O, wat is wijsheid achteraf toch een godsgeschenk, dacht Hope.) Van Collis Chesterton kwam er natuurlijk geen woord. Maar precies twee weken na de explosie meldde de Campus Column in de *Gazette* 'de aanstelling van de Oostaziatische taalwetenschapper John Marion als de nieuwe supervisor voor Aziatische studenten'. Hij nam die functie over van 'professor Collis Chesterton, die een decanaat had geaccepteerd aan de nieuwe geschiedenisfaculteit van de universiteit in Los Angeles.

Hope liet het bericht aan Paul zien, die het met zijn gebruikelijke grondigheid bestudeerde. Vervolgens stopte hij haar de krant weer toe. 'Hij heeft ons bij elkaar gebracht. Ik heb jou van hem genomen. Nu hebben we hem verdreven. Het is genoeg, vind ik.'

'Je bent veel te vergevensgezind.'

'Jij denkt Chesterton achter die aanslag?'

'Ik *weet* dat hij dat artikel heeft geschreven – en niet eens mans genoeg was om zijn naam eronder te zetten.'

'En de rest?' Paul drukte zijn vingertoppen tegen elkaar aan. Met een schokje van trots merkte ze op dat hij niet meer op zijn nagels beet of eraan trok. Zelfs niet na alles wat er gebeurd was.

'De rest,' zei ze. 'Nee. Nee, ik denk niet dat Collis, al was het in de diepste afgronden van zijn ziel, dergelijke wreedheden zou kunnen bedenken.'

'Dan is het genoeg.'

Helaas, hoewel Hope en Paul bereid waren de aanslag te vergeten, nam de nieuwsgierigheid die in de stad gewekt was maar niet af. Prominente echtgenotes nodigden het jonge paar uit voor officiële diners en teaparty's. Ze ontvingen oproepen van dominees die hen aanspoorden zich bij deze of gene Kerk aan te sluiten. Een advocaat stuurde zijn visitekaartje en bood hun zes uur gratis consult aan als ze de krant wilden vervolgen. Maar dergelijke uitnodigingen waren voornamelijk bedoeld om haar en Paul uit de tent te lokken, en dus sloeg Hope ze allemaal af, maar genoeg mensen in Berkeley hadden hen leren kennen, en spoedig kende iedereen hen. Van de ene dag op de andere werd Francisco Street een favoriete bestemming van wandelende paartjes en families, kindermeisjes met kinderwagens, of nieuwsgierige schoolkinderen die voor het tuinhek samendromden in de hoop het scandaleuze gemengde paar op een kus te betrappen.

Uit zelfbescherming kwamen en gingen Hope en Paul op verschillende tijden, opdat ze niet samen gezien zouden worden. Maar zelfs apart werden ze herkend, en soms gevolgd, en dat niet alleen door mensen die hun gunstig gezind waren. Toen Hope naar de Chinese Educatieve Missie vertrok (waar de barmhartige methodistische zusters haar meteen als hun nieuwe lerares hadden aangenomen) lichtten de mannen hun hoed en wierpen verlekkerde blikken. Terzelfdertijd bedienden de kooplui die vroeger het wisselgeld rechtstreeks in haar hand stopten en haar een prettige dag wensten, haar nu zonder een woord te zeggen en legden haar wisselgeld op de toonbank. Vrouwen bloosden en giechelden als ze Paul in de tram in de gaten kregen. Maar hij werd op de steiger van de veerboot ook tot twee keer toe met stenen bekogeld door een horde jongens. Op de campus werd Paul zowel door Aziaten als door blanken met respect bejegend. Maar toen hij een keer de collegezaal binnenkwam zag hij dat zijn plaats onder het sperma zat, en in de hele zaal klonk gegniffel toen hij zich vooroverboog om de stoel schoon te vegen. Hope en Paul spraken niet over zulke beledigingen, maar ze zagen van elkaar hoe ze zich schrap zetten als ze de veilige haven van hun cottage verlieten. 's Nachts lagen ze rug aan rug en staarden ze slapeloos naar de schaduwen op de muren, alert op het lichtste geritsel van bladeren, het zachtste plofje van een zaadje op het dak. Afzonderlijk en zwijgend, meenden ze ogen te zien voor de ramen, voetstappen te horen op de veranda of het gekraak van de hordeur die open werd gewrikt. Onder het bed lag een stuk hout, binnen Pauls handbereik, en dat zou hij gebruiken ook, als het erop aankwam, maar ze beseften allebei dat de consequenties van zelfverdediging triester zouden kunnen zijn dan enige verwonding door belagers. Zelfs de meest tolerante publieke opinie zou als een blad aan een boom omslaan wanneer ook maar één druppel bloed van een blanke zou vloeien door toedoen van een Chinees, hoe die ook door die blanke geprovoceerd mocht zijn.

Het mysterie van de identiteit van hun belagers bleef zwaar op hen wegen tot een nacht in augustus, toen een enkel schot weerklonk en ze meteen naar het huis van Thomas snelden. Ze troffen hem schommelend aan op zijn veranda, pistool op schoot.

'Stomme gozers,' zei Thomas. 'Te jong om te worden vervolgd, te onnozel om ze iets kwalijk te nemen.'

Het gazon lag er stil en onheilspellend donker bij. 'U hebt toch niet op ze geschoten!' fluisterde Hope.

'Over hun hoofden. Ze scheten anders wel in hun broek. Ze gingen ervandoor alsof de duivel ze op de hielen zat.' Hij verschoof het pistool en geeuwde.

'U zit hier elke avond de wacht te houden?' vroeg Paul.

'Ik kan toch bijna niet slapen. Zo heb ik het gevoel dat ik nog iets nuttigs doe.'

Paul stak zijn hand uit. Thomas keek verbaasd op, en glimlachte toen hij de hem toegestoken hand schudde.

3

HET SILHOUET VAN EEN MAN VULDE DE HORDEUR, GROOT EN donker en niet te identificeren, met vlekkerige contouren doordat achter hem fel zonlicht door het latwerk glinsterde. Hope, die naar de hal was gelopen, zag hem het eerst. Ze hield haar adem in toen hij op de deurpost bonsde. De hor zat vast, maar was niet bestand tegen gebons, en de binnendeur stond wagenwijd open vanwege de augustushitte.

Paul kwam achter haar aan de slaapkamer uit. Ze waren de afgelopen paar weken met rust gelaten (de publieke aandacht was gelukkig op een spectaculaire societymoord gericht), maar ze waren voor ongenode gasten nog net zo op hun qui-vive als voor plotselinge geluiden. 'Dolly!' schreeuwde de bezoeker. 'Ben je daar?'

Hope draaide zich om en fluisterde verwoed: 'Dat is mijn vader.'

Dat ze zich niet haastte om de deur open te zwaaien, verbaasde geen van beiden. Afgezien van een kort briefje, waarin hij met de voorspelbare opluchting en verbazing – en een bondige felicitatie – op haar brief van na de aardbeving gereageerd had, had ze sinds haar huwelijk niets meer van Doc Newfield gehoord, en het enige andere berichtje dat Hope hem gestuurd had was een opgewekt verhuisbericht, dat dateerde van voor de aanslag.

De schaduw rukte aan de deur, vloekte, en riep nog eens.

'Dolly?' zei Paul.

'Zijn koosnaampje voor mij.'

Paul glimlachte. 'Omdat je zo klein als een pop bent.' Hij gaf haar een zetje. 'Ga naar hem toe.'

Haar vader verfrommelde zijn hoed in een hand en sloeg de andere uit als de poot van een reus zodra ze de deur openmaakte. Hij was een grote man en zijn robuuste vlees was verkleurd tot een lavendelroze, resultaat van de lange jaren die hij had gesleten aan de randen van de beschaving. Zijn pretogen waren stralend blauw, en zijn grijzende bakkebaarden gingen over in een snor die half over zijn dikke tedere lippen heen hing. Hij tilde haar van de grond alsof ze een kind was en gaf haar een stroperige klapzoen op de wang.

'Papa. Dit is Paul.'

Hij zette haar weer neer, hard grinnikend. 'Leon, toch? Verdomd, man, jij ziet er niet bepaald Spaans uit.'

Tegen de tijd dat Hope voldoende moed had verzameld om te kijken, had haar vader al een arm om Pauls schouders geslagen. 'Ik ben vereerd kennis met u te maken, dokter Newfield,' zei Paul stijfjes.

'Kom binnen, pap,' riep ze. 'Nou, nou! Ben jij even stads uitgedost. Je zult wel dorst hebben. Thee, of limonade?' Ze ging de mannen voor naar de keuken en richtte al haar aandacht op de inhoud van de voorraadkast om vervelender gedachten te verdringen. Ze kon theebeschuit en biscuits serveren. Of die gedroogde repen varkensvlees van Paul, die zoveel weg hadden van de gedroogde repen vlees die haar vader op de been hadden gehouden als hij wekenlang in het zadel doorbracht, tussen het vee, of wanneer hij op stap was met zijn wagen vol middeltjes...

Paul ging recht tegenover zijn schoonvader zitten en wachtte terwijl de blik van de enorme man hem van top tot teen opnam en nog eens van teen naar top. De dokter haalde zo diep adem dat zijn borstkas twee keer zo groot werd, en liet zijn adem telkens zuchtend ontsnappen. Paul keek naar een punt ergens onder de kin van zijn schoonvader en zei niets.

'Chinees,' mompelde hij uiteindelijk, met een donkere blik op Hope. 'Goddomme.'

Ze zette een bord eten tussen hen in op de tafel. Paul schudde zijn hoofd. Chinese worstjes en Engelse biscuits.

'Niet te geloven,' zei de dokter nog eens terwijl ook hij het bord nader bestudeerde. Hij nam een stuk gedroogd vlees tussen zijn vingers en liet het in zijn mond vallen. 'Gedroogd vlees?' Hij kauwde.

'Weet je nog?' glimlachte Hope, en ze keek van haar vader naar Paul. De spanning op haar gelaat was even subtiel als een verandering van werkwoordsvormen, maar Paul zag en begreep het onmiddellijk. Hij had diezelfde gelaatsuitdrukking een week eerder op straat ook al gezien, toen hij en Hope het lef hadden gehad om voor een wandelingetje samen de deur uit te gaan, en ze hadden gesproken over het vermogen van mensen om met hun blik een muur op te trekken.

'La jou,' zei hij.

Het vlees daalde neer, een prop in de lange keel van zijn schoonvader. 'Pardon?'

'Dat is Chinees voor gedroogd varkensvlees,' vertaalde Hope.

Haar vader legde een biscuit op zijn tong en leek het bleke rondje in zijn geheel door te slikken. Hij spoelde het weg met thee. Toen wiste hij zijn zwetende voorhoofd en spreidde zijn knobbelige handen uit op de tafel. 'Jullie houden van elkaar?'

Paul keek naar zijn vrouw. Ze zat rechtop, haar blik op het bord met eten gericht.

'Ik ben trots om uw dochter als mijn bruid te hebben,' antwoordde Paul.

'Dat vroeg ik niet.'

'Het is een te persoonlijke vraag, papa,' zei Hope.

Haar vader vulde zijn mond met vlees. Hij liet zijn eten zien terwijl hij erop kauwde, merkte Paul op, breeduit, als een boer.

'Het lijkt er anders op of je de nodige moeite hebt genomen om je persoonlijke zaken openbaar te maken.' Haar vader haalde een verfrommelde krant tevoorschijn, sloeg die op bij weer een lasterlijk verslag van hun huwelijk, en wees ernaar met een priemende vinger. '*Portland Herald*!'

Hope greep de krant alsof ze hem wilde verscheuren, maar Paul trok hem voorzichtig uit haar handen en gaf hem zonder een woord te zeggen weer terug aan zijn schoonvader. Hope liet haar handen op het tafelblad vallen. Haar duim wreef boos over de groene verf.

Dokter Newfield keek Paul langdurig aan, en trok ook de blik van Hope, zodat ze elkaar nu alle drie aankeken. 'Weet je, liefde ken ik. Pijn ook. En ik weet hoe het een tot het ander kan leiden.' Zijn stralende ogen werden doffer, en hij sloeg ze even neer. 'Als je je wilt verschuilen is een naamsverandering niet genoeg.'

Plotseling had Paul het gevoel alsof zijn huid in brand stond. Hij boog zijn hoofd, mompelde een onverstaanbaar excuus, schoof zijn stoel achteruit en ontsnapte naar de slaapkamer, waar hij zijn gezicht in een kom koud, verdovend water stak.

Toen ze de kamer binnenkwam zag Hope zich weerspiegeld in de bril van Paul, onherkenbaar. 'Ik heb nooit gezegd...'

'Paul Leon.'

'Ik heb hem gezegd hoe je heet. Ja.'

'Die naam jij kiest. Die Spaanse naam.'

'Paul, daar hebben we het al over gehad...'

'Je schaamt je voor mij tegenover je eigen vader!'

'Ik heb hem in elk geval verteld dat ik getrouwd ben. Hem in elk geval over jouw bestaan ingelicht!'

Dat was niet wat ze had willen zeggen. Ze hadden zijn toelage van thuis nodig, en Paul leek zo zeker van de consequenties als zijn moeder te weten zou komen dat hij met Hope getrouwd was, dat ze het erover eens waren geworden dat het het beste was dat zijn familie nergens van wist. Maar ze had de woorden er zo uitgeflapt.

Paul zette zijn bril af, legde die op de commode en bleef een tijdje zo staan. Hij keek naar haar in de spiegel. 'Ik zal mijn moeder schrijven.'

'Het spijt me, Paul. Dat had ik niet moeten zeggen.'

'Maar je hebt gelijk,' zei hij zachtjes. 'En je vader ook. We kunnen niet verbergen wat we gedaan hebben. Of wie we zijn.'

Hij pakte de witte, druipende doek uit de kom en raakte daarmee haar kin aan, haar neus, haar wangen en voorhoofd. Het koele water en het trage gebaar maakten er bijna een ritueel van. Ze verroerde zich niet, maar liet het vocht haar ogen en huid bedekken.

'In China,' zei Paul, 'moet iedere nieuwe bruid haar ouders verlaten, alleen reizen naar familie van haar man. Hier in Amerika, jij en ik reizen samen, maken nieuwe familie.'

Door de dichte deur hoorde Hope haar vader hoesten, en ritselen met zijn krant. Het laatste wat hij tegen haar had gezegd was dat hij alleen het weekend zou blijven. Zolang ze zich kon herinneren had hij bij hun eerste begroeting ook altijd het tijdstip vermeld waarop ze weer afscheid zouden nemen, het moment waarop hij zijn eigen leven weer zou oppakken, en zij weer verder moest met het hare.

Hope duwde de hand van Paul en de handdoek opzij en begroef haar gezicht in zijn schouder.

4

EEN PAAR DAGEN LATER POSTTE PAUL DE VOLGENDE BRIEF:

> Geachte Moeder,
>
> Ik hoop dat deze brief u en mijn kinderen in uitstekende gezondheid en overvloed bereikt. Het is lang geleden dat ik u heb geschreven en er is veel nieuw in dit vreemde land. De vernielde stad San Francisco verrijst als een feniks uit zijn as en spoedig zal hij als nieuw zijn, met hoog oprijzende gebouwen en prachtige paleizen. Maar de grootste verandering heeft zich voltrokken in het nederige hart van uw eigen zoon. Ik smeek om uw vergiffenis, mijn Moeder. Ik heb een bruid genomen zonder eerst u te consulteren. Maar zij is een vrouw naar mijn ware hart. Haar vader is een Amerikaanse landeigenaar. De familienaam is Newfield. Mijn bruid is buitengewoon mooi, goed opgeleid, slank als een Han, met natuurlijke lotusvoeten. Haar haar is zo zwart als eboniet, haar huid bleek als de pruimenbloesem. Ze is sterk en gezond. Ik noem haar Hsin-hsin.
>
> Ik smeek u om uw nieuwe schoondochter in onze familie

te verwelkomen, Moeder. Ze schenkt mij veel genoegen en helpt mij bij mijn werk en studie. Ze wil u en mijn kinderen graag ontmoeten en bij ons in China wonen. Zij is een toegewijde vrouw en zal vele zonen baren. Samen vragen we om uw zegen.

Ik wens mijn familie vrede, gezondheid en harmonie.

Uw eerbiedige zoon,

Liang Po-yu

Post naar het binnenland van China was maanden onderweg. Hope en Paul hadden overwogen een telegram te sturen, maar waren het er ten slotte over eens geworden dat dat nu geen zin had. Het zou zijn moeder alleen maar de indruk geven dat ze er nog een stokje voor kon steken. De briefvorm was eleganter, minder bedreigend en diplomatieker. Bovendien, na de scherpe aanvallen die hun al ten deel waren gevallen, zaten ze niet te springen om het antwoord van Nai-li.

Tegen september begon er een zekere routine in hun leven te sluipen. Hoewel ze nog steeds niet samen uitgingen hadden ze hun avonden thuis met Thomas of Mary Jane of beiden. Paul had zijn werk en studie en de baan van Hope bij de Missie was, hoewel minder lucratief dan het werk dat Collis haar bezorgd had, niettemin bevredigend. Haar nieuwe leerlingen waren jonger, uit armere milieus, en de meesten droegen weliswaar nog staartvlechten onder hun hoed, maar ze waren westerser in hun kleding en manieren dan haar meeste oud-leerlingen. En het waren christenen. Daardoor voelde ze zich vrijer om te informeren naar hun familie, henzelf, de dorpen waar ze vandaan kwamen – kortom, naar het land en de cultuur waar ze zelf door haar huwelijk mee verbonden was. Yang, haar student met vlechtstaart uit het noorden, beschreef de ommuurde steden van Peking met hun goudbedekte daken. Mao, uit Wuhsi, herinnerde zich een smeltende oranje zon, als een papieren lampion boven paarse meren. Kleine Pan uit Suchou vertelde over een stad met een netwerk van grachten, zoals Venetië in Italië. Hij vertelde Hope ook dat meisjesbaby's vaak in de velden of bij verwaarloosde tempels werden achtergelaten, of weggegeven aan boeddhistische nonnenkloosters, maar dat jongens op een andere manier vervloekt waren, omdat ze naar willekeur konden worden ingelijfd door de rondtrekkende legers en bandietenbendes die het platteland van China onder de Manchu's in hun greep hielden. Soldaten werden in China gevreesd en gehaat, zei Pan, omdat ze hun eigen loon bij elkaar plunderden.

'In China heeft iedereen schulden, iedereen honger,' zei de jongen. 'Uw man schrijft daar allemaal over.'

'Ah,' zei Hope, van haar stuk gebracht. 'Je kent mijn man.'

'Ik lees zijn krant. Ik lees zijn boek over Taipings. Ik lees zelfs een krant die hij in Japan redigeert – *Hupei Studentenkring*, kent u die?'

'Je bent aardig beroemd onder mijn studenten,' zei ze tegen Paul toen ze zich klaarmaakten om te gaan slapen. 'Ik krijg de indruk dat de kleine Pan alles gelezen heeft wat je tot nu toe geschreven hebt. Ik geloof dat hij je beter kent dan ik.'

Paul drapeerde zijn colbert over de staande kleerhanger en draaide zich om met een plagerige glimlach. 'Ik beloof je, dat is niet zo.'

Hope keek naar beneden en trok aan de plooien van haar nachthemd, sloeg het uit en trok het recht terwijl ze tussen de dekens gleed. Dat was natuurlijk een truc. Ze wierp een steelse blik vanuit haar nestje van kussens en was verbouwereerd dat hij geen aandacht meer voor haar had.

Hij stond naast het bureau, knoopte zijn kraag en boorden los, trok zijn lichtgele zijden vest uit. Hij knoopte zijn overhemd los, trok zijn broek uit, ging op het voeteneind van het bed zitten om zijn sokken uit te trekken en keek de hele tijd niet één keer naar zijn vrouw. Het was om woest van te worden, en toch vond Hope het een onverwachte meevaller in hun huwelijk, zoals hij zonder schaamte naakt voor haar stond. De lamp met de roze kap verdiepte zijn teint en accentueerde de contouren van zijn ribben terwijl hij zich vooroverboog om zijn nachthemd te pakken. Toen hij zich omdraaide leken de stroken littekenweefsel over het smalle gedeelte van zijn rug kunstig en onschuldig als een decoratie, afgezien van de harde blauwe schaduwen eronder.

'Wat zou je ervan vinden als ik Chinees ging leren lezen?'

Zijn kin werd in een dubbelzinnige plooi getrokken. 'Ik denk het is goed.' Hij boog zich over haar heen en pakte het boek dat op haar nachtkastje lag. Conrad. Die ochtend had hij haar erop gewezen dat hun lessen er al een tijdje bij in waren geschoten, en gevraagd of hij misschien een andere leraar zou moeten zoeken, als zij hem geen les meer wilde geven. Ze had hem een oorvijg gegeven en gezegd dat hij zijn leesbril mee naar bed moest nemen.

'Ik meen het, Paul. Waarom zou ik jou mijn taal leren, als jij mij niet die van jou leert?'

'Jij dit nooit vragen!'
'Nou, nu wel.'
'Hope. Je hebt het druk met zoveel dingen.' Hij nestelde zich naast haar en gaf een ongeduldig klopje op *Heart of Darkness.*
'Je denkt dat ik het niet kan!'
'Ik zeg dat niet.'
'Ach, jij!' Ze pakte een kussen op en begon hem ermee te slaan, maar hij pakte het snel af en rolde haar om. Hij liet het boek van het bed glijden, pakte haar bij de polsen en ging uitdagend languit op haar liggen. Zonder zijn bril of pak, de boord van zijn nachthemd wijd om zijn hals, zag hij er onweerstaanbaar jongensachtig uit.
'Leer het me,' zei ze.
Hij bewoog langzaam, verleidelijk, zijn heupen. 'Waarom?'
'Omdat ik te veel buiten jouw leven sta.'
'Je bent mijn vrouw,' zei hij, nog steeds draaiend met zijn heupen. 'Niet mijn zakenpartner.'
De soepelheid van zijn stem, de bijna zelfvoldane zekerheid die ze binnen die zachtheid ontwaarde, irriteerde haar zo dat ze zich losrukte en hem van zich afduwde. De verwarring die uit zijn ogen spatte was verbazingwekkend bevredigend. 'Dat is het hem nou net,' zei ze. 'Ik wil helemaal niet jouw vrouw zijn!'
Nu was hij helemaal in de war.
'Ach, zo bedoel ik het niet,' zei ze vlug. 'Ik bedoel dat ik niet *alleen* maar je vrouw wil zijn. Dat heb ik nooit, nooit gewild. Zelfs op de trein naar Wyoming heb ik gedacht dat dat nu net is wat we niet moeten zijn. Nee, we *moeten* meer gemeenschappelijk hebben, zie je dat niet? Een gezamenlijke missie. Werk. Iets groters waar we samen, evenredig, de schouders onder kunnen zetten.'
Hij zuchtte lang en zacht en liet zich op zijn rug zakken, hoofdschuddend naar het plafond.
'Ik heb er zelfs over nagedacht hoe,' zei ze zachtjes. 'Als ik jouw werk kon lezen, zou ik het kunnen vertalen. Ik zou artikelen kunnen schrijven, steun voor China werven onder Amerikaanse lezers, zoals jij met je krant doet.'
De stilte van de nacht werd door een plotselinge bui verbroken, het water sloeg met bakken tegen de ruiten. 'Te gevaarlijk,' zei hij.
'Kom nou! Gevaarlijk. Er zijn een hele hoop bladen – *The Independent* of *Harper's* of *Leslie's* – en die publiceren voortdurend artikelen over China van zendelingen en diplomaten. Waarom zouden ze niet blij zijn met verhalen over het *echte* Chinese leven,

van binnenuit geschreven? Jouw verhalen over je jeugd. Over de voorbereidingen van de revolutie in Japan. Het harde leven op het platteland onder de Manchu's. Hoe de republiek alles zal veranderen. Die kunnen we samen schrijven.'

Hij fixeerde zijn blik op het ruisende plafond. 'Amerikanen willen hun eigen verhalen over China geloven. En over Chinezen.'

'De bladen zullen ons betalen, Paul.'

'Ze zullen een Chinees niet betalen. Ze zullen geen artikel plaatsen onder de naam van een Chinees. Wat voor naam moet je dan gebruiken?'

'Dat doen ze wel!'

'En als je ze je eigen naam geeft, hoe verklaar je je kennis over zulke zaken? Schrijf je dan dat je met een Chinees getrouwd bent?'

'Paul!'

'Of gebruik je die Spaanse naam die je bedacht hebt voor de huwelijksakte? Hoe kan het dat die Spanjaard zoveel over China weet?'

'Je hebt het mis.'

'O ja?'

Het geroffel van de regen werd heviger. De kleine schemerlamp bewoog. Paul gleed met zijn hand over haar heup, langzaam, onder de plooien van haar nachthemd, naar haar borst. Als een kind legde hij zijn hoofd op haar schouder en zij streelde zijn haar, verwonderd en tegelijkertijd wanhopig over haar bereidheid om tederheid en strelingen te aanvaarden als vervanging voor echt begrip. 'Zou je meer van me houden als ik Chinees was?' vroeg ze.

Hij richtte zich op en gaf haar een strenge, bijna koele kus op de mond, en bleef boven haar hangen toen hij haar vraag beantwoordde. 'Als jij Chinees bent, dan ben je niet Hope. Maar Hope is mijn vrouw.'

'Waarom kun je nooit rechtstreeks antwoord geven?'

'Je vraag is niet rechtstreeks. Die is hypocriet.'

Gegiechel borrelde op voor ze zich kon inhouden. 'Volgens mij,' zei ze, 'bedoel je hypothetisch.'

Paul zuchtte, en keek teder naar haar. Hij wachtte tot ze was uitgegiecheld. 'Ben je gelukkig met mij?'

'O, lieve schat, ja. Meer dan waar ik recht op heb. Maar je maakt me ook een beetje bang.'

'Bang?'

'Ik bedoel, soms heb ik... zoveel ontzag voor jou. Als we samen zijn,' – en ze pakte zijn hand en legde die terug op haar borst, om te laten zien wat ze bedoelde – 'is al het andere weg, en het enige wat ertoe doet is *dat* we samen zijn, maar als we apart zijn, soms zelfs als je gewoon aan de andere kant van de kamer achter je bureau zit, heb ik het gevoel dat ik aan de andere kant van een oceaan zit. Dan is er meer aan de hand dan dat je in je werk opgaat. Dan komt het erop neer dat je werk mij *buitensluit*.'

Het gestage geroffel ging over in gedruppel. Paul ging rechtop zitten. 'Als je mee naar China gaat kun je begrijpen. Dan kun je die dingen leren, voelen, ademen.'

'Toch wil je niet dat ik je werk lees,' zei ze koppig.

Hij zuchtte. 'Hope. Ik ben vanaf leeftijd zeven jaar begonnen met het leren van klassiek Chinees. Soms schrijf ik in deze taal, soms in dagelijkse spreektaal. Dat twee verschillende talen. Om de *Free Press* te drukken gebruiken we twaalfduizend ideogrammen, alleen voor meest eenvoudige, directe begrippen.' Hij schudde zijn hoofd. 'Natuurlijk, ik ben blij als jij het leert, maar je moet niet denken dat ik dit verwachten.'

Ze kauwde op haar lip en dacht na. Het was ontmoedigend. 'Ik wil een deal met je sluiten.'

'Deal?'

Ze pakte het boek weer op dat naast het bed was gevallen. 'We lezen alle boeken die jij in het Engels wilt lezen, maar om de avond vertel jij mij een van jouw verhalen.' Ze keek hem ernstig aan. 'Om me voor te bereiden op de dag dat we teruggaan.'

De volgende paar maanden trok Hope zijn verleden uit Paul zoals een visser de zee uitkamt. Ze gooide vragen uit en haalde namen binnen, wierp snoeren uit en trok data naar boven, liet lokaas zakken en haalde herinneringen op uit de zee van zijn verleden. Hij vertelde haar over de leraar uit zijn jongenstijd, die midden onder de lessen in slaap viel en in zijn dromen Mencius citeerde. Hij vertelde over de sit-in-demonstratie die hij en zijn medestudenten in Tokio hadden georganiseerd om te protesteren tegen studietoelatingseisen die Manchurijnse kandidaten bevoorrechtten. Hij herinnerde zich grappen die hij in zijn jeugd met vrienden had uitgehaald, tragische verhalen over liefde en ontgoocheling onder zijn oud-klasgenoten, en de eindeloze geruchtenstroom over schandalen en intriges die de heersende elite van China bezighield. Ze hoorde van de zogenaamde Wederzijdse Liefdesbond van Chinese studentes in Japan (eigenlijk een revolutionaire groepering) en van een lid dat zich had vermomd als de geliefde van een matroos om gecodeerde instructies over te brengen naar vrachtschepen die wapens voor Sun Yat-sen verscheepten.

De ernst waarmee Hope hun avondlijke verhalensessies benaderde amuseerde Paul. Ze strekte zich uit op bed met haar tere voeten bij de enkels over elkaar, haar dagboek op haar buik, en maakte aantekeningen als een stenografe, terwijl hij, op zijn beurt, lui met zijn handen achter zijn hoofd gevouwen in een stoel aan de andere kant van de kamer zat. Ze waren niet ver van elkaar verwijderd, maar ze waren ook op geen enkele manier verbonden, en af en toe, als hij enige tijd had gepraat over Chang Chih-tung of Yüan Shih-k'ai of Li Yüan-hung, dan vroeg hij of ze het nog volgde en klemde ze haar lippen op elkaar, druk met het maken van aantekeningen, en schudde haar hoofd alsof ze zich ergerde. En wanneer hij probeerde een blik in haar dagboek te werpen trok ze dat dicht naar zich toe, als een onafgemaakte tekening.

'Geen artikel,' waarschuwde hij.

'Nee,' zei ze. 'Ik maak alleen voor mezelf aantekeningen, zodat ik het niet vergeet.'

19 oktober 1906

Ik denk dat de ware reden waarom Paul bezwaar maakt tegen mijn idee om artikelen voor de Amerikaanse pers te schrijven misschien wel gelegen is in het feit dat hij betwijfelt of ik accurate informatie zal verschaffen, maar daar heb ik iets op verzonnen. Ik kan Paul gewoon De Revolutionair noemen, zijn verhalen opschrijven zoals hij ze vertelt (plus of min een beetje eigen bewerking) en tekenen met een pseudoniem. Niemand hoeft op de hoogte te zijn van onze relatie, zelfs niet van onze ware identiteit. Ik voel gewoon dat dat gaat werken. Want hoeveel 'zoals verteld aan'-verhalen er wel niet bestaan over inboorlingen in Nieuw-Guinea en het Amazonegebied, en excursies naar het hart van Afrika, ik heb nog nooit zulke verhalen gelezen als Paul op zijn repertoire heeft staan. Zoals het verhaal dat hij me gisteravond vertelde, dat nieuw licht op Pauls egalitaristische mening over vrouwen werpt – en mij nog iets voor zijn moeder laat voelen ook. Ik wil dat dit een succes wordt omdat *wij* dat succes nodig hebben. Als ik naar hem luister en zijn woorden opnieuw in de herinnering roep en tot een deel van mijzelf maak, is dat bijna net zoiets als in zijn ziel glippen en die wereld ruiken, zien en *binnengaan* waar ik anders geen toegang toe heb.

Zó zou zijn meest recente verhaal verschijnen als ik de stoute schoenen aantrok:

Roodbaarden en grote voeten
De Taiping-revolutie
opnieuw verteld

'Ik zou graag het ware verhaal vertellen,' begon De Chinese Revolutionair, 'over de Taiping-revolutie. Ik zou niet de laster doorvertellen die is rondgestrooid door de belaagde Manchu's en buitenlanders die op het punt stonden hun enorme bolwerken te verliezen als de Taipings hadden gewonnen, maar de verhalen die mijn moeder vertelde over de dagen dat de Taipings naar onze stad kwamen.'

'Ik weet weinig over de Taipings,' drong ik bij hem aan, 'behalve dat het christenen waren en dat China's nieuwe revolutionairen hen als helden beschouwen. Ik zou graag hun ware verhaal horen.'

Dit is wat hij mij vertelde.

De Taipings namen in 1867 mijn provincie in, acht jaar voordat ik geboren werd. Het officiële verhaal is dat de Taipings barbaren waren, duivels met rode baarden die plunderden en moordden. Dat is wat de mensen verteld werd, opdat ze bang voor hen zouden zijn en zich tegen de Taipings zouden verzetten. Maar mijn moeder vertelde hoe het werkelijk was toen de Roodbaarden door Hankow trokken.

In die tijd was mijn vader in de hoofdstad om examens af te leggen, en de familie woonde in het dorp Pai-sha-chou. Natuurlijk, in de hele provincie heerste chaos. Taipings hadden de berg Hong al ingenomen en de rivier lag vol oorlogsschepen die allemaal als draken verlicht waren. Het lukte de familie over de rivier naar Hankow te ontkomen net voor de Taipings bij strekdam de Gele Gans landden en hun aanval begonnen. Mensen zeiden dat de stadspoort van Ts'aohu was vernield en dat hordes vrouwen zich verdronken om te voorkomen dat ze door de Roodbaarden werden verkracht. Mijn oudere broer en zus waren toen nog in de luiers en mijn moeder durfde niet te vluchten. Ze vergrendelde de deuren en wachtte.

Voor het eerste licht vulden Taiping-soldaten de straten met hoorngeschal en geschreeuw: 'De Oosterse Koning heeft bevolen dat alle mensen deze ochtend onderdak moeten zijn. Iedereen die een huis heeft moet naar huis. De daklozen moeten naar onze schuilplaatsen komen. Mannen bij mannen en vrouwen bij vrouwen. Elke man die een poging doet om de schuilplaats van de vrouwen binnen te gaan, wordt onthoofd. Elke vrouw die de schuilplaats van de mannen binnengaat wordt gewurgd. Elke Taiping-broeder die verkracht, rooft, moordt of verbrandt zal worden onthoofd. Dat is het bevel van de Oosterse Koning en dat moet onmiddellijk worden gehoorzaamd.'

Voor het middaguur leidde een vrouw met grote, ongebonden voeten, een felrode broek en een wit shirt met strakke riem een groep Taiping-soldaten met rode tulbanden en zwaaiende zwaarden door onze straat. Ze doorzochten het huis waar mijn familie verbleef en namen al het rode materiaal in beslag. Ze vroegen of mijn moeder kwade geesten verborg. Mijn moeder wist niet wat ze bedoelden, maar ze antwoordde: 'In ons huis zijn nooit kwade geesten geweest.' Pas later besefte ze dat de Taipings de Ch'ing-soldaten kwade geesten noemden.

De volgende dag kwam een familielid langs dat bij het Taiping-leger was gegaan om mijn moeder te vertellen dat hij vertrok om tegen de wind te vechten. De troepen verlieten de stad en waaierden uit naar alle kanten.

Mijn moeder bezocht een aantal keren de schuilplaats van de vrouwen. De vrouwen die de leiding hadden waren allen barbaarse vrouwen uit Kiangsi met grote voeten. De Taiping-vrouwen kookten en brachten brandstof voor de schuilplaats en handhaafden de orde, één grootvoet op elke tien dakloze vrouwen. Voor onderdak en voedsel werd niets in rekening gebracht.

Toen de soldaten van de strijd tegen de wind terugkeerden riepen ze enkele tientallen duizenden broeders bijeen. Ze gaven ieder een stuk rode stof voor een tulband en versierden ook enkele duizenden rode schepen op de rivier. In die tijd stond het water heel laag, en de schepen lagen zij aan zij vanaf de Hanyangpoort, zodat het wel een drijvende brug leek, helemaal tot aan de Tempel van de Drakenkoning. Bij die aanblik verloren zo'n vijftig Chi'ing-soldaten die zich nog in Hankow schuilhielden alle moed en kwamen naar buiten. Na een schreeuw van een enkele Taiping-soldaat gooiden de Ch'ings allemaal hun zwaarden neer en knielden neer. Ze lieten hun handen vastbinden, zodat ze gevangen konden worden genomen.

Tien dagen later ging de Oosterse Koning aan boord van een groot schip en leidde de vloot stroomafwaarts. De Ch'ing-troepen kwamen weer terug. Maar de mensen van onze provincie hadden geleerd dat de verhalen die over die duivelse Taipings werden verspreid niet waar waren. Ze hadden gezien hoe snel de Ch'ing-troepen ervandoor waren gegaan en zich hadden overgegeven, hoe weinig ze hadden gedaan om de mensen te beschermen. Een halve eeuw later zijn de Ch'ings nog niets veranderd. En de geest van de Taipings leeft voort in de harten van revolutionaire leiders als dr. Sun Yat-sen en de duizenden Chinezen – zowel mannen als vrouwen – die gezworen hebben democratie in China te brengen.

Terwijl ik deze woorden neerschrijf ben ik vol ontzag en vervuld van iets dat op angst lijkt. Zou ik de moed hebben gehad die Pauls moeder heeft getoond? Klem als ze zat, met twee kleine kinderen, te midden van chaos en gruwelen, had ze haar belagers het hoofd geboden en was ze moedig genoeg geweest om hen als mensen te zien in plaats van als de monsters die ze had geleerd te verwachten. Zo moeder, zo zoon, denk ik, en misschien verklaart dit wel hoe Paul heeft kunnen afreizen naar het land van de barbaren en mij helder genoeg heeft kunnen zien om mij voor een medemens te houden.

Hij zegt dat leeftijd en leed zijn moeder hebben gehard. Die twee jonge kinderen waren gestorven voor Paul geboren werd. Zijn vader was telkens maanden achtereen weg en die liet zijn moeder over aan de genade van zijn eerste twee vrouwen, en toen hij haar eindelijk liet halen zodat zij zich bij hem kon voegen tijdens zijn aanstelling als onderkoning in Kanton – waar Paul was geboren – kreeg ze malaria en werd ze onvruchtbaar.

O, er is zoveel aan het leven van die vrouw dat me doet sidderen. Om te beginnen de afgrijselijke praktijk van het voetbinden en het doorzetten van die afschuwelijke traditie van het concubinaat, waarin de waarde van een vrouw slechts wordt afgemeten aan haar vermogen om zoons te baren! Paul onderschrijft de standpunten over het vrouwelijk geslacht van zijn landgenoten dan wel niet, maar hij kan toch niet helpen dat hij een product is van zijn cultuur, ook al vecht hij ertegen.

Ik moet ook vaak aan zijn vrouw denken, en aan de manier waarop hij haar heeft verlaten om zich aan zijn revolutionaire escapades te wijden (en bevriend te raken met die 'Wederzijdse Liefde'-groep!). Mijns ondanks voel ik sympathie voor haar. En ik maak me zorgen om zijn kinderen. Wanneer zullen ze hun vader weer zien? Zal ik ze ooit ontmoeten? Is het denkbaar dat ik geaccepteerd kan worden in de harten van hen die mij zo totaal vreemd zijn? Dat wij allen deze man delen is voor mij een bron van voortdurende fascinatie en verbazing. Uit het feit dat dit mogelijk is blijkt wel hoe breed hij is in zijn kennis en gevoeligheid, maar er is een andere kant aan de vergelijking die mij stof tot nadenken geeft. Hij lijkt er zo tevreden mee te zijn om mij in mijn eigen wereld te laten, hij staat er zo huiverig tegenover om mij in zijn eigen wereld toe te laten. Waarom moedigt hij me niet aan om zijn taal te leren? Waarom vertelt hij me niet over zijn kinderen? Waarom stelt hij me niet aan zijn vrienden voor? Als ik een diagram moest tekenen, zou ik onze situatie voorstellen als een rechte lijn, met Paul in het midden, die mij met de ene hand vasthoudt en zijn Chinese familie met de andere. In mijn fantasie zou ik dat schema veranderen in een cirkel door zijn familie mijn vrije hand te reiken. Ik heb geen idee welke concessies we allemaal zouden moeten doen om dat voor elkaar te krijgen, maar nadat ik met Donaldina heb gesproken weet ik dat er ten minste één verplichting geldt. Ik moet Paul een zoon schenken.

Al mijn visioenen over samenwerken – om Paul te helpen bij 'zijn' revolutie, hem een veilig thuis te schenken en me te scholen in zijn politieke ambities – zijn goed en wel, zei Donaldina, zolang ik maar blijf denken als een geëmancipeerde Amerikaanse. Maar dat is voor de Chinese geest van nul en generlei waarde, en diep in mijn hart moet ik mij verzoenen met het feit dat de geest van Paul Chinees *is*. Mijn taak als vrouw is hem kinderen te schenken. Uit het feit dat hij mij niet verwijt dat ik in het eerste halfjaar van ons huwelijk nog niet zwanger ben geworden, blijkt dat hij mij respecteert en liefheeft, maar dat betekent nog niet dat hij niet wacht.

De duidelijke taal van Donaldina heeft mij gedwongen mijn hachelijke situatie onder ogen te zien. Ik wil ook kinderen. En wat een hemelse kinderen zullen we hebben! Maar het kunnen nooit de aanbeden nakomelingen zijn van een typisch Chinees huwelijk. Ze zullen voor bastaard worden uitgescholden. Ze zullen worden veracht als halfbloedjes. En tenzij ik alles doe wat in mijn vermogen ligt om ze te beschermen, zullen ze nog dieper gebukt gaan onder vooroordelen dan mij ooit overkomen is. Maar ik zal ze beschermen. Ik zal ze met heel mijn hart liefhebben, en we zullen bewijzen dat degenen die ons verachten zich vergissen. Zij zijn niets.

5

HET LANGVERWACHTE ANTWOORD ARRIVEERDE EIND OKTOBER per telegram.

Huwelijk verboden. Bruid Ling-Yi wacht op je.

'Wie is bruid Ling Yi?' vroeg Hope, die wijselijk haar mond hield over de eerste helft van het telegram.

'Jongste dochter van de vriend van mijn vader.' Paul kauwde op een duimnagel. 'Ze speelde vroeger bij ons thuis met mijn zussen. Ze had de tanden van een bever en op haar wang een paarse moedervlek in de vorm van een bijl.'

'Mm,' zei Hope. 'Aantrekkelijk.'

Hij kreunde en sloeg zijn armen over elkaar. 'Dit is de eerste keer in twintig jaar dat ik over haar hoor.'

'En wat hoor je dan precies?'

Hij keek haar somber aan. 'Ik zal een telegram sturen,' zei hij. 'Ik zal haar zeggen dat het niet kan.'

Zijn telegram luidde: *Huwelijk kan niet ongedaan worden gemaakt. Hsin-hsin is vrouw naar mijn hart. Ik neem geen andere.*

Binnen enkele dagen kwam een buitengewoon lang antwoord met de instructie dat Paul allereerst verplichtingen aan zijn familie had, en dat dit huwelijk gezichtsverlies betekende voor zijn hele clan. Dat hij één vrouw had, wilde niet zeggen dat hij er niet nog een kon nemen. En Nai-li had hem met Ling-Yi verloofd.

Anders dan de vader van Hope repte haar schoonmoeder niet over liefde.

De volgende maand gleden de argumenten heen en weer over de oceaan. Paul noch zijn moeder wilde inbinden, en tegen Thanksgiving kwam er een eind aan het getelegrafeer. Toen duidelijk werd dat ze Paul niet kon overhalen zijn vreemde bruid op te geven, trok zijn moeder zich gewoon terug. Zoals hij voorspeld had onthield ze hem voortaan elke vorm van financiële ondersteuning. Zijn zoon en dochter werden haar gijzelaars.

Door deze wending werd de vastberadenheid van Hope om wat extra geld in te brengen twee keer zo sterk. Ze zond het artikel over de Taipings naar *The Independent*. Ze breidde haar lesuren uit, probeerde nog meer achtergronddetails uit haar studenten te melken om China nog beter te begrijpen, en gaf zichzelf opdracht om in de vroege avonduren voor Paul thuiskwam dagelijks vijf nieuwe ideogrammen te leren. Hoewel ze er geen enkele rationele verklaring voor kon geven, had ze het gevoel dat ze vocht voor haar leven. En niets van dit alles liet ze aan haar man merken.

Paul, op zijn beurt, was filosofisch. 'Niets aan te doen,' zei hij simpelweg. Toen hij dat zei – ze stonden net in de keuken en keken door het raam naar de rondvliegende dorre bladeren – ging er een rilling door haar heen. Er was een vlakheid in zijn stem die haar deed omdraaien en hem aanstaren. Zijn gezicht was leeg en passief als een onbeschreven lei en de woorden, nog helder op zijn lippen, leken uit zichzelf op te stijgen. Hoe had ze toen moeten weten dat ze de Mandarijnse vertaling van die woorden, *mei fatse*, in de komende jaren zou gaan zien als China's fatale mantra? Dat kon ze onmogelijk weten, en toch werd ze volkomen verlamd door het gemak en de vanzelfsprekendheid waarmee die woorden uit zijn mond kwamen. Pas toen hij weer tot zichzelf was gekomen en bruusk de kamer verliet, besefte ze waarom die eenvoudige frase zo'n invloed op haar had: zij was volkomen tegengesteld aan de man met wie ze meende getrouwd te zijn.

Maar het fatalisme van Paul werkte als een tovermiddel, en zodra hij het idee had losgelaten dat hij en Hope nog enige invloed konden uitoefenen op hun lot, namen de gebeurtenissen een andere wending, alsof een hemelse hand aan de touwtjes trok. 'Herinner je je minister Tuan nog?' riep hij op een decemberavond terwijl hij zijn jas nog aan het uittrekken was.

'Minister Tuan?' In de keuken veegde Hope haar met bloem bestoven handen aan haar schort af en keek of de soep niet zou overkoken.

'Je weet wel. Hij en minister Tai gaven hier vorig voorjaar lezing.'

'Mm.' Ze kwam hem tegemoet. 'Het eten is nog niet klaar. Je bent vroeg. Tuan. Die komediant?'

'Tuan is een goed man.' Hij hield haar een envelop voor met een officieel ogend zegel.

Hope herinnerde zich zijn beschermende houding jegens minister Tuan, en hoe lief ze dat van hem had gevonden. Nu leek zijn bekommerdheid beloond te worden. Tuan had tijdens zijn reis door Europa van de aardbeving gehoord – en van zijn huwelijk. Hij zond hem vijfhonderd dollar uit eigen zak, want, zoals hij in zijn briefje uitlegde, Pauls lidmaatschap van de rebellerende partij had hem de steun van de ambtenaren van Hupei gekost, die zich in zo'n noodgeval anders verplicht zouden hebben gevoeld een wetenschapper uit hun district te steunen.

'Niet te geloven,' zei ze. 'Waarom zou hij ons willen helpen?'

Paul liet zich op de divan vallen en zei grimmig: 'Hij neemt een groot risico om mij te waarschuwen.'

'Te waarschuwen?'

'Hij hoopt dat ik dit geld aanneem en ophoud met schrijven.'

'Dat is toch zeker geen voorwaarde om het te accepteren?'

Pauls gelaatsuitdrukking werd zachter. 'Maak je geen zorgen. Ik ben een rebel maar geen dwaas. Ik weet dat we dit geld nodig hebben.' Hij lachte kort. 'Dat weet iedereen.'

Hope ging naast hem zitten en begon hardop na te denken. 'Je zou kunnen schrijven en hem bedanken, hem verzekeren dat je niet... Wacht, ik weet het! Beschouw het als een huwelijksgeschenk. Niets meer en niets minder. Zo laat je Tuan impliciet weten dat we zijn wens om het geld vertrouwelijk te houden zullen respecteren, maar dat je werk gewoon doorgaat.'

In de stilte die volgde hoorde ze zijn hersens op volle toeren draaien, en elke seconde die verstreek sterkte haar overtuiging dat het voorstel dat zij gedaan had een goed voorstel was. Eindelijk draaide hij zich om, legde een hand op haar knie en vroeg met de vaagst mogelijke glimlach: 'Hoe kan het dat mijn Amerikaanse vrouw zo'n Chinese geest heeft?'

6

Halverwege januari kwam zo'n stralende, winderige, maar onwinters milde ochtend waarop alleen al het opendoen van de gordijnen een prikkelende ervaring is. De zon speelde lief en helder verstoppertje tussen golvende satijnen wolken. Toen Hope het raam omhoog schoof was de lucht zo fris dat elke ademtocht haar longen deed sissen.

Zoals gewoonlijk was Paul al voor zonsopgang opgestaan en de deur uitgegaan. De afgelopen maand hadden de telexen roodgloeiend gestaan met verslagen over hongersnood en rijstopstanden in de kustprovincies van China, en over de wrede onderdrukking van die opstanden – zonder de mensen verlichting van hun hongersnood te geven. Paul greep de berichten gretig, met beide handen aan, want hongersnood en rellen waren uitstekende brandstof voor revolutie. Een aantal geheime genootschappen was al in opstand gekomen en hoewel ook die onderdrukt waren, was de publieke steun voor de rebellen nog nooit zo sterk geweest. De taak van Paul, zoals Hope begreep, was om met zijn redactionele stukken bij Chinese gemeenschappen in Amerika de belangstelling te wekken en financiële steun te verwerven om er meer opstanden mee te organiseren. Dat was echter makkelijker gezegd dan gedaan. Paul had haar uitgelegd dat Chinatown één grote kookpot vol strijdende partijen was, met verschillende standpunten voor of tegen keizerlijke overheersing. De groepering van Paul, het Hung-men Genootschap, was de meest democratische en westerse, terwijl hun aartsvijanden, de royalisten van de Keizerlijke Conservatieve Partij, de handhaving van de keizerlijke overheersing nastreefden door te strijden voor een constitutionele monarchie. Beide groepen hadden elkaar lange tijd beconcurreerd in hun fondsenwerving en hun zoeken naar politieke medestanders, en hielden elkaar nauwlettend in de gaten. En hoewel er nooit bloed gevloeid was, werd wel de nodige sabotage gepleegd – persagentschappen werden kort en klein geslagen, er werd gespioneerd bij vergaderingen, en er was flink geïntimideerd bij enkele vroege spreekbeurten van Sun Yat-sen in 1904. Voor de aardbeving had de redactionele staf van Paul meer energie gestoken in het van zich afhouden van de royalisten dan in het bekritiseren van de Manchu's. Maar de verwoesting en wederopbouw van Chinatown hadden een wapenstilstand tussen de facties afgedwongen, en het nieuws uit China leek de royalisten nu alle wind uit de zeilen te nemen. Dat alles maakte Paul dolgelukkig, en elke ochtend vertrok hij weer met een gretige trek om zijn kaken, terwijl zijn handen ongeduldig met zijn das en knoopjes friemelden wanneer de deur al achter hem dichtviel.

Gewoonlijk kuste Hope haar man gedag, kleedde zich rustig aan, ruimde het huis op en wandelde naar Shattuck om de dagelijkse boodschappen te doen vóór haar middaglessen. Als er tijd was schreef ze in haar dagboek of maakte een opzetje voor een folder of poster voor Mary Jane's nieuwste project voor vakbond of vrouwenbeweging, of ze werkte aan haar 'Revolutionaire' artikelen, die ze heimelijk bleef schrijven. Vandaag echter waren twee van haar studenten in quarantaine in verband met mazelen – milde gevallen, godzijdank – zodat haar een zee van vrije tijd wachtte, om van te watertanden.

Wat was er nou natuurlijker, daagde ze zichzelf uit, dan dat ze haar man op kantoor zou opzoeken, en dat ze zijn collega's een keer zou ontmoeten? Toch was het een angstaanjagend idee. Moeder Wayland had haar voor haar vertrek uit Kansas al gewaarschuwd dat vrouwenhandelaars elk blank meisje dat zo dwaas was om alleen in Chinatown rond te lopen, te grazen zouden nemen. Toch was Hope er al gauw een keer naartoe gegaan, met een groep klasgenoten. En hoewel dat Chinatown van voor de aardbeving een compacte, andere wereld was geweest, soms bont als een circus, soms naargeestig als de ergste sloppenwijk bij Dickens, was haar niets overkomen. En afgelopen mei was ze er nog een keer teruggeweest, met Mary Jane en Antonia Laws. San Francisco was toen één kolkende massa van puin en stof, een verzameling skeletten van gebouwen en lege percelen waar de wederopbouw nog niet begonnen was. De vrouwen bezochten de oude plek van het zendingshuis van Donaldina Cameron, en troffen daar niets anders aan dan geblakerde steen en mortel. Toen hadden ze, zonder een woord te wisselen, hun rug gerecht en waren ze heuvelafwaarts verder gelopen, naar wat tot voor kort Chinatown was geweest. Mary Jane had nog gezegd: 'Hoe anders je ook denkt dat je man is, jij kunt je niet permitteren deze wijk, deze mensen te negeren, want ze horen meer bij hem dan jij.' Waarop Hope had teruggekaatst: 'Weet ik, en ik zal ze omhelzen, let maar op!' Maar haar vastbeslotenheid was op slag verdwenen toen ze de zwermen zwarte, gebogen gestalten had gezien die met hout sleepten, cement maakten en met schoppen en pikhouwelen in de weer waren. Geen karren, geen ezels, geen gespierde reuzen hielpen deze tengere, zwoegende mannen. Tegengewerkt noch geholpen door de stadsbestuurders, waren ze in feite in een wedren verwikkeld met de campagne van burgemeester Ruef om de Chinezen buiten de stadsgrenzen te herhuisvesten. Paul voorspelde dat zijn mensen zouden zegevieren, en Hope was er die dag van overtuigd dat hij gelijk had. Maar ze vond het tegelijkertijd weerzinwekkend dat ze zich zo ongemakkelijk voelde dat ze de wijk als een soort rampentoerist was binnengedrongen. 'Ik voel me net een man die per ongeluk een verloskamer is binnengegaan,' zei ze toen ze naar een oudere man keken, nog veel kleiner dan zij, die met blote handen stenen in stukken sloeg. De maanden waren daarna verstreken zonder dat ze ooit teruggekeerd was, al maakte Paul de overtocht elke dag.

Een paar dagen voor Kerstmis was ze in een kantoorboekhandel in Oakland een selectie foto's tegengekomen van de fotograaf Arnold Genthe, een blanke die er wel van beschuldigd was 'bezeten te zijn van de spleetogen'. Genthe was een bekende van Mary Jane, een lieve, sentimentele man die erkende dat zijn genegenheid voor de Chinezen alleen werd overtroffen door zijn verbazing over hun manieren. Zijn foto's van voor de aardbeving bevatten beide, maar de nadruk lag bepaald op de menselijkheid van zijn onderwerpen. Hope had twee portretten uitgezocht om Paul als kerstgeschenk te geven, en die hingen nu hier boven zijn bureau – één van een oude koopman met een zwarte kap die een ingebakerd kind vasthield, de andere van een vader in een zijden gewaad en zijn zoontje die elkaars hand vasthielden. Hope had de prenten aan Paul gegeven omdat ze misschien een gesprek zouden uitlokken over zijn eigen kinderen, over zijn gevoelens voor hen, en zijn verwachtingen over haar rol in hun leven, maar in plaats daarvan had hij haar op haar voorhoofd gekust en alleen gezegd: 'Wanneer?' Vol afschuw over haar vergissing moest ze hem vertellen nee, dat dat niet de reden was van dit geschenk, dat er geen kind op komst was. Toen was ze begonnen te huilen en had hij haar moeten troosten, en verder was er niets over gezegd.

Maar de afgelopen week had ze de indruk gekregen dat hij toch gelijk had, en deze ochtend had ze besloten dat ze het nu zeker wist. En dat was het nieuws dat ze hem wilde brengen. Ze deed haar peignoir uit, trok snel haar zwarte kamgaren pak aan, deed haar haar in een lage staart, op z'n Chinees, en trok haar bruine vilten hoed over haar voorhoofd. Donkere handschoenen, wandelschoenen. Incognito. Maar deze keer was ze geen toerist. Ze had een bestemming, ze had haar recht.

Hope ging zo in haar gedachten op dat ze bij het hek pardoes de postbode tegen het lijf liep. De lijvige, blozende man was helemaal verbouwereerd, duwde haar de post in handen en liep in zijn wiek geschoten verder voor ze zich zelfs maar kon verontschuldigen. Ze stond op het punt hem na te roepen toen ze boven op het stapeltje de envelop zag waar ze op gewacht had. Ze scheurde hem open en las de boodschap in een staat van grote opwinding, toen propte ze de andere post in de brievenbus en liep bijna op een drafje naar de Key-tram.

Ze wist dat het adres van het kantoor van Paul Grant Street

717 was, en dat het in het hoofdgebouw van de Freemasons was. Wat ze niet had voorzien was dat maar enkele gebouwen in dit nieuwe Chinatown genummerd waren, en dat er nog minder waren die de nummers in Romeinse cijfers vermeldden. Ze vond een restaurant op nummer 684, en een bazaar op 739, maar de adressen daartussen waren niet te ontcijferen, en de meeste benedenverdiepingen werden gebruikt door vishandelaren, kruideniers, restaurants, wasserijen of banken, soms twee of drie per winkelpui. Paul werkt ergens aan een van die donkere, ongemarkeerde trappenhuizen, besloot ze, maar ze wist niet meer hoe Ta T'ung Jih Pao of Chih Kung T'ang geschreven werd. Uiteindelijk kocht ze wat amandelen bij een straatverkoper. Hoewel hij haar niet aankeek, accepteerde hij haar geld, en het monterde haar op toen hij de prijs in haperend Engels zei. *'Ta T'ung Jih Pao tsai nar?'* vroeg ze.

De jongeman wiens borstelige haar hem in eerste instantie een nogal geschrokken voorkomen gaf, liep heftig paars aan, en Hope was bang dat ze hem met haar vermoedelijk foutieve uitspraak iets onuitsprekelijks had gevraagd. Ze trok zich gehaast terug, vergat haar amandelen, zodat de arme jongen zich ook nog genoodzaakt zag achter haar aan te rennen, om het zakje, met zijn hoofd bijna achterstevoren op zijn schouders, voor haar voeten te laten vallen. Even later zwaaide vlak voor haar een deur open en kwam een man met een bruin kamgaren pak en een bijpassende slappe vilthoed naar buiten: een toonbeeld van kosmopolitische elegantie. Hope wist vrijwel zeker dat hij Engels sprak.

'Pardon,' riep ze, 'zou u mij de burelen van Ta T'ung Jih Pao kunnen wijzen – de Chinese Free Press?'

Zijn dikke lippen gingen vaneen. 'Daar kom ik net vandaan. Bovenste verdieping.'

Ze sloeg opgelucht haar handen ineen. 'Heel erg bedankt. Ik weet niet hoe het in mijn hoofd is opgekomen dat ik het alleen wel kon vinden.'

De man, nogal gedrongen gebouwd met vrijpostige ogen die ver uit elkaar stonden, was duidelijk zo verwesterd dat Hope hem bijna een hand had gegeven, maar zo'n gebaar zou op deze plek makkelijk een schandaal kunnen veroorzaken. Ze trokken al heel wat nieuwsgierige, zij het verhulde, blikken.

'U bent mevrouw Liang, neem ik aan.' Hij tikte tegen zijn hoed, boog vanaf zijn middel, en ging ervan uit dat haar verbaasde stilzwijgen instemmend bedoeld was. 'Ik ben William Tan. Uw man en ik waren schoolvrienden in Hupei. Nu ben ik zijn tegenhanger in New York. Ik ben vereerd u eindelijk te ontmoeten.'

Hope had nooit gedacht dat Paul het met zijn vrienden over haar zou hebben. Het maakte haar tegelijkertijd blij en onzeker te bedenken wat hij aan een dandy als William Tan zou kunnen vertellen. 'Hoe maakt u het?' vroeg ze.

'Ik maak het uitstekend.' Hij trok zijn linkerwenkbrauw op. 'Ik ben alleen teleurgesteld dat ik vanmiddag moet vertrekken – ik ben op weg terug naar het Oosten en mijn trein vertrekt om vijf uur. Anders zou het mij een genoegen zijn u te onderhouden. Misschien een andere keer.'

Ze knikte stijfjes. 'Misschien.' Hij bleef haar aanstaren. 'Als u me dan wilt verontschuldigen...'

'Ja, natuurlijk, mevrouw Liang. Tot ziens.'

'Tot ziens, meneer Tan.' Hope liep om hem heen en vluchtte de deuropening in. William Tan deed haar aan Collis Chesterton denken, maar pas op de overloop van de tweede verdieping wist ze waarom. Beide mannen gaven haar het dwingende gevoel dat ze hen tegelijkertijd moest bedanken en ontsnappen.

De trap was steil, vol van de geuren van nieuw hout en cement, en er was geen leuning, en weinig licht. Tegen de tijd dat ze de vierde en bovenste verdieping had bereikt was ze buiten adem. Gelukkig was er maar één deur. Toen ze aanklopte vloog die open, en kwam een jonge jongen met een pet op en een kniebroek aan naar buiten, wankelend onder een enorme stapel kranten. Hij gaapte Hope even aan, ongelovig, en liep toen zonder te kijken door. Op de bovenste tree van de trap wankelde hij. Hope zag al voor zich dat hij helemaal van die steile trap naar beneden zou rollen en stak instinctief haar handen uit. Ze greep hem bij een schouder. Alsof hij door een boze heks in zijn kladden werd gegrepen, zo snel schoot hij naar beneden.

Hope vermande zich en stapte naar binnen. Ze betrad een drukkerij – ze hoorde de pers en voelde de trillingen in de ruwhouten vloer – maar het enige wat ze zag waren twee schuine tafels aan weerskanten, die zich vanaf de deur een meter of twaalf uitstrekten, tot aan de achterwand. Ertussen liep een gangpad. Halverwege dat gangpad stond een man onder een bungelend peertje in een blauw koeliejasje en met een marineblauwe baret op zijn hoofd wat te knutselen. Hij droeg gele Turkse slippers met naarboven krullende tenen, en had niet in de gaten dat Hope binnen was gekomen.

Ze liet de deur achter zich dicht vallen. De handen van de man vlogen langs de in vakjes verdeelde muur als kippen die naar graantjes pikken, en Hope voelde een steek van wanhoop toen ze besefte dat dat de letterbakken waren met daarin al die duizenden karakters die nodig waren om de krant te drukken. Hoe kon een geheugen zoveel tekens onthouden, laat staan verwerken?

'*Ni hao.*' De man met de baret kwam met opgetrokken wenkbrauwen op haar af.

'Hallo,' zei ze. 'Ik ben op zoek naar Liang Po-yu.'

'Ah, *shih, shih.*' Hij knikte en repte zich door het gangpad, en liet het aan haar over om hem al of niet te volgen. Ze liep achter hem aan, maar langzaam. Ze probeerde nog steeds in zich op te nemen wat ze zag. Door een opening tussen de kasten zag ze tafels bedekt met letterkasten die halfvol tekens zaten, en daarachter een machine die grote witte tongen van papier uitspuwde. Drie jongemannen voedden de machine en haalden hem leeg, twee in westerse spijkerkleding, de derde in daglonerstenue met een staartvlecht. Hope keek tot ze de stem van Paul in haar oorschelp voelde.

Ze schrok, en begon toen te lachen. Zijn gezicht stond echter streng. 'Wat is er aan de hand?'

'Niets! Je hebt me laten schrikken.'

Hij keek naar de letterzetter, die knikte en weer aan het werk ging.

'Ik wilde je verrassen,' begon Hope, maar al gauw tuimelden haar woorden over elkaar heen. Ik had niet gedacht dat het zo moeilijk zou zijn je te vinden. Gelukkig kwam ik vlak voor de deur William Tan tegen. Wat spreekt die goed Engels! Nauwelijks een spoor van een accent. Wacht eens, nu weet ik het weer, je hebt weleens iets over hem verteld, of niet? Hij redigeert de krant van Sun in New York, toch? Ik wou dat ik *dat* had bedacht toen ik met hem in gesprek was, hij maakte me op de een of andere manier nerveus...'

'Hope,' onderbrak hij haar. 'Wat doe je hier?'

'Ik dacht...' Maar het licht scheen in zijn brillenglazen zodat ze zijn ogen niet kon zien. Hij was in hemdsmouwen, zijn vingers omklemden een rietborstel met natte zwarte haren. Eén wang droeg, als een litteken, een veeg inkt.

'Ik wilde zien waar je werkt,' zei ze.

Hij trok zijn bril af en zijn ogen vernauwden zich. Plotseling begon het haar te dagen. Wat kon het anders zijn dan een ramp die je Amerikaanse vrouw hierheen voerde?

'Ik was nieuwsgierig,' zei ze. 'Meer niet.'

Hij kauwde op zijn lip, fronste en gebaarde haar toen hem te volgen.

'Paul, als het te lastig is...' Maar de blik die hij over zijn schouders wierp zei haar dat ze dat eerder had moeten bedenken.

Ze liepen langs nog drie jongemannen die over schrijftafels gebogen stonden, en Paul ging haar voor naar een kantoortje ter grootte van hun slaapkamer. Stralend daglicht druppelde door dakraampjes naar binnen. Een eikenhouten blad op schragen vormde een bureau. Zijn stoel – de enige in de kamer – was massief, en ook eiken, maar zo beschadigd dat hij alleen maar van het grof vuil afkomstig kon zijn. Stapels oude kranten en boeken vulden de hoeken. Zijn bureau lag bezaaid met zijn raadselachtige gekrabbel, de lei in de vorm van een palmblad waarin hij zijn inkt mengde, als een plas vloeibaar teer, en zijn onyx zegel met de gebeeldhouwde leeuwenkop.

Paul sloot de deur.

Ze trok haar schouders naar achteren toen ze de afkeuring op zijn gezicht zag. 'Paul, het spijt me dat ik zo binnenval. Ik wilde zien...'

'Wat denk je hier te vinden!'

'Jou! Ik wilde jou zien.'

Hij legde zijn bril en zijn borstel op het bureau, liep eromheen en ging zitten, zodat Hope voor hem stond als iemand die een verzoek kwam indienen. 'Waarom?'

'Ik wilde zien waar je werkt, dit deel van je leven.' Waarom was het zo moeilijk haar bezoek te verklaren?

'Je vertrouwt me niet.'

Ze wierp zich bijna op zijn schoot. 'Nee, nee! O, Paul dat is het *helemaal* niet.' Ze begon te lachen, kneep in zijn hand. 'Die gedachte is nog nooit bij me opgekomen, ik zweer het je.'

Hij leek eindelijk wat rustiger, glimlachte een beetje verlegen en bood haar zijn stoel aan. Zelf ging hij op de hoek van zijn bureau zitten.

'Ik heb het je verteld. Ik werd vanmorgen wakker en ik voelde me – nou ja, buitengesloten. Niet op de manier zoals jij denkt. Jij zou nooit een andere vrouw nemen, dat weet ik, en ik ben echt niet van het jaloerse slag. Maar dit – ze gebaarde naar zijn bureau, zijn papieren – 'je werk, is in zekere zin ook een maîtresse. Het houdt jou bij mij weg.'

Hij wilde haar in de rede vallen, maar ze snoerde hem de mond.

'Nee, laat me uitpraten. Ik zou me nooit met je werk bemoeien, Paul, maar ik dacht dat als ik hier eens geweest was, ik me niet zo buitengesloten zou voelen. Dat ik tenminste zou weten waar je naartoe gaat als je 's ochtends de deur uitgaat.'

Hij tuurde naar haar. 'Jouw plaats is in mijn hart. Mijn huis. Is dat niet genoeg?'

'Niet als je zoveel tijd op je werk doorbrengt.'

'Je wilt dat ik meer thuis blijf.'

'Nee! En het is ook niet mijn bedoeling om hier binnen te dringen. Maar je hier voor me te kunnen zien als je van huis bent – dat lijkt me prettiger.'

Zijn gezicht werd zachter. Ze had bijna het gevoel alsof ze zijn gedachten kon lezen. *Dit is een van de manieren waarop Hope haar liefde uit. Ik moet me verdraagzaam opstellen.*

Maar ze wilde niet verdragen worden. Ze draaide zich een keer om in zijn stoel, streek over een vlam in het blad van zijn bureau. Zijn gouden horloge lag onder de zwanenhalslamp, naast een blad met in slagorde opgestelde kolommen penseelstreken. Ze leunde voorover om te kijken of ze er iets van kon lezen. Een paar getallen, de eenvoudigste karakters, keken haar geruststellend aan. De rest had net zo goed spijkerschrift kunnen zijn.

Hij pakte zijn horloge op en klapte het dicht. 'Hope, ze wachten op mijn kopij om de laatste pagina's te drukken. Ik ben er al laat mee.'

'Je hebt gelijk,' zei ze. 'We krijgen een kind.'

'Een...' Zijn stem haperde terwijl ze zijn blik ving en vasthield.

'Een baby.'

Hij haalde diep adem, trok zijn schouders op tot aan zijn oren, liet ze toen weer zakken en nam lachend haar gezicht tussen zijn handen. 'Je kunt niet wachten tot ik thuiskom?'

Ze glimlachte schaapachtig. 'Neem je het me kwalijk?'

'Nee, maar...' De deur ging open en een van de jonge redacteuren blafte een vraag. Hij negeerde Hope's aanwezigheid. Paul gaf antwoord en de jongeman ging weer weg.

'Je brengt goed nieuws, Hope,' zei Paul, 'maar ik moet aan het werk. Vanavond neem ik speciale thee mee, maakt onze baby sterk.'

'Onze baby.' Ze stond met tegenzin op, en toen schoot haar te binnen: 'Ik heb nog meer goed nieuws.' Ze trok de envelop uit haar rok en zwaaide ermee voor zijn neus. '*The Independent* betaalt ons tien dollar voor je verhaal over de Taipings!'

Op zijn methodische manier nam Paul de brief aan, schudde hem uit en las hem van begin tot eind voor zijn gezicht een reactie vertoonde. Alle opwinding vloeide uit Hope weg terwijl ze wachtte.

'Deze brief is geadresseerd Hope Newfield,' zei hij. Hij deed hem weer in de envelop en gaf hem terug.

'Ja. Een pseudoniem leek me het beste. Met het oog op... nou ja, zeg maar repercussies.'

'We hebben hierover gesproken.'

'Je zei dat niemand geïnteresseerd zou zijn. Maar dat zijn ze wel, Paul. Kijk, het enige wat ik hoef te doen, is dit tekenen en dan sturen ze de cheque en, heb je het gelezen, ze willen meer verhalen. Ze willen er een serie van maken.'

Maar er was een schaduw over zijn gezicht getrokken. 'Ik weet niet eens wat je geschreven hebt.'

'Ik heb alleen geschreven wat jij me verteld hebt!'

Er stond weer een jongen op de drempel, maar Paul bekte hem af. 'Hoe kan ik je geloven als wij zeggen één ding, jij doet iets anders?'

'We hebben het geld nodig, Paul. Vijfhonderd dollar is gauw op met een kind op komst, en ik kan vanaf de vijfde of zesde maand geen les meer geven. Maar ik kan *wel* blijven schrijven...'

Haar stem brak. 'Ik begrijp niet waarom je hier niet blij mee bent.'

'Jij wilt te veel.'

'Is het te veel om je hartstocht te willen delen?'

'Als iemand in het geheim iets doet, is dat geen delen.'

Hope voelde haar gezicht branden. Ze kon aan de harde trek om zijn mond zien dat redetwisten zinloos was, en haar hart was zo bezwaard dat ze wel wist dat ze al te ver was gegaan. Toch had ze niet meer dan het flauwste benul, welke regels ze had overtreden, over welke grenzen ze was heengegaan.

'Nou, dan geen geheimen meer,' zei ze plotseling. 'Jij leest alles voor ik het instuur.'

Hij zuchtte en schudde zijn hoofd.

12 mei 1907
De heer Harrison Wofford
Literair redacteur
The Independent

Geachte heer Wofford,

Ik besef dat er maanden zijn verstreken sinds uw vriendelijke aanbod een serie artikelen te plaatsen gebaseerd op mijn gesprekken met een Chinese Revolutionair.

Mijn excuses dat ik zo lang heb gewacht met insturen, maar het was een enorme klus om het materiaal bij elkaar te krijgen en het, naar mijn gevoel, in de juiste vorm te gieten. Ik sluit twee artikelen bij en ben nog met een aantal bezig. Die zal ik u doen toekomen, indien u daar prijs op stelt, als u de gelegenheid hebt gehad op deze te reageren.

Met oprechte dank dat u mij deze gelegenheid hebt willen bieden.

Hope Newfield.

EEN LITERAIRE GRAP

'Amerikanen,' zei de Revolutionair onlangs tegen me, 'zeggen vaak dat Chinezen geen gevoel voor humor hebben. Maar de sleutels voor humor liggen in taal en hart en het komt alleen doordat slechts weinig Amerikanen de Chinese taal machtig zijn of in onze harten kunnen kijken dat ze denken dat wij geen humor hebben.'

'Kunt u mij een voorbeeld geven van iets wat u grappig vindt?' spoorde ik hem aan.

'Ik kan u een verhaal vertellen dat waar gebeurd is,' antwoordde hij. 'Een grap waarbij de taal en het hart van jongemannen betrokken zijn. Jongemannen zijn vaak het grappigst als ze proberen ernstig te zijn.'

'Graag,' zei ik.

En dit is het verhaal dat hij me vertelde...

In China, onder het Manchu-bewind, staat op het publiceren van revolutionair materiaal de doodstraf. Daarom hebben Chinese studenten vaak volop gebruik gemaakt van de persvrijheden in Japan om te experimenteren met een grote verscheidenheid aan bladen, waarin literaire, wetenschappelijke en politieke artikelen werden gepubliceerd. Het enthousiasme van jonge redacteuren om die bladen uit te brengen houdt echter niet altijd gelijke tred met het vermogen van schrijvers om de pagina's te vullen. De strijd om talent binnen te halen kan fel zijn en soms gemeen.

In het begin van mijn eigen studententijd leerde ik een briljante geleerde kennen, genaamd Ma Chun-wu. Hij had een aantal revolutionaire artikelen gepubliceerd in de *New Citizen Journal*, die werd uitgegeven door een paar Chinese vrienden van mij in Yokohama. De stukken van Ma werden zeer bewonderd, maar hij aarzelde altijd met zijn werk, uit angst dat hij om de inhoud van zijn artikelen zou worden gearresteerd. Er kwam echter een moment dat de *New Citizen Journal* gebrek had aan kwaliteitsartikelen en de redacteuren smeedden een plan om Ma in hun netten te strikken. En zonder het te weten speelde ik een rol in dat plan.

Redacteur Lo Hsiao-kao publiceerde een van mijn gedichten onder een vrouwelijk pseudoniem, en schreef toen aan Ma over de geweldige gave en schoonheid van die vrouw.

'Is het mogelijk dat ik haar ontmoet,' schreef Ma terug.

'Ik zal bemiddelen,' beloofde Lo, 'als jij naar Japan komt om te studeren. Maar eerst moet je haar schrijven.'

Ma leverde acht gedichten op rijm in, die hij Lo toevertrouwde om naar die vrouw te sturen. De openingsstrofe luidde:

Melancholische bloemstengel en wilgentak
Voor wie frons jij je verre bergwenkbrauwen?

Alle gedichten werden in het blad gepubliceerd, en niet veel later ontving Ma een gedicht van de vrouw. Lo liet Ma weten dat hij meer artikelen moest schrijven, anders zou Lo hen niet aan elkaar voorstellen. Dus Ma bleef dag en nacht schrijven tot hij uiteindelijk niet langer kon wachten. Er werden afspraken gemaakt en hij arriveerde in Japan, waar Lo hem een foto van de vrouw liet zien en een brief waarin ze schreef dat ze gauw op de boot naar Japan zou stappen. Nu was Ma helemaal opgewonden. Hij gaf Lo een foto van zichzelf, en een heleboel dozen exclusieve Japanse delicatessen, die naar de vrouw moesten worden gestuurd om haar komst te versnellen.

Lo trok de touwtjes nog iets strakker aan. 'Je hebt niet veel geschreven de laatste tijd. Ik stel jullie niet aan elkaar voor tenzij je weer aan het werk gaat.' Daarop sloot Ma zich op in zijn kamer en liet zijn dichtader weer vloeien.

Een paar dagen later kwam ik met een groep studenten uit Hong Kong in Yokohama aan, en Lo kwam ons tegemoet met armen vol lekkernijen. 'Ze is er,' liet hij aan Ma weten.

Ma kwam midden in de nacht naar Lo toe en eiste dat hij de vrouw zou ontmoeten, en dreigde met een pak slaag als Lo hem nog langer aan het lijntje hield. Aangezien ik in de kamer ernaast lag hoorde ik hen, en ik ging kijken waarom ze aan het ruziën waren.

'Daar is je vrouw!' Lo wees naar mij.

Ma besefte dat hij erin was gelopen. Hij gaf Lo een harde duw en wendde zich tot mij. Hij zwaaide met de foto van de vrouw voor mijn neus. 'Ik heb zoveel geschreven dat ik bijna bloed opgaf! Ik heb een fortuin uitgegeven! Waar is ze!'

'Dat is gewoon een Kantonese zangeres.' Lo waagde het te glimlachen. 'Niets om een melancholisch voorhoofd mee glad te strijken.'

Ma doorzocht de hele kamer van Lo, vernielde zijn manuscripten en vertrok de volgende dag uit Japan. Ik ben blij te kunnen zeggen dat hij zich tegen de Manchu's is blijven keren, maar hij heeft nooit meer voor de *New Citizen* geschreven, en enige maanden later hield het blad op te bestaan.

MEISJE BIJ HET THEEHUIS

'Ik begrijp dat u bewondering hebt voor de democratie,' zei ik op een dag tegen De Revolutionair. 'Maar China is honderden eeuwen door keizers geregeerd. Waarom denkt u dat nu de tijd is gekomen voor verandering?'

'Omdat de troon en allen die eraan gehoorzamen in verval zijn geraakt. De heersers zien de Chinezen slechts als slaven, om naar eigen goeddunken te gebruiken en weer af te danken.'

'Kunt u mij een voorbeeld geven?' vroeg ik.

En dat deed hij.

Nadat ik mijn examen had gedaan en voor ik naar Japan afreisde heb ik een aantal jaren bij de toenmalige onderkoning van Hupei gediend, een man genaamd Chang Chih-tung.

Chang was een zeer machtig man, een politicus in de ware Chinese betekenis, zo geslepen en pragmatisch dat je niet kon zeggen of zijn instincten nobel dan wel gemeen waren. Maar wat de kwesties van het hart betrof was hij net zo zwak als elke andere man.

Chang verplaatste zich, als alle provinciale beambten, in een gesloten draagstoel. Maar hij hield ervan om zijn onderdanen, want zo beschouwde hij hen, te kunnen bekijken zonder dat zij hem zagen, dus liet hij zijn verder gesloten draagstoel voorzien van een raam bedekt met een donker netwerk dat vanaf de buitenkant potdicht leek. Op een keer, na een routinebezoek ter inspectie van de textielfabriek bij de oosterpoort van Hankow, wierp Chang toevallig een blik uit dat raampje op een theehuis. Daar stond een jong meisje van uitzonderlijke schoonheid.

Eenmaal terug in de mandarijnswoning van de gouverneur ontbood Chang een voormalige Manchu-cavalerist die zijn huidige positie als officier in het Middenleger aan Chang te danken had. 'Het meisje dat achter de toonbank van het theehuis bij de Wen Changpoort werkt is een echte schoonheid,' zei Chang. De beambte gaf die woorden zijn eigen uitleg en benaderde de volgende dag de vader van het meisje.

'Als u uw dochter toestaat de derde concubine van de gouverneur te dienen,' zei de boodschapper, 'wordt uw familie bevorderd en heel rijk.'

Diezelfde avond werd het meisje naar de mandarijnswoning gebracht. Chang hield haar twee maanden lang voortdurend gezelschap, en aarzelde zelfs niet als ze ongesteld was. Het duurde niet lang of ze werd ziek vanwege een infectie en ging dood. Chang beval dat haar lichaam via de achterdeur verwijderd moest worden, maar iedereen die in de mandarijnshof diende, waaronder ik, wist wat er aan de hand was. Sterker nog, we hadden meteen in het begin al voorspeld dat het zo en niet anders zou aflopen.

7

1 JUNI 1907

Zo vlug heb ik mijn antwoord. Net goed: ik ben tegen de intuïtie van Paul ingegaan, maar ik ben dan ook verleid, daar kwam het domweg op neer. Een aanbod gedaan, een belofte gekoesterd, en ik heb dat aanbod in goed vertrouwen aangenomen, en slechts een beetje vertraging opgelopen om mijn aandeel te leveren, waarop ik een pak slaag kreeg en vernederd werd.

Waar uw artikel over de Taipings een unieke kijk gaf op de geschiedenis van de Oriënt, concentreren deze nieuwe stukken zich op duistere, incidentele en geheel ongeloofwaardige details over onbeduidende karakters met onuitspreekbare namen die, voor onze lezers, niet van elkaar te onderscheiden zijn. Ik weet niet of deze revolutionair van u is gebaseerd op een echte kennis of een denkbeeldige figuur, maar in ieder geval komt hij op mij niet geloofwaardig over. Het spijt me in hoge mate dat ik u deze stukken moet terugsturen. Ik had gehoopt op een intrigerende serie. Mijn advies in het licht van dit recentere werk echter is dat u gehoor geeft aan de aloude spreuk: schrijf over wat u weet in plaats van naar het exotische te haken.

WAAROM? Is dit, zoals Paul volhoudt, het bewijs dat Amerikanen Chinezen zien als schaakstukken of gele heidenen? Of heeft Harrison Wofford gelijk dat hij mij zo door wil prikken? Ik ben nauwelijks een doorgewinterde schrijver en zeker geen Chinakenner. Ik heb erop vertrouwd dat de verhalen van Paul anderen zouden raken zoals ze mij gedaan hebben, maar het lijkt erop dat ik daar niet in geslaagd ben.

O, wat een hoogmoed om te denken dat ik wel even zou presteren wat generaties briljante geleerden en edellieden niet gelukt is, dat ik wel even een brug zou slaan tussen twee culturen! Enfin, het is voorbij. Ik zal niet meer schrijven, behalve dan, zoals eerder, voor mijn eigen ontwikkeling. Paul is geloof ik opgelucht, en misschien heeft hij gelijk. We hadden het geld goed kunnen gebruiken, maar misschien is het achteraf toch mijn eerste en belangrijkste taak om mijn kroost groot te brengen.

Juli arriveerde met een bui de maand maart waardig. Stormwinden zweepten de baai op, bliezen voetgangers omver, geselden boomtoppen en joegen golven koude, vochtige lucht door het kantoor van Paul, en joeg hem uiteindelijk naar huis uit angst dat de veerboot niet meer zou varen. De regen viel, vloog bijna horizontaal door de tuin tegen de tijd dat hij door de voordeur naar binnen stormde, zijn doorweekte jack uittrok en Hope riep. Hun baby zou over een maand komen en de weeën waren al begonnen, maar de zitkamer was donker.

Toen hij doorliep zag hij de brede gestalte van Mary Jane Lockyear de slaapkamer binnengaan. Een geel licht viel rond een gebogen, onduidelijke schaduw. Hij hoorde een metalen plons, anders dan de regen op het dak. Mary Jane legde een gewichtloze hand op zijn schouder. Achter haar, in de slaapkamer, wrong een kleine, mollige vrouw met ijzergrijs haar een bebloede doek uit boven een kom.

'Het is goed, Paul,' zei Mary Jane. 'Ze maakt het goed.'

Maar Hope lag op het bed in een wirwar van blauwe en grijze dekens. Toen hij naderbij kwam bleef haar gezicht kleurloos, haar gelaatsuitdrukking gespeend van iedere emotie, haar blik gefixeerd op het langwerpige pakket in haar armen. 'Een jongen.'

Ze streelde het nog vochtige zwarte haar, het voorhoofd blauw en smal als een blauwe plek. Plotseling vulden haar ogen zich met tranen. 'Paul, het spijt me zo.'

Ze wikkelden het kindje zelf in doeken. Hope huilde geluidloos, bewegingloos. Ze verborg haar gezicht niet, sloot haar ogen niet voor de ondraaglijke kleinheid van het kistje. Maar toen ze de begraafplaats verlieten waar ze hun jongen naast de steen van de vrouw van Thomas hadden begraven, greep Hope Paul bij de hand alsof het een reddingslijn was.

'Denk je dat het een vloek was, Paul? De dood van mijn moeder, en daarvoor haar moeder? Misschien is het wel *voorbestemd* dat ik geen kinderen krijg.'

'Nee, Hsin-hsin,' mompelde Paul. 'Hij verkeerde manier gekomen.'

'Ik was bang om dood te gaan, bang voor ons kind. Mijn angst is zijn dood geweest.'

Hij bleef staan en hield haar stevig vast. 'Die vroedvrouw heeft het ons uitgelegd. De baby lag zijdelings. De navelstreng is om zijn nek. Niets aan te doen.'

'Maar nu wel, Paul.' Blozend en hijgend keek ze opeens heel dringend naar hem op. 'We moeten een nieuw kind krijgen, en ik moet niet bang zijn. We moeten een kind krijgen en het alle liefde geven die onze jongen onthouden is. Zie je het niet, dat is de enige manier!'

'Als je beter bent,' zei Paul. 'We zullen zien.'

'Nee, we moeten niet wachten,' riep ze. 'We moeten niet bang zijn, Paul, alsjeblieft. Alsjeblieft.'

Hij leidde haar naar de koets die buiten de begraafplaats stond te wachten en hield haar zachtjes tegen zijn schouder gedrukt terwijl zij bleef fluisteren: 'Alsjeblieft!'

5 augustus 1907

Niets. Dat is wat er gebeurd is. Dat is wat ik zie, wat ik voel. Ik ben bang dat ons kind zijn dood in me heeft achtergelaten. Hij heeft mijn dromen zeker opgemerkt. 's Nachts word ik bezocht door mijn moeder en grootmoeder die schreeuwen en wijzen alsof ze me een afslag willen laten zien die ik gemist heb. Als ik terugga ontmoet ik mijn baby, opgegroeid tot een man maar nog met een blauwe huid, en van die dodelijk beschuldigende ogen. En ik schreeuw en Paul strekt zich naar me uit om me te troosten, maar zijn hand gaat door mijn vlees.

19 oktober 1907

Deze verloren zoon zal ons niet verlaten. Iedereen probeert hem te laten verdwijnen. Mijn vader kwam afgelopen weekend, vol grappen en grollen. Mary Jane sleept me naar verenigingszalen, demonstraties, werkbijeenkomsten en strategiebesprekingen. De zusjes Mason overladen me met koekjes en taarten om mijn humeur gunstig te beïnvloeden terwijl mijn studenten onze 'lessen' vullen met het opdreunen van gedichten uit de bloemlezing van McGuffey en doen alsof ze mijn vertwijfeling niet in de gaten hebben. Paul voedt me, baadt me, brengt me naar bed, alsof ik de baby ben die ik vermoord heb. Zijn geduld en aandacht folteren me.

'Een zoon,' wil ik tegen hem schreeuwen. '*Jouw* kostbare zoon.'

Ik wil hem beschuldigen, hem de schuld in de schoenen schuiven, met hem vechten, en in plaats daarvan kust hij mijn oogleden, zijn lippen als fladderende vlindervleugels. Ik wil hem haten tot ik op een nacht mijn hand naar hem uitstrek en ontdek dat zijn kussen ook doorweekt is van tranen.

25 januari 1908

Ons rouwseizoen is eindelijk voorbij. Een nieuw leven is in mij gekomen en ik kan zijn kracht en troost al voelen als een toverdrank die door mijn aderen stroomt. Alleen Paul weet het. We nemen geen risico's, maar iedereen heeft de verandering in mij gemerkt. Mijn zoon komt nog bij me in mijn dromen, maar nu staat hij tussen mijn moeder en grootmoeder in en alle drie houden ze elkaars handen vast en glimlachen. Eindelijk heeft hij de overtocht gemaakt.

Jennifer Pearl Leon, bestemd om met haar tweede naam te worden aangesproken, werd geboren om middernacht precies een jaar nadat haar broertje dood geboren werd. De bevalling duurde negen uur maar Hope had tot het einde weinig pijn, en die pijn op het eind was snel voorbij. De Zweedse vroedvrouw gaf de baby een dikke pakkerd en straalde bij haar krijsende antwoord, waste haar melkachtige waslaagje weg, bakerde haar in en vlijde haar in de armen van Hope, waarna ze ging schoonmaken. Toen moeder en kind voldoende toonbaar waren ontbood Mary Jane Paul en bewonderden ze met zijn allen de dikke, zwarte manen van het kind, haar roze engelenwangetjes, en haar ogen, die zo donker en helder waren, dat ze alle wijsheid uitstraalden die de mens in de loop der eeuwen vergaard had.

'Ze is jouw meisje,' zei Hope, en tilde hun dochter op naar Paul.

Aarzelend beroerde hij het pasgeboren huidje, hield zijn duim voor de kleine vingertjes om te grijpen. Het kind, een en al rimpel en rozepaarse vlekken, geeuwde uitgebreid.

'Pak haar maar,' drong Hope aan.

Hij deinsde achteruit alsof ze hem gevraagd had zijn hand in het vuur te steken.

'Ze kan je niet bijten, Paul. Ze heeft geen tanden.'

Mary Jane en Hope wisselden een blik van verstandhouding uit en leidden de vroedvrouw naar buiten, maar toen die twee weg waren leken de schaduwen in de spaarzaam verlichte kamer alleen maar langer te worden, en Hope werd zich plotseling bewust van de wind buiten. De baby nam haar rustig op, alsof ze wachtte wat haar moeder ging doen.

'Kom.' Ze verschoof het kind om een arm vrij te maken, en klopte op het bed naast haar. Hoewel Paul wel ging zitten, was zijn ongemak voelbaar.

'Ze lijkt niet op een mens,' zei hij.

'Ze is je dochter, Paul. Ze is wonderbaarlijk, ik weet het, maar ze heeft er net zoveel recht op door jou vastgehouden te worden als door mij.' Hope keek hem onderzoekend aan. 'Heb je je eigen zoon of dochter ooit vastgehouden?'

'Ik was weg.' Hij keek in de wijdopen ogen van het kind.

'En je bent voor hen nog steeds weg,' zei Hope. 'Maar je bent er voor Pearl. Ze is anders. *Wij* zijn anders, en dat moet jij ook zijn. Pak haar, Paul. Neem haar in je armen en houd van haar. Ze is een deel van ons – onze grootste triomf. Dat moet je beseffen.'

Met moeite richtte ze zich op en liet haar man zien hoe hij zijn armen open moest houden om het wiebelende hoofdje en de smalle rug te ondersteunen. Ze had hem nog nooit zo angstig gezien en hij schrok zich wild toen de baby haar mond opende en een stroom tevreden, gorgelende geluidjes liet horen, maar langzamerhand werd hij rustiger en begon haar een tikje verlegen te wiegen. Hij kreeg iets liefs toen de kleine oogjes dichtgingen om te slapen.

'Ze is ons allebei,' zei hij.
'Tuurlijk, wat had je anders gedacht?' Als het niet zo'n pijn had gedaan zou Hope om hem hebben gelachen.
Hij keek oprecht verbijsterd. 'Amerikaans. Ik denk dat we een Amerikaans kind zullen hebben.'
'Dat hebben we ook.'
'Maar in China...'
Hope onderbrak hem. 'Ik weet het, en in Amerika zal ze ook voor een halfbloed worden gehouden. Daarom heeft ze ons allebei nodig, Paul, om haar te beschermen en te leren wie ze werkelijk is.'
Hij legde het slapende kind terug in de armen van Hope en kuste haar twijfelachtig.

8

17 NOVEMBER 1908
Lieve Papa,
Bizar, schitterend, angstaanjagend nieuws uit China deze week. De telexen stromen binnen van Pauls vrienden in Hankow en Peking (van wie verschillenden de revolutie dienen door in de Verboden Stad te spioneren!). De bewoordingen van deze telexen zijn me te kostbaar om ze te parafraseren, dus hier volgt wat Paul me heeft voorgelezen.
EERST: Keizer lijdt aan constipatie. Keizerin diarree door room en krabappels met Dalai Lama. Keizerlijke wipwap in balans.
TOEN: Kuang Hsü heeft Yangs speciale 'wijn' gedronken en wint de race. Keizerin finisht uren later. Baby P'u Yi speelt keizertje. China wacht af.
TEN SLOTTE: Eunuchs en regenten hebben de leiding, beloven grondwet, parlement. Provinciale assemblees organiseren zich.
Heb je een vertaling nodig? Had ik ook, en zelfs Paul is niet helemaal zeker van de waarheid achter deze mededelingen, aangezien het rare taaltje eigenlijk een soort geheim-

schrift is, maar hij denkt dat het de keizerin-weduwe Tzu Hsi en de keizer Kuang Hsü, die ze jarenlang in het paleis gevangenen heeft gehouden, er eindelijk in geslaagd zijn elkaar te vergiftigen (ze hebben elk hun eigen eunuchs, begrijp je!). De keizerin-weduwe slaagde erin de keizer lang genoeg te overleven (enige uren) om haar drie jaar oude achterneefje tot nieuwe keizer te benoemen. In theorie regeert de vader van de jongen voor hem, als regent, totdat het kind zelf oud genoeg is, maar in werkelijkheid heeft niemand voldoende visie of gezag om de steeds luider weerklinkende vraag om verandering het hoofd te bieden. Nu probeert het hof de revolutionairen tot rust te brengen door hen de meest elementaire hervormingen te beloven, maar Paul betwijfelt of ze die ook daadwerkelijk zullen doorvoeren. Een echte grondwet en parlement zouden de Manchu's van veel te veel macht beroven, en veel van de mensen die het nu voor het zeggen hebben aan het hof geven nog minder om het land dan de keizerin-weduwe deed.

Wat betekent dit voor ons, hoor ik je vragen. Ik vraag hetzelfde aan Paul, en die rimpelt alleen zijn neus, en kijkt gretig en bezorgd. Hij zegt dat het betekent dat de revolutie zal slagen, maar of dat een kwestie is van maanden of van jaren is nog onmogelijk te voorspellen. Ik ben opgelucht dat hij er nog niet over begonnen is dat we snel terug moeten. Het is nog steeds te gevaarlijk voor hem, denk ik, en dr. Sun is nog al te zeer afhankelijk van de fondsen en goodwill die Paul hier voor hem werft.

Ik geef toe dat ik zeer gemengde gevoelens heb over deze ontwikkeling. We begonnen net zo'n lekker rustig leventje te krijgen. Dankzij Thomas en Mary Jane hebben we hier een heerlijk thuis, en Paul en ik hebben allebei ons werk en onze studie. Pearl is een verrukkelijk kind, een makkelijke baby die nog makkelijker is geworden door de uitbreiding van ons huishouden met een jong kindermeisje genaamd Li-li. Ze is een van de meisjes van Donaldina Cameron, die ik twee jaar geleden voor het eerst ontmoet heb. Haar kinderlijke charme en aangrijpende verhaal over redding uit de handen van slavenhandelaren maakten haar toen nog onmisbaar bij het binnenhalen van geld voor het huis van Donaldina. Ze is nu zestien, te stralend en mooi om in de omgeving van Chinatown te laten (nu nog verleidelijker voor de handelaren dan toen) en nog te onafhankelijk om te trouwen. Je zou kunnen zeggen dat wij haar een soort 'tussengezin' bieden. Zij zorgt voor Pearl in ruil voor kost en inwoning (in de kinderkamer), en dat stelt mij in staat weer les te geven bij de Masonzusters – heel belangrijk, want de geboorte van Pearl heeft de moeder van Paul niet scheutiger gemaakt. Het is niet altijd makkelijk, maar we hebben geloof ik een goede balans gevonden tussen de elementen die nodig zijn voor een gezond, gelukkig huwelijksleven. Hoewel het een groot avontuur zou zijn onze spullen te pakken en naar China af te reizen, zouden er nog zoveel onbekende factoren zijn, en zelfs onder optimale omstandigheden zouden er gevaren schuilen. Ja, papa, jij die zonder zadel te paard door de wildernis bent gereden, en recepten hebt verhandeld voor middeltjes tegen hoofdpijn onder vijandige stammen, en je op bevroren bergtoppen kapot hebt gewerkt tot je niets meer voelde, jij zult wel erg moeten lachen om je verwende, egoïstische dochter. Waar is mijn pioniersgeest gebleven? Ik denk dat die diep in slaap is gevallen in de warmte van dit heerlijke nestje. Ik heb eindelijk het gevoel alsof ik weet wat goed voor me is. Namelijk alles wat we hier hebben.

Ik moet eindigen. Paul kan elk moment thuis zijn en Li-li roept of ik haar zoete en kruidige soep wil proeven. Veel liefs, ook van Pearl en Paul.

Hope

In de twee jaren die volgden goochelde Hope met de eisen van haar opgroeiende dochter, haar studenten en Mary Jane's eeuwigdurende heropvoedingscampagne voor de vrouwenbeweging. Paul werd ondertussen steeds meer in beslag genomen door de gebeurtenissen bijna tienduizend kilometer verderop. Hervormingen beloofd door prins Ts'ai Feng, de vader van P'u Yi, nu regent van China, werden herhaaldelijk uitgesteld, terwijl de belastingen onrustbarend werden verhoogd, want de Manchu's moesten alles op alles zetten om de buitenlandse leningen terug te betalen die waren afgesloten door wijlen de keizerin-weduwe om de schatkisten van de Ch'ings te vullen. Kleine boeren en kooplui kwamen in opstand, en hoewel de Manchu's nog steeds voldoende macht hadden om de opstanden van het Nieuwe Leger van Sun Yat-sen de kop in te drukken, bestond de meerderheid van de revolutionaire troepen voor het eerst uit keizerlijke overlopers.

In het najaar van 1909 vertrok Paul naar New York om Sun Yat-sen te ontmoeten en hem op een reis door het land te begeleiden. De volgende vier maanden waren ze samen op reis met een groep musici en acteurs, die revolutionaire opera's opvoerden in t'angzalen en mijnwerkerskampen. Ze hielden korte speeches in Chinatowns, haalden geld op bij wasmannen, fruitplukkers, explosievenexperts, groentehandelaren en huisknechten. Ze verspreidden in het Engels geschreven pamfletten onder Amerikaanse politici, zakenlui en geestelijken, waarin ze de democratische revolutie propageerden als 'De Ware Oplossing van de Chinese Kwestie'. Uiteindelijk keerden ze naar de Westkust terug met een arsenaal pasklare leugens voor Amerikaanse huurlingen. In Los Angeles ontmoetten ze 'Generaal' Homer Lea, een man van honderdvijftig kilo, met een enorme bochel, afgestudeerd aan Stanford en de afgelopen tien jaar actief als militair adviseur van de royalisten. Lea en een NewYorkse bankier in ruste genaamd Charles Boothe hadden besloten dat ze meer kans hadden hun fortuin te maken met een investering in de snel naderende Republiek van China. Paul zat er zwijgzaam en geamuseerd bij terwijl dr. Sun de twee mannen en hun beoogde syndicaat een aanbieding deed: volledig eigendom of huur van de Chinese spoorwegen, centrale bank, munt en mineraalvoorraden. Dr. Sun, wiens borstelige wenkbrauwen en ruwe snor elk spoor van huichelarij verborgen, was zich volledig bewust van de racistische vooroordelen die beide Amerikanen onder hun gretige vernislaagjes verborgen hielden. En hij was volledig bereid hen net zo te behandelen als zij met hem zouden doen. Als zij met vier miljoen dollar voor Nieuw China over de brug konden komen, zag Sun er geen been in om zijn strijdkrachten te schatten op dertigduizend intellectuelen en tien miljoen 'vrijwilligers' uit allerlei geheime genootschappen.

'Het zal commerciële zelfmoord zijn voor de Amerikaanse kapitalisten,' zei Sun op de avond in maart die hij met Paul en Hope doorbracht alvorens naar Honolulu af te reizen. 'Maar het is beter een net te maken dan aan de kant van de vijver naar vis te zitten smachten.'

Paul en hun andere gasten, de krantenman en presbyteriaanse dominee Ng Poon Chew en zijn vrouw Chun Fa, bij wie dr. Sun logeerde, knikten kalmpjes achter hun identieke brilletjes.

'Maar netten zitten vol gaten,' zei Hope, 'en sommige vissen weten zich er altijd doorheen te wriemelen.' Ze zag dat Paul ineenkromp en voegde er nadrukkelijk aan toe: 'Vergeeft u mij mijn vrijpostigheid, dr. Sun. Ik probeer slechts uw strategie te begrijpen.'

Dominee Chew glimlachte breeduit. Chew, een robuuste, gedrongen man van in de veertig met een rechthoekig hoofd en rechte mond overhuifd door een keurig geknipte langwerpige snor, redigeerde de *Chinese Western Daily* in Oakland, maar had ook als pastor gewerkt in het missiehuis van Donaldina. Hij had zijn staartvlecht al bijna dertig jaar geleden afgeknipt. Dus toen hij zei: 'Uw Amerikaanse vrouw is niet bang om haar intelligentie ten toon te spreiden,' vroeg Hope zich af of hij de gek met haar stak of met Paul.

Mevrouw Chew leek niet van haar stuk gebracht. Ze was een tengere maar geestdriftige vrouw van in de dertig, en ze keek haar man recht in de ogen. 'Dat zijn jouw dochters anders ook niet.'

Hij lachte. 'Nee, die zijn ook Amerikaans!'

'Hebt u geen plannen om na de revolutie naar China terug te keren, P'an Chao?' Dr. Sun sprak de naam van de krantenman correct, on-Amerikaans, uit. (In verwarring over de Chinese volgorde van voor- en achternamen, hadden immigratiebeambten Chew als achternaam op de documenten gezet waarmee Ng Poon Chew in 1881 het land was binnengekomen, en zo was het altijd gebleven.) Dominee Chew gebruikte zijn krant en geregelde optredens achter spreekgestoeltes om de anti-Chinese wetten aan de kaak te stellen, maar hoewel hij Sun een keer van deportatie had gered, en ook lid was van de Chinese Vrijmetselaars die de *Free Press* steunden, was hij geen actieve strijder voor de revolutionaire zaak.

'Dit is mijn thuis en het thuis van mijn kinderen,' zei dominee Chew. 'Bovendien, als ik de verstandhouding tussen blanken en Chinezen in dit land kan bevorderen, zullen sommige van die blanken meer genegen zijn uw revolutie te steunen.'

Dokter Sun tuitte zijn lippen, knikte een keer en wendde zich weer tot Hope. 'Ik word ook weleens beschuldigd van onbeschaamdheid, maar ik beschouw dat als een compliment. Wat betreft uw opmerking, mevrouw Liang, zeg ik dat de vissen die ik graag in mijn net wil hebben te groot zijn om door de gaten te glippen. Maar ze zouden weleens te gewiekst kunnen zijn om het net binnen te gaan, wat tot hetzelfde resultaat leidt. Dus verleid ik ze met beloften waarvan ik weet dat ik ze niet kan waarmaken en hoop dat zij dat niet zullen doorhebben.'

'Ze begrijpen alleen hun eigen hebzucht,' zei Paul. 'U hebt ze heel goed door.'

'Met andere woorden,' zei Hope, 'het doel heiligt de middelen.'

Ng Poon Chew en zijn vrouw wisselden een blik van verstandhouding en bliezen in hun thee.

'We proberen een regering omver te werpen, Hope.' Paul deed zijn benen van elkaar en legde zijn handen op zijn knieën. 'Winstmotief is een nuttig middel.'

'Ik zie het als goudzoeken,' zei Sun Yat-sen. 'Soms betaalt een rijk man voor een expeditie om een mijn te ontginnen op zoek naar goud. Misschien levert het iets op. Misschien niet.'

'Ja.' Paul knikte instemmend. 'Ja.'

Maar Hope had haar vraagtekens bij zijn bereidheid om mee te doen aan dit bedrog. Sun Yat-sen leek haar een goede man, serieus en intens, maar hij had ook iets inefficiënts dat bijna tastbaar was, waardoor zijn uitdagende woorden constant ondermijnd werden. Met die borstelige wenkbrauwen en slaperige ogen, dat nat achterovergekamde haar, als van een klein jongetje, en die knorrige lippen, kon hij makkelijk voor een dichter of een verstrooide bankier worden gehouden. Ze begreep heel goed waarom deze tengere, bijna verwijfde man op zijn eerste reizen door Amerika veeleer een bron van irritatie dan van inspiratie was geweest voor de *hua ch'iao* – overzeese Chinezen – die zich met dynamiet een weg hadden gebaand door bergen en de spoorwegen met hun blote handen hadden aangelegd. Wat zo verbazingwekkend aan hem was was dat hij steeds terug bleef komen, dat hij al vele malen om de wereld was gereisd en dat hij, hoewel er een aanzienlijk bedrag op zijn hoofd stond en hij verscheidene keren ternauwernood aan arrestatie was ontsnapt, net als Paul zijn visie op een vrij China bleef uitdragen.

Hope bevrijdde Li-li van de wiebelende kop en schotel die ze haar probeerde te overhandigen. Toen ze hoorde dat dr. Sun op bezoek zou komen, had het meisje de hele dag geen woord kunnen uitbrengen. Ze had de eerste lading biscuits laten verbranden, te veel zout in de stoofpot gedaan en vergeten Pearl een slaapje te laten doen totdat het arme kind krijste van vermoeidheid. Uiteindelijk had Hope aangeboden zelf het diner op te dienen zodat Li-li in de kinderkamer kon blijven. Daarop had het jonge kindermeisje zich vermand en toch de maaltijd geserveerd – een eenvoudige Amerikaanse maaltijd, op verzoek van dr. Sun. Maar haar geïmponeerdheid begon weer de overhand te krijgen.

Hope vroeg het meisje even bij de slapende Pearl te gaan kijken. Toen ze zich weer tot haar gasten wendde waren de mannen overgestapt op het Kantonees. Chun Fa, die links van Hope zat, zwaaide met haar voet, waar een zwarte slipper aan hing, als een dirigent met zijn stokje. Mevrouw Chew, net zo verwesterd als haar man, droeg een keurige uitgaansjurk van zeegroene taf met satijnen biezen en een bijpassende veren hoed over haar pompadourkapsel.

'Uw kinderen,' zei Hope. 'Denkt u dat u ze ooit mee terug zult nemen naar China?' Ze knikte naar de mannen. 'Ervan uitgaande dat zij hun zin krijgen?'

Mevrouw Chew zette haar voet op de grond. 'U zegt "terug" zoals sommigen zeggen dat alle Chinezen "terug zouden moeten naar waar ze vandaan komen". Maar ik ben in Amerika geboren. Al mijn vier kinderen zijn in Amerika geboren, en mijn man heeft China sinds zijn vijftiende, bijna veertig jaar niet meer gezien. Ik zou mijn familie in China graag eens opzoeken, ja, maar we gaan niet terug.'

De woorden werden op vriendelijke toon uitgesproken, maar de boze ondertoon was onmiskenbaar. Hope had het gevoel dat ze een standje had gekregen en nu haar verontschuldigingen moest aanbieden, maar zoals na ieder standje, viel het niet mee om excuses te maken. In plaats daarvan lachte ze stoer. 'Tussen Paul en mijn studenten en mijn kindermeisje, stel ik me soms voor dat ik ook uit China kom, en als ik eraan denk dat we er op een dag heen zullen gaan, denk ik altijd in termen van teruggaan.'

'Dan houdt u zichzelf voor de gek. Uw man gaat misschien terug, net als die van mij. Maar u gaat weg. Dat zijn twee totaal verschillende dingen.' Daarbij leunde de oudere vrouw naar voren en klopte Hope op de hand. Ze zag de bleke huid tegen haar eigen huid, en de smalle, fijne vingers, en Hope schrok toen ze besefte dat zij en Chun Fa bijna even groot en breed waren, en op hun ogen na dezelfde kleur hadden. Bovendien had het brede sierlijke gezicht dat haar aankeek helemaal niets kwaads, maar eerder iets dat gevaarlijk veel weg had van medelijden.

Ze werd bleek en wendde zich tot de mannen. Paul gooide een handjevol gesuikerde meloenpitten in zijn mond. Dr. Sun bestudeerde zijn zakhorloge en geeuwde. Ng Poon Chew rechtte de vouw in zijn gestreepte broek.

'Hebt u kinderen, dr. Sun?' vroeg Hope.

'Ja zeker.' Hij klapte het gouden horloge dicht en keek op met een minzame glimlach. 'Een zoon en twee dochters.'

'Het zal wel moeilijk voor hen zijn, met een vader die zoveel reist.'

Paul wierp Hope een waarschuwende blik toe. 'Vergeeft u mijn vrouw, dr. Sun. Ik probeer haar uit te leggen dat Chinese families anders zijn dan Amerikaanse families, maar ze begrijpt het niet.'

Sun Yat-sen streek met een vinger over de linkerhelft van zijn snor.

'Ik vraag het,' zei Hope, 'omdat ons dochtertje de afgelopen maanden, toen mijn man met u op reis was, elke avond naar hem vroeg. Ik kon haar geruststellen dat haar papa over een paar dagen terug zou komen, maar ik bedacht me hoe verdrietig we allebei zouden zijn als het in plaats van dagen, jaren zou duren voor we weer herenigd zouden worden.'

'Een van de verschillen tussen Chinese en Amerikaanse families,' zei dr. Sun, 'zijn de huwelijken die ze produceren.'

Dominee Chew drukte zijn handen tegen elkaar, de wijsvingers raakten zijn onderlip. 'Jung Ch'un-fu heeft een keer gezegd dat het Amerikaanse huwelijk een kostbare edelsteen is die men zorgvuldig uitzoekt, oppoetst en koestert, terwijl het Chinese huwelijk een steen is die men verplicht bij zich draagt. Je kent Jung toch nog wel, Po-yu?'

Paul knikte en keek naar Hope. 'Dat was mijn leraar in Hong Kong. Dr. Sun en ik zijn vorig najaar nog bij hem geweest toen we in het oosten waren.'

'Hij aanbad zijn Amerikaanse vrouw,' zei Sun Yat-sen.

'Dan moet u mijn bezorgdheid begrijpen, dr. Sun.' Hope greep de zitting van haar stoel vast en leunde naar voren. 'Omdat wij zoals u dat noemt een Amerikaans huwelijk hebben, zie ik mijn man niet graag vertrekken, of het nu voor weken, maanden of jaren is. En aangezien uw ambities en zijn bestemming zo nauw samenhangen, wil ik graag van u weten hoe de toekomst van China er in uw ogen uitziet.'

'En welke rol ik voor uw man zie?' Dr. Sun tilde omzichtig zijn kopje op en bestudeerde de ronddwarrelende theeblaadjes. Hope werd woest dat hij zo de spot met haar dreef, maar hield zich in. 'Ik ben bang dat ik de kunst van de theeblaadjes nooit geleerd heb, en ik heb te veel respect voor u om u het soort beloften te doen die ik sommige andere Amerikaanse vrienden doe. Ik geloof echter dat de revolutie zal slagen, en dat uw man binnen tien jaar een vooraanstaande positie in onze nieuwe republiek zal innemen. Is dat een bevredigend antwoord?'

Ze kreeg het opeens koud en sloeg haar armen om haar middel.

'Mijn vrouw heeft gemengde gevoelens ten aanzien van ons welslagen,' zei Paul.

'Dat merk ik,' zei Sun Yat-sen. 'Maar veel van onze eigen landgenoten hebben dat ook, zelfs diegenen die er alleen maar beter van kunnen worden.'

'Het is het bloedvergieten dat eraan voorafgaat dat hen bang maakt,' zei Hope.

'Nee,' zei dr. Sun. 'Daar kan ik het niet mee eens zijn. In China zijn weinig mensen bang om te sterven, en velen zien uit naar het einde. Maar verandering – dat is een bron van angst. En die angst is onze grootste vijand.'

'Voor Amerikanen', zei Paul, 'is verandering een soort opium. Het fascineert hen en verlokt hen. Ze lezen er de illusie van geluk in en jagen het na ten koste van hun geest en zelfs hun leven. Ik denk dat blanke mannen daarom zo'n rusteloze soort zijn, nooit echt kalm en tevreden, dat ze daarom altijd verder moeten en nieuw land en nieuwe volkeren veroveren.'

Hope deed haar mond open om daar iets tegenin te brengen, maar dominee Chew stak diplomatiek een hand op. 'Het is laat,' zei hij. 'We danken u voor een zeer aangename avond, maar het schip van dr. Sun vertrekt vroeg.'

Hope en Paul liepen met hun gasten langs een energiek buigende Li-li mee tot aan de straat. Het was koud en vochtig, een volle maan straalde achter flarden bewolking. Op Shattuck klingelde de tram van tien uur, maar Ng Poon Chew chauffeerde zijn hooggeachte gast in een mosgroene Packard-coupé, voor deze gelegenheid geleend van de rijkste curiosahandelaar in Oakland. De drie gestalten klommen ietwat steels in de glanzende auto. Chun Fa verdween alleen op de donkere achterbank. Weer voelde Hope een steek van herkenning, van medeleven voor die andere Amerikaanse die met een Chinese man getrouwd was. Maar Chun Fa had medelijden met haar.

De grote ronde koplampen floepten aan en de Packard reed grommend weg. Hope en Paul stonden in het gaslicht te zwaaien. Ze stonden zo dicht bij elkaar dat hij merkte dat ze huiverde. Meteen sloeg hij een arm om haar heen – op z'n Amerikaans.

'Ik geloof dat je dr. Sun geshockeerd hebt,' zei hij toen ze terugliepen.

'Volgens mij stoorde het jou meer dan hem.'

'Hij is mijn leraar en mijn held. In de geschiedenis zal hij bekendstaan als de vader van de Chinese revolutie. Denk je eens in hoe jij je zou voelen als George Washington of Abraham Lincoln kwam dineren.'

'Ik zou met hen niet minder direct zijn,' antwoordde ze. 'Ook helden zijn mensen. Hoe is zijn vrouw?'

'Zij is de bruid die haar ouders voor hem uitgezocht hebben. Hij is aan haar verplicht, maar hij houdt niet van haar.'

Hope zocht zijn hand op haar schouder. Ze liepen in cadans: zijn langere benen hadden zich aan haar ritme aangepast. 'Drie kinderen,' zei Hope, 'en geen liefde?'

'Je hebt het gehoord, het Chinese huwelijk is gebaseerd op verplichting, niet op liefde.'

'Arme vrouw.'

De maan gleed achter een wolk en de tuin leek zich terug te trekken van de lichten van de cottage. 'Het spijt me dat Thomas er vanavond niet bij kon zijn.' Paul gebaarde naar zijn donkere huis. De afgelopen maand had hun huisbaas bijna elke avond tot laat aan toe gewerkt aan de nieuwe verkaveling van Northbrae. 'Dr. Sun zou hem graag wat vragen hebben gesteld over stadsontwikkeling.'

'Je verandert van onderwerp. Is dat de ware reden dat Sun voortdurend blijft rondreizen? Om het thuisfront te mijden?'

'Ik denk dat de revolutie Sun Yat-sens ware liefde is.'

'Dan zou hij van zijn vrouw moeten scheiden en haar iemand laten vinden die wel om haar geeft.'

Paul begon in de richting van de cottage te lopen, maar Hope trok hem de andere kant op. Daar, verderop in de tuin, stond een houten bank, bij de schommel die Thomas voor Li-li en Pearl in de grote olm had gehangen. 'Laten we daar even gaan zitten praten.'

'Je hebt het koud.'

'Nee, het gaat best. Als jij maar dicht bij me blijft. Je hebt genoeg warmte voor twee.'

'Wat als Li-li ons ziet?'

'Wat dan nog?' Hope rekte zich uit en kuste hem op zijn oor. 'Denk je dat ze niet weet dat we in één bed slapen?'

'Ze is een kind.'

'Een kind voor wie het leven geen geheimen meer kent. Ik denk dat we haar juist een plezier doen als we laten zien hoe liefde eruitziet.'

Hij liet zich door haar neertrekken, liet haar tegen zijn borstkas kruipen. De wolken dreven uit elkaar en de maan zeilde verder, majestueus en stralend door de bladerloze takken.

'Vertel me over je eerste vrouw,' zei Hope.

'Ik heb je verteld.'

'Je hebt me alleen verteld dat ze bestaat. Hoe was ze? Hoe gedroeg ze zich? Was ze knap? Jong?'

Paul bleef zitten waar hij zat, trok zich op geen enkele manier terug en toch voelde ze dat er iets in hem verstrakte. 'Zij is niet belangrijk,' zei hij.

'Ze was de moeder van je kinderen. Ze is belangrijk voor hen.'

Hij haalde diep adem en liet zijn hand op haar middel vallen. 'Ik heb je verteld dat ze gestorven is in de cholera-epidemie. Dat is waar, maar ze is niet gestorven aan cholera.' Hij aarzelde.

'Vertel dan,' zei Hope zachtjes.

'Altijd was ze een nerveus meisje. Temper...?'

'Temperamentvol?'

'Ja. Ze keek altijd in de spiegel.'

'Ze was mooi.'

'Ja, aanvankelijk, maar ze was de lieveling van haar vader en beschouwde zichzelf daarom als de keizerin. Zeer veeleisend.'

'Dat moet je moeder heerlijk gevonden hebben.'

'Zij en mijn moeder hadden strijd vanaf het begin. Hoe meer ze klaagde, des te meer straf mijn moeder voor haar bedacht. Ze haten elkaar, en ze zijn precies hetzelfde.'

'En met de kinderen?'

'Ze had geen belangstelling voor onze kinderen. Ze zat de hele dag haar nagels te lakken of haar gezicht op te maken. Als ik thuiskom smeekt ze of ze bij me mag blijven. Als ik wegga smeekt ze of ze mee mag.'

Hope trok zich een beetje terug, zocht in de duisternis naar zijn ogen. 'Je houdt het niet gewoon voor mogelijk dat ze van je hield?'

Hij schudde zijn hoofd. 'Als ik weiger haar mee te nemen schreeuwt ze en bedreigt me, en zegt dat ze onze kinderen pijn zal doen. Ik denk het is alleen haar – temperamentvolle – karakter. Ik heb geen tijd meer voor haar trucjes. Ik heb genoeg aan hoofd met Chang Chih-tung. Het is de periode dat ik de Hankow-opstand voorbereid.'

'Toen je gearresteerd bent.' Ze gleed met een hand achter zijn rug langs. 'Toen je moeder je leven heeft gered.'

'Ja, maar dit maakt mijn vrouw alleen nog woedender.'

Hope knikte. 'Omdat ze strijd met elkaar hadden, en dat je moeder meer macht over jou gaf.'

Hij nam Hope op met een uitdrukking die het midden hield tussen bewondering en argwaan. 'Hoe weet jij zo goed hoe mijn vrouw denkt?'

Ze zuchtte. 'Ik heb vrouwen gekend die zo denken. Ik stel er eer in om vast te stellen dat ik niet zo ben. En wat gebeurde er toen?'

'Nadat ik naar Sjanghai ontvlucht ontdekte mijn moeder dat mijn vrouw een minnaar heeft genomen.'

'Paul! Hoe kwam ze daarachter?'

'In China heeft een vrouw geen geheimen voor haar schoonmoeder. Drie maanden lang had mijn vrouw geen maandverband te wassen, en ik was zes maanden weg geweest. Toen ik acht maanden weg was geweest en in Hong Kong was hoorde ik dat mijn dochter cholera had gehad maar genezen was, terwijl mijn vader en vrouw gestorven waren. Veel later, toen ik in Japan was, hoorde ik dat mijn vrouw niet aan koorts was overleden maar aan het eten van goud.'

Hope deed haar ogen dicht. Ze zag hen allemaal voor zich in hun overdadige gewaden, deegwitte gezichten en robijnrode lippen, de kinderen negerend en elkaar hatend. Figuren uit een nachtmerrie. Behalve Paul. Toen ze probeerde zich haar man voor te stellen in dat tableau lukte dat met geen mogelijkheid. En toch, zelfs op deze afstand, bleef hij er het middelpunt van.

Ze huiverde. Hij nam haar handen tussen de zijne en blies er hoofdschuddend zijn adem op om ze te warmen. 'Waarom dwing je mij om die dingen te vertellen?'

'Je hebt het vier jaar lang weten te verzwijgen. Ik ga me afvragen wat je nog meer verbergt.'

'We kunnen niet alles van elkaar weten.'

'Je hebt gelijk,' zei ze. 'En als we wel alles wisten, zouden we waarschijnlijk onze belangstelling voor elkaar verliezen. Maar het is het *streven* om meer te weten dat ons bij elkaar houdt, begrijp je dat niet, Paul?'

Hij kuste een voor een al haar vingertoppen, trok haar armen om zijn middel en kuste haar zachtjes op haar mond en oogleden en neus. Het lage, sonore getoeter van een scheepsfluit kwam aandrijven vanaf de baai, en de mist spreidde zijn fijne sluier over hun huid. Hope was nu door en door koud, maar toen Li-li de deur opendeed en naar buiten tuurde duwde ze Paul terug in de schaduw. De deur ging weer dicht en de donkere perzikkleur van Li-li's jurk ging van het ene raam naar het andere. De deur van de kinderkamer ging open en ze zagen door de doorschijnende gordijnen hoe het kindermeisje zich over het wiegje boog en toen haar armen optilde om haar vlecht los te maken. Aan de andere kant van de tuin kondigden geknars van grind en geronk van een motor de thuiskomst van Thomas aan.

‘Kom,’ zei Paul.

‘Nee, wacht,’ fluisterde Hope. Ze kon niet beschrijven wat haar tegenhield. Loomheid, geboeidheid, vermoeidheid. Het gevoel dat zij en Paul zich tegelijkertijd verborgen hielden en zaten te kijken. Echt spioneren was het niet, maar het had wel datzelfde stiekeme. Maar ze moest nog even blijven.

Het portier van de T-Ford werd met een klap dichtgesmeten. Ze konden Thomas niet zien doordat er een boom voor stond, maar ze hoorden zijn voetstappen op het gras. Hij ging de helling af naar het paadje dat van de oprijlaan naar de cottage liep. Hope tilde haar hoofd van de borstkas van haar man – zijn hartslag was zo luid dat ze niet kon zeggen of wat ze dacht dat ze ontdekt had zo was, maar dat was het wel. Ze kon Thomas nu zien. Hij ging langzamer lopen, draaide zich om. Hij bleef een hele tijd aan het begin van het paadje staan, en zijn bolhoed viel voorover toen hij zijn nek uitstak om naar de lichten in de cottage te kijken.

Hope hoorde Paul ademhalen en deed haar hand voor zijn open mond. Ze keek grinnikend naar hem op, smekend, bracht een vinger naar haar lippen en gaf hem een teken dat hij moest kijken.

In de twee jaar dat Li-li bij hen was, was Thomas langzaam weer de oude geworden. Niet alleen had hij zich weer op zijn werk gestort, hij was ook dikker geworden. Zijn wangen hadden weer kleur, zijn tred was kwiek. Hij kleedde zich met een gevoel voor stijl dat Hope nooit achter hem gezocht had, en hij bewees zijn vakmanschap als aannemer in huis, met Pearl als excuus. De schommel was zijn eerste geschenk geweest, gebouwd als een kom met gaten voor de engelachtige beentjes van de kleine, zodat ze er niet uit kon vallen als Li-li haar duwde. Daarna had hij een harmonicahekje gemaakt zodat ze in de zomer op de veranda konden spelen zonder dat Pearl van het trapje zou vallen. En daarna een klein karretje, rood en geel geverfd, waarin Li-li Pearl op de oprijlaan heen en weer kon rijden. Vaak liep Thomas dan met hen mee, of kwam hij naar buiten om de kleine op de schommel te helpen duwen. Hope had die attenties op prijs gesteld; ze dacht dat hij door Pearl het vaderschap ervoer dat hem door de dood van zijn vrouw onthouden was. Maar nu, nu ze keek hoe Thomas voor het raam van de kinderkamer stond, besefte ze dat ze het helemaal mis had gehad.

Hij keek niet naar de baby maar naar Li-li, zoals ze daar in die perzikkleurige jurk in haar verlichte kamer langzaam haar heuplange haar stond te borstelen.

5 januari 1911

Mijn vader is hier drie dagen geweest met Kerstmis en Thomas heeft ons een stevig gebraden ribstuk geserveerd, dat hij en Li-li helemaal zelf hadden klaargemaakt. Er was een prachtige blauwe spar in de zitkamer en een knetterend haardvuur. We dronken irish cream en deden alsof we niet zagen dat in elke deuropening, als een dolende cupido, een maretak schommelde. Mijn vader maakte een van zijn typerende pikante opmerkingen over Chinese liefdesdrankjes. Mary Jane kreeg er lachstuipen van en Thomas en Li-li een hoofd als een tomaat. Paul redde de situatie (min of meer) door papa te vragen of hij ooit van die toverkruiden had geprobeerd. Toen papa zei dat dat helaas niet het geval was, bood hij aan wat voor hem te regelen. Toen was het de beurt van papa om te blozen. Hij redde zich eruit (min of meer) door aan te kondigen dat hij zijn plan om in La Porte een mijn te kopen had opgegeven en naar Los Angeles gaat verhuizen om zich weer in de natuurgeneeswijzen te storten. En dat hij en Paul misschien wel wat kruiden konden uitwisselen, zien welke het beste werkten. Daar dronken we op.

De hele avond konden Thomas en Li-li hun ogen niet van elkaar afhouden. Als Li-li lachte kreeg ze iets sprankelends dat ik nooit eerder had gehoord, en Thomas schonk zoveel wijn in dat ik me begon af te vragen of *dat* het liefdesdrankje was. Eindelijk, toen de vlammen om de plumpudding dansten, deed Thomas de aankondiging die we al maanden hadden verwacht – en ik gevreesd.

Het goede nieuws is dat ze van plan zijn tot het voorjaar te wachten en ze houden vol dat de enige belangrijke verandering zal zijn dat Li-li naar de andere kant van de tuin verhuist. Paul en ik moeten, zoals Thomas zegt, 'blijven zitten waar we zitten', en Li-li heeft me laten beloven geen ander kindermeisje voor Pearl te nemen. Dus iedereen is gelukkig. We hebben allemaal gezegd hoe blij we voor hen zijn. We hebben onze mond gehouden over de vooroordelen waar ze, en dat weten ze heel goed, mee geconfronteerd zullen worden. Toen vroeg Pearl, koninginnetje dat ze is, van Thomas en Li-li elk een kus, en iedereen was het erover eens dat de verbintenis daarmee officieel ingezegend was.

Wat mij intrigeert zijn de vreemde steken van jaloezie die

me sinds die avond achtervolgen. Ik merk dat ik zit te kijken als ik ze na de warme maaltijd samen op de veranda zie zitten. Ik merk op hoe aandachtig hij naar haar voorovergebogen zit als ze praat. Ik zie het bloed dat naar haar wangen stroomt als ze hem alleen al ziet. Ik word gedwongen toe te geven dat Paul en ik die magnetische nieuwheid van de liefde al achter ons gelaten hebben. Wij zijn getrouwde mensen. Wij hebben een leven samen. Een andere magie verbindt ons nu, een gevoel van troost en vertrouwen, maar ook een soort melancholie. Soms kijk ik midden in de nacht naar het mooie, zachte glanzende hoofd van Paul, als een kind in slaap op zijn kussen, en dan brengt die melancholieke bui een gehandschoende hand naar mijn keel en duwt zacht maar stevig tot ik het uitschreeuw. Dan vouwt Paul een arm om me heen en houdt me vast, en mompelt iets dat ik niet begrijp, en dan voel ik me tegelijkertijd getroost en eenzamer dan ooit. Toen dat gisteravond gebeurde heb ik een hele tijd wakker gelegen in zijn slapende omarming, en ik dacht aan Thomas en Li-li, en eindelijk zag ik de ware bron van mijn jaloezie.

Ik besefte dat toen we voor elkaar vielen, we ook voor een illusie vielen. We geloofden – *ik* geloofde – dat door zo dicht mogelijk bij elkaar te komen als een man en een vrouw kunnen zijn, we elkaar zouden leren *kennen*. Er was die andere persoon, een eindig lichaam met eindige ervaringen – als een schatkist. Door genoeg lief te hebben, door onszelf compleet aan elkaar te geven, zouden we in staat zijn die schat ter hand te nemen en lichamelijk, geestelijk, emotioneel te bezitten. Totaal. Wat we niet beseften, en wat nieuwe geliefden misschien niet kunnen verdragen te geloven, zelfs niet als iemand stom genoeg is om te proberen hun dat te vertellen, is dat die schat, die we zozeer begeren en zo koesteren, helemaal niet eindig is, niet begrensd, maar voortdurend groter wordt. Nu, als ik Paul aanraak, is het net alsof hij zich voor mijn ogen vermenigvuldigt. Hij is niet één man, maar vijf, heeft niet één leven, maar twintig, niet tien ambities, maar honderden en niet honderd vrienden, maar duizenden. Zijn ervaring breidt zich onbeperkt uit, in alle richtingen, net als die van mij, denk ik. Maar hoe beter ik hem ken, hoe minder ik van hem weet. Dat is de harde waarheid van de liefde die alleen in een huwelijk naar boven komt. En er is niets – absoluut niets aan te doen.

9

DE VOLGENDE MAANDEN HADDEN VOOR HOPE IETS BITTERZOETS, als het eind van een lange vakantie. Ze genoot van haar uren met Li-li en Pearl, van het huwelijksfeest van Thomas en Li-li, van haar middagen met haar missieleerlingen en avondjes met Mary Jane. Maar over al die dagen werd een schaduw geworpen door de gestage opeenvolging van gebeurtenissen in China.

Nadat ze bijna twee jaar de boot hadden afgehouden, hadden de Manchu-heersers de provincies eindelijk toestemming gegeven vertegenwoordigers te kiezen voor een Nationale Assemblee, maar ze hadden geweigerd in te gaan op de eis van de vertegenwoordigers om een parlement te installeren. Enkele voormalige klasgenoten van Paul beraamden een aanslag op de regent, maar werden gearresteerd, gefolterd en geëxecuteerd. Andere broeders in Wuhan richtten een geheime revolutionaire organisatie op onder de schuilnaam Literair Genootschap Hupei, grotendeels gefinancierd door *hua ch'iao*-contributies die Paul had ingezameld en via de *Ta T'ung Daily* had overgemaakt. Een en ander betekende dat Paul steeds meer dagen of op de krant doorbracht of in rokerige zalen waar hij lezingen hield voor kooplui en Chinese immigranten. Hij ging nauwelijks meer naar college, delegeerde zijn huiswerk aan ondergeschikten op de krant, en als Hope hem er af en toe aan herinnerde dat zijn visum afhankelijk was van op zijn minst de schijn dat hij student was, wuifde hij haar bezwaren weg. Hij had te veel andere strategische problemen aan zijn hoofd, en maakte plannen op grotere schaal.

Voor het eerst begon de politieke toewijding van Paul ook hun privé-leven aan te tasten. Hij bekte Pearl af als die kwam aanwaggelen en zijn jaszakken doorzocht op de snoepjes die hij 's avonds altijd mee naar huis nam. Hope moest vaak drie of vier keer iets vragen voor hij haar hoorde. En in bed lag hij uren naar het donkere plafond te staren. Hun liefdesspel was nu eens een plichtmatige, bijna onpersoonlijke ontlading van lichamelijke spanning, dan weer een wanhopig hongerige daad die Hope het gevoel gaf alsof hij ergens binnen in haar zocht naar een soort geheimzinnige balsem, een oplossing voor een of ander raadsel in zijn eigen binnenste. Als ze probeerde hem gerust te stellen, glibberden haar handen over het zweet dat langs zijn rug stroomde en langs de wirwar van littekens die 's nachts dieper en grover leken te worden. Ze kon hem niet vasthouden en ze voelde zich niet bij machte om hem beter te maken.

'Je zou het liefst weer terug zijn om de laatste opstand te ontketenen,' zei ze op een avond toen hij aan zijn bureau zat en de telegrammen van die dag bestudeerde: meer dan alle telegrammen die hij in het hele eerste jaar van hun huwelijk ontvangen had.

'Ik leef in ballingschap.' Hij zette zijn bril af en wreef over zijn slapen en was opeens een Mandarijn. 'Ik volg bevelen op en blijf buiten schot terwijl mannen die mij ooit bewonderden hun leven riskeren om China te redden.'

Hope trok zijn jasje uit en maakte zijn boord los om zijn schouders te masseren. 'Weet je, Paul, zonder jou hier zouden die mannen geen schijn van kans hebben. Nu meer dan ooit.'

Hij pakte haar handen en hield haar tegen. 'Ga je met me mee,' zei hij, 'als het tijd is?'

Ze slikte en sloot haar ogen tegen de okergele gloed van de lamp. Aan de andere kant van de gang riep Pearl in haar slaap.

'Ik weet het niet,' zei ze. Tranen die ze niet had voorzien stroomden over haar wangen, en ze draaide zich om. 'Vraag het alsjeblieft niet eerder dan dat het zover is. Pearl heeft me nodig. Paul, laat me alsjeblieft gaan.'

Hij liet haar los en ze vluchtte weg, als een boot die is losgerukt van de steiger. Ze was bijna twee maanden zwanger.

Het telegram dat ze had gevreesd, kwam op de middag van 13 oktober 1911. Vier nachten eerder hadden Pauls vrienden in het kantoor van het Progressieve Genootschap in de Russische Concessie van Hankow per ongeluk een bom laten ontploffen die voor een opstand later die maand bestemd was. Zeer velen werden gearresteerd en geëxecuteerd, maar de volgende dag veroverden de overlevende rebellen, gesteund door muitende regeringstroepen, de wapenopslagplaats in de nabijgelegen stad Wuchang, de stad waar Paul zijn jeugd had doorgebracht. Binnen vierentwintig uur hadden de revolutionairen het hele gebied onder controle dat bekendstaat als Wuhan, het politieke en industriële hart van het centrale Yangtze-gebied. En opeens ontvlamden door heel China gewapende opstanden, als rotjes aan één lange lont. Een voor een, en vervolgens met twee, drie tegelijk, riepen steden en provincies hun onafhankelijkheid uit, en de laatste Manchu-troepen sloten zich bij de revolutie aan.

Die avond, terwijl Hope vanuit de deuropening toekeek, drukte Paul zijn drie jaar oude dochter zo stevig tegen zich aan dat ze uitgilde: 'Papa, te sterk!'

Hij streek het beddengoed glad en wreef met een duim over haar dikke donkere wenkbrauwen. 'En jij, mijn dierbare Pearl? Ben jij sterk?' Het kind trok haar lippen naar binnen, keek nors en maakte kuiltjes in haar wangen om kracht uit te drukken. 'Jij moet sterk zijn, mijn dochter.'

'Waarom?'

Een blik naar Hope. Een glimlach. 'Ik moet heel ver weg, en jij moet voor je mama zorgen. Over een tijdje laat ik jou en mama halen om bij mij te komen.'

'Waar?'

'In China. Je andere land.'

'Wat is een land, papa?'

'Een land...' Hij kon de woorden niet vinden om aan het kind uit te leggen wat een staat was. Ze was net een kleine keizerin-weduwe, zijn Pearl, zo afgeschermd van de grotere wereld.

'Ik zal je een verhaal vertellen,' zei hij. 'Toen ik een klein jongetje was woon ik in China. Elke dag eet ik snoep – paarden en tijgers en varkens van gesponnen suiker. In de winter valt er sneeuw, wit en koud, en hoger dan jij. In het voorjaar komen jongleurs en poppenspelers en acrobaten. We maken een feest met bloemen en geverfde spandoeken. Ik heb een duif en een gele kanarie en veel vliegers, in de vorm van slangen en draken, en op winderige dagen...' Maar de kleine vingertjes van zijn dochter hadden zich gekromd in haar slaap. Ze hoorde hem niet meer. Hij trok het laken op tot haar kin en kuste haar donkere wimpers.

'*Tso ko Chung-kuo meng, mei-mei*,' fluisterde hij. 'Je zult gauw daar zijn.'

'Je wilt haar betoveren,' zei Hope.

Hij deed het licht uit en volgde haar naar buiten. Zijn koffers en gelakte dozen stonden verspreid door de hele gang. 'Ik wil dat ze niet bang zal zijn.'

'Geloof je echt dat die betoverde wereld er na jouw revolutie nog zal zijn?'

'Hope.' Hij begon zijn hoofd te schudden, maar ze legde een hand op zijn wang om hem tegen te houden.

'Pearl is niet bang, Paul, maar ik. Wat voor verhaal ga je mij vertellen om me beter te laten voelen?'

Hij zuchtte. Het huis zag er uit alsof er een tycoon in had huisgehouden. Zijn kleren, papieren, open koffers en boeken lagen overal. Hij zou tot middernacht bezig zijn met pakken. Maar eerst drukte hij haar tegen zich aan, rustte met zijn kin op de kruin van haar hoofd. 'Een maand,' zei hij. 'Niet meer dan twee, en ik laat jou en Pearl halen.'

Ze bleef roerloos staan. 'De baby...'

'Daarom, niet langer dan twee maanden.'

'En als ik wil dat dit kind in Amerika wordt geboren?'

Hij verstijfde.

'Ik heb ervoor gekozen om voor jou mijn staatsburgerschap op te geven, Paul, maar als dit kind hier geboren wordt, kunnen hij en Pearl in ieder geval zelf een keuze maken.' Ze deed een stap achterwaarts, hief haar gezicht uitdagend naar hem op. 'Je weet niet hoe het daar voor ons zal zijn – voor de kinderen. Dat *kun* je niet weten.'

Nu greep hij haar handen stevig beet, schudde ze door elkaar alsof hij haar wakker wilde maken. 'Deze baby komt niet eerder dan april. Wil je dat we zo lang van elkaar gescheiden zijn?'

'Nee,' zei ze. 'Nee, natuurlijk niet, maar – o, *waarom* moet je weg!' Haar ogen gloeiden, maar vulden zich toen met tranen. Hij verdroeg haar smart eerst zonder zich te verroeren, maar toen trok hij zachtjes, voorzichtig, haar armen om zijn middel. Hij streelde haar haar, drukte zijn lippen op haar voorhoofd, en een aantal minuten stonden ze zo samen. Er viel niets meer te zeggen.

14 oktober 1911

Liefste,

Het is nauwelijks tien uur geleden dat je vertrokken bent. Te gauw om te schrijven, hoor ik je zeggen, te gauw zelfs om de volledige betekenis van je vertrek door te laten dringen. Je bent eerder weggeweest en vaak genoeg voor mij om te denken dat ik mijn tranen om je afwezigheid al vergoten had, maar vanavond is het alsof een grote lepel een hap uit mijn ziel heeft genomen. Ik zie de kromming van je wenkbrauw in het slapende gezicht van onze dochter. Ik stel me jouw hartslag voor in ons nieuwe kind. Toch is dit huis niet meer van ons. Dit bed is nu alleen van mij. De levens van onze kinderen beginnen, en ik hoor je zeggen dat ook ons leven samen spoedig opnieuw zal beginnen, maar vanavond word ik achtervolgd door het beeld van eindigheid, de herinnering aan je ogen, de lijn waarlangs we elkaars blik vasthielden, nog maar uren geleden, een lijn die steeds verder werd uitgerekt, uitgerekt, terwijl het schip jou meevoerde, en opeens was je verdwenen.

Ik kan niet doen alsof je mij misleid hebt. Ik was het die het verkoos dit afscheid niet te zien, me er niet op voor te bereiden. Ik die mezelf wijsmaakte dat dit leven dat we samen geleid hebben, het leven was dat voor ons was weggelegd. Zal ik ooit *jouw* visioen van ons leven samen in China delen?

Als ik het lef heb je deze brief daadwerkelijk te sturen, ben je tegen de tijd dat je dit leest al veilig in Sjanghai aangekomen, zodat ten minste een van mijn angsten slechts theoretisch zal zijn. Dan zal het van de sterkte van jouw dr. Sun afhangen of mijn andere angsten weggenomen en wij herenigd zullen worden.

Er is niets waar ik meer naar verlang...

1919 Francisco St.
11 november 1911
Liefste,

In wat voor tijden leven we! In zekere zin had je geen beter tijdstip kunnen kiezen voor je vertrek, want de perikelen rond het stemrecht hebben me weinig gelegenheid gegeven me aan mijn verdriet over te geven. Mary Jane kwam me op de verkiezingsdag om zes uur wekken. 'Dit is geschiedenis, meisje,' zei ze steeds. 'Je hebt de rest van je leven om te huilen, maar alleen vandaag om ons stemrecht binnen te halen.' Ik droeg onze slapende dochter naar het huis van Li-li en Thomas, waarna we armladingen vol kiesinstructies naar Shattuck brachten en we ons bij de kieshokjes installeerden.

Het barstte van de lokale medewerkers van de politieke partijen en barkeepers, die tegenover elke twee kreten van ons er vier van henzelf stelden. Als we geen adelaarsblik hadden gehad, zou de omroeper 'nee' hebben afgeroepen in plaats van het 'ja' van de kiezer. En dan hadden de klerken een nee-stem geteld waar een 'ja' was uitgebracht. Ik was de uitputting nabij toen ik om halftwaalf 's avonds het huis binnenstrompelde. De volgende ochtend stonden juichende koppen in de kranten over onze nederlaag en het leek erop of we nog jaren zouden moeten wachten op dit meest primaire recht. Maar, Paul, er gebeurde iets heel wonderbaarlijks. De vroege verslagen gaven alleen de stedelijke stemmen weer, en met veel daarvan was geknoeid. Toen de uitslagen van het platteland binnenkwamen bleek dat we in *Californië gewonnen* hadden! Mijn geloof in de democratie is teruggekeerd. Als je dit systeem in China ook op gang kunt krijgen, liefste, dan is er meer reden tot feestvieren dan ik me ooit heb voorgesteld.

Op de hielen van de overwinning, met liefs en kussen voor jou als altijd,

je Hope

P.S. Ik vergat bijna een geweldig nieuwtje. Li-li verwacht ook een baby! Dat betekent ofwel dat je ons spoedig op moet komen halen, of dat je hier terug *moet* komen, aangezien onze twee baby's ongetwijfeld onafscheidelijk zullen zijn!

Aan boord van de S.S. Korea

2 december 1911

Liefste papa,

Dit is beslist de moeilijkste brief die ik je ooit heb geschreven. Ik ben bang om je pijn te doen. Ik weiger afscheid te nemen. Maar wat er gebeurd is, zal geen verrassing voor je zijn. We wisten allemaal dat mijn toekomst en die van mijn kinderen bij mijn man lag – of hij nu in Amerika bleef of naar China terugkeerde. Welnu, hij is naar China teruggekeerd, zoals je weet. Het schijnt dat de gewelddadige revolutie waar we allemaal bang voor waren niet gekomen is, de Manchu's zijn, vrijwel zonder een kik te geven, bezig te capituleren, en je schoonzoon bereidt zich erop voor om zijn positie als senator van Hupei in te nemen in de nieuw te vormen regering van de Republiek van China. Vorige week heeft hij geregeld dat Pearl en ik ons in Sjanghai bij hem kunnen voegen.

Het is allemaal zo snel gegaan, papa. Ik wist dat je je ertegen zou verzetten. Dat zou ik in jouw positie ook hebben gedaan. Maar ik ben een volwassen vrouw en echtgenote, en ik ben nu trouw verschuldigd aan mijn man. En ik weet dat je de waarheid of juistheid daarvan niet zult tegenspreken.

Papa, jij bent je leven lang een pionier geweest. Je hebt op mij diezelfde ontdekkingsdrang overgebracht, en je hebt me – tegen je gevoel in, dat weet ik – gesteund in mijn huwelijk met de man die ik liefheb. Nu reken ik op je steun bij deze grootste pioniersonderneming van mijn leven, nu ik de halve wereld over reis om een heel nieuw continent te ontdekken.

Ik overdrijf alleen om een glimlach op je gezicht te toveren. Paul is de echte pionier, want hij is het die dit oude rijk democratie zal brengen. Hij heeft me verzekerd dat ons geen moeilijkheden of ongemak wachten. In elk geval niets vergeleken met de harde klappen die jij en moeder opgelopen moeten hebben. Iets in me betreurt het gemak en de luxe die Paul ons in het vooruitzicht stelt, want ik hou nog meer van je om alles wat je hebt meegemaakt. Ik vraag me af, als we in die vreemde nieuwe wereld echt vertroeteld zullen worden, of ik dan met mezelf zal kunnen leven!

Als dit schip een aanwijzing is, luidt het antwoord nadrukkelijk nee. Paul had geregeld dat onze hut bij binnenkomst was voorzien van champagne en chocola en een boeket rozen op lange stelen! We hebben alles wat ons hartje zou kunnen begeren, inclusief onze eigen badkamer, en als de zeeën niet te wild zijn, dineren we op wit linnen met porselein en zilver zo mooi gepoetst dat Pearl haar lepel als spiegel gebruikt – en zoals je je wel kunt voorstellen vindt ze het schitterend haar spiegelbeeld op de kop te zien! Dus je ziet, mijn man doet inmiddels zijn belofte gestand, en mijn enige klacht is dat hij te goed voor ons zorgt.

Ik post deze brief in Hawaï, dan heb je hem ongeveer als wij in Sjanghai aankomen. Denk aan ons bij ons grote avontuur en maak je niet al te veel zorgen. We zullen goed voor onszelf zorgen en als we gesetteld zijn kom je ons opzoeken. O, papa, begrijp het alsjeblieft. Dit is niet, en dit zal ook nooit een afscheid zijn.

Je liefhebbende dochter,
Hope

DEEL TWEE

Sierlijke bomen kleuren de toppen groen.
Door het raam zie ik een verlaten kasteel.
Een schoot van wolken draagt de komende regen,
In de bergketens het geborrel van bronnen,
De zonnestralen weerklinken van de gouden toren.
De geur van het voorjaar bedekt het groeiende gras.
Elke ochtend kijk ik en ik word het niet moe.
Dit alles bevat de liefde van een vrouw.

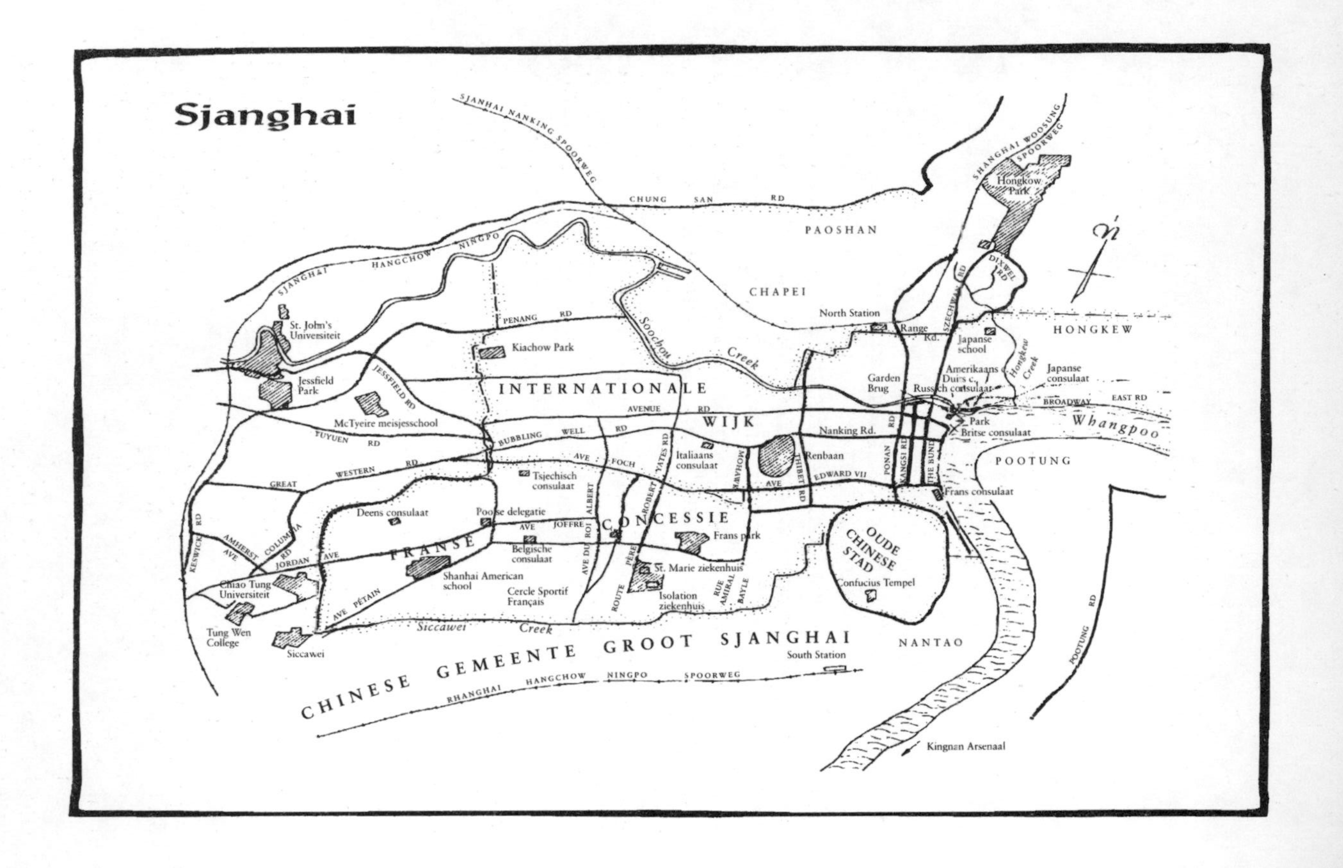
Sjanghai
SJANHAI NANKING SPOORWEG
SHANGHAI WOOSUNG SPOORWEG
Hongkow Park
CHUNG SAN RD
PAOSHAN
SJANGHAI HANGCHOW NINGPO
CHAPEI
DIXWEL RD
St. John's Universiteit
PENANG RD
North Station
Range Rd.
SZECHUAN RD
HONGKEW
Japanse school
Kiachow Park
Soochow Creek
Hongkew Creek
Jessfield Park
JESSFIELD RD
INTERNATIONALE
Garden Brug
Amerikaans
Japanse consulaat
Russisch consulaat
BROADWAY
EAST RD
AVENUE RD
WIJK
McTyeire meisjesschool
YUYUEN RD
BUBBLING WELL RD
Nanking Rd.
Park
Britse consulaat
Whangpoo
AVE FOCH
YATES RD
Italiaans consulaat
Renbaan
PONAN RD
KANGSI RD
THE BUND
POOTUNG
GREAT WESTERN RD
Tsjechisch consulaat
MOHAWK
AVE
THIBET RD
EDWARD VII
Frans consulaat
Deens consulaat
Poolse delegatie
AVE JOFFRE
ALBERT
ROBERT
CONCESSIE
KESWICK RD
AMHERST AVE
COLUMBIA RD
JORDAN AVE
FRANSE
Belgische consulaat
AVE DU ROI
Frans park
OUDE CHINESE STAD
ROUTE PÈRE
St. Marie ziekenhuis
Shanhai American school
Chiao Tung Universiteit
AVE PÉTAIN
Cercle Sportif Français
Isolation ziekenhuis
RUE AMIRAL BAYLE
Confucius Tempel
POOTUNG RD
Tung Wen College
Siccawei
Siccawei Creek
CHINESE GEMEENTE GROOT SJANGHAI
NANTAO
South Station
RHANGHAI HANGCHOW NINGPO SPOORWEG
Kingnan Arsenaal

V

OVERSTEEK

Sjanghai (1911-1912)

I

ACHTER DE HORIZON INEENGEDOKEN ZAT EEN GROTE GEHOORNde hagedis, dampend, klauwen diep ingegraven onder de zee. Het beeld kwam in een droom en wilde haar niet loslaten. Elke keer dat Hope van haar met dekens bedekte dekstoel opkeek terwijl ze Pearl zat voor te lezen of naar de shufflekampioenen keek die hun schijven lieten draaien, zette ze zich schrap voor het beeld van de hagedis die zijn verweerde kop over de reling tilde, knipperde met wrede, halfgeloken ogen, en een angstaanjagende waarschuwing brulde. Maar toen hun stoomschip, na twee grillige weken, eindelijk de kust van Kiangsu naderde, was het beest van China niet meer dan een matte groene schaduw, sluimerend in de mist.

Terwijl Hope en Pearl vanaf de boeg stonden te kijken, berijpte de koude van de zee hun haar, de kraag van hun jas, hun wangen. Pearl lachte en stak haar tong uit. Ze genoot in elk weertype, negeerde alle ongemak, en het leek wel of ze haar temperatuur kon regelen met een interne thermostaat die op geen enkele manier in contact stond met het oppervlak van haar huid. Pearl stelde zich geen monsterachtige reptielen voor. Zelfs toen de zee een week lang uitgesproken ruw was geweest, toen ze zich in hun hut moesten opsluiten en zich in hun bed moesten vastsnoeren, had haar dochter zo vredig geslapen dat Hope zich verbaasde over haar vertrouwen. Ze kon dat vertrouwen nu voelen in de warmte van het blote handje die door haar handschoen drong, en in de vuurvliegachtige bewegingen van de baby in haar buik.

Maar de absolute afhankelijkheid van een kind aan haar zijde, een tweede in haar baarmoeder, en de weerklinkende ziel van een derde ver weg en voor altijd achtergelaten, riepen een vreselijk onbehagen in haar op. Ze had al een van haar kinderen laten vallen. Wat haar ook te wachten stond als die grote sluimerende hagedis wakker werd, ze moest er niet nog eens een in de steek laten.

'Kijk, mama!' Pearl maakte een sprongetje en stak haar worstvingertjes door het net onder de reling. 'Kasteel!'

'Fort Woosung,' corrigeerde een oudere Engelsman die naast hen stond. 'Voor een echt kasteel moet je naar Engeland.' Toen ze dichter bij de kust kwamen, stonden de dekken vol passagiers, die uit hun warme hutten waren gekomen om een glimp van hun bestemming op te vangen, maar hier op het cabin-class dek, waar de meerderheid Amerikaans, Engels of Japans was, voerden uitdrukkingen van grimmige berusting in plaats van opwinding de boventoon, en deze Engelsman vormde daarop geen uitzondering. Terwijl hij zijn grijze flaphoed over zijn oren trok, en zijn hoornen bril opzette, keek hij alsof hij overal wel had willen zijn, behalve hier.

Hij draaide zich om en bekeek Pearl iets beter. Haar zwarte krullen, haar caramelkleurige wangen en donkere, langwerpige ogen. Toen tuurde hij naar Hope.

'Ik geloof niet dat we elkaar kennen,' zei ze kordaat. 'De familie Leon. We komen uit Berkeley.' Ze stak een hand uit.

De man stak zijn kin in de lucht en ging er met grote passen vandoor.

Waar zit hem het verschil, vroeg Hope zich af terwijl ze hem nakeek, tussen deze pompeuze kwezel en de belagers uit haar jeugd in Fort Dodge? Alleen in hun leeftijd en accent. En in de mate van lafheid.

Ze schudde de spanning uit haar handen en knielde naast haar dochter neer, wier verrukking over het snel naderbijkomende landschap haar de verachting van de Engelsman bespaard had. 'Dat is de monding van de Yangtze,' zei Hope. 'Nog even en we zijn bij papa.'

Inlandse boten verschenen in spookachtige formaties, uitgerust met de priemende stemmen van opvarenden die onzichtbaar waren door de mist. Hope wees naar de ronde daken van sampans, de ranke rompen van pantoffelbootjes, de forse vierkante tuigage van jonken. Woonboten, treilers, sjofele vlotten. 'Vogel!' Pearl klapte bij elke nieuwe vorm in haar handen, alsof ze verwachtte dat deze ging vliegen.

'Nee, schat, geen vogels,' zei haar moeder. 'Kijk, het zijn boten.' Maar ze kon Pearls verwarring begrijpen toen de vaartuigen naderbij kwamen. Vele van de brede, gehesen zeilen deden denken aan vleugels, en levendige rond geschilderde ogen beschermden de rompen tegen kwade geesten.

Toen schoven de onverzettelijke contouren van een onmiskenbaar door mensenhanden vervaardigde kolos tussen de kleine vaartuigen door. De kanonneerboot kwam langszij en een Britse stem donderde door een megafoon. De SS Korea ging langzamer varen om zijn escorte de delta in te volgen, waar de passagiers voor het laatste stukje over de Whangpoo naar Sjanghai aan boord zouden gaan van havenstoomboten.

Het werd nu drukker op het water, met kustvaarders, aken en motorsloepen met wapperende vlaggen uit Japan, Frankrijk, Rusland, Duitsland – en een paar uit Amerika. Door deze nieuwe activiteit leek de lucht op te klaren en het geluidsniveau kwam abrupt iets hoger te liggen. Er klonken misthoorns, sirenes, geplons van riemen, en het voortdurende schrapen en zuigen van baggermolens die op de zandbanken aan het werk waren. Hope tilde haar gebiologeerde dochter op, hield haar zo dat hun wangen tegen elkaar drukten. Wat voor avonturen hun ook wachtten, dacht ze, ze zouden in elk geval deze eerste indruk samen delen...

Frank Pearson.

Ze liet Pearl bijna vallen. Daar op de brug van de kanonneerboot! Natuurlijk kon dat niet. Het was een hersenschim – een vergissing. Frank was dood, hield ze zichzelf ruw voor. Maar de gelijkenis... de zandkleurige, verwarde haarbos, de lengte en bouw, alsof hij was opgebouwd uit bezemstelen, en het hoekige profiel – net Chief Joseph, zei hij altijd voor de grap, hoewel hij had toegegeven dat hij geen indiaans bloed had, de enige man die ze ooit had ontmoet die dat gemis betreurde. In tegenstelling tot de zeelui om hem heen, droeg deze man geen uniform maar een vlot bruin pak. Vlot. Het beeld omgaf haar als een druppel vijverwater gevangen in de kromming van een microscoop. Een fractie van een seconde later was het weg.

Pearl had in haar opwinding haar handen op Hope's wangen gelegd en trok haar gezicht naar één kant. 'Vogel!' Ze wees naar een schip vol aalscholvers met ijzeren banden om hun hals.

Hope draaide zich terug en zocht tussen de gestaltes op de brug, maar het wit van de uniformen overheerste. Geen mannen met zandkleurig haar in bruine pakken.

Ze hield het kind stevig vast terwijl het uitzinnige gebons van haar hart afnam. Ze kon zich zulke fantasieën niet veroorloven.

Paul was haar man, vader van haar kinderen. Hij, geen verdriet, was de reden dat ze zo'n verre reis had gemaakt.

'Papa heeft me over die vogels verteld,' zei ze toen de kanonneerboot eindelijk achter hen weggleed. 'Ze duiken naar vis, vangen die met hun bek en vliegen de lucht in om hem op te eten. Maar de ijzeren ringen voorkomen dat de aalscholvers hun vangst doorslikken. Ze duiken steeds maar weer, en hoe groter de vangst die ze naar boven halen, des te kleiner de kans dat ze hem kunnen houden.'

2

De menigte op de douanesteiger had al meer dan een uur op de passagiers van de Korea staan wachten. De blanke mannen brachten de tijd door met whisky in flacons, terwijl de vrouwen onvermoeibaar klaagden over de stank, geparfumeerde zakdoekjes voor hun neus hielden, voiles over hun hoofd trokken, ellebogen optilden en parasols hieven om elk onbedoeld contact te vermijden met de inheemse sjouwers en kooplui die tussen de dokken en douanekantoren heen en weer dribbelden.

Boven op de kade zong een koelie voorman: 'Moet je die dikke buitenlandse kamelenpoot zien.'

En zijn mannen antwoordden: 'Moet je haar zien. Moet je dat kamelenpootwijf zien!'

'Probeer maar eens haar jade grot binnen te gaan!'

'Wat een lot. Wat een lot! Wat moet je in die jade grot!'

Paul beet op de binnenkant van zijn wang. Al zou Hope het Sjanghainees ooit machtig worden, dan nog was het niet waarschijnlijk dat ze ooit dat koelietaaltje zou kunnen volgen, maar het deuntje ergerde hem niettemin. Het belichaamde alles wat China mankeerde: de erbarmelijke en onverbeterlijke stompzinnigheid van China's armsten; de arrogantie van de westerlingen wier minachting voor de Chinezen eenzelfde gedrag uitlokte; het vlugge, gedachteloze gemak waarmee een verkeerd idee wordt omarmd en verbreid door de massa's. Revolutie! Nog maar nauwelijks twee maanden terug in zijn geboorteland was hij al verbitterd en cynisch.

Een konvooi bevoorradingsschepen naderde de kade, maar de randen en veren van buitenlandse hoeden maakten het onmogelijk de gezichten te onderscheiden. De wachtende menigte stroomde naar voren. De eerste boot was leeg en vertrok weer. Hij hoorde een kind roepen: 'Papa!'

Met zijn ellebogen baande hij zich een weg tussen de schouders en parasols door, brullend op die gebiedende manier van de westerlingen die geen enkele tegenspraak duldt. De mensen deden automatisch een stapje opzij en beseften pas achteraf dat de man die ze voor lieten gaan een Chinees was, maar toen stond hij al vooraan. De volgende boot sloeg tegen de kade en helde over, passagiers klampten zich vast om op de been te blijven. Door de deinende lichamen heen kreeg hij hen in de gaten, bij elkaar gekropen op de achterste bank.

Hij had het wel kunnen uitschreeuwen, om de spanning in de blik van zijn vrouw weg te nemen, de zoekende blik van zijn dochtertje een focus te geven. Dat had hij kunnen doen, en misschien had hij dat ook wel moeten doen, maar in plaats daarvan hield hij zich stil en genoot ervan naar hen te kijken. Pearls rode baret was net een vlam, haar mondje hapte wind. Naast haar zat Hope, stilletjes, bijna nadenkend onder de bekende grijze vilten hoed, een enkele zwartwitte veer in de band gestoken. Hoewel haar wangen, net als die van Pearl, rood waren van wind en kou, was er een holheid in haar ogen die eerder geteisterd dan moe leken. Heel even was hij bang, maar toen rechtte ze haar rug en werd hij gerustgesteld door de volheid die de afgelopen tien weken aan haar figuur hadden gegeven. Hij herinnerde zich zijn eigen gevoelens toen hij in Amerika aankwam, zonder iemand te kennen, zonder de taal te spreken – dat gevoel een balling te zijn. Dat moest zijn vrouw nu ook voelen terwijl ze zocht naar dat ene contact dat haar aanwezigheid hier zinvol maakte. De gedachte maakte een bijna ondraaglijke tederheid in hem los.

Hij zwaaide, en plotseling kwam er leven in haar ogen. Pearl dartelde heen en weer, Hope boog zich voorover om het kind bij de arm te pakken toen de boot tegen de kade botste. Ze vielen voorover. Paul rekte zich uit, tilde zijn dochter op zijn schouders en pakte met één hand een elleboog van Hope. Ze kwam dichter naar hem toe.

'Paul, ik... O!' Ze viel tegen hem aan. 'Zeebenen.' Ze lachte, haar wimpers donker als kant tegen die blozende wangen.

Hij verlangde ernaar haar in zijn armen te nemen, maar in

plaats daarvan duwde hij haar zachtjes weg. Hij kuste alleen zijn dochter, maar hij kuste haar gretig en zo luid dat haar gegier zijn dankbare gemompel tegen hen beiden overstemde. 'Jullie zijn veilig.'

Hope keek hem gekwetst en nieuwsgierig aan. 'Paul?'

Hij knipoogde zoals hij Amerikaanse jongens had zien doen, een teken van geheime intimiteit, en gaf Pearl aan haar moeder terug terwijl hij een kruier riep om hun handbagage te dragen. De koffers zouden de volgende dag komen. Het huis dat hij gehuurd had, was niet ver. Hope en Pearl moesten rusten, de bedienden ontmoeten, morgen zou hij hen de stad laten zien. Hij praatte en weerstond de teleurstelling van Hope: gehaast nam hij hen mee de volle steiger af, waarna de stad hen opslokte. Bedelende kinderen drukten hun vieze vingertjes tegen de zomen van hun kleren. Trams suisden voorbij. De geuren van Europese eau de cologne en varkensleer streden met de stank van dode vis en de giftige dampen uit de fabrieken in Pootung. Twee barmeisjes in pruimkleurig satijn vochten om een grijnzende Portugese zeeman, terwijl de koelies hun grofheden bleven zingen. Boven alles uit staken de buitenlandse gebouwen langs de Bund, afgetekend tegen een ijzerkleurige lucht.

Eindelijk zaten ze in hun rijtuig en vertrokken, hoewel Paul nu wenste dat hij een gesloten taxi had gehuurd. Hope was geschrokken van de agressieve bedrijvigheid op de kade en zat nu naar de skyline te staren.

Pearl was weliswaar van haar stuk gebracht, maar zij was makkelijk af te leiden met een cadeautje uit zijn zak. Terwijl zij zich bezighield met uitpakken trok Paul een hand van Hope in zijn schoot en trok de bovenkant van haar handschoen naar beneden. Toen boog hij zich voorover alsof hij iets bij zijn voet wilde oppakken, maar in plaats daarvan duwde hij zijn wang tegen de onbedekte huid. Hij sloot zijn ogen bij de bekende geur, net lelies.

'Dus het is hier ook verboden elkaar aan te raken,' zei ze toen hij zich weer oprichtte.

Hij duwde hun verstrengelde handen tussen hun jassen in. 'Alleen in het openbaar.'

'Altijd in het openbaar.'

'Zelfs als je Chinees bent.'

'Maar vast niet als jij Amerikaan was geweest, wil ik wedden.'

'Ah, maar als we allebei Brits waren geweest, ja.'

En plotseling glimlachte ze, en kon ze zich bij hem ontspannen.

Pearl gaf een gil. Ze had een beer met slaande bekkens gekregen en ze waren met z'n drieën, bijna vieren, eindelijk weer een gezin, op weg naar huis.

Het huis stond op de kruising van Avenue Foch en Avenue Pétain in de Franse Concessie. Alles hier was Frans van naam, Frans van architectuur, Frans van bestuur en houding, en dus gastvrijer jegens Chinese revolutionairen dan de andere internationale settlements. Hier, tussen deze met bomen omzoomde boulevards, had Paul eerder zijn toevlucht gezocht, eerst in de zomer van 1900, en opnieuw na zijn verbanning uit Japan in 1903. En nu had hij hier een huis geleend van een mederevolutionair die in Parijs was om te studeren.

Een hoge gepleisterde muur omgaf het huis, slechts onderbroken door een ronde roodgelakte poort die openzwaaide toen het rijtuig er aankwam. Ze reden niet naar binnen maar stapten buiten uit, terwijl de koetsier, of *mafoo*, voor hun bagage zorgde. Een kleine man met borstelig zwart haar en een gerimpelde grijns maakte een diepe buiging. '*Huanying. Huanying.*'

'Dit is onze portier, Lin,' zei Paul. Maar voor Hope kon antwoorden, snelde meneer Lin weg, 'Laoyeh! Laoyeh!' schreeuwend tegen de rest van de huishouding.

Hope hielp Pearl over de houten drempel en ze betraden een overkapte hal die uitkeek op een massieve stenen plaat, die Hope kende uit de verhalen van Paul. Dat was nu een geestenmuur. Over de hele muur kronkelde een gebeeldhouwde draak, vuurspuwend tegen kwade geesten. Kwaad, zo herinnerde ze zich, kon geen bochten maken en geen hobbels nemen, kwaad kon alleen rechtdoor – vandaar de kniehoge drempel en de geestenmuur over de volle breedte van de ingang. Mensen, sluw als ze waren, konden wel over die drempel heen stappen en wel om die muur heen lopen, en hadden binnenshuis dus geen kwaad te vrezen. Was het maar waar.

'Klaar?' vroeg Paul.

'Ik geloof het wel,' antwoordde Hope. Hij maakte een merkwaardig onrustige indruk en knikte naar haar en Pearl dat ze hem naar de binnenplaats moesten volgen. Pas toen zag ze de wachtende rij bedienden en begreep zijn aarzeling. Er moest ongetwijfeld een protocol gevolgd worden.

Paul liep met grote passen op de rij toe en begon bij een man met een aantal afschrikwekkende kenmerken, waarvan zijn lengte wel het meest opvallende was. Hij was bijna een kop groter dan Paul, wat betekende dat hij boven Hope uittorende. Hij had een wigvormig gezicht – heel breed en plat bij de jukbeenderen, spits toelopend in een kin met een kuiltje. Hij was mager, maar had krachtige schouders, en zijn donkere ogen glinsterden onder brede, bolle oogleden. Boven zijn effen katoenen jasje droeg hij een volmaakt ronde zwarte bolhoed.

'Yen Ching-san is onze eerste bediende,' zei Paul. 'Hij zal voor je zorgen.'

Terwijl Pearl haar gezicht in de rok van haar moeder verborg, knikte Hope met wat naar ze hoopte gepast respect was, en sprak de woorden die ze met Li-li had geoefend. '*Ni hao ma?*'

Onmiddellijk verscheen een brede grijns op het gezicht van Yen Ching-san. Het grote hoekige hoofd knikte voorover, en knikte nog een keer. De brede lippen gingen van elkaar en lieten een mond vol gele tanden zien, net oude pianotoetsen. De drie andere gezichten begonnen nu ook te stralen, als op een afgesproken sein. En ook Paul glimlachte verwachtingsvol.

'Tui pu ch'i,' verontschuldigde ze zich, en ze spreidde haar handen ten teken dat haar Chinees bijna uitgeput was.

Paul schraapte zijn keel terwijl de bedienden meesmuilend lachten. 'Yen is onze nummer één. Hij is al heel lang bij me. Maar Pearl, dit is je nieuwe kindermeisje, Joy.'

Pearl tuurde om een been van haar moeder heen. Het meisje met een gezicht als een noot dat haar met knipperende ogen aankeek leek niet ouder dan vijftien. Ze droeg een donkerblauw jasje en een witte peter-pan kraag, wijde broek en felroze satijnen slippers. Haar mond vormde een strakke rozet. Pearl bleef waar ze was, maar glimlachte wel.

'Dahsoo,' ging Paul verder, 'is onze kok, en Lu-mei zijn vrouw.' Beide gezichten barstten open in een grijns. Het grijzende haar van de vrouw zat in een lage, strakke knot. Dat van de man leek diezelfde ochtend wel met een mes te zijn afgesneden. Ze droegen identieke zwarte jasjes en broeken.

'Het is ons een genoegen u allen te ontmoeten,' zei Hope ten slotte in haperend Mandarijnenchinees. Ze wist niet wat de taken van een eerste bediende waren. Ze had nog nooit een kok of portier gehad. Wat voor werk moest ze de vrouw van de kok opdragen? En hoe konden ze zich al dat personeel in vredesnaam permitteren?

Daar zou ze nog wel antwoord op krijgen, stelde ze zichzelf gerust terwijl Paul, in een reeks vlugge, beknopte bevelen alle bedienden heenzond behalve Joy. Als ze zich druk ging maken om de vragen die haar nu overstelpten, zou ze binnen een paar seconden bedolven zijn.

Ze keek op. Ze stond nog steeds onvast op haar benen. Onder haar voeten voelde ze hoe glad de stenen waren. De vierkante binnenplaats werd aan twee kanten geflankeerd door lage Chinese huizen met witgepleisterde muren en gekrulde daken waar zwarte dakpannen op lagen. Een oude gingko-boom domineerde de ene kant van de binnenplaats, een grote esdoorn de andere. Dit alles was bijzonder genoeg, schilderachtig als een plaatje uit een reisgids. Het hoofdgebouw was echter verbijsterend.

Een roze Italiaans aandoende villa. Twee verdiepingen schuimgebak, met witte luiken voor boogvormige ramen, een aflopend terracotta dak en een zuilengang. Gipsen cherubijntjes onder de kroonlijsten. Zwaanvormige consoles. Glanzende koperen versieringen.

'Wat denk je ervan?' De zachte stem van Paul deed haar op onverklaarbare wijze schrikken.

'Ik ben veel te geïmponeerd om te denken. Dit kan niet echt zijn.'

'Het is ook niet echt. Het is Sjanghai. Ik heb geprobeerd je te waarschuwen – hier, je hebt het koud. Kom binnen.'

Hope knikte, huiverend. 'Pearl?'

Maar terwijl Hope was afgeleid, had Joy Pearl al meegelokt met een handvol mooie stenen. Ze lachten al samen in wat wel geheimtaal leek, geen Engels en ook geen Chinees, maar een verzameling onzingeluidjes. Ze tuurden samen in een ondiepe porseleinen kuip.

Toen Pearl de ogen van haar moeder op zich gericht voelde, keek ze op. 'Fis, mama!' Ze wees opgetogen naar de trage oranje en zwarte wezens in het water. 'Kijk, fis!'

'We gaan nu naar binnen, Pearl.'

Het gezichtje betrok.

'Wil je bij Joy blijven, naar de vissen kijken?' vroeg Paul.

Het kleine meisje tuitte haar lippen. Toen keek ze naar haar moeder en liet haar hand in die van haar nieuwe kindermeisje glijden. 'Fis,' antwoordde ze vastbesloten.

Hope aarzelde. Het was kil en vochtig en Pearl was twee weken lang niet van haar zijde geweken. 'Het water is alleen om naar te kijken, Pearl. Niet nat worden.'

'*Kom.*' Paul hield de deur open. 'In Berkeley was je niet zo beschermend.'

Hope verkoos het geen antwoord te geven. Ze was nu op Pauls territorium en ze voelde dat de regels subtiel veranderden. Ze moest vertrouwen hebben, dat was alles...

'O, Paul!'

Net binnen de hal, een hoge, witte, ronde ruimte met een enorme wenteltrap, had hij een apenboom neergezet. De kronkelende groene takken hingen vol guirlandes van gedroogde jasmijnbloesem en gouden en rode papieren sterren. Een kroon van klatergoud balanceerde erbovenop.

'Je ziet het,' zei Paul. 'Kerst komt zelfs in China. Maar alleen met speciale toestemming.' Ze volgde zijn stem langs de muur naar boven, waar een mollige gouden Boeddha in een nis zat, met opgeheven hand en een weldadige glimlach.

'Weet je,'– ze draaide zich weer om naar de tevreden lachende ogen van haar man – 'ik besterf het bijna van het verlangen je te kussen.'

'Ja?' Hij deed of hij van zijn stuk was gebracht. 'Ik laat mijn vrouw tienduizend *li* reizen om haar te laten sterven voor een kus?'

Toen nam hij haar hand en leidde haar naar boven, langs een smalle overloop en door een open deur, die hij zachtjes achter haar sloot.

De warme maaltijd was, net als het huis, een bewuste botsing tussen Oost en West. Gestoomde varkenskrabbetjes, Chinese broccoli, gebakken aardappelen en boter uit een blikje – eetstokjes en zilveren bestek.

Hope speelde met een steeltje broccoli tussen haar eetstokjes. 'Heb je nog contact met je moeder gehad?'

'Ik ben in Wuchang geweest.'

'Je hebt hun verteld van onze komst.'

'Mijn moeder zal misschien na de geboorte van onze baby naar Sjanghai komen.'

'Als het een zoon is.'

Een glimlach kroop in zijn ogen. Ze bloosde. Toen ze die middag in bed hadden gelegen, had hij haar bolle buik uitgebreid en met ongeremde tederheid geïnspecteerd.

'Dat wordt het wel,' zei hij.

Maar Hope was niet zo makkelijk te vermurwen. 'Is ze dan van gedachten veranderd?'

Hij hield heel even haar blik vast. De glimlach verdween en hij pakte zijn rijstkom. Verscheidene minuten hoorde ze hem alleen maar eten. Dahsoo kwam binnen met een kom kruidige soep, maar Hope had geen trek meer.

Meer uit verplichting dan belangstelling zei ze: 'Volgens de kapitein op de Korea was dr. Sun ook naar China vertrokken.'

'Over twee dagen komt hij.'

'Met *Kerstmis*?'

'Hij had veel eerder moeten komen.'

Een nieuwe, grimmiger ondertoon in zijn stem trok haar belangstelling. 'Hoe bedoel je?'

Hij legde zijn half afgekloven sparerib neer. Hij pakte zijn eetstokjes, legde die ook weer neer en veegde zijn handen schoon. 'Als hij vorige maand was gekomen, was alles misschien anders geweest. In plaats daarvan denkt hij alleen maar aan geld, investeerders uit Amerika, Europeanen. Intussen heeft China geen leider.' Zijn handen raakten de tafel met onbedoelde kracht. 'Senator van Hupei – ha!'

'Paul.' Hope leunde voorover, heel schuldbewust nu, en geschrokken. 'Ik ben hier nieuw. Ik heb uitleg nodig.'

Met een stem die laveerde tussen wanhoop en woede vertelde hij zijn vrouw hoe zijn leven hier de afgelopen twee maanden geweest was. Hij had gependeld tussen Sjanghai, Wuhan en Nanking, geprobeerd te bemiddelen tussen krijgsheren en bureaucraten, monarchisten en revolutionairen. Hij vertelde over de onzekerheid en verwarring die het leiderloze 'tijdelijke parlement' in hun greep hielden, over het eindeloze geruzie over futiliteiten, het weglopen voor belangrijke beslissingen. De senatoren konden het niet eens worden over een hoofdstad voor de nieuwe regering!

Al die jaren in het Westen hadden Paul wijsgemaakt dat met kennis en vastberadenheid een revolutie in China meteen ook een democratie zou opleveren. In plaats daarvan had hij bij zijn terugkomst moeten constateren dat de Manchu's onder het mom van een revolutie onder de voet waren gelopen door bandieten. De meeste edellieden en geleerden uit Pauls verleden hadden helemaal geen belangstelling voor democratie, maar klampten zich vast aan de fantasie dat China verenigd kon worden onder een nieuwe Chinese Han-dynastie die hun traditionele aanspraken op macht en geld zou honoreren. Intussen waren de plaatselijke krijgsheren wier boerensoldaten de rebellie in feite hadden uitgevoerd, vastbesloten het land onderling in leengoederen te verdelen. China stond in geen enkel opzicht welwillender tegenover een echte revolutie dan zijn moeder tegenover haar buitenlandse schoondochter.

Ze staarden elkaar een hele tijd aan zonder een woord te zeggen. In het felle gele licht van de elektrische kroonluchter vond Hope haar man er uitgeput uitzien – afgetobd, bleek en bang, gedesillusioneerd en niet op zijn plaats. Het was alsof ze in een spiegel keek.

3

DE VOLGENDE DAG LIET HIJ HUN PLICHTSGETROUW SJANGHAI zien, en begon Hope het lange, tweeslachtige proces van de aanpassing aan een nieuwe woonstad. Ze schoof de sombere prognose van Paul voor de republiek even terzijde en verbood zichzelf nog een seconde langer aan die stomme moeder van hem te denken en gaf haar ogen de kost. Sjanghai maakte zijn reputatie als stad van paradoxen meer dan waar. Er waren trams met een belsignaal waarvan een blinde zou zweren dat het net zo klonk als in San Francisco, glanzende Fords met chromen treeplanken, rijtuigen getrokken door pony's die er bijna net als paarden uitzagen, zij het kleiner, hariger en met zwaardere hoeven. Er waren de façades van grote indrukwekkende banken, kantoren, warenhuizen met flitsende elektrische reclames, etalages versierd met kerstgroen en klatergoud, met grote letters in reisgids-Engels... Singer Productiemaatschappij: *Naalden, Patronen, Olie, en Onderdelen.* Russisch-Chinese Bank. Internationale Fietsen Maatschappij: *Fietsen, Typemachines, Sportgeweren.* Walter Dunn: *Wijnkoper, Boekhandelaar, Algemeen Deskundige.* Maitland & Co., Publieke Veilingen. Denniston & Sullivan: *Kodak film, ontwikkelen, camera's.*

Maar de straten waren ook vol overhuifde riksja's, kruiwagens volgeladen met vracht en passagiers, gesloten draagstoelen omhuld met zijde – alle getrokken door haveloze mannen met uitgehongerde gezichten. Elke straat had zijn bedelaars en straatventers, boeren drentelden langs met onmogelijke vrachten aan stokken over hun schouders. En waar de meeste uithangborden langs de brede winkelstraten in Latijns schrift waren beschilderd, droegen de verticale spandoeken die de zijstraten sierden enkel Chinese karakters.

En al even tegenstrijdig als de bezienswaardigheden van Sjanghai waren de geuren, die voor Hope het hoogste en het laagste in de mens leken te vermengen. Urine uit open latrines, parfum uit de open tempels, rottend afval uit de open riolen, geuren van ammoniak en schoonmaakmiddelen uit de open ramen van Europees ogende villa's en flatgebouwen. Dit alles omgeven door de zilte mist die opsteeg van de open Whangpoo. 'Als de geest maar wil,' hoorde Hope zichzelf mompelen toen hun rijtuig over de bevroren keien gleed. Het was een van de geliefde zinsnedes van moeder Wayland geweest voor moeilijke tijden – zoals toen de kleine Frank het bovenste kootje van zijn vinger had geslagen toen hij aan het houthakken was, of die keer dat Margaret bewusteloos was geraakt door een vallende boom en het een week had geduurd voor ze weer bijkwam. Het deed haar pijn om nu aan haar pleeggezin te denken, maar ze kon in elk geval troost putten uit het feit dat ze afscheid van hen had genomen. Haar vader – tja, die had haar als kind altijd gezegd dat *hij* nooit afscheid zou nemen, omdat hij haar nooit echt zou verlaten.

'Dit is de Chinese Stad,' zei Paul.

Ze keek op, verrast.

'Je moet begrijpen, Hope. Sjanghai is niet China. Het is van China afgenomen als buit in de opiumoorlog. Nog geen zeventig jaar geleden brengt Engeland haar kanonneerboten, de laffe Manchu's buigen en sidderen, en nu is hier deze westerse stad, geregeerd door buitenlandse machten volgens buitenlandse wetten, exterritorialiteit noemen ze dat. Groot centrum van buitenlandse handel en opiumhandel, waar Chinese mensen de onderworpen inlanders zijn. In Sjanghai hebben Chinezen hun eigen Chinatown, net als in San Francisco.'

Hij hield het rijtuig stil en wees naar een hoge gekanteelde muur met een open poort en omgeven door een gracht gevuld met stinkende modder, bezaaid met afval. Het straatleven dat door de poort zichtbaar was deed Hope denken aan een samengeperste accordeon. In donkere hoeken wemelde het van kopers, verkopers, onderhandelaars die schreeuwden en hun vuisten balden. Mannen droegen tot op de ogen neergetrokken vilten hoeden – hoeden, zo vertelde Paul haar, gevuld met staartvlechten, die ze weigerden af te knippen uit angst dat de Manchu's weer aan de macht zouden komen. Hoog boven de middeleeuwse steegjes hingen aan stokken dansende broeken, vesten, lange slierten witte zwachtels.

Versuft door die botsing van beelden en geuren, en het cynische toontje van Paul, vroeg ze: 'Vanwaar al die zwachtels?'

'Voeten inbinden. Vrouwenvoeten.'

Ze huiverde. 'Ik dacht dat dat verboden zou worden onder de nieuwe republiek.'

Hij wees somber naar een versierde draagstoel die onder trompetgeschal door de nauwe straten werd gevoerd. Begeleidende muzikanten sloegen met gongen en bekkens, terwijl de dragers van de ene naar de andere kant sprongen. Hope dacht dat de inzittende van die stoel groen van zeeziekte zou moeten zien, vooral omdat het zware rode omhulsel geen enkel uitzicht bood.

'Chinees huwelijk,' zei Paul. 'Dat zou ook verboden worden.'

Op kerstochtend, onder de apenboom, overlaadde hij hen met geschenken. Voor Pearl een aantal glanzend zwarte houten perziken, de grootste zo dik als een cantaloupe die openklikte zodat er nog een tevoorschijn kwam, en daarin nog een en nog een, de kleinste van het formaat van een erwt. En een babypop met porseleinen hoofd en kanten muts en nachthemd en ogen – diep oceaanblauw – die open en dicht konden. 'Net als mama,' zei Paul en ontmoette haar blik. Er was een jade paard, een satijnen jasje, geborduurd met een feniks. En als laatste een zwierig door Joy naar binnen gereden, roodgelakte driewieler, versierd met een boog van chrysanten.

Pearl slaakte een gilletje en sloeg haar armpjes om haar vaders nek. Hij tilde haar hoog op en liet haar op het zadel van de driewieler zakken. Haar dikke beentjes konden nog niet helemaal bij de pedalen, en ze begreep nog niet hoe ze zich erop moest voortbewegen, dus eerst moest ze geduwd worden, maar ze schoof iets naar voren, haar voetjes vonden de pedalen en algauw reed ze met een vrijheidskreet de kamer door. Hope zou het liefst haar handen voor haar ogen slaan, maar in plaats daarvan vlogen zij en Joy de kamer door om alle vazen, sculpturen en andere breekbare *objets* in veiligheid te brengen – wat neerkwam op praktisch alles in de kamer.

'Pearl, alsjeblieft, de driewieler is voor buiten!'

Maar Paul zei: 'Laat haar genieten van haar eerste kerst in China. Ik wil dat ze deze dag nooit vergeet.' Hij draaide zich om. 'En jij, Hope.' Hij legde een cerise zijden zakje in haar hand dat aanvoelde als een zware wolk.

Ze aarzelde. Paul had haar altijd kerstcadeaus gegeven. In de vijf jaar dat ze samen waren had hij haar een blauwe vulpen gegeven, een schildpadden kam, een gedichtenbundel van Emily Dickinson en een echte Dunlap-gleufhoed. Zij op haar beurt had hem truien en shawls gegeven die ze zelf had gebreid, een porseleinen pot voor zijn schrijfpenselen, een paar echte Australische laarzen en die foto's van Genthe. Dit jaar had ze voor hem een deken, in butterscotchkleur, van zachte, maar oersterke Schotse shetlandwol. Hun geschenken, dat hadden ze min of meer stilzwijgend afgesproken, waren altijd verstandig, tijdloos, nuttig geweest. Ze zag onmiddellijk dat dit geschenk met die gewoonte brak.

Hij kon zijn ongeduld niet beheersen, pakte het zakje terug en leegde het weinig ceremonieel in haar hand. De blauwe stenen schitterden als waterdruppels.

'Paul! Wat is dit?'

'Vind je niet mooi?'

'Natuurlijk wel, het is schitterend, maar veel te veel! Wat moet ik...'

Pearl kwam aanpeddelen, kwam in botsing met de geslipperde voeten van Hope en sprong op voor een vluchtige blik op het halssnoer. Ze hield het omhoog. 'O, bloemen, mama. Mooie bloemen en parels! O la la!'

Ze staarden hun dochter allebei aan. 'O la la?' herhaalde Paul.

'Joy mij geleerd. O la la!'

Het gezicht van het kindermeisje werd zo rood als een kreeft. 'Dat hoor ik Franse meisjes zeggen.'

Ze keken elkaar aan, één moment van absoluut, heerlijk ongeloof lang, voor ze in lachen uitbarstten. De spanning die hen de laatste twee dagen geteisterd had, werd gebroken. Ze tilden hun dochter hoog tussen hen in en lieten tegelijk een oneerbiedig en geïmproviseerd 'O la la!' horen. De andere bedienden kwamen aanrennen. Yen dook op, zijn geschoren hoofd zonder hoed, met zijn gebruikelijke ontsteltenis. Hope keek hem aan: 'O la la!' Opnieuw kregen ze de slappe lach. Pearl zwengelde met haar arm en liet een steeds harder geschreeuw horen, de krans van chrysanten als een kroon in haar haar. 'O la la! O la la!!'

Paul wuifde vergeefs naar de bedienden, die hem aanstaarden alsof hij gek geworden was. Hij huilde van het lachen en omarmde zijn buitenlandse vrouw en kind. Yen herkende hem niet. Paul herkende zichzelf niet. De bedienden gingen er vandoor. Pearl ging weer spelen en geleidelijk nam de betovering af, maar nu voelde hij een nieuwe golf van emoties.

Hope hield het halssnoer op, glimlachte en schudde haar hoofd. 'Hoe kunnen we ons dit permitteren? En waar zou ik het in 's hemelsnaam moeten dragen?' Hij nam haar mee naar de spiegel in de zitkamer voor hij het snoer om haar hals vastmaakte. De aquamarijnen en nietige zaadpareltjes stonden op haar huid nog mooier dan hij gedacht had.

'Ik zeg je. Alles is hier anders, Hsin-hsin. Jij bent mijn Amerikaanse prinses. Je zult het morgenavond dragen.'

Ze nam hem argwanend op in de spiegel. 'Wat is er morgenavond?'

'Gouverneursbal. Om dr. Sun te verwelkomen.'

'Een *bal*? Paul, je meent het niet.'

Maar hij had zich al gebukt en zocht achter de stakige boom naar een laatste geschenk.

'Echt, ik...'

Hij kwam overeind met in zijn handen een langwerpige doos, bedekt met blauw satijn. *À La Parisienne* stond in gouddraad op de bovenkant. Ze kreunde. 'Wat denk je wel? Ik ben mijn hele leven nog nooit naar een bal geweest en ik ben vijf maanden zwanger! Ik dacht dat Chinezen hun vrouwen uit het zicht hielden.'

Hij grijnsde plagend naar haar. 'Nee, nee. Ik wil dat heel Sjanghai weet dat jij mijn vrouw bent.'

Hij duwde de doos tegen haar aan tot ze zich eindelijk liet vermurwen. Ze tilde uit het vloeipapier de eerste baljurk die Paul ooit gekocht had, de eerste die ze ooit bezeten had. Zoals de Spaanse verkoopster hem had beschreven, was de jurk gemaakt van nachtblauw zijdefluweel met kapmouwen, een lage halslijn die genoeg huid vrijliet om het halssnoer te tonen, maar niet zoveel als de mode in Europa voorschreef en een empire-taille die de '*embarazo*' van zijn vrouw mooi zou verhullen. De stof had in de winkel soepel aangevoeld, als een tweede huid. Hij bleef Hope strak aankijken. 'Goed?'

'Morgen.' Weifelend tuitte ze haar lippen, ze hield de jurk voor zich en keek in de spiegel. 'Jij laat er geen gras over groeien, hè?'

4

TEGEN ZESSEN DE VOLGENDE AVOND HAD HOPE GEBAAD EN ZICH aangekleed en was ze zo nerveus als een vis aan een haakje. De triomfantelijke terugkeer van Sun Yat-sen, met de bijbehorende bijeenkomsten, recepties en banketten, had Paul de hele vorige avond buiten de deur gehouden, en deze dag vanaf het ochtendgloren. En nu, terwijl de uren voorbijgleden en haar man nog steeds niet terug was, begon ze te fantaseren dat het bal was afgelast en dat ze zich toch niet in het openbaar zou hoeven te vertonen. Maar net toen Hope ervoor was gaan zitten om Pearl haar verhaaltje voor te lezen voor het slapen gaan, stormde Paul langs de kinderkamer. 'Het is allemaal een schijnvertoning,' zei hij toen ze hem in hun slaapkamer trof. 'Sun is gezwicht. Yüan Shih-k'ai heeft steeds gedaan alsof.'

'Je bedoelt dat Sun geen president wordt?'

'Dat wel – maar daarna staat hij zijn positie weer af.'

Ze volgde hem naar de badkamer, zag de kranen draaien, de druppels vliegen. Hij wreef met een dampende witte handdoek over zijn ontblote bovenlijf en werd helemaal rood, alsof hij verbrand was. Hij vertrok zijn gezicht tot een grimas toen hij haar lavendelgeur opsnoof. Hij stootte een kreet uit die hij smoorde in de handdoek voor zijn gezicht. Toen frommelde hij de handdoek in elkaar en gooide hem zo hard in de badkuip dat het koper galmde als een klok. Hope ging aan de kant toen hij weer met grote passen naar de slaapkamer liep en op zijn avondkostuum aanviel. Ze verwachtte dat hij op een gegeven moment wel tot bedaren zou komen, maar hij beefde zo dat hij zijn das niet eens kon strikken. Ze nam het van hem over. 'Wordt dit de teneur van de hele avond?'

'Deze avond is een farce.'

'Waarom doen we dan deze belachelijke kleren aan? Waarom doen we alsof we Sun Yat-sen eren als je niet gelooft in wat hij doet...'

Hij hield zijn hoofd achterover en kneep zijn ogen zo stevig dicht dat zijn hele gezicht in elkaar leek te vouwen. Eerst dacht ze dat ze zijn das misschien te strak had aangetrokken en maakte ze hem los. Toen, stomverbaasd, besefte ze dat hij huilde. 'Paul!'

Maar hij schudde zijn hoofd zo krachtig dat ze een stap achteruit moest doen.

'Ga,' zei hij. 'Wacht beneden.'

'Maar we hoeven niet...' Hij legde haar niet het zwijgen op door woedend uit te vallen, maar door zijn gezicht in zijn handen te verbergen.

Een uur later reed hun huurrijtuig voor bij een gigantisch gotisch gebouw. Of het een consulaat of een ambtswoning was was niet duidelijk, maar het bezat alle kenmerken van arrogante Europese weelde – speciale poorten van Bubbling Well Road naar een lange macadam oprit, uitgestrekte gazons en vormvaste tuinen, een massieve inrijpoort die in verbinding stond met vier verdiepingen steen en glas-in-loodraampjes, alles badend in gaslicht.

'Ik voel me net Assepoester,' fluisterde Hope toen ze uitstapten.

Paul, die tijdens de twintig minuten durende rit roerloos en sprakeloos naast haar had gezeten, forceerde een glimlach. 'Niet met de prins dansen.'

Dankbaar keek ze hem aan. 'Ik kan net zo min dansen als jij.'

'Mooi.'

Wat hem ook kwelde, bedacht ze toen hij haar het rijtuig uithielp, hij had er nooit sterker of knapper uitgezien dan vanavond. Zijn bolhoed stond guitig scheef op zijn hoofd, en hoewel het gehuurde jacquet een beetje strak om zijn schouders spande, dwong het hem rechtop te staan en zich lang te maken. Ze kwam in de verleiding die bril af te zetten – hij had hem niet echt nodig, behalve om te lezen, en zonder bril zag hij er veel eleganter uit – maar brillen werden door Chinezen gezien als een teken van opleiding en distinctie, en Paul wilde zijn bril altijd per se dragen bij openbare optredens. Bovendien hielpen de lenzen hem de woede en frustratie te verbergen die nog steeds achter zijn ogen brandden. Tegen de tijd dat ze eraan dacht om te vragen: 'Welke prins?' was zijn gelaatsuitdrukking al weer harder geworden.

'Dat zul je gauw genoeg zien,' zei hij.

Voor ze verder kon vragen, leidde een bediende in een wit jasje hen de massief eiken vestibule in en kwam een ander al naar voren om haar cape aan te nemen, en weer een ander om hen naar de balzaal te leiden, en opeens loste haar bezorgdheid om zijn akelige stemming op in de pracht en praal van hun omgeving. Het leek *inderdaad* wel een scène uit een sprookje. Rood tapijt kwam langs een marmeren trap naar beneden. Kandelaars drupten tranen van geslepen glas, die op hun beurt diamanten in alle kleuren van de regenboog over de crèmekleurige muren verspreidden. Gepoetste koperen rails en palmbomen in potten en nog meer zwijgzame, witgehandschoende bedienden in de foyer op de bovenverdieping, die verder leeg was, omdat de meeste gasten al in de balzaal waren. Hope liep met Paul mee zonder hem aan te raken of tegen hem te spreken. Hij bood haar geen arm aan.

Toen ze de balzaal naderden, werden ze overspoeld door een vloed van licht en muziek, maar voor ze naar binnen konden werden ze begroet door een dwerg met een bleek besnord gezicht bekneld tussen een bolhoed en een geklede jas. 'Liang!' gilde hij. 'Dus ze hebben je weer binnengelaten.'

'Homer Lea, mag ik mijn vrouw voorstellen, Hope.'

'Aangenaam, madame.' De bultenaar, want ze besefte dat het geen echte dwerg was, greep haar hand en wreef die bijna tegen zijn ziekelijke lippen. Ze trok haar hand terug, in een reflex, maar schaamde zich meteen voor haar afkeer. Ze ontspande haar arm, en duwde haar hand zelfs weer zachtjes naar voren, maar hij haalde zijn schouders op alsof hij zeggen wilde, zo gaat het nu altijd.

'Kan ik je even spreken, Liang?'

'Ik...' Pauls donkere ogen keken verontschuldigend op Hope neer.

Lea streelde hooghartig geduldig zijn satijnen revers. 'Sun wil er zeker van zijn dat we allemaal hetzelfde strijdplan volgen.'

'Ik wacht daar op je.' Ze knikte langs de zee van hoofden naar een erker in de hoek.

'Ik ben gauw terug,' beloofde Paul.

Maar toen hij achter de muur van vreemden verdween, besefte ze dat dit de eerste keer was dat ze alleen was sinds ze uit San Francisco vertrokken was. Tijdens de reis had ze Pearl bij zich gehad. Toen had Paul hen afgehaald, en de laatste paar dagen waren er in ieder geval altijd de bedienden geweest. Ze glimlachte, gaf zichzelf een standje. Wat waren Joy en Yen en de anderen anders dan totale vreemden die vertrouwd geworden waren? Ze hoefde hier alleen maar iemand te vinden om mee te praten, meer niet. Alleen waar moest ze beginnen? De diversiteit van de menigte was zowel ontmoedigend als indrukwekkend. Er waren felle kimono's, donkere gewaden, zowel Victoriaanse baljurken als baljurken met decolleté, smokings, militairen in de uniformen van de Kaiser, de tsaar, de Amerikaanse en Britse marine. De soepele tonen van het Frans en Mandarijnenchinees en het spervuur van Japanse lettergrepen botsten met zwaar, afgebeten Engels en de keelklanken van het Russisch en Duits. De vrolijke wals van het orkest beloofde iedereen vredig tot elkaar te brengen. De muziek deed Hope denken aan Frank Pearson die probeerde haar te leren dansen. Ze hadden samen op de veranda gestaan en elkaar goedenacht gekust toen Eleanor binnen opeens de grammofoon aanzette. Frank had aangedrongen en zij had geprotesteerd en uiteindelijk had hij haar geïnstrueerd op zijn tenen te gaan staan. Ze had haar armen om zijn nek geslagen en geprobeerd hem te volgen, maar het enige wat was gelukt, was hem te laten struikelen. 'Dat is het probleem met die verdomde feministen,' had hij wanhopig uitgebracht, 'die willen altijd de touwtjes in handen nemen.'

Een passerende ober bood haar champagne aan en ze nam dankbaar een glas aan. Hoe vaak had ze zichzelf sinds haar huwelijk met Paul niet voorgehouden dat het leven met Frank op een regelrechte ramp zou zijn uitgelopen?

'Geweldig, hè? Daar staan we dan, hun ergste nachtmerrie, naar binnen geschoven als mascottes.'

Een hand in een handschoen werd op haar pols neergelegd, en ze realiseerde zich tot haar schrik dat de stem tegen haar gericht was. Ze keek op in een paar lachende groene ogen in een gezicht met mooie gelaatstrekken. Die ogen moesten om de aandacht strijden met weelderige borsten een een smaragdgroen halssnoer, waar haar eigen aquamarijnen en parels prulletjes bij leken.

'Je hoeft niet zo geschokt te kijken.' De vrouw liet Hope los en duwde haar kastanjebruine krullen met een hand op hun plaats, terwijl ze met haar andere hand langs de lage halslijn van haar zeegroene shantoengjurk streek. 'Het is allemaal een kwestie van architectuur. Een Franse dame bij Nanking Road, verricht wonderen. Ik ben een heel stuk kleiner dan jij, dat weet ik nog wel.'

Hope kneep zo hard in haar glas dat het brak. 'Sarah Lim,' fluisterde ze. 'Niet te geloven.'

'Chou, nu.' Sarah gaf Hope een servet om de wijn van haar handschoenen te deppen, en liet het natte champagneglas in een kwispedoor vallen.

'Wat doe jij hier! En waar... Wat zei jc?'

Sarah lachte. 'Chou. Ja, lieve, ik heb promotie gemaakt. Tsinglee, ook wel bekend als Eugene. Hij is bankier, tot over zijn lieve oortjes verwikkeld in de overstap van Manchu taëls op republikeinse dollars. Paul kent hem wel, geloof ik, heeft jarenlang de deur bij hem platgelopen namens Sun Yat-sen, maar Gene heeft zijn lot nu aan dat van de prins verbonden.'

Hope stond voor een raadsel. 'Welke prins?'

'Yüan Shih-k'ai. Daar, die dikke. En die breedgeschouderde

vent met die grote kin is Eugene.' Ze knikte naar een groepje buigende Aziaten aan de andere kant van de balzaal. De man die ze met Eugene had aangeduid stond met zijn zij naar hen toe, maar zelfs vanaf die afstand zag ze de kracht en het zelfvertrouwen in zijn houding. Hij praatte met zijn handen en rukte zijn hoofd achterover om iets te benadrukken. Zijn levendigheid stond in schril contrast met Yüan Shih-k'ai, die naast hem stond in vol militair ornaat, één hand rustend op zijn gouden zwaard, de andere op napoleontische wijze op zijn ruime borstkas.

'Waarom noemt iedereen hem zo?'

'Omdat hij heeft geprobeerd zich de positie van de prins in het oude Manchu-hof toe te eigenen, en nu beweren sommigen dat hij zich tot keizer van de republiek wil laten kronen.'

Paul hoefde zich nauwelijks zorgen te maken dat zij met *hem* zou gaan dansen, dacht Hope, maar ze begreep de bezorgdheid van haar man over een mogelijke heerschappij van die kille tiran.

'Oké.' Ze wees Sarah op een paar stoelen bij de muur. 'Vertel me eens wat er is gebeurd dat jij hier bent.'

'Wat er met *mij* is gebeurd?' Sarah trok een wenkbrauw op alsof Hope een ondeugende mop had verteld. 'Niet meer dan er zo te zien met jou is gebeurd. Wanneer komt je baby?'

'April.'

'Is het je eerste?'

Hope kromp ineen. 'Tweede.' Ze zweeg. 'We hebben een dochter, Pearl. Ze is drie.'

'Nou, dan zul je wel wat hulp nodig hebben met haar, bij de...'

Hope viel haar in de rede. 'Hoe lang ben je hier al, Sarah?'

'Ah, jij vermoedt een mooi sappig verhaal, hè?' Sarah rekte haar armen uit in hun lange witte handschoenen. Iets in die beweging deed aan zwanenhalzen denken, en voor het eerst in jaren dacht ze aan Kathe en Ong. Sterker nog, de hele huwelijksreis kwam weer terug, maar Sarah zou haar nostalgie niet voeren. 'Dat is het, en dat is het niet,' ging ze verder. 'Donald heeft me hier bijna twee jaar geleden naartoe gebracht.'

'Je zei dat je hier nooit heen zou gaan.'

'Ik heb zoveel gezegd.'

'De baby?'

'O, dat was gewoon waar. Hij is nu een grote jongen. Gerald. Arme jongen, hij heeft het moeilijk gehad, maar hij is een taaie. Hij is vijf maar hij lijkt wel vijftien, en hij is donker als een Chinees, ondanks mijn huidkleur – ik zal je wel nooit verteld hebben dat zijn vader een zeeman was, een Zuid-Amerikaan met iets van inlands bloed. In elk geval genoeg om hier voor Euraziatisch door te gaan. Eugene gedraagt zich netjes tegenover hem.'

'Maar Donald...'

'Tja, Donald. Die is overleden.'

'Sarah, dat spijt me.'

'Mij niet. Niet op de manier die jij bedoelt. Hij was heel goed voor mij en Gerry. Daarom ben ik hier uiteindelijk ook terechtgekomen. Want wat ze ook over Chinese mannen mogen zeggen, ze hebben mij altijd goed behandeld – beter dan welke blanke dan ook die ooit mijn pad gekruist heeft. Maar ze hebben ook meer dan genoeg zwakheden, en laat je niet wijsmaken van niet. Grappig, herinner je je nog al dat gedoe in Wyoming over eventuele Chinese echtgenotes?'

'Wat bedoel je?'

'Ong had ook een Chinese vrouw. Donald was niet de enige. Maar dat zijn de trucjes die het lot met de dwazen uithaalt. Hoewel een andere vrouw in mijn plaats het misschien geluk zou noemen.'

'Ik kan je niet volgen.'

'Hoe moest ik weten dat Don er helemaal niet de *man* naar was om te trouwen.'

'Was hij...' De band zette een krijgshaftige wals in, en een langzaam draaiend gezelschap ging de dansvloer op.

'Eerst dacht ik dat het was omdat ik zwanger was. Toen vanwege de geboorte. Toen, toen ik erop stond Gerry zelf te voeden, maakte ik mezelf wijs dat dat hem ook weer afkerig maakte. Ik heb bijna twee jaar lang het Chinese bijgeloof de schuld gegeven voor ik eindelijk in de gaten had dat Don de voorkeur gaf aan bepaalde mannelijke vrienden. Ik kan je niet zeggen hoe stom ik me toen voelde!'

Een plotselinge afkeer nam bezit van Hope toen ze zich herinnerde hoe Donald erop gestaan had een van de kamers in Evanston voor hem en Sarah alleen te hebben, hoe eigenaardig Sarah zich die hele reis gedragen had. Ze wist niet of ze er tegen kon om de rest van het verhaal ook te horen.

'Hoe ben je *hier* beland – en met hem?' Ze wees naar de bankier.

'Ah, nu weet ik het weer. Altijd tuk op details. Ik had dat vanaf de allereerste dag bij jou in de gaten. Weet je nog hoe je van de kaart was toen arme Kathe boven op die koelies viel? Ik heb je toen gewaarschuwd, en ik waarschuw je nu weer. Je zult je nog sterker moeten maken als je het in dit land wilt redden. Mijn geschiedenis stelt niets voor vergeleken met wat je in China nog te horen zult krijgen – wat je vlak voor je ogen zult zien gebeuren.'

'Maar wat voor geschiedenis *is* dat dan?'

Sarah glimlachte. 'Toen ik Donald zijn – eh – voorkeuren onder de neus wreef, reageerde hij echt heel elegant. Ik had hem een zoon gegeven, en dat was het enige wat zijn familie belangrijk vond. Vrouw nummer één was daar niet in geslaagd, en de reden is natuurlijk duidelijk, maar zelfs een "Euraziatische" kleinzoon was beter dan helemaal geen. Donald bood aan voor Gerry te zorgen, en mij te laten vertrekken als een zogenaamde vrije vrouw, maar ik wees hem erop dat ik – zelfs als ik het in overweging zou willen nemen mijn zoon achter te laten – als afdankertje van een Chinees geen haar beter zou zijn dan een ongetrouwde moeder. Dus kwamen we tot een overeenkomst. Hij zou ons onderhouden, en we zouden samenwonen, maar apart, begrijp je. Alleen Donalds plan om een Amerikaanse advocaat te worden mislukte. Toen bood Standard Oil hem een betrekking aan als klerk op hun kantoor hier in Sjanghai. Het was zo'n regeling die mensen treffen om zich erdoorheen te slaan.'

Hope schudde haar hoofd. 'Ik krijg de indruk dat jij het helemaal niet zo slecht gedaan hebt, Sarah.'

'Dat zal ik niet ontkennen, maar je moet toegeven dat dat het leven interessant maakt.'

'O ja?' Hope had het gevoel dat hoe interessant Sarah's leven ook mocht zijn, bepaalde essentiële ingrediënten ontbraken.

'Om een lang verhaal kort te maken,' zei Sarah, 'ik zou bij Donald zijn gebleven en zijn doorgegaan met doen alsof ik de moeder van zijn kind was – dat was voor Gerald heus zo slecht nog niet. Maar kort nadat we hier aankwamen werd Donald ziek. Tuberculose. En toen kwam zijn familie tevoorschijn, en daar kon ik niet tegen, Hope. Zoals ze zich op ons stortten en me mijn kleine ventje zo'n beetje uit de handen gristen. Ik kon wel zien wat er zou gaan gebeuren als Donald doodging. En hij ook. Eugene was een vriend. Ik mocht hem wel. En hij was rijk en machtig op die Chinese manier die hem het recht geeft om bepaalde typen vrouwen als trofeeën te verzamelen. Je zou kunnen zeggen dat ik zijn eerste blanke trofee was.'

'O, Sarah!' Hope sloeg vol walging een hand voor haar mond.

'De positie brengt een groot aantal privileges met zich mee, lieve. En niet de minste daarvan is de toestemming om Gerry te houden. Eugene heeft ons ons eigen huis in Frenchtown gegeven.'

'Ik kan het niet...' Hope stond op, opeens duizelig. Het verhaal. Sarah's koele, afstandelijke glimlach. De impliciete waarschuwing die erin verwerkt was. 'Ik moet Paul zoeken.'

Sarah haalde haar sproetige schouders op. 'Jij en ik, lieve schat, onderscheiden ons als de enige twee Amerikaanse vrouwen die met een Chinees getrouwd zijn in de hele Settlement. Ik ben niet zo slecht als jij denkt, en jij bent misschien niet zo goed als je denkt als ze hier genoeg van je hebben. Oordeel niet te snel.'

Maar Hope liep al tussen de walsende paren door, zich een weg banend alsof ze door hoog gras liep. Paul had jaren geleden al gelijk gehad over Sarah: op de een of andere manier riep ze het ergste over zich af. Maar had hij ook geweten, zoals Sarah suggereerde, dat ze Hope was voorgegaan met haar komst naar Sjanghai? Zo ja, dan had hij moeten weten dat ze vanavond hier zou zijn. Daar had je hem, eindelijk, hij kwam de balzaal binnen door een deur aan de andere kant.

Paul fronste zijn wenkbrauwen toen hij merkte dat ze buiten adem was.

'Sarah is hier! Sarah Lim – Chou.' Hope keek naar de slanke, roodharige gestalte die nog steeds alleen op de plek stond waar zij net was weggelopen. 'Waarom heb je niets gezegd?'

'Gezegd.' Hij volgde haar blik. 'Ja...' Maar zijn stem haperde. De dreun van dansers en muziek werd nu luider. Hij draaide zich abrupt om en ging haar voor door een paar openslaande deuren naar een leeg balkon boven de donker geworden tuin.

Hoewel de avond bijtend en vochtig was haalde Hope opgelucht adem na de verstikkende lucht van geparfumeerde huid en kleding – Sarah's akelige verhaal. Ze sloeg haar armen om zich heen. Paul leunde bij haar vandaan, draaide zijn bolhoed tussen zijn handen en keek naar de schaduwen beneden. Daar klonk het dringende gefluister, in het Frans maar onmiskenbaar, van een man en een vrouw die een afspraakje maakten.

'Ik moet morgen naar Nanking,' zei Paul, hard genoeg om het tweetal in de bosjes op de vlucht te jagen.

'Nanking!'

'Met Homer Lea en dr. Sun. Het is besloten. Inauguratie zal daar volgende week plaatsvinden.'

'Nanking.' Hope probeerde te bevatten wat Paul haar vertelde, maar de topografie van China was haar nog net zo vreemd als het politieke gekonkel. Ze had slechts een vaag gevoel van een inlandse stad, als een vlek op de landkaart, met Sjanghai verbonden door een onbepaald aantal kilometers spoor en rivier. De handboeken noemden Nanking als de hoofdstad van de laatste Chinese Han-dynastieën en van de Taiping-rebellen. Paul had haar verteld dat het voorlopige parlement daar bijeen was geweest, maar ze had er niet veel belang aan gehecht, omdat hij ook gezegd had dat de nieuwe hoofdstad van de republiek nog niet bekend was. En als hij hen naar Sjanghai had laten komen, geloofde hij beslist dat de regering zich daar zal vestigen. Sterker nog, dit bal was ook een aanwijzing in die richting.

'Ik kom zo snel mogelijk terug,' zei hij.

Ze trok haar handschoenen uit, die nog vochtig waren van de wijn, en wrong ze uit om iets te doen te hebben met haar handen. Toen ze sprak klonk haar stem veel te helder. 'Kunnen wij niet met je mee?'

Hij draaide zich naar haar om. 'Je weet niet wat je vraagt.'

'Maar...'

'Er is geen buitenlandse concessie in Nanking.'

'Dat maakt niet uit! We zijn hier gekomen om samen te zijn.'

'Hope. Daar zijn geen westerse dokters. Geen ziekenhuis. Geen koemelk. Geen buitenlands gerechtshof.' Zijn smalle borstkas ging op en neer. Hij weigerde haar weer aan te kijken achter die ronde brillenglazen.

Ze voelde haar geoefende neiging om te sussen en te aanvaarden opeens wankelen onder een instinctiever verlangen naar geruststelling, en toch waren de woorden die ze eruit gooide van sarcastische weerhaakjes voorzien. 'Ach ja, welk recht heb ik tenslotte ook om te klagen. Ik ben je vrouw maar!'

Hij schonk haar een even scherpe blik, trok zijn schouders naar achteren, en rechtte zijn rug. Toen zette hij zijn hoed recht op zijn hoofd. 'Dr. Sun spreekt altijd met veel respect over jou. Je moet hem begroeten. Daarna gaan we naar huis.'

'Meer heb je niet te zeggen?'

'Hope.' Zijn stem vocht tegen zichzelf. Hij nam zijn bril af en staarde er even naar in zijn handen. Toen zocht hij haar met zijn ogen en zei zachtjes: 'Meer kan ik niet zeggen.'

5

8 JANUARI 1912

Lieve Mary Jane,

Nog steeds geen antwoord van papa op mijn bombrief. De traagheid van de post over de oceaan is een verschrikking voor iemand zo ver van huis, en iets in me waarschuwt mij en zegt, wacht en probeer erachter te komen hoe groot de wond is die ik geslagen heb voor je er zout in wrijft. Dat is slechts één reden waarom ik jou mijn eerste verslag over China schrijf in plaats van dit naar hem te sturen. Lafaard die ik ben.

Er is, zoals te verwachten valt, goed en slecht nieuws. Het goede nieuws is dat het hier een fascinerend oord is, en Paul heeft ons neergevlijd in een schoot van luxe. Je dacht misschien dat we in een pagode à la Chinatown zouden wonen? Of zo'n paleis met binnenplaats à la Lafcadio Hearn? Niet met Paul aan de leiding. Tot volgend jaar wonen we in wat beslist de enige roze Italiaanse villa in Sjanghai moet zijn! Het is eigendom van een vriend van Paul die bezeten is van Italië. Deze jongeman, meneer Huei, heeft een architect een paar ontwerpen laten maken en heeft de helft van alle antiquiteiten in Florence opgekocht. Na zijn thuiskomst liet hij dit huis bouwen als een soort vitrine voor zijn schatten. Zoals zoveel rijke Chinezen had de vader van meneer Huei hier in de Franse Concessie in onroerend goed geïnvesteerd omdat de belastingen, hoewel hoger dan de blanken moeten betalen, stabiel en laag zijn vergeleken bij de tarieven die de Manchu's buiten de concessies oplegden. Dus hoe de Chinezen ook tekeergaan tegen het 'buitenlandse imperialisme' en tegen 'machtspolitiek', de Chinezen met de dikke portemonnees hebben zwaar geïnvesteerd in de internationale settlements als een buffer tegen tijden van onrust, wanneer de vloek van de exterritorialiteit op wonderbaarlijke wijze in een zegen omslaat.

Dit is wat ik bedoel met goed en slecht! Alles is hier door elkaar gehusseld, meer dan ooit in Amerika. Bedienden zijn ook zo'n voorbeeld. Ja, we hebben er vijf, full-time, plus tegen de tijd dat de baby komt, ongetwijfeld, een tweede kindermeisje, en een riksjaloper en *mafoo* – rijtuigbestuurder – die we met de buren delen. Ze spreken allemaal koloniaal pidgin, een koeterwaals van Engels en Portugees dat nog erger klinkt dan het talkee-talkee dat de Chinese dagloners thuis naar het hoofd gesmeten krijgen. Ze noemen mij Missy en Paul Master en beloven alles 'chop chop' te doen. Paul zegt dat pidgin het ergst denkbare compromis is tussen twee rassen – het resultaat wanneer geen van beide partijen bereid is zijn best te doen de ander echt te begrijpen. Wat hij natuurlijk bedoelt is dat de buitenlanders geen poging hebben gedaan Chinees te leren. Aangezien de meeste bedienden in hun eigen taal analfabeet zijn, is het pidgin van hun kant een heroïsche inspanning. Nee, Paul heeft absoluut gelijk en ik heb me als eerste doel gesteld het Sjanghainees (een totaal ander taaltje dan het Mandarijnenchinees!) ten minste op praktisch niveau te leren hanteren, zodat we deze poppenkast kunnen vermijden.

Intussen is Pearl in de zevende hemel. Zo gelukkig hier, dat ik denk dat ze over een of andere biologische component beschikt dat dit continent als haar eigenlijke thuis ervaart. Sinds onze aankomst neem ik haar elke dag mee de deur uit, en terwijl de massaliteit waar deze stad van doortrokken is mij soms afschrikt, is zij er verrukt van.

Je wilt details, ik weet het. Mary Jane, het is zo overweldigend. Misschien kan ik het het beste beschrijven alsof ik een camera ben waarin je ziet wat wij gisteren tijdens ons uitje gezien hebben. In een en hetzelfde frame keek ik vanuit ons rijtuig naar buiten en zag een uitgemergelde man, spieren zichtbaar als strengen in zijn blote nek, borstkas en benen, terwijl hij een torenhoge vracht oud papier vervoerde die hij op de een of andere manier met een oude lap om zijn voorhoofd bij elkaar hield *en* nog een man in blauwzijden brokaat met een geleerdenkap met koraalknopen en een gouden sigarettenpijpje losjes aan zijn lip terwijl hij *op de nek* zat bij een jong, hevig transpirerend dienstmeisje. Dan is daar de Bund, de boulevard langs de rivier met zijn indrukwekkende Europese zuilengalerijen, parades van rijtuigen en vrachtauto's en paren gekleed in fijne Engelse tweeds, terwijl daar rechts beneden in de hoek van het frame – kun je het je voorstellen? – een jonge vrouw in lompen op haar hurken zit, het slappe lichaam van haar zoontje in haar armen, een dochtertje roerloos en languit naast haar, en die vrouw die wiegt heen en weer, huilt als een dier, en geen hoofd op de promenade dat haar kant op kijkt.

Pearl vraagt: 'Mama, waarom huilt die mevrouw?' Als ik mijn dochter vertel dat die mevrouw en haar kinderen heel arm en ziek zijn (ik zeg haar niet dat ik vermoed dat de jongen al dood is), zegt ze: 'We kunnen ze mee naar ons huis nemen.' En ik word geconfronteerd met het feit dat hetzelfde monster in mij huist, dat met duivels plezier van de gevels van deze Britse banken en koopmanshuizen neergrijnst, dat fonkelt uit de hoeken van al die blauwe en groene ogen, die zich zo behoedzaam wegdraaien van de verdoemde vrouw en haar kinderen. Dat monster wacht rustig af en kijkt, proeft de geneugten van deze exotische omgeving, om vreemd in bekend te veranderen, en dat wat primitief of wreed is te temmen, maar laat de boel beveiligen en plaatst wachten bij de poorten, als de grotere gruwelen van China te dichtbij komen.

'Omdat we geen dokter zijn,' zei ik tegen mijn dochter, 'en omdat het misschien besmettelijk is.'

'Maar wat gaat er met ze gebeuren?' hield ze aan.

'Er komt wel iemand,' zei ik haar. 'Iemand zal ze wel helpen.'

'Net als Miss Cameron?'

'Ja.'

'Miss Cameron zal het wel weten.' Ze knikte met stelligheid. 'Kijk!' En ze was alweer opgesprongen en wees naar een straatjongleur die vijf borden op de punten van eetstokjes liet tollen terwijl hij op stelten van tweeënhalve meter hoog rondliep – de vrouw met het stervende kind niet meer dan een nazeurende vraag.

Ik ben niet trots op mijn antwoord op die vraag van Pearl, maar ik merk dat deze plek alle ideeën van zelfbescherming naar een hoger niveau dwingt. Want weet je, we zijn alleen, Pearl en ik, met ons huis vol bedienden. Dat is het andere slechte nieuws. De regering van Paul zal in Nanking worden geïnstalleerd, de voormalige hoofdstad van de Ming-dynastie (de laatste heersers die geen 'barbaarse binnendringers' waren). En omdat Nanking een van de weinige belangrijke steden is die geen internationale concessie heeft,

heeft Paul het gevoel dat het voor ons niet veilig zou zijn om daar met hem heen te verhuizen. Hij heeft beloofd terug te komen zo gauw hij even geen verplichtingen heeft. Het is maar een dag reizen. Maar het is niet wat ik verwacht had, en ik ben zo hopeloos onvoorbereid op dit alles, Mary Jane!

Zeg alsjeblieft niet: dat heb ik je toch gezegd. Feit is dat ik niet terug wil en ik zou niet anders gekozen hebben. Het is beter Paul een paar dagen per maand te zien dan niet te weten of we elkaar ooit weer zouden zien. En zodra ik de vrijheid van mijn eigen lichaam weer terug heb, zal mijn kijk beslist veranderen. Maar mijn gevangenschap doemt op als een deur die op het punt staat dicht te slaan... Ik mis je zo!

Schrijf ons alsjeblieft, lieve schat.

De brief waar ze bang voor was geweest kwam een week later met de post.

Dr. Herbert Newfield
Naturopathisch Arts, Nerveuze en Chronische Ziekten
Vibratie, Elektriciteit, en Kruiden, Minerale Baden
1311 South Hill Street
Los Angeles, Cal.
Broadway 3777; Home 24053   16 december 1911

Lieve Dolly,

Vanochtend heb ik je brief ontvangen en ik geloof dat een pak voor je broek je goed zou doen. De laatste keer dat ik iets van je hoorde lag je ziek te bed in Frisco en ik heb daarheen geschreven en geen antwoord ontvangen. Ik wist niet of je dood was of wat – jij kunt snel genoeg schrijven als je hulp nodig hebt, maar anders niet. Ik ben er als de weerlicht heengereden, en trof je huis leeg aan, en Thomas en Li-li waren met onbekende bestemming vertrokken. Ik stond op het punt de politie in te schakelen en ik was waarschijnlijk heel snel achter je aangekomen als ik had geweten waar je naartoe was. Dat zou ik misschien zelfs nu nog doen als Mary Jane mij niet had tegengehouden. Die vrouw zou een leeuw nog kunnen laten spinnen als ze daar haar zinnen op had gezet. Maar goed, jij hebt verdomme ook wel de meest beroerde manier van afscheid nemen waar ik ooit van gehoord heb, dochter.

Mary Jane zei dat je je schaamde en ik zal niet ontkennen

dat je daar reden toe hebt, wanneer je zo'n beslissing neemt zonder een woord te zeggen tegen degenen die van je houden. Maar om de Stille Oceaan over te steken en zelfs niet de moeite nemen dat mij te vertellen! Je hebt gelijk, meisje, je maakt een groot avontuur mee, groter dan ik ooit heb meegemaakt, maar je bent mijn enige kind en als de grootvader van Pearl had je me wel iets kunnen meedelen. Paul neem ik het niet kwalijk. Ik neem jou zelfs je vertrek niet kwalijk... Nou ja, je bent nu toch weg, niets aan te doen. Zorg dat jezelf en dat gezin van jou geen gevaar lopen en kom gauw weer bij ons terug – en nog gauwer als Pauls grootse plannen op niets mochten uitlopen. Hoe dan ook, je kunt dit vijfje gebruiken voor een verlaat kerstgeschenk voor Pearl.

Je weet dat ik van je houd, al keur ik je manoeuvres niet goed. Het lijkt me beter als je mij eens schreef hoe het daar is.

Altijd,
je papa

Hoe het is. Hope trok het ruwe witte schrijfpapier over de rug van haar hand. Hoe het is om de halve aarde over te reizen om bij een echtgenoot te zijn die er niet is. Hoe het is om in het huis van iemand anders te wonen, dat in weer een ander continent thuishoort. Hoe het is om onder één dak te wonen met bedienden en een lijfwacht die naar je kijken alsof je een of ander vreemde arctische soort bent, die je nooit recht aankijken, die het hart van je dochter stelen en achter je rug om over je kletsen in een taal en met zo'n snelheid dat je niet weet of ze over je roddelen of je belachelijk maken.

Hoe het is om voor de thee te worden ontboden, zoals haar en Pearl vorige week was overkomen, door de enige 'society' waar ze mogelijkerwijs voor in aanmerking zouden komen. Renata Hwang, vrouw van een immens rijke Chinese woekeraar, had Hope met Sarah op het republikeinse bal gezien en wilde haar nieuwsgierigheid naar deze nieuweling dolgraag nader bevredigen. Hope dacht dat aangezien Renata ook een Chinese man had, ze wel veel gemeenschappelijk zouden hebben, en keek dus met enige opwinding uit naar het bezoek. Renata bleek een jonge, stralend mooie en door en door verwende Parisienne te zijn wier dochter, slechts enkele maanden ouder dan Pearl, haar opwachting maakte in een werveling van roze organza. Pearl was verblind en zich niet bewust van de relatieve saaiheid van haar eigen gesmokte kinderschort. De twee meisjes speelden in de kinderkamer terwijl Renata, die vrijwel alleen het woord deed, Hope informeerde over de sociale hierarchieën die de society van Sjanghai domineerden – de damesclubs en Cercle Sportif, de renbaan, het symfonieorkest, theerituelen in het Cathay en de bals in het paleis. 'Als je genoeg *richesse* hebt,' zei ze, 'misschien dat je dan wordt toegelaten. En als je over enige *courage ici* beschikt,' en ze klopte op de smaragden broche op haar boezem, 'dan zou je het misschien nog leuk vinden ook. Maar dat is allemaal goed en wel, *chérie*, maar jij en ik zullen nooit worden geaccepteerd.'

Er was een Britse vrouw, zei ze, met haar witte handen fladderend alsof het zakdoekjes waren, die zo was gekweld binnen de internationale kolonie omdat ze 'Chinees getrouwd' was, dat ze haar man en *twee kinderen* verlaten had zonder iets mee te nemen en in het geheim naar het Britse consulaat was gegaan, waar ze de ambassadeur had gesmeekt om repatriëring. Een verzoek dat hij zonder meer had ingewilligd. Hij vond een Engels echtpaar op thuisreis om haar te begeleiden en boekte binnen een week een overtocht. Renata besloot dit relaas met een kus op de grote diamant aan haar linkerhand met een eerbied die de zwijgzame Hope zowel ontstelde als ontmoedigde. Het bezoek werd abrupt beëindigd toen Pearl in tranen de kamer binnenstormde omdat de dochter van Renata had gezegd dat ze eruitzag als een halfbloed Chapei. Pearl begreep niet helemaal wat dat betekende, maar Hope wel. Chapei was de buurt voor blanke armoedzaaiers en arbeiders – veelal Portugezen of Russen – die met Chinese vrouwen getrouwd waren.

Hoe het is – en haar gedachten gingen naar het uitje van de vorige dag – om drie uur lang aan je rok te zitten trekken in de wachtkamer van een arts waar de assistente voortdurend zegt: 'De dokter is nog niet terug van de lunch,' ondanks het feit dat je een bevestigde afspraak hebt en andere patiënten met de regelmaat van een metronoom worden binnengelaten. En dan, als je eindelijk binnengeroepen bent, blijkt de dokter helemaal geen dokter te zijn maar zijn halfgare zoon die naar gin stinkt en zaagsel in de ogen heeft en die vraagt: 'Zo, dus de vader is een spleetoog?' en intussen tegen je rok trapt met de ijzeren neus van een laars die nog modderig is van zijn ochtendje op de renbaan.

Moet ze haar vader dan vertellen hoe het is om je dochtertje in het park te laten spelen en vrouwen, die in Yorkshire nog niet eens voor de afwaskeuken zouden worden ingehuurd, tegen hun dikke schatjes met puilogen te horen zeggen dat ze niet met je dochter mogen spelen omdat ze een bastaard is. Of hoe de mannen tegen de gepoetste koperen relings van hun clubs geleund staan en je met de ogen uitkleden als je langsloopt, en dan net luid genoeg zeggen: 'Die nemen hem in hun mond, weet je dat?' of: 'Ze krijgen les van de concubines, anders leggen ze het loodje. Soms zijn ze met hun drieën of vieren in één bed.' Of gewoon: 'Slet.'

Nanking
15 februari 1912
Mijn Hope,

Het is gebeurd. Drie dagen geleden heeft de kind-keizer afstand gedaan van zijn troon. Volgende dag biedt Sun zijn ontslag aan. Vandaag, als schapen, buigen wij en kiezen Yüan Shih-k'ai tot tijdelijk president. Dat breekt mijn hart, te zien dat dr. Sun juist nu wegloopt. Hij loopt rechtop maar ik kan zien dat hij vanbinnen beeft van woede en teleurstelling. Hij zal zeggen dat Yüan hem met deze nieuwe post begunstigt, directeur van de Nationale Spoorwegen, maar hij houdt niemand voor de gek. Zelfs Homer Lea heeft het opgegeven en is naar Amerika teruggekeerd. Gisteren zeg ik tegen dr. Sun: 'Ik zal ook mijn ontslag aanbieden om mij solidair met u te tonen.' Maar hij zegt nee, ik moet mijn gevoelens niet tonen, ik moet binnen deze regering werken voor de republiek.

Weet je nog die eerste dag dat ik bij je kom, onze eerste les, toen je die mot uit het raam laat en zegt, dat is vreedzame revolutie? Ik denk daar nu elke dag aan. Ik herinner mij je ogen, zo vol zekerheid, alsof je de toekomst kunt berekenen. Ik was het die je idee van vreedzame revolutie niet geloofde. Toen komt oktober vorig jaar en China komt in opstand, Manchu-legers vallen. De kind-keizer is nu als jouw mot, levend en wel maar van zijn macht ontdaan. Jij had het voorzien. Alleen westerse naties delen jouw respect voor gerechtigheid en eer niet. Zij zijn rijk geworden door handel met Manchu-tirannen en vrezen ware democratie in China. Dus varen ze rond met hun kanonneerboten en fluisteren hun omkoopsommen en weten dat Yüan zal doen wat zij willen.

In deze historische tijd voel ik geen opwinding en trots,

maar diepe en vreselijke droefheid. Zoveel jaren heb ik gedroomd van China's republiek, en nu voel ik dat we maar kinderen zijn die regerinkje spelen, een proces nabootsen dat we niet begrijpen. Voor deze teleurstelling verlaat ik jou en Pearl zoveel weken, maar er is geen andere manier.

We moeten nu de grondwet wijzigen en een paar andere beslissingen nemen. Yüan wil Peking tot hoofdstad maken, waar hij als een Manchu in zijn paleizen kan blijven wonen. Dr. Sun is erop tegen, maar ik vermoed dat Yüan aan langste eind trekt. Zo ja, dit kan beter voor ons zijn dan Nanking, aangezien Peking verdragsstad is met buitenlands gezantschap, misschien kunnen we daar met elkaar wonen. Op dit moment weet ik niet hoe lang het duurt voor ik naar Sjanghai kan terugkeren, maar ik heb Yen $ 200 gezonden. Dat zou voorlopig genoeg voor jullie moeten zijn.

Mijn Hope, ik kan niet zeggen wat in mijn hart is zoals ik weet dat je zou wensen. Wanneer we samen zijn, is dat niet nodig. Alleen deze afstand geeft woorden gewicht. Ik probeer deze dag te herinneren toen je naar me toekomt over de oceaan. Ik heb mijn armzalige poging bijgesloten en hoop dat je zult begrijpen.

Mijn liefde en meest tedere kussen voor jou en onze dochter,

Je man Paul

Bij de brief was een gedicht gevoegd, geschreven in gekalligrafeerd Engels op een stukje parelmoeren rijstpapier.

Over Tienduizend Li

De deur naar mijn nederige huis zwaait open,
Wintervorst smelt tot zomerregen.
De ochtendboot brengt je terug bij mij
Op een rivier die glimt als zilveren spiegel
Eindelijk herenigd.

Hope las de brief en het gedicht drie keer in hun geheel door. Toen vouwde ze ze op, stak ze bij zich en riep met droge ogen Pearl voor haar lessen. Het volgende uur bracht ze haar dochter optellen en aftrekken bij en gebruikte stevig gepoetste lycheepitten als fiches. Ze las het verhaal van Kipling over 'Hoe de neushoorn aan zijn huid kwam' voor. Ze dronken Oolong thee en aten wat van de maïscakejes die ze Dahsoo de vorige dag had leren bakken. Toen kuste ze haar dochter op het voorhoofd en stuurde haar met Joy mee voor een slaapje. Het volgende uur zat Hope alleen in de tuin en keek naar Pauls geliefde vissen die rondjes zwommen in hun porseleinen gevangenis.

6

HET EERSTE GEZICHT DAT ZE ZAG TOEN ZE UIT DE ETHER KWAM was dat van Sarah Chou. Achter Sarah doemde een engel op. 'Zijn we dood?' fluisterde ze.

'Erger.' Sarah zwaaide met een lange, knokige vinger. 'Je hebt een jongetje. Ah, nu weten ze je wel te vinden.'

De engel tilde haar vleugels op en zeilde weg. Die belachelijke hoeden. Hope lachte om zichzelf – met moeite. 'Zo ken ik je weer,' zei Sarah zangerig en ze hielp Hope overeind in de kussens. 'Zeer? Vast en zeker, zo'n klein wezentje als jij.'

'Waar is hij?'

Maar zuster Engel kon gedachten van moeders lezen en daalde alweer neer. 'Hij lijkt sprekend op Paul,' fluisterde Hope, terwijl ze haar armen opende om de boreling te wiegen.

'Helemaal niet!' zei Sarah en leunde dichterbij. 'Kijk, er zit een slag in zijn haar, en zijn ogen zijn bijna blauw, net als die van jou...'

'Alle baby's hebben blauwe ogen,' kaatste Hope terug. 'Kijk eens naar die prachtig lange wimpers.'

'Nou! Je zou blij moeten zijn met het onderscheid.'

Hope tilde de baby naar haar borst. Daar was de vergeten onhandigheid bij het aanleggen. Het zoekende blinde mondje. Het wanhopige gekreun en gegrom, onmogelijke vingers die als tentakeltjes naar haar vlees trokken, de tepel gigantisch – veel te groot voor dat mondje, en de golf van paniek dat de natuur op dit kritieke moment zou falen. Dan magie. De stukjes, als van een organische puzzel, schoven in elkaar en haar melk stroomde neer, een warme golf van genot en verdriet die door haar heen stroomde toen haar kind haar beet had en begon te zuigen. Ze herinnerde zich wanneer deze baby was verwekt. Vlagen van 's nachts bloeiende jasmijn bij het bed. Regen die op het dak tikte. Zij en Paul hadden hun dekens afgeschopt en naakt in bed gelegen, huiverend, zich aan elkaar vastklampend alsof ze in elkaar weg wilden kruipen. Een andere wereld. Een eeuwigheid geleden. Toch was hier het levende bewijs.

'Ook geen min voor jou,' zei Sarah schalks. En toen Hope niet reageerde ging ze verder: 'Ik zeg altijd, je kunt wel met een Chinese man trouwen, maar dat maakt je nog geen Chinese vrouw.'

'Paul heeft nooit de geringste poging gedaan om mijn instincten als moeder te sturen.'

'Aha.' Sarah trok aan haar rok. 'Nou. Hoe ga je deze baby noemen?'

'Dat hebben we nog niet besloten.'

'We?' Sarah draaide haar hoofd eerst naar rechts, toen naar links. 'Schat, ik zie helemaal geen we. Alleen jou.'

Hope hield haar mond. Ze had Sarah zelf mee gevraagd, ze had de afgelopen weken veel meer op haar geleund dan goed was. Met de overplaatsing van de regering van Yüan Shih-k'ai naar Peking begin april, werd duidelijk dat Paul voor de geboorte niet thuis zou zijn. En hoe dan ook, hij had geen benul van buitenlandse dokters en ziekenhuizen in Sjanghai. Het was Sarah die Hope had verwezen naar het Ste. Marie, een groot sober missieziekenhuis in de Franse Concessie, met harde matrassen en een overweldigende geur van ether en een kruisbeeld boven ieder bed, maar ook een reputatie van professionele en onpartijdige medische behandeling voor zowel Chinezen als buitenlanders. Het was Sarah die haar de laatste dagen thuis gezelschap had gehouden. Sarah die haar zoon Gerry had meegebracht om met Pearl te spelen. Sarah die ondanks al haar lompe en onverschrokken manieren Hope's enige vriendin in Sjanghai was geweest. Niettemin bleef Paul een onderwerp dat Hope weigerde met haar te bespreken.

'Hij is over twee weken terug,' zei ze gelijkmatig. 'Meteen na de inauguratie van de senaat.'

'Dames?' De stem, zacht en beleefd, kwam van buiten het gordijn dat om het bed was geschoven. Sarah legde haar vinger tegen haar lippen en schudde haar hoofd ten teken dat Hope stommetje moest spelen. De schaduw van de spreker werd een net profiel, keek in een map en ging over in het uitwaaierende silhouet van een voorbijkomende verpleegster. Sarah kneep Hope in de vingers en onderdrukte een lach, maar de baby, losgetrokken van de tepel, verried hen met een kreetje dat overging in een boertje.

Het gordijn ging open. 'Ik ben dokter Mann.'

Hope schoof verlegen over de matras om zich te bedekken en de baby met klopjes te kalmeren. De dokter, een magere, jeugdige Amerikaan met zandkleurig haar, knikte kortaf en pakte de kaart aan het voeteneind van het bed. 'Mevrouw – mm –' Hij keek niet naar de moeder maar naar het kind. Die glinsterend zwarte haardos en ogen – twee donkere pennenstreken boven vollemaanswangen. Hij bestudeerde de kaart weer. 'Mevrouw Leon?'

'Ja.' Haar stem klonk afgeknepen. Even dacht ze dat de verschijning van de arts iets bekends had, maar ze kwam meteen tot de slotsom dat het niet meer was dan dat vernislaagje van efficiëntie waar zo vaak vooroordelen achter schuilgingen.

'Prachtige zoon hebt u daar. Mag ik?' Hij nam het kronkelende bundeltje met een hautain knikje van haar over.

Terwijl hij de pols en hartslag van de baby controleerde, nam Sarah hem nieuwsgierig op. 'Zeg dokter, bent u nieuw in Sjanghai?'

'Een paar weken,' mompelde hij.

'Waar komt u vandaan?'

Hij inspecteerde een oor. 'Seattle.'

Sarah wierp Hope een samenzweerderige grijns toe. 'Mijn laatste stop in Amerika was New York, maar ik ben hier alweer drie jaar. Een oudgediende bijna. Hoe bevalt het u hier?'

'Er is werk genoeg.' Dokter Mann fatsoeneerde de doeken en gaf de baby aan Hope terug. 'Nog meer kinderen?'

Hope kuste haar baby en negeerde de vraag. Ze wantrouwde de achteloze houding van deze man en schaamde zich voor het gekoketteer van Sarah. Het liefst zou ze beiden zien vertrekken.

'Ze heeft een dochter,' antwoordde Sarah voor haar. 'Drie jaar en al een hartenbreekster.'

'Ik kan me voorstellen dat u graag naar haar terug wilt.'

'Dat had niet gehoeven als ze hier bij mij had mogen zijn,' kaatste Hope terug.

Hij schudde zijn hoofd. 'Ik weet het. Er gaan dagelijks mensen naar huis, soms zelfs weken te vroeg, omdat ze zich zorgen maken om hun gezin. Maar de directeur hier is manisch als het om kleine kinderen en bacillen gaat.' Hij dempte samenzweerderig zijn stem. 'Nu is het daar een beetje te laat voor, maar mocht het ooit nodig zijn, dan zou u het Inheemse Ziekenhuis eens kunnen overwegen.

Daar mag u uw kinderen en zelfs uw kindermeisje meenemen. Veel humaner.'

'Ik zal het onthouden,' zei Hope koeltjes. Ze liet de baby, nu diep in slaap, in het ledikantje naast haar bed zakken. 'U vindt het dus wel goed, dat ik vanmiddag naar huis ga.'

Hij had vreemde ogen, zag ze, toen ze hem voor het eerst aankeek. Hazelnootkleurig, met strepen bleekblauw en groen. Ze betrokken. 'Zoals ik zeg, naar mijn mening zouden u en dit kind hier veiliger zijn.'

'Maar,' zei Hope vastberaden.

Hij aarzelde. 'Maar ik begrijp het.'

'Weet u, dokter,' zei Sarah, 'er is in Sjanghai meer te doen dan werk alleen.'

Zijn ongeringde handen rustten op zijn stethoscoop. 'Een goede dag, dames.'

'Idioot,' mompelde Hope toen het gordijn dichtviel.

'Adonis!'

'Geef me die kaart eens.'

'Je kunt niet ontkennen dat het een knappe man is.' Sarah overhandigde haar de kaart die aan het voeteneind hing.

'Hier.' Hope priemde met haar wijsvinger op het papier. 'Ras moeder: blank. Ras vader: Chinees. Dat is het enige wat ze interesseert! Inheems Ziekenhuis, ja hoor.'

'Niets van wat daar staat is onwaar,' zei Sarah.

'Niets van wat hier staat is *belangrijk*.' Ze verfrommelde het lichtblauwe papier en zou het in stukjes hebben gescheurd als Sarah het niet uit haar hand had getrokken.

'Daar vergis je je in, schat. In deze stad is het belangrijker dan waar ook ter wereld.'

Sarah liet zich op het voeteneind zakken. Ze was gekleed in jadekleurige taf, haar vlammende haar losjes opgestoken onder een hoed met een bijpassend fluwelen lint. Maar ondanks al haar elegantie hing er een duisternis om Sarah heen. Hoewel Hope zichzelf nooit zou toestaan deze vrouw volledig te vertrouwen, kon ze haar ook niet meer negeren – al lang niet meer.

Ze legde een hand op het voorhoofd van de baby, voelde de kleine spieren al verkrampt van het dromen. 'Hoe verdraag je het, Sarah?'

Ze kreeg niet onmiddellijk antwoord, maar toen dat kwam, was de welbespraaktheid weg. 'Mijn vader heeft me eruit geschopt toen ik twaalf was,' zei Sarah. 'Hij was dronken en ik was een onhandelbaar kreng. Dat ben ik nog steeds, en ik denk dat dat mijn redding is geweest. Ik ben zeker niet het romantische type. Ik heb er te vaak van langs gekregen om me druk te maken om beledigingen of misverstanden. Maar ik ben ook niet helemaal cynisch geworden. Ik geloof niet dat die dokter jou wilde kleineren, Hope.'

Hope zuchtte, schudde haar hoofd en glimlachte met tegenzin. 'Ik weet niet of ik je moet omhelzen of je de andere wang moet toekeren.'

Sarah lachte. 'Je hoort mij niet klagen als ik die baby een keer mag vasthouden.'

Twee weken later werd Hope net wakker uit een dutje toen ze Paul op de binnenplaats hoorde bulderen. 'Waar is mijn zoon! Waar is mijn vrouw!' De gebruikelijke commotie van bedienden, gevolgd door een uitbarsting van gegiechel. 'En mijn grote, grote dochter, mijn dierbare Pearl.' Even later vloog de deur open en kwam hij binnen als een wervelwind.

Grijnzend en verfomfaaid, hoed scheef, geelbruine wollen jas losjes over zijn schouders, zag hij eruit alsof hij haar zo zou kunnen verzwelgen, maar eerst zette hij zijn bril op en stak zijn handen naar zijn zoon uit.

'Heb je schone handen?' vroeg Hope, alsof ze hem uren in plaats van weken geleden voor het laatst gezien had.

'Mijn handen.'

'Je hebt een reis achter de rug. Ze zijn waarschijnlijk koud ook.'

Paul gromde geïrriteerd. 'Miljoenen baby's worden geboren in velden en modderhutten, niemand wast handen.'

'En miljoenen sterven. Doe nu maar wat ik zeg.'

Hij haalde diep adem, maar deed wat ze zei en keerde geschrobd en gekamd terug, bevrijd van zijn jas en zijn handen wrijvend, de blik van een gekastijde schooljongen in zijn ogen – maar een schooljongen die niettemin dol is op zijn leraar.

'Dat is beter.' Ze trok een wenkbrauw op en overhandigde hem de baby, die zijn vader met ernstige, bedachtzame blik begon te bestuderen.

Paul bekeek vluchtig het gezicht van het kind en legde hem toen over zijn knieën. Hij pelde de lagen doeken af, maakte de luier los en boog met toegeknepen ogen over de rug van het kind.

'Wat is er?' vroeg Hope ongerust. 'Wat zoek je?'

De baby kirde en schopte, genoot van zijn vrijheid, terwijl Paul met zijn wijsvinger een cirkel beschreef onder aan de ruggengraat. Een rilling ging door Hope heen toen ze zich over het jongetje heen boog om het kleine platte vlekje te bekijken. Pearl had daar bij haar geboorte ook een vlekje gehad. Hope had er nooit iets van gedacht, Paul had er nooit iets over gezegd, en na verloop van tijd was het verdwenen.

'Hij is Chinees!' verklaarde Paul triomfantelijk. Hij kuste de vlek. Toen leunde hij voorover en kuste zijn verbouwereerde vrouw. 'Hsin-hsin, je hebt me een Chinese zoon gegeven. Deze Mongoolse plek is ons bewijs. Eerste zoon van Liang geboren in de nieuwe republiek!'

Hope voelde haar keel dichttrekken. Ze eiste het kind weer op en begon het zorgvuldig in te wikkelen. Paul rekte zijn armen en maakte een rondje door de kamer. En passant klopte hij met zijn vingers op het bureau. Hij stond even stil om uit het raam te kijken en Pearl aan te moedigen, wier driewieler met een metaalachtig gekletter antwoordde. Eindelijk draaide hij zich om.

'Je voelt je goed,' zei hij zachtjes.

Hope keek op. Haar lippen bewogen, maar voor ze een antwoord kon formuleren werd er op de deur geroffeld en tuurde een jong, glanzend bruin gezicht naar binnen. Yen had Ah-nie ingehuurd toen Hope nog in het ziekenhuis lag. Ze kwam uit Shantung, was opvallend knap en had uitstekende referenties, maar ze was ook stug en zwijgzaam. Ze maakte Pearl bang en bracht Joy in verlegenheid, en was volgens Hope overdreven efficiënt. Maar toen Hope vroeg waarom Yen haar niet eerst had geraadpleegd, liet hij het telegram van Paul zien, gedateerd drie dagen voor de geboorte van de baby en vergezeld van een cheque op naam van Yen, met expliciete instructies om een nieuw kindermeisje aan te nemen voor moeder en kind weer thuis waren uit het ziekenhuis.

'Je had het inhuren van het kindermeisje tenminste aan mij kunnen overlaten,' zei Hope toen Ah-nie de baby had meegenomen.

'Ben je ontstemd?'

'Ontstemd.' Hope knabbelde aan de randen van het woord terwijl hij naar het bed liep. 'Nee, echt, Paul, ik ben zo tevreden als een boom in het bos. Ik ben de halve wereld overgereisd om bij de man te zijn van wie ik houd en die me in ruil daarvoor wel een of twee hele dagen per maand schenkt. Ik woon tussen volmaakte vreemden, ben net in een katholiek ziekenhuis bevallen omdat dat het enige ziekenhuis in de stad is waar de dokters me in elk geval niet aanranden. Ik heb een bediende die zich gedraagt alsof hij mijn bewaker is, omdat mijn man hem zijn geld en zijn zaken toevertrouwt en hem meer vertelt over zijn doen en laten dan mij. Waarom zou ik in vredesnaam ontstemd zijn?'

Hij zuchtte, liet zich op het bed zakken. 'Je verwelkomt me door me af te wijzen.'

'Ik kan er niets aan doen.' Ze leunde weg van de holte die zijn gewicht in de matras drukte.

'Je bent mijn vrouw. Had ik je aan de andere kant van de wereld moeten laten?'

Hij pakte haar hand, en kneedde die voorzichtig tussen zijn vingers terwijl zijn blik speels over haar gezicht gleed. Het was het oude trucje, aanraking in plaats van redelijkheid, en hoe doorzichtig ook, het werkte. Ze had een hekel aan ruzie, en nu hij eindelijk hier was, was de situatie bederven wel het laatste wat ze wilde. Toch hoorde ze zichzelf volhouden. 'Je had toch kunnen blijven. We hadden een huis. Als de geschiedenis niet zo'n rare wending had genomen, had je niet eens terug gekund.'

'Jij wilt dat.'

'Als het zou betekenen dat we samen konden zijn.' Ze greep zijn verstijfde vingers. 'Dat is het enige wat ik wil, Paul. Dat weet je. Kun je me dat echt kwalijk nemen?'

De samengeperste lippen, het neerslaan van de ogen, het schudden van zijn hoofd – ze spande zich in om haar eigen wil terug te vinden in die gebaren. Nee, hij nam het haar niet kwalijk, hij had haar niet moeten buitensluiten, haar autoriteit niet moeten ondermijnen, zelfs – misschien juist – de idealistische visie van een democratisch China van Sun Yat-sen niet moeten geloven. Maar hoe meer ze haar best deed zichzelf vrij te pleiten, des te meer ontwaarde ze in zijn mismoedige houding de valsheid en arrogantie van haar eigen wensen. Daar zaten ze dan, in een kamer vol van de zoetzure geuren van moedermelk, talkpoeder en een baby, de tere geurigheid van lelies en pasgesteven lakens. Kanten gordijnen ritselden op een zonovergoten briesje, en het hoge schrille stemmetje van hun dochter kwam in een aftelliedje door het open raam naar binnen drijven. Hier in deze kamer, op dit moment, had ze alles wat ze wilde, en toch, als dit alles was, of het nou hier was of in Berkeley of ergens anders, zou het nooit genoeg kunnen zijn. Wat ze wilde was niet dat Paul zijn dromen opofferde, maar dat hij haar er ook in betrok.

'Ik neem het mezelf kwalijk.'

Hij sloeg vermoeid zijn ogen op. Ze beroerde zijn wang. 'Ik heb je gewoon zo gemist,' fluisterde ze. 'Dat kun je je niet voorstellen.'

Paul boog zijn hoofd. Hij legde heel even een vinger op het puntje van haar neus, en trok die toen naar beneden, over haar lippen en kin, naar de holte onder aan haar keel, vlak boven het vetergaatje van haar voedingshemd. Hij staarde een paar seconden naar het punt waar zijn vinger tot stilstand was gekomen, boog zich toen langzaam voorover en kuste haar zachtjes, eerst daar, en toen nog een keer op haar lippen. Hij trok zich terug met een komische uitdrukking op zijn gezicht en kuste haar toen opnieuw, bedachtzaam. Toen hij weer opkeek was zijn glimlach zachter, meer ontspannen. Hij verstrengelde zijn vingers met de hare.

'Ik vind dat we onze zoon Morris moeten noemen,' zei hij.

Hope viel achterover in het kussen. 'Heb je weleens naar mij geluisterd!'

Hij bracht hun handen samen. 'Luister. Je herinnert je dat ik je vertel over mijn leraar Jung Ch'un-fu?' Ze haalde haar schouders op. 'Hope, als Jung Ch'un-fu er niet geweest was had ik jou niet eens ten huwelijk durven vragen.'

'Ik voel weer een van je smoesjes aankomen.'

'Geen smoesje. Vorige maand kwam ik de zoon van Jung tegen in Peking. Hij is daar nu parlementssecretaris, maar hij vertelt me dat zijn vader dit jaar is overleden. In Connecticut.'

'Hij was al oud.'

'Vierentachtig jaar. Waarvan heel veel gewijd aan de modernisering van China. En aan het slaan van een brug tussen China en Amerika.' Hij bekeek haar. 'Deze zoon heet Morris.'

Hope zuchtte en schudde haar hoofd. 'Weet je dat je heel sentimenteel van aard bent?'

'Niet sentiment.' Hij streek de beddensprei over haar benen glad. 'Jung Ch'un-fu is peetvader van ons huwelijk, net zoals Sun Yat-sen peetvader van de Chinese republiek is. Door zijn familie te eren stellen we die van ons veilig, net als degenen die dr. Sun eren de toekomst van China veiligstellen.'

'Oké. Niet sentimenteel. Bijgelovig.' Ze grijnsde en trok aan zijn oor. 'Ik kan nauwelijks wachten om te horen wat voor Chinese naam je voor onze jongen in gedachten had.'

'Als jij het goedvindt.' Paul schraapte zijn keel, een grijns trok aan zijn lippen. 'Ik vind Cheng-yu een goede keus.'

'En dat betekent...'

Hij straalde nu, niet in staat zijn vreugde te verbergen. 'Heldere Taal.'

'Heldere Taal.' Ze dacht erover na, bekeek de naam van alle kanten. Ze dacht aan Paul, haar eigen leven tot nu toe, hoe ze elkaar ontmoet hadden, wat hen scheidde. En altijd die ene verbindende factor. Ze ontmoette zijn grijnzende blik. 'Ik neem het allemaal terug. Je bent sentimenteel noch bijgelovig. Jij bent slinks, Paul. Slinks en lief en volmaakt geniaal. Wat zou ik zonder jou moeten beginnen?'

Hij bleef twee weken in Sjanghai, pendelend tussen de talrijke politieke partijen die elkaar nu beconcurreerden om de gunsten van de hogere standen – de hoogopgeleide wetenschappers, landeigenaren en kooplui die de financiële basis en het electoraat voor de nieuwe regering vormden. 'De grootste bedreiging voor China is desintegratie!' waarschuwde hij alle partijen. 'Zolang Yüan het leger controleert blijft het land bij elkaar en kunnen wij de republiek installeren en de regering op poten zetten. Hij is de enige hoop die we hebben.'

Alleen die woorden al maakten hem misselijk. Yüan was een tiran en een hansworst. Toen de senaat bezwaar maakte tegen zijn eis om de regering naar het noorden over te plaatsen, had Yüan 'afvallige' troepen in heel Peking huizen laten plunderen en in brand steken, ook huizen van buitenlanders. Binnen vier dagen was de 'muiterij' overgeslagen naar de verdragshaven Tientsin, waarop de buitenlandse mogendheden meer dan tweeduizend Britse, Amerikaanse, Franse, Duitse en Japanse troepen had ingezet om Yüan te helpen 'de orde te herstellen'. Het was duidelijk dat de situatie rond Peking te onbestendig was (en de buitenlandse bedrijven daar te kostbaar): Yüan en zijn 'loyale' troepen konden daar onmogelijk weer weggaan. Het Westen oefende de nodige druk uit op de senaat en Peking werd uitgeroepen tot nieuwe hoofdstad van de republiek. En nu pakte Yüan iedereen die zich publiekelijk tegen hem verzette met eenzelfde sluwheid aan. Maar het democratische idealisme van Paul was sinds zijn terugkeer naar China zo door en door beschadigd, dat hij pragmatisme als enig alternatief zag. Alles wat hij zei op die bijeenkomsten was waar.

Op vijf mei verenigden de rivaliserende partijen zich en vormden de Republikeinse Partij, die pro-Yüan Shih-k'ai was. De volgende ochtend zou Paul naar het noorden afreizen om te rapporteren dat hij de steun had gekregen die Yüan nodig had om zijn kabinet te installeren. Terwijl hij zijn koffers pakte, zat Hope op het bed en hoorde hem mompelen. 'Je weet dat je een pact met de duivel sluit,' zei ze ten slotte.

'In China wonen veel duivels.' Hij klapte zijn koffer dicht.

'En veel goden. Waarom doe je daar geen zaken mee?'

'Hope, goden zijn schaars tegenwoordig. De duivels zijn aan de macht.'

'Dat is een schrale troost als je straks de deur achter je dichttrekt en hun gezelschap weer opzoekt.'

Het amberkleurige lamplicht flikkerde over haar gezicht. '*Mei fatse.*'

'Dat geloof je toch niet.'

'Nee? Wat moet er dan gedaan worden?'

'Ik weet het niet, maar je moet het niet opgeven. Paul, het is allemaal zo snel gegaan, en het kan allemaal net zo snel weer veranderen.'

'Veranderen.' Hij kwam naast haar zitten. 'De meesten van ons in de nieuwe regering hebben er hun leven aan gewijd om verandering in China te brengen. Toch is er niet echt iets veranderd.'

'Goed, dan, er is niets veranderd. Dat bewijst alleen maar wat ik wil zeggen.'

'Wat wij nodig hebben is meer idealistische studenten,' vervolgde hij bedachtzaam, 'om de revolutie nieuw leven in te blazen. Het is natuurlijk de westerse wetenschap die hen inspireert. Toen ik jong was moesten we overzee voor westerse scholing. Maar nu wij terug zijn...' Hij wierp stiekem een blik op zijn vrouw.

'Waar *heb* je het over, Paul?'

'Weet je,' hij sprak nog steeds alsof hij plotseling een ingeving kreeg, 'mijn vriend Wan op het ministerie van Onderwijs zegt dat sommige universiteiten hier in Sjanghai teruggekeerde studenten hebben uitgenodigd om college te geven.'

'College.' Ze draaide hem bij zijn schouders naar zich toe. Alleen zijn ogen verraadden hem. 'Je hebt het over lesgeven! Stap je uit de politiek?'

'Zou je dat prettig vinden?'

'Prettig vinden! Grapjas. Paul, ik heb er alles voor over om jou weer gelukkig te zien. Dat lijkt me grandioos.'

'Lesgeven is geen fulltime baan,' waarschuwde hij. 'En ik ben nog niet klaar om me terug te trekken uit de regering.'

'Maar je hebt er al over gesproken, hè? Ik kan het aan je gezicht zien. En ze willen je graag hebben.'

'Voor een paar dagen per maand. Literatuur en politieke wetenschap. Hope, het verdient niet veel.'

'Dat maakt niet uit. Jij zou in elk geval hier zijn. Dat is het enige wat mij iets kan schelen.' Ze gooide haar armen om zijn nek.

Hij liet zijn hand over de ronding van haar borst glijden en verder naar beneden, naar haar korsetloze middel. Ze duwde haar lichaam tegen hem aan, en haar vingers streken langs zijn boord en keel. 'Het is pas drie weken geleden,' fluisterde ze. 'Maar ik zal het niet aan de dokter verklappen als jij ook je mond houdt.'

Na de lange scheiding, de meningsverschillen en de onthouding tijdens de laatste maanden van de zwangerschap – ze hadden sinds de dag van haar aankomst niet meer gevreeën – was hun vrijpartij die avond als de ontmoeting van twee vrienden die op onverwachte wijze zijn veranderd, en er tot hun verbazing achter komen dat ze die veranderingen prettig vinden. Dat weerhield Paul er echter niet van om voor zonsopgang op te staan en haar ten afscheid te kussen. Hope, een beetje beschaamd dat ze zich had toegestaan erover te fantaseren dat dat wel het geval zou zijn, deed geen verdere poging om hem tegen te houden.

Een paar ochtenden later was ze met Pearl in de zitkamer. Alle ramen stonden open voor een helder meibriesje dat overliep van vogelgezang. Ah-nie had de baby net meegenomen voor zijn slaapje, en Hope zat Pearl voor te lezen uit een verfomfaaid en zeer geliefd Peter Rabbit-boek toen Yen in de deuropening verscheen met een groot pak in bruin pakpapier. Fel gekleurde postzegels – Amerikaans, Filippijns, Indo-Chinees – troonden als de blaadjes van een tropische bloem boven het ronde handschrift van Mary Jane.

'Een cadeautje!' riep Pearl.

'Waarschijnlijk iets voor de baby.' Hope trok de bovenkant van de doos los en rukte de brief van de houtwol af voordat ze de doos aan Pearl overhandigde. 'Toe maar, maak maar open, maar laat Yen je helpen, zodat er niets stukgaat.' Dat was iets wat ze deze lange, ernstige noorderling moest nageven. Hoe stug Yen ook mocht zijn in de omgang met Hope, hij was een en al grijns zodra hij toestemming kreeg Pearl te helpen. Zijn lange dunne gestalte vouwde zich als een accordeon ineen, en zijn platte handen gingen aan de gang met een levendigheid die onder alle andere omstandigheden streng onder controle werd gehouden. Pearl sprak hem dan altijd aan met absoluut gezag en vertrouwen. En nu werd dit ontzettend precieze kind in de wielen gereden door de lastige taak om het geschenk uit te pakken zonder het papier kapot te trekken of de strik door te knippen. Alles moest bewaard blijven. Die taakstelling sprak Yen ten zeerste aan: als alle Chinezen bezat Yen een aangeboren respect voor papier, en dus gingen ze langzaam te werk, beiden met evenveel zorg en omzichtigheid, terwijl Hope de brief van Mary Jane openmaakte.

Die was bijna drie maanden eerder gedateerd, wat de overvloed aan postzegels verklaarde die het pakje op zijn omzwervingen had verzameld. Dergelijke omwegen waren heel gewoon in de transoceanische postbestelling, en toch voelde Hope, een fractie van een seconde nadat ze deze informatie had laten doordringen, een teleurstelling zo scherp als verdriet. Niet alleen was ze door vele kilometers gescheiden van haar vrienden en haar thuis, maar, erger nog, ook door weken, maanden zelfs.

20 februari 1912
Liefste Hope,

Hierbij zend ik je mijn ingeving om je ziel tot rust te brengen. Ik had je dit als afscheidscadeau willen geven, maar door alle drukte rond de verkiezingen is het er helemaal bij ingeschoten. Misschien maar beter ook, want de toon van je brief suggereert dat je er nu helemaal klaar voor bent om gebruik te maken van dit geschenk. Je schrijft al in termen van foto's, en nu reken ik erop dat je je toekomstige brieven laat vergezellen van de foto's zelf! Van je nieuwe huis, je Paul, kleine Pearl, je bedienden – de baby, als het zover is.

Wat mij oorspronkelijk op het idee bracht om je een camera te geven waren die foto's van Chinatown door Arnold Genthe. Ik herinner me hoe je ze placht te bestuderen als je niet wist dat er iemand keek. Er was een blik in je ogen, waaruit meer sprak dan enkel bewondering of een herinnering die die beelden misschien opriepen. Alsof je had gewild dat *jij* ze genomen had. Ik ontdekte datzelfde vuur in je brief. En ik herinner me nog dat jij je, zelfs hier in Berkeley, als Paul weer eens druk was met zijn revolutionaire zaken of weg moest om het land door te reizen, kregelig voelde en jezelf voor de voeten liep tot je jezelf een taak had gesteld en er weer tegenaan kon. Wij van de beweging konden mooi meeprofiteren van jouw frustratie, maar lieve schat, je bent nu in een andere wereld en je moet jezelf nu een taak stellen. Te meer met al die bedienden die voor je kinderen zorgen! Misschien brengt deze kleine Kodak je op een idee.

Nou, ik zou nog bladzijden kunnen vullen met vragen en veronderstellingen, maar ik popel om je het nieuws van deze kant van de oceaan te vertellen. Omdat het echter niet geheel aan mij is om het te vertellen, geef ik de pen aan degene die daar meer voor in aanmerking komt – op voorwaarde dat hij mij nog een laatste duit in het zakje laat doen...

Hope, hier papa, bij Mary Jane. Ik deel haar briefpapier, haar pen, haar bureau. En haar toekomst. Ik denk dat impulsief gedrag ons in het bloed zit, maar als jij, zonder een woord te zeggen, kunt inpakken om naar China af te reizen, kunnen je beste vriendin en die ouwe pa van je net zo vlug in het huwelijksbootje stappen. Ik hou van haar. En aangezien jij dat ook doet, heb ik niet het idee dat jij daar veel tegenin te brengen hebt. Dat wil zeggen, als je je kunt voorstellen hoe ze van zo'n rare ouwe vent als ik zou kunnen houden, maar ze beweert dat ze dat doet, en ik ben zo door haar betoverd dat ik alles geloof wat ze zegt. Bovendien, waarom zou ze anders met me trouwen? Jong ben ik niet meer en geld heb ik ook al niet. Schat, je zou ons eens moeten zien. Ik heb nog nooit een vrouw ontmoet die zo dol is op een fikse ruzie als jouw Mary Jane, of die er na afloop zo als de kippen bij is om het weer goed te maken. Ze heeft me dertig jaar jonger gemaakt en nooit moeilijk gedaan over de tien die ik dan nog op haar voor lig. Ik weet dat er in werkelijkheid enkele tientallen jaren tussen ons liggen, maar juist jij moet begrijpen dat liefde mensen tot dwaze keuzes kan brengen. Hope, de enige andere vrouw die mij ooit zoveel vreugde heeft bereid was je moeder. Geef ons alsjeblieft je zegen.

Ik ben nu hier bij Mary Jane en help haar met pakken. Die vriendinnen van haar, de zusjes Laws, gaan het huis kopen, zodat ze bij mij in Hill Street kan intrekken. Ze zegt dat het hoog tijd wordt dat de vrouwelijke Angelenos zich bij de suffragettes aansluiten. Als iemand hun zover kan krijgen is Mary Jane het, en mijn zegen heeft ze.

Ik dank je dat je ons bij elkaar gebracht hebt, schat. Als jij en Pearl hier waren zou mijn leven volmaakt zijn. Maar weet dat ik van jullie allen houd. En over goed een jaar kunnen we, wie weet, misschien wel een verlate huwelijksreis naar Sjanghai maken, kun jij ons rondleiden. Ik weet zeker dat Paul zich rustig zal settelen zodra de regering haar weg heeft gevonden.

Hij is moedig en vaderlandslievend. En het zou wel eens heel goed kunnen zijn dat die combinatie in een echtgenoot nog moeilijker is dan als hij zo'n mislukkeling was geweest als ondergetekende. Maar ik weet dat hij van jou en van dat kleine meisje van je houdt. Hij heeft alles voor je over en hij zal altijd thuiskomen. Vertrouw daar maar op, dat helpt.

Ik zend je al mijn liefde en vreugde. Hier komt, zoals beloofd, mijn bruid weer...

[Mary Jane] Verbaasd? Het is door jouw vertrek gekomen, weet je dat? Hij stond opeens na middernacht op mijn deur te bonzen en vroeg wat er met jou gebeurd was, en ik strompelde in mijn nachthemd de trap af en toen ik zag hoe de arme man keek begonnen we allebei om jou te blèren en konden we niet anders meer dan ons verdere leven samen doorbrengen. Wat kan hij me aan het lachen maken – maar me ook een dame laten voelen – moet je je voorstellen, dat *ik* zoiets leuk vind! Wat hij vergeten heeft te vermelden, is dat we al daadwerkelijk getrouwd zijn, keurig voor de wet, vorige week donderdag om vier uur 's middags, voor rechter Donnel in zijn huis aan Adeline. Dorothea Marr en de zusjes Laws waren getuigen. En we hebben jou bijna net zo gemist als we genoten hebben van de cake en champagne in het Shattuck Hotel na afloop.

Nou, mijn schat. 't Is me nogal een pak om zover te reizen. De camera is echt van je vader en mij samen. Beschouw het als een flinke hint en laat je huwelijkscadeau aan ons foto's van je nieuwe leven zijn, om ons in het onze gezelschap te houden.

Met extra veel liefs,
Mary Jane en papa

'Kijk, mama!' Triomfantelijk hield Pearl de Kodak omhoog. De chromen onderdelen glinsterden. De zwarte tas verspreidde een doordringende geur van nieuw leer. De blaasbalg knisperde toen Hope aarzelend aan de lens trok. Maar tegen de tijd dat ze de zoeker naar haar oog had gebracht, loste haar blik op in de eerste tranen die ze zichzelf toestond sinds haar aankomst in China.

VI

FAMILIE EN VRIENDEN

Sjanghai (1912-1913)

I

DIE EERSTE ZOMER VERLIEPEN DE POLITIEKE GEBEURTENISSEN zoals Paul had voorspeld. Sporadische muiterijen tegen de centrale regering barstten los, maar de loyale krijgsheren van Yüan Shih-kai drukten die vlug de kop in. In Peking trok een aantal leiders van de oorspronkelijke regering zich terug, onder wie de premier en vier ministers – allen oude vrienden van Paul. Yüan verving hen door jaknikkers. Intussen zetten de Britten de nieuwe regering onder druk om die paar fundamentele kwesties waar de strijdende Chinese facties het over eens waren – met name het verbod op de opiumhandel – terug te draaien. Het was Groot-Brittannië dat opium in China had geïntroduceerd, en Groot-Brittannië had de opiumoorlogen gevoerd om zijn recht om het middel aan de Chinezen te verkopen veilig te stellen. Groot-Brittannië was dan ook niet van zins die lucratieve handel nu op te geven. De impliciete dreiging van Britse oorlogsschepen die langs de kust en op de Yangtze patrouilleerden behoefde geen nadere toelichting.

'Maar dat is immoreel!' riep Hope uit toen Paul, terug voor een verrassingsbezoek in juli, op dit punt in zijn betoog was aangekomen. 'Opium is net zo erg als slavernij.'

'Je begint onze gevoelens jegens de westerlingen te begrijpen.'

'Jegens de Britten, ja.'

'Alle westerse mogendheden hebben ervan geprofiteerd. Zelfs de Amerikanen met hun open-deurpolitiek. De aasgieren moeten gelijke rechten hebben om op de bloedende overblijfselen van China neer te dalen.' De bitterheid van zijn woorden verhulden zijn diepe tweeslachtigheid tegenover de westerse mogendheden – hij koesterde een niet-aflatende bewondering voor de interne mechanismen en principes van hun regeringen, maar ook een bijna instinctieve minachting voor de mannen die deel uitmaakten van dezelfde regeringen die China hun roofzuchtige politiek hadden opgelegd. De onderliggende historische houding van het Westen – en Groot-Brittannië in het bijzonder – was dat wat goed is voor de blanke het bevattingsvermogen van de gele, de zwarte, of de bruine te boven gaat. In China was het antwoord daarop eeuwenlang geweest dat wat de blanke – en in het bijzonder de Engelsman – goed en nobel vond, in feite verachtelijk was. Paul behoorde tot de eerste generatie hoogopgeleide Chinezen die probeerde die kloof te overbruggen, om als gelijken van het Westen te lenen in plaats van zich over te geven als slaven of marionetten. Het had echter iets dubbelhartigs: leven onder de bescherming van de buitenlandse concessies en tegelijkertijd protesteren tegen het feit dat die gebieden onder buitenlandse in plaats van Chinese jurisdictie vielen. Daarom kon Paul de westerse idealen van democratie niet verdedigen zonder toe te geven dat hij en zijns gelijken de eersten waren die daarvan profiteerden – misschien ten koste van hun arme, ongeletterde landgenoten. Als om het te bewijzen stond Hope daar naast het raam van de zitkamer in een dunne witte jurk met Belgisch kant, terwijl Ah-nie buiten als een beschermengel boven de witte rotan kinderwagen van Morris zweefde, en Pearl en Joy badminton speelden, even immuun voor de drukkende hitte en politieke chaos als twee mussen.

'Ik dacht dat jullie onder andere van de Manchu's af wilden om eindelijk de buitenlandse mogendheden op hun nummer te zetten,' zei Hope.

'Dat dacht jij. Dat dacht ik. Maar om onze revolutie van het hart te bereiken hebben we de handen ineengeslagen met mensen met andere motieven.'

Haar vingernagels maakten een krassend geluid op de hor voor het raam. 'Bespeur ik daar weer een verschuiving in je loyaliteit?'

'China kan zonder een sterk verenigd leger onmogelijk geregeerd worden. Dat is de kracht van Yüan. Met wat voor middelen dan ook – omkoperij, chantage, niets is hem te min – heeft hij de steun weten te verwerven van provinciale krijgsheren in het hele noorden. Maar als hij niet tot hervormingen kan worden overgehaald, moeten we hem met zijn eigen middelen bestrijden – door de krijgsheren van het zuiden naar een andere leider te lokken.'

'Sun Yat-sen weer.' Haar stem klonk verbeten. 'En jij bent de boodschapper.'

'Slechts een van vele.'
'En dus ga je door met hollen van de ene kant van het land naar de andere. Alleen heb je nu met dieven en moordenaars te maken.'
'Met macht. Hope, mensen met macht zijn zelden edelmoedig, behalve in sprookjes.'
'En hoe kan ik ervan op aan dat je niet met een mes in je rug in een van hun gevangenissen belandt!'
Hij hees zich van de sofa en kwam vermoeid op haar af. Ze stond met haar handen op haar heupen, slank, halsstarrig en delicaat als de dag waarop hij haar voor het eerst had ontmoet. Toch hadden deze jaren met hem hun sporen nagelaten in de spanning die aan haar mond trok, de onzekere schaduwen rond haar blauwe ogen. Hoewel hij nu om de maand naar Sjanghai terugkeerde, was zijn verblijf in de stad telkens een aaneenschakeling van banketten en regeringszaken, voorbereidingen van zijn colleges, discussies met studenten, en, steeds vaker, geheime vergaderingen met leden van de oppositie. Zijn taak aan de universiteit bracht helaas niet het soelaas dat Hope ervan verwacht had, en de reden voor zijn plotselinge en ongeplande terugkeer van vandaag zou haar waarschijnlijk evenmin plezieren als het nieuws van zijn grillige politiek.
'Je moet je geen zorgen maken om deze dingen,' zei hij.
'Wat kan ik nou anders?'
Hij ontmoette haar ogen. 'Mijn familie is hier. In Sjanghai.' Hij zweeg. 'Hope, mijn moeder heeft gevraagd of we haar morgen komen bezoeken.'
Haar lippen gingen heel even van elkaar, en sloten zich toen. Verder reageerde ze alleen door haar linkerhand op te tillen, gebald, en met haar gouden ring tegen haar kin te kloppen. Ze zei niets en hij kon haar gelaatsuitdrukking niet duiden.
Eindelijk zei ze: 'Je kinderen zullen er ook zijn.'
'Ja.' Hij slikte. Haar stem was rustig. Het was het beste om meteen alles te zeggen. 'Mulan is er zelfs het hele voorjaar geweest.'
Hij voelde het blauw van haar ogen als een klap in het gezicht.
'Ik denk dat het beter was dat jij niet weet,' ging hij verder. 'Mulan studeert aan de Aurora Universiteit. Ze is druk met haar studie. Hoe dan ook, mijn moeder heeft haar verboden ons op te zoeken.'
Hope deed haar armen over elkaar en liep van hem weg zonder iets te zeggen. Aan de andere kant van de kamer bleef ze staan,

haar armen om zich heen geslagen. Ten slotte draaide ze zich om, rekte zich uit en schudde met haar handen. Haar adem klonk nog steeds moeizaam en gejaagd. 'Soms vraag ik me af of je liever zou hebben dat ik helemaal niets wist.'

'Hope...'

'Nee, Paul. Nee, het is niet beter, zie je dat niet? Het is alleen makkelijker voor jou. Het is prettiger, eenvoudiger, vergt minder van jouw aandacht.' Ze liet haar armen met een driftig gebaar vallen. 'Zie je dan niet dat het *mij* het gevoel geeft dat je je voor ons schaamt?'

'Je weet dat dat niet waar is.'

'O ja? Zelfs nu ik je zo aankijk, zie ik dat ik je in verlegenheid breng. Je vindt dat ik me als een hysterische buitenlandse gedraag. Je zou willen dat ik me zou beperken tot knikken en glimlachen, en zeggen dat het allemaal prima is. Je kunt het niet verdragen als ik tegen je zeg wat ik werkelijk voel, behalve als-' Ze brak haar relaas af, bedekte haar gezicht met haar handen. Hij was bang dat ze huilde, dat ze echt hysterisch zou worden, maar hij kon zich er niet toe brengen haar te troosten of af te straffen. Ze had gelijk, zulk gedrag maakte hem verlegen, misselijk zelfs.

Maar ze huilde niet, en even later beheerste ze zich weer. Ze liet haar handen zakken, likte haar lippen en haalde diep adem. 'Weet je heel zeker dat ik ook uitgenodigd ben?'

'Ik weet het zeker.'

'Dan denk ik dat ik weinig keus heb.' Tot zijn verbazing waren haar ogen helder, hard en ernstig. 'Maar zelfs als ik dat wel had, zou ik geen nee zeggen.'

'Wat zou je zeggen?' vroeg hij zachtjes.

'Ik zou zeggen, *waarom* heb je me geen gelegenheid gegeven om me hierop voor te bereiden?'

Hij beantwoordde de plotselinge verzachting in haar blik. 'Zes jaar is niet genoeg?'

'Zes eeuwen zouden nog niet genoeg zijn.' Ze zuchtte. 'Maar misschien slaat de bliksem wel in. Als je moeder de kinderen ziet, ons allemaal samen ziet...'

'Hope.' Zijn glimlach werd strakker. 'Mijn moeder is een koppige vrouw. Vastgeroest. Je moet niet verwachten dat je haar kunt veranderen.'

'Waarom niet? Ik heb jou ook veranderd, en jij bent haar zoon.'

'Ja,' zei hij. 'Maar jij bent haar schoondochter.'

'Nou en...?'

'Ik heb voor eind deze maand een weekje in de bergen besproken. Daar zal het koeler zijn.' Hij pakte haar handen. 'Kun jij me weer leren zwemmen.'

'Dat is heel mooi, maar je verandert van onderwerp.'

'Ja,' zei hij. 'Inderdaad.'

De volgende ochtend bracht poortwachter Lin de twee ceremoniële riksja's in gereedheid die naast de keuken stonden gestald. De zeildoeken werden eraf gehaald, het zwartgelakte houtwerk en de koperen lampen gepoetst tot ze glommen. De kussens werden in sneeuwwitte gesteven hoezen geschoven, en de canvas kappen werden teruggeklapt. Speciale lopers werden ingehuurd, lange, sterke noorderlingen wier nette jasjes en geweven slippers wonderwel bij de oogverblindende voertuigen pasten, en om twee uur namen Paul en Pearl in de ene riksja plaats, Hope en de baby in de andere. Morris verdronk bijna in een lange witte jurk die Mary Jane uit Los Angeles had gestuurd. Pearl droeg een zachtgele jekker met een plooirok, zwarte lakschoenen met bandjes, witzijden sokjes en een tafband in het haar. Hope had na veel hoofdbrekens haar keus laten vallen op een zomers mantelpak van perzikkleurige mousseline, kuis gesneden langs hals en mouwen, terwijl Paul de verzengende hitte onderging in een beige linnen pak met platte strohoed. De zilveren en jade armbanden die zwaar om de kinderpolsjes hingen waren Hope's enige concessie aan Nai-nai, of grootmoeder, zoals Paul hen gebood haar te noemen.

Ze volgden een lange, rustige route langs boulevards omzoomd door populieren en platanen, door de Franse Concessie naar Natao, het district dat de ommuurde Chinese stad omgaf. Eerst had Hope het Paul kwalijk genomen dat hij haar niet had verteld dat zijn familie hier een huis bezat – een huis waar Hope niet mocht wonen. Net als het feit dat hij had nagelaten haar te vertellen dat Mulan in Sjanghai studeerde, dwong het haar om zich af te vragen of hij nog meer geheimen voor haar had. Deze beide nalatigheden, net als zijn volharding dat de koopmansgeest van Yen hem geschikter maakten om de huishoudportemonnee te beheren dan Hope, suggereerden een paternalisme bij Paul dat haar stak. Toch moest ze toegeven dat ze zich prettiger had gevoeld bij de gedachte dat zijn familie ver weg in Wuchang zat. En nu, terwijl ze de Siccawei Kreek overstaken en de groene boulevards van Frenchtown achter zich lieten, begreep ze waarom zij en de kinderen nooit in het huis van zijn familie zouden kunnen wonen, met of zonder zijn moeder. Net als in de Europese settlements prijkten op de hoge stenen muren rond de huizen hier stukken gebroken glas en prikkeldraad. Maar de muren hier rezen niet op uit schoongeschrobde straatstenen en keurige bloembedden, maar uit plakkerige modder, een wirwar van hutjes en een menigte bedelaars, straatventers en schurftige honden. Mensen schreeuwden, jammerden, onderhandelden en smeekten, en ondanks de enorme hoeveelheid mensen die de steeds smallere straatjes verstopte, was er geen enkel blank gezicht te bekennen. De laatste gendarme zat meer dan een kilometer achter hen, in het grenshokje van de Concessie. Dit deel van Sjanghai werd niet geregeerd door het stadsbestuur, maar door de Chinese wet.

De riksja's hielden halt voor een paar zware, dubbele deuren en de voorste trekker riep uit: 'Doe open! De heer en zijn buitenlandse familie zijn gearriveerd.' De poortwachter boog, en mompelde alleen tegen Paul een begroeting.

Het huis was in Chinese stijl opgetrokken uit cederhout en pleisterwerk, met daarboven zwarte dakpannen. De eerste binnenplaats (Hope kon door twee ronde poorten een glimp van de andere opvangen) werd gedomineerd door een vijver in de hoek vol gespikkelde karpers, twee in volle bloei staande magnolia's en een kunstmatige heuvel bekroond met een koepeltje en een roodgebladerde esdoorn. De muren rondom werden onderbroken door ramen van latwerk, en een perkamenten paneel stond open naar een ontvangsthal. Hier werd de familie opgewacht door een gerimpelde dienstmeid die Paul met een tandeloze weeklacht begroette. Hij groette kalm terug en legde uit dat Winterpruim al veertig jaar bij de familie Liang in dienst was en zijn moeders favoriete dienstmeid was.

Hope glimlachte en boog haar hoofd over Morris heen, die in haar armen lag te slapen, maar de bediende keek geen moment op. Ze zei iets tegen Paul in een dialect dat Hope niet herkende. 'Mijn moeder wenst me eerst alleen te zien,' zei Paul tegen Hope. 'Misschien wil Pearl even naar de vissen kijken.'

'Blijf niet te lang weg,' zei Hope, te vrolijk. Paul wierp haar een waarschuwende blik toe en wees haar terug naar de binnenplaats.

Terwijl Pearl een bamboeblad door het water sleepte om de karpers te plagen, ging Hope met de baby onder het koepeltje zitten. Toen Pearl op de vissen was uitgekeken, ging ze over het raster van mos lopen dat tussen de tegels groeide. Ze stak haar neus in de trompet van een koraalrode hibiscus, converseerde met een cicade en zat een groen hagedisje na dat wegschoot over de muur.

Haar bijna onnozele ongedwongenheid bleef haar moeder verbazen. Daar was je jong voor, natuurlijk. Pearl was nog te onschuldig om de geringschattende opmerkingen van vreemden op te merken, de stekelige commentaren en zijdelingse blikken die hen op straat begeleidden... of zelfs, zo leek het soms, de afwezigheid van haar vader. Ze gaf alleen om haar moeder, haar broertje, Joy en, met gestadig toenemende genegenheid, om Ah-nie en Yen. Hope zou wel willen dat ze de opgewekte zuiverheid van haar dochter in een flesje zou kunnen doen en bewaren als antiserum tegen alle pijn die haar nog wachtte.

Pearl, het ene lakleren schoentje voor het andere, deed alsof ze over een strak koord liep. Plotseling wees ze en riep haar moeder. Een scharlakenrode vlinder fladderde rond een van de magnoliabomen. 'Mooi, hè,' fluisterde Hope.

'Mag ik hem vangen, mama?'

'O, nee. Ik denk niet...' Ze hield opeens haar mond, zonder het zelf te beseffen.

De vlinder had haar blik naar een raam getrokken met een latwerk ervoor. Tussen de latjes door kon ze Paul zien, heel duidelijk. Hij zat op handen en knieën, en bracht telkens zijn voorhoofd naar de grond. Met mechanische precisie boog hij zich voorover en kwam weer overeind, richtte zijn ogen op als naar een altaar, liet zich weer vallen en kroop een eindje naar voren. Als een slaaf wierp hij zich ter aarde.

Hope kon wel in de grond kruipen, ontzet en gegeneerd, maar niet in staat een andere kant uit te kijken. Had Paul, al bij hun eerste ontmoetingen, niet erkend dat hij zichzelf als kind, uit verplichting jegens zijn ouders, allerlei wonden had toegebracht? Hij had het haar verteld. Zij had geluisterd, het zelfs als een fascinerend verhaal opgeschreven. En ze had geprobeerd het te begrijpen, en zelfs geloofd dat dat haar nog een beetje gelukt was ook. Maar deze man die met zijn voorhoofd op de grond bonkte had ze nooit gekend. Hij was geen kind waar je medelijden mee moest hebben. Geen slaaf die je moest bevrijden. Geen gevangene die tot deze vernedering werd gedwongen. Hij was een volwassen man. En nog een revolutionair ook! Met niet meer trots dan een hond aan een leiband.

Verdriet, walging, woede, schaamte – o, dat alles ging door haar heen, maar dat was nog niets vergeleken bij de ultieme eenzaamheid die ze voelde om het tekortschieten van haar eigen voorstellingsvermogen. Ze had zich vast en zeker vergist. Misschien was die kamer niet, zoals ze had aangenomen, het verblijf van zijn moeder, maar meer een soort kapel. Misschien waren zijn buigingen wel religieus geïnspireerd, en niet ingegeven door een gevoel van ontzag voor zijn moeder. Ze wist niet goed waarom, maar dat kon ze accepteren, respecteren, vergeven zelfs. Maar toen gilde vanuit de diepten van diezelfde kamer een gebiedende vrouwenstem, en Paul knielde weer neer, hoofd voorover, gezicht verstrakt, zijn hele stilzwijgen zichtbaar in de vierkantjes van licht op zijn gebogen rug. Hope wilde hem toeschreeuwen dat hij op moest staan. Bij zijn positieven moest komen. Gaan staan als de man die ze kende, en deze plek onmiddellijk verlaten. In plaats daarvan was het de baby die krijste, en ze besefte dat ze hem in haar opwinding bijna fijn had geknepen.

Het razende kind was bloedrood aangelopen, had honger, had het veel te warm, was nat en overduidelijk ernstig ontstemd over haar ruwe bejegening. Pearl stond bij haar elleboog troostende woordjes te babbelen, en het enige waar Hope aan kon denken was hoe ze gedrieën een veilig heenkomen konden zoeken. Ze wiegde de baby tegen haar schouder en was halverwege de poort toen een jonge vrouw de ontvangsthal uitkwam. Ze was bijna een kop groter dan Hope, slank met brede, rechte schouders, geaccentueerd door haar groene mandarijnse jurk. Haar haar zat in twee gedraaide vlechten, versierd met granaatappelbloesems. Haar wenkbrauwen waren tot streepjes geëpileerd. Ze stond daar met een kille blik te staren tot Hope halt had gehouden en zich helemaal naar haar had omgedraaid, en zei toen in geforceerd Engels: 'Nai-nai wenst dat u binnenkomt.'

Ze deed geen moeite zich voor te stellen. Dat hoefde ook niet.

'De baby voelt zich niet goed,' zei Hope. 'Ik moet hem naar huis brengen.'

'Naar huis?' De spot in haar stem sijpelde over de binnenplaats. Pearl kroop weg achter Hope's lange rokken, terwijl Morris haar bovenste knoop vastgreep en die in zijn mond probeerde te schuiven.

De felrode lippen van Mulan vormden een omgekeerde vlinder tegen het poederachtige wit van haar huid. Ze plantte een hand op haar heup, schudde de andere heen en weer zodat haar dikke jade armbanden schetterend leken te lachen, draaide zich toen om en zeilde weer naar binnen.

'Waar is papa,' drensde Pearl. 'Is papa ziek?'

Hope nam de baby op één arm en stak Pearl haar andere hand

toe. 'Ben je klaar om je Nai-nai te ontmoeten?' vroeg ze, licht hijgend.

'Ik wil niet,' zei Pearl.

'Weet ik.' Hope streek het zwarte haar van het bezwete voorhoofd van haar dochter. 'Weet ik, maar het is maar voor heel even. We moeten het voor papa doen.' Ze wist niet wat ze verder zeggen moest. 'We hebben geen keus, snap je?'

Pearl knikte en liet haar vingers weer vol vertrouwen in de hand van haar moeder glijden.

Ze liepen naar de kamer waar Paul en zijn andere familie zaten te wachten. Ondanks de wens van Hope om hier elegant doorheen te komen, haakte haar lange rok aan de houten dorpel vast. Ze struikelde en viel bijna voorover. Morris slaakte een kreet toen ze hem tegen zich aandrukte, het blozende gezicht van Pearl keek op en Hope voelde zich even doorboord door al die blikken die op haar gericht waren. De blauwzwarte cirkels van geschilderde draken en kraanvogels die vanaf de balken naar beneden staarden, de weinig welwillende, wellustige blikken van Confucius en Boeddha vanaf hun hangende geschriften, zelfs de koperen muurspijkers leken stilzwijgend de afkeuring van Paul en haar stiefkinderen na te apen. Pas toen Hope doorliep en haar blik aan het rokerige licht gewend was, besefte ze dat ze alle drie de blik strak op de planken vloer gericht hielden. De jongen, Jin, droeg geen hoofddeksel en had zeiloren. Hij droeg zijn lange donkere gewaad met zo'n terughoudendheid dat het leek alsof hij op het punt stond erin te verdwijnen. Mulan, daarentegen, stond star en dreigend als een roofvogel. Maar het was de naar beneden gerichte blik van Paul die het zwaarste woog, niet vanwege zijn impliciete afkeuring of zelfs zijn getoonde zwakte, maar omdat ze er op geen enkele manier omheen kon.

Een gebiedend kuchje. Het gekletter van metaal op steen. Pearl trok aan haar moeders elleboog, steels wijzend, en tot Hope's opluchting besefte ze dat het toneel weer was opgeëist door zijn rechtmatige eigenares. Voor de eerste keer stond ze zichzelf toe recht in de enige ogen te kijken die hen daadwerkelijk had zien binnenkomen. Die ogen waren hard en glanzend als twee stukjes antraciet onder oogleden die niet één keer knipperden, hoewel het ene lager hing dan het andere, zodat het net leek alsof ze voortdurend knipoogde. Het gezicht eromheen was breed en rond, de huid onredelijk zacht, en de rondheid werd nog versterkt door de wenkbrauwen, die tot spichtige halvemaantjes geplukt waren, en de haarlijn, die in een volmaakte cirkel tot achter haar kruin was teruggedrongen. Het houtskoolhaar was met olie strak tegen de schedel gekamd, waardoor alle aandacht kon uitgaan naar twee kleine oren, versierd met bescheiden gouden ringen. De dunne vuurrode lippen waren onder een brede en vierkante haakneus tot een tandeloze grimas getrokken. Heerszuchtig. Kwetsend. Afstandelijk. Afschrikwekkend. De kleine rug van Nai-li raakte de brede rozenhouten troon aan, noch de rode kussens waarop ze was neergestreken. Haar gebonden voeten in korenbloemblauwe zijden lotusschoenen rustten stijfjes op een krukje. En hoewel aan de huid van haar handen te zien was dat ze nooit aan werk of zon waren blootgesteld, verried het voortdurende gerinkel van haar ringen en gouden armbanden dat ze ook geen rust kenden.

Nu sloeg de matriarch een klauw uit naar het blad dat Winterpruim haar voorhield, zette een pijp met een lange steel aan haar lippen en inhaleerde langzaam, ingespannen. Toen ze de pijp aan de kant legde, kaatste haar schelle kuch over de kale vloer.

'*Kuo lai!*' krijste ze.

De glanzende ogen richtten zich plotseling met roofzuchtig genoegen op het kronkelende hoopje in Hope's armen. Instinctief verstrakten die armen zich. De zure geur van een natte luier hing rond de baby, en de rug van zijn witte kanten jurk voelde vochtig aan. Op zijn lipjes had zich een bel kwijl gevormd, zijn vingertjes grepen haar borst en hij kreunde hongerig. Hope maakte aanstalten zich om te keren, de hele ontmoeting verdween naar de achtergrond en haar geest vluchtte weg in gedachten aan de behoeften van haar kind. Ze werd echter tegengehouden door een paar uitgestrekte handen, afgekloven vingernagels krabden over haar pols, en de ogen van het kind gingen wijd open toen hij opkeek en zijn vader herkende.

Geen woord werd gewisseld. Alleen de kortst mogelijke blik, maar het was genoeg.

Hope liet los. Op datzelfde moment had ze het gevoel dat ze verdween. Niet bij Pearl vandaan, die half in haar rokken begraven bleef, en zeker niet bij haar gekwelde Paul of Morris vandaan. Maar wat alle anderen hier betrof, had ze net zo goed door een spiegel kunnen stappen naar de omgekeerde wereld. Al haar fantasieën over verzoening werden in één klap de grond ingeboord. Maar met die fantasieën verdwenen ook alle schaamte, het verlangen en verdriet waardoor ze gedreven waren. Het was dwaas geweest, bedacht ze met een schok van opluchting. Ze had net zo goed kunnen dromen van een omhelzing door de geschilderde draken boven haar hoofd.

Als van een veilige afstand nu, keek ze hoe Paul de baby op Nai-nai's schoot liet zakken. Ze zag hoe Mulan zich nonchalant in een van die strakke zwarthouten stoelen neervlijde en een schaal met snoep inspecteerde. Jin bleef zitten waar hij zat, en wiebelde alleen met zijn oren naar Pearl.

'*Pao-pei*,' kirde de matriarch, terwijl ze de kleine Morris van alle kanten bekeek. Ze hield hem op voor Winterpruim, die haar neus optrok voor zijn geur en afkeurend aan zijn natte witte jurk en schoentjes plukte. Nai-nai was het met haar eens dat er slecht voor het kind gezorgd werd, maar kijk eens naar dat prachtige zwarte haar, die bolle wangen, die grijpende handjes, zwaar van het Liang-zilver. Toen de nieuwigheid van de inspectie eraf was en Morris begon te huilen, doopte de oude vrouw haar vinger in een kopje naast haar stoel en stak die toen in zijn mond.

Hope vergat haar nieuwe isolement. Ze schreeuwde en wilde protesterend naar voren komen, maar Paul pakte haar bij een arm en maande haar tot stilte. De baby accepteerde de siroopvinger en smakte met zijn lippen. Nai-nai giechelde, met een triomfantelijke blik niet naar Hope maar naar Paul, en stak haar vinger nogmaals in het kopje. Het vergde het uiterste van Hope om niets te zeggen. Morris zoog tevreden. Nu wenkte Winterpruim naar Pearl. Ze hield haar een schaal met gesuikerde meloenslierten en lotuszaadjes voor. Paul pakte de handen van het kind en duwde haar naar voren. Alsof hij zijn lammetjes naar de slachtbank leidt, dacht Hope. Maar hoe trots was ze op Pearl. Nu de zaken er dan zo voor stonden deinsde haar kind niet voor de verplichting terug, ze probeerde zich nergens aan te onttrekken, ze benaderde alles gewoon op haar eigen voorwaarden. Ze stapte recht naar voren, glimlachte tegen de bevende oude bediende, maakte een buiginkje voor haar grootmoeder, stak haar hand diep in de schaal met snoep en voor een van de vrouwen de kans kreeg om commentaar te leveren, riep ze zo luid als ze kon '*Hsieh hsieh, Nai-nai!*' en rende weer terug naar haar moeders zijde.

Paul was er bijna net zo snel bij om zijn dochter een reprimande te geven als Hope om haar in bescherming te nemen. Nai-nai gilde om stilte. Het kindmeisje was niets, zei ze, de buitenlandse kleren die ze droeg nog niet eens waard. Hope bedekte de oren van haar dochter, maar Pearl kende beter Mandarijnenchinees dan zij en er ontging haar geen woord.

'Ik haat die mevrouw,' fluisterde Pearl, met een boze blik, en ze balde een vuistje boven haar schat aan snoepgoed.

'Neem haar mee naar buiten,' beval Paul.

Maar Hope liet zich niet opjutten. Langzaam, nadrukkelijk liet ze haar blik door de kamer gaan, en haar ogen begroeven zich in het ene na het andere gezicht. Ze zag in een glimp hoe de bleke lippen van Jin zich verstrakten om niet te gaan giechelen, ze zag Mulan met dubieuze onverschilligheid haar nagels bestuderen, ze zag Winterpruim haar schouders en armen bewegen als een afgeleefde sprinkhaan die een lied wilde aanheffen. En Nai-nai hield nog steeds haar vinger in de mond van de baby, terwijl haar eigen mond in oprechte woede doorfoeterde. Uiteindelijk richtte Hope haar blik op haar man.

'Het is tijd voor ons om te gaan, Paul. Samen. Als gezin.'

Misschien was het haar pioniersopvoeding, herinneringen aan moeder Wayland die de wet voorschreef, of de ernstige aansporingen van Mary Jane om voor haar eigen rechten op te komen. Wat haar ook maar aanzette tot deze tartende houding, het was helemaal haar bedoeling geweest om hard en vastberaden te klinken. Hard tegen hard: als Paul weigerde zijn moeder te trotseren, moest ze zelf haar kinderen verdedigen. Hij kon toch moeilijk van haar verwachten dat ze die kamer zou verlaten zonder haar zoon! Maar ze was onvoorbereid. Toen Paul zijn ogen opsloeg zag ze er een hartstochtelijke, smekende uitdrukking in zoals ze nog nooit eerder gezien had. Met de gelijktijdige kracht van een klap en de zachtheid van een veertje, werd ze er volledig door overrompeld. Ze hapte naar adem. Pearl greep haar hand en samen deden ze verscheidene trippelende pasjes naar achteren. Ze verlieten het vertrek niet, maar het was genoeg – het genoeg, zag ze nu in, om het gezichtsverlies van Paul enigszins binnen de perken te houden. Hij haalde adem en spreidde zijn handen, waarna hij ze losjes vouwde terwijl hij zich omdraaide en op zijn moeder toeliep. Ze wisselden een woordenstroom waarin Hope de zinsnedes 'kamelenpootvrouw' en 'geest met een grote neus', 'schande' en 'nooit weer' herkende. Toen boog Paul met zijn hele bovenlijf, nam zijn zoon weer over en mocht eindelijk gaan.

Hoewel de kinderen en Paul daarna regelmatig op bedevaart gingen naar het huis van Nai-nai in Sjanghai, waar ze elk jaar een tijdje verbleef, zou Hope haar schoonmoeder bijna tien jaar niet meer zien – met wederzijdse, onuitgesproken instemming. Noch zou ze ooit tegenover Paul – of tegenover wie dan ook – laten blijken wat ze die dag door het latwerk in dat raam had gezien.

2

LULING, LUSHAN, PROVINCIE RIANGSI
1 augustus 1912
Liefste Mary Jane en papa,

Ik schrijf vanuit Kuling, een vakantieoord in de bergen waar Paul ons gelukkig voor de heetste weken van de zomer geïnstalleerd heeft. Ik weet dat het ongelooflijk decadent moet klinken, maar om te begrijpen waarom het niet alleen verrukkelijk is maar ook *noodzakelijk*, moet je je proberen voor te stellen wat voor een helse, smeulende kookpot Sjanghai in deze tijd van het jaar wordt. Alles stinkt intens, misselijkmakend, naar bederf, alsof de aarde onder je voeten een opengebarsten gezwel is. Half juli zat arme Morrisje onder de hitte-uitslag, was er cholera uitgebroken in de Chinese stad en vreesde ik eerlijk gezegd voor ons leven. De mededeling van Paul dat we in het zomerhuis van een vriend mochten, kwam als een geschenk uit de hemel.

De reis hierheen was ook al zoiets. Allereerst zaten we een volle week op een Engelse stoomboot op de Yangtze. Dat zou prima geweest zijn, ware het niet dat Paul geen eerste klas mocht reizen en het volgens hem voor ons beneden te heet zou zijn, met de baby in deze toestand. Gevolg was dat we bijna een week lang apart sliepen, aten en reisden, al voeren we op dezelfde boot. Ja, we mochten wel naar beneden, naar het tweedeklas dek om Paul te zien, maar de bekijks en de opwinding die we daarmee veroorzaakten was onverdraaglijk. Uiteindelijk heeft Paul het grootste deel van de reis met schrijven doorgebracht en heb ik de vrije momentjes tijdens de slaapjes van de kinderen doorgebracht met jullie kleine Kodak, zoals jullie aan bijgaande foto's kunnen zien. Wat deze povere beginnersfoto's helaas niet kunnen laten zien is de uitbundige kleurenpracht langs de Yangtze. Het groen laait van de velden en het levendige blauw van de lucht wordt in het drukke water weerspiegeld. De Yangtze wordt wel de levensader van China genoemd: hij komt helemaal uit Tibet, stroomt langs het ver landinwaarts gelegen Chungking en langs het gebied van de drie steden dat bekendstaat als Wuhan, waar de moeder van Paul woont. Ik heb alle denkbare soorten vracht op alle mogelijke soorten vaartuigen vervoerd zien worden. De echte riviermensen leven echter op die sampans met ronde kappen die je op de voorgrond ziet. Men beweert dat ze op die boten hun kinderen baren, de kost verdienen met de rivierhandel, hun huwelijken regelen, en zelfs vaak aan boord sterven zonder ooit een voet aan wal te hebben gezet. Ondanks dat lijken ze verbazingwekkend vrolijk, ze zwaaien met grote tandeloze grijnzen en bieden vette vissen te koop aan of manden die ze van rivierriet gevlochten hebben. Intussen zie je op de achtergrond die andere bewoners van de Yangtze, de beduidend minder pittoreske Europese kanonneerboten die langs deze vitale waterweg patrouilleren.

We gingen van boord in de verdragshaven van Kiukiang. In het havengebied wemelt het van de handelaren, chauffeurs en dragers, die elkaar de loef proberen af te steken. Paul huurde vlug een rijtuig, dat ons weer bijeenbracht en verder vervoerde over de laagvlakten naar de voet van onze berg Lu Shan. Daar begon de pret pas echt. De tocht naar boven, naar Kuling, die honderden, zo niet duizenden elke zomer maken, kan alleen te voet worden afgelegd, dat wil zeggen: eigen voeten, of de voeten van een drager. Er is geen weg, geen paardenspoor, en de stenen traptreden naar boven zijn eeuwenoud. Alles, van bezoekers tot bevoorrading en van constructiemateriaal tot keukenbenodigdheden, moet naar boven worden gedragen, langs rotspaadjes vol haarspeldbochten en hellingen van veertig graden, al te vaak minder dan een meter breed, met afgronden van dertig, veertig meter er pal naast. Ik heb de klim gemaakt met kleine Morris op de arm. Pearl en Paul en onze man Yen en onze bagage hadden elk een eigen stoel. Ik heb heel erg mijn best gedaan te genieten van het spectaculaire uitzicht op die smaragdgroene vallei en de goudgetinte wolken, maar mijn hart klopte in mijn keel. Ik voel altijd zo'n vernedering in een riksja of draagstoel, en het feit dat er hier geen andere wijze van transport mogelijk was, was niet voldoende om mijn nare gevoelens te sussen. Het gemak en goede humeur waarmee de dragers naar boven sjouwden maakten echter veel goed. Af en toe wisselden ze zonder één moment stil te staan, zodat telkens een van de drie dragers van elke stoel kon bijkomen. Ze riepen naar elkaar, lachten vaak, en hoewel ik hun dialect niet kon verstaan, weet ik zeker dat ze zeer geïnteresseerd waren in de aard van onze relatie.

Na die tocht was ik ten volle bereid een hekel te hebben aan dit gebied, waar je alleen maar zo kon komen, maar ik moet toegeven, het was liefde op het eerste gezicht. Je kunt op de foto zien wat ik bedoel. De vallei strekt zich uit in een opeenvolging van terrassen, overhangen met hellingen vol pijnbomen en plukken bewolking. Boven alles uit torent, als een welwillende grootvader, de besneeuwde top van de Lu Shan. De eerste vallei dient vele Europeanen al jarenlang als populair zomerverblijf. Ze zeggen dat het net Zwitserland is, al betwijfel ik of veel toeristen op de nek van een ander in Zwitserland aankomen. Hoe dan ook, de weg door de Kuling-vallei loopt langs een ruisende stroom en wordt geflankeerd door blauwe stenen huisjes. We trokken nog tien minuten verder naar de volgende, iets hoger gelegen vallei, Luling, een smallere, minder ontwikkelde plek waar een handjevol rijke Chinezen hun zomerhuizen hebben. Hier bracht Paul ons naar een lieflijk, klein zomerverblijf, helemaal witgewassen met daken van zwarte dakpannen en voorzien van schuifhorren, waar we ons nu allemaal naar tevredenheid genesteld hebben. De enige smet is dat we nogal geïsoleerd zitten, zodat de lokale bergbevolking ons naar hartelust kan bespioneren. Ze komen doodleuk naar het huis, maken met een natte vinger tegen het papier een perfect gat in het raam, en als je dan van de maaltijd opkijkt of de kinderen naar bed brengt zie je een verzameling kleine zwarte oogballen die elke beweging volgen. Eerst vond ik het vreselijk, maar het is eigenlijk heel vermakelijk, en ze hebben niets kwaads in de zin.

Sinds onze aankomst hebben we elke dag een uitstapje gemaakt om de omgeving te verkennen. Yen heeft een plaatselijk echtpaar ingehuurd om te koken en voor de baby te zorgen, zodat ik Pearl vrijwel elke dag mee kan nemen voor een uitje. Zij en Paul zijn kampioenzwemmers geworden in de gletsjermeertjes, en vandaag zijn we over een brug gewandeld waarvan wordt beweerd dat hij meer dan duizend jaar oud is! Ik denk dat deze plek het paradijs op aarde dicht benadert, en zoals je kunt zien op de laatste groepsfoto van dit stapeltje, zijn we samen en gelukkig als gezin zoals we nog nooit eerder geweest zijn. Als God en de republiek het goedvinden, heeft ons leven in China eindelijk wortel geschoten en zullen we verder groeien en bloeien.

Met liefs van ons allen,

Hope

P.S. Jullie zullen je wel afvragen hoe ik in zo'n uithoek deze foto's heb kunnen laten ontwikkelen. Onze man Yen heeft het filmpje helemaal naar Kiukiang gebracht, waar een fotozaak is, zodat ik de foto's tegelijk met de brief zou kunnen versturen. Ik wist eerst niet zo goed wat ik aan Yen had – hij is die reus die zo boos onder die zwarte bolhoed vandaan kijkt – maar hij is buitengewoon zorgzaam voor ons allemaal, *zelfs* voor *yang taitai* (buitenlandse vrouw!).

De zon ging in Kuling plotseling onder. Het ene moment stond hij hoog aan de hemel en deed de vallei in een zilveren hitte baden. Het volgende verdween hij achter de berg, werd de hemel een zee van kleur en verzonk de aarde in het schemerduister. Het was zo'n overweldigend vertoon dat Hope en Paul elke avond op de binnenplaats zaten om het te bewonderen.

'Beloof me dat we hier elke zomer terugkomen,' zei Hope terwijl de schemer neerdaalde op avond nummer acht.

'Ik doe niet graag beloftes die ik niet in de hand heb.'

'Maar je geniet hier ook zo. Dat kan ik aan je zien, Paul. Deze afgelopen dagen is er een last van je afgevallen. Je hebt met de kinderen gelachen en gespeeld zoals je in Sjanghai nooit doet. En je kunt mij niet wijsmaken dat je gisteren niet van onze zwempartij genoten hebt...' Boven in de volgende vallei hadden ze een meertje gevonden dat aan de ene kant door warme bronnen werd gevoed, en aan de andere kant door een waterval. Ze hadden beide kinderen meegenomen in het water, en Paul had gezegd dat het bijna net zo mooi was als dat meertje dat ze in Wyoming hadden ontdekt.

'Ik geniet,' zei hij. 'Maar ik geniet vooral dat jij hier tevreden bent.'

'Hoe kan het ook anders? Weet je hoe Pearl het hier genoemd heeft? Wolkenberg.'

Paul bestudeerde haar in het afnemende licht. Hij reageerde niet op de hand die ze op zijn arm had gelegd maar trok hem ook niet terug. 'Als de dichters die woorden schrijven, "wolkenberg",' zei hij, 'bedoelen ze scheiding, verlangen. Het is een beeld gevuld met schoonheid, ja, maar ook met smart.'

De hemel was nu violet geworden, de lucht werd kil. Yen liep langs het dichtstbijzijnde raam, een kaars in de hand. Hij stak de lantaarns aan, maar zelfs als ze allemaal aangestoken waren bleef het middengedeelte van de glooiende binnenplaats waar Hope en Paul zaten in duisternis gehuld.

Hope trok de omslagdoek van haar rugleuning en sloeg die om haar schouders. 'Ik wou dat ik er nooit over begonnen was.' Toen hij geen antwoord gaf zei ze: 'Wanneer ga je weg?'

'Morgen.'

Ze vroeg zich af hoe – wanneer – hij het haar had willen vertellen als ze hem deze makkelijke metafoor niet in de schoot geworpen had. Vanavond in bed, na het vrijen? 's Ochtends bij het ontbijt? Wanneer de koelies naar boven kwamen draven, wiebelend met de draagstoel, of beter, terwijl zij en Pearl dwaas in zwemkostuum op hem stonden te wachten om te gaan zwemmen? 'Wil je me ten minste zeggen *waar* je naartoe gaat?'

Zijn toon was afgemeten. 'Ik moet eerst Wuhan bezoeken en dan terug naar Peking voor verkiezingen.'

De verkiezingen. Natuurlijk. Hoewel ze die helemaal vergeten was in de vreugde van deze dagen, en hoewel de cynische houding van Paul tegenover het Peking van Yüan het vooruitzicht van een stemming bijna tot een farce maakte, was de hele politieke situatie niet als bij toverslag verdwenen. Ze trok aan haar omslagdoek en wist haar teleurstelling uiteindelijk te bedwingen. 'Het spijt me. Ik weet dat je moet gaan. Maar er is toch geen kans dat je je zetel verliest, of wel?'

'De stemming staat vast. Vraag is of Yüan de resultaten zal honoreren. Hij stelt zijn parlement liever zelf samen.'

'Maar de meerderheid denkt er toch zeker anders over?'

'Misschien, maar er is geen eenheid. Dat is de reden dat ik tot het eind van de maand in Peking moet blijven. Dr. Sun en senaatsvoorzitter Sung Chiao-jen hebben de Verenigde Alliantie overgehaald een partijcongres uit te roepen voor de vijfentwintigste. Ons plan is een Kuomintang te vormen – een Nationalistische Partij – om bij algemene verkiezingen campagne te voeren tegen de republikeinen van Yüan. Kuomintang-kandidaten zullen staan voor democratie en grondwet en een sterk onafhankelijk China. De mensen zullen dat begrijpen als ze hun stem uitbrengen. En als Yüan ziet met hoevelen *wij* zijn, zal hij zich wel bedenken voor hij iets onderneemt.'

Hope huiverde, trok haar knieën op en sloeg haar rokken om haar benen heen. Als Paul Amerikaan was geweest, dacht ze vals, zou hij nu naar me toeschuiven en me omarmen. In plaats daarvan zei hij slechts: 'Ik zal meteen na dit congres terugkomen. Ik begeleid jullie terug naar Sjanghai.'

'Je zei dat je eerst naar Wuhan zou gaan. Is je moeder dan daar?'

'Ja.' Hij leunde voorover – de abruptheid van die beweging was zelfs in dit afnemende licht voor haar zichtbaar – en plantte zijn ellebogen in zijn knieën. 'Mulan gaat trouwen.'

'Trouwen!'

'Ze is al achttien.' Zijn stem klonk harder, hij was in de verdediging.

'Maar je hebt hier nooit over gesproken. Wie is de man?'

'Hij komt uit Yünnan. Zijn familie maakt vuurwerk.'

'Is dat het enige wat je van hem weet?'

'Hij is mohammedaan. Veertig jaar.'

Hope schrok op van een gedempte kreet ergens in het huis, maar het was slechts het kindermeisje dat Morris in bad deed. 'Zo'n man,' hield ze aan, 'zou Mulan toch zeker niet zelf hebben uitgezocht?'

Paul gaf geen antwoord.

'Nai-li heeft het zeker geregeld!' De gedachte maakte haar misselijk, maar ze wist dat het waar was. En wat nog erger was, Paul weigerde daar iets tegen te ondernemen. 'Vorig voorjaar toen Sun Yat-sen het voetbinden, de opium en de mensenhandel verbood, sprong jij juichend op, maar nu heb je je moeder je eigen dochter laten verkopen...'

Hij stond op. 'Er is geen genegenheid tussen jou en Mulan.'

'Wat heeft dat ermee te maken? Jij hebt dit toegestaan. Hoe kan ik erop vertrouwen dat je ooit zult voorkomen dat Pearl hetzelfde overkomt!'

Paul stond abrupt op en liep naar de poort van de binnenplaats. Eén bestraffende minuut lang keek hij de andere kant op. Toen hij zich omdraaide had hij zijn armen over elkaar geslagen. Het wit van zijn westerse overhemd en zijn lange broek gaven hem iets spookachtigs. 'Mulan heeft deze man zelf uitgezocht. Ze hebben elkaar dit voorjaar in Sjanghai ontmoet. Ik keur het niet goed,

Hope. Deze man Tu heeft jarenlang meer dan vuurwerk aan de Manchu-regimenten verkocht, en nu voorziet hij elke krijgsheer die bereid is zijn prijs te betalen van wapens. Ik vertrouw hem niet. Ik zie niet graag dat hij lid van de familie wordt, maar mijn moeder heeft toestemming gegeven en het zal te veel gezichtsverlies geven als ik tussenbeide kom.'

'Gezichtsverlies! Wat je bedoelt is dat die man je politieke carrière zou kunnen schaden! Hij is ruim twee keer zo oud als Mulan, en jij, haar vader, bent niet eens geraadpleegd. Jij bent degene die onteerd is!'

'Misschien.' Er was een lange stilte, maar toen sloop er, tot haar verbazing, een glimlach in zijn stem. 'Jij hebt jouw vader ook nooit geraadpleegd, Hope.'

'Dat was anders!'

'"Hij zal het begrijpen," zei je.' Hij liep op haar af.

'Ik probeer met je te praten.'

'Ja.' Hij kwam achter haar staan, streelde de dunne haarpiekjes in haar nek.

Ze draaide zich naar hem om. 'Het kan je niet eens iets schelen!'

'Ik maak me grote zorgen. Net als jouw vader, denk ik.'

'Maar het is toch *onmogelijk* dat ze van hem houdt?'

'Je vrienden zeiden hetzelfde van jou.' Hij legde zijn handen op haar schouders, en maakte haar zachtjes duidelijk dat ze beter naar binnen konden gaan. Maar toen ze nog steeds niet reageerde, zei hij: 'Ik kan net zo min in het hart van mijn dochter kijken als in dat van haar moeder. Begrijp je, Hope. Ik heb hier niets over te zeggen.'

3

'OVERWICHT IS DE SLEUTEL,' ZEI SARAH. 'JE MOET NOOIT VERGETEN – of de bedienden laten vergeten – dat jij de baas bent. En maak *niet* de fatale vergissing om op de Chinese toer te gaan. Je zult er nooit in slagen aan hun eisen te voldoen, en door het te proberen kom je alleen maar dwaas over en krijg jij een vervelend gevoel.'

Hope staarde onzeker uit het raam van de tram. Sarah had

erop gestaan dat ze, in plaats van elkaar te ontmoeten aan een saaie theetafel of *tiffin* (zoals de lunch in Sjanghai werd genoemd), een uitstapje naar de renbaan zouden maken. Het was de openingsdag van het drafseizoen van dat najaar, zei ze, en de hele society van Sjanghai zou te bezichtigen zijn.

'Maar Paul is een Chinees,' hielp Hope haar herinneren.

'Precies, en ook dat mag nooit vergeten worden. Overwicht, zoals ik al zei, maar ook evenwicht. Neem nou het eten. Mijn persoonlijke advies is om nooit westers en oosters eten in één maaltijd op te dienen. Kies voor het een of het ander, houd de voorkeuren van Paul in gedachten. Eugene kan geen westers ontbijt verdragen, maar is heel enthousiast over gevulde roastbeef en yorkshire-pudding. Dus als we samen ontbijten bestel ik gezouten vis en *congee* en stel ik mezelf tevreden met een broodje. De warme maaltijd is precies het tegenovergestelde.'

'Ik geloof niet dat ik daar de bedoeling van snap.'

'De bedoeling, lieve Hope, is om althans een illusie van respect en puurheid op te houden. Vermeng alles niet te veel. Niet de boel verwarren, en zeker niet verwateren.'

'Maar we zijn vermengd. We zijn getrouwd! Het heeft geen zin om te doen alsof dat niet zo is.'

'Ik herhaal, Hope, jij bent geen Chinese, wie ook met jou trouwt. En Paul zal nooit een Amerikaan worden.'

'Hij draagt buitenlandse kleding. En ik heb hem altijd het eten geserveerd dat hij lekker vindt, in elke willekeurige combinatie. Hij heeft zich nooit beklaagd.' Ze hadden het drukke centrum met zijn vierkante warenhuizen en wellustige reclameborden achter zich gelaten en naderden de torens en hoekige daktoppen van de Race Club. De straat was afgeladen met riksja's en touringcars, westerse vrouwen met bontjes en veren, mannen met hoge hoeden en beverjassen en Chinezen uit de hogere kringen in gewaden van doorgestikte zijde en brokaat. Velen droegen in combinatie met die gewaden tweedjasjes, zware leren brogues en scherp gevouwen slappe vilthoeden. Hope probeerde Sarah op die mix van culturen te wijzen, maar tevergeefs.

'Ze poseren. Het is één groot gekostumeerd bal. Thuis dragen ze die dingen niet. Kom, we zijn er. Bij me blijven, Hope. Ik heb een vriendje dat ons naar de eretribune kan loodsen.'

Hope klemde de Kodak onder haar arm en ging op in de massa. De lucht was koud en mossig vochtig. De paardengeuren uit de stallen waren even nadrukkelijk als de reukwatertjes en briljantine van de toeschouwers. Helemaal aan de andere kant van de baan kropen groepjes minder welvarende Chinezen bijeen in versleten blauw katoen – net als hun meer bemiddelde landgenoten droegen de meesten ook allerlei westerse kledingstukken. Het vriendje van Sarah, een baanwachter, was kort en vierkant, met vlugge dansende ogen en een neus als van een rat. Hij begroette Sarah met een vette grijns, ging hen voor langs een trap aan de achterkant en wees hun twee plaatsen op de tweede rij aan. 'Hoe ken jij *die*?' fluisterde Hope toen hij weg was.

'Vriendje van Donald,' antwoordde Sarah met een nonchalance die Hope deed denken aan het geheim achter het eerste huwelijk van haar vriendin – en weer was ze diep geschokt.

'Ik heb nooit de indruk gehad dat ik nou zo'n bijzonder beschermd leventje leidde,' zei ze. 'Maar ik begin het me wel af te vragen.'

'Volgens mij is er geen volk ter wereld meer beschermd dan de Amerikanen,' zei Sarah. 'De Britten zijn ook gauw gechoqueerd, maar die begrijpen tenminste *waarom* ze geschokt zijn. Amerikanen hebben geen flauw idee.'

'Is dat niet een beetje te hard geoordeeld?'

De twee vrouwen draaiden zich tegelijk om naar de rustige mannenstem achter hen. De eigenaar ervan hield een pijp in zijn ene hand en stak die met de andere aan. Geamuseerde ogen keken hen aan over de opwolkende rook. Hope had het gevoel dat ze hem eerder gezien had – een magere, knappe man met strak achterovergekamd zandkleurig haar – maar ze kon hem niet plaatsen.

Sarah had daar geen moeite mee. Ze stak resoluut haar hand uit. 'Het spijt me als u het niet met me eens bent, dokter, maar toch vind ik het prettig u weer te zien.'

De man zwaaide vakkundig zijn lucifer uit, stak de pijp in zijn linkerhand en begroette Sarah met zijn rechter-. 'Het genoegen is aan mijn kant. En hoe is het met die kleine van u, mevrouw Leon?' Hij zweeg. 'Stephen Mann. We hebben elkaar in het Ste. Marie ontmoet.'

Pas toen werden alle blokkades in haar geheugen opgeheven en herkende ze die vreemde draaiende ogen. 'Het spijt me, dokter! Ik had u zonder witte jas niet herkend. Met mijn kinderen gaat het uitstekend. Wat aardig dat u daarnaar vraagt. Dat u het nog weet, goeie genade!' Ze gaf hem haar hand, bloosde en keek weg... om rechtstreeks in de ogen van Renata Hwang te blikken. De Française stond haar vanaf de andere kant van de tribune op te nemen, waar ze naast een dikke Chinees met een monocle zat die haar man moest zijn. Ze wuifde met haar waaier, knikte naar Hope met een langzaam, afgemeten knikje en richtte haar verrekijker op het parcours.

'Ik heb een goed geheugen,' zei dokter Mann, 'maar ik had u tweeën ook zonder dat wel herkend.'

'U bent het hoffelijke type,' zei Sarah.

Daarop klonk een hoornsignaal. De renpaarden en hun berijders hadden zich naast elkaar in de starthokjes opgesteld. Nu gingen ze van start. Stofwolken bleven hangen en een siddering als een aardbeving trok door de tribunes. Hope, opgelucht door de afleiding, bracht de Kodak naar haar oog, stelde zo goed mogelijk scherp op het biscuitkleurige ovaal van de renbaan met zijn flitsende vlekken van kleur en manen, en drukte af.

'Dat moet wel een hele snelle film zijn,' zei de dokter.

Hope hield de camera voor haar oog. 'Snel genoeg.'

Een bel ging toen de eerste renpaarden over de finish gingen. Aan de andere kant van de renbaan stak een rij jongens de winnende nummers in de lucht.

'U hebt verstand van fotografie, dokter?' vroeg Sarah.

'Een beetje. Ik heb het altijd een handig hulpmiddel gevonden – om bijzondere gevallen vast te leggen. En China is natuurlijk zeer fotogeniek. Ik ben alleen bang dat ik niet zo artistiek aangelegd ben.'

'Waarom oefent u niet op ons,' zei Sarah. 'Hope en ik hebben in geen jaren meer samen geposeerd.'

'Geposeerd...' Hope wierp Sarah een vragende blik toe.

'Bent u al zo lang bevriend?' Dr. Mann trok aan zijn pijp. 'Al van voor Sjanghai?'

'O, lang daarvoor. Kijk, daar aan de andere kant is een balkon waar u ons kunt fotograferen.'

'Mrs. Leon?' zei de dokter. 'Ik ben graag bereid, maar het is uw camera.'

'Alstublieft,' zei ze, weer helemaal verbaasd dat hij zich niet alleen haar omstandigheden, maar ook haar naam herinnerde. 'Om u de waarheid te zeggen, ik modder maar wat aan. Misschien kunt u mij de juiste instellingen laten zien.'

Het drietal ging net op weg toen het startsein voor de tweede race klonk. Ze trokken enkele nieuwsgierige blikken met hun vertrek op zo'n kritiek moment, wat Mann ertoe aanzette om heel hard te zeggen: 'Ik ben nooit zo'n gokker geweest, maar het is zonder meer een fraai gezicht.'

'O!' fluisterde Sarah. 'Straks gooien ze u nog speren in de rug. De paardenraces in Sjanghai zijn heilig, dokter Mann. Fortuinen worden hier gemaakt en gebroken – zowel financieel als sociaal.'

'En waar zijn wij voor gekomen?' vroeg Hope.

'We zijn gekomen om ze allemaal bij de neus te nemen, en dat geldt kennelijk ook voor u, beste dokter.'

'Ik ben een beschermde Amerikaan, weet u nog? Ik zou niet weten waarom zij gechoqueerd zouden moeten zijn om iets wat ik doe of zeg.'

Ze betraden een betegeld balkon met uitzicht op de oefenvelden naast de renbaan. Het was een grijze dag, de stadstorens werden verduisterd door drijvende nevels. Maar zo nu en dan brak de zon door en verguldde de nabijgelegen daken en boomtoppen. Tegen deze onrustige achtergrond stelde de dokter zijn twee modellen op. Hij zei dat ze naar hem moesten blijven kijken, terwijl hij met de cameraknopjes en wieltjes speelde. Hope was onder de indruk van zijn zelfvertrouwen, en nog meer van zijn talent om de werking van camera en film uit te leggen. Ze had de gedrukte aanwijzingen die bij de camera hadden gezeten voor zoete koek geslikt, gewoon de lens op onderwerpen gericht die haar interesseerden en op de sluiterknop gedrukt. De teleurstellende resultaten had ze geweten aan de onervarenheid van de Chinese ontwikkelaars, maar dr. Mann legde uit dat de fout waarschijnlijk bij haarzelf lag.

'Elke variatie in licht, beweging of belichting vraagt om zijn eigen instelling.'

'U bedoelt dat die foto van de race één grote vlek wordt,' zei Hope.

'Waarschijnlijk, maar je weet het nooit.' Zijn vrije oog knipperde. 'Soms neemt de gave om waardevolle dingen te ontdekken het over als je de regels negeert. Prima!'

Op dat moment brak de zon door. 'Perfect,' zei de dokter. 'In dit geval *weet* ik dat u een beschermengeltje hebt.' Hij gaf de camera weer aan Hope. 'Ik ben bang dat u me nu moet verontschuldigen. Ik moet terug voor de middagvisites.'

'Dokter,' zei Sarah, 'ik hoop dat we elkaar nog eens weerzien.'

Zijn blik ging weer naar Hope, niet echt afkeurend en niet echt geamuseerd. Hij boog ernstig, en weg was hij.

'Waar ben jij eigenlijk mee bezig?' vroeg Hope.

'Ik weet niet wat je bedoelt.'

Ze gaf een tikje op Sarah's bejuweelde pols, tilde de geplooide kantkraag om haar hals op, streek over de aigrettepluim op haar fluwelen hoed. 'Jouw echtgenoot is een rijk man.'

'De races zijn een sportevenement,' zei Sarah. 'Ik doe het ook alleen maar voor de sport, Hope.'

'Nou, ik heb genoeg sport gehad voor vandaag. En Pearl zit op me te wachten voor onze middagles.'

'Ga jij maar. Ik heb het gevoel dat dit mijn geluksdag is.' Ze glimlachte om de bedrukte blik van Hope. 'Er zijn voor eerbare vrouwen weinig mogelijkheden om aan hun trekken te komen. Maar in Sjanghai is dit er tenminste een van.'

Hope beheerste zich. 'Nou, ga jij je gang dan maar.'

Maar toen ze de trappen afliep riep Sarah haar na. 'Jij kunt ook maar beter je mogelijkheden zoeken, Hope. Geluk en liefde zijn even grillig als het lot.'

'Je gelooft nooit wie hier ook in Sjanghai is,' zei Hope toen Paul de week daarop terugkeerde.

'En waarom niet?' Hij was verdiept in de stapels memo's en brieven die zich tijdens zijn afwezigheid op zijn bureau hadden opgestapeld. Waarom had Yen die niet gesorteerd?

'Omdat het ongelooflijk is. Luister, ik kan je niet zeggen wie het is zonder te vertellen hoe ik erachter gekomen ben!'

'Hem.' Nu had ze zijn aandacht. Die uitbarsting van levendigheid in haar ogen en rond haar lippen, de manier waarop ze liep te draaien, opgewonden als een kind. 'Ga zitten, Hope.'

Lachend om het nog steeds onvertelde verhaal, ging ze op een stoel tegenover hem aan zijn bureau zitten. 'Weet je, ik ben vorige week met Sarah naar de renbaan geweest en we kwamen de dokter tegen die Morris vlak na zijn geboorte heeft onderzocht. Ik had mijn camera bij me en hij wekte de indruk nogal veel over fotografie te weten. Dus Sarah vond dat hij wel een foto van ons kon nemen, wat hij deed. Toen ik thuis kwam heb ik het filmpje volgeschoten met wat kiekjes van de kinderen en heb het de volgende dag naar Denniston's gebracht om het te laten ontwikkelen. Daar is niets ongewoons aan, maar toen ik terugkwam om de foto's op te halen, weigerde de winkelbediende ze aan mij af te geven. Hij zei dat ik moest wachten tot de nieuwe huisfotograaf terugkwam. Ik begreep niet wat er aan de hand was en de bediende is zo'n onvriendelijke jongen dat ik op het punt stond te vertrekken toen de deur openzwaaide, en wie stapte binnen?' Ze keek

Paul verwachtingsvol aan.

Hij zuchtte ongeduldig. 'Als ik het weet zou jij dit verhaal niet vertellen.'

'Jed Israel!'

Toen hij haar wezenloos aankeek zoog ze haar mondhoeken naar binnen, liep naar de lage zwarthouten tafel in de hoek en pakte de ingelijste foto die Paul daar had staan. De trouwfoto met de verwisselde hoeden.

'Onze fotograaf! Weet je nog. Die zo akelig stotterde. Hij zei dat hij onze foto zou laten meedingen in een of andere wedstrijd, weet je nog? Nou, dat heeft hij gedaan, en hij heeft er de reis naar Sjanghai mee gewonnen! En nu woont hij hier. Niet te geloven, hè?'

Hij pakte de foto en zette die op zijn bureau. De pointe van haar verhaal interesseerde hem niet, maar het begin wel. 'Ik heb gehoord over je uitstapje naar de renbaan.'

Zijn toon maakte haar plotseling alert. 'Van wie?'

'Hwang Yun-shu kwam me in Peking opzoeken. Hij zei dat hij en zijn vrouw je die dag gezien hadden.'

'Ja, ik heb Renata ook gezien, maar...'

'Hwang heeft veel invloed op veel plaatsen. Eugene Chou is ook een bekend iemand. Heel Sjanghai weet dat hij een Amerikaanse concubine heeft. Heel Sjanghai weet hoe ze heet.' Zijn hand had zich tot een vuist gebald terwijl hij praatte. Ze zagen het allebei, maar hij liet het expres zo.

'Hope, jij bent mijn concubine niet. Dat mag niemand denken – niemand mag zelfs maar iets dergelijks vermoeden.'

Een beweging die hij niet kon duiden, gleed als een vloeistof over het gezicht van zijn vrouw. Ze ging zitten. Na een lange stilte zei ze: 'Je weet dat Renata Hwang mij en Pearl bij haar thuis had uitgenodigd nadat ze mij afgelopen winter op het bal met Sarah had zien praten. Na dat bezoek heb ik haar drie uitnodigingen gestuurd om hier te komen. Ze heeft ze allemaal afgeslagen zonder zelfs maar een woord van excuus Ik geloof niet dat we Sarah daar de schuld van kunnen geven.'

'Je begrijpt het niet.'

Ze leunde voorover. 'Zorg dan dat ik het begrijp.'

Zijn blik viel op de twee vechtende, vuurspuwende draken van houtsnijwerk op de hoge ebonieten ladenkast naast zijn bureau. 'Je weet nog die brief die mijn moeder schrijft nadat we trouwen.'

'Ik denk niet dat ik die ooit zal kunnen vergeten.'

'In die brief schrijft ze over een bruid.'
'Ling-yi.'
'Ja. Pas na mijn terugkeer in Wuchang vanuit Amerika ontdek ik dat mijn moeder de bruidsschat al heeft betaald, er zijn huwelijkscadeaus uitgewisseld tussen de families, en Ling-yi vervult haar plichten als mijn moeders schoondochter.'
'Wat...' Haar stem haperde. 'Maar hoe kon ze... zonder dat jij er zelfs maar iets van af wist!'
'Het nieuws van de aardbeving was heel erg. Toen mijn moeder hoort, denkt ze dat ik niet kan overleven, of als ik leef, dan ben ik niet heel. Toen ze vele weken lang niets van mij hoort, denkt ze dat ze zelf iets moet ondernemen. Dus regelt ze een geesthuwelijk.'
'Dat geloof ik niet.' Hope beende naar het midden van de kamer. 'Jou dood wensen!'
'Haar wens is een schoondochter. Misschien als een bruid wacht, zullen de goden haar zoon sparen. Dat is wat zij denkt.'
'Maar we hebben haar geschreven dat het goed met je ging en dat je getrouwd was en dat je haar wensen negeerde!'
'Toen was het al gebeurd,' zei Paul zachtjes.
Ze leunde tegen zijn bureau, trok met haar duim cirkels op het houten blad. Hij raakte haar hand aan. 'Jij bent mijn enige vrouw, Hsin-hsin. Mijn gekozen vrouw.'
'Al die maanden,' zei ze. 'Jin. En Mulan, die dag in haar huis. *Waarom* heb je het me nooit verteld!'
Een lelijk zenuwtrekje kreeg greep op haar linkeroog en krulde haar lip. Hij liet haar los. 'Ik vertel het je niet omdat ik weet jij kunt niet accepteren. Maar nu zie je dat je niet uit moet gaan met Sarah Chou. Dat begrijp je toch zeker.'
'Ik begrijp meer dan dat.' Hun blikken kruisten elkaar maar schoten weg alsof ze een elektrische schok hadden gekregen. Hope had haar hand al op de deurknop voor ze weer sprak. 'Ik zal mezelf troosten met het geloof dat die vrouw in Wuhan blijft.' Ze keek hem niet aan. 'Maar ik zou wel willen weten of je – of je met haar hebt geslapen.'
'Hope. Ze betekent niets voor mij.'
'Ben je met haar naar bed geweest, Paul!'
'Nee.'

1 december 1912
Ik woon nu al bijna een jaar in deze stad der verdoemden, maar ik begin nu pas de ware gruwel te voelen. O, vrolijk,

ja, het is hier heel vrolijk, net als in Rome voor de ondergang. In de straten schalt gelach, uit hotellobby's weerkaatst gezang, in danszalen bonkt muziek van orkesten met twaalf instrumenten, die de zuchten begeleiden van 's werelds meest ervaren nachtclubdanseressen. Intussen worden in de donkere steegjes kinderen gekocht en verkocht, en achtergelaten om te sterven, bedelaars tillen etterende stompen op en opiumschuivers liggen verdoofd op straat – en de mannen die die opium verhandelen hullen al die dure dames in zijde. En mijn eigen plek in deze wereld van valse spiegels – ach, ja, mijn positie als vrouw van de verachte en moeder van de verachten, en dan draai je de spiegel om, en dan zijn het niet je man of je kinderen maar ben ik het zelf die de laagste van het hele stel is.

Ik begin Sarah en de hardheid van haar pantser te begrijpen. En ook haar advies dat ik zelf aan mijn trekken moet zien te komen. Door dit alles blijf ik van Paul houden, en toch wankelt mijn respect voor – en vertrouwen in – hem onder elk nieuw bewijs van zijn zwakte, onder de passieve terughoudendheid waarmee hij het gekonkel van zijn moeder ondergaat, zelfs onder de slappe manier waarop hij, samen met zijn held Sun, buigt voor die bruut Yüan. Ik wou dat hij zich terugtrok, tegen zijn moeder en die andere vrouw zei dat hij hen nooit meer wilde zien, en tegen Sun dat hij geen trek meer had in politiek. Konden we maar opnieuw beginnen.

4

BEGIN 1913 VERHUISDE HET GEZIN NAAR EEN STENEN RIJTJESHUIS aan Pushi Road – met drie kleine verdiepingen en een kleine betegelde tuin. Aangezien het niet geleend maar gehuurd was, weerspiegelden de bescheiden afmetingen van het pand de begrenzingen van het inkomen van Paul.

'Stt,' zei Hope toen hij zich begon te verontschuldigen. 'Er zijn andere gezinnen in de buurt, en dat is goed voor de kinderen, en als huurders hebben we de vrijheid om er een echt thuis van te maken.'

Het belang van een eigen thuis was in het licht van Pauls onthulling voor haar alleen maar groter geworden. Hij mocht haar er dan altijd van verzekerd hebben dat hij geen Chinese vrouw wilde, nu had hij er één, en Hope kon niet anders dan haar als een bedreiging zien. Als Paul zich een buitenlander voelde in zijn eigen huis, zou Ling-yi, met haar vertrouwde manieren, dan niet onvermijdelijk heel verleidelijk voor hem worden? Hope *wist* dat hij zich niet op zijn plaats had gevoeld in die mediterrane villa – en zij ook niet! Dit nieuwe huis gaf haar een mooie kans om oost en west met elkaar te integreren (ondanks wat Sarah geadviseerd had), en gerieflijkheid zou de bindende factor zijn. Daarom kocht ze voor Paul een luie stoel in westerse stijl, maar bekleedde die met dezelfde grijsgroene jacquard die ze had gezien op de stoelen in de ontvangsthal van zijn moeder. Voor de zitkamer bestelde ze een sofa met het klassieke zwarthouten frame – maar heel on-Chinees met veren en zachte kussens. Ze legde biezen matten op de kale en anders tochtige tegelvloeren, oosterse tapijten in de slaapkamers, en in een antiekwinkel kocht ze een rozenhouten hoofdeind voor hun nieuwe hemelbed, kunstig besneden met twee eksters ('symbool voor huwelijkse vreugde,' had de antiquair haar voorgehouden). Ze had Yen een schommel voor Pearl laten ophangen aan de Chinese iep die zijn schaduw wierp over de achtertuin. Langs het trottoir zette ze potten met helderrode geraniums, en aan weerskanten van het hek plantte ze een 's nachts bloeiende jasmijn.

Terwijl het huis steeds meer vorm aannam, merkte Hope dat de kinderen steeds wilder werden, en de bedienden rustiger. Paul glimlachte meer, maakte grapjes en leek minder genegen tot laat in de avond door te werken. Er werd niets meer gezegd over de schoondochter van zijn moeder, zoals Hope haar nu bij zichzelf noemde, en hij vaardigde geen verdere verboden uit tegen haar vriendschap met Sarah Chou, hoewel hij wist dat Hope haar vriendin in het geheim bleef zien, Sarah uitnodigde om de kleine Gerald met Pearl te laten spelen, of ook wel ontmoetingen regelde in French Park (dat tegenover de Britse speelplaats lag, waar hun 'bastaardjes' niet welkom waren). Hope had geen andere vriendinnen en Paul wist heel goed hoe moeilijk het was die te krijgen. Voorlopig was ze echter gelukkig.

Het voorjaar begon op een middag eind maart, na weken van mist en regen, met een plotselinge uitbarsting van zonneschijn. Hope had juist voor haar vader en Mary Jane een serie foto's van het huis gemaakt. Joy had Pearl meegenomen naar ergens verderop in de straat, om met een paar Deense buurkinderen te spelen, en Paul zou pas later die middag uit Peking terugkeren. Genoeg tijd, besloot Hope, om Morris in zijn kinderwagen te zetten en naar de fotozaak in de stad te wandelen.

Toen ze vertrokken had de lucht een vrolijk blauwe kleur. Pruimen- en kersenbloesems zweefden als sneeuwvlokken door de lucht. De fabrieksmeisjes, met hun negenen op een kruiwagen, zongen terwijl ze voorbijreden. En op Nanking Road schitterden elektrische reclames, toeterden claxons en schalde marsmuziek uit luidsprekers voor de pianowinkel van Robinson. Toen ze bij Denniston's aankwamen, begroette Jed Israel haar warm. Hij kwam zelfs van achter de toonbank tevoorschijn om haar te helpen de kinderwagen naar binnen te rijden.

Jed was in de zes jaar sinds Evanston nauwelijks veranderd. Hij zag er nog steeds uit als een beminnelijke kruising tussen jongen en man, met een stevige bos cayennekleurig haar dat steeds voor zijn ogen viel. Hij had zich niet overgegeven aan de typische jongemannenneiging om zijn gezichtshaar te laten staan, maar was gladgeschoren. Hij had sproeten en zeegroene ogen die allesverslindend boven brede, scherpe jukbeenderen uitkeken: hij deed Hope aan haar jongste pleegbroer Jimmy Wayland denken – altijd gretig, nooit bang, en ongeneeslijk vrolijk. Op zijn zeventiende was Jimmy Doc naar Oregon gevolgd op zoek naar goud, en bedolven geraakt in een mijnschacht.

Jed bestudeerde de slapende Morris. 'Hij is m-m-m-ooi,' zei hij.

Hope glimlachte.

'Je m-m-mag zeker niet z-z-z-zeggen dat een jongen m-mooi is,' verontschuldigde hij zich, en hij draaide met zijn mond alsof hij zijn spraakgebrek eraf wilde schudden.

'Jawel hoor.' Hope liet zich op een stoel in de hoek zakken en wreef over haar vermoeide enkels. Er was verder niemand in de zaak. 'Ik vind hem ook mooi. De meeste mannen kijken niet eens naar baby's.'

'Ik k-k-kijk overal naar.'

'Dat geloof ik graag. Heeft een fotograaf daar een aangeboren instinct voor, denk je? Of is het een vaardigheid die je ontwikkelt?' Ze lachte even en ging staan. 'Of is het gewoon een excuus om je neus in andermans zaken te steken?'

Jed bleef naar de baby kijken. 'Ik n-n-noem het een v-voorrecht.'

Hope trok haar handschoenen uit, in verlegenheid gebracht en tegelijkertijd jaloers op de passie van de jongeman. 'Nou.' Zuchtend pakte ze haar filmrolletjes uit een tas in de kinderwagen. 'Ik durf je bijna niet te laten zien wat hier op staat.'

'M-m-missus Leon, z-zeg dat niet. U bent aan het l-l-leren. Kodak liegt – met dat 'U drukt op de knop, w-wij doen de rest' – niet als je echt iets tot ui-uitdrukking wilt brengen.'

'Tot uitdrukking brengen,' herhaalde Hope. Zijn kreupele gepraat bezorgde haar hoofdpijn, toch mocht ze de jongen oprecht – ze bewonderde zijn onafhankelijkheid en de ambitie die hem naar de andere kant van de wereld had gebracht. En terwijl ze zijn blik door de etalageruit volgde naar de verkeersagent op het kruispunt, een sikh met een rode tulband die als in een dans op zijn verhoginkje stond, verdacht ze Jed ervan dat hij nog talent had ook.

'Ken je S-s-s-stieglitz?' Jed wenkte haar naar een boekenplank en sloeg een boek open getiteld *Camerawerk* van een fotograaf genaamd 'Steerage'. Het liet een immigrantenschip vanaf het bovenste dek zien, waar keurig geklede mannen, met strohoeden op en pakken aan, neerkeken op de vrouwen met hoofddoeken en de kinderen, de hangende was en de wirwar van het tussendek. Het beeld deed Hope pijn: ze herinnerde zich maar al te goed de stoomschipreisjes naar Kuling en weer terug, met Paul die beneden moest blijven, en die verachtelijke Brit op het schip vanuit Amerika...

Ze hoorde de deur openzwaaien en Jed ging een andere klant helpen. Even later keek Hope op en zag Stephen Mann over haar schouder meeturen. 'Ik krijg de indruk dat de jongeheer Israel u in een liefhebber aan het omtoveren is. Leuk u weer te zien, mevrouw Leon.'

'Dokter Mann.' Tot haar ergernis voelde ze dat ze bloosde.

De dokter liep monter naar de kinderwagen, en liet een geoefend oog over Morris glijden. 'Hij ziet er goed uit.'

'Ik ben met hem naar het Inheemse Ziekenhuis geweest,' loog ze, 'om hem te laten onderzoeken. U had gelijk, ze zijn er zeer humaan.' Zijn huivering schonk haar voldoening.

De dokter haalde de filmrolletjes tevoorschijn die hij door Jed wilde laten ontwikkelen. 'Het is een persoonlijk project,' legde hij uit, alsof ze er naar geïnformeerd had. 'Het ziekenhuis weet het niet en zou het niet goedkeuren.'

'O?' Hope wendde slechts beleefde belangstelling voor.

'De straatkinderen. Die zijn vrijwel allemaal ziek of kreupel of verminkt, maar niemand weet hoeveel daarvan opzettelijk is toe-

gebracht, ofwel door henzelf of door hun ouders.'
'Opzettelijk!'
'Een godsgruwelijke wond kan het inkomen van een straatjongen aanzienlijk verhogen.'
Hope kromp ineen bij de gedachte aan het kleine meisje dat vaak met een met vliegen bedekt stompje bij hun huis stond te zwaaien, hoe vlug zij dan een taël naar de moeder gooide zodat ze weg zouden gaan.
'En dan zijn er de meisjes die de hongerdood moeten sterven, of vermoord en gedumpt.' Dr. Mann sprak langs de steel van zijn pijp, zijn voorhoofd gefronst, ogen streng. Hij straalde een rustige kracht uit die het onmogelijk maakte hem niet te mogen, maar die hem ook moeilijk te doorgronden maakte.
Ze keek weg van zijn blik. 'Dus u bent al die ellende aan het vastleggen. Wat heeft dat voor zin?'
'De Chinese autoriteiten weigeren te zien wat er onder hun neus gebeurt en zolang ze het niet hoeven zien, doen ze er ook niets aan. Begrijp me goed, het komt hun beter uit dat al die bedelaars zichzelf om zeep helpen. Ze doen alsof ze niet over cijfermateriaal beschikken, en het probleem niks voorstelt.'
Hope keek op haar horloge. De trein van Paul zou gauw aankomen. Niet dat ze iets tegen de edele bedoeling van dokter Mann had, maar het kwam op haar over als klassiek missiegedrag – de goedwillende blanke man die te hulp schiet om zijn gele broeders de weg te wijzen. Waar waren Paul en Sun en de anderen anders mee bezig dan deze maatschappij te veranderen, of om met de woorden van Sun te spreken, de mensen middelen van bestaan te geven? Ze glimlachte naar Jed, die belangstellend geluisterd had, en zei op een toon die tegen beide mannen gericht was: 'Het spijt me, maar de trein van mijn man komt zo aan. Ik had niet door dat het al zo laat was.'
'Zal ik met u meelopen?' reageerde dr. Mann.
Op de een of andere manier, ze kon er niet precies de vinger op leggen, ergerde Hope zich aan zijn aanbod. In plaats van hem antwoord te geven begon ze de kinderwagen naar de uitgang te manoeuvreren. De mannen schoten haar te hulp toen de deur openvloog en een jonge Chinese verpleger de dokter riep.
'Schietpartij bij North Station! Belangrijke senator vermoord.'
Hope stond stokstijf, haar adem bevroor in haar keel, de woorden van de man vibreerden met zo'n kracht door haar heen dat ze waarschijnlijk flauwgevallen was als dr. Mann haar arm niet ste-

vig vastgegrepen had en Morris het niet verkozen had op dat moment in zijn slaap te gaan drenzen. 'Welke senator?' wist ze te vragen.

'We weten niet...'

Voor hij uitgesproken was had Hope zich van de dokter losgewrongen en had ze de baby in haar armen genomen. 'Ik ga mee,' zei ze met een stem die geen tegenspraak duldde.

De verpleger had twee riksja's laten wachten en dr. Mann hield vlug nog twee aan, want Jed wilde ook per se mee. Hij draaide de winkeldeur achter zich op slot. De dag die een paar minuten geleden nog op Hope was overgekomen als aanleiding tot vreugde, was haar nu een kwelling. Het licht leek oogverblindend, de lucht bijtend, de massa's winkelende mensen, bedelaars en venters verstikkend. Hope zeeg neer in de riksja en boog zich over de baby.

Na wat een eeuwigheid leek te duren staken ze Soochow Kreek over en reden in hoog tempo langs Honan Road toen het verkeer tot stilstand kwam. Sikh politiemannen zwaaiden met stokken. Woedende buitenlanders schreeuwden uit riksja's, dreigden met allerlei maatregelen.

Dr. Mann keerde te voet terug naar het rijtuig van Hope. Het leek erop of alle wegen rond North Station geblokkeerd waren. Ze stapte onmiddellijk uit en liep gehaast naast hem mee, de baby sussend, die wakker was geworden en nu in haar omarming draaide en kronkelde. Jed en Mann leken instinctief aan te voelen dat ze niet tegen haar volhardendheid in moesten gaan, en met haar tussen hen in baanden ze zich een weg door de menigte. Maar de bewakers die bij de wegversperringen waren neergezet, leken wel uit beton gehakt. Ze hielden stalen bajonetten voor hun borstkas. De riempjes van hun helm sneden in hun kin, hun ogen stonden kil en mechanisch. Dr. Mann legitimeerde zich en de verpleger blafte zijn bevelen, waarop de soldaat tot wie hij zich richtte met zijn ogen knipperde ten teken dat ze mochten passeren. Maar toen Jed en Hope ook probeerden mee te gaan, zwaaide dezelfde bewaker met zijn wapen en duwde hen wreed terug.

'Het is goed zo,' zei Mann. 'Jullie tweeën blijven hier staan, en zodra ik iets weet stuur ik Tsu-chu terug met het nieuws.' Hij aarzelde. 'Of ik kom zelf.'

Ze verdwenen tussen de groene en blauwe uniformen.

'Het z-z-z-zal allemaal wel g-g-g-goedkomen,' zei Jed en Hope keek voor het eerst sinds ze de winkel hadden verlaten naar hem.

Op de een of andere manier, al was alles nog zo snel gegaan, had hij het klaargespeeld zich van twee camera's te voorzien.

'Ga je gang,' zei ze zachtjes. 'Het komt allemaal goed.' Hij boog over haar heen en streelde met een hand over het hoofd van de baby, toen liep hij voor de wegversperring langs en maakte foto's van de soldaten, de toekijkende menigte, de Britse industriëlen die zich ergerden omdat ze hun trein misten.

Even gekalmeerd, als het gevoel dat er gesmolten lood door je aderen stroomt tenminste als kalmte kan worden aangemerkt, drukte Hope de ongedurige Morris tegen zich aan en kamde de menigte uit op bewijzen dat haar angst ongegrond was. Uit de lappendeken van dialecten wist ze enkele flarden van geruchten op te pikken. Elk detail leek op het ergste te wijzen.

'...op de middagtrein.'

'Mannen van Yüan...'

'... slachtoffer een nationalist.'

'Op weg naar Sun...'

'*Ch'ing*,' zei ze, en opnieuw benaderde ze de stramme bewaker. '*Shei ssu le?*' Toen hij roerloos bleef staan tilde ze de baby voor hem op. '*Wo hsiang yeh hsü shi wo hsien sheng.' Ik denk dat de dode mijn man kan zijn.*

Het riempje onder de kin van de soldaat trilde toen hij haar een blik vol walging schonk. Het kind negeerde hij. *'Pu k'o neng,'* mompelde hij. *'Ssu te shih ko Chung kuo jen.' De dode is een Chinees.*

'K'o neng,' kaatste ze terug, terwijl Morris begon te huilen. *'Wo hsien sheng shih Chung-kuo jen.' Mijn man is ook Chinees.*

De man sperde zijn ogen open en zijn greep op de bajonet werd strakker, niet om haar bang te maken, hield Hope zichzelf voor, maar uit ongeloof. Na een lange aarzeling bewogen zijn lippen, zijn woorden waren nauwelijks hoorbaar. *'Wo pu chih tao.' Ik weet het niet.*

Ze haalde beverig adem en smeekte Morris op te houden met huilen, rustig te blijven. Hij was bijna een jaar, en gewoonlijk raakte ze vermoeid als ze hem een paar minuten op de arm hield. Maar hoewel ze hier bijna een halfuur had gestaan, voelde ze niets in haar armen, en ook niet in haar benen en voeten. Alleen haar hart leek langzaam in tweeën te worden gescheurd, en haar hoofd bonkte door het voortdurend wegduiken van een slagschaduw die steeds dichterbij kwam. *Wat zou ze moeten doen?*

'Hope!' Het hoofd van Jed dook op tussen een paar schouders.

Hij wees naar het station. Daar, op het perron, stak Stephen Mann zijn duim op.

Heel even was ze in verwarring gebracht door de gemengde boodschap van dit victoriegebaar en de sombere blik van Mann. Maar toen riep een andere stem haar naam, dichterbij, en ze keek, haar ogen zochten het vaalbruin voor haar af, en toen zag ze tussen al die mensen haar man die zich haar kant op drong. En toen kwamen de tranen die ze al die tijd had weten in te houden, als een koude vloed die haar blik vertroebelde en over haar wangen stroomde. Het had geen zin te proberen ze terug te dringen, ze huilde, ze snikte onbeheerst terwijl Paul – het was hem echt – zich langs de verbijsterde soldaat haastte en haar en Morris in zijn armen nam.

'Dwaze vrouw,' mompelde hij, 'ik ben niet belangrijk genoeg om in gevaar te verkeren.'

Maar Sung Chiao-jen, de eenendertigjarige leider van de Kuomintang, een constitutionele havik, was wel belangrijk genoeg, vooral omdat hij zich publiekelijk tegen het autocratisch leiderschap van Yüan Shih-k'ai had uitgesproken. De moordenaar van Sung werd geïdentificeerd als een soldaat die door een plaatselijke gangster was ingehuurd, maar het was duidelijk dat die gangster de agenten van Yüan diende.

Die avond, terwijl Paul en Hope stilletjes alleen aan tafel zaten, achter de restjes van hun warme maaltijd, voorzag Paul het ergste. Het afgelopen jaar van rondetafelgesprekken, van poseren voor foto's, van luisteren naar toespraken in zalen die ontworpen waren om de zalen van de grote westerse congressen te imiteren, van eindeloos strategieën uitstippelen in rokerige feestzalen – het hele afgelopen jaar bleek achteraf één ijdele schertsvertoning te zijn geweest. De moord op Sung bewees dat Yüan Shih-k'ai geen belang bij democratie had, zelfs niet met hem als president. Hij wilde keizer zijn.

'Paul,' onderbrak Hope zijn gedachten. 'Ik kan hier niet tegen.'

Hij slikte. 'Ik weet het.'

'Dus je houdt ermee op. Je geeft je zetel op en komt thuis. Gaat fulltime lesgeven. Je stapt voorgoed uit de politiek.' De pijn in haar stem dwong hem haar aan te kijken.

Hij schudde zijn hoofd. 'Misschien.'

'Niks misschien!' Ze stak haar hand uit over de tafel en pakte zijn arm. 'Ik vraag dit als je vrouw, voor mij en de kinderen. Alsjeblieft, Paul.'

Hij bestudeerde haar kleine, slanke vingers, de bleke ovale nagels met hun parelachtige maantjes. Ze reet haar handen niet open zoals hij deed wanneer hij opgewonden was, trok haar eigen vlees niet kapot om haar angsten te verbergen. Nee, zijn vrouw beheerste zich van binnen met de discipline van een soldaat. Alleen het timbre van haar stem, het veranderende blauw van haar ogen, haar aanraking verraadden de ware intensiteit van haar gevoelens. 'Als ik me onmiddellijk terugtrek,' zei hij langzaam, 'zal dat te veel opvallen. Maar tegen de zomer, ik denk het wel.'

Hope liet haar vingers in zijn handpalm glijden. 'Dan kunnen we terug naar Kuling... en dan ga je niet meer bij ons weg?'

'Ik ga niet bij je weg, Hsin-hsin.'

5

DRIE MAANDEN LATER ZAT HOPE MET DE KINDEREN OP HET ACHterterras gedichten te lezen over koude, natte treurigheid. Ze wilde deze stomende junimiddag wat koelte toewaaien met gedichten over orkanen en sneeuwstormen, maar de kinderen lieten zich niet paaien. Ze waren hangerig en jengelig en plakkerig, ze waren doodop en ze wilden wat drinken. Ze was halverwege 'Regenachtige dag' van Longfellow toen Yen de kinderen te hulp schoot. 'Missy en Master hebben gasten.'

'We verwachten niemand.'

'Master zeggen Taitai moet komen,' verduidelijkte Yen. Hope fronste haar voorhoofd. Als het gasten voor Paul waren hadden ze geen behoefte aan haar aanwezigheid. 'Kinderen komen,' voegde hij er veelbetekenend aan toe.

O hemel, dacht ze. We worden *voorgesteld*. Ze keek naar haar gekreukte blauwe diemit, naar Pearl in haar gevlekte schortje en Morries' versleten kruippakje. 'Opschieten,' zei ze tegen Pearl, 'ga je haar kammen en trek een andere jurk aan.' Ze pakte Morris op, die op handen en voeten achter een hagedis aan kroop, en riep Ahnie om hem een schoon pakje aan te trekken.

Paul kwam haar in de gang tegemoet. Hij was pas die ochtend

uit Peking teruggekeerd. 'Waarom heb je me niet verteld dat we bezoek krijgen?' vroeg ze.

Hij legde zijn vinger tegen zijn lippen en fluisterde: 'Ik wil je verrassen.'

'Wat een verrassing! Ik zie eruit als een vogelverschrikker.'

Hij draaide haar goedkeurend rond en duwde zacht, met zijn vingertoppen, de vochtige haarslierten uit haar nek. 'Je ziet goed uit, vind ik. Mijn oude vriend William Tan heeft zijn vrouw Dai-tzi meegenomen om in Sjanghai te gaan wonen.'

'Maar...'

'Geen maar,' zei hij krachtig. Hij weerhield haar handen van het verder gladstrijken en rechttrekken van haar kleren en kruiste ze zedig voor haar buik. 'Herinner je je William?'

Hope grimaste. 'Ja,' zei ze. 'Die herinner ik me nog.'

William Tan was weinig veranderd sinds Hope hem in San Francisco tegen het lijf was gelopen. Dezelfde brede hoekigheid van schouders en hoofd, een half brilletje dat op een neus balanceerde die veel te verfijnd leek voor zijn robuuste gezicht. Zijn jonge vrouw Dai-tzi leek ook veel te verfijnd voor hem. Slank en met een fijne beenderstructuur, als van een mus, stond ze op haar gebonden voetjes te slingeren, de pijn die dat moest doen verborgen achter een stralende glimlach.

Paul begroette William met de uitgelatenheid die hij voor Chinese sociale gelegenheden leek te reserveren, als een familielid dat hij in jaren niet gezien had. De mannen bogen, lachten en knikten, rekten hun halzen tegen hun gesteven boorden en klaagden in een mengelmoesje van Engels en Mandarijnenchinees over de hitte. Dai-tzi giechelde en legde haar hand voor haar mond. Hope, die niet wist wat ze anders moest zeggen, stelde voor dat ze naar het terras zouden gaan, want daar stond tenminste een zuchtje wind.

Toen ze eenmaal zaten zei William tegen Hope: 'Mijn vrouw wil dolgraag kennis met je maken. Ze komt uit het binnenland en is nooit eerder met Amerikaanse dames in aanraking geweest.' Dai-tzi leunde voorover en tikte Hope op haar knie. Toen wees ze naar zichzelf en ging verwachtingsvol rechtop zitten. 'Ze zou zeer vereerd zijn als jij haar een Amerikaanse naam wilde geven.'

Hope keek naar Paul. Wat zat die te genieten. Een verrassing, zeg dat wel.

'Dai-tzi,' zei ze bedachtzaam, terwijl ze haar blik liet gaan over het zonnige gezicht van het meisje, het knisperende groen van haar jurk, de witte bloem in haar haar. 'Waarom geen Daisy?'

'Dee-sie?' De jonge vrouw schraapte haar keel, buitengewoon

serieus. 'Daisy.' Ze bracht haar hand weer naar haar mond en begon te giechelen. William knikte goedkeurend. Daisy, zo heette ze.

De kindermeisjes verschenen met de kinderen aan hun hand, en Daisy boog zich ongegeneerd over hen heen, streelde hun haar, streek over hun kleren en kietelde hen onder de kin op een manier waarvan Hope wist dat Pearl die verafschuwde. Het verbaasde haar altijd weer hoe een volk dat zulke strenge regels hanteerde waar het ging om fysiek contact tussen twee volwassenen die allebei hetzelfde wilden, zo ongegeneerd kon zijn – bijna beledigend opdringerig zelfs – als er kinderen in het spel waren. Ze beloonde Pearl en Morris voor hun verdraagzaamheid door oogluikend toe te staan dat ze hun bordjes vollaadden met cakejes en sandwiches, alvorens terug te vluchten naar de kinderkamer.

William wendde zich tot Paul met een vraag over de meest recente gevechten in de zuidelijke provincies tegen Yüan Shih-k'ai – door sommigen optimistisch een Tweede Revolutie genoemd.

'Ze hebben geen schijn van kans,' antwoordde Paul. 'Er is geen centraal leiderschap, en bijna geen steun van het volk. Yüan heeft het geld en de macht.'

'Dan is het misschien snel voorbij en kunnen we naar Kuling,' zei Hope, half voor de grap. Ze had voor deze zomer haar zinnen op Kuling gezet, en als de rebellen niet konden winnen, wat had het dan voor zin dat ze de rivier blokkeerden?

William schonk haar een minzame blik en streek over zijn kin. 'Ik heb dr. Sun ontmoet op doorreis in Japan. Hij lijkt vrede te hebben gesloten met Yüan.'

'Als hij de waarheid zegt, is al zijn werk voor niets geweest. Daarom neemt hij het goud aan dat Yüan hem toewerpt en houdt toespraken in Japan. Soms kunnen dromers wonderen verrichten, maar soms verbleken die wonderen ook weer als een droom.'

'Je klinkt verbitterd, ouwe vriend. Heb jij *jouw* droom zo snel opgegeven?'

Paul staarde afwezig naar de schaal met cakejes. 'Soms denk ik weleens dat het een vergissing was om zo lang weg te blijven.'

William snoof verachtelijk. 'Onze vergissing had niets met afstand te maken en alles met leeftijd. De jeugd denkt dat alles mogelijk is.'

'En jij?' vroeg Paul. 'Waar sta jij?'

'Ik geloof dat Sun weer bij zijn positieven zal komen en de Kuomintang naar de overwinning zal leiden.'

Hope spande zich in om het allemaal te volgen (de mannen waren overgegaan op Mandarijnenchinees), toen Daisy opeens haar hand uitstak naar een vochtig krulletje op haar wang. Hope schrok zo hevig dat ze een plens thee over haar voeten morste. Daisy, niet in het minst van haar stuk gebracht, boog zich voorover en begon aan de zoom van haar jurk te sjorren, niet om te helpen haar schoon te vegen, zoals Hope aanvankelijk veronderstelde, maar om haar witte schoenen met knoopbandjes te bewonderen.

'*Chen mei*,' koerde Daisy. Met een vragende gezichtsuitdrukking vormde ze haar handen tot een kom en liet die naast de voeten van Hope zakken.

'Nee.' Hope lachte en keek naar Paul of die haar kon helpen, maar Paul en William waren druk in gesprek en sloegen geen acht op de dames. Hope wist niet hoe ze anders moest reageren, ze legde haar doorweekte servet naast zich neer en boog voorover om haar schoen los te maken. 'Zie je, ik heb gewoon kleine voeten. Geen bindsels.'

Daisy staarde er gefascineerd naar. Toen stak ze een van haar eigen minuscule voetjes uit. Dat was niet meer dan acht centimeter lang, ongeveer half zo lang als die van Hope, en had eerder de vorm van een hoef dan van een voet. Hope huiverde, maar becomplimenteerde haar gast met het ingewikkelde bloemenborduursel op haar zelfgemaakte schoenen. Hope vond dat wel de ultieme belediging, dat Chinese vrouwen, nadat ze zichzelf eerst kreupel hadden gemaakt om aan die barbaarse gewoonte te voldoen, vervolgens zelf met de hand die verfijnde muiltjes moesten maken die de ware verschrikking van hun verminking zouden verbergen.

'*Wo hsiang mai i shuang yu ken de hsieh!*' Daisy klapte in haar handen en wipte op haar stoel op en neer.

'Het spijt me dat ik je onderbreek, Paul,' zei Hope. 'Ik begrijp dat ze zegt dat ze iets wil, maar ik weet nict wat.'

Paul, die beter op hen had gelet dan hij had laten doorschemeren, trok een wenkbrauw op. 'Ze zegt dat ze graag een paar westerse schoenen zou willen met hakken zoals die van jou.'

'Maar dat kan toch niet?'

William trok aan zijn revers. 'Daisy mag dan uit een heel oud geslacht van landeigenaren stammen, ze is in Hankow opgegroeid. Ze kan lezen en is zeer geïnteresseerd in de revolutie. Ze begrijpt dat China moet moderniseren en dat dames hun oude gebruiken ook moeten veranderen. Ik heb dit met je man besproken.

Hij zegt dat je mijn vrouw misschien kunt helpen. Met haar westerse schoenen kopen, haar leren lopen als een moderne dame.'

Hope wist niet wat ze ermee aan moest. 'Ik ben bang dat dat erg pijnlijk voor Daisy zal zijn, maar ik zal natuurlijk doen wat ik kan – als dat is wat ze echt wil.'

William knikte. 'Als ik me goed herinner ben je ook lerares Engels geweest. Ik vroeg me af of je zou willen overwegen Daisy les te geven... Daar betalen we je natuurlijk wel voor.'

'Geen sprake van dat ik daar geld voor aanneem!' Hope keek naar Paul wat die ervan vond. Hij straalde. 'Het lijkt me juist enig om Daisy Engels te leren. En zij kan mij mooi helpen met mijn Mandarijnenchinees.'

William draaide zich om, sprak snel tegen zijn vrouw, die bloosde en knikte. 'Ze zegt dat het haar ook enig lijkt.'

Hope deed haar handen op elkaar en boog naar Daisy. 'Ik verheug me...'

Ze werd onderbroken door het onmiskenbare geratel van machinegeweervuur in de verte. Bij de oude Chinese stad, zo te horen.

'Dus ze gaan het proberen,' zei William kalm.

'Wat proberen!' Hope kon haar schrik niet verbergen.

'Het Chiangnan-arsenaal bij de Westelijke Poort. En misschien de *yamen*.'

Paul wuifde met een hand. 'Je hoeft je geen zorgen te maken, Hope. Ze zullen het niet wagen de Concessies te beschieten.'

'Nou, ik zie niet hoe je daar zo zeker van kan zijn! Stel dat Yüan besluit de Kuomintangleden aan te pakken die zich hier schuilhouden?'

'De Franse wet beschermt ons. Hoe dan ook, het klinkt alsof de troepen van Yüan bij de rivier de handen vol hebben.'

Hope volgde de paniekerige blik van Daisy naar de donkere rookwolk die langzaam de zuidelijke hemel vulde. Haar angst voor haar eigen gezin begon weg te ebben, maar nu dacht ze aan het huis van haar schoonmoeder in Nantao, op anderhalve kilometer, misschien nog niet eens, van die wapenopslagplaats. Haar stiefzoon Jin logeerde daar nu hij college liep aan de zomerschool van het St. Johns. In theorie 'paste hij op de hofhouding van Nai-nai', en dat was de reden dat hij het huis van zijn vader niet mocht bezoeken. Maar Hope begreep de ware reden: Nai-nai had hem verboden ook maar een voet in het huis van de *yang p'otse* te zetten. Maar als zijn leven in gevaar kwam door in Nantao te blijven...

'Paul,' zei ze boven een nieuwe uitbarsting van kanonvuur uit, 'denk je niet dat Jin beter bij ons kan komen?'

Hij keek haar mild aan. 'Het huis is niet in gevaar.'

'Of dat zo is of niet, hij is pas zestien. Hij wordt vast en zeker bang als daar, afgezien van de bedienden, verder niemand is om hem te beschermen.'

Paul had zijn bedenkingen. Hij was niet bereid de orders van zijn moeder geweld aan te doen. Hij zei het niet met zoveel woorden, maar het sprak duidelijk uit zijn blik – en uit zijn haast om afscheid te nemen van de gasten. Hoezeer hij ook met William bevriend was, Paul zou nooit in zijn bijzijn, laat staan dat van Daisy, over familieaangelegenheden praten. Hope wachtte, vastbesloten hem zijn gezicht niet te laten verliezen, maar met elke seconde die verstreek nam haar besluit vastere vorm aan. Tegen de tijd dat de voordeur dichtviel en Paul zich omdraaide, was ze er volledig van overtuigd dat Jin in Nantao gevaar liep.

'Je zult het jezelf nooit vergeven als hem iets overkomt,' zei ze. 'En je moeder ook niet.'

Paul keek haar niet aan. Hij trok zich terug in zijn studeerkamer. Tegen het vallen van de avond werd Jin ondergebracht in de naaikamer van Hope.

De beschietingen gingen de hele volgende maand door, en de aanvallen waren vooral gericht op de wapenopslagplaats en de *yamen* – het huis van de Chinese gouverneur – en op de Woosung-forten aan de monding van de delta. In de directe omgeving van het strijdperk konden de kansen na elke beschieting keren, maar zoals Paul al had voorspeld durfden Yüan noch de rebellen de internationale zone binnen te vallen. Na een paar dagen spoorde de *North China Daily* buitenlanders aan om hun dagelijkse werk weer op te pakken en niet te bang te zijn voor verdwaalde granaten of granaatscherven. Zelfs de missiescholen en -ziekenhuizen in de onmiddellijke omgeving van het arsenaal werden niet geëvacueerd.

Ondanks al die geruststellingen en Pauls eigen ongelukkige inschatting van de futiliteit van deze opstand, stond Hope erop dat Jin bij hen bleef. In werkelijkheid was ze dolblij met dit excuus om de zoon van Paul beter te leren kennen. Weg van Mulan en de invloed van zijn *nai-nai*, bleek hij een lieve, beminnelijke jongen die, zo mogelijk, nog blijer was met hun contact dan zijzelf. Hoewel hij dankzij zijn academische scholing een beetje Engels kon schrijven, wilde hij het dolgraag leren spreken. Hij werd een enthousiaste derde toen de lessen van Hope en Daisy eenmaal op gang kwamen. (De conversatie beperkte zich grotendeels tot de ervaringen van Hope als suffragette, haar jeugd onder de Amerikaanse pioniers en haar herinneringen aan het San Francisco van de vrolijke jaren negentig – onderwerpen die in Jin en Daisy een romantische fascinatie opriepen en in Hope een verbazingwekkend louterende nostalgie.) Tegelijkertijd was Jin meer dan bereid zich te laten afleiden als zijn halfbroertje zich op zijn schoot wurmde. Dan hoorde Hope gelach en zag die twee over de vloer rollen, of Pearl op Jins rug klimmen en roepen: 'Hup Jin! Hup!' Vaak keerde hij van zijn lessen aan de zomeruniversiteit terug met Engelse noga of boterbabbelaars. Hij speelde poppenkast op de vijfde verjaardag van Pearl, en 's middags deed hij meestal een balspel met de kinderen of organiseerde tikkertje met de buren. Rond bedtijd vertoonde hij met uit papier geknipte draken en paarden een schimmenspel op de muur van de kinderkamer.

Pauls aanvankelijke weerzin was verdwenen en hij leek zelfs van de aanwezigheid van Jin te genieten. De twee zaten vaak tot laat in de avond te praten over de klasgenoten van Jin, vaak zonen van oude vrienden van Paul, en over de verschillen tussen de geleerden die geloofden in overheersing van de traditionele hogere klassen, en diegenen dic ervan overtuigd waren dat het land vroeg om een moderner leiderschap. Af en toe hadden ze een meningsverschil.

'Ik ben geen soldaat,' zei Jin dan, en legde zijn benige vingers op zijn knie, 'maar volgens mij ligt het lot van China in handen van de generaals.' Paul stak dan een sigaret op en begon te roken, een gewoonte die hij in Amerika had opgegeven, maar in Peking weer hervat. Hope, die stilletjes over haar naaiwerk de kamer overzag, meende een vonk van ergernis in zijn ogen te bespeuren.

'Generaals zijn bandieten,' zei Paul. 'Ze zijn alleen geïnteresseerd in geld, en ze zijn in staat hun eigen moeder te verkopen als ze daar beter van worden. Zo is het altijd geweest en zo zal het altijd blijven. Als het lot van ons land in handen van krijgsheren ligt, heeft China geen toekomst.'

'Maar vader, de revolutie van Sun is door soldaten gewonnen...'

'En overgeleverd aan een krijgsheer, en kijk maar hoe we ervoor staan!'

Jin keek Hope verbijsterd aan. Arme jongen, dacht ze, de verhalen over het heldhaftige idealisme van zijn vader waren hem vast met de paplepel ingegoten. En nu is Paul een pessimist geworden.

Augustus kwam met karakteristieke traagheid. De bladeren van de platanen hingen bewegingloos in de drukkende hitte. Zelfs de allerlichtste kleren bleven aan de huid plakken, en ook de kinderen werden lusteloos. Maar de gevechten van de rebellen langs de rivier dreunden door, en Paul was verwikkeld in eindeloze geheime vergaderingen met Sun Yat-sen, die na de moord op Sung Chiao-jen naar Sjanghai was teruggekeerd maar nog steeds weigerde zijn 'pensionering' te beëindigen en het publiekelijk tegen Yüan op te nemen. In deze sfeer was het lichtste briesje, ja zelfs de geringste fluistering van een eind aan de impasse in weer en politiek, reden tot feestvieren. En dus vroeg Hope, op een zaterdagochtend na een hevig onweer, aan Jin of hij iets voelde voor een wandeling in de koele, opgefriste lucht. Yen had de kinderen mee naar de film genomen, en dit was een zeldzame kans om met hem alleen te praten.

Ze stak haar camera in haar tas, hield haar oliepapieren parasol omhoog tegen de aanhoudende motregen, en liep zomaar richting centrum. Jin liep met zijn handen in de zakken, een bolhoed met een platte rand zover naar beneden getrokken dat zijn grote oren erdoor opzij gevouwen werden. Hij trapte al lopend een gingkonoot voor zich uit, hoofd gebogen, en hoewel ze de gebruikelijke afkeurende blikken uitlokten van buitenlanders, en scheldkanonnades van venters en bedelaars en riksjalopers, leek Jin daar niets van te merken. Hij kon zich net als Paul helemaal in zichzelf terugtrekken, de blinden neerlaten voor de wereld om hem heen. Hope vermoedde dat beiden die vaardigheid hadden ontwikkeld als verdediging tegen de rauwe uitvallen van Nai-li, maar als dat zo was maakte het haar alleen maar kwader dat zij soms ook tegen die blinden moest aankijken.

'Je zei laatst op een avond dat je geen soldaat bent,' zei ze. 'Wat ben je dan van plan als je klaar bent met je studie?'

Hij keek haar van opzij aan. Ze had gedacht dat het een onschuldige vraag was, maar hij leek er nogal door van zijn stuk gebracht, en toen hij na een tijdje stamelde dat hij 'het nog niet wist' had ze het vermoeden dat dat helemaal niet waar was.

Ze zocht naar wat geruststellende woorden toen er een doffe dreun klonk vanaf de rivieroever. Aan de overkant van de avenue claxonneerde een man met een strohoed met rode, witte en blauwe linten in een open tweepersoonsauto naar een jonge brunette met een kanten parasol. Hij zwaaide het portier open en ze stapte lachend in, en de parasol begon te dansen toen de auto doorreed. Hope had net op tijd de Kodak gepakt om het stel te fotograferen, en ze slaagde er zelfs in de kruitdampen boven de bomen op de achtergrond mee te nemen.

Toen ze de camera liet zakken, nam Jin haar op met zo'n uitdrukking van onverhulde afgunst dat ze vroeg of hij zelf eens een foto wilde maken. Hij aarzelde slechts heel even, en zodra hij de Kodak in handen had leek hij er volledig door in beslag genomen. Hij bestudeerde de generfde leren tas, de camera en de lens alsof het allemaal één onbetaalbaar wonder was.

'Het is maar een Kodak,' zei ze. 'Hij gaat niet gauw stuk, en zelfs al zou hij stukgaan, dan nog is hij voor weinig geld te repareren.'

Hij zuchtte. 'Heb je wel eens van ene Diga gehoord?'

Hope dacht diep na, maar schudde ten slotte haar hoofd.

'Hij maakt schilderijen,' zei Jin zachtjes. 'Eerst maakt hij foto's. Van danseresjes. Chinese zangeressen. Wat oude mannen. Verder maakt hij schilderijen.' Hij maakte een ronddraaiende beweging met de camera. 'Ik zie foto's van deze schilderijen die hij van foto's maakt.'

'En die vind je mooi?' Hope glimlachte.

'Heel mooi.'

Misschien was het zijn weemoedige toon, of de huivering toen hij de camera naar zijn oog bracht, of de manier waarop hij afwezig zijn lippen bevochtigde, terwijl hij de lens op een boom richtte die weelderig rood over een tuinmuur heen bloesemde, vervolgens op een oudere man die zijn kanarie mee uit wandelen nam, en daarna op een jong Chinees meisje in vrolijk geborduurde zijde en haar westers geklede aanbidder – maar plotseling zei Hope: 'Bedoel je Edgar Degas?'

Jin gaf de camera met een respectvolle buiging terug. '*Shih*,' zei hij. 'Diga.'

Ze liepen verder. De zon dwong zich door de mist heen en bracht de lucht in trilling. De hitte dreigde weer terug te keren, en het was net of het verkeer opeens harder ging rijden, alsof de mensen nog zoveel mogelijk wilden doen voor de volgende aanval van futloosheid. Het was riskant om druk op Jin uit te oefenen, besefte Hope, maar nu deze onverwachte opening er eenmaal was, kon ze die niet voorbij laten gaan. Ze zei: 'Heb je tekeningen van jezelf hier in Sjanghai?'

Hij deed alsof hij haar niet begreep.

'Ik heb ook weleens geprobeerd te tekenen,' hield ze vol. 'Ik ben er niet zo goed in, maar ik heb grote bewondering voor kunstenaars.'

Hij antwoordde zonder zijn pas in te houden of naar haar te kijken. 'Deze kunstvorm wordt in China geminacht.'

'Nee toch! Schilderijen worden hier vereerd. Net als poëzie.'

'Klassieke schilderijen,' zei hij met een stem waar de minachting van afdroop. 'Klassieke gedichten.'

Dus dat was het. Jin had zijn ambities op westerse kunst gericht. Ze kon zich wel ongeveer voorstellen wat zijn grootmoeder daarop te zeggen zou hebben!

Toen ze Nanking Road naderden donderde weer een kanonsalvo over de stad. Het bedrijvig winkelende publiek keek nauwelijks op, maar de bedienden en venters, wier familie in en rond de Chinese stad woonde, keken bezorgd naar de lucht. Jin draaide zich abrupt om. 'Vertelt u mijn familie alstublieft niet over dit gesprek.'

Het schuldgevoel in de ogen van haar stiefzoon leek zijn zonde verre te overtreffen, maar Hope nam zichzelf de hoogmoed kwalijk dat ze iets meende te begrijpen van de druk die op Jin werd uitgeoefend om zich naar de verwachtingen van zijn familie te voegen, die in alles te volgen en hoog te houden. Een druk die misschien nog zwaarder was omdat zijn vader zulke revolutionaire ambities had. En omdat hij de wil van Nai-li genegeerd had door een Amerikaanse vrouw te trouwen. 'Nee,' zei ze. 'Nee, natuurlijk niet.'

Plotseling kwam het bij haar op dat Jin het misschien wel leuk zou vinden Jed Israel te ontmoeten. Het was nu niet ver meer naar de fotozaak, en de jongen leek geen haast te hebben om naar huis te gaan, dus liep ze de Chapoo Road in.

Sarah en haar kleine Gerald stonden net op het punt Denniston's uit te lopen toen Hope en Jin binnenkwamen. Sarah had weinig belangstelling voor fotografie tenzij ze zelf het model was, maar, net als Hope, had ze zich aangetrokken gevoeld tot de ongekunstelde Amerikaanse Jed Israel en was ze met hem bevriend geraakt, en nu infecteerde hij Sarah's zoontje van zes met zijn passie voor de camera. Hope kwam hen hier wel vaker tegen, en aangezien Paul Sarah nog steeds stilzwijgend afkeurde, was ze blij met deze neutrale en ongeplande ontmoetingen. Ze was er echter minder blij mee dat ze Sarah aan Jin moest voorstellen.

'Wat een heerlijke jongeman, Hope,' verlustigde Sarah zich. 'Is die van *jou*?'

Hope voelde zich donkerpaars aanlopen onder het geamuseerde oog van Jed. 'Sarah Chou,' zei ze onvriendelijk. 'Dit is Jin, de zoon van Paul.'

'Ah!' Sarah perste haar lippen opeen en neeg haar hoofd. 'Aangenaam kennis te maken meneer... Liang, neem ik aan.'

'Ja,' zei Hope. 'Dat klopt.'

Jin boog flauwtjes en glimlachte naar Gerald, en Hope duwde hem verder richting Jed. Ze legde hem uit dat haar stiefzoon geïnteresseerd was in schilders die van foto's werkten. Even later zaten beiden met hun neus in de boeken van Jed.

'Wat een schoonheid,' fluisterde Sarah. 'Mag je hem houden?'

'Kun jij echt nergens anders aan denken?' vroeg Hope.

Sarah veinsde een pruilmondje en streek de donkere krullen van haar zoontje glad. 'Ik heb een zwak voor mannen. Dat is nou eenmaal zo.' Ze waren even verlegen met de situatie toen Gerald de gaatjescamera demonstreerde die hij van Jed had gekregen.

'Ben je het met zijn familie aan het aanleggen?' vroeg Sarah. Haar spot was verdwenen.

'Alleen met Jin.'

'Nou, kijk maar uit. Chinese families zijn net tweekoppige slangen. Net als je de ene getemd hebt, draait de andere zich vliegensvlug om en bijt toe.'

'*Dat* weet ik al jaren,' zei Hope.

'Het kan geen kwaad er nog eens op gewezen te worden.'

Toen Gerald zijn demonstratie had voltooid trok hij aan de rok van zijn moeder: hij wilde naar buiten om met zijn speeltje te experimenteren in het licht.

'Leuk je te zien, Hope.' Sarah maakte een vuist, bracht die naar haar mond en fronste. 'O! Nu weet ik weer wat ik je vertellen wilde. Die dokter die wij zo leuk vinden. Mann, weet je wel? Ik hoorde laatst dat hij verder trekt.'

Hope voelde een verwarde steek. Ze herinnerde zich nog hoe aardig hij was geweest die dag op North Station – maar ze zag ook nog de vreemde, harde spanning in zijn ogen voor zich, toen hij gebaarde dat Paul veilig en wel op haar afkwam. 'Hoe bedoel je, verder trekt?'

Sarah zuchtte. 'Tragisch verlies, vind je niet? Ik weet het echt niet. Verderop langs de kust of stroomopwaarts langs de rivier, zijn eigen ziekenhuis leiden of zoiets. Het schijnt dat hij onenigheid had met het bestuur.'

'Vanwege zijn werk met de straatkinderen,' opperde Hope.

Sarah zette haar hoed recht. 'Ik zou het niet weten, maar hij is in elk geval nog in het land, er is nog hoop, Hope. Ojee!' Ze giechelde. 'Ik bedoel er niks mee, hoor.'

Hope kreunde en omhelsde haar. 'Sarah, je bent onverbeterlijk.'

'Ik doe mijn best.' Sarah wuifde naar de mannen en haastte zich achter haar zoon aan.

Een paar minuten later keerde de Chinese bediende terug van een boodschap en kondigde Jed aan dat het zijn tijd was voor een pauze. Als ze nu eens met hun camera's naar de Bund gingen om te kijken of ze nog wat foto's van de gevechten konden maken? Het gezonde verstand van Hope moest het afleggen tegen het enthousiasme van Jed. Tien minuten later hingen ze over de stenen kade van de rivier, keken uit op de schitterende tinnen daken van de pakhuizen en maakten foto's van een groepje Chinese rebellen dat als een horde zwarte spinnetjes een Duitse kanonneerboot overmeesterde.

Hope en Jin gebruikten samen haar camera. Jed liet zien hoe je op allerlei manieren composities kon maken en scherp kon stellen. De kanonnen donderden. De vlaggen langs de Bund klapperden in de wind. De gevechten leken onsamenhangend, onschuldig.

'Het is obsceen om zoveel plezier te hebben in een oorlogsgebied,' schreeuwde Hope boven een uitbarsting van geweervuur uit.

'We zijn niet in een oorlogsgebied,' meende Jin. 'We kijken alleen.'

'Ik g-ga s-soms dichterbij,' zei Jed. 'Betere opnames als j-je de gezichten van de soldaten-'

Hij werd onderbroken door een plotselinge escalatie in de beschietingen. Stroomopwaarts, stroomafwaarts, op de oever aan de overkant – de overmeesterde artilleristen van de kanonneerboot vuurden alle kanten op behalve de kant van de wapenopslagplaats, waar ze toch ongetwijfeld op richten moesten van de rebellen. De granaatscherven deden de bomen langs de Bund schudden en beven en de fotografen waren zo verstandig zich terug te trekken.

'Geen oorlogsgebied, hè?' zei Hope.

Maar ze lachten alle drie en waren buiten adem, nog steeds meer vrolijk dan bang. En Hope stemde net zo gretig in als Jin toen Jed Israel vroeg of ze nog eens met hem 'op pad' wilden.

In de tram naar huis sloten Hope en Jin een pact. Hope zou niet verklappen wat de geheime ambities van Jin waren als Jin zijn vader niet vertelde wat ze vandaag gedaan hadden.

In september was de 'Tweede Revolutie' neergeslagen. Troepen loyaal aan Yüan Shih-k'ai vierden hun overwinning met plunderingen, verkrachtingen en verminkingen, en hielden drie achtereenvolgende dagen gruwelijk huis in Nanking. Honderden Kuomintangleden werden overal in het land geëxecuteerd, en in Peking werden de weinige gouverneurs met Kuomintangbanden die nog over waren, vervangen door loyalisten van Yüan Shih-k'ai – de zogenaamde republikeinen. Sun Yat-sen vluchtte opnieuw naar Japan.

In oktober erkenden de ministers van de westerse landen de regering van Yüan Shih-k'ai en president Woodrow Wilson zond zijn persoonlijke felicitaties toen Yüan tot president werd gekozen. Een maand later beval Yüan de ontbinding van de Nationalistische Partij en ontsloeg alle Kuomintangleden uit het parlement. Paul trok zich eindelijk uit de politiek terug en accepteerde lectoraten aan de universiteiten van Sjanghai, Fudan, Nanyang en St. John's, waar Jin net eerstejaars was. Hij doceerde politicologie, Chinese poëzie, en moderne en Amerikaanse literatuur. Voor de eerste voetzoekers het Chinese Nieuwjaar inluidden, verwachtten de Leons hun volgende kind.

6

Inheems ziekenhuis Sjanghai
13 augustus 1914
Lieve Mary Jane en Papa,
Kort maar krachtig, we hebben een schat van een dochtertje! Ze was – *weken* over tijd – pijnlijk groot, maar met een dikke bos haar en ronde roze wangen. Deze keer had ik heel veel gezelschap en steun, van mijn vriendinnen Sarah Chou en Daisy Tan, en iedereen in dit ziekenhuis is ook heel leuk. Ja, Paul was er ook, en hij is geweldig voor Morris en Pearl. En zijn zoon Jin was ook in de buurt – de verpleegsters waren allemaal weg van hem! Het enige lastige is dat we niet kunnen beslissen hoe we ons nieuwe prinsesje zullen noemen. Misschien Jade (past goed bij Pearl), of misschien wordt ze wel een bloem – Rose of Lily of Jasmine. Nou ja, Paul zegt dat het wel goed komt. In China is het de gewoonte een pasgeborene pas na een maand een naam te geven – net als het geven van een meisjesnaam aan een jongetje of een kleintje bedelven onder valse beledigingen, is het een van de duizend trucjes die Chinezen uithalen om de kwade geesten ervan te weerhouden hun kinderen mee te nemen.

Kijk eens, daar komt de kleine naamloze voor haar warme maaltijd. Ik wilde dit even kwijt om jullie te laten weten hoe gelukkig we zijn en hoe goed we het maken. Ik schrijf weer zodra we thuis op orde zijn.
Met al mijn liefs,
Hope

1311 S. Hill St., Los Angeles
25 augustus 1914
Liefste Hope en Paul,
We hebben droevig nieuws. We hebben vorige week een bezoek aan Berkeley gebracht en troffen huize Wall dichtgetimmerd en leeg aan. Een quarantainebriefje fladderde door de tuin, en de buren vertelden ons dat Li-li en de kleine jongen aan influenza waren overleden. Thomas schijnt als een razende te keer te zijn gegaan, hij heeft met zijn vuist de ramen kapotgebeukt, hij heeft een soort brandstapel gemaakt

van alle bezittingen van Li-li en het kind en heeft die in de achtertuin in brand gestoken. Hij heeft dagenlang gejankt, ze zeiden dat het klonk alsof er een dier gewurgd werd.

Ten slotte heeft een van zijn vrienden uit het ziekenhuis hem gekalmeerd – als hij er niet geweest was, zeiden de buren, zou hij in een gesticht beland zijn. Maar toen het nieuws over de oorlog in Europa bekend werd, zei Thomas dat er voor hem niets meer was om voor te leven, maar misschien was er nog wel iets om voor te sterven. En voor iemand het wist was hij vertrokken.

O, dit is een zwaar, zwaar verlies. Die man was van goud. Alles wat hij aanraakte was mooi en goed. Vooral Li-li en dat jongetje, wat een pienter, gelukkig kereltje – stel je eens voor dat het je eigen Morris was! We moeten er steeds aan denken, en bidden dat zo'n tragedie jouw schatjes nooit zal overkomen, Hope. Maar het stelt ons geloof wel op de proef om twee zulke zielen als Thomas en Li-li zo verdoemd te zien.

Terwijl we dit schrijven leert een blik op de kalender ons dat jij je baby intussen wel zult hebben. Een meisje of een jongen? We bidden voor jullie beider gezondheid en zijn blij met je laatste nieuws dat Paul er deze keer bij zou zijn.

Hier zijn de tijden zwaar. Door de markt zijn de investeringen van Mary Jane in rook opgegaan, en het kost veel tijd om een praktijk op te zetten als het geld zo schaars is. Maar we hebben troost aan elkaar. Ondanks alles is er nog steeds veel om te koesteren en dankbaar voor te zijn.

Alle liefs en liefste wensen,
Jullie Mary Jane en Papa

39 Pushi Road, Sjanghai
30 september 1914
Lieve Mary Jane en Doc,

Ik heb zojuist uw brief ontvangen van augustus met het droeve nieuws over Thomas en Li-li. U zult het mij vergeven, ik laat het nu nog niet aan Hope zien. Ziet u, onze eigen pasgeboren baby is niet meer en ik denk niet dat Hope nog meer verdriet kan verdragen.

We waren nauwelijks voorbereid. Hope en de baby waren thuis. Alles was goed. 's Nachts kwam het kindermeisje naar ons toe, erg ongerust. De baby had zo'n hoge koorts dat ze niet huilen kon, al haar lakens waren nat. De buitenlandse dokter kwam. De Chinese dokter kwam, maar niets hielp. Binnen een dag stopt het kleine hartje met kloppen en vorige week hebben we haar in haar graf gelegd.

De buitenlandse dokter heeft Hope medicijnen gegeven om haar te laten slapen. U herinnert zich haar stil verdriet nadat ons eerste kind doodging. Zo is ze nu weer, maar meer. Ze huilt of praat niet, eet nauwelijks. Ze staat bij het raam en kijkt naar het spel van Pearl en Morris en verbiedt hen ons huis te verlaten. Ze ziet haar vriendinnen niet, raakt zelfs de camera die u gestuurd hebt niet aan, waar ze zo aan gehecht is geraakt. Ik kan haar geen troost geven behalve bij haar te zitten en stilletjes haar hand vast te houden. Ze zegt me dat dat helpt, hoewel ik geen verandering zie.

Ik vertrouw erop dat u, de ouders van mijn vrouw, mij niet te hard vindt, maar ik weet niet wat ik moet doen. Ik denk dat geen man de band tussen een moeder en haar kind kan begrijpen – een band die groeit als een wijnstok, al voor de geboorte, en steeds overvloediger groeit met elke dag die volgt. Dit kind heeft voor Hope lang genoeg geleefd om haar als dochter te beschouwen, en dus is dit voor haar niet het verlies van een mogelijkheid, zoals voor mij, maar het verlies van een echt mens. Ze beschuldigt mij ervan dat ik het niet begrijp en dat ik meer om haar geef dan om ons overleden kind. Maar ik kan dit niet veranderen. Ik wil alles doen om mijn vrouw beter te maken, maar ik weet niet wat ik moet doen.

Vergeeft u mij alstublieft. Ik zal uw brief aan Hope geven zodra ze weer tot zichzelf zal komen. Dank u voor uw vriendelijke gedachten en wensen.

De uwe,
Paul

VII

VERNIEUWING

(1914-1916)

I

TERWIJL HOPE ROUWDE OM HAAR KIND DAT NAAR CHINESE TRAditie nooit bestaan had, veranderde de wereld in rap tempo. In juni hadden Servische nationalisten op de Balkan een Oostenrijks-Hongaarse aartshertog vermoord. Langzamerhand werd heel Europa bij de oorlog betrokken, en de mogendheden die er zo op gespitst waren geweest om China te domineren zagen zich nu genoodzaakt de aandacht weer op het thuisfront te richten. Engeland, Frankrijk, België en Rusland riepen hun oorlogsschepen uit de Sjanghai-delta terug, de belangrijkste Europese diplomaten werden teruggeroepen uit de verdragshavens, en de fitste jonge soldaten werden uit de belangrijkste Aziatische garnizoensplaatsen naar Europa teruggehaald om de troepen van de Duitse keizer te bestrijden aan verre fronten met namen als Marne en Ieper, Tannenberg en Verdun. In de internationale settlements van Sjanghai, op straat, in cafés, in de trams en in de collegebanken van de universiteit van Paul, gingen alle gesprekken over Europa, en er werd het meest gegokt op een geallieerde overwinning.

Toen Japan in augustus de slecht verdedigde Duitse verdragshaven in Shantung bezette, waren Paul en zijn vrienden woedend maar nauwelijks verbaasd. Japan had in China lange tijd de positie van verwante tegenstander gehad. De twee landen waren beide Aziatisch, hadden veel gebruiken en gedragingen gemeen en vonden elkaar in het bijzonder in hun wantrouwen jegens het Westen. Maar toen Paul in Tokio studeerde was hij onder de indruk geweest van de modernisering van Japan en van de Japanse vaardigheid – waar het China aan ontbrak – om westerse ideeën en technologie aan te wenden voor haar eigen expansionistische doeleinden. Helaas ging het grootste deel van die expansie ten koste van China. Twintig jaar geleden hadden de Japanners de macht in Korea en Formosa overgenomen van de Chinese overheersers. Later die in Mantsjoerije. En nu zag Paul duidelijk dat de ware reden dat Japan Duitsland de oorlog had verklaard, alles te maken had met het feit dat Japan een oogje had laten vallen op Shantung – een voortreffelijk steunpunt aan de kust van Midden-China. Tegelijkertijd streken Japanse attachés op Peking neer om hun 'steun' aan te bieden aan Yüan Shih-k'ai. Het kwam op Paul allemaal over als een list om van Yüan een Japanse marionet te maken en middels hem de Chinese regering te controleren.

In oktober besloot Sun Yat-sen dat Paul terug moest naar Peking. Zijn beheersing van de Japanse taal en contacten onder Japanse diplomaten, zo redeneerde Sun, kon hem onmisbaar maken voor Yüan die het hof werd gemaakt door Tokio. Paul zou vanuit het presidentiële paleis vitale informatie aan Sun kunnen doorgeven, terwijl Sun bezig was de nationalistische krachten in het zuiden tegen Yüan te reorganiseren. Zolang Paul voorzichtig en discreet te werk ging, zou zijn persoonlijke veiligheid worden gegarandeerd door zijn langdurige kameraadschap met Li Yüan-hung, de machtige generaal uit Hupei die Yüan had aangesteld als zijn vice-president. Het was Li die, op Suns discrete suggestie, Paul had benoemd op de kritieke maar onopvallende post van directeur van de staatsdrukkerij, waar alle officiële propaganda werd gedrukt en gecontroleerd.

Terwijl Paul bezig was de inhoud van zijn studeerkamer in te pakken voor zijn terugkeer naar het noorden, bedacht hij dat het een goede ingeving was geweest dat hij Hope niet verteld had over de moord in Peking waar hij getuige van was geweest tijdens zijn laatste verblijf in het noorden. Twee generaals, revolutionaire helden uit Hupei, waren naar Peking genodigd om Yüan te ontmoeten. Bij een banket in het Legion Hotel had Paul het tweetal steun horen betuigen aan de regering van Yüan. Toen hij na afloop het hotel verliet had hij gezien dat de auto van de generaals werd omsingeld door de geheime politie van Yüan. Ze werden samen met talrijke aanhangers gearresteerd en zonder vorm van proces binnen enkele uren doodgeschoten. Aangezien een van de generaals in Hankow Li Yüan-hungs rivaal was geweest, werd alom aangenomen dat de executie bedoeld was om Li aan de president te verplichten. Een presidentiële gunst, zou je kunnen zeggen.

Als hij de keus had gehad, dacht Paul, zelfs nu, zou hij Hope zonder meer in Sjanghai achterlaten, waar hij tenminste zeker wist dat zij en de kinderen veilig waren voor de waanzin van Yüan. Maar dat bracht weer andere gevaren met zich mee. Het verlies van hun baby had een verdriet in Hope achtergelaten dat hem ongerust maakte. Haar ogen waren hol, haar lichaam vel over been. Haar handen bewogen lusteloos en uit haar stem leek een duisternis op te klinken die zelfs Pearl of Morris niet kon verlichten.

'Ik wil naar huis,' had ze op een dag gezegd, met zo'n lage en toonloze stem dat het niet de stem van een mens leek. Haar ogen waren hard, hun blauw als ijs, en verwilderd. Haar lelijkheid had hem doen terugdeinzen, en toen had ze zich in zichzelf teruggetrokken en niets meer gezegd. Maar de woorden waren tussen hen in blijven liggen. Thuis was een plek waar ze zonder hem heen zou gaan, om nooit meer terug te keren.

En dus beloofde hij haar toen hij haar van zijn nieuwe positie vertelde: 'Deze keer zal niet als voorheen zijn. Allereerst tref ik regelingen. Mijn gezin gaat met mij mee.'

Drie weken later gingen Hope en de kinderen aan boord van de Britse kustvaarder Kashing, op weg naar Tientsin. Alleen Yen en Ah-nie gingen mee, de andere bedienden waren niet bereid zo ver van hun geboortegrond vandaan te verhuizen. Paul had geschreven dat er in elk geval een nieuw huis met personeel op hen wachtte.

De laatste keer dat ze door deze haven waren gekomen, was Pearl nog maar net drie en Morris nog niet geboren. Nu, terwijl de vlaggen en koepels en marmeren torens van Sjanghai achter hen weggleden, herinnerde Hope zich haar opwinding toen ze deze haven voor het eerst had gezien, de rode jonken met hun enorme vierkante zeilen en geverfde ogen, de slipperschepen en sampans, de geketende aalscholvers die naar vis doken. Toen die vreemde verschijning, Frank Pearson die op de brug van dat oorlogsschip stapte en in een oogwenk was verdwenen. Een vloek, dacht ze nu. Als ze die waarschuwing niet in de wind had geslagen, als ze het eerste schip terug naar de Verenigde Staten had genomen, hoeveel pijn zou haar dan bespaard zijn gebleven. Er zou in elk geval ook een leven gespaard zijn. Eén graf minder om achter te laten.

Ze volgden de kustlijn en kregen een stormachtige wind tegen. Het silhouet van de stad maakte plaats voor rijstvelden en de bij elkaar gekropen huisjes van dorpen. Het eiland Tsungming verhief zijn kleine maar verraderlijke bult tussen waarschuwende boeien en de met algen bedekte rompen van schepen die de boeien hadden genegeerd. De rivier kolkte nu, en veranderde van kleur: het gele slibwater van de Whangpoo ging over in het stroperige groen van de Yangtze-delta. Daarachter lag de blauwe open vlakte van de Grote Oceaan en, vele duizenden kilometers verder, thuis.

Ze hield haar handen boven haar ogen terwijl het stoomschip koers zette naar het noorden, als een speeltje dat werd aangetrokken door een verre magneet. Iemand anders stond achter het roer. Wie zou zeggen of die ander Paul was, of Sun, of Yüan, de Japanners of domweg het lot? De enige zekerheid was dat zij en haar gezin gijzelaars waren geworden van dit wrede land. Wat voor fantasieën haar na de dood van haar baby ook hadden beziggehouden, ze had niet meer puf om China te verlaten dan dit schamele stoomscheepje om zich los te maken van de kust en het ruime sop te kiezen.

De zon beukte drie lange dagen op hen neer terwijl ze over de Gele Zee voeren. Toen ze de kaap van Shantung rondden, foeterde Yen stilletjes op de Japanners, maar Hope voelde alleen een gevoelloze neutraliteit. De vlaggen van de oorlogsschepen met hun keizerlijke zonnen hingen lusteloos aan hun masten, nauwelijks herkenbaar, en vanwaar zij stond ging er van de kleine, onbeweeglijke figuurtjes die de kustlijn bewaakten niet meer dreiging uit dan van vogelverschrikkers. Hoewel ze wist dat de Japanse indringers verantwoordelijk waren voor hun gedwongen verhuizing naar het noorden, viel nog te bezien of ze hen moest vervloeken of juist bedanken.

Laat op de vierde middag meerden ze af in de haven van Tientsin. Yen nam de leiding, hield koelies aan om hun tassen te dragen en dreef hen in een kudde naar de trein die hen naar Peking zou brengen. De smaak van steenkool en ijzer, de dampen van de rails, het gebonk van staal brachten Hope acht jaar terug in de tijd.

De coupé waar Yen het hele gezelschap plaats liet nemen, was natuurlijk veel fraaier dan de tweedeklas pullman die ze met Sarah en Kathe had gedeeld, maar ze snoof er dezelfde geuren op van rotan, pluche en mahonie, van ijzer en stoom. Ze zag hier dezelfde witte kanten antimakassars. Licht getemperd door matglas. Hier zouden Paul en zij niet gedwongen zijn om apart te reizen. Maar Paul was nog niet bij haar. En haar reisgenoten van nu waren nog meer slachtoffer van de omstandigheden dan die van acht jaar terug.

'Mama, mama!' riep Pearl. 'Kijk eens wat Yen gekocht heeft!'

Het fluitje snerpte en Yen stond voor de deur van hun coupé met een mand gevuld met hun eigen gesteven linnen. 'Wat in hemelsnaam? Hier...' Hope zwaaide de deur open.

'*Mienpao.*' Hij duwde de mand in haar handen. 'Ik kopen, allemaal schoon. Missy zien? Geen *ping chün.*'

Hope volgde zijn ogen over het volle perron naar de draagbare houtskooloven van een venter. 'Alsjeblieft, mama,' smeekte Pearl. Hope schudde haar hoofd. Hier heersten cholera, gele koorts, tuberculose. Het was veel te riskant.

Maar Morris smakte met zijn lippen toen hij de zoete en kruidige geuren opsnoof. 'Ik neem uit oven met Taitai's eigen vork!' zei Yen, zwaaiend met het zilveren eetgerei. Hope haalde met tegenzin het servet weg en zag tien gevulde broodjes liggen, klein en glanzend als eidooiers.

'Zo heeft de keizerin-weduwe de keizer om het leven gebracht,' waarschuwde ze nog, maar de kinderen vielen al aan en Pearl was niet eerder tevreden dan toen haar moeder ook van het stomende brood had geproefd.

'Ik neem aan,' zei Hope, 'dat er misschien wel ergere manieren zijn om dood te gaan.'

'O, mama,' piepte Pearl luid. 'Je bent te mal!'

'O ja?' Hope keek door het raam naar de saaie grijze westerse architectuur van de verdragshaven. 'Ik denk dat mijn probleem is dat ik gewoon niet dwaas genoeg ben.'

Maar ze werd opgewekter toen ze de stad achter zich lieten. Hier deinden de heuvels als de golven van de oceaan. De velden stonden barstensvol met late gewassen als wintertarwe, *kaoliang*, sojabonen, rabarber en maïs. De dorpen waren groepen lemen hutjes, overkapt door die sierlijk gevleugelde daken waarvan Hope vaak dacht dat ze misschien wel het enige waren wat China tot één geheel maakte. Na het vallen van de avond flakkerden de olielampjes in de huizen als vuurvliegjes boven vage mannen die kleine kinderen paardje lieten rijden op hun knieën, gezinnen die zich over de avondmaaltijd bogen, moeders die hun kinderen naar bed brachten. Deze glimpen van vreemden, opgesloten in de immense zwartheid van het platteland, grepen Hope meer aan dan de grijpende, stinkende ledematen van bedelaars ooit gedaan hadden. Dit waren de mensen die moesten boeten, dacht ze. Wanneer de droogte hun gewassen deed wegkwijnen. Wanneer overstromingen hun huizen wegvaagden. Wanneer ziektes hun kinderen en dieren doodden. Wanneer hun zonen onder bedreiging werden meegenomen als soldaten, de huidige tiran in Peking hun belastingen verdubbelde of verdrievoudigde. En dit was het China waar Paul van hield. Een China waarvan gehouden kon worden omdat het nog onschuldig en kwetsbaar was.

Met stops volgens de dienstregeling, niet-geplande vertragingen en 'routine-inspecties' door regeringssoldaten die op zoek waren naar 'rebellen en criminelen', duurde de reis van honderdzestig kilometer uren langer dan verwacht. Het was na middernacht toen de trein eindelijk het Chien Men Station binnenreed, aan de rand van de oude Tatarenstad – een met toortsen verlicht schouwspel rechtstreeks uit de Middeleeuwen. Groepjes lachende mannen in zijden gewaden, nog bedwelmd door hun uitspatting van die avond; een rij kamelen beladen met manden gedroogd vlees en leer, koper en steenkool uit de westerse provincies; nachtventers in lompen die hun handen warmden boven stoven en op mistroostige toon thee en rijst te koop aanboden. Hope speurde het perron af. Ze wist dat het zinloos was Paul hier na al die vertragingen nog te verwachten, maar ze was toch teleurgesteld dat hij er niet was.

Yen dreef hen gehaast een groot tweepersoons rijtuig in en gaf opdracht hun bagage in een ander rijtuig te laden. Morris lag diep in slaap in de armen van Ah-nie, maar Pearl leek weer helemaal op te leven door de kou. 'Is dit de Grote Muur?' vroeg ze toen ze door de getunnelde Chien-Men Poort reden.

'Nee, dit is een stadsmuur, net als die om de Chinese stad in Sjanghai.' Hope forceerde een glimlach terwijl ze de brede Hatamen Maloo opreden. 'Maar de Grote Muur is niet ver. Misschien neemt papa ons er wel mee naartoe.'

'O, alsjeblieft, ja!' De elektrische lantaarns langs de rijbaan weerkaatsten in Pearls donkere ogen en Hope benijdde haar om haar grenzeloze enthousiasme, haar bereidheid elke mythe en fantasie die dit vreemde land aanreikte, te omarmen. Pearl, zes jaar oud, stortte zich roekeloos en met eender enthousiasme in mirakel en onheil. Deze neiging had ze van haar vader geërfd, dacht Hope. Het was een neiging die beiden zo onweerstaanbaar en ook zo zorgwekkend kon maken.

'Kijk, mama. Een paleis!'

Hope keek op en hapte naar adem. Ze reden net op het hoogste punt van een lange, uitgestrekte heuvel. De maan hing als een lantaarn in de lucht en wierp een gouden licht over de daken van de Verboden Stad. Hope herkende het Keizerlijk Paleis uit de beschrijvingen van Paul. Het ingesloten labyrint, een juweel in zijn schoonheid en complexe vorm, leek al even afgelegen en onbewoonbaar als de perfect bewaarde ruïnes van sommige verdwenen beschavingen. Als om haar gedachte te onderschrijven knalde de *mafoo* met zijn zweep en draaide het rijtuig een onverlichte *hut'ung,* of steeg, in, en het paleis was verdwenen.

Hope leunde voorover terwijl het rijtuig afremde en tot stilstand kwam. Yen sprong uit het tweede rijtuig en bonsde op een van de ongenummerde deuren langs de straat. Hoewel Peking een internationale concessie had, had Paul haar gewaarschuwd dat ze niet daar zouden wonen, maar in de stad zelf. Anders dan Sjanghai, was deze stad waardig Chinees.

Het geluid van ijzer dat op hout schaafde, en de deuren gingen kreunend open. De portier stapte over de hoge houten drempel, maakte een buiging en onderdrukte een geeuw. Hope hielp Pearl uitstappen en Ah-nie volgde met de nog slapende Morris, terwijl nog twee slaperige bedienden naar voren schuifelden. Yen stelde de tengere man met o-benen voor als Kuan, de nieuwe kok, en de meid, die stukgekauwde lippen had en een beetje loenste, als Juhua – Chrysant.

Hope knikte plichtmatig. 'Waar is mijn man?'

Yen begon zich te bemoeien met het uitladen van de bagage. De kok en de meid bleven met gebogen hoofd staan terwijl de portier zijn handen hief.

Paul had beloofd hier te zijn om hen te begroeten. 'Zonder mankeren', had hij geschreven.

Hope werd de volgende ochtend wakker in een hemelbed onder een zware brokaten beddensprei. Ze stond op, kleedde zich vlug aan, bleef net lang genoeg in de aangrenzende kamer staan om te constateren dat de kinderen weg waren, en liep door naar de galerij om hen te zoeken. Op dat moment was ze zowel opgelucht als verbluft.

De wolkeloze kobaltblauwe hemel en de zuivere woestijnlucht gaven samen een helderheid aan het licht die elk oppervlak dat het beroerde volmaakt leek te maken. Pearl en Morris, die met Ah-nie naast een verzonken vijver met goudvissen gehurkt zaten, leken wel figuren uit een prentenboek. En de tuin om hen heen had voor een decor kunnen doorgaan. Er waren miniatuurfruitbomen in porseleinen potten, gebeeldhouwde stenen banken, een enorme jujube die een hele hoek in de schaduw zette en terrassen gevuld met goud- en roestkleurige chrysanten. Langs de verhoogde wandelgang waar Hope op stond, rezen scharlakenrode pilaren op, zo dik en glad dat het enorme kaarsen hadden kunnen zijn die het met draken en wolken beschilderde plafond droegen. Na al haar dappere inspanningen om hun laatste huis te 'integreren', moest ze bijna lachen om dit sprookjesachtige beeld. Het had er alle schijn van dat ze in Peking weinig anders kon dan 'op de Chinese toer' gaan, zoals Sarah dat noemde, of ze het leuk vonden – en of het *verstandig* was – of niet.

Pearl zag haar moeder en stond op. 'Gaan we op onderzoek uit, mama? Yen wilde ons niet zonder jou laten gaan.'

'Onnezoek!' echode Morris en klapte in zijn handjes.

Hope slaakte een zucht. Ze was gisteravond te moe en te boos geweest om hun nieuwe huis veel meer dan een vlugge rondblik te gunnen. Eigenlijk was ze nu nog net zo woedend, maar na een goede nachtrust, en met zoveel zondoordrenkte pracht rondom, was de vrolijkheid van de kinderen aanstekelijk.

Hun woonverblijven bevonden zich in de voorste twee gebouwen van een residentie die eigendom was van een Manchu-familie die na de val van de Ch'ing haar vorstelijke rechten was kwijtgeraakt. Nu woonden ze zelf in de ommuurde achterste gebouwen, terwijl ze de voorste verhuurden. Aan de eerste binnenplaats, waar Hope en de kinderen door naar binnen waren gekomen, lagen de studeerkamer en de ontvangsthal waar Paul zijn plichten kon vervullen. Beide vertrekken waren eenvoudig en sober, gemeubileerd met lage stoelen met rechte ruggen en hier en daar een tafel, een zwarthouten bureau en kasten met koperbeslag. Pauls schrijfset lag op het bureau uitgestald. Hope herkende de gebeeldhouwde doos van zijn lei en de gevlekte bamboehouder van zijn favoriete penseel. Ze nam aan dat de paperassen in de hoek van de kamer ook van hem waren. En als ze inademde, meende ze de ruwe, aardse geur van zijn sigaretten te ruiken, maar voor die gedachte met haar op de loop kon deed ze zachtjes de deur dicht en dreef de kinderen terug naar waar ze vandaan gekomen waren.

Hoewel de tuinen en galerijen de illusie van ruimte opriepen, viel er in werkelijkheid weinig te ontdekken. Het eerste gebouw was duidelijk bedoeld als Pauls domein, en hoewel het derde leeg stond en via een zijpad toegankelijk was, wilde Hope de kinderen niet aanmoedigen het te betreden. Nee, hun territorium was beperkt tot het tweede gebouw: een tuin, een vijver, de slaapkamers waar Hope en de kinderen vannacht geslapen hadden, en een aangrenzende eet- en zitkamer.

Hope had al ontdekt dat er geen waterleiding was. Waskommen en bedekte kamerpotten waren in de slaapkamers achter met bloemen beschilderde kamerschermen geplaatst, en gisteravond had Chrysant voor haar bad een houten vat met een deksel vol kokend heet water naar haar kamer gebracht. Maar ze wreef zichzelf nog eens goed in dat zij zelf in veel primitievere omstandigheden was opgegroeid, en dat de kinderen gehard genoeg waren. Nu ze Kuan hadden ontdekt die naast de keuken (een apart gebouw met slaapverblijven voor de bedienden, weggestopt achter de centrale hal) water stond te pompen, begonnen ze meteen aan te dringen dat hij ook aan hen zou leren hoe dat moest.

'Weg daar,' riep ze. 'Laat Kuan ons ontbijt halen. Als we dan gegeten hebben vragen we Yen of hij een rijtuig huurt en gaan we een rondrit door de stad maken.'

De kinderen juichten en Hope wist precies wat ze voelden. Zij was als kind alleen geweest, onzeker, gedwongen tot een eeuwig verdedigende houding – en ze bad dat Pearl en Morris nooit zo zouden hoeven zijn. En toch, in de meest rauwe, fysieke zin, was ze vrij geweest. In China was een dergelijke vrijheid niet alleen gevaarlijk maar werd ook afgekeurd. De muren om dit huis waren drie keer zo hoog als een volwassen man. Erboven verscheen, als op afroep, een zwerm duiven met kleine belletjes aan de poten. Er hing hier een sfeer, bedacht ze, alsof je gevangen zat in de Hof van Eden.

Maar het Peking dat buiten die muren wachtte had meer weg van een circus dan van het paradijs. Zelfs het rijtuig met ezel dat hen kwam ophalen, een van de duizenden die door de straten ratelden, was met zijn hemelsblauwe baldakijn even oneerbiedig vrolijk als het oncomfortabel was. Diezelfde mengeling van vrolijkheid en ongerief was van toepassing op de sluiers van stof die aan kwamen wervelen vanuit de Gobiwoestijn. Die waren schraal, en soms verblindend, ja, maar het leek ook alsof er goudpoeder uit een voorbijglijdende wolk werd geschud. Het was moeilijk om chagrijnig te blijven in zo'n sfeer, in zulk licht en (bedacht ze toen ze een schokje kreeg toen ze Morris over zijn wangetje aaide) zo'n *elektriciteit*. Maar bovenal, zo concludeerde Hope, was het de kleur die haar verleidde. Zelfs die moddergrijze muren kwamen tot leven toen de zon hun vermiljoenkleurige hekken bescheen, en de tinten werden nog intenser op de markten waar, onder kunstig gesneden teak- en cederhouten poorten venters van alles verkochten: karmozijnrode, blauwe, groene en goudkleurige hoeden, geverfde lampionnen, als bonen aan een draad geregen, bergen oranje saffraan, rode sumak, zwarte thee, keramiek en glas. Karmozijnrode rechthoeken van katoen bedekten geïmproviseerde stalletjes met etenswaren die naar pindaolie en knoflook roken, maar ze snoof verfijndere geuren op rond de vergulde pagoderestaurants die door de kooplui en hogere klassen bezocht werden. En dan waren er de andere geuren van de straat, van stof en mest en dierenurine, de nare geur van ongewassen haar en de penetrante geur van halfrot hout bij altaren langs de kant van de weg die net zo talrijk, kleurig en drukbezocht waren als de miewinkels en theehuizen.

Yen, die in het naburige Tientsin was opgegroeid, genoot van zijn rol als gids. Hij wees naar vogelaars met goudkleurige kanaries en vinken, boeren met bruine gezichten die zakken graan verkochten, barbiers die op de ouderwetse manier voorhoofden opschoren en op de nieuwerwetse manier staartvlechten afsneden, en met name naar het publiek van geboeide kinderen dat bij de rondreizende poppenspelers zat te kijken. ('Volgende keer blijven we even en mogen jullie kijken,' beloofde Hope haar eigen bedelende kinderen. 'Vandaag moeten we zoveel mogelijk zien, zodat we weten waar we papa moeten vragen ons nog eens heen te brengen.') Yen toonde hun straten versierd met vliegers in de vorm van draken, hanen en grijnzende slangen, andere straten waar enkel vlaggetjes werden verkocht, of voetzoekers, fluiten, parfums of bont. In Peking, riep Yen vanaf zijn plaats naast de koetsier, kon je pijpen kopen zo groot als een volwassen vent, juwelen uit de tijd van de Shang, porselein zo dun als papier.

Hope, die het gevoel had alsof ze uit een diepe grot naar boven was gebracht, en voor het eerst sinds maanden weer leven aanschouwde, glimlachte dankbaar naar haar voorman. 'Had ik mijn camera maar bij me,' zei ze. 'Ik zou dolgraag een foto van je maken tegen deze achtergrond, Yen.'

'O, Missy,' antwoordde hij. 'Geen probleem.'

De zwarte bolhoed boog voorover, en Yen kwam overeind met in zijn armen de Kodak, die Hope sinds de dag dat haar baby was gestorven niet meer gezien en zelfs uit haar gedachten gebannen had.

2

'HET DUURDE NOG DRIE DAGEN VOOR DE KREET WEERKLONK. YEN vloog de tuin door en trok zijn zwart satijnen *ma kua* over zijn gewaad. Hope trommelde de kinderen op en zei dat ze samen met haar in de galerij voor hun kamers moesten wachten. Het was niet bekend of Paul alleen zou komen, wat hij de afgelopen dagen gedaan had. Maar hij riep hen terwijl hij door het maanhek stapte, en Pearl liet zich niet meer tegenhouden. Ze repte zich naar beneden en rende over de leistenen, armen in de lucht alsof ze verwachtte dat haar vader haar met robijnen zou overladen. Hij antwoordde met een verrukte kreet en draaide haar boven zijn hoofd door de lucht.

'Mijn dierbare Pearl!' Hij zette haar neer en haalde uit zijn zak een pakje verpakt in zilverpapier. Haar vingertjes rukten het papier los.

'Een waaier! Kijk, mama. Papa heeft een waaier met rozen voor me meegebracht, net zoals op onze veranda in Amerika!' Pearl klapte de waaier wijdopen en wuifde er zwierig mee voor haar gezicht.

'Echt waar?' zei Hope, die haar best deed ernstig te blijven bij al die vreugde om de komst van haar man.

'Eigenlijk,' zei hij, terwijl hij onder haar kwam staan, 'denk ik dat het camelia's zijn.'

'Papa?' Morris hield Hope stevig bij haar hand vast, maar nu hij gezien had dat Pearl een cadeautje had gekregen, voelde hij zich onmiskenbaar verongelijkt.

'Mijn zoon.' Paul stak zijn armen uit en zwaaide met zijn handen. De tweejarige kwam plechtig naderbij, wierp Hope een dramatische blik toe en liet haar vingers los zoals een druppel een smeltend ijsblokje loslaat. Maar de hele tragedie loste op in vlagen van geschater toen Paul zijn armen om het kind heensloeg en hem in een omhelzing verzwolg. Toen Paul hem in de lucht gooide, slaakte Morrie zulke rauwe, ongecontroleerde kreten dat Hope zeker wist dat de Manchu's in de achterste verblijven hun oren moesten dichtstoppen, maar net toen ze op het punt stond protest aan te tekenen nam Paul de jongen als een zuigeling in zijn armen en neuriede een lied voor hem.

Morrie hapte naar adem en bedelde: 'Cadeau?'

'Ah, Cheng-yu.' Paul keek grijnzend op hem neer. 'En ik dacht dat ik het je kon laten vergeten.' Het cadeau voor Morris was verpakt in de gelukskleur rood. Hij wist het pakje nog sneller open te maken dan zijn zus, en het was een wonder dat het kwetsbare speeltje daarbij niet sneuvelde: het was een aap aan een draad tussen twee lange stokken, die ronddraaide als de stokken op een bepaalde manier uit elkaar getrokken werden. Het jongetje was onmiddellijk enthousiast, en zijn zus boog over hem heen om het hem voor te doen zoals alleen een oudere met meer ervaring dat kan.

Hope stond alleen op de galerij en zag hoe Paul naar zijn kinderen keek. 'En waar heb jij gezeten?' vroeg ze ten slotte, haar handen op de heupen voor het effect.

Hij draaide zich om, zijn glimlach bleef hangen alsof hij er geen controle over had. 'De dag voor jullie aankomen stuurt Yüan mij naar Tientsin voor een bespreking met de Japanse ambassadeur. Ik kon niet nee zeggen.'

'Tientsin!' Ze aarzelde. 'Maar daar zijn we doorheen gekomen, Paul. Jij moet toch geweten hebben...'

Paul gebood het kindermeisje zich met de kinderen te bemoeien. Die waren opgehouden met hun cadeautjes te spelen en luisterden mee. Toen stond hij met één enkele stap op de galerij en wenkte Hope naar de slaapkamer. Hij deed de deur dicht en trok haar neer op het bed, zijn stem plotseling ernstig. 'Vorige week in Hangchow hebben Yüans strijdkrachten de Chinese Revolutionaire Partij overvallen. Twintig mensen werden gearresteerd en neergeschoten op verdenking van samenzwering tegen de regering. Nu neemt Yüan elk signaal van ontrouw heel zwaar op. Hij heeft mijn hulp nodig, maar hij kent ook mijn oude vrienden. Ik maak deze reis naar Tientsin in het geheim, Hope. Daarom kan ik je niet ontmoeten.'

'Maar ik dacht dat zijn vice-president jouw oude vriend was.'

'Ja, ja. Maar Li's positie is ook zwak. De Japanners oefenen enorme druk uit op Yüan. Hij is als de rat in het nauw, te zwak om uit te halen naar de grote, wachtende kat, en dus stort hij zich op elke dwerg die zijn pad kruist.'

'Was het verstandig om je gezin naar die rat te halen?'

Paul zuchtte en liet haar handen los, maar hij stond niet op en schoof ook niet bij haar weg. Zijn lippen vormden een strakke lijn. Ze zette zich schrap voor een woede-uitbarsting terwijl ze hem onderzoekend aankeek, maar de uitdrukking die daar wachtte was iets anders. Tederheid. Bezorgdheid. Vermoeidheid en verwardheid. Tot haar schrik besefte ze dat zijn jeugdigheid aan het verdwijnen was. Hij had vage rimpels die ladders vormden op zijn voorhoofd, ondiepe huidplooien onder zijn ogen, en die strakke trek om zijn mond was ook nieuw, en drukte eerder teleurstelling uit dan afkeuring, al scheelde het niet veel. Hij bezat nog voldoende gratie en kracht, zodat een glimlach of woedeaanval zijn fysieke aanwezigheid tot volle en onweerstaanbare vitaliteit kon herstellen, maar als hij in gedachten verzonken was, was het verschil onmiskenbaar.

Ze legde een hand tegen zijn wang. 'Je leven zou zoveel makkelijker zijn als de kinderen en ik gewoon verdwenen.'

'Hope, als gemak belangrijk voor mij was,' zei hij, met nadruk op ieder woord, 'zou ik nooit met je getrouwd zijn. Dan zou ik nooit naar Amerika zijn gegaan. Dan zou ik getrouwd zijn met dat meisje dat mijn moeder voor me uitgekozen heeft. Dan zou ik nu een woekeraar zijn en elke avond om zes uur thuiskomen, net als Hwang Yun-shu.'

Er klonk zo'n minachting in zijn stem bij die laatste woorden, dat Hope de reactie inslikte die als eerste bij haar opkwam: *Dan zou je een leven met je gezin hebben.*

'Maar moet het altijd zo blijven?' vroeg ze in plaats daarvan.

'We zijn nu hier. Allemaal samen.' Hij bestudeerde haar. 'Ja. Zo moet het blijven.'

De volgende weken bleven warm en helder, en Paul nam even vrijaf van zijn officiële verplichtingen om gastheer, man en vader te spelen. Hij nam de kinderen mee voor een boottochtje op het Pei Hai-meer, trakteerde hen op een lunch in een drijvend restaurant in Nan Hai en op een film in de New Peking Cinema. Hij begeleidde Hope naar een tea voor buitenlandse vrouwen op de Nederlandse legatie, waar ze weliswaar de enige Amerikaanse was, maar waar haar een veel hartelijker ontvangst ten deel viel dan ze ooit in Sjanghai had meegemaakt. Een keer in een weekend gingen ze picknicken in de Westelijke Heuvels en bezochten de reusachtige 'Slapende Boeddha', de Tempel van de Azuren Wolken, en tot betovering en ontsteltenis van de kinderen, de rechtopstaande, starende, gladde mummie in het Klooster van de Verheven Hemel. Een paar dagen later, toen ze door de tunnel van Tien An Men naar het Keizerlijk Paleis stonden te turen, vertelde Paul over de drie dagen die hij daar ooit binnen had doorgebracht, opgesloten in een cel van een meter vijftig met enkel een kruk, een tafel en schrijfgerei, om daar zijn Keizerlijke Examen te voltooien. Pearl en Morris riepen meteen dat ze dat wilden zien, maar omdat dat niet was toegestaan, stelde Paul voor om in plaats daarvan een uitstapje naar het Zomerpaleis te maken, dat net een paar weken eerder voor publiek was opengesteld. Daar zagen ze de dichtgemetselde hal waar de keizerin-weduwe Tzu-hsi haar neef de keizer gevangen had gehouden toen die haar aanspraak op de troon bleek te bedreigen. Ze liepen over de galerijen die zich door haar lusthoven slingerden, en stapten aan boord van de marmeren boot waarin ze het geld had gestoken dat haar Keizerlijke Marine in de oorlog met Japan had kunnen redden. Ten slotte, als om het gezinsuitstapje naar het smadelijke verleden van het keizerrijk China af te maken, zei Paul dat de tijd rijp was voor hun excursie naar de Grote Muur.

Ze reisden per trein naar Nankow, en legden, onder een bevroren witte zon, de laatste tien, twaalf kilometer per rijtuig af. Er waren weinig dorpen, geen opvallende oriëntatiepunten, en de aarde was droog en onvruchtbaar, onopvallend tot ze over de laatste heuvel denderden, en de muur zich voor hen ontvouwde. Hope herinnerde zich de droom die ze voor de aardbeving in San Francisco had gehad, van die hoge en poortloze, kronkelende muur. Natuurlijk had ze weleens foto's van de Grote Muur gezien, en het leed geen twijfel dat die haar droom van brandstof hadden voorzien, maar toch was ze geschokt door de hevigheid waarmee ze het tafereel voor haar herkende.

Het rijtuig reed het laatste stuk bij de muur en zette hen ten slotte af te midden van een waar circus van venters en artiesten, die langs de muur bivakkeerden en hun waren aan toeristen sleten. Voor de afwisseling waren de kinderen immuun voor het geschreeuw van de verkopers van etenswaren. Als twee onversaagde geiten bestormden ze de smalle trap naar boven, en Yen snelde achter hen aan. Paul en Hope volgden in hun eigen tempo. Veel stenen waren van hun plek geraakt of verdwenen, en toen ze boven waren zagen ze dat hele stukken van de borstwering afgebrokkeld waren. Hier en daar lag de muur zo bezaaid met losse stenen en afval dat hij onbegaanbaar was. Toch zag hij er nog tijdloos uit, onverwoestbaar op een wijze die zijn fysieke dimensies te boven ging.

Hope trok haar camera uit haar reistas en stelde de lens scherp op Morris, die op Yens schouders zat terwijl Pearl naast hen meehuppelde. Links stonden een Chinese vader en zijn kinderen emotieloos toe te kijken terwijl achter hen de muur in zijn staart leek te bijten. Toen ze de camera liet zakken zag ze dat Paul tegen een kanteel geleund stond en naar haar keek.

'Goed te zien,' zei hij, wijzend naar de camera.

'Ja.' Ze ging aan de kant voor een westers echtpaar dat knikte en haar in het Frans bedankte. 'Ja, je had gelijk om ons uit Sjanghai hierheen te halen.'

'Ik doe mijn best, Hope.'

Er was een klagende ondertoon in zijn stem die haar schokte. Ze stopte de camera weg en kwam naast hem staan. 'Dat weet ik toch.'

Hij draaide zich om zodat ze beiden naar het westen keken. Het was even na het middaguur, maar de hemel was gegarneerd met metalige wolken, en daaronder lag het landschap van violette heuvels, kil als de oceaan. Hope huiverde en trok de kraag van haar jack hoog op, waarna ze aarzelend tegen Pauls schouder aankroop.

'Altijd die angst voor de buitenlander.' Hij klopte met zijn knokkels op de steen. 'Dat naar binnen gekeerde, weggedoken achter hoge muren. Dat is China's grootste vergissing geweest.'

'Maar de muur staat er nog.'

Zijn vingertoppen gleden over haar pols, daarna stak hij zijn handen in zijn zakken. Hij vond haar ogen. 'Ja,' zei hij, 'maar vanmiddag staan wij erbovenop.'

Begin november gaf Yen opdracht het huis winterklaar te maken. Dikke geweven matten werden van de dakspanten neergehangen om de dunne houten wanden te bedekken, andere werden kamerbreed naast en over elkaar heen gelegd. Vervolgens gaf Hope Yen opdracht om, in plaats van de verstikkende stoven die in de meeste Chinese huizen gebruikt werden, twee kolenkachels te zoeken met goede kachelpijpen, een voor de woonkamer en een voor het kantoor van Paul. Als de kachel op een paar stenen werd geplaatst verspreidde hij een warmte waarin ze kon lezen, Pearl les kon krijgen en Morris kon spelen. De warmte strekte zich niet uit tot hun slaapverblijven, maar 's nachts gaven de dikke dekens van kamelenhaar net zoveel warmte als een kruik.

Tot nu toe had Hope geweigerd zichzelf of haar kinderen in Chinese kleding te hullen. Deels had ze gewoon het voorbeeld van Paul gevolgd, want zelfs die hield het bij westerse kleding, behalve wanneer hij naar een traditionele plechtigheid moest – waar zij als vrouw en buitenlandse gewoonlijk niet voor werd uitgenodigd. Ze hield ook nog een *beetje* rekening met het oostwest advies van Sarah, maar ze had zich vooral laten leiden door de vooroordelen waar ze zelf als kind tegenaan was gelopen, wanneer andere kinderen haar plaagden door zich uit te dossen met verentooien en oorlogskleuren, indianendansen na te bootsen en te joelen, en haar bij al die gekke sprongen te smeken om hun 'squaw' te zijn. Ze had meer dan genoeg van de 'prullaria' – riemen met kraaltjes, geitenleer met franje, mocassins, beschilderde pijpen en jurkjes van buffelhuid – die de cavalerie van Fort Dodge als trofeeën meevoerde. In dezelfde geest hadden politiemensen in San Francisco en andere puinruimers, die na de aardbeving op strooptocht waren gegaan door de overblijfselen van Chinatown, geposeerd voor foto's waarop ze aan opiumpijpen lurkten (waar alle koeliebacteriën vanaf waren geschrobd, mocht je aannemen) of met gekromde rug op het drakenhandvat van een ivoren wandelstok leunden. Waar het bij mannen als Paul duidelijk een uiting van respect was om westerse kleding te dragen, stond voor haar al heel lang vast dat blanken die zich 'inlands kleedden', zoals de Britten dat graag noemden, dat alleen maar deden om de onderworpenen belachelijk te maken.

Maar op een avond, toen ze met al haar kleren aan in bed lag, met beide kinderen tegen zich aangekropen en klappertandend als castagnetten, was ze er anders tegenaan gaan kijken. Buiten gierde de wind. Geel lössstof kraste tegen het dak en de papieren ramen. Hun haar was zo statisch dat het knetterde en vonken spatten bij elke aanraking van hun zware wollen truien. De tweedstoffen, gabardines en mousselines waarvan Hope hun kleren maakte, pasten niet bij de winter die Peking voor hen in petto had.

Yen kende natuurlijk een kleermaker die opgetogen was bij het vooruitzicht om een buitenlandse familie in de kleren te mogen steken. Hij kwam naar het huis, stelde een lijst op van kledingstukken die genaaid moesten worden en berekende een prijs die Hope al beschamend laag vond. Yen wist er nog de helft af te krijgen. Binnen een week kwam de man terug met armen vol pakjes en toen ze het papier verwijderden kwam de hele garderobe te voorschijn: appelgroene zijden pyjama's, satijnen ondergoed, sokken met zooltjes, vilten beenkappen, brokaten gewaden gevoerd met eekhoorn- en konijnenbont, en zwarte fluwelen laarzen gevoerd met kamelenhaar.

Paul, die zijn eigen wintergarderobe uit Wuchang had laten overkomen, was thuis die middag dat de nieuwe garderobes kwamen, en stond op een modeshow. Pearl kreeg vrij van haar lessen. Het slaapje van Morris werd uitgesteld. Paul zetelde zich in de beklede armstoel van Hope terwijl Ah-nie en de andere vrouwelijke bedienden aanwijzingen gaven over de juiste volgorde van de kledingstukken: van strak naar wijd, van zijde naar satijn naar bontgevoerd brokaat en fluweel. Hope bedacht zich dat een ingebakerde baby zich ook wel zo zou voelen – verbazingwekkend prettig!

'Volgende keer,' zei Paul toen de kinderen vertrokken waren, 'moet je om hermelijn vragen. Veel warmer dan eekhoorn of konijn.'

'Hermelijn!'

'Of nerts,' zei hij vriendelijk.

'Ik zie niet in dat zo'n bontje aan de buitenkant zoveel verschil maakt.'

'Niet buitenkant.' Hij tilde de zoom van haar vest op. 'Kijk, Chinezen doen bont aan binnenkant. Op die manier is de warmte op de huid. Alleen westerlingen zijn zo dwaas om bont aan buitenkant te dragen.'

'Sorry, maar dat lijkt me een vreselijke verspilling van hermelijn of nerts.' Ze hield haar gezicht koket schuin.

Hij liet haar vest los en streek het glad. 'Ik vergeet het te vertellen. Ik heb een betrekking voor William Tan geregeld op mijn afdeling. Hij en Daisy trekken volgende week in de derde hal hiernaast.'

'Tjonge, dat is prachtig nieuws, Paul! Eerlijk gezegd kan ik wel wat gezelschap gebruiken...'

Hij stond op en liep met uitgestrekte handen naar de kachel, een zenuwtrekje in zijn wang. Hope schrok intuïtief toen hij hun gesprek opeens zo afkapte, maar merkte na een vlugge inventarisatie dat zijn handen niet beefden en dat zijn schouders ontspannen waren. Als zich weer een rampzalige politieke wending aan het voltrekken was, zou zijn stemming veel somberder zijn geweest. 'Wat is er?' vroeg ze.

'Weet je nog,' zei hij langzaam, 'een paar weken geleden, dat we Madame Shen ontmoeten voor het paleis van Yüan en je een foto van ons maakt?'

'Die vrouw waarvan je zei dat ze de officiële madam was?' Dat kon ze toch nauwelijks vergeten. Madame Shen was zo protserig als een Chinese operaster, met haar robijnrode lippen en witte poedermasker, en onbeschaamd als een hoer bij Toulouse Lautrec, met haar struisvogelpluimen en verenkragen. Oost was west nog nooit met zo'n oorverdovende knal tegengekomen. Als een leeuwerik had Hope Paul met die verschijning op de foto gezet, tegen de achtergrond van een van de drakenfriezen op de paleismuur. De madame had haar lippen getuit voor de camera, terwijl Paul een napoleontische houding aannam. Het had zo in een boek gekund, en Hope had er zoveel schik in gehad om die foto te maken, dat het pas nadat ze afscheid genomen hadden bij haar was opgekomen om te vragen hoe Paul die Madame Shen eigenlijk kende. Hij had uitgelegd dat ze een 'bureau' had dat alle hoge ambtenaren van Yüan bediende, en daar snel aan toegevoegd dat hij zelf nooit van haar diensten gebruik had gemaakt.

'Nou?' Hope vouwde haar handen in haar schoot. 'Wat is er met haar?'

Tegen de tijd dat Paul zijn verhaal beëindigd had, huilde ze van het lachen. 'O, het is ongelooflijk. Wacht maar tot ik dit aan Mary Jane vertel. Thuis zal niemand het geloven!'

'De kwestie is nog niet afgerond,' waarschuwde Paul. 'Er komt een rechtszaak en ik zal worden opgeroepen als belangrijkste getuige.'

'Een rechtszaak!' Hope leunde voorover. 'Wat fascinerend. Is er publiek toegestaan? Ik bedoel natuurlijk, mogen er ook vrouwen op de tribune zitten?'

Paul paradeerde quasi-dreigend op haar af, armen over elkaar voor zijn borst. 'En waarom vraag je dat, mijn vrouw?'

'Omdat ik niet vaak de kans krijg je in actie te zien, en het lijkt mij zo dat het wel heel stom zou zijn om deze kans te missen.'

Hij legde zijn handen stevig op haar schouders en gaf een klinkende kus op haar voorhoofd. 'Zoals gewoonlijk, liefste, heb je gelijk. Ik wens alleen dat ik ook zo stom zou zijn om hem te missen.'

Ta Hsing Hsien Hutung
Peking
5 december 1914
Lieve Mary Jane en papa,

Paul is verwikkeld in zo'n verrukkelijke, volkomen absurde affaire dat ik niet anders kan dan jullie de sappige details schrijven. Vooral de pikante blik op de 'geëmancipeerde' rol van vrouwen in de politiek hier zal bij jullie in de smaak vallen, hoewel ik erbij moet zeggen dat er een verbazingwekkend *groot aantal* oprecht modern denkende vrouwen is in China, onder wie een aantal die Paul in Japan als revolutionaire studentes gekend heeft, en die zich nu de Bewegings-sekte noemen. Helaas zijn het nog steeds de vrouwen die op meer traditionele wijze aan macht proberen te komen die de meeste aandacht trekken. In Peking staan laatstgenoemde 'dames' bekend als de Vagebond-sekte. Ons verhaal betreft de leidster van de vagebonden, Madame Shen P'ei-chen, die op de eerste van de bijgesloten foto's samen met Paul voor het paleis van Yüan Shih-ka'i poseert.

Hoe kent Paul Madame Shen? Wel, deze 'madam' heeft zich erop toegelegd elke invloedrijke man in Peking te kennen, te beginnen met de voornaamste volgelingen van Yüan! Aangezien familiebanden in China de belangrijkste bron van kracht en trouw zijn, heeft ze de hoogste officier van de paleiswacht als peetvader 'geadopteerd', en de minister van Oorlog, generaal Tuan Ch'i-jui, als haar oom. De overige ondergeschikten van de president heeft ze overgehaald door hen 'vrouwelijke vrijwilligers' te verschaffen, en uiteindelijk wist ze de gunst van Yüan Shih-k'ai zelf te winnen. Madame Shen die zowel te ambitieus als te modern is voor de status van concubine, heeft Yüan – die schaamteloos beweert dat hij alle ondeugd uitroeit! – overgehaald om haar tot minister te benoemen van een paleisagentschap dat functionarissen en hun gasten 'vermaakt'. Haar kantoor is om de hoek van Pauls kantoor.

Welnu, vorige maand vermaakte Madame Shen de paleiswachten van haar 'peetvader' in een bordeel dat het Huis van Ontwakende Seksuele Verlangens(!) heet, toen de gasten – al aardig aangeschoten – een gokspel gingen spelen dat op de een of andere manier verwant is aan poker, maar met een speciale Chinese nadruk op dat raadselachtig-erotische lichaamsdeel, de gebonden voet. Dit spel duurde *drie dagen*. Het lekte uit, en spoedig verscheen het nieuws in de *Shen Chow Daily*, die anti-Yüan is. Madam Shen eiste onmiddellijk dat de hoofdredacteur van de krant, een oude vriend van Paul genaamd Wang, een rectificatie opnam. Meneer Wang reageerde hierop met een stuk over Madame Shen waarin hij uitvoerig op haar kunstmatige familiebanden inging en de ware aard van haar ministerschap uit de doeken deed. Hij was zo verstandig om vervolgens de stad te ontvluchten.

Enkele uren na zijn vertrek arriveerde Madame Shen bij zijn huis met een bataljon vagebonden en paleiswachten. Hoewel de hekken gesloten waren, beval Madame de wachten in te breken en de ontvangsthallen kort en klein te slaan. Toen ging ze op Wang zitten wachten. Het huis was echter niet geheel onbewoond. Een vriend van meneer Wang, ene meneer Kuo, bewoonde meer achteraf gelegen vertrekken. Toen hij naar buiten kwam om met de vrouwen te praten, haalden ze zijn verblijven ook overhoop. Vervolgens dromden ze om hem heen, trokken aan zijn haar en scheurden zijn kleren stuk. Uiteindelijk smeten de dames hem, met een luide kreet, de binnenplaats op, waar hij in een granaatappelstruik belandde.

Paul was net op weg terug naar huis van een banket toen hij een hele hoop politie en honderden toeschouwers bij de poort van huize Wang zag staan. Paul baande zich, als vriend van Wang, een weg door de menigte en trof Kuo zwart van de modder aan, zijn broek in de ene hand, de vrouwen bedreigend met de andere. Madame Shen wenkte Paul naar voren. 'U bent een heer. Zegt u het hem. Wij zijn belasterd!' De leider van de wachten zei dat zijn mannen niet eerder zouden vertrekken dan dat Wang weer terug was.

Arme Paul werd omringd door idioten, maar hij was de situatie meester. 'Vergeet niet,' zei hij tegen de soldaat, 'dat je in uniform bent. Als de president over dit incident hoort, wordt je superieur gestraft.' En deze man zelf ook, impliceerde hij. Vervolgens bood Paul hem zijn eigen rijtuig aan om Madame Shen en haar dames naar huis te brengen. Een paar dagen later diende meneer Kuo een officiële klacht in waarbij Paul als getuige vermeld werd.

Tot nu toe is alles wat ik jullie verteld heb van Paul afkomstig, maar toen de zaak voor de rechter kwam kon ik alle capriolen zelf komen bekijken vanaf de publieke tribune in de rechtszaal. Ik kleedde me in Chinese dracht om zo weinig mogelijk aandacht te trekken. Gelukkig was de Chinese pers in groten getale aanwezig, waaronder een of twee dames van de Bewegings-sekte, dus ik was niet de enige met een camera. Deze slecht belichte foto's doen echter geen recht aan de chaos aldaar. Net als in een Chinees theater hoorde je voortdurend gepraat, geknabbel van nootjes, gespuug, gehoest, geschreeuw en gestamp. Het zijdebrokaat en de satijnen bolhoeden van mijn medetoeschouwers maakten hen er niet beschaafder op.

De daders, op hun beurt, legden allen voorspelbare verklaringen af. Maar de opmerkingen van Paul, die als laatste aan het woord kwam, werden gekleurd door zijn typische opvallend variété-achtige humor. Hij lijkt precies te weten hoe hij onder de huid van zijn tegenstanders kan graven, tot hun grote ongenoegen en zijn eigen vermaak. Toen hem werd gevraagd wat hij die avond bij het huis van meneer Wang gezien had, begon hij met een onomwonden verslag, maar toen hij bij de woordenwisselingen aankwam hield hij opeens op en zei tegen de rechter: 'Deze dames en deze heer gebruikten woorden die gênant zijn voor de fatsoenlijke toehoorder. Handel ik in strijd met de wet als ik ze herhaal?'

Waarop de lawaaierige menigte op het balkon brulde: 'Nee! Nee!'

Vervolgens ging Paul verder in schuttingtaal, en het publiek begon zo te joelen dat zelfs mij duidelijk werd wat hij ongeveer uitkraamde. Al snel gaf de ondervrager Paul een reprimande voor obsceen taalgebruik. 'Als Uwe Edelachtbare niet wenst te luisteren,' antwoordde Paul, 'ga ik niet verder, want dat zou in strijd zijn met...'

Weer een uitbarsting op het balkon: 'Laat hem spreken!'

En zo manoeuvreerde Paul zich in de heldenrol: hij vertelde de waarheid en behandelde de hele procedure als het circus dat het in feite was. Wat heb ik gegrinnikt toen hij die avond thuiskwam. Te meer omdat zijn luchtige aanpak nog werkte ook en de zaak in het voordeel eindigde van meneer Kuo, met een vonnis van zes maanden huisarrest voor Madame Shen, en publieke bespotting en hekeling van Yüan Shih-k'ai. Op de laatste foto zie je 'minister' Shen woedend schreeuwend de trappen van het gerechtshof aftrippelen. Dat zijn vrouwenrechten en -gerechtigheid op zijn Chinees.

Tja, er valt nog zoveel meer te vertellen, over ons prachtige huis, en de onopvallende manier waarop deze stad je verleidt met zijn roemrijke architectuur en energie, alsmede dit absurdistische theater. Ik voel me deel uitmaken van Pauls leven – of althans ermee verbonden – op een wijze die ik sinds Berkeley niet meer heb ervaren. Ik kan nu zelfs aan ons lief babydochtertje denken en over haar praten zonder tot wanhoop te vervallen. Maar de middaglessen van Pearl roepen weer, en ik ben voor de thee uitgenodigd bij onze vriendin Daisy Tan, en de kok heeft me nodig om hem te helpen een quatre-quarts te bakken, en de kinderen hebben mistletoe nodig voor hun kerstkrans... Wat zou ik graag willen dat jullie twee hier bij ons zijn konden. Maar ik ben ook al heel blij als jullie net zulke heerlijke en liefdevolle tijden meemaken.

Altijd jullie liefhebbende dochter en vriendin,
Hope

3

'NIETS VALT TE VERGELIJKEN MET EEN PEKINESE SNEEUWSTORM. De sneeuw dwarrelt gewichtloos als talkpoeder, kraakt onder de voeten en vult plassen en stroompjes met ronde kussens van witheid. De precisie van droge sneeuw is zodanig dat het onderliggende vormen eerder overdrijft dan verdoezelt. Het vormt een volmaakte bekroning van alle wonderbaarlijke creaturen op de daken van de stad en maakt de sierlijke silhouetten van de architectuur als geheel nog majestueuzer. Het effect op het geluid van de stad is als dat van een sprei over een snauwende kat. Elke beweging wordt gesmoord, elke kleur versluierd. Tot de Gobiwind opsteekt.

Wanneer al die talk weer de lucht in gaat, en zij die arm of dwaas genoeg zijn om buiten te zijn voorovergebogen moeten lopen als een slak, blijft iedereen met een greintje privilege thuis. Op avonden als deze zegende Hope haar man dat hij de Tans bij hen had laten intrekken. Terwijl de winden buiten gierden en wervelden, zochten de twee stellen toevlucht bij elkaar, en speelden bridge of mah-jong (arme beginneling Hope geduldig de spelregels bijbrengend) of kropen gewoon rond de kachel en genoten van de gerieflijk gestoffeerde stoelen van Hope.

'Jij zien Yüan-soldaten vorige week paraderen – eh?' Daisy klapte in haar kinderhandjes. 'Net als Duitsland allemaal!' Ze sprong op, legde een wijsvinger op haar bovenlip om de hangsnorren van de paleiswachten na te doen, zwaaide met haar andere arm gestrekt langs haar zij en liep in paradepas de kamer door.

'Wacht, je moet nog een uniform hebben.' Hope sprong nu ook op, verdween en kwam even later terug met een gouden sjerp, een breedgerande hoed met pluim, een rond brilletje van Paul en haar camera met nieuwe magnesiumflits. Daisy trok de attributen aan over haar lange kastanjebruine gewaad en nam een pose aan de Kaiser zelf waardig. Met een klik van de sluiter vulde de kamer zich met rook. Iedereen zwaaide en hoestte. Hope vroeg iedereen aan de kant te gaan en rukte de deur open. Eén moment van die wervelende sneeuwwind deed de lucht weer opklaren.

Paul schonk twee kommetjes rijstwijn in, voor William en zichzelf. 'Je weet waarom Yüan zijn leger de troepen van de Kaiser laat imiteren.'

William hief zijn kommetje en bracht een spottende toost uit. 'Kaiser Wilhelm heeft het grootste en machtigste leger ter wereld!' Hij ging over op een theatraal gefluister. 'En hij heeft toegezegd Yüan als keizer te erkennen wanneer China in de oorlog de kant van Duitsland kiest.'

'De Kaiser heeft het thuis toch zeker druk genoeg zonder ook nog te hoeven flirten met Yüan Shih-k'ai!' zei Hope. 'Trouwens, ik dacht dat Yüan zich dankzij George Morrison en ambassadeur Jordan allang met de geallieerden had verbonden.' George Morrison was een Australische krantenman die op slinkse wijze tot de kliek rond Yüan was doorgedrongen en onlangs tot 'politiek adviseur' van de president was benoemd. Jordan was de Britse ambassadeur, een goede man volgens Paul. Hij had geholpen bij de onderhandelingen over de overgave van de Manchu's in 1911, en was sindsdien bij Yüan in genade gebleven. Hope, die beide mannen slechts terloops had ontmoet op een receptie, beschouwde beiden als opportunisten, maar in een stad die door opportunisten werd geregeerd, leken ze de minst inhalige van de hele bups.

'Ik geloof dat de Engelsen een anekdote hebben over een gans die gouden eieren legt,' zei William. 'Welnu, buitenlandse mogendheden zien China als zo'n gans, met handel, mijnen en andere rijkdommen als de gouden eieren. Ze zullen die eieren niet graag delen, laat staan aan een ander overlaten. Maar nu is de gans te koop. De prijs is een keizerskroon voor Yüan. Dus ze bieden, en denken dat de vogel maar één meester kan hebben. Alleen Yüan denkt daar anders over. Zijn plan is om op elk bod in te gaan en het goud toch voor zichzelf te houden.'

'Ja,' zei Paul. 'Maar Hope heeft gelijk. Jordan en Morrison werken hard om Yüan over te halen Duitsland te weerstaan. Ze beweren dat de geallieerden hem zullen belonen door Japan te dwingen tot teruggave van Shantung aan China.'

'Kleine jongens die kibbelen over hun fortjes,' zei Hope. 'Vergeet die gans maar.'

Daisy nestelde zich in het tweezitsbankje tegenover haar man. 'Ik hoor Japanse ambassadeur bezoek gisteren paleis meneer Yüan. Ik hoor hij brengt heel groot papier, eisen Yüan geef Japan veel gebied, veel macht. Als Yüan niet tekent, misschien Japan begint nieuwe oorlog met China. Maar misschien Yüan tekent, dan Japan maakt keizer Yüan, en Engeland, Frankrijk, Duitsland – alle andere buitenlandse mogendheden in China moeten buigen voor Japan.'

Hope zette zich schrap voor de reactie van de mannen. Het verbaasde haar niet dat Daisy roddels uit het paleis kende. Tan Taitai selecteerde haar huishoudelijk personeel niet zozeer op de kwaliteit van hun dienstverlening als op hun netwerk van informanten, en William keurde die praktijk goed, vertrouwde er politiek gezien op. Paul beweerde dat William er zelfs een keer zijn leven door gered had. Maar William reageerde niet zichtbaar, alleen Paul stond op en begon door de kamer te ijsberen.

'Dus,' zei William, 'het is precies zoals jij en dr. Sun voorspeld hebben.'

'Nee. Erger.' Paul schudde zijn hoofd. 'Ik had voorspeld dat de Japanners het met omkoperij zouden proberen, maar Yüans geflirt met Duitsland heeft de prijs te hoog opgedreven. Het maakt niet uit wat ze beloofd hebben, de geallieerden noch de Duitsers kunnen zich veroorloven China te verdedigen terwijl ze ook in Europa moeten vechten, en de feodale legers van Yüan alleen zijn geen partij voor de kanonneerboten van Japan, dus stellen de Japanners ongestraft hun eisen. Yüan heeft geen andere keus dan te zwichten. En jij en ik, *p'eng yu*, van ons zal verwacht worden dat we deze *kou dan* besuikeren en de mensen aanmoedigen hem te slikken.'

In de geladen stilte die volgde leunde Daisy voorover en trok Hope aan haar mouw. Haar ogen glansden alsof de hele toestand voor haar niet meer dan een spelletje was. Met een blik wenkte ze Hope bij de mannen vandaan naar de slaapkamer. Zodra de deur dicht was, liet ze zich op het bed vallen en tilde met een zwierig gebaar haar gewaad op: 'Kijk, Hop-ah!'

Onder haar strakke broek staken twee zwarte leren muiltjes uit. Hope herkende ze als een paar dat zij en Daisy samen in Sjanghai gekocht hadden. Maar toentertijd had Hope het vooral als een symbolische aankoop beschouwd. Daisy was nauwelijks begonnen aan het losbinden van haar voeten, ze kon ze zelfs niet eens passen. Nu puilden haar witgekouste wreven weliswaar uit de bandjes en werd het zwarte geitenleer bijna tot barstens toe opgerekt, maar haar voet vulde toch bijna de hele lengte van de schoen.

'Iedere dag ik week voeten. Geen bindsels.' Daisy maakte masserende en wrikkende bewegingen met haar handen. 'Ik weten, ik kan het. Echt!'

Hope huiverde bij de gedachte aan de pijn die dat met zich mee moest brengen, maar hoe heroïsch Daisy's prestatie enkele minuten geleden nog geleken zou hebben, nu vond ze het alleen maar triviaal – een raadselachtige mededeling. Had Daisy niet gehoord wat Paul allemaal gezegd had?

'Gefeliciteerd,' zei Hope, maar voor ze kon bedenken wat ze verder moest zeggen, trok Daisy alweer aan haar hand ten teken dat ze moest gaan zitten, dichterbij komen.

'Weet je hoe ik dit nieuws in paleis hoor?' fluisterde Daisy samenzweerderig. 'Mijn zuster Suyun heeft minnaar!'

'O,' zei Hope. 'Het spijt me... Of moet ik juist blij zijn?'

Daisy bedekte haar mond en giechelde. 'Minnaar is minister van Yüan!'

'Aha.' Hope wist intuïtief dat haar totaal niet zou aanstaan wat ze nu te horen ging krijgen, maar afgezien van Daisy letterlijk de mond snoeren kon ze de rest van het relaas op geen enkele manier tegenhouden.

Toen ze een paar uur later naast Paul lag, de sneeuw knisperend tegen de papieren ruiten en haar ijskoude voeten onder zijn knieën om te warmen, vroeg ze hoe hij het verhaal van Daisy interpreteerde.

'Ik begrijp niet wat je wilt weten,' zei hij, en ze herkende in zijn stem hetzelfde ongeduld dat zij had gevoeld toen Daisy haar kokette onthulling deed.

'Ik denk dat ik wil weten hoe ik geacht word te reageren,' zei Hope. 'Dat arme meisje schijnt verliefd te zijn op een man die al getrouwd is en ze wil *niet* zijn concubine worden, en hij beweert dat hij niet van zijn vrouw kan scheiden, en nou is het arme kind zwanger...'

'En Daisy neemt de baby omdat ze niet haar eigen heeft. Daisy en William nemen Suyun in huis. Ze zijn heel grootmoedig.'

'Dus jij vergoelijkt het!'

Paul ging op zijn zij liggen, trok haar knieën tegen zich aan en wreef de kou uit haar voeten. 'Andere manier is dat ze goud inneemt. Lijkt dat je beter?'

'De andere manier zou kunnen zijn dat ze haar eigen kind houdt, dat die man hen onderhoudt ook al wil hij niet met haar trouwen. En dat Daisy en William haar helpen zonder haar kind van haar af te nemen!'

'Te veel gezichtsverlies,' zei hij eenvoudig.

'Ach! Gezichtsverlies. Het is hetzelfde als Yüan Shih-k'ai die het land inruilt voor een keizerskroon! Het is egoïstisch, schandalig en wreed.'

Paul kneep hard in haar voeten en duwde haar benen weer naar beneden. 'Het is niet hetzelfde, Hope.'

De eenentwintig eisen, zoals de Japanse gooi naar overheersing van China genoemd werd, waren zo buitensporig dat de ergste vermoedens van Paul niet eens ver genoeg waren gegaan. Yüan capituleerde niet meteen, maar stuurde Paul en William erop uit om heimelijk steun te zoeken bij de andere buitenlandse consuls en ambassadeurs zodat hij de Japanners het hoofd zou kunnen bieden. Intussen probeerden de onderhandelaars van Yüan, met slechts marginaal succes, onder de schrijnendste eisen uit te komen, namelijk die waarin Japan het gezag opeiste over leger, spoorwegen, mijnen en binnenlandse veiligheid van China. De onderhandelingen duurden bijna net zo lang als het wachten op de baby van Suyun.

Wind en sneeuw ruimden het veld, fruitbomen begonnen weelderig te bloeien, de stofstormen van april staken op en ebden weg. Suyun, een klein, stil meisje met heldere ogen en een verrassend directe blik, bracht de laatste maanden van de zwangerschap door bij de Tans. Ze naaide, speelde met Pearl en Morris en bedelde bij Hope om verhalen over Amerika. In juni had Yüan Shih-k'ai zich inmiddels onderworpen aan de Japanners. Ambassadeur Jordan en de andere Europese en Amerikaanse diplomaten hadden eindelijk toegegeven, zoals Paul al voorspeld had, dat hun regeringen in beslag werden genomen door de verlossing van Europa, en de Chinezen niet tegen Japan konden helpen. Hope had het gevoel dat Daisy haar in bijna net zo'n onaangename positie bracht als waar ambassadeur Jordan zich in gemanoeuvreerd zag.

De jonge Suyun deed Hope aan Li-li denken. Hoe kon ze dan ooit instemmen met het plannetje van Daisy om het kind van het meisje als haar eigen aan te nemen! Het scheen dat de Tans Suyun naar Peking hadden gehaald, en Hope had het vermoeden, wat Daisy overigens weigerde te bevestigen, dat William haar aan haar ministeriële minnaar had voorgesteld. Maar Paul maakte duidelijk dat William een van de weinigen in Peking was die zijn volledige vertrouwen genoten. Door zich op wat voor manier dan ook met deze kwestie te bemoeien, zou Hope dat vertrouwen om zeep helpen, de vrede in hun uitgebreide huishouding verstoren en mogelijkerwijs Paul in gevaar brengen op een manier die ze zich niet kon voorstellen.

Dit zijn jouw zaken niet, hield ze zichzelf streng voor op de morgen dat de meid van Daisy kwam aansnellen om de geboorte te melden – een zoon.

‘Mag ik ook kijken, mama?’ vroeg Pearl.

‘Baby’s zijn broze wezentjes, schatje. Laat dat arme ding eerst op krachten komen voor we hem blootstellen aan jouw natte kusjes.’

‘Maar ik zal lief zijn. Ik wil alleen kijken.’

‘Je hebt je...’ Maar Hope kon de gedachte niet afmaken. De laatste baby die ze gezien hadden, lag in een grafje in Sjanghai. ‘Ik zei nee,’ zei ze, te scherp.

Het gezichtje van Pearl betrok.

Hope pakte de tijgerschoentjes die Pearl haar had helpen uitzoeken. ‘Ik zal tegen de baby zeggen dat deze van jou komen, en zodra Suyun zegt dat hij sterk genoeg is neem ik je er mee naartoe.’

‘Je bedoelt Daisy,’ Pearl keek haar uitdagend aan. ‘Het is de baby van Daisy.’

Daisy had Pearl de laatste paar weken heel nadrukkelijk getrakteerd op stukjes gesuikerde meloen en sesamsnoepjes. Nu begreep Hope waarom. ‘Lief zijn.’ Ze streek het dikke zwarte haar van haar dochter glad. ‘Zoek je gedichten van Stevenson, dan lezen we die over je schaduw als ik terugkom.’

‘Maar mama, ik ben geen baby!’ drensde Pearl.

‘Precies. En daarom moet je gehoorzamen zonder zo te klagen.’

Hope gaf haar dochter haastig een kus en liep buitenom over het pad naar de vertrekken van Daisy. Maar haar eigen woorden maakten haar ziek. Was dat nu de last van de volwassenheid – zonder klagen aanvaarden wat het lot wenste uit te delen? Thuis, onder het waakzame oog en oor van Mary Jane, zou zoiets nooit bij haar zijn opgekomen. Ze zou haar dochter misschien wel met een precies tegenovergestelde instelling hebben opgevoed. En nu... *mei fatse*. Niets aan te doen. Zoals Yen een keer had uitgelegd in een van de filosofische gesprekken die ze zo af en toe hadden: 'Soms brengt de wind geluk, soms brengt de wind ongeluk. Soms allebei. Niemand kan de wind tegenhouden.'

Soms allebei, dacht Hope. Ze had zoveel om dankbaar voor te zijn, zoveel om te betreuren. Die twee waren net zo onlosmakelijk met elkaar verbonden als de twee zusters en de baby die op haar bezoek wachtten.

De oudste meid, die ze Witkuifkraai noemden, bracht Hope naar een smalle afgeschermde ruimte in de slaapkamer van Daisy, waar een bleke Suyun met lege handen op een klein vierkant bed lag. Toen Hope naderbij kwam schoten haar ogen naar links.

'Hop-ah!' riep Daisy. Ze wenkte haar. Ze troonde op een enorme zwarthouten canapé, versierd met scharlakenrode kussens, de baby op schoot.

Hij was nog roze en gerimpeld van de geboorte, en het mondje ging net open in een geeuw. Zijn haartjes stonden recht overeind en zijn ogen leken vol vragen terwijl ze alle kanten op bibberden.

'Mijn moeder,' zei Daisy, 'zij schrijft geef melknaam Mei-ling, dan denken boze geesten dat dit een waardeloos meisje is, maar William is te modern, nee zegt hij. Hij zegt al Kuochang, dat betekent Glorie van Natie. Ooit groot man, deze jongen.'

Zo'n klein kind, dacht Hope, en zo'n zware last. De ogen van Suyun boorden zich in haar rug, en het cadeau woog zwaar in haar armen. Zich nergens van bewust kietelde Daisy de baby onder de kin en zong met hoge stem een liedje. 'Ga zitten! Alsjeblieft. Ik laat Witkuifkraai thee brengen.'

'Nee, Daisy.' Hope had opeens het gevoel alsof ze stikte. 'Pearl zit te wachten. Ik kan niet blijven, maar ik wilde jullie allebei mijn complimenten overbrengen' – ze keek naar het gebogen hoofd van Suyun – 'en je zeggen hoe blij ik ben dat jij gezond bent en het kind sterk is.' Ze liep naar het bed en legde het cadeautje in de armen van het meisje. 'Misschien dat deze helpen om de boze geesten op afstand te houden.'

Suyun staarde naar het pakje. Zonder haar ogen op te slaan

naar Hope of Daisy maakte ze langzaam het zijden lint los en verwijderde het vlammenkleurige papier. Twee kleine schoentjes met tijgerkoppen kwamen te voorschijn. En Hope betreurde meteen dat ze niet het benul had gehad om iets anders uit te zoeken, iets minder traditioneels en voorspelbaars. Iets wat Suyun misschien had kunnen houden.

Maar toen Hope omkeek en de wangen van Daisy zag vlammen van boosheid, begreep ze dat haar ongetrouwde zuster helemaal niets zou mogen houden.

4

'DIE ZOMER, TERWIJL YÜAN SHIH-K'AI STEUN PROBEERDE TE VERwerven voor zijn installatie als China's eerste 'constitutionele monarch', en Suyun zich stilletjes schikte in haar rol als min voor haar eigen baby, regelde Paul dat Hope en de kinderen konden ontkomen naar Peitaho, waar hij voor de maanden juli en augustus een huisje had gehuurd. Het badplaatsje aan de Golf van Chihli, zes uur per trein vanuit Peking, was altijd het favoriete toevluchtsoord van de keizerin-weduwe Tzu Hsi geweest. De afgelopen jaren was het overgenomen door buitenlanders. Duitse bakkerijen en bierhallen waren geopend, Franse cafés en patisserieën, Engelse tearooms en speeltuinen, Amerikaanse hotels en bars. Maar vooral waren er schitterende stranden. De kinderen hadden speelkameraadjes te over, de vrouwen van diplomaten en Standard Oil-mensen wisselden aardigheidjes uit met Hope, en elk weekend kwam Paul over, en dan klaagde hij over de bakoven die Peking was geworden en verleidde Hope tot wandelingen langs de vlakke rotskust.

Eind juli besloot Hope een echt verjaardagsfeestje te organiseren voor Pearl. Door alle afleiding rond baby's en verhuizingen, en door een gebrek aan speelkameraadjes, had het kind nooit meer dan feestjes in gezinsverband gekend, en nu was ze zeven en geweldig opgewonden bij het vooruitzicht van een echt kinderfeestje. Samen met Hope penseelde ze de uitnodigingen en schreef de namen op de enveloppen van goudpapier. Ze kochten ballonnen, serpentines, feesthoedjes en knallers. Hope stroopte haar mouwen op, duwde de bedienden opzij en maakte een Lady Baltimore-taart met schuimend geklopt suikerglazuur en rozijnen, walnoten en vijgen, en een krans van gekonfijte kersen en viooltjes – een lekkernij die zelfs moeder Wayland niet had kunnen overtreffen. Ze versierden de kale pleistermuren van het huisje met rode en goudkleurige serpentines, maakten boeketten van paarse irissen en tijgerlelies uit hun eigen tuintje, zetten stoelen klaar voor de stoelendans en maakten een ezel voor ezeltje-prik. Hope naaide speciale feestkleren voor Pearl en Morris – voor Pearl een witte organza jurk met Belgische kant om de hals en plooien in de rok, en voor Morris een blouse met een matrozenkraag en een korte witte broek – en beiden werden geknipt als Little Lord Fauntleroy.

Een halfuur voor de afgesproken tijd, toen Pearl en Morris, helemaal opgedoft en uitgedost met feesthoedjes, al bij de voordeur rondhingen, werd Hope opeens gegrepen door angst dat er niemand zou komen. Iedereen had netjes op de uitnodiging gereageerd en toegezegd te zullen komen, maar nu het zover was moest Hope zich bedwingen om Pearl niet bij de deur weg te trekken, om haar niet te waarschuwen dat ze vooral nergens op moest rekenen, haar niet voor te bereiden op een mogelijke catastrofe. Het komt wel goed – Hope beet zich op de tong – ook al zijn wij er alleen maar, dan hebben we ons eigen feestje. Papa komt ook nog. Je zult het zien.

Maar Paul zou pas die avond komen. Dit feestje was voor de kinderen. En als er geen kinderen kwamen, zou Pearl vreselijk verdrietig zijn.

'Missy geen zorgen maken,' stelde Yen haar gerust. 'Alle kinderen houden van feestje.'

Hope keek op en barstte, ondanks haar sombere overdenkingen, in lachen uit. Yen had zijn gebruikelijke vilten bolhoed vervangen door een feestelijke puntmuts met lovertjes. Hij trok zijn arm achter zijn rug vandaan en overhandigde haar grijnzend de Kodak. Ze had hem net met de kinderen op het stoepje neergezet voor een foto toen de eerste gasten aankwamen – een Standard Oil-tweeling uit Minnesota, onder begeleiding van hun kindermeisje. De anderen kwamen opdagen in kennelijk voorbestemde volgorde – Amerikanen eerst, dan de Duitsers, vervolgens de Engelsen, en als laatste binnendruppelend de Fransen.

Hoewel de gasten de neiging hadden om bij hun landgenootjes te gaan zitten, zongen ze allemaal een krachtig 'Happy Birthday' voor Pearl en juichten toen ze de kaarsjes uitblies. Ze bestreden elkaar fel in de spelletjes – niemand feller dan de kleine Engelsen – en waren juist weer gaan zitten voor het uitpakken van de cadeautjes, toen voor het huis een bekende schreeuw klonk. De voordeur ging open en Paul stapte de zitkamer binnen, klappend en schreeuwend om zijn dochter.

De kinderen staarden in massale verwarring. Pearl keek alsof ze door de bliksem getroffen was. Door de ogen van al die kinderen zag Hope haar man zoals ze hem nooit eerder gezien had – een lange, donkere, onbehouwen Chinees. Zijn huid glom van de hitte van die dag. Een sigarettenpeuk gloeide tussen zijn knokkels. Hij droeg een gestreept linnen jasje, dat verfomfaaid was van de lange treinreis en niet goed paste bij een mosterdkleurig shirt. Zijn zwarte haar was plakkerig van het zweet, en zijn langgerekte ogen waren donker als die van een zeerover. Hij kuchte, lachte en riep weer.

Hope stond op uit haar stoel en pakte hem bij een arm. 'Ze zijn net de cadeautjes aan het openmaken, liefste.' Ze oefende enige druk uit om hem weg te loodsen.

'Is dat een reden om mijn dochter niet te feliciteren?' Hij was duidelijk vrolijk. Luidruchtig. Bijna rauw. 'Cadeautjes, hè?'

De kinderen begonnen tegen elkaar te fluisteren, gniffelend en met grote ogen. Wat ze gedacht hadden, wat al die kinderen verteld was over de ouders van Pearl wist Hope niet, maar geen van hen had Paul eerder gezien. Hij ging niet naar het strand als hij hier was. Hij nam de kinderen niet mee naar de speeltuin, en ze gingen nooit met zijn allen ergens naartoe. Misschien dachten de kinderen wel dat Pearl en Morris Spaans waren. Misschien dachten ze wel dat ze geadopteerd waren.

Langzaam ontmoette de blik van Paul de geschokte blik van zijn dochter. Langzaam overzag hij het tafereel, langzaam ging zijn blik van het ene gezichtje in de kring voor hem naar het andere, en nam hij de gesteven kinderschortjes op, de bobbeltjesbroeken met bretels, de gele, bruine en oranje lokken, de sproeten en de diep goudkleurige armpjes. Hij wendde een somber, beschaamd gezicht naar Hope terwijl zij naar een opmerking zocht die de pijn zou verzachten, de hele ontvangst ongedaan zou maken, maar haar mond ging geluidloos open en dicht. Hij vertrok.

Drie weken gingen voorbij. Pearl en Morris werden gemeden door alle Engelse kinderen en de meeste anderen. Hope had ontdekt dat aan het andere eind van het stadje een aantal huizen stond dat aan Chinezen werd verhuurd, en ze ging nu met de kinderen naar dat strand, hoewel ze daar nauwelijks beter werden ontvangen. Ze werden getolereerd. Misschien, dacht ze bitter, was dat wel het beste dat ze verwachten konden, en was al het andere van meet af aan een illusie geweest. Maar het was haar fout, niet die van Paul, dat ze haar kinderen die illusie gegeven had – en dat die nu voor hun ogen verbrijzeld werd. Ze had beter moeten weten. Had ze dan niets geleerd van haar eigen jeugd? Nee, in één woord, omdat ze koppig bleef dromen en wensen dat de dingen anders konden zijn, dat zij ze voor haar kinderen anders kon *maken*.

Op een avond kwam Paul eindelijk terug, ze waren net klaar met eten. Hij liet niet merken dat hij ontstemd was, repte met geen woord over het rampzalige feestje, kuste slechts zijn zoon en dochter op het voorhoofd en nodigde hen uit om in zijn zakken te graaien naar snoep.

Toen draaide hij zich om naar Hope. 'Kom mee wandelen.'

Hope liet de kinderen achter onder de hoede van Ah-nie – en negeerde de bezorgde blik van Pearl. Ze sloeg een sjaal om, Paul zette zijn hoed weer op, en samen liepen ze de deur uit, langs de kust. De oceaan, die al donker begon te worden, ontrolde zich aan hun voeten, de mist was scherp van de rook van houtvuurtjes in het Chinese dorp, en terwijl ze zo liepen, zonder te praten of elkaar aan te raken, werd de lucht van knalroze langzaam grijs.

Ze kwamen bij een rots waar iemand honderden, misschien wel duizenden jaren geleden een bank had uitgehouwen. Paul gebaarde dat ze moest gaan zitten.

'Onze dochter is nu zeven,' zei hij, alsof hij op een ander onderwerp overstapte.

'Paul, ik heb...'

Hij onderbrak haar, niet bot maar ferm. 'Vind jij niet dat Pearl goed onderwijs moet hebben?'

'Onderwijs? Ik... ik heb haar lesgegeven...' hakkelde Hope. 'Ja, het zal wel... Ze hoort eigenlijk op school, ja.'

'De enige scholen in Peking zijn missiescholen of diplomatenscholen.'

'En,' zei ze voorzichtig, 'de kinderen op de diplomatenscholen zijn natuurlijk allemaal Europees of Amerikaans. Of Japans.'

'Dat is zo. Maar dat is niet het probleem. De situatie in de hoofdstad is momenteel zeer onstabiel. Ik maak me zorgen als Pearl niet bij ons is.'

'Wat is er gebeurd?'

'Yüan wordt keizer. Maar hij is steun aan het verliezen. Zijn generaals worden verdeeld in kampen voor en tegen. De Japanners spelen een spelletje. Sun probeert in de gunst te komen bij Japanse geldschieters en wapenhandelaars buiten de regeringskanalen om, maar hij maakt weinig voortgang, en zonder een verenigd verzet ben ik bang dat elke generaal voor zichzelf een gooi naar de macht zal doen.'

'Burgeroorlog, dus.'

Hij vouwde zijn handen achter zijn hoofd en strekte zijn benen. 'Ik denk niet dat het meteen zal gebeuren. Misschien komen de buitenlandse mogendheden wel tot bezinning en halen ze Yüan over het niet te doen. Maar hij is een dwaas als het om pracht en praal gaat.'

'Hij dost zijn soldaten uit als het leger van de Kaiser.'

Paul slaakte een zucht. 'Hij heeft me ontslagen.'

'Paul!'

'Ik ga met pensioen.' Er was net genoeg licht om te zien dat hij glimlachte. 'Hij wil Li Yüan-hung tot prins kronen en ik word een van verscheidene markiezen.'

'Je maakt zeker een grapje,' zei Hope zwakjes. 'O, Paul, nee. Zeg alsjeblieft dat je een grapje maakt.'

'Was het maar zo. Jouw grote revolutionaire man, markies van een Japanse marionet.'

'Je hebt er dus in toegestemd.'

'Ik heb weinig keus, Hope. Het is Yüans manier om mij vergiffenis te schenken voor mijn revolutionaire verleden en mijn band met de Kuomintang. Als ik weiger, maak ik alleen maar duidelijk dat ik zijn vijand ben.'

'Maar je bent ook zijn vijand,' prevelde ze.

'Ssst. De bomen hebben oren.'

'Ik heb het gevoel alsof ik in een tragedie van Shakespeare verzeild ben geraakt.'

'Of komedie.' Hij lachte, pakte nu haar hand en trok haar vingers naar zijn lippen. Hij knabbelde er even bedachtzaam op en zei toen: 'We blijven in Peking zolang als het vertrouwd is. Dat kan enige maanden zijn, misschien nog een jaar of meer. Met die onzekerheid denk ik dat het niet goed is om Pearl naar school te sturen. Maar in China leren de meeste kinderen thuis. Ik zelf heb vele jaren met een huisonderwijzer gestudeerd voor ik met andere jongens naar school ging.'

'Ja, ik weet het nog.' Hope herinnerde zich het verhaal van Paul over de oude Fong, die zijn handen afranselde met een bamboestok. Ze huiverde. 'Maar wat voor onderwijzer...'

'Jouw handen altijd koud,' zei Paul. Hij stak ze in zijn jasje. Ze legde zijn vingers op zijn hart, maar kon zich er niet toe zetten tegen hem aan te schuiven.

'Een Chinese onderwijzer, dan?'

Hij kuste haar kalm op een wang. 'Dank je, Hsin-hsin, maar nee. Ik heb gehoord van een jonge vrouw die overkomt uit Zuid-Afrika om met een soldaat van het Britse gezantschap te trouwen. Toen zij aankomt, is hij teruggeroepen om te vechten in de oorlog. Nu moet ze werk zoeken. In Zuid-Afrika is zij gouvernante.'

'Maar wat voor lessen kan ze geven?'

'Jij moet met haar praten. Kijken of ze gekwalificeerd is.'

'Pearl zal teleurgesteld zijn.'

'Waarom?'

'Ze keek ernaar uit om naar een echte school te gaan, andere kinderen te ontmoeten.'

'Ja.' Paul klonk zacht en ingehouden. 'Ik zie dat ze geniet van andere kinderen. Maar dat zal moeten wachten.'

Mejuffrouw Anna Van Zyl stond stipt om twee uur voor de deur. Het was een warme, winderige middag, de week na hun terugkeer naar Peking. Ze rook naar sinaasappelbloesems en gaf op zachte maar energieke toon uiting aan haar bewondering voor de botanische wonderen om haar heen.

'*Punica granatum! Solanum jasminoides. Pontederia cordata. Firmiana simplex!* Wat een charmante tuin.' Ze was lang, slank als een twijg, en had rossig haar en blauwgroene ogen die onder een bepaalde hoek met het licht glinsterden. Pearl was onmiddellijk betoverd.

'Ik heb botanie gehad op school, weet u. Ik heb het idee dat ik ergens in dit merkwaardige land een plant zou moeten vinden die nog niemand benoemd heeft en dat ik dan onsterfelijk zal worden als de *Jasminum* of *Lilium Van Zyl*. Wat denkt u?' Haar lach had iets bezielends. Ze leek de neiging te hebben om niets voor zich te houden, en zodra ze was toegerust met een kop thee en een biscuitje vertelde ze meer dan Hope ooit zou hebben willen weten over haar gefnuikte verloving en precaire financiële situatie.

Wat Paul over de achtergrond van mejuffrouw Van Zyl verteld had bleek te kloppen. Ze was eenentwintig, afgestudeerd aan een kweekschool in Johannesburg, en had vier jaar als gouvernante gewerkt in Pretoria, waar ze haar verloofde had ontmoet, die luitenant was in het Britse leger. Ze hadden in het geheim verkering gehad, aangezien zij Boer was en de vijandelijkheden tussen de Afrikanen en de Britten tien jaar na de Vrede van Vereeniging nog allerminst tot bedaren waren gekomen, en toen haar luitenant werd overgeplaatst naar het Britse gezantschap in Peking, zagen beiden die overplaatsing als de oplossing voor de afkeuring van haar familie. Na een jaar liet hij haar overkomen, maar terwijl zij nog op de Indische Oceaan voer was de Eerste Wereldoorlog uitgebroken. Tegen de tijd dat mejuffrouw Van Zyl in Tientsin was aangekomen, was haar verloofde al overgeplaatst naar Delhi, waar hij het Indische Korps ging opleiden dat zich bij de koloniale strijdkrachten in Frankrijk zou voegen. Het hele afgelopen jaar had de jonge gouvernante zich zoveel mogelijk verdienstelijk gemaakt op het gezantschap, en klusjes gedaan als typiste of stenografe, maar de Britten in Peking waren niet veel vriendelijker tegen een Boer die probeerde het hoofd boven water te houden dan hun landgenoten in Pretoria. 'Toen mevrouw Morrison zei dat u een gouvernante zocht, dacht ik dat dat weleens het antwoord op mijn gebeden kon zijn,' zei ze. Het klonk bijna vragend.

'Op uw gebeden en de onze,' zei Hope op warme toon. 'Ik weet uit eigen ervaring hoe eenzaam je in dit land kunt zijn. Uw verloofde kunnen wij niet vervangen, maar u bent hier altijd welkom.'

'O, heel erg bedankt. Mevrouw Morrison heeft me niet verteld hoe *aardig* u was.'

'Nee, dat wil ik wel geloven.' Hope zweeg. Jennie Morrison, vrouw van George Morrison, speciaal adviseur van Yüan Shihk'ai, was een van de Blanke Schoonheden van Peking, en iemand die in het sociale leven van de buitenlanders een hoofdrol opeiste. Hope had haar een keer ontmoet op een receptie, met Paul, maar had niet meer dan tien woorden met haar gewisseld. Ze veronderstelde dat mevrouw Morrison Anna alleen had doorverwezen op aandringen van haar man, als politieke gunst jegens Paul. 'Hoe dan ook,' zei ze opgewekt. 'Wanneer kunt u beginnen?'

Ze spraken af dat ze van negen tot drie les zou geven, vijf dagen in de week, en dat mejuffrouw Van Zyl met de familie zou lunchen. Het curriculum bestond uit rekenen, spellen en schoonschrijven, aardrijkskunde en geschiedenis. Maar Hope wilde niet alles overdragen: ze bleef Pearl zelf lesgeven in literatuur.

'Misschien moeten wij wel vriendinnen worden, mejuffrouw Van Zyl,' zei Hope bij het afscheid.

'Dat zou ik fijn vinden, mevrouw Leon.' Ze pakte de handen van Hope vast in een warme, stevige handdruk. 'En ik zal daar zeker alles voor doen wat binnen mijn mogelijkheden ligt.'

Los Angeles
19 september 1915
Liefste Hope,

Ik ben aanmatigend geweest. Je vader heeft me een 'stom mens' genoemd, en zo heeft hij zich nog nooit over mij uitgelaten in al die tijd dat we nu samen zijn. Maar ik begrijp het wel. Het is ook stom wat ik gedaan heb, en typerend voor mij, om te kijken wat er nog te redden valt als het al gebeurd is.

Nou ja, laat ik het maar meteen vertellen. Ik was zo vol bewondering over je brief over die krankzinnige toestand met Shen Chow dat ik het hele verhaal als artikel heb overgetikt en dat onder jouw naam naar *Harper's* heb gestuurd – met de foto's, en mijn naam eronder als agente.

Lieve Hope, ik heb geen idee wat mij bezielde. Toen je vader hoorde wat ik gedaan had dreunde hij wel vijftig redenen op waarom dat artikel China in het algemeen en Paul in het bijzonder zou kunnen compromitteren. Ik ben het niet noodzakelijkerwijs met hem eens. Ik geloof dat zijn verontwaardiging niet zozeer werd ingegeven door het feit dat ik onder mijn meisjesnaam geschreven had, maar door het onrecht dat ik Paul zou hebben aangedaan. Persoonlijk ben ik van mening dat het verhaal een schitterend, menselijk tegengif vormt tegen de wezenloze traktaten die je normaliter over China te lezen krijgt. De redactie lijkt er net zo over te denken.

Nu moet ik door het stof en je zo snel mogelijk dit schrijven sturen. Ik denk dat je het in oktober zult ontvangen, en ik heb bedongen dat je tot november de tijd hebt om het ingesloten contract getekend te retourneren. Ik smeek je om mij uit mijn lijden te verlossen door per telegram te laten weten of je me nog ooit aan zult kijken (en eventueel of je instemt met publicatie). Diep in mijn hart, Hope, geloof ik dat dit soort verslaggeving en camerawerk misschien wel jouw ware roeping is, hoewel ik het met de man van *Harper's* eens ben dat je aan een nieuwere, professionelere camera toe bent.

Ik moet me haasten en deze brief heel snel posten nu je vader bezig is met zijn patiënten. Ik weet dat hij me zal vergeven zodra jij je besluit hebt genomen, en mijn rol verder is uitgespeeld. Afgezien van deze ene aanvaring zijn we zo gelukkig als schoolkinderen, je vader en ik – ook al hebben we dan al kleinkinderen! Liefde is een zeer kostbare en bijzondere aangelegenheid. Maar goed, dat heb jij altijd al geweten.

Met bewondering en genegenheid.
Altijd,
Mary Jane

[bijgevoegd]
William Cadlow
Hoofdredacteur
Harper's
1 september 1915
Beste mejuffrouw Lockyear,

Ik ben u zeer dankbaar voor de toezending van het bijzondere artikel van uw cliënt mejuffrouw Newfield over de Shen Chow-affaire in Peking. Onze redactie heeft nog nooit zoiets onder ogen gekregen – met uitzondering van ondergetekende. Ik beken dat ik in de redactie van *The Independent* zat toen mejuffrouw Newfield een keer verscheidene stukken instuurde over een eerder tijdperk in de Chinese geschiedenis, die mijn chef toen heeft afgewezen – ondanks mijn oprechte bezwaren. U kunt zich mijn vreugde voorstellen toen ik vernam dat deze gedreven verslaggeefster nog in China zat terwijl ik nu in een positie ben dat ik haar werk kan publiceren onder mijn eigen verantwoordelijkheid.

Kunt u zorgen dat het ingesloten contract zo snel mogelijk naar mij wordt teruggestuurd – ik neem aan dat u volmacht hebt – dan kunnen wij een publicatiedatum vaststellen Mijn enige verzoek geldt toekomstige inzendingen. Aan de foto's is duidelijk te zien dat mejuffrouw Newfield een werkelijk gevoel voor haar onderwerpen weet te combineren met een artistieke kijk, maar haar werk zou nog veel beter worden met een minder amateuristische camera dan ze hier gebruikt heeft. De nieuwe, snelle pocketmodellen Premo en Graflex zijn heel populair bij veel van onze verslaggevers.

Hoe dan ook, ik kijk uit naar geregelde bijdragen van mejuffrouw Newfield, en ik hoop dat ze me zal kunnen vergeven dat ik bij *The Independent* niet genoeg gewicht in de schaal heb kunnen werpen om haar loopbaan jaren geleden al op gang te helpen.

Met oprechte groeten,
William Cadlow

'Wat vind je,' vroeg Hope toen Paul de laatste regel had gelezen.

Hij spuwde in de porseleinen kwispedoor naast zijn bureau en tikte peinzend de as van zijn sigaret. De late zon die door de papieren ruiten werd gefilterd, wierp een warme gloed over het rommelige kantoor, maar zijn stem klonk kil. 'Ik vind dat Amerikanen heel weinig weten van China.'

'Ja, maar er zijn ook mensen als meneer Cadlow, die werkelijk interesse tonen. Hij heeft gelijk, weet je dat, die droge politieke verslagen maken het begrip bij de Amerikanen voor het Chinese volk, hun *gevoel* voor deze wereld echt niet groter. En de manifesten van Sun Yat-sen zijn ook niet bepaald hartverwarmend.'

'Maar jouw verhalen over onze bordeelspelletjes en hysterische vrouwen wel.' Hij nam haar op door de rook van zijn sigaret, met die woest makende uitdrukkingsloze gelaatsuitdrukking die altijd te zien was als hij wilde dat zij eerst uit de hoek kwam.

'Paul, heus, wat ik Mary Jane heb geschreven is oprecht. Menselijk. Het is dwaas en onverschrokken en opmerkelijk modern, op een manier die Amerikanen gewoon niet met China associëren. *Dat* is de reden dat ik geïnteresseerd genoeg was om al die dagen op de publieke tribune te zitten terwijl jij moest getuigen, dat ik er wel over moest schrijven, en dat ik het ook daadwerkelijk naar Mary Jane heb gestuurd. Jij doet alsof ik jou te kijk heb gezet, maar jij wordt juist als de held neergezet. Dat kun je niet zomaar uitvlakken, hoor.'

Hij gooide de sigaret in de kwispedoor, trok met één hand zijn bril af en wreef met de andere in zijn ogen. Zijn 'pensionering' zou ingaan zodra Yüan Shih-k'ai zijn voornemen om keizer te worden officieel bekend zou maken. Intussen was hem de supervisie toevertrouwd op de propagandacampagne die zowel buitenlandse als Chinese steun moest werven voor deze nieuwe monarchie. Vier, vijf avonden in de week bewoog hij zich in diplomatieke kringen, op diners of recepties, en polste hij allerlei mensen, waarbij hij het deed voorkomen alsof de intenties van Yüan zijn instemming hadden, maar zijn gesprekspartners voldoende argumenten aan de hand deed om er bezwaar tegen te maken. Vaak liepen die avonden uit in mah-jong- of poëziebijeenkomsten met zijn revolutionaire vrienden – bijeenkomsten waarop de klanken van klassieke gedichten en de verve waarmee ze allerlei gokspelletjes speelden hun politieke plannenmakerij verhulden. Maar het gebrek aan slaap en de spanning van de hele maskerade begonnen hun tol te eisen. Paul leek zwaarder, ouder en vermoeider dan Hope hem ooit gezien had. Haar verzoek om eerlijkheid en oprechtheid klonk haar nu in de oren zoals hij het moest horen. Onnozel.

Ze leunde naar voren met haar handen plat op zijn bureau. 'Paul, alsjeblieft. Ik zal Cadlow geen woord sturen dat jij niet hebt gelezen en goedgekeurd. Ik zal niks ernstigs of politieks schrijven. Ik zal niks schrijven dat jou of Sun zou kunnen compromitteren.'

'Waar moet je dan over schrijven?'

Ze schrok van de dofheid in zijn stem. 'Nou,' zei ze, 'over de mensen in de bioscopen in Peking, die hoesten, praten, noten kraken en warme handdoeken heen en weer gooien. Over het mos dat op de Grote Muur groeit, de geuren van markten en hoe de Manchu-vrouwen hun haar opbinden. Over kinderkleren, en over hoe het voelt voor een vrouw als Daisy Tan om de bindsels van haar voeten te halen, en...' Ze gooide haar handen lachend in de lucht. 'Ik *weet* het niet, maar onder al die vijftien *miljard* interessante dingen die ik elke keer zie als ik de deur uit ga, zal ik vast wel een paar dingen vinden die jou niet ontstemmen!'

Paul was inmiddels achterover gaan zitten, armen over elkaar. Zijn lippen maakten golfachtige bewegingen.

'Aha!' Ze wees. 'Je probeert niet te glimlachen, maar ik zie het toch. Geef nou maar toe, je vindt het wel een beetje leuk. Dat moet, Paul, voor mij. Wees alsjeblieft trots op me. Geef het alsjeblieft je zegen. Dan is het iets van ons allebei.'

De glimlach ontglipte hem en hij slaakte een zucht, schudde zijn hoofd en gaf met beide handen een klap op zijn bureau. 'Hsinhsin, hoe kan ik nou nee tegen jou zeggen? Mijn moderne Amerikaanse vrouw.'

'O, *dank* je, Paul.' Ze sprong op en liep om het bureau heen. 'Liefste, je weet dat ik *heel* veel van je hou.'

Hij bleef zitten, en vlijde zijn hoofd naar achteren tegen haar borst. Hij deed zijn ogen dicht. 'Ik weet het.'

5

TA HSING HSIEN HUTUNG
16 december 1915
Lieve Sarah,

Ik ben vanmorgen schaamteloos aan het luieren, nog betoverd door het bal waar Paul en ik gisteravond geweest zijn. Ik moet je erover vertellen, want jij zult de extravagantie en de rol van het toeval die avond wel weten te waarderen.

Doel van de avond was buitenlandse steun te werven voor het monarchale plan van Yüan Shih-k'ai (een onderwerp dat alle gesprekken in Peking beheerst, en de oorlog in Europa en de boycot tegen Japan helemaal overschaduwt, om maar te zwijgen over onbeduidendheden als droogte, hongersnood, sprinkhanenplagen, overstromingen of nationale schulden). Derhalve werden wij uitgenodigd in een van de oude Manchu-paleizen om de wouldbe-keizer gade te slaan te midden van alle pracht en praal waar hij naar hunkert. De uitgestrekte tuinen gingen helaas schuil onder hopen sneeuw, maar de aangeveegde paden, verlicht door vlammende toortsen, leidden ons naar een banketzaal zo groot als een pakhuis, met ontvangstruimtes aan alle kanten. Stel je plafonds voor met protserig brokaat, muren van vergulde en gecanneleerde jade, vermiljoenen pilaren en lantaarns met zijden pluimen. In een hoek speelde een Chinees orkest. En er waren verscheidene *honderden* gasten, allen westers gekleed. Ik droeg crèmekleurig brokaat en hermelijn, Daisy Tan koningsblauw geborduurd satijn, Paul en William hoge hoeden en jacquets, en onze jonge vriendin Anna, over wie ik dadelijk meer zal vertellen, een bijzonder luisterrijke jurk van appelgroene taf.

Met uitzondering van de Duitsers leek het voltallige corps diplomatique te zijn uitgenodigd, inclusief de Fransen en de Nederlanders, de Italianen en de Belgen, de Russen en uiteraard de alom aanwezige Japanners. Paul stelde mij voor aan de Britse ambassadeur Jordan en Yüans publieke apologeet, Harvard-professor Frank Goodnow. De Australiër George Morrison en zijn vrouw Jennie praatten een tijdje met ons vanwege Anna, die bij ons is gekomen als gouvernante na een tip van de Morrisons. Die twee vormen zonder meer een mooi paar, maar het onwankelbare enthousiasme van Morrison als politiek adviseur van Yüan maakt hem in mijn ogen verdacht.

Er was natuurlijk ook een groot contingent ministers en officieren van Yüan. De meest indrukwekkende was vicepresident Li Yüan-hung, voormalig onderkoning van de provincie Hupei, waar Paul vandaan komt. Hij is een brede, grimmige man met een borstelige snor die een griezelige gelijkenis vertoont met veldmaarschalk von Hindenburg, maar hij en Paul lijken elkaar oprecht te mogen en waarderen – een zeldzaamheid in het huidige politieke klimaat.

Yüan maakte laat zijn entree, in een lange fluwelen jas over een slechtzittende kakibroek die eruitzag alsof hij erin geslapen had. Hij trad iedereen met dezelfde ondoorzichtige gelaatsuitdrukking tegemoet, alsof zijn glimlach aan zijn walrussnor was vastgespijkerd, en ik herinnerde me weer zijn bewondering voor de Duitsers toen ik zag hoe hij bij elke begroeting zijn hielen tegen elkaar klakte, een hand aan het gevest van zijn zwaard. Paul wees me op een groteske figuur die achter in het vertrek zijn hoofd tussen de gordijnen door stak. Dat was Yüan K'e-ting, de halfverlamde, halfgare zoon van wie sommigen geloven dat hij achter al die hoogdravende plannen zit! Reden genoeg om het allemaal tegen te houden, maar het hele spektakel marcheert gewoon door.

Uiteindelijk gingen we aan tafel. Gezien de aard van de Pekinese diplomatie waren er veel meer buitenlandse mannen dan vrouwen, reden dat ons expliciet gevraagd was om onze begeerlijke jonge gouvernante ook mee te tronen. (Die arme Anna zat aan tafel naast een Russische minister die op grove wijze haar hand liefkoosde terwijl hij een of ander hybridisch taaltje sprak dat niemand kon verstaan.) Er werd eindeloos getoost, en nog eindelozer opgediend – en alles even weelderig. Met kerrie gekruide lotuswortel en geglaceerde paling, vogelnesten-, haaienvinnen- en drakenogensoep, garnalen groot als kreeften, rivierkreeften met gemberschaafsel, geglaceerde Pekingeend, en uiteraard al die fantastische oriëntaalse delicatessen waarvan je niet moet vragen waar ze vandaan komen. Bijna vier uur lang proefden en verwonderden we ons terwijl de gangen kwamen en gingen. Eindelijk, na de laatste vereiste kom rijst, gingen we kreunend en opgelucht van tafel en begaven ons naar de ontvangsthallen, waar twee westerse orkesten klaarzaten voor het bal.

Maar eerst ging president Yüan pontificaal op het podium staan. Zijn trawanten hielden de gasten op veilige afstand, en Paul fluisterde in mijn oor: 'Showtime.' En inderdaad, de opperlakei van Yüan begon als een middeleeuwse heraut een lange lijst namen af te roepen. Een uur lang deelde Yüan de Welwillende allerlei titels en medailles en lintjes uit aan elke man in Peking wiens gunsten hij wellicht zou kunnen gebruiken. Deze ceremonie, zo deelde de tolk in vier talen mee, was bedoeld als nakoming van de belofte van de president om alle adellijke titels, die door de Manchu's waren gestolen, weer terug te geven aan de Han-Chinezen. Je had de gezichten van Paul en William moeten zien toen ze omhoogkwamen uit hun buiging (de hemel zij dank behelsde de poppenkast nog geen volledige voetval). Na een enkele veelzeggende blik naar elkaar leken ze al hun energie te wijden aan het in de plooi houden van hun gezicht. Gelukkig waren zij, als 'markies', slechts tweederangs adel. De titel van prins van het rijk was gereserveerd voor de arme Li Yüan-hing. Gezien de voorliefde van Yüan voor moord en doodslag als disciplinaire maatregelen, had ik gedacht dat Li het spelletje wel zou meespelen, maar hij weigerde zelfs een buiging te maken.

Eindelijk was de 'show' voorbij en kon ik de gouden medaille en het driekleurige lintje bewonderen die de borstkas van Paul sierden. Ik slaagde erin noch hard te lachen noch mijn armen om hem heen te slaan, maar toen de band weer begon te spelen haalde ik hem over tot een dans. Anna van Zyl, een bedreven danseres, had de hele voorgaande middag doorgebracht met het geven van danslessen aan de hele familie: wals, foxtrot, grand march. Het was een fraai gezicht, dat kun je je voorstellen: Pearl en Morris arm in arm, Paul en ik struikelend over elkaars tenen. Maar Anna is een immens geduldige en verdraagzame jonge vrouw. Het resultaat was dat we, hoewel niet glijdend, in elk geval de ronde van de dansvloer konden maken zonder onszelf al te belachelijk te maken. Anna was natuurlijk het mooiste meisje van de avond.

Even over Anna. Ze is aanbiddelijk. Fijne beenderstructuur, fris gezicht, altijd levendig. Ze draagt haar rossige haar losjes opgestoken en heeft zo'n murmelende Zuid-Afrikaanse stem – net glanzende, volmaakt gesmolten witte chocola. Ze heeft een sierlijk wipneusje en een figuur dat vooral in een baljurk uit louter volmaakte rondingen lijkt te bestaan. Ze heeft een licht in zich dat onaangeroerd lijkt door haar vele teleurstellingen, alsof ze gelooft dat elke tegenslag, hoe indirect ook, zal leiden tot een beloning waar ze zich nog geen voorstelling van kan maken. Ze is nog geen eenentwintig en heeft nog dat geloof in de oneindigheid van het leven. Daarom houd ik van haar, net zo goed als dat ik haar benijd. Ze is voor mij net zo onweerstaanbaar als voor al die mannen die zich om haar verdrongen, en dongen naar een dans. Dus toen Paul mij alleen had gelaten om zich te gaan onderhouden met William en vice-president Li deed ik graag dienst als handlanger van die hunkerende mannen. Ze dansten eerst één rondje met mij naar Anna, tikten haar partner op de schouder en lieten mij daarmee verdergaan om zelf hun dans met Anna te vervolgen.

Maar je herinnert je nog dat ik, bladzijden terug, iets heb gezegd over de rol van het toeval dat jij zou weten te waarderen. Welnu, hou je vast. Ik was net voor de zoveelste keer gedumpt en op zoek naar Paul om me thuis te brengen, toen een plechtige stem mij ten dans vroeg. Ik keek op en stond opeens arm in arm met... raad eens? Ja, onze oude vriend dokter Mann! Hij zag er voortreffelijk uit, zij het iets magerder dan ik mij herinnerde, met diezelfde bedachtzame ernst in zijn trekken. Hij had me al eerder opgemerkt, zei hij, na het diner, maar ik was zo omstuwd door bewonderaars dat hij me niet had durven benaderen. Daar moest ik hard om lachen. Ik wees naar Anna en zei dat hij me over een seconde of vijftien zou moeten bedanken om haar ten dans te vragen. Hij schonk haar een waarderende blik maar zei dat ze te jong voor hem was. Ik legde uit dat hij met haar kon dansen zonder met haar te trouwen, waarop hij repliceerde dat hij dacht dat al die jongemannen in de zaal daar wel anders over zouden denken. Dus vertelde ik hem dat het slechts een kwestie van tijd was voor de Britse verloofde van Anna uit de oorlog zou terugkeren, en dat als hij mij dan niet meteen losliet, hij me op zijn minst zou kunnen vertellen wat er van hem geworden was na zijn vertrek uit Sjanghai.

Sarah, die dokter van jou heeft een avontuurlijke inborst! Hij heeft het niet lang volgehouden in dat ziekenhuis waar hij naartoe ging toen jij het laatst van hem hoorde – waarschijnlijk weer gelazer met zijn superieuren – maar is daarna maandenlang de Yangtze opgereisd naar Chungking. Vervolgens is hij over land naar de Gele Rivier getrokken en heeft die eerst een eind gevolgd tot in Mongolië, en vervolgens helemaal terug tot aan de kust. Hij sliep in verlaten tempels en bezocht onderweg Chinese, zendings- en zelfs enkele moslimartsen. Hij hield notities bij voor een of ander medisch dagboek dat hij aan het schrijven is – een soort catalogus van oosterse medische praktijken, waarvan vele, beweert hij, 'onverklaarbaar effectief' zijn. Momenteel staat hij aan het hoofd van een ziekenhuis in Tientsin. De geneesheer-directeur is vorig jaar aan gele koorts overleden, en dus heeft Mann nu alle touwtjes in handen. Hij maakt ook gebruik van enkele Chinese medicijnen die hij bestudeerd heeft, en heeft traditionele Chinese artsen in zijn staf, waardoor hij uitermate populair is onder de plaatselijke bevolking.

We dansten een paar keer voor Paul mij weer terugvond, en ik was blij met deze kans om hem aan de dokter te kunnen voorstellen. Ik maakte niet de opmerking die *jij* gewild had over de aanwezigheid van dokter Mann bij de geboorte van zijn eigen zoon waar hijzelf niet bij is geweest. In plaats daarvan legde ik uit dat dokter Mann heel vriendelijk was geweest in die krankzinnige situatie rond de moordaanslag op Sung Chiao-jen, waarop Paul een ernstige buiging maakte en uiting gaf aan zijn diepe dankbaarheid dat de dokter over mijn veiligheid had gewaakt. Vervolgens stelde Paul voor om een diner aan te richten ter ere van de dokter, maar dokter Mann leek daar helemaal ontdaan over en zei dat hij weer terug moest naar zijn kliniek. Paul lachte, gaf hem een al te joviale klap op zijn rug en zwengelde zijn hand als de doorgewinterde politicus die hij geworden is. En we gingen uiteen.

Ik ben aan het eind van het verhaal gekomen, Sarah. Misschien ben je naar zoveel Chinese uitspattingen geweest dat dit alles je als tamelijk onbeduidend voorkomt, maar ik dacht dat je wel geïnteresseerd zou zijn in de personen waar het hier om gaat. Ik wou dat je erbij was geweest, jij zou er vast nog wel wat schwung aan hebben kunnen geven, en misschien voor meer vuurwerk kunnen zorgen dan de fonkelende raketten en voetzoekers die Yüan in de sneeuw liet afgaan toen iedereen zijns weegs ging.

Ik wou ook wel dat ik het afgelopen jaar een betere correspondente was geweest. Toen ik dokter Mann weer zag kwamen allerlei dierbare herinneringen boven aan onze avonturen samen in Sjanghai. Zulke vriendinnen als jij heb ik hier niet, en ik durf er geen slag naar te slaan wanneer we misschien weer naar het zuiden zullen terugkeren. Een deel van mij wil dat niet eens, want deze stad is zo mooi en heeft zo'n gevoel voor geschiedenis en magie. En het is zelfs nog heerlijker om op veilige afstand van de moeder van Paul te wonen, dan dat het treurig is om zover van het graf van ons kindje te zijn. Maar ik mis jou wel, en Jin ook. En Jed. Zeg trouwens alsjeblieft tegen Jed dat ik een Graflex met beeldzoeker heb gekocht en een Premo pocketcamera, en dat ik verwacht dat hij me weer ontwikkel- en afdruklessen gaat geven zodra ik terug ben in Sjanghai.

Weet dan dat mijn liefste wensen voor jou zijn, Sarah, en geef Gerry een kusje van mij. Nu moet ik opstaan en me aankleden. De kinderen roepen dat ik hun sneeuwpoppen moet komen bekijken!

Liefs,
Hope

Eind januari, toen de laatste resten sneeuw waren weggewaaid en de wind tijdelijk was gaan liggen, nodigde Daisy Tan Hope en Anna en Pearl mee uit voor een uitstapje naar de markt van Lung Fo. Suyun werd niet genoemd, wat waarschijnlijk betekende, dacht Hope, dat het meisje een zeldzame middag alleen met haar zoontje zou hebben. Meer om die reden dan om die middag te kunnen winkelen stemde Hope in met het plan. Pearl en Anna waren allebei dolblij dat ze eens iets anders hadden dan hun lessen, en na een gehaaste lunch van soep en koud lamsvlees voegden ze zich voor de poort bij Daisy. Witkuifkraai ging mee om pakjes te dragen. Toen ze zich met zijn vijven in één koetsje binnendrongen, bedacht Hope dat Yen en Paul deze excursie zonder mannelijk escorte nooit zouden hebben toegestaan. Maar beide mannen waren vertrokken met William voor een bijeenkomst met de studenten die de geweldige, nog steeds voortdurende boycot van Japan in Peking organiseerden. Sun Yat-sen wilde dat de boycot beëindigd werd, omdat de Japanners zich eindelijk hadden uitgesproken tegen de monarchie van Yüan.

Bij de poort van het centrale marktplein lieten de vrouwen de koetsier wachten en gingen te voet verder. Maar ze waren nog maar net binnen de cederhouten *p'ai lou*, of galerij, of ze zagen een rondtrekkende tandarts met een bordje, in het Engels, om aan te geven hoe geleerd de man wel niet was, waarop te lezen stond *Inzetten valse tanden en ogen, nieuwste methodisten.*

'Niet lachen,' zei Hope zachtjes, terwijl ze Pearl en Anna stevig bij de pols greep en alle drie naar de buigende tandarts knikten. 'Die *moet* ik hebben.' Ze haalde de man en een van zijn toeschouwers over om te poseren alsof er net een kies werd getrokken, en maakte de foto zo dat het bordje er ook op kwam. De tandarts en zijn zogenaamde patiënt kregen elk drie koperen muntjes voor de moeite.

'Maar ik snap het niet, mama,' zei Pearl toen ze veilig buiten gehoorsafstand waren. 'Waarom helpt hij alleen methodisten?'

De vraag was zo naïef, en het klonk zo treurig en zo totaal verbaasd, dat Hope en Anna de slappe lach kregen. Daisy wierp een geërgerde blik op hen en legde in scherp Mandarijnenchinees aan Pearl uit dat die tandarts een laag-bij-de-grondse, onnozele werkman was die al die aandacht helemaal niet verdiende.

'God zegene het kind dat missionarissen bespaard blijft,' zei Anna. 'Wat een onschuld!'

Ze liepen verder en baanden zich een weg door smalle, overdekte paden waar het krioelde van elke denkbare vorm van menselijkheid, van bedelaars die hun lompen met touwtjes bij elkaar hielden, waarzeggers die ritmisch met hun stokjes rammelden, tot blinde verhalenvertellers en kinderen die op trommels sloegen, tot hordes in zijde gehulde heerschappen die hun gekooide vogeltjes uitlieten. Daisy, die er uitgesproken meningen op nahield over elke koopman op de markt, voerde Hope en Anna mee naar haar favoriete winkels terwijl Pearl en Witkuifkraai achter hen aan kwamen, zich vergapend aan acrobaten en poppenspelers.

Toen Daisy aan haar derde jadewinkel toe was begon Hope ook wat af te zakken. Ze ging even met Pearl bij twee dresseurs staan kijken. De eerste was een lange man met één oog en een onttakelde paraplu. Aan elke naakte spaak hing een draad met een miniatuurpagode, een ladder of een andere snuisterij, en een witte muis trippelde de touwtjes op en af, van het ene speeltje naar het andere. De tweede dresseur sloeg op een gong en vertelde luid schreeuwend de legende van een oude kluizenaar, die tegelijkertijd door een aftandse aap in een blauw jasje gemimed werd. Hoe harder het publiek de muis toejuichte, des te harder sloeg de gong.

Na verscheidene minuten realiseerde Hope zich dat iedereen afwachtend naar haar en Pearl zat te kijken. Zij moesten zeggen welke act gewonnen had. 'Wat doen we?' vroeg ze zich hardop af.

'Beste allebei hetzelfde geven en weg voor ze tellen.' Daisy, die naar buiten was gekomen om te kijken wat Hope ophield, dook de winkel weer in en kwam terug met twee enveloppen. Die liet ze door Witkuifkraai aan de dresseurs geven terwijl zij en de anderen om de hoek verdwenen. Even later klonk een gebrul en Hope verwachtte half en half te worden achtervolgd door een razende menigte. Maar alleen Witkuifkraai verscheen.

'Mensen zeggen dat de buitenlandse dames christenen moeten zijn,' rapporteerde ze beschaamd. 'Ze kunnen geen goed van slecht onderscheiden.'

Pearl begon verontwaardigd tegen haar moeder te protesteren dat ze heel goed wist dat die act met de muis het beste was, maar Hope legde haar het zwijgen op. 'Ik begrijp dat Salomo geen plaats heeft in dit land,' zei ze tegen Anna.

Daisy wenkte Witkuifkraai. Ze wilde haar opvouwbare bamboe wandelstok hebben. Het plaveisel vol gaten en de ijzige kou waren te veel voor haar gemartelde voeten. Maar ze stond erop dat ze nog één winkel binnengingen. Die was beter geoutilleerd dan de andere stalletjes – ze hadden er glazen vitrines, elektrische verlichting en een toonbank met rieten stoelen waar ze konden uitrusten en aan een kop thee nippen terwijl de oudere verkoper diamanten halssnoeren, saffieren broches, smaragden en opalen oorhangers tevoorschijn haalde. Hope kocht voor Pearl een tijgeroogamulet, waarvan Daisy zei dat het boze geesten op afstand hield, en Daisy kocht twee halssnoeren, die ze meteen weggaf: de stersaffieren aan Hope en de turkooizen aan Anna. Uiteraard protesteerden beiden dat dat veel te gek was. Beiden hielden voet bij stuk – en beiden moesten uiteindelijk inbinden. 'Die stenen als jullie ogen. Zo mooi.' Daisy balde haar rechterhand tot een vuist en sloeg op haar hart.'*Yui*. Vriendschap. Wij vergeten deze dag nooit, ja?'

Hope en Anna keken elkaar aan. Het had geen zin om te proberen een even gul gebaar naar haar te maken, aangezien dat de schande dat zij dat gebaar niet als eerste hadden gemaakt alleen maar groter zou maken. Beiden zagen zich nu genoodzaakt om op een later tijdstip op een even slimme manier uiting te geven aan hun dankbaarheid. Mogelijkerwijs, bedacht Hope cynisch, door Daisy een bijzonder feestelijk geschenk te geven voor de eerste verjaardag van haar 'zoon', wanneer Suyun naar haar ouders in Hupei zou terugkeren.

Het was bijna vier uur. Paul en William zouden over niet al te lange tijd thuiskomen en de schaduwen werden al langer. Maar toen ze terugliepen richting marktplein hoorden ze een harde schreeuw en was het straatje opeens vol hollende jongens en mannen, allemaal vloekend en tierend. En aan het eind van het straatje verschenen twee regeringssoldaten met geheven bajonetten.

Pearl pakte aan de ene kant de hand van Hope, en aan de andere kant die van Anna. 'Niks aan de hand, hoor,' zei Hope met meer vertrouwen dan ze voelde. 'We wachten wel even.'

Witkuifkraai hield haar hoofd schuin als een luisterende papegaai en klaarde op. 'Nee, Tai-tai. Geen probleem. Executie. Ontvoerders. Soldaten willen dat iedereen deze kant op komt.'

Daisy tikte met haar wandelstok. 'Geen gevaar bij executie. Kom. Jullie hoeven niet te kijken.'

Maar Hope maakte zich zorgen om Pearl. Haar dochter zweeg, maar dat betekende niet dat ze niet verstaan had wat er gezegd was, en het feit dat ze haar voeten stond te bestuderen verhulde niet dat ze nieuwsgierig was. 'Kom, lieve Pearl,' zei ze zacht. 'Het komt wel goed.'

Ze gaven elkaar een hand en drongen zich tussen de mensen door, maar net toen Hope de *p'ai lou* in het oog kreeg duwde een rij soldaten hen met de kolven van hun geweren ruwweg aan de kant. Achter de soldaten aan kwam nog een rij mannen die vijf ruwhouten wagens voorttrokken van het soort waar meestal hout mee werd vervoerd. In elke wagen stonden twee mannen, handen en nek vastgeklemd in zware schandplanken.

'*Jang lui*!' riepen de soldaten. De mensen werden zo in elkaar gedrukt dat de vrouwen geen kant meer op konden. Hope drukte haar ellebogen opzij om te voorkomen dat Pearl werd platgedrukt – en om genoeg lucht te krijgen om niet flauw te vallen. Tegelijkertijd spitste ze haar oren of ze ergens in de buurt iets verstaanbaars kon horen. Het scheen dat bij de mannen op de karren ook enkele hoge ambtenaren en een paar leden van de Hsinhua-paleiswacht waren. Ze werden ervan beschuldigd dat ze zich in het paleis hadden verstopt en een complot hadden beraamd om keizer Yüan te ontvoeren. Hun veronderstelde doel was de val van de monarchie en het herstel van de republiek. En dat werd als een halsmisdaad beschouwd.

'Schiet ze neer!' riep een ongeduldige toeschouwer.

'De wurgpaal!' opperde een ander.

'De keizerin had hun de hoofden afgehakt!' riep een oude vrouw die toekeek vanaf een balkon van een theehuis.

Hope voelde misselijkheid, hitte, kou en paniek in golven over zich heen spoelen, maar ze zette zich schrap en leunde naar Anna toe om haar iets in het oor te fluisteren. Toen bukte ze zich naar Pearl, die nog kleiner leek tussen al die hoog optorenende magere, stoffige lijven. 'We gaan ons opsplitsen, schat. Jij houdt Anna en Daisy vast en loopt daar langs de kant. Anna niet loslaten, begrepen? Goed vasthouden, wat er ook gebeurt. Ik zie jullie bij de koets.'

'Maar waar ga je dan heen, mama?'

Hope drukte haar bloedeloze wang tegen de warme wang van haar dochtertje. 'Ik moet nog even iets doen. Het duurt niet lang, en dan gaan we meteen naar huis.'

Ze gaf Pearl een kus, kneep even in de elleboog van Anna, zette een stap en ze waren weg. Het kabaal, het gedrang en de stank leken zich meteen te vermenigvuldigen, maar ze baande zich een weg naar een verhoogde houten stellage van een openlucht-noedelwinkel. Het was weliswaar een gedrang van jewelste, maar Hope was de enige blanke vrouw, en ze kon zonder al te veel moeite helemaal naar voren doorlopen. Handen sloegen op ruggen, vingers wezen, monden vielen open – de mensen gingen voor haar aan de kant. Ze stond nu iets hoger. Het plein leek wel een veld vol hoofddeksels, rond, geweven, met bontkleppen, allemaal gericht naar de open plek waar de gevangenen nu gebogen tegen een muur stonden nog geen vijftien meter bij Hope vandaan. Ze haalde haar camera te voorschijn. Paul had haar over die mannen verteld. Ze waren pas gisteren gearresteerd. 'Helden van de revolutie,' noemde hij hen. Het waren geen ontvoerders, hun 'misdaad' bestond erin dat ze documenten uit het presidentieel paleis hadden ontvreemd die bewezen dat Yüan had ingestemd met de Eenentwintig Eisen in ruil voor de geheime belofte van Japan om hem als keizer te steunen. De Britse ambassadeur Jordan had de documenten gebruikt om op het laatste nippertje nog druk uit te oefenen op Japan, om zich alsnog uit te spreken tegen de keizerlijke aspiraties van Yüan. Dat had Yüan weliswaar niet meer kunnen tegenhouden, maar zijn positie was er wel door verzwakt – en hij was erdoor vernederd. Nu hij deze helden te pakken had, wachtte hun de doodstraf.

Ze stelde scherp terwijl ze haar lens liet ronddwalen langs de gapende, gebiologeerde gezichten rondom, de explosie van goud van de neergaande zon, de stofwolkjes die als kruitdampen opstegen tussen de opeengepakte lichamen. Ze richtte over de hoofden van de soldaten en vond de geknielde gevangenen. De beul hief zijn brede stalen kromzwaard. De eerste jonge gevangene, lippen opeengeperst, ogen starend en hard, was uit zijn schandbord bevrijd en boog zich voorover, handen op de knieën. Hope was gefixeerd door de gladheid van zijn blote voorhoofd.

Het zwaard suisde naar beneden. Het hoofd van de man viel naar voren, bloed spoot uit zijn hals, maar het zat nog aan het sidderende lichaam vast. Het gebrul van de toeschouwers weerkaatste over het plein. Overal gingen monden open in gelach, gejuich, in beschamend gejoel. Het druipende zwaard ging omhoog en viel weer. Het gezicht, nu vertrokken van de ondraaglijke pijn, rolde van de schouders van de neergeknielde gevangene.

Hope, achter haar lens, hield de adem in tegen de weerzin die ze in zich voelde opborrelen en ging met koppige kracht door met het vastleggen van de donkere golven van bloed die uit de gapende nek gutsten, de langzame, stuiptrekkende ineenstorting van de romp. De gezichten van de andere gevangenen leken wel maskers, hun ogen dof van berusting. Van afgrijzen. Van verlamming.

De demonische dwang waardoor ze zich had weten te beheersen verliet haar opeens. Ze liet haar camera zakken, ze moest hier weg. Ze wachtte niet of de mensen aan de kant gingen, ze begon gewoon te dringen, weg, weg, terug naar de anderen. Maar dit waren noorderlingen, velen nog langer zelfs dan Paul. Ze reikte nauwelijks tot hun oksels en ze waren zo geboeid door de executie dat ze de buitenlandse vrouw die erlangs wilde, niet eens opmerkten. Terwijl er weer een bloeddorstig gebrul opsteeg, voelde ze dat ze ging flauwvallen of overgeven, of beide.

Ze vocht tegen de sensatie door te schreeuwen, en om zich heen te trappen als een kind dat een driftbui heeft. 'Pearl!' Ze zwaaide met haar vuisten. 'Anna! Daisy!'

Haar brein sloot zich af, de wilskracht verliet haar leden, maar ze was zich vaag bewust van mannen die aan de kant gingen, gaten die vielen tussen hun lichamen, een onzeker glinsteren van licht. Ze hoorde iemand haar naam roepen, maar haar ogen waren dichtgevallen en ze kreeg ze niet meer open.

Opeens zag ze de koets, Pearl met uitgestrekte armen, Witkuifkraai en Anna die op haar af holden om haar op te vangen. Het gezicht van Daisy dreef kalm als een bloemblad op de hordes.

Paul lachte. 'Arme dwaas. Hij kan het vergrijp niet eens bekendmaken, dus verzint hij dit verhaal en vermoordt twee onschuldigen!'

'Het waren er tien.' Hope praatte zacht, behoedzaam. Ze lag in bed en haar schedel voelde aan alsof hij tussen twee molenstenen werd vermalen.

'Voor de show.' Paul zat bij de toilettafel. Hij keek naar haar, maar leek haar niet echt te zien. 'Het is makkelijk martelen om mannen onder dwang naar een executie te laten kijken en ze in de waan te laten dat zij de volgende zijn. En het is een groter spektakel met al die extra gevangenen erbij.'

Hope kreunde. 'Hoe kun je nou zo praten? Alsof het onthoofden van onschuldigen niks bijzonders is!'

'Maar de helden – de mannen die de inhoud van die documenten hebben laten uitlekken, de echte zogenaamde misdadigers – die zijn kort na de executie vrijgelaten. Je snapt toch wel dat dat goed nieuws is. Yüan is aan handen en voeten gebonden.'

'Die van zijn beulen anders niet.' Hope wilde overeind komen, maar pijn en misselijkheid wierpen haar weer terug in de kussens.

'Jij en Daisy horen niet zonder Yen of mij naar de markt te gaan.'

'Die hele executie was zeker afgelast als jij of Yen erbij was geweest!'

Ah, Hope. Zelfs als je pijn hebt toon je je woede.'

Ze werden onderbroken door een klop op de deur. De kinderen kwamen binnen om welterusten te zeggen. Hope nam ze in haar armen. Pearl beweerde niets gezien te hebben, maar Hope kon aan de verbijstering in haar wijdopen ogen wel zien dat ze loog. Sterker nog, wat ze gezien had zou haar bijblijven, zou haar op de een of andere onbeschrijflijke manier voor de rest van haar leven brandmerken. Hope maakte zich geen verwijten dat ze het kind alleen had gelaten. Ze betwijfelde of ze haar ervan had kunnen weerhouden om te kijken, noch had ze veel kunnen doen om het schouwspel te verzachten. Wat haar wel verdriet deed was het feit van de executie op zich, wat het zei over dit land, dit volk – over

Paul. Ze had zichzelf gedwongen die foto's te maken, maar ze wist niet of ze het zou kunnen opbrengen ernaar te kijken.

'Cheng-yu!' Paul wenkte zijn zoontje en zwaaide hem over zijn schouder, waarna hij Pearl opdroeg de ballade van de Maandame te zingen, die ze in Sjanghai van Joy had geleerd. Paul en Morris schreden het vertrek rond terwijl Pearl met een hoog, opgewonden stemmetje zong. Het lawaai was Hope een kwelling, en zodra Pearl was uitgezongen riep ze Ah-nie om de kinderen naar bed te brengen.

'Je bent *echt* boos,' zei Paul, terwijl hij door de dekens heen haar voeten wreef.

'Ik heb vandaag een man stompzinnig, wreed en nodeloos aan zijn eind zien komen en ik heb de ergste hoofdpijn die ik ooit gehad heb, en die twee simpele feiten schijnen niet tot jou door te dringen.' Ze rukte haar voeten bij hem weg.

'Moet ik je alleen laten?'

Ze keken elkaar van een afstandje aan.

'Nee.' Hij trok haar benen terug en liet zijn hand langzaam over haar kuit heen en weer glijden.

'Misschien ben jij minder onschuldig dan zij waren.'

Hij glimlachte naar zijn bewegende handen. 'Daarom had ik ook nooit een van hen kunnen zijn.'

Ze richtte zich op haar ellebogen op en maakte een gebaar dat hij moest ophouden. Ze voelde zich opgezwollen, alles bonkte, en ze was misselijk, maar dat kwam niet door de schokkende gebeurtenis van die middag. Al vier weken had ze tegen deze malaise gevochten – en de implicaties ervan ontkend.

'We hebben twee kleine kinderen, Paul... En er is er één in aantocht.' Terwijl dit nieuws tot hem doordrong zag ze elke gedachte door zijn hoofd deinen: de herinnering aan de zoon en dochter die ze verloren hadden; het vooruitzicht op een nieuwe periode van rouw en verdriet, als er met dit kind ook iets misging; zorg om Hope; maar dan de aloude, vaderlijke trots op de kans op nog een zoon; het onvermijdelijke air van mannelijke ijdelheid; en ten slotte, nieuwsgierigheid.

Ze schonk hem een vermoeide glimlach. 'Ik denk dat we deze aan Yüan te danken hebben. Weet je nog die luie ochtend na het bal toen we jouw markizaat hebben gevierd?'

Zijn ogen gingen wijd open, geamuseerd, zijn vingers talmden bij haar oor en zij sloeg een arm om zijn nek. 'Dus je ziet het,' fluisterde ze. 'Geen paleisintriges meer. Geen spanning en sensatie. Je hebt een vrouw en een gezin die niet zonder jou kunnen.'

Paul trok zich los, zijn hand gleed over de bedekte contouren van haar lichaam.

'Ik beloof het,' zei hij ernstig.

Los Angeles
27 februari 1916
Liefste Dolly,

Het spijt me dat het zoveel tijd heeft gekost je te schrijven, maar misschien kun je het begrijpen en mij vergeven als ik je zeg dat ik zelfs nu deze woorden nog nauwelijks op papier kan krijgen. Mary Jane is op de achtste van deze maand overleden. Ze kreeg roodvonk, en het ging zo snel, alsof haar ziel door een vuur werd verteerd. Je zou haar aan het eind niet herkend hebben, mijn arme, beminde vrouw – o, dochter, geloof mij wanneer ik je zeg dat ik hield van onze Mary Jane.

Misschien geeft het enig soelaas als je weet dat ik niet alleen was. Er was een overvloed aan bloemen en vele vrienden kwamen afscheid nemen. Maar ze wilde zo graag jou en de kinderen zien en ik zou zo graag willen dat jullie hier nu bij me waren. Het afgelopen jaar was voor ons samen moeilijk genoeg, want de bodem viel weg onder de investeringen van Mary Jane, en het valt in deze economie niet mee om genoeg geld binnen te krijgen om van te leven – en nu ben ik verdrietig en wanhopig. Er zijn velen slechter af dan ik dus ik mag niet klagen, en ik probeer ook wel dingen te vinden om dankbaar voor te zijn, maar het huis is zo stil. Mijn vrienden proberen me over te halen de deur uit te gaan maar ik zit vastgeroest en ik weet niet hoe ik eruit moet komen.

Nou, Dolly, schat, jij bent meer dan ooit alles wat ik heb. Zeg maar tegen je kindertjes dat hun grootvader hen heel graag wil zien. Jij bent mijn grootste troost.

Liefs voor jullie allemaal,
papa

VIII

VLUCHT

(1916)

I

SUN YAT-SEN STEMDE ER EINDELIJK IN TOE OM DE LEIDING OP zich te nemen van een grootscheepse opstand tegen Yüan. Helaas waren andere rebellenleiders hem voorgegaan met eigen wapens en troepen. In januari had een van de voormalige bondgenoten van Sun in Kanton, de krijgsheer Ch'en Ch'iung-ming, zijn eigen opstand op touw gezet, en andere generaals riepen hun onafhankelijkheid uit in de zuidwestelijke provincies. Belaagd en in het nauw gedreven door desertie onder zowel zijn hoge ambtenaren als zijn officieren, had Yüan in maart zijn monarchie afgelast. Hij beweerde dat er druk op hem was uitgeoefend om de monarchie in te stellen, en dat hij daar slechts schoorvoetend in was meegegaan: nu wilde het volk weer dat hij president werd, en de wil van het volk was wet. Paul en William besloten dat de tijd gekomen was om op te staan tegen het regime van Yüan, en de nationalistische aanhangers van Sun in Peking in het zadel te helpen. Ze ontwikkelden hun plannen in heimelijke samenwerking met de Amerikaanse en Japanse gezantschappen en wilden die plannen in de eerste week van april ten uitvoer leggen.

Paul vertelde Hope niets over de plannen. Deels hield hij zijn mond uit bezorgdheid om de veiligheid van haar en de kinderen, maar meer nog omdat hij haar reactie vreesde. Na het nieuws van haar vader over de dood van Mary Jane, had Hope zich weer teruggetrokken in die bekende, spookachtige droefheid. Paul had geprobeerd haar te troosten door verleidelijke theesoorten, Engelse romans en boterbabbelaars mee te nemen van de legatie, en zelfs een nieuwe Remington typemachine, met de gedachte dat haar werk haar misschien uit deze depressie zou kunnen trekken.

Mary Jane was ook zijn vriendin geweest, en hij kon dit verdriet beter begrijpen dan haar rouw om de overleden baby's. Maar tegelijkertijd aanvaardde hij ook de onvermijdelijkheid van de dood op een wijze waarop zijn vrouw dat kennelijk niet kon. Te treuren om een verlies dat niet ongedaan kon worden gemaakt, leek Paul een verspilling van leven. Toen Hope in deze misère wegzakte werd hij heen en weer geslingerd tussen boosheid om het feit dat ze zich helemaal voor hem afsloot en angst dat haar depressie zou aanhouden en verergeren. Aangezien hij geen woorden kon vinden om haar op te beuren, zei hij maar helemaal niets meer.

Maar op de avond van zijn vertrek kon hij het niet langer voor zich uitschuiven. Het was laat. Hope zat bij de kachel met een boek geopend in haar schoot, maar haar ogen gleden telkens lusteloos over dezelfde bladzijde. De kinderen en de meeste bedienden sliepen al, en hoewel buiten dezelfde droge winden waaiden als gewoonlijk, hing er in huis een ongewone stilte. Die ochtend was Daisy met haar hele huishouding naar Taiyüan vertrokken, waar ze de baby aan familieleden wilde showen. Paul had nog overwogen om Daisy te vragen haar reis uit te stellen tot hij en William weer terug waren, maar de aanhoudende boosheid van Hope op Daisy was voor hem een waarschuwing geweest om dat maar niet te doen. Als zijn vrouw het reilen en zeilen van Chinese families niet wilde begrijpen, als zij een gewaardeerde vriendschap in gevaar wilde brengen om die ongetrouwde Suyun, was het misschien maar goed ook dat de vertrekken van de Tans tijdens hun afwezigheid leegstonden. Yen zou tenslotte over haar en de kinderen waken. En Anna Van Zyl kwam bijna elke dag. In de toestand waarin ze nu verkeerde zou Hope hem nauwelijks missen.

Hij drukte zijn sigaret uit en legde een hand op haar schouder. 'Ik moet vanavond naar Tientsin.' Ze keek niet op. 'Als alles goed gaat, is het afgelopen met Yüan.'

Ze deed het boek dicht. Hij zag nu dat het *De negerhut van oom Tom* was, een editie die ze van Mary Jane had gekregen in de eerste jaren van hun vriendschap. 'Hoe lang?' zei ze met een doffe stem.

'Twee weken. Misschien drie.' Het boek begon van haar schoot te glijden. Hij bukte zich om het op te vangen en legde het op het kleine ingelegde tafeltje naast haar. 'Niet lang, Hope.'

Ze keek hem aandachtig aan. 'Ik wou dat ik geen Hope heette.'

Paul schudde zijn hoofd en liep naar een speelgoedpaardje dat op de grond lag. Hij raapte het op. De rode verf was van het lange houten lijf gesleten, de leren oren waren satijnzacht van alle liefdevolle aandacht. De manen waren verward en één glazen oogje zat los. Springer, noemde Cheng-yu dit speeltje.

'Liefde is zoiets vanzelfsprekends voor kinderen,' zei Hope. 'Waarom is het voor volwassenen zoiets moeilijks?'

'Is het voor jou ook moeilijk?' Hij probeerde het bungelende oogje erin te draaien.

'Morris kan niet zonder dat paardje. Het is dat hij vanavond voor de kachel in slaap viel, anders had hij het mee naar bed genomen.'

'Wij zijn geen kinderen, Hope. Wij moeten zowel naar ons verstand als naar ons hart luisteren.' Het glazen oog viel terug in zijn handpalm.

Hope stond op en nam het kapotte paard en het oog van hem over. 'Kinderen spelen ook rovertje en krijgertje, met spionage en al. Pearl en Morris leveren hele veldslagen hier in de tuin. Ze sturen gecodeerde boodschappen heen en weer. Ze verkleden zich zelfs als keizer en keizerin. Maar ondanks dat alles twijfel ik nooit aan hun liefde voor elkaar, of voor ons.'

Er werd zacht aangeklopt en de deur gleed open. Yen sloeg de ogen neer. 'Lao Tan wacht.'

'Ogenblikje,' zei Paul, en de deur ging weer dicht.

Hope had lijm gevonden in een la en stond het oog weer in de kas te duwen. Ze ging er zo in op dat haar bezigheid duidelijk als berisping bedoeld was, maar Paul deed zijn best het te negeren. Hij stond achter haar, met zijn ene hand op de lichte zwelling van haar buik, de andere op haar schouder. Hij gaf haar een zacht kusje in de nek, en dacht dat ze zich wel zou omdraaien. Ze verroerde zich niet.

'Als je maar bij ons terugkomt, Paul,' fluisterde ze.

Twee nachten later droomde ze over San Francisco – een heldere, zeeblauwe dag, boordevol leven en initiatief. Plotseling golft het tij over de heuvel in de verte, en stroomt glinsterend naar beneden, weer omhoog over de tweede heuvel, en weer naar beneden, de dichtstbijzijnde helling af. In het kielzog ligt de straat, als een zwarte glanzende streep, en ze staat ver genoeg af om de overstroomde gezichten niet te zien, ze denkt dat het leven gewoon door zal gaan, alleen fris gewassen. Dan komt er nog een golf. Ze ziet een schaduw. Een zwarte walvis slingert zich de lucht in, glinsterend in de zon. Hij vliegt rakelings langs een toren op de hoogste heuvel. Kroonlijsten vallen. Ruiten sneuvelen. Hij valt, springt weer op, zelf groot als een monument. Maar als hij weer valt is de vloedgolf hem vooruit gesneld. Hij komt neer op die zwartglanzende streep. Zijn lichaam vult de vernielde straat, verplettert mensen die verdronken zijn of nog naar adem happen. Pas dan denkt ze aan de schade, de kapotgemaakte gezinnen, de voorgoed weggevaagde huizen. Tot op het moment van de dood van de zwarte walvis, had ze alleen maar oog gehad voor zijn betovering...

Yen stond over haar bed gebogen, haar wakker te schudden. Paul had een boodschapper gestuurd vanuit Tsinan. Ze moest de kinderen reisvaardig maken, alleen het hoogst noodzakelijke pakken en met Yen per wagen, niet per trein, naar Tientsin reizen en vandaar per Brits stoomschip naar Sjanghai. Paul zou hen opwachten of verdere instructies achterlaten in het huis in Nantao.

Hope drukte zich naar de rand van de matras, knipperend noch hijgend, maar uiterst alert. 'Wat is er gebeurd?'

Yen haalde zijn schouders op alsof hij verder niets wist.

In de loop der jaren had Hope geleerd niet al te veel te tornen aan de autoriteit van haar eerste bediende. Ze zette niet langer vraagtekens bij de manier waarop de huishouding gedreven werd, bij de kleine onenigheden met andere bedienden, en zelfs niet bij de bereidheid van Paul om Yen plannen toe te vertrouwen waar hij tegenover haar over zweeg. Maar wanneer de competentie van Yen de hare overlapte en hij niettemin probeerde informatie achter te houden, kon zij net zo nuchter zijn als hij. 'We verlaten dit huis niet eerder dan dat jij me vertelt wat voor gevaar we lopen en waarom.'

'Het plan van Laoyeh is mislukt,' zei hij eenvoudig.

'En wat *was* het plan!' Maar het verwrongen gezicht van Yen zette haar aan het denken. Als Paul hem geheimhouding had laten beloven, vroeg zij hem nu eigenlijk om zijn belofte aan zijn meester te breken. 'Ik sta erop dat je het mij vertelt,' zei ze, iets zachter nu. 'En als hij ernaar vraagt, zal ik hem zeggen dat jij het niet wilde vertellen, maar dat ik je geen keus liet. En nu snel, ik moet weten of er gevaar bij is. En ik moet weten waarom.'

Dus vertelde Yen zo goed mogelijk wat het plan was geweest en wat er was misgegaan. Paul en William hadden geregeld dat vicepresident Li Yüan-hung onder bescherming van Amerikaanse en Japanse troepen uit Peking kon ontsnappen. Hij moest naar het zuiden gaan en daar het presidentschap op zich nemen van een nieuwe revolutionaire regering terwijl Sun onderweg was vanuit Japan. Maar Li was op de afgesproken tijd en plaats niet op komen dagen. Nu vreesden Paul en William dat Yüan het complot had ontdekt. Het was niet waarschijnlijk dat Hope en de kinderen gevaar liepen, maar voor alle zekerheid moesten ze meteen vertrekken.

'Waar is mijn man nu?'

Hij schudde zijn hoofd. 'De boodschapper wil alleen zeggen dat hij veilig is.'

Veilig, dacht ze. Boven haar, tegen het plafond, kronkelden de geschilderde ranken en lotusblaadjes in het flakkerende licht van de lantaarn waar Yen mee was binnengekomen.

'Alstublieft, Taitai. De wagen staat buiten.'

'Ja.' Ze zuchtte, nog steeds niet in staat zich te verroeren. Haar keel voelde vreemd aan. Als de kinderen er niet waren... Ze verkrampte opeens toen Yen zich bukte om het olielampje naast haar bed aan te steken.

Hij gebaarde nadrukkelijk naar haar klerenkast. 'Westerse dracht is beter,' zei hij. 'Neem alleen kleren en waardevolle dingen mee. Ah-nie regelt de rest en komt dan naar Sjanghai.'

'Zeg dat ze de kinderen niet wakker maakt,' riep Hope hem na. 'Laat mij mijn eigen kinderen wakker maken...'

Beter omdat bandieten zich wel twee keer zouden bedenken voor ze een blanke vrouw en kinderen in westerse kleren ontvoerden, of omdat het waarschijnlijker was dat Yüan hen dan met rust liet? Hope grimaste terwijl ze de eerste laag van haar Chinese zijden ondergoed over haar golvende buik trok. In de band eromheen verstopte ze haar juwelen, inclusief het halssnoer dat Paul haar gegeven had voor het eerste inaugurele bal, en zijn markizaatspenning, die hij onder haar hoede had achtergelaten.

Hoede. Het woord leek boven haar hoofd te bungelen terwijl ze diep inademde tegen een nieuwe golf van misselijkheid. Ze dacht aan het weggekwijnde meisje dat ze hadden begraven in Sjanghai, de blauwe huid van haar doodgeboren jongetje in Berkeley. Aan Li-li en haar baby, die ze zelfs nooit gezien had. Aan Mary-Jane en haar eigen moeder, en daarvoor haar grootmoeder. Hoede was een onzinwoord, dacht ze, en haar buik kwam abrupt tot bedaren bij de zekerheid die daarop volgde.

Ze zou het verlies van nog een kind niet overleven.

Ze ging de kinderkamer binnen. Ah-nie pakte kleren en de

meest gekoesterde speelgoeddieren van de kinderen in één enkele rieten koffer. Pearl en Morris, elk aan een kant van de kamer, lagen diep in hun kussens weggedoken, met rozige wangetjes, haar door de war, vuistjes gebald alsof er gevochten moest worden. Toen Hope zich over haar dochter boog werd ze opeens overweldigd door de wreedheid van wat ze aan het doen was, wat haar werd aangedaan. Haar kwaadheid deed haar pijn. Tranen bedekten haar wangen, en ze begon te bibberen. Ze wilde haar kinderen in haar armen nemen, ze tegen zich aandrukken, ze niet wakker maken maar zich bij hen voegen in hun diepe, defensieve slaap.

'Missy?' Ah-nie hield haar een zakdoek voor.

Hope pakte hem aan en wreef ermee over haar verhitte gezicht. 'Pearl.' Ze testte haar stem. 'Wakker worden, schat. We gaan naar Sjanghai.'

De oogleden van Pearl gingen trillend open. Ze gaapte en rekte zich uit. 'Het is donker buiten.'

'Weet ik. Dat maakt het juist...' Ze zocht naar woorden. 'Avontuurlijk. Yen neemt ons mee op avontuur. Kom. Trek je warme kleren aan en je mooie grijze gesmokte vest.'

Pearl hees zich slaapdronken in de kleren terwijl Hope Morris wekte. Het jongetje stak zijn handjes uit naar zijn paardje, en Hope begon hem aan te kleden rond zijn houten aanhangsel. Ze vertelde intussen lukraak over een tocht bij maanlicht, over de toverachtige reis die voor hen lag. Ze had zichzelf er bijna van overtuigd dat de truc werkte, en dat alle avonden dat ze de kinderen spannende en avontuurlijke boeken had voorgelezen eindelijk vrucht begonnen af te werpen, toen Pearl zei: 'Ik vind Peking veel leuker.'

'Ik ook,' zei Morris.

'In Sjanghai plakt en stinkt alles en de kinderen in het park zijn gemeen.'

Morris knikte met nadruk, en wrong zich los.

'Trek je schoenen aan, Pearl.'

'Maar, mama...!'

Pearl hield opeens haar mond, hoofd in de nek, mond wijd open. Haar wang vlamde waar Hope haar, voor het eerst in haar leven, geslagen had. De hand van Hope deed ook zeer. Haar hele lichaam beefde en ze voelde de lagen smart en spijt als gepantserde poorten naar beneden komen. Ze wilde haar dochter in haar armen nemen en haar wiegen, haar om vergeving smeken. In plaats daarvan hoorde ze haar eigen ijzige stem. 'Dit zijn de instructies van je vader. Opschieten.'

Enkele minuten later verlieten ze de in lamplicht dansende vertrekken waar ze allemaal van waren gaan houden, marcheerden als veroordeelden door de overdekte galerij en langs de kronkelende geestenmuur. Voor de laatste keer. Het was een uur 's nachts, de aarde zwart onder een dik pak wolken. De lucht vonkte tegen hun huid. 'Regen,' zei Hope.

Yen knikte. 'Misschien beter. Houdt de politie binnen.'

'En met reden,' antwoordde ze grimmig. Voorjaarsregens in noordoostelijk China waren even verraderlijk voor reizigers als artillerievuur. Ze spoelden bruggen weg, lieten rivieren buiten hun oevers treden, maakten menners en dieren blind voor de loop van de weg. 'Laten we hopen dat we in Tientsin zijn voor het losbarst.'

De wagen die stond te wachten, met zijn verweerde koetsier, verwaarloosde ezels en smalle overhuiving was niet te onderscheiden van de duizenden andere voertuigjes die elke dag door de stad sjouwden, maar op dit uur, als alleen soldaten en dieven op sjouw waren, stond het als een baken voor de poort. De ogen van Yen schoten heen en weer door de donkere *hut'ung*, en Hope had hem nog nooit zo kortaf tegen de treuzelende kinderen gehoord als nu. Uiteindelijk zaten ze met hun haastig gepakte spullen opeengepakt in de met geitenleer beklede wagen. Hope zat met haar ruggengraat tegen het zijbord aangedrukt, haar hoed werd bijna geplet door de kap, en pas na veel passen en meten slaagde ze erin een plaatsje te vinden voor haar benen: om die van Pearl heen. Morris, die languit bij hen op schoot lag, begon te jengelen toen tot hem doordrong dat Ah-nie achter zou blijven, maar zijn kindermeisje zei dat hij stil moest zijn en gaf hem zijn paardje. Hij klampte zich er stilletjes aan vast terwijl de houten wielen begonnen te kraken en Yen, die naast de menner op de bok zat, de voorflap van de overhuiving liet zakken.

Hope fluisterde tegen de kinderen dat ze stil moesten zijn, hoewel de monsterlijke transformatie van haar karakter hen al met stomheid had geslagen. Ze sprak geen troostende woordjes, zei niet wat er ging gebeuren. In plaats daarvan hield ze haar blik strak op het kleine draadraampje gericht waardoor je alleen van binnen naar buiten kon kijken. Terwijl ze zich een weg baanden door beschaduwde steegjes, de grotere doorgangswegen mijdend, werd haar hoofd gevuld met de beelden die al even onlosmakelijk met China verbonden waren als zijn stof, geuren en muren. Het losgehakte hoofd van de onschuldige die ze op de markt vermoord had zien worden. De in elkaar gezakte gestalten van Pauls mederevolutionairen, doodgeschoten op een perron of vergiftigd aan tafel. De plooien van vlees die kriskras over de rug van Paul liepen. In elk donker poortje, om elke nieuwe hoek verwachtte ze opeens een bajonet te zien glinsteren, of de bevende loop van een pistool te zien. Paul had haar altijd gerustgesteld dat het Chinese respect voor de familie de levens van vrouwen en kinderen beschermde, zelfs wanneer de mannen zich schuldig hadden gemaakt aan hoogverraad. En zelfs de meest bloeddorstige van de tegenwoordige generaals wist dat hij buitenlanders maar beter met rust kon laten. Maar als dat waar was, waarom moesten zij en de kinderen hier dan onder de dekmantel van het donker verdwijnen?

Alle stadspoorten behalve Chien Men waren op dit uur gesloten, en zelfs Chien Men was verlaten. Bedelaars zaten in schaduwpartijen bijeengedoken. Wachters stonden tegen de muur te dommelen. Er waren vannacht geen karavaans van kamelen of muilezels, alleen een paar onverzettelijke venters zaten gehurkt rond hun ovens, en er waren drie of vier verdwaalde fuifnummers. De laatsten droegen de regimentskleuren van de stedelijke troepen van Yüan. Hope kromp ineen toen ze hun woeste gelach hoorde en drukte de kinderen dicht tegen zich aan.

'*T'ing!*'

Het paardje van Morris knalde met zijn houten hoofd tegen de kaak van Hope toen de wagen met een schok tot stilstand kwam. De stem die hen had bevolen halt te houden klonk onduidelijk, en aan de woordenwisseling die volgde te horen, verstond alleen de koetsier het dialect van de man. Maar aan zijn bedoelingen kon niet getwijfeld worden toen hij Yen met een klap opzij schoof en onder de flap door gluurde. Zijn grijns, zelfs in de duisternis goed zichtbaar, had iets reptielachtigs.

Hope kneep Pearl in haar hand, legde de soezende Morris bij haar op schoot en kwam iets naar voren. De stank van knoflook en drank velde haar bijna toen ze door de opening naar buiten leunde, maar ze hield haar adem in en slikte. 'Waarom hebt u ons aangehouden?'

De soldaat was even kort als breed, en de wagen gaf Hope net voldoende hoogte om op hem te kunnen neerkijken. Yen maakte met zijn ogen één enkele beweging naar de verwilderde snor van de man, de knopen van zijn epauletten en de Mauser die hij in zijn holster droeg. Achter hem stonden drie infanteristen in de houding. Yen was gewapend, dat wist ze, maar daar hadden ze nu weinig aan. Ze hadden met een officier te maken.

Hij spuwde een dikke fluim en gromde naar de koetsier. Yen trok voorzichtig een stapeltje bankbiljetten uit zijn zak, maar de soldaat sloeg ze uit zijn hand en liet hem in de modder neerknielen om ze weer op te rapen. Hope sloeg haar armen om haar schouders. Dat was een zeldzame misser van Yen. Hij had de man het geld moeten toestoppen terwijl hij klappen kreeg, zodat de anderen het niet zagen. Nu was het te zichtbaar en te laat. De officier haalde met zijn laars uit naar het hoofd van Yen.

Hope greep zich aan de rand van de wagen vast en hees zich overeind, zodat ze boven het groepje mannen uittorende. 'Yen,' commandeerde ze in het Engels, alsof het gevaar haar niet opviel, of het haar in ieder geval niets kon schelen. 'Zeg tegen die man dat ik de vrouw van president Yüans persoonlijke adviseur George Morrison ben. Mijn man wacht op mij in Tientsin, en als we nog langer worden opgehouden, zal deze man zich tegenover zowel de president als de buitenlandse gezant moeten verantwoorden.'

De mond van Yen zakte open. Het was een klinkklare leugen, maar hij vertaalde het voor de *mafoo*, die het op zijn beurt voor de officier vertaalde. Hun belager fronste zijn zware wenkbrauwen terwijl hij zijn blik liet gaan over haar gedeukte gleufhoed, haar marineblauwe tweedjasje en leren handschoenen, en de modderspetters op haar rijglaarzen. Hij wankelde terwijl hij overwoog wat zijn opties waren. Uiteindelijk maakte hij een wegwerpgebaar met zijn hand, spuwde weer en wierp Hope een blik toe waar zoveel haat in lag dat ze het in haar maag voelde branden. Een van de ondergeschikten sloeg Yen met zijn geweerkolf tussen de ribben, waardoor hij achterover tuimelde tegen het houten wiel. De koetsier kwam aandribbelen om hem overeind te helpen.

'*Chi hsü tsou*!' droeg Hope de koetsier op. En tegen Yen fluisterde ze: 'Niet omkijken.'

Toen de wagen weer in beweging kwam trok ze zich terug achter het doek, liet de kinderen plat op de bodem liggen en ging er beschermend naast liggen. Morris was wakker, maar Pearl had haar duim in zijn mond gedaan om hem stil te houden. Achter hen schreeuwde de commandant tegen zijn manschappen. Boven het gepiep van de wielen uit hoorde Hope een klinkende klap. De commandant was zijn boosheid op die gehate westerse op zijn ondergeschikten aan het afreageren – de meest Chinese gewoonte die zij kende.

'Mama? fluisterde Pearl. 'Hij is nat.' Morris schudde zijn hoofd en dook weg in de hoek.

Hope wilde reageren, maar toen ze haar mond opendeed besefte ze dat ze geen adem meer kreeg. De vlammen in haar maag waren overgeslagen naar haar keel, en de stank van die soldaat was nog steeds bij haar. Ze hield haar armen voor haar buik terwijl ze van het ene spoor naar het andere hobbelden, maar ze hadden nog geen twee kilometer afgelegd toen ze opeens naar voren schoot, de *mafoo* bij zijn schouder pakte en uit de wagen sprong. Ze zag een greppel, een zwarte lijn in de nauwelijks lichtere duisternis. Hope liep er duizelend heen en kon zich nog net vasthouden aan de spookachtige gedaante van een jong boompje, anders was ze er voorover in gevallen. De geuren van de nachtelijke aarde en de ezel achter haar, van haar eigen zweet en de dreigende regen overweldigden haar, en ze gaf over zoals ze nog nooit had overgegeven.

Yen, plichtsgetrouw als altijd, stond naast haar terwijl de emoties die ze had opgekropt zich met een vulkanische grilligheid een weg naar buiten baanden. Toen ze niet meer kon kokhalzen, bood hij haar een vaatje met gekookt water aan. Ze realiseerde zich dat haar keel kurkdroog was. Ze goot het water door haar keel en liet zich door hem weer in de wagen helpen. Ze moesten voort. Ze waren nergens, en de storm kon elk moment beginnen. Ze zette zich schrap tegen het geschommel en probeerde haar doodsbange kinderen te troosten. 'Het komt allemaal goed, hoor,' fluisterde ze. 'Het spijt me...' De tranen sprongen haar in de ogen en ze moest zich verbijten om ze tegen te houden. 'Het spijt me dat ik zo tegen je uitviel, Pearl.'

'Ik begrijp het, mama. Je bent niet lekker.'

'Wil je Springer hebben, mama?' vroeg Morris aarzelend.

'Nee, schat.' Hope moest zich bedwingen om haar brandende wang niet tegen het voorhoofd van het jongetje aan te houden. 'Houd jij je Springer maar mooi vast.'

'Wacht papa op ons in Tientsin?'

'Nee.'

Toen viel er een stilte, terwijl de wagen even overhelde en verder de stad uit reed. Ze durfden de lantaarn op de bok niet aan te steken, uit angst om ongewenste aandacht te trekken, en de diepere duisternis verzwolg zelfs de minste glinstering van mijlpalen of andere oriëntatiepunten. Een zacht gekabbel wees op een rivier, en af en toe hoorden ze opeens heel dichtbij vogels krijsen of vleermuizen fladderen, maar de kou was klam geworden, en de bomen langs de weg begonnen al door te buigen in de aanwakkerende wind.

Hope moest bijna vechten om dat allemaal op te merken, om niet de hele tijd met haar aandacht bij de aanhoudende rebellie van haar lichaam te blijven. Haar botten brandden, haar maag trok en draaide en haar keel voelde aan alsof hij vol stenen zat. Slikken was onmogelijk, ademhalen ging slechts met de grootste moeite. Als ze haar ogen dichtdeed, begon het donker te wervelen. Ze trok het hoofd van haar dochter tegen haar schouder en klampte zich aan beide kinderen vast tegen het gehots en gehobbel van de wagen. Het begon te regenen, met kille tikjes op het canvas, en ze zag dat het doek aan de voorkant werd vastgemaakt.

'Yen.'

'Ja, Taitai.' Zijn stem klonk koel op haar smeltende huid.

'Ik... ik kan niet...' Die paar gefluisterde woordjes verteerden alle energie die Hope nog kon opbrengen, en ze zonk achterover, uitgeput, terwijl de stormen binnen in haar en buiten tegen elkaar op begonnen te razen. De nacht spleet open in een slagveld van paars, goud, blauw, oranje, zo fel dat het door de overhuiving heen gloeide. De kracht van de donder deed de wagen wankelen en de regen roffelde nu neer, overvloedig en meedogenloos. Het landweggetje stond meteen blank. Door het draadraampje zag Hope de rivier oplichten onder de bliksem, en de donkere vormen van sampans schaduwboksen met de bomen op de kant. Seconden of uren gingen voorbij, het maakte niet uit. Ze was zich slechts vaag bewust van Yen en de koetsier, die de ezels door de modder trokken.

Het ochtendgloren kwam als een bleke lijn boven de horizon, en de stortbui was overgegaan in een gestage regen toen ze langs de kant van de weg eindelijk de omtrek ontwaarde van een herberg. Yen droeg de kinderen onder zijn jas naar de onverlichte deur en kwam terug met een paraplu van oliepapier die hij boven Hope hield toen ze uit de wagen strompelde. Ze leunde zwaar op hem, hijgend, ongevoelig voor de regen. Haar huid was toch al kletsnat, haar korset was sponzig van het zweet, maar hier kon ze in elk geval rusten, stilliggen, zonder zich te hoeven verroeren.

Bij het flakkerende licht van een enkel kaarsstompje zag ze haar kinderen staan wachten in een lange, lage gang met bouwvallige, roetkleurige wanden en een vloer van aangestampte aarde onder een laagje viezig gras. Er liepen geiten en kippen rond, het stonk er naar uitwerpselen en bederf. De allesdoordringende vochtigheid was ondraaglijk. Hope voelde haar maag ineenkrimpen en ze draaide zich om, op de tast zoekend naar de deur, maar in plaats van dat ze naar buiten liep strompelde ze een smal vertrek zonder ramen binnen, waar de stank van verval plaatsmaakte voor een zoet, teerachtig, groen parfum, als een medicinale wierook. Haar maag ontspande zich, en de vraag kwam bij haar op of ze zo ziek kon zijn dat ze hallucineerde. Ze vocht tegen de neiging haar ogen te sluiten en zich over te geven aan de geurige damp. Langzaam begonnen haar ogen aan het donker te wennen. Ze ontwaarde overal onderuit liggende figuren. De muren waren betimmerd met smalle slaapplaatsen, opgestapeld tot aan het plafond als lijkkisten, en uit elke kooi staarde haar het uitgehongerde, roerloze gelaat aan van een opiumschuiver.

Duizelend viel ze terug in het licht. Het gezicht van Yen rees ergens voor haar op, zo mogelijk nog banger en gedesoriënteerder dan zij, maar ze liep struikelend zijn kant op. Ze brandde en bibberde in de bittere, vochtige lucht, haar tong lag opgezwollen in haar mond. Ze schudde haar hoofd, niet in staat een woord uit te brengen, en terwijl Pearl zich inspande om haar gewicht te ondersteunen, hield Yen de slapende Morris op zijn armen en ruziede met de eigenaar, die een hazenlip en zwarte tanden had. Met moeite drong het tot Hope door dat deze slonzige man niets te maken wilde hebben met die buitenlandse vrouw en haar kinderen. Hij kon wel zien dat ze ziek was, en had geen belang bij het lijk van een buitenlandse onder zijn dak. Toen stak Yen een hand in zijn zak, en in haar delirium was Hope ervan overtuigd dat hij zijn pistool wilde pakken.

Bij wijze van tegenwerping kwam een gesmoorde keelklank over haar lippen. Ze wankelde tegen Pearl aan en voelde in de band om haar middel. Tegelijkertijd draaide ze met haar hoofd in een poging haar stembanden te bevrijden.

Maar toen ze de weggestopte pakketjes voelde en haar vingers beet hadden, merkte ze dat ze weer weggleed. Ze wist niet meer wat in welk pakje zat, maar dat maakte al niet meer uit, ze wist toch niet welk sieraad het beste was... Als ze het halssnoer liet zien, zou de man hen binnenlaten, maar zeker proberen het te ontvreemden. En als ze de markizaatspenning liet zien, zou hij misschien wel zo overdonderd zijn dat hij erin toestemde hun hulp te bieden, maar er bestond ook een kans dat hij niet eens zou geloven dat het ding echt was.

Ze keken allemaal naar haar. De herbergier liet zijn tanden klakken. Morris was zonder een geluid te laten horen wakker geworden op de stramme schouder van Yen, en Pearl keek geboeid op, alsof ze bad met de ogen open. Hope trok haar hand langzaam onder haar kleren vandaan. Ze stak Yen het kleinste buideltje toe, en Yen maakte het meteen met veel vertoon open. De ogen van de herbergier werden groot toen Yen uitlegde wat dat voor penning was.

Voor hij was uitgepraat werd Hope overspoeld door een plotseling, glinsterend licht dat van ergens onder haar schedel vandaan kwam. Ze hoorde woorden, een geritsel en gestamp, voelde de plooien van de tafzijde van Pearl bewegen, druk op haar arm. Op de een of andere manier slaagde ze erin zich aan een touwladder omhoog te hijsen naar de verdieping. Ze gingen een vierkante kamer binnen met een planken tafel, één houten stoel, een open kamerpot en een stenen *k'ang*, een slaapplatform waaronder 's winters een vuurtje gestookt kon worden. Maar er was geen vuur. En ook geen matras of beddengoed. Achter het ene venster van oliepapier schitterde de bliksem, terwijl onder het strodak ratten ritselden, over de vloer kakkerlakken wegschoten en het regenwater achter de *k'ang* als een donkere vlek langs de muur droop.

Pearl kwam behoedzaam aanlopen om bij Hope op de *k'ang* te gaan liggen.

'Nee!' Het deed gewoon pijn om te spreken, maar Hope verbeet zich en maakte een gebaar dat ze niet dichterbij moest komen. 'Besmettelijk. Houd Morris bij je. Blijf... tafel.' Ze probeerde tevergeefs te slikken en keek naar Yen. 'Dokter. Nu.'

Ze twijfelde niet over wat er nu ging gebeuren. Het lot van haar moeder zou net zo goed de erfenis van Morris en Pearl zijn, als van haar. En het nieuwe kindje zou met haar meegaan.

Maar ze was niet van plan zich zonder slag of stoot over te geven.

Yen gaf Morris aan Pearl. De kinderen kropen midden op de tafel bij elkaar. De kaars kronkelde toen Yen zich bukte om vuur te maken, maar Hope brandde al, en de rook van de brandende kolen zou haar alleen maar benauwder maken. Ze stak een hand uit en duwde hem ruw bij de *k'ang* weg. 'Ga nu.'

Yen deinsde achteruit. De deur sloot zich achter hem. De gezichten van haar kinderen waren grijs in dit licht, hun armen en benen verstrengeld. Hope herinnerde zich de boom die zij en Paul in Wyoming gezien hadden, de plataan en de eik die in elkaar gegroeid waren, en ze bedacht dat haar kinderen ook die indruk wekten, opgroeiend als ze waren in dit rauwe, wrede land. De stem van Paul wond een ragfijne draad in haar hoofd, en hoewel ze eerst niet hoorde wat hij zei, voelde ze het effect van zijn woorden tot in haar merg. Ze zag zijn gezicht, één wenkbrauw verwilderd, het zachte okergeel van zijn huid schitterend in de katachtig dansende vlammen van de lantaarn. Hij zat te lezen. 'Wij konden niet begrijpen omdat we te ver weg waren, konden niet gedenken omdat we reisden in de nacht van de oudste tijden, die tijden die verdwenen zijn, vrijwel zonder een spoor na te laten – geen herinneringen.'

'Geen herinneringen,' mompelde Hope, en ze braakte een sliertje gal uit.

Haar volgende gewaarwording was van commotie in de gang. De deur knalde open en Yen kwam binnen, vergezeld door een gedrongen en gekromde man in het zwart met ogen als aangeslagen scheermesjes. Zo koortsig als ze was voelde Hope zijn blik pijnlijk door haar heen snijden.

'*Yang kuei*!' De Chinese arts deed zijn arm omhoog als om een klap af te weren. Yen probeerde hem tegen te houden, maar de man sloeg hem van zich af en blafte iets over Chinese graven. Hope zag regen tegen het doorweekte venster spetteren en langs de muur sijpelen. Ze dacht aan dat onthoofde lichaam op de markt, de duistere schittering van het bloed dat in de aarde wegzakte.

2

SCHADUWEN PARADEERDEN VOOR HAAR GEESTESOOG. HAAR GEdachten zelf waren wit, leeg op een steriel licht na van een afstand die te ver was om te reizen. Als die schaduwen er niet geweest waren, zou dat verre licht zijn neergestreken en haar hebben begraven als sneeuw. Maar de schaduwen waarden rond door het wit. Ze namen de vorm aan van palmtakken, wuivend en ritselend in een droge wind, van houten poppen die verhalen naspeelden van ontrouw of schennis. Een zwaard. Een walvis. Een bungelende figuur, geslachtsloos en vrij. De gekrulde en pulserende vorm van een hart. Dat klopte. En klopte.

Emotie was in dit universum van witheid een vreemde, en stilte de enige aanhoudende toon, maar de schaduwen dansten door, gezichten nu. Of delen van gezichten. Lippen die waren omgekruld. Een oog met een zwaar ooglid. Een uit zijn krachten gegroeide, indringende neus. Iemand gaf die vormen een naam, maar wie? Waar? Schaduw en licht waren de enige bewoners van deze geluidloze, grenzeloze woestenij. Misschien waren zij het die zichzelf benoemden. Een op zichzelf staand universum, dat niets hoefde. Niets verlangde...

'Hope?'

Ze kreunde, probeerde haar hoofd om te draaien.

'Stil maar.'

De schaduwen werden donkerder en spatten uiteen in een verblindende regen.

Een geluid dat aan klokken deed denken, wekte haar. Ze kon haar ogen niet open krijgen. Haar armen waren levenloos, haar longen schroeiden. Maar dat geluid riep haar.

'Pearl.' De inspanning vermaalde haar keel als een handvol grind.

'Daar is ze.' Iets koels en vochtigs bewoog over haar gezicht. 'Kun je je ogen open krijgen, Hope? Goed zo, meisje.'

Ze voelde iets fladderen en klauwen aan haar borst, en haar hoofd vulde zich met de schaduw van een vogel die door een kat aan stukken werd gereten.

'Rustig. Rustig maar.' De stem klom over haar heen, legde een schaduw over haar terwijl ze alles in het werk stelde om haar oogleden omhoog te krijgen. 'Met Pearl en Morris is alles goed. Yen is er ook. Ze willen je allemaal weerzien.'

Ze spande zich in, slingerde naar voren en weer naar achteren, nog steeds in het donker. Waren ze dan allemaal dood, en was zij de laatste om zich bij hen te voegen? Ze vond haar tong en bewoog hem langs haar lippen, proefde dode huid, vocht dat was achtergelaten door een bevochtigde doek.

'Je gaat het halen,' zei de stem weer. Een mannenstem. Niet onbekend, maar ze kon hem niet plaatsen. 'Waar je ook geweest bent, je kunt het nu achter je laten.'

De koele sensatie streek weer over haar voorhoofd en wenkbrauwen, bleef even rusten op haar gesloten oogleden. Toen de doek werd weggehaald, knipperde ze. Het licht was ondraaglijk, maar na enkele pogingen kon ze naar de man kijken die naast haar zat. Een magere, hoekige man met lange oren, volle lippen die bleven bewegen. 'Ik wist dat je het kon. Kom, neem een slokje water als dat lukt. Dat verzacht het branderige gevoel.'

Hij legde een arm om haar schouders om haar te ondersteunen en bracht een glas naar haar mond. Ze verslikte zich in het water, maar hij stond erop dat ze het nog eens probeerde. De inspanning was weliswaar hels, maar hielp haar ook om zichzelf te dwingen bij bewustzijn te komen. Tegen de tijd dat ze bedacht had hoe ze het water in haar keelgat kon laten druppelen, was haar hoofd één warboel van vragen.

'Mijn kinderen,' mompelde ze.

'Die maken het goed. Ze zijn buiten, hoor je ze spelen? Zodra je een beetje op krachten bent roepen we ze binnen. Wonderbaarlijk genoeg zijn zij niet ziek geworden.'

Ze ging weer liggen. Vanuit de smerige kamer waar ze haar bewustzijn had verloren was ze overgebracht naar een witgewassen kamer vol boeken, schilderijen en zonlicht. En een zacht, schoon bed. De muur naast het bed was behangen met Chinese frenologische en acupuncturistische grafieken. Een derde muur ging schuil achter een groot kamerscherm met afbeeldingen van kraanvogels. Er was een emaillen kom en een kamerpot, een ruwhouten deur, en een open raam waardoor Hope nu kinderstemmen kon onderscheiden, met daarachter de lage grom van Yen.

Ze richtte zich weer op. 'Ik heb gezegd, blijf op die tafel,' fluisterde ze.

Haar verzorger wrong de doek uit in de kom. 'En daar zijn ze blijven zitten ook. Ze zaten er nog toen ik kwam. Lieve kinderen zijn het. Daar heb je goed aan gedaan. Dat zal niet makkelijk geweest zijn.'

Hun blikken ontmoetten elkaar. Die van hem waren mossig bruin, hier en daar zwemend naar blauw en groen. Opnieuw had ze het gevoel dat ze deze man kende, maar iets wat hij gezegd had, ze wist niet precies wat, deed haar in huilen uitbarsten.

'Hé,' zei hij zacht, en hij kwam dichterbij. 'Je hebt gewoon pech gehad. Meer niet.' Hij keek naar haar buik. 'Alles wijst erop dat de baby het ook gehaald heeft.'

Ze volgde zijn blik. Hij – iemand had haar kleren uitgetrokken en haar in een zachtwit mousselinen hemdjurk gestoken, het enige waarmee de lichte zwelling van haar buik bedekt werd. De baby. Ze trok de blauwe beddensprei op tot haar borst. De baby.

'Mijn man,' raspte ze. 'Hebt u...'

'Ik heb heel Tientsin afgebeld. Hij is hier wel bekend, en ik heb me laten vertellen dat hij de avond voordat jij hier kwam veilig naar het zuiden is vertrokken. Maar niemand weet waar hij nu is. Sun Yat-sen heeft een noodparlement bijeengeroepen in Kanton. Misschien dat hij daarheen is gegaan. Probeer niet te hard te praten, Hope. Ik kan ook liplezen, dus vermoei je niet te veel.'

Het begon haar te dagen dat ze net zomin wist waar ze zelf was als waar Paul was. 'Waar?' vormde ze vrijwel geluidloos met haar lippen. 'Hoe zijn we hier gekomen?'

'Je bent in Tientsin,' antwoordde hij. 'Dankzij Yen. Je was een kilometer of vijftien stroomopwaarts. Er zijn niet veel bedienden die zo'n eind zouden hardlopen voor een buitenlandse meesteres. Gelukkig komt hij hier uit de buurt en kende hij mijn kliniek. Je hebt ontzettend veel geluk gehad.'

Ze knikte, de tranen begonnen weer te stromen. Ze herinnerde zich de leugens van die nacht, de misselijkheid van daarna, de dreiging van de rivier, de storm. Kou en ijzel. Het doorweekte haar van Pearl. De zoekende armen van Morrie en de ratten, de emoties in haar eigen hatelijke stem toen ze haar kinderen verbood haar aan te raken.

Ze deed haar ogen dicht. Toen ze ze weer opsloeg begreep ze eindelijk dat het Stephen Mann was die haar aankeek. Ze werd zich bewust van de koorts die nog altijd haar huid deed branden, haar vieze haar dat los tot op haar schouders hing. Ze probeerde haar handen op te tillen, maar ze had geen kracht. Ze kon alleen maar van hem wegkijken.

Jude the Obscure, las ze op de rug van het eerste boek waar haar ogen op bleven rusten. *The Tempest*. *Dante's Inferno*. *The Scarlet Letter*. Daaronder stond een laag ovaal tafeltje met een scheerkom, een borstel en een handdoek, en een foto in een verguld lijstje van een oudere man en vrouw die glimlachend in een T-Ford zaten.

Mann volgde haar blik. 'Laat me je iets opbiechten voor je me ergens van gaat beschuldigen. Dit is mijn huis. De kliniek is verderop, maar ik wilde er niets van weten om jou aan de zorgen van iemand anders toe te vertrouwen, en mijn bezorgdheid...' – hij liet zijn blik over een keurig opgemaakt veldbed in de hoek gaan – 'zou weleens verkeerd uitgelegd kunnen worden.'

Ze sleepte één uitgemergelde arm over haar schoot. Haar hand kwam haar nog onzekere blik voor als een verzameling luciferhoutjes. 'Het spijt me,' fluisterde ze.

'Het spijt je! Je bent tot aan de rivier geweest en teruggegaan, en je biedt *mij* je verontschuldigingen aan? Ik heb nog nooit iemand zo hard zien werken om in leven te blijven. Je hebt gevochten als een tijger.'

Ze keek op. De kringen onder de vriendelijke ogen van Mann waren donker als oude stuivers. Zijn schouders waren afgezakt van vermoeidheid en aan de stoppels op zijn ingevallen wangen te zien was die scheerkom in geen dagen gebruikt. 'Hoe lang zijn we hier al?'

'Bijna een week.'

'Wat voor koorts?'

'Difterie.'

Een koude rilling trok door haar heen, zo sterk en onverwacht dat ze begon te beven. In haar drang om het uit te leggen verslikte ze zich in de woorden. 'Mijn moeder...'

'Ik zei toch dat je niet moest praten? Het is de koorts. Die zit op je keel en amandelen. Daarom moet je blijven drinken.' Hij trok een deken om haar schouders en gaf haar nog een slokje water. 'Je moeder?'

Haar lippen bewogen in die nieuwe geluidloze taal. 'Overleden aan difterie.'

'Was jij nog jong?'

Ze knikte. 'Een baby.'

'Jij gaat niet dood, Hope,' zei hij vol overtuiging.

Mann zat met zijn ellebogen op zijn knieën, handen in elkaar. De tegenstrijdigheid tussen zijn ferme uitspraak en dit smekende gebaar bracht haar in de war. Ze probeerde zichzelf gerust te stellen door zich Paul in zijn plaats voor te stellen, maar het resultaat was een beeld dat zo stil was, zo gesloten en onleesbaar dat ze er weer helemaal van ging beven.

Dagenlang bleef Hope zelfs nog te zwak om een lepel vast te houden. Ze had zoveel gewicht verloren dat haar polsgewrichten door haar vel heen staken en haar borst wegzonk onder haar sleutelbeenderen. De meid van Mann, Frisse Regen, moest haar naar de kamerpot dragen en haar baden, maar de koorts was verdwenen. Haar stem kwam geleidelijk weer terug. Ze kon glimlachen. Yen kwam met nieuws dat Paul in Sjanghai was geweest en nu onderweg was naar Kanton. Het kindje in haar baarmoeder kwam weer tot leven, alsof het zich niets aantrok van de rest van haar lichaam, en de kinderen waren geregelde en enthousiaste bezoekers.

'Dokter Mann heeft een jong hondje!' rapporteerde Morris. 'Hij laat ons ermee spelen. Hij heet Mister Bacon omdat hij allemaal strepen heeft. Grappige naam, hè?'

'En hiernaast woont een oude man die een kanarie houdt,' zei Pearl. 'En elke middag doet hij de deur open en vliegt dat vogeltje naar de top van de wilgenboom hier in onze tuin, en als de man roept, vliegt de kanarie weer terug in de kooi. Moet je je voorstellen!'

'Nou.' Hope glimlachte en schudde haar hoofd.

'Voel je je al beter, mama?'

'Veel beter, schatjes van me.'

'Moeten we gauw naar huis?'

'Dokter Mann zegt dat ik nog wel een paar dagen nodig zal hebben.'

'Het is leuk hier,' zei Pearl.

'Dokter Mann is aardig.'

'Ja,' zei Hope. 'Weet ik.'

's Avonds, als hij terugkwam van zijn ronde in de kliniek en de kinderen in bed lagen, kwam Mann naast haar zitten in zijn granaatrode oorfauteuil en praatten ze over boeken en geneeskunde, muziek en fotografie, schrijven en China – en Amerika. Hij vertelde haar over de bossen en bergen van Washington, waar hij vandaan kwam, en over bomen die zo'n gigantische omtrek hadden dat houthakkers huizen maakten van hun uitgeholde stammen. Hij beschreef het groen van Washington, een dichte, allesdoordrenkende, eindeloze kleur. 'Je voelt het leven onder je voeten.'

Zij vertelde op haar beurt over de vlakten, en hoe nederig je je kon voelen wanneer de horizon een perfecte cirkel om je heen trok, met daarboven de hemel, strak als een trommelvel. Ze vertelde over de stofstormen en wervelwinden, over het schuilen in vochtige, donkere kelders terwijl boven je hoofd de aarde uit elkaar vliegt, en over andere avonden die zo windstil waren dat het leek of je de lucht in partjes kon snijden. Ze vertelde hem over de familie die haar had grootgebracht, over haar vader, Mary Jane, Li-li en Thomas. In de adempauze, tijdens welke ze bij zichzelf overwoog of ze het verhaal van haar huwelijk moest beginnen te vertellen, deelde Mann haar mee dat hij uit een gezin met vijftien kinderen kwam, allemaal geboren op een pachtboerderij in Alberta voor zijn ouders besloten dat er in de Canadese grond zelfs geen aardappelen wilden groeien. Ze waren naar Seattle vertrokken en hadden daar een pension opgezet, dat was uitgegroeid tot een succesvol hotel, met de kinderen als personeel. Alle anderen waren daar nog.

'En wat maakte jou anders?' vroeg ze.

'Ik was de jongste.' Hij vouwde zijn handen op zijn schoot en strekte zijn benen. Hij had een ongedwongenheid over zich, iets sterks en tegelijk onbevangens dat Hope pijnlijk aan Frank Pearson deed denken. 'Veertien broers en zussen die allemaal de baas over mij speelden. Ik geloof dat ik daar wel een beetje machtshonger aan heb overgehouden.'

'Die indruk wek je anders niet op mij.' Ze glimlachte. 'Ik heb me altijd afgevraagd hoe het zou zijn om echte broers en zussen te hebben.'

Hij trok de lantaarn tussen hen in. 'Maar nu heb je zelf kinderen.'

De deur stond open. De lucht rook naar seringen en sinaasappelbomen. Het huis van Mann lag buiten de stadsmuur, en dus had hij, toen ze genoeg was aangesterkt om te kunnen verkassen, aangeboden haar en de kinderen naar het huis van een andere dokter in de concessie te brengen, maar hij had ook bekend dat hij van hun gezelschap genoot en dat hij het helemaal niet erg vond om in zijn studeerkamer te slapen, waar hij zijn veldbed heen had verhuisd toen ze eenmaal koortsvrij was. Dus bleven ze zijn gasten.

'Dus jij hongert naar macht,' drong ze aan. 'Ben je daarom arts geworden?'

'Ten dele.' Toen hij de capuchon van zijn sweater optrok merkte ze op dat zijn handen breed en plat waren bij de gewrichten, ringloos onder korte gouden haartjes.

'Toen ik tien was,' zei hij, 'woonde er een klein jongetje in ons pension – ongeveer net zo oud als Morrie nu. Op een dag zei zijn moeder dat ze mij een kwartje wilde geven om op hem te passen. Er was een park in de buurt, dus daar nam ik hem mee naartoe. Het was echt zo'n klein mannetje, als je begrijpt wat ik bedoel. Hij keek tegen me op zoals ik tegen mijn favoriete broer opkeek. En hij vond alles leuk. Ik leerde hem met een bal te gooien, en we klommen in een paar bomen. Hij vroeg of hij mocht schommelen, en hij lachte zo dat ik hem steeds hoger duwde, steeds hoger. Hij was op gelijke hoogte met de bovenstang toen hij opeens mijn naam riep. Toen ik keek smakte hij op de grond, waar hij schokkend en trappend bleef liggen, zijn ogen helemaal weggedraaid. Ik riep om hulp, maar er was niemand in de buurt. Ik had natuurlijk geen idee wat hem scheelde, ik had nog nooit van een epileptische aanval gehoord. Ik was doodsbang om hem aan te raken, maar ik durfde hem ook niet alleen te laten om hulp te halen. Zijn huid werd blauw, en de stuiptrekkingen werden erger. Ik probeerde hem vast te houden, hem stil te houden, maar het was te laat. Zijn hoofd had een rots geraakt.'

Hij leunde naar voren, pakte de overhangende beddensprei en wreef de blauwe stof tussen die afgeplatte vingers. 'Ik ben dat gevoel van machteloosheid nooit te boven gekomen, hem te zien sterven terwijl ik niet eens wist wat er aan de hand was.'

'Arm kind.' Hope raakte zijn hand aan. Zijn vingers krulden zich rond de hare.

'Het punt is, mijn hele medische opleiding, alle problemen die ik geleerd heb op te lossen maken me alleen maar bewuster van de problemen die me recht in het gezicht blijven uitlachen.'

'Uitlachen!' Hope schudde haar hoofd en voelde zich opeens ongemakkelijk bij de aanblik van hun verstrengelde handen. Ze liet hem gauw los. 'Je klinkt als Ahab die achter de grote witte walvis aanjaagt. Die ongeneeslijke ziektes die jou zogenaamd uitlachen hebben het echt niet op jou persoonlijk gemunt, hoor!'

'Jouw reactie was anders ook heel persoonlijk,' zei hij kalm, 'toen je hoorde dat je difterie had.'

'Mijn reactie was gebaseerd op bijgelovige angst,' wierp ze tegen. 'Hoe dan ook, je hebt mij wel beter gemaakt.'

'O ja?'

De onverwachte emotie achter die twee woordjes deed haar met een ruk opkijken. Heel kort keken ze elkaar diep in de ogen.

Ze keek van hem weg. 'Ik ben bang dat we hier te lang blijven.'

'Dat is onmogelijk.'

Ze probeerde zijn intensiteit te negeren, maar de combinatie van gevoelens die hij in haar had wakker gemaakt maakten haar zenuwachtig, onzeker. Ze richtte haar blik op zijn schouders. Brede, atletische schouders, die hij rechtte met een bedrieglijk zelfvertrouwen. 'Stephen,' zei ze.

Hij reageerde niet. Het was de eerste keer dat ze zijn voornaam zei.

Ze keek op en zag dat zijn gelaatsuitdrukking weer was veranderd. Zijn felheid had hem verlaten. Nu zag ze alleen maar de hunkering die zijn felheid had benadrukt. En de smart.

'Zo zou ik graag aan je denken.'

'Denk je dan aan mij, Hope?'

'Het zou wel heel ondankbaar zijn als ik dat niet deed.' Ze forceerde een lach. 'Je hebt mijn leven gered!'

'Daar hebben Yen en het lot meer aan bijgedragen dan ik. En dat is ook niet wat ik bedoel.'

Haar handen, als gestuurd door een of ander instinct, kromden zich rond de zwelling van haar buik. Ze zuchtte. 'Zwangerschap is een merkwaardige toestand. Alsof je je geweten in je baarmoeder draagt.'

'Ik vroeg me al af wat je daar had.' Hij glimlachte met een uitgestreken gezicht en stond abrupt op. Hij moest weg. 'Ik begrijp dat het geweten een zware last is. Jij draagt het beter dan ik zou doen.'

De volgende avond las ze de kinderen voor uit een gedichtenbundel van Bret Harte, die Mann (zelfs, misschien wel vooral, in haar gedachten, nu *Stephen* gevaarlijk vertrouwd klonk) voor hen had gekocht op het gezantschap. Morris was in de armstoel in slaap gevallen, maar Pearl smeekte om nog één gedicht. Hope zuchtte, en sloeg de bladzij om. 'Deze heet "Lot".'

Het was een kort gedicht. Het begon met zwarte luchten en hoge golven die een zeilschip bedreigden, duisternis en gevaren die jagers schrik aanjoegen. "Maar het schip voer veilig over de golven," besloot ze, "en de jagers keerden vrolijk terug van de jacht; en de stad die op een rots was gebouwd werd door een aardbeving weggevaagd."

Hope trok opeens huiverend haar schouders op en sloeg het boek dicht.

'Wat betekent dat, mama?' wilde Pearl weten.

'Niets.' Hope schudde haar hoofd. '*Mei fatse*. Dat is wat het betekent. Ongeacht hoe sterk en hoe veilig je denkt dat je bent, de aarde kan zich altijd onder je voeten openen. Ga Yen nu maar gauw halen. Arme Morrie wordt helemaal stijf als hij nog langer in die houding blijft liggen slapen.'

Maar toen Yen Morris had weggedragen, kwam Pearl stilletjes weer terug. Toen ze zag dat Hope niet lag te lezen of te schrijven, en ook niet sliep, maar alleen maar strak naar de muur lag te kijken, ging ze op het voeteneind van het bed liggen, en wachtte tot haar moeder haar opmerkte. Nu Morrie sliep en dokter Mann naar het ziekenhuis was, was dit een zeldzame kans om haar moeder voor zich alleen te hebben. Eindelijk slaakte Hope een zucht en schikte wat in, waarna ze haar dochter tegen haar heup aantrok. 'Wat is er?'

'Mama,' vroeg Pearl, 'waarom gaan wij niet naar de kerk?'
'De kerk!' Hope keek haar iets nauwlettender aan. De grote donkere ogen stonden ernstiger dan gewoonlijk, plechtig bijna. 'Zou je dat willen?'
'Toen wij alleen waren,' zei Pearl, 'en jij zo ziek was en ik niet wist wat er met ons zou gebeuren, dacht ik dat God misschien kon helpen, maar ik was bang het te vragen omdat ik niet goed wist hoe.' Ze legde haar wang bedachtzaam tegen het been van haar moeder. 'En ik dacht ook dat het misschien niet kon omdat we niet naar de kerk gaan.'
'O, Pearl, je hoeft niet naar de kerk of de zondagsschool te gaan om met God te praten. Je kunt overal met Hem praten. Altijd als je in de war bent, of je onzeker voelt. Dat is beter, lijkt mij, dan je gevoelens op te sparen voor een bepaalde dag of plaats.'
'Maar hoe moet het dan?'
'Gewoon heel stil zijn en heel goed luisteren naar de stem diep binnen in je. De stem die alleen jij kunt horen. Die altijd de waarheid zegt. Weet je welke ik bedoel?'
Pearl knikte twijfelachtig, maar kneep haar ogen dicht, vouwde stevig haar handjes en bewoog met haar lippen. Een minuut lang zat ze volkomen stil, toen gingen haar ogen knipperend open. 'Ik denk dat Hij me gehoord heeft.'
'Zie je wel?'
'Wil je weten wat ik tegen Hem gezegd heb?'
'Nee,' zei Hope vastberaden. 'Dat wil ik niet.'
Het kind trok de lakens van haar moeder recht. 'Ben je zelfs niet een beetje nieuwsgierig?'
Hope onderdrukte een glimlach. 'Pearl, je weet dat je het me altijd kunt vertellen als je ergens mee zit en dan doe ik mijn best om je te helpen. Maar je gebeden zijn als een heel, heel persoonlijk gesprek. Iets dat je moet koesteren, dat des te waardevoller wordt omdat het van jou alleen is.'
'Zoals een geheim?'
'Niet helemaal. Geheimen zijn vaak gemeen, stiekem. Iets wat achter andermans rug gezegd wordt. O, dit is heel moeilijk uit te leggen, maar het is ook belangrijk, dus luister goed en probeer het te begrijpen. Iedereen heeft een speciaal plekje – net een klein kamertje in je binnenste.' Ze klopte Pearl op de borst. 'In dat kamertje ben je helemaal vrij van wat ieder ander mens op de wereld ook mag denken. En omdat je op die manier vrij bent, ben je ook veilig. Niemand zal jou daar veroordelen, dus je hebt geen reden

om te liegen. In dat kamertje praten jij en God met elkaar. Je kunt buiten dat kamertje dat helemaal van jou alleen is best dezelfde gesprekken hebben met andere mensen. Je moet hoe dan ook altijd proberen de waarheid te spreken. Maar met andere mensen moet je voorzichtig zijn, je moet steeds bedenken hoe ze je woorden zullen uitleggen, hoe ze misschien zullen reageren. Dat maakt de wereld buiten zoveel ingewikkelder en gevaarlijker, daarom is het ook zo belangrijk om dat plekje in je binnenste te hebben waar je veilig kunt zijn.'

'Zelfs voor aardbevingen?'

Na een korte stilte zei Hope zacht. 'Het is een ander soort veiligheid. Maar inderdaad, in zekere zin... daar ga je heen om de boel weer in elkaar te zetten als de wereld uit elkaar is gevallen.'

Pearl wond de hoek van het laken om haar wijsvinger.

'Kun je een beetje wijs uit wat ik zeg?' vroeg Hope.

'Ja.' Ze liet het laken weer losvallen. 'Maar krijg ik problemen als ik het toch vertel?'

'Pearl. Ik probeer je te laten inzien dat je het niet *hoeft* te vertellen, dat niemand ter wereld het recht heeft om dat kamertje binnen te gaan zonder jouw toestemming. En ja, soms kun je in de problemen komen als je je hart opent, als je zegt wat je werkelijk gelooft.' Ze zweeg. 'Dat is de reden dat als je jezelf toch blootgeeft, het iemand moet zijn die absoluut van je houdt, iemand die je vertrouwen nooit, nooit zal beschamen.'

'Houd jij ook zo van papa?'

Hope kromp ineen bij die onverwachte vraag. 'Ik... Ja, Pearl. Natuurlijk.'

'En ik dan?' vroeg Pearl. 'Ik houd van jou. Ik vertrouw jou. Waarom kan ik het jou niet vertellen?'

Hope boog zich voorover en kuste de warme donkere kroon van het hoofd van haar dochter. 'Ik koester jouw liefde. Natuurlijk mag je me vertellen wat er in je hart is, lieveling. Maar je moet begrijpen dat het niet *verplicht* is. Ik wil dat jij je eigen hoop en je eigen dromen hebt.'

'En als ik je nu eens gewoon zo'n droom vertel en er niet bij zeg dat dat was waar ik om gebeden heb?'

Hope nam het gezichtje tussen haar handen. 'Oké, Pearl! Ik zal me dit moment herinneren als jij twintig bent, en dan zeg jij tegen mij dat het nooit gebeurd is.'

'Wat ik droom,' zei Pearl weloverwogen, 'is dat papa ons komt halen en nooit meer weggaat.'

Hope haalde diep adem. 'Ja,' fluisterde ze terwijl de grote ogen van Pearl haar bleven aankijken. 'Dat droom ik ook.'

De volgende morgen bracht Mann haar het volgende telegram: *Opgelucht jij en kinderen veilig stop dankzij dokter stop brief volgt stop Paul stop*

3

'Kanton
6 april 1916
Mijn liefste Hope,

Ik ontvang een telegram van dokter Mann waarin alleen staat dat je difterie hebt, maar over een paar weken genezen bent, hij zorgt voor jou. Dat maakt mij wild van bezorgdheid, weet je dat. Hij zegt niet of onze kinderen ziek of gezond zijn. Ik weet niet of je herstel doorzet. Schrijf me alsjeblieft zo gauw je kunt, geef mijn hart rust. Ik weet dat Yen altijd het beste voor je zal zorgen, dat je bij hem vaak veiliger bent dan bij mij. Je weet dat ik je niet aan zijn zorgen zou overlaten als het anders was. En die dokter Mann herinner ik me uit Peking. Een goede man, denk ik, om mij een telegram te sturen op zijn eigen kosten.

Het is moeilijk te schrijven over mijn leven, onze toekomst, als ik niet weet hoe het met jou gaat. Ik maak me de hele tijd zorgen, maar ik moet geloven dat je bij mij zult terugkeren. Ik heb passage voor je geboekt met China Line-stoomschip, alles betaald, tickets te gebruiken wanneer je goed genoeg bent om de reis te maken. Ons nieuwe huis is klaar op Range Road 50, in de Amerikaanse settlement. Dit huis heeft geheel veel ruimte. Zeg tegen Pearl dat ze haar eigen kamer krijgt en dat Joy graag wil zien hoe groot ze al is. Morris en nieuwe baby kunnen één kinderkamer delen, en er zijn goede onderkomens voor bedienden, en een grote tuin met boom voor een schommel voor de kinderen. Ah-nie is naar Sjanghai teruggekeerd met alle spullen van huis in Peking, en onze voormalige bedienden willen ook weer bij ons terugkomen. Verder is alles klaar voor jullie terugkeer.

Over de rest durf ik niet te schrijven. William en ik hebben een veilige reis gehad, maar ik vrees voor de eenheid van onze hardbevochten republiek. En dus vrees ik voor ons allemaal.

Je moet weten dat mijn gedachten elke morgen en avond bij jou zijn. Ik weet dat jij mijn ware vrouw bent. Ik herinner me alles wat je me eens verteld hebt over je kinderjaren zonder je eigen mama, en jouw vrees dat datzelfde lot onze eigen kinderen wacht. Dus toen ik het telegram van dokter Mann ontvang ben ik naar de boeddhistische tempel in Nantao gegaan en heb vele gebeden gedaan voor de godin Kuan Yin. Ik weet dat jij niet gelooft in zulke dingen, maar de tempel was een troostrijke plek voor mij in mijn jongensjaren, en ik merk dat hij nog steeds dat effect heeft in heel moeilijke en pijnlijke tijden.

Ik wil graag in jouw eigen woorden horen dat je weer goed bent en klaar om aan mijn zijde terug te keren.

Ik ben jouw Paul

Tientsin
15 april 1916
Liefste Paul,

Ik heb je brief in mijn handen en in mijn hart. Ik ben inderdaad jouw ware vrouw, Paul, en je kunt je niet voorstellen hoe ik ben opgeknapt van je verzekeringen. Je hebt gelijk dat Yen beter op ons past dan we verdienen. Als hij niet zoveel vastberadenheid had getoond en er niet het wonder was geweest dat hij uit Tientsin komt en dus de kliniek van dokter Mann kende, verzeker ik je dat ik je vandaag niet persoonlijk had kunnen schrijven. Maar de goede dokter heeft alles gedaan behalve zichzelf buiten de deur zetten om het ons allemaal naar de zin te maken, en we zijn naast Yen ook hem veel dank verschuldigd. We hebben de afgelopen weken in zijn eigen heel prettige huis gelogeerd, en hij heeft een uitstekende bibliotheek, dus Hardy en Dickens hebben ook hun steentje bijgedragen aan mijn herstel.

Dokter Mann heeft ook een puppy, waar de kinderen heel erg aan gehecht zijn geraakt. Ik ben bang dat ze hier niet zullen weggaan zonder, op zijn allerminst, een belofte dat ze in Sjanghai zelf ook een hond mogen hebben. Het huis en de tuin klinken heerlijk, en groot genoeg zelfs voor die uitbreiding. Wat mij aangaat, de dokter zegt dat ik eind deze week voldoende hersteld zal zijn om te reizen, en ik heb Yen er al op uitgestuurd om een hut te regelen aan boord van het S.S. Yantai, zodat we maandagmiddag de Whangpoo-haven zullen binnentjoeken. Ze zeggen dat als je het een tijdje zonder elkaar hebt moeten doen, je nog meer van elkaar gaat houden, maar ziekte heeft een zelfde effect, en door de combinatie van die twee heb ik je meer gemist dan ik ooit voor mogelijk had gehouden. Ik vraag je dit. Alleen dit. Wees alsjeblieft op de kade om ons af te halen. Wees er alsjeblieft.

Met al onze liefde,
Jouw ware vrouw,
Hope

De dag voor hun vertrek had Mann een automobiel gehuurd voor een afscheidsuitje. Het was een wagen met treeplanken en chromen koplampen en ruime achterbanken. Hij stond er nog maar net of hij werd al omringd door bewonderende buren.

'Wat een verspilling, Stephen!' protesteerde Hope. 'Je hebt al veel te veel gedaan.'

'Integendeel, zou ik zeggen.' Hij zwaaide de picknickmand in de kofferbak en tikte aan zijn pet voor de kinderen, die al in de auto zaten en gekke gezichten trokken in de achterruit. 'Hoe dan ook, zij denken er anders over.'

Het was een zwierige pet, zag Hope, zwartgrijs tweed dat bij zijn pak paste, en hij had een takje perzikbloesem in zijn revers gestoken. Hij zag eruit alsof hij dit uitje al weken geleden gepland had. Ze glimlachte. 'Op doktersvoorschrift, zullen we maar zeggen.'

'Zoals je wilt.' Hij draaide met zijn hand in de lucht en maakte een buiging, waarna hij met een zwierig gebaar het autoportier opentrok. Ze klom naar binnen waarna de chauffeur op de claxon drukte, de mensen aan de kant gingen en ze vertrokken.

Het was een warme dag. De hemel was bestippeld met dunne wolkjes en de lucht woei zacht door de open ramen naar binnen. Ze zaten tegenover elkaar, Mann naast Pearl en Morris naast Hope. Yen en de chauffeur, in livrei overigens, zaten voorin. Iedereen verwonderde zich luidkeels over de soepele, spinnende voortgang en snelheid van de auto, ondanks de slechte wegen.

'Is weer eens wat anders dan zo'n kar uit Peking,' zei Mann grinnikend.

'Denk je dat papa een auto voor ons zou kunnen kopen?' vroeg Pearl.

'Jaa!' zei Morris. 'Ik wil ook zo'n mooie grote zwarte auto!'

Hope keek Mann even aan en sloeg haar ogen toen ten hemel. 'Zie je nou wat je doet?'

Maar hij keek haar aan zonder een greintje spijt, en zei niets. Ze aarzelde, maar gaf de kinderen toen eindelijk antwoord: 'Het komt juist doordat we *geen* auto hebben dat vandaag zo bijzonder is. Je moet niet verpesten wat je wel hebt door te zeuren om wat je niet hebt.'

'Woorden om naar te leven.' Mann trok een wenkbrauw op. 'Is dat een pionierslogan uit Kansas, of iets wat je hier hebt opgepikt?'

Ze voelde dat ze rood werd. 'Maak me niet belachelijk,' waarschuwde ze hem, en ze keek de andere kant op. Maar hij was duidelijk geweest.

Ze kwamen langs zijn ziekenhuis. De poorten stonden open, en Hope zag een grote tuin met overal verpleegsters in witte uniformen en patiënten die in de schaduw van de bomen zaten uit te rusten. Het was een vredig tafereel, idyllisch bijna, een levendig contrast met de steriele sfeer in de meeste westerse ziekenhuizen. Ze dacht aan haar eerste ontmoeting met dokter Stephen Mann in het Ste. Marie's, zijn aanbeveling om in het vervolg naar het Inheemse Ziekenhuis te gaan, haar automatische vermoedens over zijn karakter. En haar vijandigheid.

Hij wees Pearl en Morris op van alles en nog wat – de boten in de haven, in de verte, de oude watertoren van Tientsin die boven de stadsmuur uitstak, het gebruikelijke kleurrijke assortiment venters en entertainers langs de kant van de weg – maar af en toe dwaalden zijn ogen terug naar Hope. Dan bleef zijn blik op haar rusten tot zij het merkte, waarop hij zich weer afwendde en naar buiten keek. De afgelopen maand, 's morgens of 's avonds aan tafel, na het eten met de kinderen, of bij een wandelingetje door de tuin om aan te sterken, was dat een al te vertrouwd patroon geworden, en hoewel Hope had geprobeerd zijn starende blik af te doen met een lach, een schouderophalen of onbekommerde gesprekken – of verwijzingen naar haar man – waren die pogingen even vergeefs als halfslachtig gebleken.

'Kijk, mama. Het is Ch'ing Ming.' Pearl wees naar een rij lage heuvels waar families in lentekleuren zaten te picknicken tussen de grafheuvels. Ch'ing Ming, of Helder Licht, was de jaarlijkse viering van de dood.

'Eigenlijk,' zei Mann met een blik op de voorbank, 'heb ik een geheim motief voor deze expeditie. Met jouw goedvinden, natuurlijk, Hope. Ik dacht dat we Yen misschien voor zijn goede diensten konden bedanken door eer te bewijzen aan zijn voorouders.'

'Wat een schitterend idee! Hoe zou ik dat nou niet goed kunnen vinden?' Ze had eigenlijk verwacht dat ze een beetje zouden gaan toeren langs de saaie lanen van de concessie in Tientsin, waar ze toentertijd vanuit de trein ook al een glimp van had opgevangen, en het vooruitzicht om het dorp te zien waar Yen vandaan kwam leek veel aantrekkelijker. Echt iets voor Stephen om zoiets te bedenken.

Opnieuw voelde ze zijn ogen op zich. Ze glimlachte en schudde haar hoofd.

Yen maakte de verplichte tegenwerpingen, maar toen Hope en de kinderen hun poot stijf bleken te houden, nam hij de rol van gids op zich met zoveel precisie en voortvarendheid dat ze al binnen enkele minuten de grote weg verlieten en een onverhard weggetje namen tussen weelderige velden *kaoliang*. Ze deden heel wat stof opwaaien, en Hope vroeg zich net af of hun elegante auto deze weg zou overleven toen Yen naar een verzameling kapotte muren wees. Daar had zijn dorp gestaan, zei hij kalm, voor het tijdens de Boxeropstand was verwoest. Een eindje verder liet hij de chauffeur stoppen onder aan een verwaarloosde helling die bezaaid was met omgevallen grafstenen.

Yen wachtte deze keer niet op permissie, maar sprong uit de auto, zijn hoed op zijn hoofd drukkend, en wenkte de kinderen. Die kwamen enthousiast achter hem aan en begonnen meteen takken te verzamelen om daar de voorouderlijke grond mee te vegen, zoals ze Chinese kinderen hadden zien doen.

'Het had mijn idee moeten zijn,' zei Hope tegen Mann terwijl ze op de chauffeur wachtten, die de kofferbak moest openmaken. 'Je doet me beschaamd staan.'

Zijn stem werd donkerder, ook al hield zijn glimlach stand. 'Ik zou jou nooit beschaamd doen staan, Hope.'

Ze keek naar de kalm verder klimmende Yen, die nu halverwege de helling liep. 'Hij heeft het zelden over zijn familie.'

Mann nam de picknickmand aan van de chauffeur, waarop ze hem bij de auto achterlieten en langzaam achter de anderen aan gingen. 'Yen en ik hebben ruimschoots de tijd gehad om te babbelen voor jij koortsvrij was. Hij heeft me verteld dat zijn familie is uitgemoord door de Boxers. Iedereen in het dorp die het had overleefd is gevlucht. Zo is hij in Sjanghai terechtgekomen – waar hij, zo heb ik begrepen, je man heeft ontmoet.'

Hope veegde haar zwetende handpalmen aan haar rok af, zich bewust van de koelte op haar kleren en haar eigen kortademigheid op deze steile helling. Ze was nog zwak. 'Yen is helemaal verknocht aan Paul,' zei ze abrupt.

'Ja.' Hij gebaarde naar het groepje hogerop, dat nu boterbloemen aan het plukken was om op de graven te leggen. 'Hij is ook aan jou verknocht, Hope. En aan de kinderen.'

'Misschien had ik met Yen moeten trouwen!' Het was als luchthartige opmerking bedoeld, om de spanning die zich in haar borst ophoopte te bezweren, maar ze trok er alleen maar een spottende blik mee van Mann. Om verdere discussie te vermijden liep ze gauw door om de anderen in te halen.

Terwijl ze van de ene verweerde grafsteen naar de andere liepen, dreunde Yen de namen van zijn familieleden op. Die gingen bij Hope het ene oor in en het andere uit zonder dat ze zelfs maar kon zeggen wie een man of wie een vrouw was, of wat die mensen allemaal van Yen waren – alleen zijn vader en moeder waren duidelijk. Die waren overleden toen hij weinig ouder was dan Pearl. Voor hun graven drukte Hope haar handen tegen elkaar en maakte drie keer een buiging, waarbij ze hen hardop, namens zichzelf, haar baby, Morris en Pearl, bedankte dat ze het leven hadden geschonken aan Yen, die op zijn beurt hun het leven had gered. Stephen Mann volgde haar voorbeeld en betuigde zijn erkentelijkheid jegens hun zoon Yen die 'mij heel gelukkig heeft gemaakt door de familie Leon naar mijn huis te brengen'.

Tot vreugde van de kinderen had Mann een schitterende, uit diverse panelen opgebouwde vlieger meegenomen in de vorm van een besnorde draak. Hij en Yen moesten er allebei aan te pas komen om het gevaarte in de lucht te krijgen, maar toen dat voor elkaar was gaf hij Pearl de klos met vliegertouw en kreeg Morris de taak toebedeeld om voor weerman te spelen. De teleurstelling van het jongetje dat hij de vlieger niet mocht vasthouden maakte plaats voor verrukking om de truc die Mann hem leerde – hij likte trots aan zijn vingertje en stak het toen in de lucht om te testen waar de wind vandaan kwam. Yen leerde Pearl intussen een paar ingewikkelde manoeuvres om de vlieger door de lucht te laten scheren en dansen.

Stephen voegde zich weer bij Hope op het picknickkleed, waar zij de meegenomen proviand uitstalde – broodjes met worst, ham en komkommer, *paotzu* in een mandje met een deksel, zoete rijst verpakt in lotusbladeren, amandelkoekjes en een thermosfles groene thee. Hij lag op zijn zij naar haar handen te kijken.

Ze wees naar de kinderen. 'Je maakt het er niet makkelijker op om te vertrekken, weet je dat?'

'Mooi zo.' Zijn stem klonk onbeholpen, alsof hij aanvoelde dat Hope er de humor nooit van zou kunnen inzien. Hij had zijn jasje uitgetrokken en zijn hemdsmouwen opgestroopt alvorens Yen te helpen met de vlieger. Plotseling werd zijn onderarm, met de gouden haartjes, sproeten en lange, slanke botten, als een lokaas naar haar toegestoken.

Het kopje trilde terwijl ze het volschonk met thee en het op de deken tussen hen neerzette. 'Ze zullen je vreselijk missen.'

'O ja?' Hij trok een wenkbrauw op. 'En hoe zit het met jou, Hope?'

Ze wreef met haar duim over de gladde buitenkant van de thermosfles. Vanuit haar ooghoek zag ze hem zijn hand uitsteken naar zijn kopje. Maar zijn hand veranderde van richting en sloot zich rond de hare.

'Doe dat alsjeblieft niet,' fluisterde ze.

'Weet je het zeker?'

Ze schudde haar hoofd. 'Yen,' zei ze. 'En de kinderen. Ze zullen ons zien.'

'Maakt mij niet uit.'

Vier weken hadden ze samen geleefd. Dit was de eerste aanraking sinds het telegram van Paul. Ze trok haar arm weg.

Een hele tijd zeiden ze niets en meden ze elkaars blik. Mann lag op zijn rug en draaide een grassprietje tussen zijn vingers. Hope keek naar de vlieger die klom en daalde en hoog boven hun hoofd in gevecht was verwikkeld met de wind. Als de kinderen er niet waren, dacht ze, zou de wind er met die vlieger vandoor gaan.

Hij ging rechtop zitten. 'Hope, ik weet wat je denkt, maar ik kan je niet laten gaan zonder, op zijn minst...'

Ze keek hem vluchtig aan met een verlangen zo zuiver, dat het aanvoelde als haat, waarna ze snel weer omhoogkeek. Achter de dansende vlieger waren de wolkjes wat uitgedijd. Het felle licht deed haar ogen tranen.

Hij praatte heel langzaam verder. 'Ik zou je een ander leven geven.'

Maar Morris had genoeg gekregen van de vlieger en kwam op

hen af hollen met zijn zigzaggende stapjes. Vlak voor hij bij hen was, draaide ze zich om, haar stem brak. 'Schrijf je mij, Stephen?'

Een fractie van een seconde keken ze elkaar recht en onbevangen aan. Ze registreerde de kleur van zijn ogen. De vierkante lijn van zijn kaak. Zijn rechte, volle lippen en achterovergekamde haar, en zijn geur van briljantine en pijprook. De basstem die zich zo steels in haar bewustzijn had genesteld dat pas nu tot haar doordrong dat hij deel van haar uitmaakte.

De volgende avond, aan boord van het stoomschip, terwijl Yen en de kinderen in hun kooien lagen te slapen, schreef ze: *Ik heb dit leven gekozen. Eén leven. Eén man. Eén liefde. In voor- en tegenspoed. Er zijn te veel getuigen, te veel gijzelaars, te veel gevaren om mijn keus in twijfel te trekken. Had ik het maar geweten...*

IX

SCHEIDING

Sjanghai (1916-1919)

I

OP EEN HELDERE, VERRADERLIJK KALME MIDDAG VIER DAGEN LAter voeren ze de Whangpoo-haven binnen. Terwijl Hope aan de reling stond te wachten, speelden de kinderen krijgertje rond haar rokken. Drie Arabische zakenlieden, de enige andere passagiers aan boord, stonden op een beleefde afstand bij elkaar. Afgezien van de jonken en vrachtboten aan de kade, bij de pakhuizen, was hun boot de enige die binnenliep, en ze kon vanaf het midden van de rivier de pier al zien. Die was leeg, op de stuwadoors na, en twee figuren onder aan de loopplank. De ene was William Tan. De andere was Paul.

De mannen waren zo diep in gesprek dat het stoomschip al aan het afmeren was voor ze het opmerkten. Toen Pearl schreeuwde keek Paul met een ruk op. William wees. Paul zwaaide. De kinderen sprongen en gilden. Toen de loopplank op zijn plaats werd gelegd begon Yen hun bagage op te pakken. Hope haalde diep adem en ging van boord.

Paul tilde Morris op met één arm en legde zijn vrije hand op het opkijkende hoofdje van Pearl. Zijn haar was niet gekamd, en zijn bril was tot halverwege zijn neus afgezakt. Achter de glazen leken zijn ogen donker, klein en behoedzaam. Hope voelde zijn omzichtigheid terwijl hij speurde naar aanwijzingen over haar stemming en gezondheid. Als een wichelroede zakte haar hand naar haar opgezwollen buik.

Pearl slaakte een gilletje. William had een munt te voorschijn getoverd van achter haar oor, en plukte er nog één uit haar kraag.

'Je bent weer gezond, Hsin-hsin.' Paul glimlachte.

'En jij leeft nog.'

Hij zette Morris neer en trok zijn pet recht. Beide kinderen waren helemaal gebiologeerd door de trucjes van William. 'Ik sta op de kade om je af te halen,' zei hij. 'Zoals je wilt.'

Zoals je wilt. Hope voelde iets duns en teders wankelen. In Tientsin, op de kade, had Stephen Mann haar ten afscheid gekust. Hij had haar publiekelijk omarmd, onstuimig. Hij had haar vol op de mond gekust.

'Het is een lange reis geweest,' zei ze. 'Zouden we nu naar huis kunnen, Paul?'

27 april 1916

Ik voel me net een kussen dat is uitgeschud – de hele vulling heeft in de lucht gedwarreld, is weggezweefd naar onbekende en verlaten oorden, weer bij elkaar gehaald en teruggestopt in de oorspronkelijke sloop, en op hetzelfde oude bed neergelegd. En nu vlijt dezelfde man zijn gezicht tegen me aan. Ik houd mij voor dat ik er werkelijk ben, toch is het onvoorstelbaar dat het zo kan zijn.

Gisteravond, onze eerste in dit nieuwe huis, in deze nieuwe fase (zoals ik het ervaar) van ons huwelijksleven, was Paul zo lief voor mij. Hij maakte zich zorgen om mijn ziekte, om de baby. Volgens mij stond dat helemaal los van het feit dat we zo lang van elkaar gescheiden zijn geweest – hij kon dat in elk geval niet als een obstakel zien, wat het voor mij wel was. Maar een andere factor, die ik niet eens onder woorden durf te brengen, dreef mij op een wijze die ik nauwelijks had kunnen verwachten. Ik trok hem tegen me aan, en in mijn haast rukte ik hem bijna de kleren van het lijf. Ik voelde me alsof ik maanden gehunkerd had – zo'n instinctief verlangen was het, een honger waar niets spiritueels aan was. Ik verslond hem, putte hem uit, tot hij oververzadigd was, en toen hij half versuft en heel liefdevol naast mij lag, keerde ik me om.

Ik vrees voor dit kind in mij. Alle valsigheid en bitterheid die mij doorstroomt wordt rechtstreeks aan deze groeiende ziel gevoerd, en er is nu niets in mij om de liefde, het licht, het onschuldige vertrouwen door te geven dat een baby, elke baby verdient. Voorheen verleenden mijn zwangerschappen mij altijd de illusie van rijpheid en moed, de illusie dat mijn dagen van chaos voorbij waren en dat koesteren en beschermen mij wel waren toevertrouwd. Deze keer zijn alle illusies in elkaar gestort, en voel ik me weer twaalf. Verloren. Machteloos. En hopeloos onbetrouwbaar.

Toen het stoomschip bij onze terugkomst de delta opvoer passeerden we een Britse kanonneerboot en moest ik weer denken aan die vreemde begoocheling op de dag dat Pearl en ik hier vanuit Amerika aankwamen. De geest van Frank Pearson. Toen schoot me te binnen dat Stephen Mann me in Tientsin verteld had dat hij ook vlak na de revolutie in China was aangekomen. Zijn eerste paar maanden hier had hij als assistent-arts op een marineschip gewerkt. Gisteren begreep ik dat het niet de geest van Frank was geweest die mij naar huis riep, maar Stephen.

Range Road 50
5 mei 1916
Liefste papa,

Ik stel me voor dat je de brieven inmiddels hebt ontvangen die ik in maart heb teruggeschreven. Ik hoop dat de scherpe kanten van je verdriet zijn gesleten en dat je nu met net zoveel liefde en warmte aan Mary Jane kunt denken als verdriet. Ik heb enige troost geput uit de wetenschap dat dat punt uiteindelijk komt – als een licht waar je je op kunt oriënteren, hoe vaag ook. Te vaak heb ik erop moeten vertrouwen. Maar jij weet dat natuurlijk wel. Jij hebt meer ervaring dan ik, en jij bent er altijd weer bovenop gekomen.

Ik weet zeker dat ik Mary Jane de afgelopen weken bijna net zo heb gemist als jij, met haar wijsheid, haar humor en niet-aflatende eerlijkheid, maar het leven hier heeft me niet voldoende rust gegeven om om haar te rouwen zoals ze verdient. Zoals je aan het adres kunt zien, zijn we weer terug in Sjanghai. Het nieuwe huis dat Paul voor ons gevonden heeft, is groot, solide en comfortabel. Een veranda achter glas loopt aan de tuinkant over de hele lengte van het huis, dus ik kan daar schrijven en tegelijkertijd de kinderen zien spelen. De tuin biedt ruimte voor badminton en croquet, waarbij het enthousiasme van Morris zijn gebrek aan vaardigheid en grootte meer dan compenseert. Pearl excelleert in haar rol als coach, en ze zijn allebei extatisch over de hereniging met hun oude kindermeisje Joy (ik moet eigenlijk zeggen *voormalig* in plaats van oud, want ze is nauwelijks twintig) die sport als een uitstekend voorbeeld van westerse onnozelheid beschouwt. Als al diegenen die zijn geboren uit de boerenstand, stellen Joy en ons andere kindermeisje ontspanning gelijk aan rust en kunnen ze zich niet voorstellen waarom mensen – zelfs kinderen – zo nodig moeten hollen en springen als wilde dieren.

Over dieren gesproken, het vertrouwen van de bedienden in ons gezond verstand is ook danig op de proef gesteld door onze onlangs verworven huisdieren. Want Chinezen uit de hogere klasse houden zelden veeleisender huisdieren dan een kanarie of een karper – en velen beschouwen hondenvlees als een delicatesse! Maar op een koele grijze middag een paar dagen na onze terugkeer uit Sjanghai kwam Paul opeens binnen, op zijn onnavolgbare wijze, met niet één maar twee hondjes onder zijn armen. Het waren twee kleine, keffende, kronkelende hoopjes bont die in één oogopslag de hartjes van onze kinderen hadden gestolen. Pearl wilde weten hoe ze heetten en wat voor ras ze waren, maar Paul kon geen van beide vragen beantwoorden. Ik ben trots je te kunnen meedelen dat ik degene was die het dikke, geelbruine wijfje kon identificeren als een corgi en het kleine mannetje als een foxterriër. Heb ik toch nog iets opgestoken van de Waylandjes! Paul was ten zeerste onder de indruk. Hij heeft zoveel respect voor dat soort categorische kennis en is me op de meeste gebieden zozeer de baas dat we er allebei van ondersteboven zijn als ik hem te slim af ben.

Je zult je wel afvragen wat Paul doet nu de politieke winden weer aan het draaien zijn. Dat doe ik ook, maar zoals gewoonlijk word ik niet in de details gekend. Op dit moment is hij in Kanton, waar een paar van de zuidelijke generaals een contraregering installeren om het hoofd te bieden aan het regime van Yüan in het noorden. Ik ben bang dat dat hier snel tot een grootscheepse burgeroorlog zal leiden, en dat zelfs de door Paul als een heilige vereerde Sun Yat-sen niet sterk genoeg zal zijn om die te kunnen winnen.

Er is een tijd geweest dat ik mezelf toestond erover te fantaseren dat Paul zich uit het gekrakeel zou terugtrekken, om wat ik een 'normaal' leven zou willen noemen te leiden, en toen we net in China waren is er geloof ik ook een periode geweest dat de toestand hem zo demoraliseerde dat ook hij die mogelijkheid serieus overwoog. Maar ik ben tot het besef gekomen dat het najagen van een democratische regering bij Paul een soort ziekte is. Hij gelooft oprecht, niet alleen dat zoiets mogelijk is, maar ook dat het Chinese volk in een democratie weer het grootse volk zal worden dat het ooit geweest is. En zijn ziekte wordt nog aangewakkerd door zijn elitaire status als teruggekeerd student. Zoveel Chinezen die hun opleiding in het buitenland hebben genoten zijn oplichters, rijke bureaucraten of hielenlikkers, en dat zijn degenen die Yüan heeft ingehuurd om zijn paleizen te stofferen. Echt intelligente en echt revolutionaire teruggekeerde studenten zoals Paul zijn er maar weinig, en die weinigen worden enorm bewonderd. Hun positie binnen de nationalistische beweging is vrijwel onaantastbaar. Hij zou dus heel veel moeten opgeven, en ik vraag er al niet eens meer om.

Ik denk dat ik, door dit allemaal aan jou te schrijven, mezelf enig begrip probeer aan te praten voor de reden dat Paul ons hier weer eens alleen heeft gelaten. Net zoals ik mezelf altijd begrip aanpraatte voor het feit dat jij vaak langdurig weg was, en dat je mij als kind bij de Waylands achterliet. Nou ja, dat heb ik allemaal redelijk overleefd en ondanks dat alles houd ik nog steeds van je, dus die lange periodes dat Paul weg is zou ik ook moeten kunnen overleven. Jullie zijn allebei goede, integere mannen, en daar moet ik dankbaar voor zijn. Bovendien worden de kinderen echt heerlijk gezelschap, en ben ik hier in Sjanghai weer herenigd met mijn oude vrienden Jed Israel en Sarah Chou, waar ik in eerdere brieven wel over geschreven heb. Jed heeft me geholpen mijn eigen donkere kamer in te richten, en Sarah heeft onlangs een tweede zoontje gekregen, kleine Ken, wat Pearl en mij een prachtig excuus geeft om geregeld bij haar langs te gaan. En af en toe zien we Jin ook, de oudste zoon van Paul, die hier aan de universiteit studeert. En dan zal die baby van mij ook niet al te lang meer op zich laten wachten...

Ook nog wat *goed* nieuws. Mijn eerste artikel en foto's van China komen in het juninummer van *Harper's*. Je moet maar een paar exemplaren aanschaffen, want ik heb mijn vriend meneer Cadlow getelegrafeerd dat hij een opdracht aan Mary Jane moest bijvoegen. Een van de vele dingen die ik aan haar te danken heb, en een van de weinige manieren voor mij om haar te eren.

Maar ik moet gaan. Ik ga vanmorgen met Pearl naar een school. Komende zomer wordt ze acht, en Morris is net vier geworden, niet te geloven, hè. Zoveel veranderingen, papa, maar weet dat je altijd mijn liefde hebt,

Hope

Ze vertelde niemand de waarheid, en haar naasten nog het minst. Dus kletsten de kinderen vrolijk door over hun tijd in Tientsin, berispten de nieuwe hondjes dat ze zich moesten 'gedragen als Mister Bacon', en debatteerden over de vraag of papa ooit zo'n mooie auto zou hebben als die van dokter Mann. Ze smeekten Yen met hen te gaan vliegeren, want de dokter had hun die drakenvlieger cadeau gedaan. En aan Dah-soo vroegen ze of die net zulke zoete rijst in lotusbladeren kon maken als in Tientsin. En hoe luidruchtiger en opgewekter ze bezig waren, des te meer leek de baby in haar buik zich te roeren.

Ze sloeg terug, in elk geval in het begin, door zich helemaal te wijden aan het zoeken van een geschikte school voor Pearl.

20 mei 1916

Pearl zit alweer een week op de Thomas Hanbury School voor Euraziatische meisjes. Ons enige alternatief zou een missieschool zijn, waar Pearl, gezien haar merkwaardige ideeën, waarschijnlijk diepgelovig zou worden, en vermoedelijk alles op alles zou zetten om later non te worden. Bovendien, zoals Sarah zei (haar Gerald gaat naar de Hanbury jongensschool) '*is* Pearl ook echt Euraziatisch. Je hebt er geen idee van hoe Gerry zijn eerste jaar getreiterd is, vanwege zijn onduidelijke achtergrond. Maar Pearl zou in haar element moeten zijn.' Wat voelde ik me daar ontzettend door gerustgesteld!

De openhartigheid van Sarah over de afkomst van haar kinderen, en haar kalme aanvaarding van de raciale hiërarchie van Sjanghai zijn voor mij verbijsterend. Toch kan ik het haar nauwelijks euvel duiden, zoals Paul blijft doen. Ze had gelijk over de school. Hoe verderfelijk ik het toelatingsbeleid ook mag vinden, er is iets ontroerends aan die woelige zee van meisjes, met allemaal dezelfde mengeling van donkere en lichte trekken. Ik denk terug aan mijn eigen kindertijd, hoe vaak ik wel niet een vriendinnetje wilde hebben dat 'net als ik' was, dat mijn verwarring en pijn kon begrijpen, dat me kon helpen om terug te vechten... Natuurlijk, net als ik denk dat het om vergelijkbare situaties gaat, realiseer ik me dat er van een vergelijking geen sprake kan zijn. Sjanghai is uniek.

Veel Hanbury-meisjes wonen in erbarmelijke omstandigheden, bij moeders die veelal arme Portugezen dan wel prostituees zijn, die uit wanhoop met een Chinees zijn getrouwd en nu een verborgen leven leiden in Chapei. Je pikt ze er meteen uit vanwege hun smerige schortjes en gescheurde leren schoenen, het haar in Chinese vlechten, ogen ofwel neergeslagen of fel en agressief. De meesten spreken nauwelijks Engels. Maar er zijn ook anderen, in keurige bedrukte bloesjes of geborduurde jurkjes, en met vaders die bijvoorbeeld koopman zijn, of handelsagent, bankier of advocaat, en moeders die ofwel Chinees zijn of Duits, Frans of Italiaans. Onder die meisjes denk ik dat Pearl misschien wel een paar echte vriendinnen zal vinden. Hoe fijn ik het ook vond om haar les te geven en hoezeer we allen ook genoten hebben van die paar maanden met Anna Van Zyl, Pearl was een eenzaam kind, en het is goed dat ze eindelijk een normale opleiding krijgt.

Maar naarmate haar lichaam zwaarder werd en haar periode van afzondering voor de geboorte naderbij kwam, en de kinderen en het huishouden elk hun eigen, afzonderlijke ritme gingen volgen, werd Hope weer op zichzelf teruggeworpen. Ze probeerde afleiding te zoeken in de schrijverij, deed een poging Yen te interviewen voor een artikel over de droevige geschiedenis van het dorp waar hij vandaan kwam, maar hij wierp tegen dat hij te jong was geweest, dat hij het zich niet meer kon herinneren, dat hij het nooit nodig had geacht er iets van te begrijpen, alleen maar om zichzelf te beschermen toen de gevechten hun kant op kwamen. Hoewel Hope niet echt geloofde dat hij argwaan jegens haar koesterde, kwam de ontwijkende houding van Yen toch over als een beschuldiging.

2 juni 1916

Het wreedste aspect van verraad is de verleiding om een bekentenis af te leggen. Ik word belaagd door de neiging alles op te biechten aan Paul, ook al kan ik me maar al te goed voorstellen wat dat zou aanrichten bij hem... en ons. Het deel van hem dat onze verbintenis heeft omarmd met alle romantiek van het Westen (waar ik zelf schuldig aan ben) zou zich gekwetst en verraden voelen. Het deel – het grootste deel, vrees ik – dat huwelijksgeluk nog altijd beoordeelt volgens de Chinese tradities zou mij veroordelen zonder ook maar een greintje begrip. Ik wou dat ik anders kon geloven. Volgens mij is Paul wel degelijk in staat tot een andere reactie, maar in laatste instantie ben ik te laf hem op de proef te stellen. Hij is mijn man, en we moeten koste wat het kost ons gezin bij elkaar houden. Ik moet zelf een uitweg zien te vinden, een weg terug, en doen alsof het allemaal niet gebeurd is. Er zijn tenslotte geen gedragscodes geschonden. De enige wet die is overtreden, was de wet van het hart.

Ik zie Paul weer zoals ik naar hem keek in de rechtszaal in Peking, zijn eed afleggend en getuigend tegen een vrouw wier emoties haar alle beheersing hadden doen verliezen. De getuigenis van Paul was het bewijs van haar schuld. Ze werd veroordeeld tot een boete en een gevangenisstraf. In de ogen van Paul, in de ogen van ons allemaal, was het één grote klucht. Een komedie. Eerder bewijs van menselijkheid dan van misdadigheid. Maar naar welke maatstaf zou hij mij beoordelen?

2

WUCHANG
7 juni 1916
Liefste Hope,

Heb je het nieuws gehoord? Yüan Shih-k'ai is overleden, en vice-president Li Yüan-hung heeft het presidentschap overgenomen. Na zijn vele intriges en met zoveel vijanden denk je misschien dat Yüan vergiftigd is, maar ik heb gehoord dat hij is overleden aan een beroerte. Hier in Wuhan wordt het uitbundig gevierd. Vandaag heb ik ontmoetingen gehad met vertegenwoordigers van verscheidene generaals uit de oppositie en die zeggen allemaal dat ze zich willen verenigen onder president Li om de republiek te herstellen. Dr. Sun heeft ook besloten Li te steunen als de constitutionele leider.

Li heeft per telegram mijn terugkeer naar Peking verzocht. William is daar al om hem te adviseren. Ik geloof dat mij post zal worden gegeven als minister van Informatie. Dat is goed nieuws, ja? Misschien kan ik groter huis regelen voor jou en kinderen begin juli, dat is nog twee maanden voor de geboorte van onze nieuwe baby als je goed genoeg bent om te reizen. Wat zijn jouw wensen, liefste? Schaf mij alsjeblieft raad.

Ander nieuws, met mijn moeder is alles goed. Haar tweede dochter zorgt goed voor haar. Maar het is goed dat ik bezoek heb gebracht, want de reis vanuit Peking is veel langer, en ik weet niet wanneer ik weer naar huis zal kunnen terugkeren.

Je mag mij schrijven per adres William in Ta Hsing Hsien Hutung. Ik logeer bij hem tot ik mijn eigen regelingen heb getroffen.

Met liefs en mijn kussen voor jou en kinderen,
Je man Paul

Range Road 50
Sjanghai
15 juni 1916
Lieve Paul,

Ik heb je brief uit Wuchang ontvangen. Het nieuws over Yüan had ik natuurlijk gehoord, maar je had je toch zeker niet werkelijk ingebeeld dat ik met iets anders dan ongeloof kennis zou nemen van je plan om weer terug te verhuizen naar Peking? Pearl zit hier eindelijk op school. Je hebt een geweldig huis voor ons geregeld hier. De baby zal over enkele weken geboren worden (en misschien nog wel eerder, als ik op grootte en beweeglijkheid afga). Ja, ik vond Peking prachtig, maar onze ontsnapping uit die stad was bijna mijn dood geweest. Hoe kun je nu geloven dat deze regering stabieler zal zijn dan de vorige?

Ik ben er niet gelukkig mee dat ik dit moet voorstellen, maar ik geloof werkelijk dat als jij die post aanvaardt, wij voorlopig uit elkaar moeten. Je zult ongetwijfeld af en toe voor zaken in Sjanghai moeten zijn, en dan kom je bij ons. Als de nieuwe regering steviger in het zadel zit zal ik het uiteraard opnieuw overwegen, maar op dit moment moet ik de belangen van de kinderen voor ons geluk laten gaan. Ik weet dat dit precies is waarvan ik altijd gezegd heb dat ik het wilde vermijden. Ik weet het en ik verafschuw het. Maar ik zie geen andere manier.

Als jij dit moet doen, zal ik mij daar niet tegen verzetten. Maar ik ga me niet bij jou voegen.

Het spijt me, Paul. Meer dan jij kunt weten.

Hope

Ta Hsing Hsien Hutung
Peking
3 juli 1916
Liefste,

Natuurlijk heb je gelijk. Het is het beste dat jij en de kinderen in Sjanghai blijven tot onze baby komt. Alles verandert hier heel snel. President Li neemt de leiding op zich, en in augustus komt de Nationale Assemblee bijeen, dus er heerst groot optimisme. Ik ben heel druk bezig met het op de hoogte houden van de buitenlandse gezantschappen en ook de studentengroeperingen, die zich zorgen maken dat Li niet sterk zal zijn tegen de Japanners.

Daisy Tan doet je haar meest oprechte wensen toekomen en hoopt dat jij en de kinderen het goed maken. Suyun is teruggekeerd naar Hankow, maar Daisy laat zich kennen als een liefhebbende moeder. Kuochang zal onder de hoede van William en Daisy goed worden verzorgd en opgevoed. Maar als jouw gevoelens nog dezelfde zijn is het misschien beste dat jij Daisy niet meer elke dag hoeft te groeten.

Ook zie ik Miss Van Zyl gisteren, en zij stuurt je de bijgevoegde goudsbloemzaadjes voor jou en Pearl. Ik heb verontschuldigingen aangeboden dat je niet persoonlijk afscheid van haar kon nemen, maar ze was heel begripvol. Ze heeft een betrekking genomen als gouvernante bij een Australische familie in Tientsin, waar ze volgende maand begint, dus alles is goed.

Yen zal altijd goed voor je zorgen. Je weet dat ik hem mijn leven toevertrouw.

Geef kinderen alsjeblieft kus voor mij.

Je man Paul

13 augustus 1916

Sarah heeft de kinderen meegenomen naar het strand van

Pootoo. Verdorie! Het is zo drukkend, de lucht lijkt wel een natte warme deken, en de eindeloze energie van de kinderen is mij te veel. Ik heb vier artikelen over Peking weten af te maken voor William Cadlow, maar in dit weer is alleen de gedachte aan beginnen met iets nieuws al een uitputtingsslag. Als die salto's makende watermeloen die ik dag in dag uit met me mee moet sjouwen er niet geweest was, zouden we deze zomer misschien naar Kuling zijn gegaan. Dan te bedenken dat ik die eerste zomer veronderstelde dat we jaar na jaar zouden terugkeren, terwijl nu vier jaar verstreken zijn zonder dat we één keer terug geweest zijn. Ik vond het zo fijn daar. Maar ik vond het vooral zo fijn om daar met Paul te zijn, en dat zou nu zeker niet mogelijk zijn.

Bespottelijk, bizar zelfs, zijn de bochten waar mijn gedachten zich in wringen in dit broeierige weer, in mijn toestand, en vooral in mijn eenzaamheid. Ik zie het gezicht van Stephen nu alleen nog maar voor me in fragmenten – de vreemde, zwevende kleuren in zijn ogen, het ruwe kuiltje in zijn kin. De manier waarop hij tegen mij glimlachte, zo langzaam en ernstig teder, maar met de kracht van een getijdenstroom. Ik zie de strepen grijs in zijn haar, zo jong al. Ik heb dat haar maar één keer aangeraakt, toen hij me van bed in de rolstoel tilde, maar ik voel de zachtheid ervan nog op mijn handpalmen. Mager en sterk van top tot teen, en zijn stem: laag, rijk, aandachtig. Ik herinner me nog dat ik die stem hoorde door de koorts heen, als een signaal voor iemand die onder water verdwaald is – ver weg, nauwelijks hoorbaar, maar de belofte galmend dat redding nabij is.

Ik heb niet één bericht van hem gehad, en toch twijfel ik er niet aan dat als hij hier vanmiddag kwam voorrijden met vier boottickets en een plan, ik de kinderen zou meenemen en Paul verlaten. Ik droom van niets meer dan dat, al kan ik me ook niets ergers voorstellen.

Gelukkig verkeer ik niet in gevaar. Sarah kwam gisteren theedrinken en vertelde dat Eugene Stephen vorige week had ontmoet bij een diner in Tientsin, en hij had gezegd dat hij naar de Filippijnen ging. Mijn gezicht verraadde me, maar Sarah greep de gelegenheid nu eens niet aan om me te vernederen. Ik neem aan dat ze geschokt was omdat zij altijd zo'n vertoning heeft gemaakt van haar flirt met Stephen, maar dat zette ze snel van zich af, evenals haar teleurstelling toen ik volhield dat er geen sprake was geweest van lichamelijke ontrouw. Ze toonde oprecht medeleven en gaf me veel verstandiger advies dan ik verwacht zou hebben.

'Voorzichtig, Hope,' hield ze me voor. 'Het hart is een machtig instrument, maar het kan net zoveel kwaad aanrichten als goed doen.'

Range Road 50
Sjanghai
17 september 1916
Lieve papa,

Ik sluit een foto in van onze nieuwste kleine Jasmine in de armen van haar trotse vader. Ze werd geboren op de ochtend van de tiende en dat hebben we flink gevierd, met Pearl en Morris en haar halfbroer Jin, en mijn vriend Jed Israel die de eerste uren van haar leven aan één stuk door foto's heeft gemaakt. Ik was verbaasd dat ze, na al die drukte in mijn baarmoeder, zo *klein* bleek te zijn, maar ze compenseert met energie wat ze tekortkomt aan grootte. Mijn vriendin Sarah wierp één blik op haar beweeglijke zwarte ogen en ondeugende mond en besloot dat haar roepnaam maar Jazz moest worden. En Jazz zal het vrees ik worden ook, in elk geval voor Sarah en de kinderen.

Paul is vanmiddag weer naar Peking vertrokken, maar het is zo'n drukte in huis met de nieuwe baby, en het enige wat ik lijk te willen, is slapen, dus er was niet veel om hem hier te houden. Hij heeft beloofd voor Kerstmis terug te keren, zoniet eerder, dus het valt nog wel mee. (Je ziet, ik begin me al neer te leggen bij een leven als vrouw van een Chinese politicus!)

Hoe dan ook, ik ben echt te slaperig om mijn ogen nog langer open te houden, dus voor nu stop ik. Veel liefs en kusjes van ons allen,

Je Hope

3

JASMINE KRIJSTE. ZE ZETTE ZICH SCHRAP EN WERD KNALROOD. ZE schreeuwde, trapte en snoof zo hard dat Hope dacht dat haar hart het wel moest begeven, en zo niet, dat zij of Ah-nie haar zou moeten smoren tot dat wel gebeurde. De koliek hield uren aan, en die uren werden maanden. Ah-nie gaf het kind met behulp van een buisje aftreksels van ginseng en hartgespan. Hope probeerde het met inbakeren, wiegen, zingen, wandelen. Ze voedde haar, liet haar hongeren, voedde haar als ze erom vroeg, als ze er niet om vroeg, maar niets kon het razende kind tot bedaren brengen. Het doordringende gekrijs joeg Pearl naar de huizen van haar schoolvriendinnetjes, en Morris naar buiten met de honden. Arme Ahnie en Joy hadden het nog het zwaarst te verduren. Hope kon het niet verdragen. Elke jammerklacht, elke verkramping was haar een klap in het gezicht. Haar angsten waren terecht gebleken: het kind had in de baarmoeder alle leed van de moeder geabsorbeerd, en daar getuigde het nu onmiskenbaar van.

Paul kwam die herfst inderdaad één keer naar huis, maar vertrok al enkele minuten na de middagaanval van Jasmine naar het huis in Nantao en bleef daar, en ontving er ook zijn vrienden en collega's. Hope dacht verbitterd terug aan die eerste jaren in Berkeley, toen ze hem had vergeven dat hij vrijwel geen contact had met Mulan en Jin, en al zijn excuses voor zoete koek had geslikt: de fysieke afstand en zijn ballingschap, zijn vlucht voor zijn moeder en eerste vrouw, de eisen die de revolutie aan hem stelde. Maar sinds hun vlucht uit Peking kwamen zijn aanhoudende politieke preoccupaties op haar over als één gigantisch verraad. Dat hij haar alleen liet met dit krijsende, kronkelende duiveltje maakte zijn schuld alleen maar groter.

Hope zocht haar heil in haar werk. Cadlow had prompt en uitbundig gereageerd op haar laatste artikelen uit Peking – één over de diefstal door ambassadeur Jordan van Japanse documenten uit het Hsin Hwa-paleis en de daaropvolgende onthoofding op de markt, een ander over het bal van Yüan Shih-k'ai, en twee over de rigiditeit van de Chinese familie-hiërarchie, waarin ze Daisy Tan en de moeder van Paul (zonder hen met name te noemen) dankbaar uitbeende. Na de geboorte van Jasmine was ze een nieuwe reeks begonnen, over de geneeskunde en de volksgezondheid in

China. Ze schreef over haar ervaringen als kraamvrouw in het Inheemse Ziekenhuis van Sjanghai, over westerse artsen die open stonden voor Chinese medicijnen en technieken. Ze schreef een artikel over de zelfverminking van de straatkinderen van Sjanghai, en de terughoudendheid van artsen om die te behandelen. Met andere woorden, tegen beter weten in haalde ze haar hart op aan bespiegelingen die allemaal op de een of andere manier met Mann te maken hadden.

Gelukkig kreeg ze ook andere verhaalideeën, mede dankzij Jed Israel en Jin. Haar vermoeden was juist gebleken: er had zich een hechte vriendschap ontwikkeld tussen beide jongemannen. Nu Hope weer terug en aan het werk was, gingen de drie geregeld samen 'op pad', zoals Jed dat noemde, naar de industrieterreinen of het platteland, weeshuizen of illegaal kampeerden aan de oever van de rivier, plekken waar Hope zich nooit alleen zou durven vertonen. Dan ging Jin wat schetsen terwijl Jed en Hope foto's maakten of informele interviewtjes hielden met kinderen, boeren en arbeiders.

En ook Sarah Chou deed haar de nodige suggesties aan de hand – uit een totaal andere hoek. Nieuwe dans- en modetrends waren Sarah's favoriete onderwerpen, evenals vechtpartijen in de rosse buurt waar prominente inwoners van Sjanghai bij betrokken waren. Maar eind november vernam ze dat de moeder van de geboortenbeperking, Margaret Sanger, een lezing zou houden over de rol van anticonceptie in modern China. Sarah opperde dat Hope, na drie maanden van gebroken nachten en darmkrampjes, misschien wel iets van de argumenten van mevrouw Sanger kon opsteken. Jin zei dat hij ook zou gaan, en dat zijn meeste studievrienden er ook naartoe gingen. Misschien dat mevrouw Sanger Hope wel een interview wilde toestaan.

Zodoende liet ze Jasmine de constant belaagde en inmiddels gelauwerde Ah-nie verder lastigvallen, nam ze haar camera, notitieblokje en eeuwiglekkende borsten mee en ontmoette Sarah en Jin bij het International Institute – het enige podium in Sjanghai wat zich bereid had getoond in te gaan op de wens van mevrouw Sanger om voor een gemengd publiek te spreken. Terwijl ze een plaats zochten in de volle zaal, merkte Hope een klein contingent pompeuze blanke mannen en giechelende dames op, maar het merendeel van het publiek bestond, zoals Jin al had voorspeld, uit Chinese studenten – zowel jongens als meisjes, allemaal westers gekleed.

'Ze ziet er niet bepaald uit als een rebel!' fluisterde Sarah toen mevrouw Sanger het podium betrad. Hope was al even verbaasd. Volgens de korte levensschets die over haar verspreid was, was Margaret Sanger slechts twee jaar ouder dan Hope, maar ze had drie kinderen, was gescheiden, had als verpleegster gewerkt en publiceerde en reisde over de hele wereld. Eerder dat jaar was ze gedwongen Amerika te ontvluchten nadat ze 'obsceen' materiaal had gepubliceerd met anticonceptionele instructies. Maar de vrouw die voor hen stond had net zo goed voor domineesvrouw kunnen doorgaan. Ze had vriendelijke, onderzoekende ogen, blonde krullen, en een bijna timide trekje om haar mond.

Mevrouw Sanger glimlachte en begon met een kort overzicht van de positie van de vrouw in de Chinese maatschappij. Het kwam erop neer dat vrouwen slaven waren. Ze beschreef het patroon van Chinese mannen die hele dagen en avonden doorbrachten in het gezelschap van hun vrienden, terwijl ze hun vrouwen alleen hadden voor de seks en om kinderen te baren. 'Aangezien seks eerder vereerd wordt dan verfoeid, beweren ze, zou de vrouw zich niet ongelukkiger of meer vernederd moeten voelen dan een gekoesterd dier dat doet waarvoor het gefokt is. Maar laten we eens veronderstellen dat dit instinctieve dier gedachten, emoties en verlangens heeft die de muren van haar echtgenoot overstijgen. Wat dan?' Ze tuurde over haar brillenglazen.

Hope keek ietwat ongemakkelijk naar Jin, die zijn armen over elkaar had geslagen. Sarah krulde een haarlok rond een vinger.

'Als de vrouw waarachtig een individueel leven verlangt,' vervolgde mevrouw Sanger, 'moet ze eerlijk en open zijn over haar instinctieve aard. Het moederschap heeft vanouds een beslissing geforceerd. Waar haar man zich van zijn kinderen kan scheiden terwijl hij zijn eigen vriendschappen en ambities nastreeft, kan geen enkele liefhebbende moeder zich zo losmaken van haar kinderen, noch kan zij seksuele liefde los zien van het eeuwige vooruitzicht op een zwangerschap.'

Een gegeneerde oprisping ging door het blanke deel van het publiek, terwijl de Chinese studenten helemaal in haar woorden opgingen. Hope drukte haar potlood in haar notitieblok en probeerde het ijzingwekkende gevoel dat zich in haar maag had genesteld te negeren.

'Hoeveel ze ook mag houden van het kind dat is geboren uit een vrije en hartstochtelijke verbintenis, ze is er toch de gevangene van op manieren die maar al te vaak schadelijk zijn voor het welzijn van haarzelf en haar gezin. Stel dat de pasgeborene moeilijk of ziek is, zo veeleisend dat ze geen reserves over heeft voor haar andere kinderen? Stel dat ze zelf ziek wordt, of dat haar man ziek wordt en komt te overlijden en zij achterblijft zonder emotionele of praktische steun? Stel dat ze geen vrienden of familie heeft? Stel dat het kind *onwettig* is?'

Opnieuw zweeg ze en keek uit over het publiek. Hope had haar notitieblokje in haar schoot laten vallen. Ze kromp ineen toen de blik van de spreekster over haar heen streek, en opeens wilde ze niets liever dan weggaan voor er nog één woord werd gezegd. Maar als ze nu opstond zouden alle ogen in de zaal haar volgen.

'Kuisheid,' zei mevrouw Sanger. 'In China net zo goed als in het westen is dat altijd de enige bescherming van de nette vrouw geweest tegen het isolement en de schaamte van een ongewenste zwangerschap. Maar haar eigen instinctieve hartstochten dan? En de seksuele verlangens van haar partner? Kuisheid is voor vrouwen net zo'n onnatuurlijke toestand als voor mannen, en toch wordt het exclusief aan de vrouwelijke kunne opgelegd.'

De hele zaal barstte nu los in woedend boegeroep, applaus en geroezemoes. Sarah plantte haar elleboog tussen de ribben van Hope. In de flikkering van het middaglicht leek het karmozijnrode vaandel boven het podium te pulseren. Hope kneep haar ogen dicht.

Mevrouw Sanger ging maar door. Ze beschreef haar visioen van een seksueel geëmancipeerde vrouw die zich naar eigen goeddunken ontwikkelde in een wereld van kansen, ervaringen, ontdekkingen en liefde. Hope hoorde Jin zijn knokkels kraken, Sarah zuchten.

In China, zei de spreekster, was anticonceptie de sleutel tot het terugdringen van armoe, honger, analfabetisme, omdat alleen anticonceptie vrouwen in staat zou stellen om in de mars naar modernisering hun rechtmatige plaats in te nemen *naast* de mannen. 'Sterker nog,' zo besloot ze, 'zonder die ene, meest fundamentele van alle menselijke vrijheden, kan er voor de maatschappij als geheel geen blijvende economische, politieke of geestelijke vrijheid zijn, en zullen vrouwen in China de gevangenen blijven van de traditie of van het lot.'

Een seconde van geschokte stilte verstreek, en toen begon het publiek te tieren en te juichen. Jin zwaaide met zijn arm ten teken dat hij iets wilde vragen. Sarah leunde naar Hope toe en riep boven het rumoer uit: 'Een vrouw naar mijn hart!'

Hope staarde haar kil aan. Studenten deelden gratis exemplaren uit van *Vrouw in opstand*, een essay van mevrouw Sanger. Ze vertrok voor die bij haar waren.

Thuis lag er een brief uit Amerika op haar te wachten. Het adres van de afzender kwam haar niet bekend voor. Boven waren Jasmine en Ah-nie in elkaar gestort, ze lagen allebei te slapen. Joy en Morris waren de honden aan het uitlaten. Pearl was op school. Het huis weergalmde van een zeldzame en verrukkelijke stilte, maar Hope kon zich niet ontspannen. Ze voelde nog steeds dat blok ijs in haar maag. Het was absurd, uiteraard. Margaret Sanger was een totaal vreemde, had in algemeenheden gesproken. Waarom voelde ze zich dan zo ontmaskerd?

Ongeduldig sneed ze de envelop open. Elke gedachte aan de lezing loste op in het niets toen haar blik over de eerste paar regels gleed.

Sunset Kalk Co.
Handelaars in kalk, hout en cement
Colton cement – Atlas wit cement
317 E. Third Street
Los Angeles

Zeventien november 1917
Mevrouw Paul Leon
Range Road 50, Sjanghai China
Beste mevrouw,
Het is mijn droeve plicht u op de hoogte te moeten brengen van de dood van uw vader, Theodore T. Newfield, 1311 South Hill St. Hij overleed heel plotseling en onverwacht op woensdag, 3 november 1916, om negen uur 's morgens...

De woorden op het papier trilden en vlekten. Haar armen waarmee ze de brief ophield werden gevoelloos. Zinsneden als 'uw vader en ik waren boezemvrienden', 'ze hebben nog geprobeerd hem te reanimeren, maar tevergeefs' en 'bankrekening van $500 en verscheidene aandelen zonder waarde' drongen nauwelijks tot haar door. Ze wist wat het betekende – dat haar lot was bezegeld, de laatste weg terug niet zomaar afgesloten, maar voorgoed vergrendeld. En toch kon het niet waar zijn. Het kon niet.

Ze had nooit afscheid genomen.

4

1 MAART 1917

De oorlog is nu overal. De rivieren en kreken zijn opgezwollen van de lijken, de stegen puilen uit van daklozen en verminkten. Door heel China net zo goed als door heel Europa liggen duizenden beroofd van hun ledematen en hoofden of door de ogen en het hart geschoten. Meisjes en moeders worden verkracht en met bajonetten doorboord door razende soldaten. Aan flarden gereten lichamen smakken tegen de grond, de sepia snippers van foto's van hun vrouw, brieven van beminden, identiteitskaarten als verwaaide bloemblaadjes op hun levenloze gezichten. Ik ben de stad uit gegaan om ze te zien, maar ze zijn ook naar mij toegekomen. In de haven deinen velden van roze, witte en rode papieren begrafenisbloemen tussen de grijze lijken van soldaten en armoedzaaiers die stroomafwaarts zijn gedreven. Intussen woont Paul in Peking overwinningsbanketten bij voor de bureaucraten en edellieden die er snel bij zijn om hun nimmer aflatende steun te betuigen – tot het volgende bataljon over de horizon komt en de overwinning bevecht, en er weer trouw moet worden gezworen aan een andere partij.

Soms denk ik dat ik als man geslaagder zou zijn geweest dan als vrouw. Net als Paul, net als mijn vader – of Stephen – zou ik mijn heil zoeken in de wereld, in het uniform van oorlog, beweging en onpersoonlijke ideeën. Ik zou buiten mezelf werken in plaats van altijd in mezelf te wroeten. Mij zou, op grond van mijn sekse, de luxe zijn vergund om te flirten met de dood.

Hoe dan ook, ik ben niet mijn vader of mijn man of iemand anders van die dappere, afwezige, rondreizende kameraden. Ik mag eruit onder begeleiding, met Jin of Jed of Yen, en ik mag mijn aantekeningen en foto's maken, me met de strijdende partijen onderhouden, maar mijn leiband is niet lang. Zoals mevrouw Sanger afgelopen herfst zo kernachtig stelde, zoals de kolieken van Jasmine mij telkens weer helpen herinneren, zit ik vast aan mijn kinderen. En dat wil ik ook. Maar o, die onrust. Het overlijden van papa heeft het laatste touw doorgesneden, en nu ben ik van mijn anker geslagen – ik kan nergens heen en toch wil ik telkens overal zijn behalve hier.

Terwijl de lijken zich om ons heen opstapelen, leven Paul en ik steeds meer in een eigen wereld, elk afzonderlijk, allebei volledig in beslag genomen door verliezen die nooit samenvallen met de verliezen van de ander, elk verteerd door ambities die rieken naar geheimhouding. Zelfs onze lichamen zijn vreemden voor elkaar geworden, onaangedaan door de maanden apart. Dit is niet het leven dat ik gezworen heb te leven, niet de liefde die ik plechtig beloofd heb te koesteren. Toch ben ik er net zo goed schuldig aan – of meer nog – dan Paul of wat voor speling van het lot dan ook.

Zoals Sarah vandaag tegen me zei, in de allerbanaalste setting, in het park bij de schommels, waar we onze jongens stonden te duwen: 'Twee dingen pleiten voor de tragedie. Ten eerste is een echte tragedie nooit saai. En ten tweede is er niets wat je zo goed aan je verstand peutert wat je fout hebt gedaan en wie je eigenlijk bent.'

De maanden sleepten zich voort. In heel China bleven de Japanners genieten van de verdragen en de leningen waar Yüan Shih-k'ai mee had ingestemd toen hij zwichtte voor de Eenentwintig Eisen, en de nieuwe republikeinse regering was niet machtig genoeg om dat ongedaan te maken. Eind juni 1917 veroverden noordelijke legers van afvallige krijgsheren Peking en verdreven de regering. Paul, William en de afgezette president Li Yüan-hung vluchtten andermaal naar het zuiden, naar Kanton, waar Sun Yat-sen en de rest van de voormalige Kuomintang-aanhangers al een onafhankelijke, zuidelijke hoofdstad aan het vestigen waren. De twee jaar daarop verbleef Paul, afgezien van de keren dat Sun door de een of andere rebellengroepering werd verdreven, wat geregeld voorkwam, in het presidentiële paleis in Kanton.

Wanneer de zuidelijke regering even op non-actief stond, keerde Paul terug naar Sanghai – soms voor dagen, maar ook weleens voor maanden – om les te geven en met William Tan plannen te smeden voor de volgende herrijzenis van Sun. Tijdens die bezoeken vertelde hij Hope verhalen over zijn militaire belevenissen, en beschreef hij de patriotten, kooplieden zowel als geleerden, met wie hij in Kanton had gedineerd. Aan zijn stem kon ze wel horen dat hij in zijn element was in de zuidelijke hoofdstad, met zijn held Sun en de onophoudelijke maalstroom van het politieke leven. Hij stelde nooit voor dat zij of de kinderen hem eens moesten komen opzoeken, maar hij moedigde Hope nu wel expliciet aan om te schrijven, aangezien hij daar een middel in was gaan zien om Sun te helpen bij zijn hernieuwde pogingen om buitenlandse steun te verwerven. En hoewel ze niet langer de illusie koesterde dat haar artikelen haar enig werkelijk inzicht konden verschaffen in de wereld van haar man, bleef ze schrijven omdat Cadlow haar prees en betaalde.

Maar terwijl Paul zich in Kanton volledig bleef inzetten voor het streven van Sun Yat-sen naar het nationale leiderschap, raakten Jed Israel en Jin in Sjanghai betrokken bij de plaatselijke arbeiders- en studentenbewegingen. Zij vonden dat Hope niet over de Chinese politiek zou moeten schrijven als ze niet verder keek dan de krijgsheren en slagvelden, als ze geen oog had voor de maatschappij die snel aan het veranderen was. Jed nam haar mee naar Japanse zijdefabrieken waar ze foto's maakte van kinderen, niet ouder dan vier, die hun handen in kokend water dompelden om de zacht geworden cocons op te vissen en te ontrafelen. In de eetzalen van de St. John's University luisterde ze naar de discussies van de gepommadeerde, westers geklede vrienden van Jin over de tegens, maar vooral voors van socialisme en democratie. In zijn (althans voor zijn vader) geheime atelier in de Chinese stad fotografeerde ze Jin en andere vrienden die modeltekeningen maakten van straatjongens en oude bedelaars. Bij de groezeligste uitgaansgelegenheden van Sjanghai stelde Jed haar voor aan Wit-Russische 'vorsten', die massaal naar China waren gevlucht voor de bolsjewistische revolutie. Alle spanningen die in de rest van het land verborgen bleven en onder het oppervlak bleven zieden, aldus haar vrienden, kwamen juist in Sjanghai naar boven, door de knal waarmee allerlei culturen daar op elkaar botsten.

En geen spanning die zo hoog opliep, vond Hope, als de spanning tussen de rassen. Maar om dat te onderkennen had ze geen hulp nodig; het was de grootste kwelling waar haar eigen gezin onder gebukt ging.

Vanaf het najaar van 1919 ging stille, leesgrage Morris met zijn zuster mee in de riksja naar de Thomas Hanbury-school, en hoewel de kinderen er zelden iets over zeiden, wist Hope dat zij dezelfde heimelijke lachjes en kleingeestige scheldwoorden, dezelfde wrede onderstroom van uitstoting te verduren kregen die zij opmerkte wanneer ze met hen buiten de deur kwam. Buiten de concessies werden ze nagezeten door stenengooiende meutes van Chinese kinderen die allemaal schreeuwden: '*Yang kuei tzu*! *Hun hsüeh erh*! *Ta pitzu*!' Buitenlandse geest. Halfbloed. Grote neus. En in de concessies werden ze nauwelijks minder onheus bejegend door de blanken. Als Euraziaten werden de kinderen geacht zich bij hun eigen scholen te houden, hun eigen buurt, hun eigen soort, en ze moesten vooral niet wagen om omgang te zoeken met de verheven Angelsaksische Sjanghailanders. Als Morris ouder werd, kon Hope ernaar uitkijken dat hij de wapens zou opnemen als lid van de Euraziatische compagnie van het plaatselijke Korps Vrijwilligers, maar hij zou nooit worden toegelaten tot de clubs van Sjanghai, en hij zou zich nooit kunnen aansluiten bij de heersende elite. Wat de liefde betrof: de kranten deden bijna routineus verslag van zelfmoorden van jonge Euraziatische meisjes die de vergissing hadden begaan om verliefd te worden op een blanke, en van de dood (altijd 'door een ongeval') of verdwijning van Euraziatische mannen die zich hadden ingelaten met Sjanghailander dochters. Tragedies, precies, zoals Sarah al gezegd had: ze drukten je telkens weer met de neus op het feit van je identiteit.

Hope probeerde al die onverdraagzaamheid zoveel mogelijk naar de achtergrond te duwen door een ordelijk, schoon, veramerikaniseerd huishouden te voeren waarin haar kinderen de gekoesterde sieraden waren. Ze bakte taarten voor hun verjaardagen, naaide jurken en pakjes naar patronen die ze uit de meest recente Amerikaanse tijdschriften haalde, nam ze mee naar het circus en de bioscoop, of naar de Chocolate Shop aan de Nanking Road voor een ijsje. Ze stuurde ze eropuit met Yen om vliegers en poppen en kauwgom te kopen. Ze las ze gewetensvol voor uit de klassieken, nam eindeloos foto's van ze in de tuin en marcheerde eens per jaar met het hele stel naar Denniston's, waar Jed een familieportret van hen maakte waar in elk geval Yen en de kindermeisjes niet op ontbraken, al was Paul er natuurlijk nooit bij.

Tegelijkertijd deed Hope vreselijk haar best om haar toenemende vervreemding van Paul te verbergen en de kinderen aan te moedigen in hun bewondering en respect voor hun vader. Hij was een hoge regeringsfunctionaris, benadrukte ze, die nauw samenwerkte met de grote dr. Sun, hij sprak vijf talen, was een man van adel en een oprecht revolutionair denker. Hij was een idealist. Een dichter. Een toegewijd patriot. Hun vader was een goed, zachtaardig man en hij hield van hen.

Telkens weer somde Hope al die kwaliteiten op waarop zij verliefd was geworden, al die redenen waarom ze met Paul getrouwd was, en ze probeerde uit alle macht die herinneringen te koppelen aan de gezette, onbuigzame figuur die haar man aan het worden was. Maar hij maakte het haar niet makkelijk. Bij een van zijn periodieke bezoeken aan Sjanghai had ze de zware, weeïg-zoete geur van opium aan zijn kleren bespeurd. Soms nodigde hij zijn vrienden uit voor mah-jong- of poëziesessies, en dan wandelden die vrienden langs haar heen naar zijn studeerkamer alsof ze niet eens bestond. Vervolgens dreunde het huis urenlang van hun stemmen, hun gelach, geruzie, hun gereciteer van verzen. Als ze langs de open deur kwam zag ze vaak stapels geld op de tafel liggen, hoewel Paul haar nooit vertelde hoeveel hij met gokken gewonnen of verloren had. Later, als hij bij haar kwam, was hij opgewonden en onhandig, en ademde hij de zuur-scherpe drankgeur van *mao-t'ai*. Dat hij bij zulke gelegenheden vaak tederder, vuriger was maakte haar gevoelens voor hem er niet warmer op. Onvermijdelijk deed zich bij haar de vraag voor of hij ook andere 'pleziertjes' had wanneer hij weg was.

Vanaf het begin (als ze heel eerlijk was) en in elk geval vanaf het moment dat ze vernomen had van de tweede 'schoondochter' van Nai-li, had de twijfel aan zijn trouw zo af en toe aan Hope geknaagd. Hij had er nooit een geheim van gemaakt dat hij de bordelen van zowel Kanton als Peking kende. Er was die affaire geweest met Madame Shen en het Huis van Ontwakende Seksuele Verlangens, maar recenter nog had hij haar allerlei trieste familiegeschiedenissen verteld, die ze overigens grimmig genoteerd had voor Cadlow, over 'bloemenmeisjes', en hoe die in de prostitutie waren beland. En dan waren daar natuurlijk nog zijn weliswaar niet geregelde, maar meestal wel zeer langdurige bezoeken aan het huis van zijn moeder in Wuchang. Na afloop schreef hij de langdurigheid van die bezoeken steevast toe aan onderhandelingen met plaatselijke functionarissen, of de druk van oude vrienden, of zijn moeders gezondheidstoestand. Als hij de naam Ling-yi al liet vallen, was dat alleen om haar te prijzen dat ze voor Nai-li zorgde, en haar in Hankow hield, op veilige afstand van Hope (want daar kwam het immers op neer, al zei hij het niet met zoveel woorden). In het verleden was Hope haar argwaan steeds voor gebleven door een zeker medelijden te koesteren voor die vrouw die gedoemd was tot een leven van kuisheid en onderworpenheid. Die Ling-yi deed tenslotte wat traditioneel de plicht was van de eerste vrouw van Paul, en ook al was Hope, als buitenlandse, van dergelijke tradities vrijgesteld, dat gold niet voor Paul. Maar nu werd

Hope verscheurd door een opwelling van jaloerse achterdocht en de vage wens dat Paul maar zijn gang zou gaan en Ling-yi of een andere vrouw zou nemen. Want hoewel er meer dan twee jaar waren verstreken, waarin ze elkaar niet één keer geschreven hadden, werd ze nog steeds bezocht door gedachten aan Stephen Mann.

5

13 MAART 1919. ZE DEED DE DEUR DICHT EN LEUNDE ER MET haar rug tegenaan, de oren gespitst. Ondanks het gekef van de honden in de tuin, en de schrille kreten van Jasmine en de vermoeide smeekbeden van Ah-nie boven, deed het huis onheilspellend leeg aan.

Het was ook inderdaad leger dan gewoonlijk, want twee dagen geleden had Joy hen verlaten – om in het huwelijk te treden met een bediende van het warenhuis Sincere. Ze vond Pearl en Morris nu oud genoeg, ze hadden echt geen twee kindermeisjes meer nodig, en als de zaken er dan zo voor stonden was Ah-nie degene die maar blijven moest: die had toch geen zin om te trouwen. Pearl was gaan pruilen: die jongeman kon onmogelijk net zoveel van Joy houden als *zij* – en als Paul er niet geweest was, zou ze dat toneelstukje nog heel lang hebben volgehouden. Hoewel het zuiver geluk was geweest dat Paul op dat moment in de buurt was.

Hij was al bijna een maand in Sjanghai, maar omdat Sun hem gestuurd had om deel te nemen aan de vredesbesprekingen die daar gehouden werden was hij bijna nooit thuis. De besprekingen waren geïnspireerd door de conferentie in Versailles van de westerse mogendheden. De bedoeling was dat vertegenwoordigers van de noordelijke en zuidelijke regering met elkaar om de tafel gingen zitten om een eind te maken aan de Chinese burgeroorlog, die al drie jaar woedde. Maar de onderhandelingen liepen telkens vast, en gisteren was de noordelijke delegatie abrupt teruggeroepen naar Peking. Paul had het grootste deel van de afgelopen nacht crisisberaad gehouden met William Tan. Vanochtend vroeg was hij naar Nantao vertrokken om met Jin te praten over zijn toekomstplannen. Jin had zijn graad in de politicologie behaald.

Maar minder dan twee uur later was Paul teruggekeerd. Hij had het donkere-kamergordijn van Hope opengerukt en de serie afdrukken verpest die ze zojuist ontwikkeld had. 'Je wist wat hij deed!' beschuldigde hij haar. 'Tekeningen van naakte vrouwen. Cartoons als de krabbels van het eerste het beste kind. Jij moedigt hem hierin aan!'

Ze deed haar schort af en haalde onzeker adem. Ze trad naar buiten, de hal in. 'Volgens mij heeft hij talent, Paul.'

'Talent,' spuwde hij terug. 'Ik had jou niet met mijn zoon moeten laten kennismaken!' Hij deed een stap naar achteren en zijn zware leren hiel raakte de muur. De klap galmde door de gang.

Hope drukte haar tanden in haar onderlip. Ze probeerde zich op te schroeven voor de aanval. Ze werd even afgeleid door de vraag waar Yen was, en of Dah-soo en Lu-mei hen vanuit de keuken zouden kunnen horen. Maar ze bleef merkwaardig onaangedaan door de boosheid van Paul, alsof het, net als een driftaanval van Jasmine, meer een gênante bron van irritatie was dan een persoonlijke aanval.

'Misschien moeten we maar even naar jouw studeerkamer.' En zonder zijn antwoord af te wachten ging ze hem voor naar de schemerige kamer die zelfs in deeltijdgebruik één rommeltje was geworden van papieren en boeken en die altijd naar muffe tabak rook.

Het midwinterlicht gaf de huid van Paul een grijze tint, en zonder zijn gebruikelijke joviale vernislaagje leken zijn gelaatstrekken te gaan hangen. 'Weet je wat hij deze afgelopen maanden doet,' vroeg hij op hoge toon, 'terwijl hij *zegt* dat hij zijn studie afmaakt?'

Hope schudde haar hoofd. 'Hij heeft mij verteld dat St. John's hem een extra semester had gegeven om zijn graad te halen, zodat hij wat aanvullende cursussen kon doen.'

Paul stak een hand in zijn jaszak en smeet een verfrommeld pamflet in haar schoot. Ze streek het glad en zag dat het cartoons waren. Karikaturen van buitenlandse mannen en vrouwen die gearmd wegholden, met Chinezen in regimentsuniform die hen met bajonetten in de rug porden. Een andere van de Verboden Stad die in rook opging, omringd door joelende en jouwende menigten. En nog een van Sun Yat-sen die een man bij de hand hield met een *jintan*-snor, het soort snor dat Japanners graag droegen. Onder elke prent stond in blokideogram de naam Jin.

Hope vouwde het pamflet op en trok de nagel van haar duim

over de vouw, waarna ze het resoluut op het achthoekige tafeltje legde tussen de luie stoel waar zij in zat en de rechte stoel van Paul. Ze had tegen Paul kunnen zeggen dat het zijn eigen schuld was, dat hij Jin maar geen studie in de politicologie had moeten opdringen. Ze had hem eraan kunnen herinneren dat hij ook een heethoofd was, dat hij, toen hij zo oud was als Jin nu, voor honderden Chinezen op een tafel was gesprongen en hen had opgeroepen de Manchu's ten val te brengen. Ze had kunnen opperen dat die cartoons een terechte vergelding waren voor die karikaturale pindachinezen met hun grote voortanden die elke dag in de *North China Herald* prijkten. In plaats daarvan zei ze mild: 'Ik had hier geen idee van.'

'Volgens hem vind jij het goed.'

'Ik vind het goed dat hij zich aan de kunst wijdt. Ja, waarom niet?'

'Westerse kunst!'

Ze keek hem nieuwsgierig aan. 'Waarom ben je zo boos? Heb je enig idee?'

Zijn kin zakte weg in zijn gesteven kraag. Zijn oogleden werden dichtgeknepen achter zijn ronde brillenglazen. 'Dit,' zei hij, en hij drukte een afgekloven wijsvinger op het papier. 'Dit is geen kunst. Dit is schandalig.'

Iets in de woede van haar man maakte dat Hope gepikeerd was, en toch, ondanks zijn beschuldigingen, leek het haar niet persoonlijk te raken. Ze leek wel een wetenschapper die een bijzondere proefpersoon onderzoekt, of een arts die een ziekte diagnosticeert die ze kon oplopen noch genezen. De schande waar Paul het over had, besefte ze opeens, had weinig te maken met de radicale sentimenten van Jin – die tenslotte niets anders waren dan een uitvergroting van die van Paul. Noch werd zijn boosheid nou zo speciaal veroorzaakt door de corruptie van zijn zoon door de westerse ideeën, die hij ook altijd had aangemoedigd. Nee, zijn kwaadheid was niet zozeer gericht tegen iets wat Jin *gedaan* had, maar meer tegen alles wat hij had *nagelaten*.

Haar blik viel op de prachtig gesneden inktstokken en schrijfborden die altijd klaar lagen op het bureau van Paul. De bamboepot vol penselen met hun haren van pony's, geiten en nertsen. Het geperste rijstpapier en de porseleinen pot met de vermiljoene pasta waarin hij zijn onyx zegel liet zakken. Naast het bureau lagen stapels verse kopieën van de verzen van Paul over het 'Keizerlijke tijdperk van Hong Hsien', een lyrisch verslag van de heerschappij van Yüan Shih-k'ai dat onder grote bijval was verspreid onder de schrijversvrienden van Paul. Aan de muur hing de markizaatsmedaille van Paul uit datzelfde tijdperk, eenvoudig ingelijst in zwart hout als om aan te geven dat het weinig voorstelde, maar niettemin zo opgehangen dat geen blik eromheen kon.

Hope streek afwezig met haar handpalmen over haar rok. Opeens voelde ze de verstevigde contouren van haar zak en trok ze haar handen terug alsof ze zich gebrand had. Paul draaide met zijn hoofd bij die plotselinge beweging, maar zijn bril weerspiegelde het licht uit de hoge ramen zodat zijn ogen schuilgingen achter witte strepen. Hope probeerde rustig te blijven. Ze ging staan en hield haar armen over elkaar voor haar buik.

'Je bent boos,' zei ze, terwijl ze zichzelf dwong om bij de zaak te blijven waar het hier om ging, 'omdat Jin niet precies is als jij. Hij heeft al die jaren van reciteren niet hoeven doormaken. Hij is nooit in de Verboden Stad geweest, niemand heeft hem ooit opgesloten in zo'n examencel of als zegevierende geleerde door de straten meegevoerd. En dat zal nooit gebeuren ook. Maar hij *is* als jij, Paul. Hij is twintig jaar later geboren. Dat is het verschil.'

Zijn kaken beefden terwijl hij zijn tanden op elkaar zette. Ze wist dat ze gelijk had. Ze wist ook dat ze er nooit ook maar het flauwste idee van zou hebben wat er op dit moment door haar man heen ging. Namen, gezichten, regels, veronderstellingen, traditionele codes die hem zozeer in het bloed zaten dat ze niet eens meer in woorden te vangen waren. De bron van zijn razernij was zijn hoofd noch zijn hart, maar een of ander diepergelegen orgaan waar alles al eeuwen vaststond en, ondanks zijn revolutionaire bedoelingen, onwrikbaar vast bleef staan. Wat voor vertrouwelijkheden, geheimen of beproevingen ze ook mochten delen, die kamer zou altijd buiten haar bereik blijven... Om die reden, alleen om die reden gaf Paul haar de schuld van het 'verraad' van haar stiefzoon.

Ze staarden elkaar aan. Paul frunnikte afwezig aan de zak van zijn vest. Zijn brede schouders kromden zich naar binnen. Hij maakte geen aanstalten om op te staan, en toch had ze het gevoel dat hij klaar was voor vertrek. En ze was dankbaar.

'Het is niet mijn schuld,' zei ze afgemeten, terwijl ze opstond. 'Ik heb Jin niets dan vriendschap gegeven.' Maar haar zelfrechtvaardiging klonk onmiskenbaar als een beschuldiging. En zijn reactie ook.

'Ik weet niet wat jij doet als ik weg ben,' zei Paul. 'En toch vertrouw ik je.'

Ze wierp het hoofd in de nek, verslikte zich zowat in haar adem en rukte de deur van de studeerkamer open. Boven aan de trap verscheen juist de bolhoed van Yen, en zijn tred had de ferme, gehaaste dreun van iemand die nieuws had. Ze liep snel naar haar kamer voor hij haar zag en liet zich met haar gezicht in haar handen op het bed vallen.

Nog geen uur later trof ze Paul beneden in de zitkamer aan. Hij pakte zijn reservebril, de *Shen Pao* van die dag en het schrijfblok waarin hij enkele suggesties had genoteerd voor de memoires van Sun Yat-sen. Alles verdween in zijn zwarte schoudertas, boven op zijn inderhaast gepakte kleren. Haast sprak ook uit de ongekamde haren die over zijn kraag heen hingen, zijn losse das en het trekken van de warrige wenkbrauw terwijl hij in gedachten een lijstje maakte van wat hij nog pakken moest. Uit flarden van zijn instructies aan Yen, die hem naar het station zou brengen en daarna met het nieuws naar William Tan en Li Yüan-hung zou gaan, maakte Hope op dat de lijfwacht en de minister van Marine van Sun bij een aanslag om het leven waren gekomen. Het werd weer tijd om de rijen te sluiten.

Paul kuste haar niet terwijl ze met droge ogen klaarstond om afscheid van hem te nemen, maar hij droeg haar wel op de oudere kinderen een kus van hem te geven. De rondhollende Jasmine kreeg een plichtmatige omhelzing. Hij zette zijn hoed recht, keek op zijn gouden zakhorloge en zei tegen haar dat ze zich geen zorgen hoefde te maken. Zijn blik was alert, ongeduldig, onpeilbaar. Hij repte verder met geen woord over Jin, of over vertrouwen, of over de kloof die steeds dieper tussen hen gaapte.

En nu stond Hope met haar hoofd tegen de deur geleund. Ze luisterde – hij mocht eens terugkomen. Maar de poort was dichtgegaan, zijn riksja was vertrokken. Langzaam begonnen haar handen, die op de een of andere manier in een kruis op haar keel tot rust waren gekomen, naar beneden te kruipen. Ze volgden de ronding van haar borsten, het verval van haar ribbenkast, de versmalling van haar middel en de abrupte verbreding van haar heupen en dijen onder de plooien van haar rok. Ze had haar zak niet leeggemaakt. Als hij bij haar was gekomen en met zijn handen over haar lichaam was gegaan zoals zij nu deed, zou hij de brief hebben ontdekt die die morgen bezorgd was. Maar hij had haar vertrouwd.

Hong Kong
10 maart 1919
Lieve Hope,

Ik heb mij een waardeloze vriend betoond. Half Azië rond en niet één bericht. Als je de ruimte in je hart hebt om mij te vergeven, zul je het ook wel begrijpen. Heb contact gehad met je vriendin Anna Van Zyl die meldt dat je baby gezond en wel geboren is en dat jij en je kinderen het goed maken. Daar ben ik heel blij om voor jou en je man.

Maar dit is niet alleen een gelukwens. Na al te veel doelloze maanden heb ik besloten terug te keren naar een ziekenhuis dat ik enige jaren geleden in Chungking bezocht heb. Hope, mijn terugkeer voert mij ook langs Sjanghai. Als er een kans bestaat om jou daar te ontmoeten, zou ik niets liever willen.

Ik kom op de zeventiende aan en logeer in het Metropole. Als je me daar belt, kunnen we een afspraak maken. Maar als je niet belt, zal ik het begrijpen.

De jouwe,
Stephen

6

In een bondig, geforceerd hartelijk telefoongesprek spraken ze af elkaar in een café in Chapei te ontmoeten. Het was geen rendez-vous, hield Hope zichzelf streng voor terwijl ze de hoorn op de haak legde, gewoon een tijd en een plaats. Maar ze vertelde Yen dat ze een afspraak had met Sarah, en Sarah vertelde ze dat ze foto's ging maken van de Lunghua Pagode. Ze regelde dat Pearl en Morris na schooltijd met Pearls vriendinnetje Iona McDonald naar huis zouden gaan, terwijl Jasmine thuisbleef met Ah-nie. Ze trok een nieuw hyacintblauw linnen pakje met een plooirok aan, zette een bijpassende slappe gleufhoed op en kauwde met onbewuste verbetenheid Sen Sen terwijl ze op de tram naar de Thibet Road stapte. Ze voelde zich licht en nerveus en merkwaardig doorzichtig, alsof iedereen die haar zag haar gedachten moest kunnen lezen, hoewel zij dat zelf niet kon.

Op het moment dat ze hem in het oog kreeg, aan een tafeltje in het raam van dat sjofele tentje, stokte haar adem weer net zo als die eerste keer op de rivier, toen ze hem nog niet kende. Zijn smalle, voorname neus en zijn kin met dat kuiltje, het ernstige profiel, het haar achterover – zijn gezicht was doorgroefder dan toen ze hem voor het laatst gezien had, zijn haar dunner en grijzer, maar toen hij naar voren leunde en zijn pijp opstak zag ze dat hij dezelfde volle lippen had, dezelfde uitdrukking van ernstige, hartverscheurende intensiteit.

Eindelijk sloeg hij zijn ogen op. Ze schudde haar hoofd toen hij wilde opstaan, liep snel door om bij hem te gaan zitten, en hij nam met een glimlach haar handen, nog in hun handschoenen, in de zijne. Ze omhelsden elkaar niet.

'Je bent niks veranderd.'

'Jawel!' Haar stem galmde in haar oren.

'Ik was bang dat je niet zou komen.'

'Nee,' antwoordde ze op de Chinese manier.

Zijn glimlach verbleekte. 'Ik dacht dat drie jaar genoeg zou zijn.'

'Het waren drie lange jaren.'

'Hope...'

Met tegenzin trok ze haar handen los om met veel omhaal haar handschoenen uit te trekken en weg te bergen. Ze gingen zitten en bestelden koffie, die zo slap bleek dat ze de barsten op de bodem van de kopjes konden zien. Maar ze zouden het toch niet opdrinken.

'Je weet vast wel,' begon hij weer, fronsend tegen het tafelblad, 'of ik denk dat je wel weet waarom ik nooit geschreven heb. Ik heb alles geprobeerd om je te vergeten. Het is stom, dat ik er zo'n punt van maak. Maar ik heb het eindelijk opgegeven omdat niets hielp. Het heeft geen zin eromheen te draaien. Ik heb nog nooit een vrouw ontmoet met jouw moed. Jouw kracht.' Hij keek haar aandachtig aan. 'Ik kan mezelf er niet van weerhouden om de hele tijd te denken dat jij de reden bent dat ik naar China gekomen ben, Hope. Om jou te ontmoeten... en weer thuis te brengen.'

Ze slikte. Elke spier in zijn lichaam leek erop gericht om dichter bij haar te komen.

'Natuurlijk,' praatte hij snel door, 'maak jij je zorgen om je kinderen. Maar je weet hoe ik je kinderen vind. Ik zou alles voor ze doen... en voor jou.' Hij zweeg, beet op zijn lippen en graaide in zijn zak naar zijn pijp.

'Stephen...' Maar na een korte aarzeling kon ze zich er niet toe zetten om iets te zeggen.

Er leek verder ook niets te zeggen, en de onbewogen blikken van de Japanse barkeeper en zijn vrouw maakten hun stilzwijgen des te onbehaaglijker. Uiteindelijk stonden ze op en gingen de straat op. Ze bespraken geen bestemming, maar lieten zich meevoeren door de stroom van het verkeer, langs de vergrendelde zwarte deuren van de omliggende ijzersmelterijen, fabrieken en machinewerkplaatsen. Ze liepen dicht genoeg naast elkaar om onder het lopen hun handen langs elkaar te voelen strijken. Elke keer dat ze elkaar aanraakten duurde een fractie van een seconde langer, tot hun vingers in elkaar grepen. Opeens werd Hope zich heel erg bewust van haar helderblauwe kleren, en het feit dat Mann wel heel erg lang was, en niet eens een hoed op had. Ze keek op naar hem. 'We vallen wel erg op hier.'

'Jij zou overal opvallen,' antwoordde hij, zonder het tempo te vertragen.

Ze werd tegelijkertijd getroffen door zijn gekunstelde vleierij en de melodramatische toon van zijn reactie. Niet dat ze aan zijn oprechtheid twijfelde, dat was het niet. Maar iets in zijn stem gaf haar opeens het gevoel alsof er een akelige kloof tussen hen gaapte.

De lucht betrok, het werd donker en vochtig, en de mensen versnelden hun pas. Hij pakte haar elleboog en leidde haar een steegje in tussen twee pakhuizen dat eindigde bij een johannesbroodboom en een modderig stukje grond dat uitkeek over de Soochow Creek. Achter een laag stenen muurtje liep het steil af naar de oever. Afgezien van de bootladingen rivierbewoners beneden en de miniatuurfiguurtjes aan de overkant van de Creek, waren ze alleen.

Stephen draaide zich naar haar om en zijn ogen speurden ernstig haar gezicht af, alsof hij een ingang zocht. Hij stak zijn vingers onder de rand van haar hoed en tilde hem met een aarzelende beweging op, waarna hij hem voorzichtig op het muurtje neerlegde. De elegante vorm van het ding, het zachte materiaal, het felle blauw, alles leek in tegenspraak met de grauwe kleuren rondom, en Hope merkte dat ze als vanzelf naar achteren gleed, alsof ze zich van haar hoed en alles waar die voor stond distantieerde.

Het was haar niet opgevallen hoe dicht ze bij de johannesbroodboom stonden, maar opeens voelde ze de stam in haar rug. De levende warmte van de boom drong door tot in haar schouders, de geur van de trossen witte bloemen boven haar hoofd prikkelde haar neusgaten. Toen hij dichterbij kwam moest hij zich bukken voor de stekelige takken, en of hij haar volgde, dan wel haar tegen de boom dwong zou ze niet kunnen zeggen. Zijn gezicht was donker en dichtbij, zijn adem warm op haar voorhoofd. Zijn vingertoppen speelden over haar wangen. Ze raakte zijn huid aan waar de kraag van zijn overhemd openstond, voelde de plek waar spier en been samenkwamen, de haartjes die omhoog krulden vanaf zijn borst. Die paar ontdekkingen fascineerden haar. Ze had het gevoel alsof ze er helemaal in op zou kunnen gaan om nooit weer te voorschijn te komen, maar voor ze wist wat er gebeurde had zijn mond haar gevonden en bezweek al haar aarzelende verwondering onder het gewicht van zijn ruwe kracht, zijn haast, de gretige aantrekkingskracht van zijn kus, de onhandige bewegingen van zijn handen over haar borsten en keel en de druk van zijn heupen tegen haar middel. Al die sensaties maakten haar wild en elke zenuw in haar lichaam rekte zich om ze vast te houden, ze nog indringender te maken, tot ze net zo verrukkelijk schrijnend werden als de druk van de boomstam in haar rug.

Toen zijn lippen naar haar hals gleden probeerde ze iets uit te brengen, maar haar eigen verlangen vervormde haar woorden tot betekenisloze klanken. Zijn handen sloten zich om haar schouders. Zijn adem fluisterde in haar oor, en de vermengde geuren van warme huid, pijptabak en bloesems verdrong de latrinestank van de kreek. Ze bracht een van zijn handen naar haar lippen, en liet haar tong over de eeltige hardheid van zijn knokkels glijden. Hij bleef tegen haar aan bewegen en zij sloot haar ogen toen zijn vingers zich onder haar jasje drongen, en onder de riem van haar rok. Ze merkte dat ze zijn bewegingen volgde, dat haar hand achter in zijn broek verdween, en onder zijn overhemd, en ze hield juist de adem in bij het betasten van zijn magere, behaarde rug toen de sensatie van zijn vingers op haar eigen huid haar een nerveuze lachstuip bezorgde.

'Dat heb je aan de oorlog te danken.'

Hij trok zich terug, bedwelmd. 'Wat?'

'De korsetteninzameling. Drie jaar geleden had je je een weg moeten zien te banen door een soort stalen kooi – nu is dat allemaal verleden tijd, door de oorlog.'

'Des te beter.' Maar zijn mond verdwaalde weer ergens onder

haar oor en ze verstond hem nauwelijks. Ze hielden elkaar wat onhandig vast, en nu haar hersens weer werkten, hoe vaag ook, besefte ze dat hun verschil in lengte een belemmering vormde die pas zou verdwijnen als ze erbij konden gaan liggen. Maar de modder hier zoog aan hun hakken, en er was geen grassprietje te bekennen.

'Ik heb een kamer,' zei hij.

Ze schrok, zowel verrast dat hij haar gedachtegang zo nauwlettend gevolgd had, als ontzet dat hun wederzijdse aanrakingen hun intimiteit juist eerder verdoezeld hadden dan versterkt. 'Waar?' vroeg ze.

'Hier... vlak om de hoek.'

Achter en boven hen had de lucht zich verdiept tot een paars als van een blauwe plek, en hoewel het nog geen vier uur was, floepten her en der al weer lichten aan in de settlement aan de overkant. In deze verwaarloosde hoek kon ze net een spier zien trillen in zijn wang, kon ze nog net de onzekerheid zien die rimpels trok rond zijn ogen, maar ze voelde de intensiteit waarmee hij naar haar keek, een uitdrukking die zo ernstig was dat het bijna leek alsof hij gewond was. Zijn hand verstrakte rond haar vingers. Ze begonnen te lopen. Opeens, onwillekeurig, keek ze van hem weg, en hoewel ze hem meteen weer aankeek had hij haar blik al gevolgd. Hij keek ook en griste haar hoed van het muurtje alsof het een lastig kind was.

'Had ik maar...' begon ze te zeggen, maar haar woorden verwaaiden in de wind die opeens was aangewakkerd. Ongeduldig, de rand van de gleufhoed achteloos verfrommelend, pakte hij haar hand weer.

De mist was nu dik en zwaar, maar voor ze op het idee kwam haar hoed terug te vragen, was hij een smalle portiek ingelopen en zocht naar zijn sleutel. Ze zag nergens een naam of een huisnummer, er knipperde alleen kleurrijke kerstverlichting boven de ingang. De eens rode deur was gebarsten en afgebladderd, de drempel was hoog, alle lak eraf gesleten. Ze stapten eroverheen en stonden in een donker, hoog trappenhuis dat haar op pijnlijke wijze herinnerde aan het trapgat naar het redactielokaal van Paul in San Francisco.

'Voel je je wel goed?' Stephen nam haar bezorgd op, de warmte van zijn hand doorstraalde haar hele arm. Ze had zich hem nooit voorgesteld in zo'n omgeving, had zich nooit een denkbeeld kunnen vormen van een bezoek aan hem onder deze omstandigheden, maar ze knikte. Hij was vrij. Hij kon gaan en staan waar hij wilde. Het was om haar dat ze hier waren, waar niemand hen kende en het niemand iets kon schelen.

Boven aan de derde trap kwamen ze een vrouw tegen, een losse grijze sjaal om haar hoofd gewikkeld, haar gezicht afgewend. Maar haar handen waren bloot en wit, en zaten vol littekens, en een paar blonde haarlokjes kwamen onder de sjaal vandaan. De aanblik van die lokken veroorzaakte een trilling in haar keel die niet ophield toen de vrouw uit het zicht was verdwenen. Nu pas vielen haar de vettige vlekken op, de ranzige geuren van schimmel en rottend hout, het vocht dat donkere plekken vormde in de muren. Achter de muren hoorde ze gekreun en geritsel van ongedierte. De trappen waren zo steil, nauwelijks meer dan ladders, en opeens kreeg een geweldige vermoeidheid vat op haar. Buiten rolde een donder, en Hope viel tegen zijn arm.

'Het is goed, hoor.' Het was geen vraag meer. Hij nam haar mee een gangetje in.

Maar terwijl hij de sleutel in het slot stak, kreeg Hope opeens een visioen van Yen die in en rond het huis de lichten ontstak, de kousjes verving, de klok gelijkzette. Ze hoorde Lu-mei goedmoedig mopperen op Morris, die zich weer onder de trap had verstopt, ze hoorde de ruwe stem van Ah-nie die een slaapliedje zong voor Jasmine, en ze hoorde Pearl Dahsoo om thee vragen. Ze keek naar Paul, die zich onverwachts naar huis haastte, en vanuit zijn riksja naar een buitenlands stel tuurde dat elkaar aan de overkant van het water stiekem in de armen sloot.

En nu zag ze, niet voor haar geestesoog, maar pal voor haar neus, de kamer waar Stephen haar mee naartoe had genomen. Een smeedijzeren bed met een doorzakkende matras, een smoezelige lampetkan, een bamboetafel en twee stoelen, aan de muur een spiegel met een barst in het donkere glas. Het was niet zijn fout. Ze kon wel zien dat hij de nodige moeite had gedaan om de ware aard van het vertrek te camoufleren. Hij had een bleekblauw kleed over de tafel gelegd, en er een schaal met sinaasappels op gezet, en een strohoed hing als een lampenkap over het kale peertje. Op de krakkemikkige stoelen lagen zijden kussens. Over het bed lag een kleurig bedrukt katoenen kleed, en in een aardewerken kruik naast het bed stonden paarse asters. In een ander leven, een andere keer, zou ze het betoverend hebben gevonden dat hij dit vertrek toch nog knus had willen maken. Ze zou erdoor gewonnen zijn.

'Ik kan het niet,' zei ze.

'Hope, alsjeblieft.' Hij doemde voor haar op in de deuropening. 'Ik zal je niet aanraken. Ik zal niets doen wat jij niet wilt.'

'Dat weet ik.' Toen hij een stap in haar richting deed raakte ze hem aan met haar vingertoppen. Ze betastte zijn lippen en wangen, niet uitnodigend, maar als een blinde, die zich alles wil inprenten om als herinnering te bewaren. Tot haar verbijstering begon hij te huilen.

'Hadden we elkaa...'

'Nee, Stephen,' smeekte ze. 'Alsjeblieft niet.' Beneden ging een deur open. Stemmen riepen iets in het plaatselijke dialect, en er klonk het schurende geluid van zware zakken die versleept werden.

Hij nam haar hoofd tussen zijn handen, maar deed geen verdere poging haar de kamer binnen te trekken, en toen de geluiden beneden waren weggestorven zei hij: 'Ik ben niet naar hier gekomen om je te verleiden. Alsjeblieft, Hope, dat moet je geloven.'

Ze keek naar binnen, naar het gedempte licht en de bloemen. Ze slikte. 'Ik moet naar huis.'

Hij knikte langzaam, drukte zijn lippen op elkaar in een strakke, bleke lijn, ging snel naar binnen om het licht uit te doen en deed de deur weer op slot zonder dat ze binnen was geweest. Toen hij weer voor haar stond, had hij zijn gezicht meedogenloos in de plooi. Hij zette de blauwe gleufhoed weer op haar hoofd en streelde zachtjes haar keel. 'Heb je er enig idee van hoe mooi je bent?'

Buiten glibberde haar hak weg op een vettige steen. Toen hij haar opving drong zijn aanraking tot haar door alsof hij een zenuw had geraakt, maar hij liet haar meteen weer los, en het volgende wat ze voelde was de warme, opvlammende zachtheid van zijn lippen op haar wang. Toen zette de riksja zich in beweging. Het regende.

DEEL DRIE

Twee of drie strohutten.
Rotan wanden en duizend wilgen,
Kronkelende paden die uitkomen op diepere paden.
Voorbij de brug een andere brug.
Een vrouw en een wijs man plukken samen kruiden,
Hun zoon zal later houthakker worden.
De bergkalender kent geen nieuw of oud.
Als ze een vreemde ontmoeten, vragen ze welke dynastie aan de macht is.

X

VOOR- EN TEGENSPOED

Sjanghai (1919-1925)

I

DRIE WEKEN NA HAAR ONTMOETING MET STEPHEN, OP EEN FRISSE, heldere morgen in april, zat Hope op de veranda 'Paardje in galop' te zingen met Jasmine op haar knie toen ze de zware tred van Paul achter zich hoorde. Ze maakte het liedje af zonder op te kijken.

'Over hek en sloten henen, maar voorzichtig breek geen benen!' zong Jasmine mee, haar zwarte staartje springerig terwijl ze zich in bochten wrong om Hope aan te sporen. Toen zag ze, over haar moeders schouder, haar vader, en verstijfde. Hope probeerde haar op de grond te zetten.

'Nee, nee, nee, nee!' krijste Jasmine, en ze gooide haar armen om Hope heen om te voorkomen dat ze zich om zou draaien.

'Jazz,' zei Hope op scherpe toon. 'Niet zo trekken. Het is tijd voor je slaapje.'

'Nee!' herhaalde Jasmine, haar handjes om de wangen van Hope geklemd. Maar Ah-nie kwam eraan en haar sterke armen openden en sloten zich, terwijl ze haar welgedane hoofd schudde om al die consternatie. Het verontwaardigde gejammer van de hummel galmde door het huis toen Ah-nie haar naar binnen droeg.

Gedurende deze hele vertoning had Paul lichtjes staan zwaaien, koffer in de hand, hoed scheef op het hoofd. Haar oren tuitten nog toen Hope opstond en zich naar hem omdraaide.

Ze begon zich te verontschuldigen, maar hij onderbrak haar. 'Krijgsheren hebben alles onder de voet gelopen,' zei hij, alsof hij de draad van een verhaal oppakte. 'William en Daisy terug naar Hupei. Sun hier bij mij.'

Hij gloeide en leek wel buiten adem. Hij stond te turen en leek de driftbui van Jasmine niet eens te hebben opgemerkt. Geschrokken bracht Hope een hand naar zijn voorhoofd.

'Paul, je gloeit helemaal!'

Hij wierp hoofd en schouders naar achteren alsof dat zijn antwoord was. Zijn kaak verstrakte terwijl hij tegelijkertijd naar lucht hapte en probeerde te slikken. Hope sloeg haar armen om hem heen en hielp hem op de divan. Zijn jasje was van achteren doorweekt. 'Rustig maar. Hier, kun je wat water drinken? Is het je keel? Je nek? Het licht doet pijn aan je ogen, of niet...' Ze prevelde zacht, alsof ze voor zichzelf een diagnose stelde. Geen plotselinge bewegingen. Geen lawaai. Maar ze voelde zijn koorts met de seconde stijgen. Hij bleef praten over verraad, gebroken beloftes, verraders, rebellie. Vanuit een ooghoek zag ze Yen het erf oplopen. Ze wenkte hem.

'Laoyeh is heel ziek,' fluisterde ze. 'Zeg tegen Dahsoo dat ik een kom ijs, gekookt water en kleren nodig heb, en haal jij...'

Paul greep haar hand. Zijn oogleden trilden. 'Yu Sutan,' wist hij door zijn delirium heen uit te brengen: 'Geen buitenlandse dokter.'

Hope probeerde wanhopig na te denken. Was Stephen maar niet vertrokken. Maar die gedachte was al te absurd om lang bij stil te staan.

'Help me even,' zei ze tegen Yen, terwijl ze een arm achter de doornatte rug van haar man wurmde. 'Help me hem in het donker te krijgen.'

Vier weken lang verpakte ze zijn afwisselend bewusteloze en ijlende hoofd in ijs. Ze drukte koele kompressen op zijn ogen, wikkelde zijn lichaam in natte lakens, legde ijsschaafsel en bevroren bouillon op zijn gezwollen tong. Ze verduisterde de ramen, want zelfs een streepje licht kon voor een patiënt met meningitis al ondraaglijk zijn. Ze bond Ah-nie op het hart om de kinderen rustig te houden, en alleen Yen en de artsen werden in de ziekenkamer toegelaten. Hope had uiteindelijk de hulp ingeroepen van de Amerikaanse vrouwelijke dokter Harris, die Jasmine ook had gehaald. Dokter Harris was een benige, naar ether geurende figuur die voldoende Sjanghais sprak voor een respectvolle conversatie met Yu Sutan, hoewel zij en Hope zeker wisten dat de bebaarde oude man een kwakzalver was. Een keer, toen Pearl last had van wormen, had Paul erop gestaan dat ze de zwarte wasachtige pil zou slikken die Yu had voorgeschreven. Hope had de hele nacht op gezeten met het krijsende kind, wier ogen fel groen waren geworden. De enige reden dat ze de Chinese arts enige ruimte gaf was dat de pil inderdaad met die wormen had afgerekend. Maar dokter Harris had Hope al gerustgesteld dat ze Paul de meest effectieve behandeling gaf.

En dus bleef ze bij hem waken. Hij prevelde over Chang Chihtung en het kromzwaard, riep onverstaanbare smeekbeden naar zijn dode vader en waarschuwingen dat de politie op het punt stond de *S.K. Nagasaki* te overvallen. Hij sprak een allegaartje van Mandarijns, Russisch, Japans, Engels, Sjanghais en het dialect van zijn geboortestreek, waar Hope slechts een fractie van kon ontcijferen, maar genoeg om opnieuw haar verbazing te wekken over het intellect van haar man en haar tegelijkertijd te herinneren aan de betrekkelijk ondergeschikte rol die zij en de kinderen in zijn leven speelden. Wanneer het gesidder hem zo aanpakte dat hij het hoofd optilde en begon te jammeren, nam ze hem in haar armen en pareerde zijn mentale omzwervingen met gefluisterde herinneringen aan de geheime vallei waar hij haar ten huwelijk had gevraagd, de verstrengelde bomen die ze bij dat riviertje bij Evanston ontdekt hadden, hun eerste nachten samen onder de sterren in die mijnwerkershut zonder dak. 'We zullen weer zulke tijden meemaken,' beloofde ze. 'Als je beter bent, gaan we terug naar Kuling. Dan gaan we zwemmen in de Vijver van de Drie Gratiën. En zitten, praten en naar de sterren kijken.'

Paul gaf geen teken dat hij er iets van hoorde. Zijn zware ademhaling leek hem alle inspanning te kosten die hij kon opbrengen, en wanneer zijn ogen opengingen, rolden ze als de ogen van een blinde over haar gezicht. Hope sliep in een stoel naast zijn bed, of liever, ze liet het bij hazenslaapjes, die ze nog tegen haar zin deed. En ze at nauwelijks, gaf Dahsoo opdracht potten sterke zwarte thee te zetten en sleepte zich slechts eenmaal per dag de kamer uit, als Ah-nie aarzelend aanklopte om haar te laten weten dat het kinderbedtijd was. Dan strompelde ze naar buiten om hen welterusten te kussen en te instrueren bij de wanhopige gebeden die zij vond dat ze voor hun vader moesten opzeggen.

'Hij heeft jullie hulp nodig,' hield ze hen voor. 'Hij wordt wel weer beter, maar hij heeft wel jullie vertrouwen nodig. Hij moet weten dat jullie van hem houden. Hij heeft jullie gebeden nodig.'

In de benauwende roes van haar slapeloosheid kwam het niet bij haar op hoe bizar een dergelijk verzoek moest overkomen. Gelukkig nam de elfjarige Pearl de touwtjes in handen en de tweede avond liet ze haar zusje en broertje neerknielen, met gevouwen handen en de hoofdjes gebogen, als plichtsgetrouwe cherubijntjes. Met een zucht wankelde Hope terug naar de ziekenkamer.

Al moest ze alle heiligen in de hemel aanroepen, elke taoïstische godheid en de Bodhisattva zelf, dan nog zou ze dat doen, maar in de uren van zijn diepste slaap dwong ze zichzelf het ergste voor de geest te halen. De inkomsten uit haar artikelen en foto's kwamen gemiddeld niet boven de twintig, dertig dollar per maand uit, en hoewel ze ongeveer driehonderd dollar bezat uit de nalatenschap van haar vader, zou ze daar in de verste verte geen passage mee kunnen boeken voor vier personen – en trouwens, wat moesten ze in de States? Ze had geen paspoort, geen familie, geen vrienden. Maar als ze hier bleef, zou de moeder van Paul hun niets geven, ze zou zelfs Morris kunnen opeisen. Sarah zou hen misschien tijdelijk onderdak kunnen verlenen, maar dan waren ze wel aan de willekeur van haar man overgeleverd – en aangezien die nog maar pas geleden een Wit-Russisch meisje als zijn zoveelste concubine had genomen... Jed Israel en Jin zouden haar zeker troost en medeleven bieden, maar Jin woonde overgeleverd aan de grillen van Nai-nai in het huis in Nantao, terwijl Jed bivakkeerde in een kamertje boven Denniston's en nooit meer dan wat kleingeld te besteden had.

Nee, haar situatie bood slechts één uitweg. En de ironie, na die drie hardnekkige jaren smachten, was dat die uitweg haar met afgrijzen vervulde. Wat zij en Mann misschien ook samen hadden kunnen hebben als ze elkaar ontmoet hadden wanneer beiden vrij waren geweest, als ze zichzelf op de proef hadden kunnen stellen met een gepaste verloving, als ze onder normale omstandigheden tot elkaar waren gekomen, zouden ze nu nooit kunnen hebben. Al kon ze hem opsporen, al had hij de middelen om haar te helpen, hoe konden ze dan ooit vreugde bij elkaar vinden – of troost, of opluchting?

Hope boog zich naar voren en drukte de hand van haar man tegen haar wang.

'Vergeef me,' fluisterde ze. 'O, Paul, alsjeblieft vergeef me.'

De zon stond hoog aan de hemel en scheen haar in het gezicht toen ze door geweervuur werd gewekt. Luide stemmen weerklonken. Met moeite tilde Hope haar houten hoofd op en ging rechtop zitten. Ze was in de studeerkamer van Paul. De kinderen riepen naar elkaar op de gang, Ah-nie probeerde hun tevergeefs het zwijgen op te leggen. Hope drukte haar knokkels tegen haar voorhoofd en probeerde zich te oriënteren. De koorts was afgenomen. Ze herinnerde zich een vage glimlach die over zijn gezicht was gegleden. Zijn ogen waren opengegaan, zijn lippen van elkaar, hij had even gekreund en was toen weer in slaap gevallen. Ze had zijn gezicht gewist, met een handdoek het zweet uit zijn haar geveegd, de koude pleisters van zijn borst en rug verwijderd, de vochtige lakens op een hoop gegooid en hem in schone lakens gewikkeld en toegedekt met een donzen dekbed. Toen had ze Yen gevraagd bij hem te waken en had ze zich naar zijn studeerkamer gesleept, waar ze meteen in slaap was gevallen, in haar kleren, op de divan.

Een knal deed de muren trillen. Ze registreerde het kabaal als een losse bons, als een krant die tegen de deur werd gesmeten, iets dat ongewenst was, irrelevant, maar niettemin haar aandacht opeiste. Te uitgeput om bang te zijn sleepte ze zich naar het raam. Beneden ging een stroom jonge mannen en vrouwen over Range Road, zwaaiend met banieren en slogans, een vlag van de Kuomintang, en zo hard ze konden leuzen scanderend. Met enige moeite wist Hope enkele frasen te vertalen. Ze riepen op tot stakingen, stelden onrecht aan de kaak en veroordeelden de buitenlandse imperialisten. Aanvankelijk leken de geweerschoten afkomstig van een ijverige demonstrant die in de lucht schoot, maar terwijl Hope stond te kijken versperde een peloton gehelmde agenten van de koloniale politie de optocht de weg. De hoogste officier zwaaide met een arm en riep iets onverstaanbaars boven het lawaai van de menigte uit. De honderden die achteraan liepen duwden tegen de voorsten aan, die probeerden te blijven staan, en drukten de lichamen samen tot een stevige massa tussen de muren aan weerskanten van de straat. Plotseling barstte de smalle doorgang uit in geweervuur, rook en kreten, het rauwe, dierlijke geraas van paniek terwijl de demonstranten zich omdraaiden en vochten voor hun leven. Lichamen werden tegen de muren geduwd, handen klauwden aan elk hek dat op slot zat en de menselijke vloedgolf rees op in een reeks van golven waarin de sterken naar boven klauterden terwijl de zwakken naar onderen werden gezogen.

Een paar seconden, en het was voorbij. De vloedgolf drong zich naar buiten en kwam niet meer terug. De politie rukte op, trappend tegen de lichamen. Mannen in witte jassen kwamen achter hen aan en verzorgden degenen die nog bewogen. Bij degenen die roerloos bleven liggen, waren ook een vrouw in een bebloed wit gewaad met de armen boven het hoofd geheven en achter haar drie kleine kinderen.

'Mama,' zei een voorzichtig stemmetje achter haar. 'Komt het allemaal goed?'

Hope knipperde met haar ogen en kwam onzeker los uit haar verstijving. Morris stond in de deuropening.

In twee wankele passen was ze de kamer door om hem in haar armen te nemen. Ze begroef haar gezicht in zijn haar en wist haar snikken te smoren. Toen nam ze hem bij de hand. Samen vonden ze zijn zusters: Pearl in elkaar gedoken op de gang, met Ah-nie, en Jasmine die in de kinderkamer argeloos een beer aan het vierendelen was. 'Het *komt* allemaal goed,' zei Hope ferm. Ze fronste haar voorhoofd, weer gedesoriënteerd, en keek op haar horloge. 'Waarom ben jij niet op school, Pearl?'

'Het is zondag. Bovendien zijn de Vrijwilligers langs geweest om te zeggen dat iedereen binnen moest blijven.'

'Ah,' zei Hope, die al in geen maand meer een krant had gezien.

Aan het eind van de gang bewoog iets. Jin kwam de trap op rennen. Hij straalde een en al opwinding uit, alsof hij net een klap in het gezicht had gekregen, en hij was zo buiten adem dat hij nauwelijks een woord kon uitbrengen.

'Pa...' zei hij, waarop hij bleef staan en zich vooroverboog om op adem te komen. 'Hoe... is... het?' Jin was sinds de koorts had toegeslagen een paar keer per week op bezoek geweest, en hoewel de twee elkaar sinds hun ruzie in maart niet meer gesproken hadden, was in haar gedachten al een wapenstilstand getekend.

'Ik wilde juist gaan kijken,' zei ze. 'Zijn koorts is gisteravond goed gezakt.'

Jin knikte. Zijn shirt was gescheurd en gekreukt, zijn haar viel in zijn ogen en zijn leren rijgschoenen zagen eruit alsof er een vrachtwagen overheen was gereden. 'Dus hij weet het niet.'

Hope keek naar de kinderen en Ah-nie, die ongebruikelijk aandachtig stonden te luisteren, maar ze hoefde hen niet weg te sturen want Yen verscheen in de deuropening van de slaapkamer.

'Taitai,' zei hij. 'Laoyeh is wakker.'

Hope raakte Jins schouder aan. 'Kom. We praten later wel.'

Ze liet Yen achter om de kinderen gerust te stellen en verving hem aan het bed, terwijl Jin de zwarte gordijnen uit elkaar trok. Zelfs het spleetje licht dat naar binnen viel bracht een grimas op Pauls gezicht, maar de energie waarmee hij protesteerde was bemoedigend.

'*T'ai liang le*,' mompelde hij, en hij balde zijn vuist.

Hope pakte zijn arm en legde hem weer op het dek. 'Dus je kunt zien, Paul?'

Hij schrok van haar stemgeluid, maar kalmeerde meteen. 'Het is al goed,' zei ze. 'Jin is hier. Kun je hem zien?'

Maar Paul keek alleen naar Hope. Zijn ogen waren vol tranen gelopen.

Jin zei die dag niets tegen zijn vader over de studentenprotesten, of de beschietingen, of het verdrag van Versailles dat ze had veroorzaakt, en toen Hope het nieuws vernam vroeg ze hem het voor zich te houden totdat Paul flink aangesterkt zou zijn. Het leek wel of de westerse mogendheden, terwijl hij in het donker had gelegen, de toekomst van China op de rotsen hadden vermorzeld.

Maandenlang had Woodrow Wilson de hoop bij de westers georiënteerde studenten en intellectuelen van China levend gehouden met allerlei opgeblazen praatjes over zelfbeschikking voor naties en een eind aan het koloniale tijdperk. In 1917 had zowel de noordelijke als de zuidelijke Chinese regering Duitsland de oorlog verklaard – de eerste keer dat China een moderne oorlog aan de winnende kant was ingegaan. De tweehonderdduizend man van het Chinese Arbeiderskorps hadden vervolgens loopgraven gegraven, lijken opgegraven en begraven, gekookt, gesleept, gedolven en meegevochten met de Britten en de Fransen zolang als de oorlog in Europa nog geduurd had. Het stond buiten kijf, meenden de jonge moderne Chinezen, dat hun land compensatie verdiend had. Maar bij de Vredesconferentie in Parijs had Wilson zich bij de Europese bondgenoten aangesloten en met Japan partij gekozen tegen de nationale belangen van China. Ze hadden geen poging gedaan de afpersing terug te draaien die Yüan Shih-k'ai Japan had toegestaan in het kader van de Eenentwintig Eisen, noch wilden ze de voormalige Duitse concessies in Shantung aan China teruggeven. Die moesten onder Japans gezag blijven, en dus zouden er Japanse troepen op Chinese grond blijven. De laatste druppel die de demonstranten de straat op had gedreven, was de onthulling geweest dat de krijgsheren die momenteel de noordelijke regering in Peking onder de duim hielden voor miljoenen dollars aan Japanse leningen hadden opgestreken om er zelf beter van te worden – en dat het Chinese volk die nu mocht terugbetalen.

Op 4 mei hadden driehonderdduizend studenten een mars gehouden door Peking, waarbij ze het huis van een regeringsfunctionaris in brand hadden gestoken, een andere in elkaar hadden geslagen en in botsing waren gekomen met de politie. In de weken die volgden waren de demonstraties naar meer dan tweehonderd steden overgeslagen. Arbeiders hadden zich bij de studenten aangesloten. Een hernieuwde boycot van Japanse goederen was afgekondigd. Demonstranten waren weer de straat op gegaan en waren in het hele land in buitenlandse concessies neergemaaid, maar in Sjanghai werden de slachtingen waar Hope getuige van was geweest al snel overschaduwd door de algehele staking die de stad twee maanden lam zou leggen.

Jin was een van de organisatoren. Hij riep studenten bijeen om door de concessies te paraderen; bracht eten naar de huizen van stakende arbeiders; drukte en verspreidde anti-imperialistische pamfletten; organiseerde verbrandingen van Japanse en westerse boeken, speelgoed, apparaten en kleren; orkestreerde de nachtelijke lynchpartijen van poppen die Japanse ministers moesten voorstellen langs de Bund; hekelde de westerse mogendheden in cartoons, die hij op de een of andere manier, zonder gearresteerd te worden, op de witgewassen muren langs Avenue Joffre wist te schilderen. Hope en Paul wisten indertijd natuurlijk niets van die activiteiten. Paul was nog herstellende, en toen Jin vroeg of hij uit veiligheidsoverwegingen bij hen in mocht trekken, zei hij slechts dat de Chinese politie jacht maakte op alle studenten die in Nantao woonden, en dat verscheidene van zijn vrienden gemarteld waren. Maar hoewel hij ervoor paste te vertellen waar hij zich allemaal mee bezighield, stak hij zijn opwinding over de veranderingen die hij aan de horizon ontwaarde, niet onder stoelen of banken.

'Meningsvrijheid en politieke vrijheid zijn alles,' zei hij op een avond aan tafel. 'Vroeger hadden alleen ouderen de macht. Jongeren kunnen niets doen, niets weten. Nu zal dit alles veranderen. De jongeren zijn China's toekomst. We moeten voor onszelf beslissen. Zelfbeschikking. Onafhankelijkheid. Geen voetval voor het Westen meer, en als dat oorlog met Japan betekent, dan vechten wij!'

Hope maakte een verzoenend gebaar met haar hand. 'Niet zo hard praten, Jin. Je vader heeft nog geen kracht genoeg om zijn hoofd op te tillen, maar als hij je zo hoort praten, houden we hem nooit meer in bed.'

'Waarom niet?' vroeg Pearl. De Hanbury Scholen waren gesloten vanwege de staking, en daarom mochten Pearl en Morris opblijven en met Hope en Jin mee-eten terwijl Ah-nie Jasmine in bed probeerde te krijgen. De elf jaar oude Pearl stelde voortdurend vragen om te laten zien hoe groot ze al was.

'Omdat,' antwoordde Hope haar, 'onze Jin een perfecte replica van zijn vader is.'

Jin liep rood aan en kuchte in zijn servet.

'Nee, werkelijk.' Ze gaf hem een glas water aan. 'Als ik mijn ogen dicht had gedaan, zou ik nauwelijks hebben geloofd dat het niet Paul was die die tirade van jou hield. En nu je die bril hebt lijk je ook nog op hem.'

De twee kinderen bestudeerden hun halfbroer met hernieuwde belangstelling.

'Maar ik ben wel nieuwsgierig,' vervolgde Hope. 'Zit die revolutionaire passie van jou je schilderwerk niet in de weg?'

Jin nam een van zijn stokjes op als een penseel en 'schilderde' op zijn bord. 'Politieke bewegingen hebben zowel kunstenaars nodig als schrijvers, soldaten of politici. Kunst en muziek en poëzie kunnen het volk in de ziel treffen, het net zo goed naar vrijheid laten hunkeren als naar voedsel. Dat mijn vader nooit begrijpt!'

Hope hoorde de trage, plompe tred van Ah-nie op de trap en gebaarde Morris dat hij zijn bord moest leegeten. 'Hoe kun je dat zeggen?' zei ze tegen Jin. 'Je vader is zowel een revolutionair als een dichter.'

'Klassieke poëzie!' fulmineerde hij. 'En de mislukte republiek van Sun Yat-sen. Dat zijn dodemansspelletjes.'

'Jin!' Jaren geleden, toen haar stiefzoon er voor het eerst voor was uitgekomen dat hij een bewonderaar was van westerse kunst, had ze hem aangemoedigd, maar er school nu een strijdlustigheid in zijn houding die verder ging dan esthetische voorkeur.

'Heb je zijn poëzie gelezen?' wilde hij weten.

'Nou, nee. Ik ben bang dat die klassieke taal voor mij te hoog gegrepen is.'

'Ja, en voor bijna alle Chinezen, op een heel kleine elite na.' Hij drukte zijn duim en wijsvinger op elkaar. 'Die zogenaamde kunst is manier om volk buiten te sluiten. Zeg, wij geletterden zo geleerd, zo speciaal, wij hebben wijsheid in pacht. Jullie, niets! Wat heeft kunst voor nut als niemand kan zien? Wat hebben woorden voor nut die niemand kan lezen?'

'Maar je hebt toch wel respect voor de jaren studie die in zijn poëzie zitten.'

'Spelletjes voor rijke mannen die niets anders doen. Weet je, eeuwenlang alleen geleerden kunnen een officiële functie bekleden. Uiteraard is dat de reden dat mijn vader zijn paleisexamens heeft gedaan, dat hij zo gewaardeerd wordt. Maar het is niks beter dan de Britten met hun exclusieve clubs waar alle macht is geconcentreerd! Of katholieke missionarissen die preken houden in het Latijn, en zich dan afvragen waarom Chinese boeren niet Christus als hun verlosser aanvaarden. Wat heeft klassieke taal met regeren te maken?'

'Niets. Het was nu net dat systeem waar je vader alles aan heeft gedaan om het omver te werpen.'

Jin gaf een klap op de tafel. 'Maar hij is een van hen!'

'Ben ik dat?'

Paul leunde met een bleek gezicht in de deuropening. Hope snelde op hem af en trok zijn arm om haar nek. Ze ontbood Morris om hem aan de andere kant te ondersteunen. Hij was zoveel afgevallen dat het leek of zijn zwarte zijden jas over een paar bezemstelen gedrapeerd was, maar hij kneep in haar hand met een warmte die haar verbaasde.

'Jij hoort in bed,' berispte ze hem, terwijl ze hem op een stoel liet zakken.

'Ik kom uit bed. Ik ga weer terug naar bed. Hoe dan ook, ik heb niets te doen behalve gedichten schrijven die niemand leest.'

Jin grimaste, maar zei niets.

'Kun je eten?' Hope begon onnozel borden weg te schuiven en schone neer te zetten, en riep Dahsoo of die wat eten wilde brengen voor Paul.

'Weet je waarom jij die dingen denkt?' Paul klopte met zijn duim op de tafelrand. 'Jij studeert niet. Jij kent geen geschiedenis. Ja ik schrijf gedichten. Maar wat ik doe in Amerika is geen poëzie. Wat ik doe in Peking en Kanton is geen poëzie. Het is revolutie.'

'Ja, revolutie,' zei Jin met een subtiele maar onmiskenbare hoofdbeweging. 'Uw idee van revolutie is een ode schrijven aan Yüan Shih-k'ai. En u doceert – niet principes van revolutie, maar taal van elite.'

Paul kneep zijn hand dicht. 'Hoe weet jij wat ik doceer? Niet één keer zet jij voet in mijn klas!'

'Ik hoor wat u zegt, vader. Ik zie wie u bewonderen.'

Dahsoo kwam binnen schuifelen met Pauls avondeten, en Hope droeg Pearl met haar ogen op om haar broertje naar boven te brengen, maar de kinderen hadden alleen maar oog voor het openlijke verzet van Jin.

'Een man kan veel dingen zijn,' zei Paul. 'En een man wiens schaduw over twee eeuwen valt moet veel dingen zijn.'

'In mathematica,' diende Jin hem met bevende stem van repliek, 'krijg je als je een negatief getal bij hetzelfde positieve getal optelt een nul.'

Paul staarde alsof hij zijn zoon niet herkende. Niemand gaf een kik.

Uiteindelijk stond Jin op. Zijn blik kruiste die van Hope. Toen draaide hij zich om en liep met grote passen door de keuken naar buiten. De volgende dag kwam hij terug voor zijn kleren en liet hij bij Yen de boodschap achter dat Jed Israel wist waar hij te vinden was.

In juli was de staking voorbij. China had geweigerd het verdrag van Versailles te tekenen, verscheidene Pekinese ministers waren ontslagen omdat ze hadden samengespannen met de Japanners, en de protesten waren voorlopig verstomd. Hoewel Jin op afstand bleef, leek Paul vastbesloten zich niet door deze breuk te laten beïnvloeden. Zijn gezondheid werd gestadig beter, en met goedkeuring van beide artsen regelde hij een vakantie met de hele familie in het nabijgelegen ontspanningsoord Mokanshan, in de bergen.

Hope vond het er minder mooi dan in Kuling (meer bamboebossen dan adembenemende vergezichten), maar doordat ze de drukkende hitte en rottende vuilnishopen van Sjanghai even achter zich konden laten, evenals de aanhoudende politieke en persoonlijke spanningen, leken dergelijke vergelijkingen tijdverspilling. Paul had een klein taoïstisch tempeltje gehuurd, en hoewel de papieren ruiten gescheurd waren en de oude balken doorzeefd door spechten en termieten, waren er een prettig ruisend beekje en een overvloedig vruchtdragende moestuin op het terrein, en in de buurt waren warme bronnen voor de pijnlijke botten van Paul. De familie rustte uit en zat te lezen, maakte wandelingen of ging zwemmen, speelde badminton op het erf en zat te kaarten bij lantaarnlicht. 's Avonds, als de kinderen in bed lagen, zaten Hope en Paul te praten en naar de sterren te kijken. Er leefde meer op dan alleen de gezondheid van Paul.

Eenmaal terug in Sjanghai begon Paul weer les te geven. Ze spraken niet over Jin, hoorden ook niets van hem, maar het politieke klimaat was rustig en Hope hield zichzelf voor dat de jongen vast wel weer tot bezinning zou komen. Intussen had ze haar handen vol aan de kinderen en haar artikelen... en, met iets minder enthousiasme, tuinieren.

Toen de familie naar Mokanshan was vertrokken, waren de twee honden achtergebleven bij Dahsoo en Lu-mei, maar de bedienden hadden geen liefde voor die dieren en hadden hen los laten rondlopen in de achtertuin. Bij thuiskomst troffen de Leons overal geruïneerde bloembedden, stukgevallen potten en uitwerpselen aan.

Zo kwam het dat Hope en Jasmine begin september op een grijze middag, terwijl een tyfoon dreigde, chrysanten aan het planten waren. Of liever gezegd: Hope was aan het planten terwijl Jasmine op de grond zat te spelen.

'Mama! *Pao tsang!*'

Hope keek. Het kind zat tot de knieën in het gat dat ze aan het graven was, voorhoofd en wangen zwart van de modder, de wind rukkend aan haar schortje. 'Jasmine,' zei ze, 'ik geloof dat het zo wel mooi is geweest.'

'Maar kijk!' Jasmine stampte triomfantelijk. 'Schat.'

'Je had als hondje geboren moeten worden,' zei Hope, terwijl ze zich bukte om het kind uit haar eigen rotzooi te trekken. Het gezichtje van Jasmine werd opeens hard en ze ontglipte de greep van haar moeder. 'Wat ik bedoelde,' herstelde Hope zich op vleiende toon, 'was dat je net zo hebt zitten graven als Betty en Dinky.'

Toen de honden hun namen hoorden begonnen ze te springen achter hun afrastering aan de andere kant van de tuin. Maar Jasmine had haar pruillipje al opgezet. 'Nee!' gilde ze, waarop meteen Ah-nie naar buiten kwam. 'Nee! *Wo pu shih! Wo pu shih kou!*' Ik ben geen hond.

'Natuurlijk niet. Geef me nou dat schepje en kom daaruit voor je jezelf pijn doet.' Waar Hope echt bang voor was, was dat het kind haar of Ah-nie dat schepje naar het hoofd zou smijten. Afgelopen jaar had een van haar driftbuien Joy bijna een oog gekost, wat het vertrek van het kindermeisje ongetwijfeld had helpen bespoedigen.

'Nee!'

Ah-nie probeerde haar te bepraten, maar Jasmine stampte weer met haar voet en begon koeliescheldwoorden te roepen. Dat maakte zoveel indruk op Hope – en kwetste haar ook zo – dat het verscheidene seconden duurde voor tot haar doordrong wat voor geluid ze van Jasmine's voeten hoorde komen. Het was maar net te horen, tussen de keffende honden en de aanwakkerende wind, maar het klonk metaalachtig.

'Jazz!' zei ze scherp. 'Waar is de schat?'

Jasmine klaarde op en wees naar de grond. Ah-nie tilde haar omhoog. 'Kijk!' riep Jasmine. 'Ik zei het toch.'

De eerste druppels vielen al toen Hope neerknielde om het pakje te bestuderen waar Jasmine tegenaan had staan trappen. Het was groot en rond, gewikkeld in katoen dat nog schoon was onder het laagje aarde dat eraan vastkleefde.

Heel langzaam kwam Hope weer overeind. Met beheerste stem zei ze: 'Goed zo, Jasmine. Ga nu naar binnen met Ah-nie en laat je schoonmaken.'

'Ik wil de schat zien!'

Hope wist een glimlach te forceren. Ze wist dat als ze er luchtig over deed, Jasmine het zou vergeten, maar als het kind het niet vergat kon ze haar onmogelijk het zwijgen opleggen. 'Het is gewoon een pijp,' zei ze. 'Je hebt het goed gedaan, hoor schat, maar er is geen schat. Toe nou maar, het begint te regenen.'

Pas toen Ah-nie het teleurgestelde kind naar binnen had gedragen trok Hope de lagen katoen verder los. Zoals ze al vermoed had was de 'schat' van Jasmine rond, van ijzer en dodelijk. En terwijl de bui de aarde begon te doordrenken, kwamen er nog drie van te voorschijn.

Ze had vier telefoontjes nodig, op woest knetterende lijnen, om hem op te sporen. Ze nam niet de moeite te zeggen wie ze was, ze zei alleen: 'Ik heb ze gevonden.'

De stem aan de andere kant van de lijn klonk geamuseerd. 'Maakt u zich geen zorgen. Niemand zal huiszoeking doen bij een Amerikaanse vrouw.'

Door het raam zag Hope de tyfoon nu in volle hevigheid losbarsten. Het geraas vulde haar hele hoofd. Bomen bogen, luiken klapperden. De regen joeg horizontaal voorbij.

'Ik wil ze hier weg hebben, Jin,' zei ze. 'Stuk voor stuk. Nu.'

4

DIE WINTER WAS NAT EN GRIJS EN VERKILLEND TOT OP HET BOT. Wat Hope betrof was het met Jin nu helemaal afgelopen. Nadat ze erbij had gestaan in de roffelende regen en zonder een woord te zeggen en zonder een spoor van medeleven had toegekeken hoe hij zijn geheime voorraad bommen op een kar had geladen en haar tuin uit had gereden (het waren er in totaal vijf, die hij tijdens hun vakantie in Mokanshan in de tuin had begraven), had ze zichzelf voorgehouden dat het haar niet kon schelen als ze hem nooit weer zou zien, maar ze weigerde hem de voldoening te schenken om Paul te vertellen wat hij geflikt had. Sinds ze hem verzorgd had in zijn ziekte voelde ze een tederheid voor haar man die nieuw was, en diep geruststellend. Voor het eerst in jaren voelde ze dat ze in staat was hem te beschermen, om namens hem besluiten te nemen, om hem te behoeden voor leed dat hijzelf niet kon of wilde ontlopen. De illusie – want ze zag wel in dat het grotendeels een illusie was – was des te groter omdat Paul in die periode zoveel thuis was geweest en omdat hij nog zo kwetsbaar was na die lange ziekte, maar werd ook gevoed door de liefdevolle waardering die hij nu voor haar koesterde. Soms keek ze op van haar boek en zag dat hij door halfgeloken ogen naar haar zat te kijken, of werd ze wakker met het gewicht van zijn hand op haar hart. 'Ik herinner me nog,' zei hij vaak, en dan beschreef hij de dag dat ze elkaar voor het eerst hadden ontmoet in Berkeley – hoe ze hem toen overrompeld had. Tijdens hun verblijf in Mokanshan had hij haar gevraagd hem voor te lezen zoals ze dat in Californië altijd gedaan had, en zo hadden ze samen de werken van Theodore Dreiser en Upton Sinclair ontdekt – Literaire Revolutionairen, noemde Paul hen. Hij vroeg haar nu haar mening over uiteenlopende zaken als zijn buitenlandse garderobe en het huwelijk van dokter Sun. (Hope zei van mening te zijn dat gezien het leeftijdsverschil van dertig jaar en de weigering van Sun om van zijn eerste vrouw te scheiden alvorens in het huwelijk te treden met de methodistische Ch'ing Ling, hij voor de westerse mogendheden geen onacceptabeler verbintenis had kunnen aangaan, maar het was goed dat ze uit liefde getrouwd waren.) Paul leek van haar aanwezigheid te genieten zoals hij nooit eerder gedaan had. Hij vond het gewoon fijn om haar dicht bij zich te hebben. Hope koesterde zich in die nieuwe genegenheid en wilde niets doen om haar in gevaar te brengen – ook al betekende dat dat ze de grove schending van Jin voor zich moest houden.

Toen, op een ochtend begin maart, kwam Jin langs. Zijn gezicht was zo mager dat zijn ogen en mond grotesk leken. Hij droeg een sjofel blauw katoenen werkmansjasje. Zijn haar hing lang en ongekamd langs zijn hoofd, en hij had een inktvlek op zijn lippen. Toen ze hem aansprak, waarbij ze haar best deed haar zorg om zijn verschijning te verhullen, keek hij haar aan met de beleefde formele blik van iemand die net is voorgesteld. Hij zei dat hij een telegram kwam afgeven voor zijn vader.

Toen hij boven was, bij Paul, besloot Hope dat het vast een telegram van Nai-li was. Jin was weer in het huis in Nantao getrokken toen de razzia's van de politie waren opgehouden, en Paul had van zijn moeder gehoord dat ze weliswaar verbolgen was over het feit dat haar kleinzoon er noch in geslaagd was een huwelijk te sluiten noch om een vak te kiezen, maar dat ze hem zijn gewone toelage zou blijven betalen voor de verzorging van haar bezittingen in Sjanghai en de voorbereidingen voor haar jaarlijkse bezoek. Meestal was ze in Sjanghai van februari tot achter in april, maar dit jaar was ze laat. Het telegram, besloot Hope, zou wel de datum vermelden van haar aanstaande bezoek.

Na een uur hoorde ze de voordeur open- en dichtgaan. Toen kwam Paul bij haar. 'We moeten pakken,' zei hij toonloos. 'Mijn moeder ligt op sterven.'

Jarenlang had Hope Paul over de drie steden die gezamenlijk bekendstonden als Wuhan horen praten met een respect dat aan eerbied grensde. Daar in Hankow, Hanyang en zijn geboortestad Wuchang waren de zaadjes van de Chinese revolutie gezaaid. Waar de Yun en de Yangtze samenstroomden waren de meest trotse en eerbiedwaardige letterkundigen geboren, de meest verantwoordelijke leiders, de dapperste krijgers. Paul had er als jongetje gerend, zijn moeder had er de Taipings met hun grote voeten het hoofd geboden, hij had er zijn eerste keizerlijke examens afgelegd, zijn voorouders lagen er begraven. Daar lagen zijn eerste loyaliteiten. En daar hield zijn moeder de vrouw die ze als zijn werkelijke echtgenote beschouwde.

Op de stoomboot op de rivier probeerde Hope met Paul over Ling-yi te praten, maar ze vond het beschamend om die altijd aanwezige, maar toch onbespreekbare zaak te berde te brengen. Hun stilzwijgende overeenkomst de afgelopen zeven jaar om Ling-yi op geen enkele manier te bespreken of haar bestaan zelfs maar te onderkennen, had het hele onderwerp gênant gemaakt. Hope voelde zich alsof ze aankondigde dat ze bij Nai-nai thuis ongesteld moest worden, of dat Jasmine beslist een driftbui zou krijgen, of dat ze wist dat Paul zich weer zou vernederen door met zijn hoofd op de vloer te bonzen. 'Natuurlijk is zij er ook,' was het enige wat hij kwijt wilde. Alsof hij het over een huisdier had.

Dus hield Hope haar bange vermoedens voor zich en probeerde uit te kijken naar het beroemde Wuhan, maar wat haar begroette toen de stoomboot de haven binnenliep was niet wat ze verwacht had. De lucht was asgrauw, niet alleen door de dikke mist, maar ook door een doordringende en irritante sluier van industriële rook. De fabrieken met hun schoorsteenpijpen, de kantoren met hun westerse zuilengangen, de dicht opeenstaande pakhuizen en winkels leken allemaal opgetrokken uit hetzelfde doodse grijs als het water. De drie ommuurde Chinese steden torenden er bovenuit als vestingen.

Er waren geen rijtuigen op de kade, dus klommen ze in riksja's en reden een half uur door de vochtige stegen van Wuchang. De *hut'ung* waar ze uiteindelijk stilhielden was niet van de andere te onderscheiden, noch had de poort iets opmerkelijks, maar de status van de familie van Paul deelde zich onmiddellijk aan haar mee zodra ze erdoor naar binnen waren gegaan.

De rijkdom van de Liangs werd duidelijk gemaakt door de hoge geestenmuur net binnen de poort, hun illustere geschiedenis door de draagstoel die in de eerste hof stond. De stoel had roodgelakte schachten, paarse en goudkleurige stutten en een geborduurd baldakijn van blauw en keizerlijk geel – de meest indrukwekkende die Hope ooit had gezien.

'Mijn vader heeft die draagstoel gebruikt in de tijd dat hij onderkoning van Kanton was,' vertelde Paul aan de kinderen.

Jasmine wilde er meteen in klauteren, maar Jin hield haar tegen. 'Er valt hier genoeg te verkennen, kleintje,' zei hij met gedempte stem. 'Even geduld.'

De dragers pakten hun koffers en een oudere meid wenkte hen door een lange geschilderde gang. Pearl en Morris klampten zich aan Hope vast. Yen droeg Jasmine. Paul en Jin schreden voor hen uit, zachtjes pratend. De aanblik van de voornamelijk verlaten binnenhoven doemden op en verdwenen weer als lantaarnplaatjes door de ronde en diamantvormige poortjes – rotspartijen en watervallen, stenen terrassen met gevederde bamboe, zigzaggende paadjes en beschilderde paviljoens, alles door schemerlicht omfloerst. Paul wees door een verlichte deuropening, en Hope herkende de voorouderlijke bibliotheek waar hij het in hun eerste gesprekken weleens over gehad had, van vloer tot plafond bedekt met vergeelde rollen, 'sommige zo oud als Jezus'. Een prachtige en verschrikkelijke last, dacht ze met een blik op de twee ernstige mannen voor haar, om je kindertijd door te brengen met zoveel geschiedenis die je voortdurend op je schouder klopte. Toch vertegenwoordigde dit huis alles wat Paul en Jin beweerden af te wijzen uit naam van de toekomst van China.

Winterpruim en Mulan wachtten al op hen in de centrale hal. De oude meid leek nog even aanmatigend bezitterig en geen sprankje warmer dan Hope zich haar herinnerde. Mulan was echter ingrijpend veranderd in de acht jaar dat Hope haar niet gezien had. Ze had iets vermoeids over zich gekregen, en hoewel ze nog maar halverwege de twintig was, leek ze verbazingwekkend veel ouder. Haar handen waren voortdurend in beweging, vingers in de weer met haar nagelriempjes, en ze stond erbij alsof ze in elkaar was gezakt. Haar zwarte haar was streng uit haar gezicht weggetrokken. Haar make-up was al even streng – haar wenkbrauwen waren geëpileerd tot twee smalle streepjes en ze droeg geen sieraden. Maar het waren haar ogen die de grootste vernedering hadden ondergaan. Waar ze voorheen geladen waren geweest met trots en minachting, hadden ze nu alle glans verloren, en ze schoten rusteloos heen en weer, alsof ze in de val zaten achter die bepoederde huid. Ze begroette haar vader met neergeslagen ogen, en hoewel ze verder niemand rechtstreeks aankeek, kon Hope zich niet aan de indruk onttrekken dat deze begroeting voor hen allen bedoeld was, evenals haar mededeling dat Nai-nai hen onmiddellijk wenste te ontvangen.

Mulan ging hen voor door verscheidene antichambres alvorens ze in de kamer van Nai-nai aankwamen. De geur van wierook en medicijnen werd met elke stap sterker, en tegen de tijd dat ze bij de centrale hal aankwamen waren de geur en de rook overweldigend, maar zelfs de kinderen durfden niet te klagen. Nai-nai nam hen op vanuit een enorm overhuifd bed in het midden van de kamer. Ze droeg een zwart jasje met borduursels en een kraag die rechtop stond tot vlak onder haar kaakbeen. In haar oren droeg ze dikke gouden ringen. Haar dunne grijze haar was strak achterover getrokken in de bekende knot, en terwijl Paul neerknielde vroeg Hope zich nutteloos af waarom het de oude dame op haar sterfbed nog niet vergund was haar haren los te maken.

Maar Nai-nai was er de vrouw niet naar om zich door dergelijke overwegingen te laten leiden. Uiteindelijk gebaarde ze dat Paul moest opstaan. Vervolgens ontbood ze Jin, en uiteindelijk Morris, die, dat moet gezegd, naar voren liep zonder een spoor van protest. De oude vrouw sloeg haar ogen vervolgens op Jasmine, die door Hope in de hand werd geknepen bij wijze van krachtige waarschuwing haar mond vooral niet open te doen, en op de onverzettelijke Pearl, en uiteindelijk, met de nodige vertraging, op Hope.

Nai-li tuurde op haar neer, haar blik niets zachter, ondanks haar lijden of de nabijheid van de dood. Hope voelde een harde, droge stroom als een schok tussen hen heen en weer knetteren. Geen van hen vertrok een spier, en Hope meende juist dat ze de oude dame overtroefd had toen Nai-li onverschillig van haar wegkeek en met een gefladder van twee langbenagelde vingers iedereen heenzond behalve Paul en een vrouw die Hope nu pas in het oog kreeg, in de schaduw aan de andere kant van het bed.

Haar keel werd dichtgesnoerd toen de andere vrouw van Paul naast hem kwam staan. Lang geleden had Paul haar verzekerd dat Ling-yi vooruitstekende tanden had en een bijlvormige moedervlek, en ze realiseerde zich dat ze zich al die jaren onbewust had vastgeklampt aan die geringschattende beschrijving als aan een reddingsboei. Maar nu, al was het moeilijk te zien in dit schemerige licht, en op een afstand van zes, zeven meter, kreeg ze een indruk van rondheid die ze niet met de opmerking van Paul kon rijmen. Ling-yi was zacht, vrouwelijk. Haar mond was klein, haar ogen en wenkbrauwen bogen zich ingetogen naar haar neus. Haar tanden bleven achter haar lippen verborgen, en ook eventuele moedervlekken gingen schuil achter haar ivoorwitte poederlaag. Terwijl Hope achter haar gezin aan naar buiten liep, had ze het weeë gevoel dat ze in haar eigen spelletje verslagen was. Wanneer Paul deze vrouw inderdaad had afgeslagen, had hij meer karakter getoond dan zij door terug te deinzen voor Stephen Mann. En als hij haar niet had afgeslagen... Ze keek achterom, hopend op een teken, op een aanwijzing in zijn gezicht of houding die haar verwarring zou wegnemen, maar Paul stond rechtop, handen plat tegen zijn dijen. Zijn ogen waren op zijn moeder gericht.

Mulan ging hen voor naar een nabijgelegen hof met een rotspartij, waar verscheidene vertrekken in gereedheid waren gebracht. Er werd eten opgediend voor de kinderen, en Hope zette hen aan tafel, waarna ze Jin en Mulan wenkte om haar te volgen naar de ontvangsthal. Ze deed de deur achter hen dicht.

'Wat voor ziekte heeft ze?' vroeg ze.

'*Ai cheng*.' Mulan hief haar handen.

'Borstkanker,' vertaalde Jin.

'Het is erg,' zei Mulan. 'Ik help haar in bad. Het vlees hier en hier, helemaal zwart.'

Hope kromp ineen. 'Ik neem aan dat ze geen westerse arts heeft gezien.'

'Nee. Priesters, Chinese artsen. Nai-nai weigert westerse medicijnen.'

'Priesters?'

'Boeddhistische en taoïstische.'

'Ah.' Hope beet op haar onderlip. Jin en Mulan stonden ongemakkelijk te wiebelen. Het leek erop of niemand de zaak durfde aan te roeren die Hope volledig in beslag nam, en toch kon ze zich er niet toe zetten hen te laten gaan en alleen op Paul te wachten.

'Dus het is niet te zeggen,' zei ze, 'hoe lang ze ziek zal blijven.'

'O, ja,' zei Mulan. 'Nai-nai heeft ons verteld dat ze voor de volgende nieuwe maan zal sterven.'

'O ja, heeft ze dat gezegd?'

Jin glimlachte. 'Ze is Nai-nai.'

'Aha,' zei Hope twijfelachtig. Het drong tot haar door dat ze nog steeds midden in het vertrek stonden. Ze vroeg hen te gaan zitten, bood aan om thee te vragen, maar Jin excuseerde zich en zei dat hij naar zijn eigen vertrekken ging, en Mulan zei dat ze terug moest om Nai-nai te bedienen.

Hope liet hen uit bij de galerij. 'Allebei bedankt dat jullie met me gepraat hebben.'

'Dat is onze plicht,' zei Mulan. Haar ogen ontmoetten die van Hope alsof ze meer wilde zeggen, maar ze keek abrupt weer weg.

'Toch zeker niet tegenover mij!' zei Hope.

'Je bent de vrouw van onze vader,' zei Jin kalm.

Hope aarzelde. Hij staarde naar de lucht, handen op de rug ineengevouwen.

'Dank jullie wel,' zei ze weer.

De kinderen lagen in bed tegen de tijd dat Paul weer terugkwam.

Samen met Hope nam hij in hun slaapkamer plaats aan een lage tafel, die gedekt was met dampende noedels, varkensvlees en warme wijn. 'Je bent lang weggeweest,' zei ze.

Hij nam een slok wijn.

'Dus dat was Ling-yi.' Ze wachtte, voegde er toen aan toe: 'Ze is heel aantrekkelijk.'

Paul legde zijn handen, palmen naar beneden, op het tafeltje voor hen. 'Mijn moeder is het ermee eens dat als zij is overleden, Ling-yi aan haar verplichting jegens de familie zal hebben voldaan.'

Ze staarde hem aan.

'Het is lastig, omdat Ling-yi noch weduwe, noch gescheiden zal zijn en haar eigen ouders zijn overleden. Als traditionele vrouw kan Li-ying niet hertrouwen, en mijn moeder is genoeg aan haar gehecht geraakt om vernedering te voorzien als ze onder het familiedak blijft. Bovendien vergeeft mijn moeder mij niet dat ik Ling-yi blijf weigeren.' Paul nam nog een slok. Zijn wangen werden rood door de alcohol, en hij trok zijn donkere wollen jasje uit. 'Morgen moet ik een Chinees kostuum aan. Morris en Jin ook. Mijn moeder begrijpt het als jij en onze dochters dat niet doen.'

Hope bracht haar eigen kom wijn naar haar neus en ademde de scherpe, zoete geuren in. Het vooruitzicht van de dood leek Nainai een niet eerder vertoond inlevingsvermogen te hebben gebracht. 'Ga verder,' zei ze kalm.

'Ling-yi zal een inkomen nodig hebben. De rijkdom van onze familie ligt voornamelijk in dit huis en ons huis in Sjanghai. Onze boerderijen zijn verkocht toen mijn vader is overleden om zijn schulden af te betalen.'

'Ik dacht dat er ook nog een paar andere zaken waren.'

'Ja, en mijn moeder heeft voorgesteld om Ling-yi onze juwelierswinkel in Ichang te geven. Daar hoort ook een appartement bij, waar ze kan wonen. Ik heb daar mijn goedkeuring aan gegeven.'

Ze knikte, niet in staat helemaal te bevatten wat hij aan het uitleggen was. 'Die andere – dat is toch een theewinkel, of niet?'

Paul haalde zijn schouders op. 'Traditionele Chinese begrafenissen zijn heel duur. Omdat Jin en ik moderner zijn, vreest mijn moeder dat dit misschien de laatste dergelijke begrafenis in onze familie zal zijn. Bovendien vertrouwt ze er niet op dat wij precies weten hoe het geregeld moet worden, dus heeft ze het zelf allemaal voorbereid, en ze heeft niet op een paar centen gekeken. Ze heeft de theewinkel verkocht om het allemaal te betalen.'

'Wat ontzettend walgelijk!' Hope huiverde. Maar het gedrag van Nai-nai was niet echt wat haar dwarszat. Ze was even ontzet over Pauls nonchalante verslag als opgelucht over zijn kennelijk oprechte desinteresse voor Ling-yi. Zijn emoties werden even strak gehouden als die van zijn moeder!

'Chinezen hebben minder moeite met de dood dan jullie westerlingen,' vervolgde hij. 'Zij die geloven als mijn moeder, zien uit naar het leven na de dood.'

Hope herinnerde zich dat ze aan zijn bed had gezeten gedurende de lange weken dat hij meningitis had, en haar eigen vrees dat hij het niet zou overleven. Ze dacht aan alle risico's die hij liep, zijn overtuiging dat hij niet 'belangrijk genoeg' was om te sterven. Maar ze zei slechts: 'Mulan vertelde me dat het borstkanker was.'

Paul keek op, zijn ogen knipperden. Toen legde hij een reepje geroosterd varkensvlees op de noedels van Hope en gebaarde dat ze moest eten. 'Dus Mulan heeft met je gesproken.'

'Mm.' Hope fronste haar voorhoofd. 'Ze is enorm veranderd sinds ze getrouwd is, nietwaar? Vriendelijker tegenover mij, misschien, maar ze lijkt niet erg gelukkig.'

'Mulan heeft geen geluk. Ze zit ofwel vol woede of vol verdriet. Zo is ze altijd geweest.'

Hope vroeg zich af hoe hij dit in vredesnaam weten kon, aangezien hij haar hele kindertijd weg was geweest, maar zij kon moeilijk Mulan gaan zitten verdedigen. Hij wilde niets meer zeggen over de problemen van Mulan of de kwestie van de erfenis, en ze trokken zich terug in een enorm gelakt bed waarin rode en goudkleurige kussens lagen opgetast, en dat was overhangen met lantaarns waar kwastjes aan hingen. Er hing een zware anijsgeur in de lucht en een zachte regen ruiste op het dak. Toen ze zich naast hem uitstrekte vroeg Hope of dit dezelfde kamer was waar zijn eerste vrouw hem in hun huwelijksnacht ontvangen had – een scène die zich zo vaak voor haar geestesoog had afgespeeld dat ze er half op gebrand was en er half voor terugdeinsde de kamer te zien waar dat gebeurd was.

Hij streek met zijn vingers door haar losse haar, spreidde het uit over haar schouder. 'Die hal is na haar dood gesloten. Deze heb ik voor jou laten klaarmaken toen ik de eerste keer uit Amerika terugkwam. Hij heeft al die jaren klaargestaan.'

Het begon harder te regenen, het kletterde nu op de ingevette papieren panelen. De andere arm van Paul zat vast onder haar middel, zijn hand rondde haar heup met een vertrouwde vasthoudendheid.

'Waarom heb je me dat nooit verteld?' fluisterde ze.

'*Mei fatse.*' Er was net genoeg licht om zijn glimlach te kunnen zien.

'Nee,' zei ze, zich eindelijk neerleggend bij de waarheid van die gehate frase. 'Dat zal inderdaad wel niet.'

Ondanks haar voorspelling nam de moeder van Paul nog twaalf weken om te sterven. Voor Hope waren het de langste, frustrerendste en aantoonbaar de interessantste weken van haar leven. Ze had altijd geweten dat de moeder van Paul sterk was, maar ze had zich nog nooit een voorstelling gemaakt van zo'n overvloed aan uithoudingsvermogen en onverzettelijkheid als Nai-li in haar laatste dagen. Ze kreeg dagelijks bezoek van drie aparte groepjes in het zwart gehulde artsen die haar behandelden met kruidkussentjes en aftreksels, pillen die eruitzagen als knikkers van asfalt, en elixers die roken naar ether, ammoniak of rotte eieren. Ze staken naalden in haar gezicht, hals en voeten om haar pijn te verlichten, brachten hete laatkoppen aan, die donkere rode striemen achterlieten op haar rug en borst. Ze regelden de wierook, de stand van haar bed. Ze dompelden haar beurtelings voor kortere of langere tijd onder in koud en vervolgens in warm water. Veel van die behandelingen vereisten publiek, en alleen Jasmine hoefde er niet bij te zijn, vanwege haar leeftijd en haar onbeheersbare uitbarstingen van walging en verveling.

Zelfs Paul kon niet verklaren waarom zijn moeder, zonder haar vijandige houding verder te laten varen, erop stond dat ook Hope in de ziekenkamer aanwezig was. Als ze opdracht had gekregen om alleen of slechts in het gezelschap van Ling-yi bij haar te waken, had Hope er nog wel naar kunnen raden, maar zij en Ling-yi waren nooit alleen, sterker nog, ze hadden niets meer met elkaar te maken dan dat ze samen met de rest moesten toekijken hoe de huid van de oude vrouw zwart werd en uitteerde, groteske tumoren in haar hals verschenen en de ziekte aan haar hersenen begon te knagen. Na de eerste week begonnen Morris en Pearl, die niet begrepen waarom het abominabele gedrag van hun zusje altijd beloond leek te worden, lange en gloedvolle pleidooien af te steken voor hun eigen vrijlating.

'Het is de prijs die we betalen voor het feit dat Nai-nai ons al die jaren met rust heeft gelaten,' antwoordde Hope.

'Jou met rust gelaten, bedoel je,' pruilde Pearl. 'Wij hebben haar vaak genoeg moeten zien.'

Dat was waar. Elke keer dat Nai-nai naar Sjanghai kwam waren de kinderen aan audiënties onderworpen. Ze had altijd de voorkeur gegeven aan Morris, al bekritiseerde ze zijn gebrek aan kennis van de confuciaanse klassieken. De meisjes beledigde ze routineus. Een van de dingen die Hope in de loop der jaren voor Jin hadden ingenomen, was dat hij die bezoekjes draaglijk had gemaakt door spelletjes met de kinderen te doen of ze trucjes te laten zien wanneer Nai-nai niet keek.

'Nou, dat zal niet lang meer hoeven,' zei Hope. 'Om je vaders wil, we moeten dit doen.'

'Zijn we rijk als ze doodgaat, mama?' Morris draaide onwennig met zijn nek in zijn mandarijnenkraag. Hij droeg een gewaad dat Paul als kind ook gedragen had, van diep zwart-bruine sjantoeng, en zag er elegant in uit, veel ouder dan zijn acht jaar. Op de een of andere schrikbarende manier was het of die stijl bij hem hoorde, al beweerde hij het gewaad te haten.

'Dat weet ik niet,' antwoordde Hope. 'Maar papa heeft me één ding beloofd. Hij zegt dat we in elk geval een huis zullen kunnen bouwen in Kuling.'

'Waar we die eerste zomer zijn geweest?' vroeg Pearl.

'Weet je het nog? Jij noemde het Wolkenberg.'

'Daar gingen we zwemmen.'

'Ja, en papa ook. Ik heb altijd gevonden dat als er één plaats in China was die ik mijn thuis zou kunnen noemen, dat dat Kuling was.'

Vanaf die dag werd het vooruitzicht op een huis in de bergen hun geheime tovermiddel, dat de aanblik, de stank en het geluid van de fysieke desintegratie van Nai-nai bijna draaglijk maakte. Het sorteerde echter minder effect tegen de behandeling die Hope nu kreeg van Jin en Mulan. Hoewel ze geen specifieke vijandigheid voelde, was wel duidelijk dat de twee oudste kinderen van Paul geïnstrueerd waren om zich niet met haar in te laten. Na die eerste avond spraken ze niet met haar of het moest heel terloops en vluchtig zijn. Gedurende hun audiënties in de kamer van Nai-nai stonden ze naast Ling-yi, en hoewel Jin vriendschappelijk met de kinderen bleef omgaan, nodigde hij hen nu uit om bij hem te komen spelen, of in de oude kinderhof, en kwam hij niet meer naar de vertrekken van Hope. Toen ze daar tegen Paul een opmerking over maakte, wuifde hij haar zorgen weg door haar eraan te herinneren dat Nai-nai de twee oudsten had opgevoed, en dat ze alleen maar verdrietig waren over haar verscheiden. Zijn eigen verdriet werd overschaduwd door de telegrammen die Sun

Yat-sen hem stuurde, over een nieuwe oorlog die uitbrak in Hunan, Japanse troepenbewegingen langs de Oostelijke spoorweg en de komst van bolsjewistische agitatoren naar Sjanghai om een Chinese communistische partij te lanceren. De avonden dat zijn moeder niet naar hem vroeg ging hij geregeld uit om oude vrienden te bezoeken, en mede-revolutionairen. Soms haalde hij Jin over om hem te vergezellen. In de tiende week was Hope bereid haar droomhuis in Kuling op te geven, als ze deze kwelling maar achter zich konden laten.

Toen zaaide de kanker zich uit. De benen, armen en ingewanden van de oude vrouw werden aangetast. Enorme hoeveelheden wierook konden de stank van ontbinding die in de kamer hing niet langer verdrijven, en hoe haar gezicht ook werd bepoederd en beschilderd, de ondraaglijke pijnen die aan haar mond en ogen rukten waren niet meer te verbergen. Ze stuiptrekte. Ze rolde met haar hoofd. Ze liet een laag, kloppend gekreun horen, ergens onder uit haar keel. Ze kon niet meer slikken. Elke ademhaling was loodzwaar. Toch stond ze erop controle uit te oefenen op de dodenwachters, of die wel elegante kleren droegen, op het binden van haar voeten, kortom: de dagelijkse inspectie van hen die ze als haar eigen mensen beschouwde.

Het was toen dat Hope zich het meest een indringer voelde, nu ze ernaar verlangde te ontsnappen, evengoed omwille van Pauls moeder als omwille van zichzelf. En uiteindelijk begreep ze dat dat precies de reden was dat ze ontboden was. Ze had Paul niet afgenomen, en ze had de familie zelfs een zoon geschonken, en enkele dochters, hoe waardeloos ook. Maar zijzelf was nooit – kon nooit meer dan een indringer zijn. En door te sterven onder de gedwongen blik van de vrouw die haar familie ontwijdde, haalde Nai-li nu haar gram.

19 juni 1920
Lieve Sarah,

Door wat voor hel wij zijn gegaan kan ik niet beschrijven, maar het is eindelijk voorbij. Straks heb ik een ongelooflijk artikel voor Cadlow! Ik heb zelfs foto's weten te maken van de begrafenis, tot ergernis van Paul. Ik moest hem beloven dat ik alle persoonlijke verwijzingen naar de familie zou weglaten, al heb ik besloten dat het interessantste aan deze hele affaire mijn eigen relatie met de moeder van Paul is, die ik mezelf eindelijk kan toestaan interessant te vinden, nu ze er niet meer is. Wat haatte ze mij! En toch besef ik dat het niets persoonlijks was. Ik denk dat als ze in staat was geweest mij als een seksegenote te zien in plaats van als buitenlandse, we misschien zelfs wel een zeker wederzijds respect voor elkaar gekregen zouden hebben – misschien hadden we dat op het laatst ook wel, op een bizarre manier. Maar als buitenlandse was ik net zozeer een vijand als de Britten met hun kanonneerboten en opiumhandel, of de missionarissen met hun gestolen land, of de Fransen met hun opportunistische leugens, of Amerika, God sta ons bij, met zijn eindeloze beloftes van hulp en bijstand, die steeds weer ingetrokken kunnen worden.

De moeder van Paul heeft hem gesteund toen hij naar het buitenland ging om te studeren, ze heeft zijn revolutionaire vrienden geholpen en van voedsel voorzien – ze heeft er zelfs een paar het leven gered – en ondanks herhaalde dreigementen heeft ze hem nooit daadwerkelijk verstoten toen hij met mij getrouwd was, maar ze was tot haar laatste snik van de oude school, en zorgde er goed voor dat wij dat allemaal wisten.

Waar ik over zal schrijven is de begrafenis, en aangezien je mij verteld hebt dat je zo'n vertoning nog nooit van nabij hebt meegemaakt, zal ik de inhoud van het artikel vast aan je voorleggen, te beginnen met de rituelen op de dag dat ze stierf. Het was drie uur 's nachts, en we waren allemaal uit ons bed gehaald. Ze gaf opdracht om haar doodskist, die tien jaar geleden gemaakt is en sindsdien jaarlijks opnieuw gelakt, naar de Hal van Waardigheid te brengen. Toen liet ze ons weten dat het uur van haar dood gunstig was, en dat zij die het huis van de familie bewoonden goed zouden blijven eten (een lokkertje, leek mij, om Paul en Jin over te halen op de winkel te passen). Paul en Jin en Morris wierpen zich languit op de vloer voor een voetval, maar ze heeft niets meer gezegd. Toen ze helemaal het bewustzijn verloren had, een paar minuten voor zonsopgang, verzamelden wij ons op het binnenplein terwijl Paul op het dak klom en zijn arm hief in een smeekbede aan de vertrekkende ziel om nog wat te blijven. Dat was een vreemd moment voor mij, enorm veel ontroerender dan wat ik ooit in een kerk ervaren heb, en ook meer louterend. Ik hoorde oprecht verdriet in Pauls stem en voelde zoveel vergeving opwellen en ook, je zult het niet geloven, dankbaarheid dat ik mij op dat moment op die plek in het universum bevond. De dag brak juist aan, de lucht was een en al blauw, paars en roze, met Paul in zijn lange zwarte gewaad daartegen afgetekend, armen uitgestrekt en hoofd in de nek. Ik voelde de geest bijna langs mijn huid strijken toen ze vertrok. Ik geloof dat dat het moment was dat ik me waarachtig aanwezig voelde en me deel voelde uitmaken van alles wat Paul hier ervoer. De ironie dat Nai-li daar verantwoordelijk voor was, ontgaat mij geenszins.

Er moesten kaarsen worden aangestoken en het lichaam moest gewassen worden. Dat bleef de kinderen dan in elk geval bespaard. Mij niet. Paul liet mij de keuze, zei dat zijn moeder verzuimd had aanwijzingen te geven op dat ene punt – mijn deelname. Maar als ik niet gegaan was, zou Paul naast Ling-yi hebben gestaan terwijl ze de koude gedaante van zijn moeder waste.

Water werd gebracht vanuit de tempel, maar dat parfumeerde noch verhulde de vernietigende werking van de ziekte, die ze zonder gejammer had doorstaan. We hulden haar snel in lagen zijden gaas en borduursel, een smaragdgroene en goudkleurige hoofdtooi, jade oorringen en de schoenen die ze zelf speciaal voor de gelegenheid geborduurd had. (De ervaring van het schoonmaken en binden van de voeten van de dode zouden me stof moeten opleveren voor drie artikelen. Had ik daar maar een foto van gemaakt, geen levende ziel die de barbaarse onmenselijkheid van deze praktijk zou kunnen ontkennen. Helaas zou het een even barbaarse indruk hebben gewekt als ik bij dat ritueel mijn camera had gepakt.)

We legden haar in de met zijde beklede doodskist met alle benodigdheden om haar reis naar de Westelijke Hemel gerieflijk te maken. Schone kleren, boeken, een pijp en tabak, geld, natuurlijk, en spirituele paspoorten. Toen werd de kist verzegeld.

Aan het hoofd werd een stenen tafel geplaatst waar haar naam in gehouwen was, een kom sesamolie, wierook en een vaas met blauwe 'bloemen van rechtschapenheid'. Ik trok de meisjes en mijzelf wijde witte jurken aan, en Paul, Jin en Morris hulden zich in de ruwe juten rouwgewaden en dezelfde soort hoofdbanden en strosandalen die we in Sjanghai allen zo vaak bij inheemse begrafenissen hebben gezien.

Enkele bedienden werden uitgezonden met uitnodigingen voor de begrafenis. Anderen gingen door het huis om rode kaarsen en lantaarns te vervangen door witte. Het keukenpersoneel ging keihard aan het werk om het banket voor te bereiden dat Nai-li besteld had, en arme Jasmine zat in een hoek op haar duim te zuigen – het heeft haar zoveel gekost om NIET het centrum van alle aandacht te zijn dat ik het vermoeden heb dat we misschien wel een blijvende verandering in haar aard te zien zullen krijgen! Paul, Jin en Mulan namen de gastenlijst door en gaven ons onderricht over het protocol dat van ons verwacht werd. De volgende dag stond een taoïstische priester met zo'n vierkante opstaande hoed en loshangend zwart gewaad in de voorste hal op een gong te slaan terwijl plaatselijke kooplieden, functionarissen en hun vrouwen, buren, voormalige huurders en bedienden, zelfs een paar mannen die bij Paul hadden gestudeerd hun opwachting kwamen maken. Paul en Jin zaten geknield naast de kist terwijl elke gast drie buigingen maakte, Ling-yi en Mulan bogen eendrachtig terwijl de kakofonie van snaarinstrumenten en priesterlijk gezang op de binnenplaats van geen ophouden wist. Het miezerde en de lucht was zo warm en zwaar dat een deel van het rumoer erin gesmoord werd, maar het onophoudelijke gebons ging gewoon in je botten zitten. De gasten liepen door naar de banketzaal, waar ze duidelijk verbaasd waren mij en de kinderen aan te treffen om hen te bedanken. Maar aangezien zulke woordenwisselingen volgens een vaste code verlopen, wisten we allemaal zonder al te veel gezichtsverlies de eindstreep te halen.

Jasmine kreeg eindelijk ook een rol, die ze op zich nam met grote opgewondenheid en veel opdringerige supervisie van haar grote broer en zuster. Ze nam bezit van de Hemelse Giften, die de gasten meebrachten om de ziel op haar reis te vergezellen. In de ogen van Jasmine waren al die artikelen van papier-maché uiteraard speelgoed. Er waren poppen om dienst te doen als spirituele bedienden, paarden om de ziel te dragen, potten, kookbenodigdheden en stokjes, spelletjes schaak en mahjong, boeken, geld, manden vol perziken (voor een lang leven!), fijn afgewerkte halssnoeren, een kanarie, en ten slotte, het pièce de résistance van de burgemeester van Wuchang, een kartonnen Model T Ford met chauffeur in uniform! Terwijl ik naar Jasmine zat te kijken, in haar eigen hemel, bezig een eigen speelhuis te maken met al die spulletjes, zei ik tegen Mulan dat Nai-li geen indrukwekkender collectie had kunnen vergaren als ze alles zelf besteld had. Mulan schonk me een bevreemde blik en vertelde dat Nai-nai, uiteraard, aan alle gasten had laten weten wat ze mee moesten nemen – of in elk geval had ze zijdelingse suggesties gedaan, wat op hetzelfde neerkwam.

De volgende dag was beestachtig. Benauwdheid en een meedogenloze witte zon die door de mist heen brandde. De katafalk had het formaat van een postkoets en was gedrapeerd met dik wit satijn. Er waren tien dragers voor nodig, die slechts een fractie van de rouwstoet vormden. Anderen droegen de draagstoel van Nai-li en een ezel met een portret van haar. Een ander contingent liep met bezems het pad naar de hemel te vegen, en weer anderen droegen de Hemelse Giften. Morris en Jin en Paul droegen de zielentablet voor de katafalk uit. De rest liep erachteraan. Er waren meer zingende priesters, de ene helft taoïstisch, de andere helft boeddhistisch, meer muzikanten die bliezen en aan snaren plukten, de plaatselijke nachtwaker leverde zijn bijdrage aan de herrie met zijn houten ratel. Op een gegeven moment barstte dit bonte orkest, tot mijn volkomen verbijstering, uit in een unieke Chinese vertolking van 'Yankee Doodle Dandy', klaarblijkelijk ter ere van Pauls status als teruggekeerde student! Af en toe werd er geld van zilverpapier weggegooid om eventuele duivels die op de loer lagen om te kopen. Ik ben ervan overtuigd dat de menigte gapers en staarders langs de weg dachten dat ik de echte duivel was en dat de arme Nai-li derhalve geen schijn van kans had. Hoe dan ook, te oordelen naar het geroep en gejouw trok mijn aanwezigheid veel meer toeschouwers dan anders de overtocht van Nai-li zouden hebben gadegeslagen, en ik weet dat ze dat gewaardeerd zou hebben.

Het was een kilometer of drie naar de begraafplaats. We vormden een kring terwijl de kist in het gat zakte, en we gooiden er allemaal wat aarde op. Toen richtten de priesters een vuur aan van de Hemelse Giften. Gelukkig werd de ceremonie daar tevens mee besloten, want Jasmine was ontroostbaar. Paul en Jin moesten haar echt vasthouden om te voorkomen dat ze achter 'haar' paard en kanarie aan in de vlammen zou springen, en ik ben bang dat de familie op dat moment aanzienlijk gezichtsverlies leed. We zetten haar in een riksja en ik bracht haar snikkend naar huis. Arm kleintje, ik wist precies hoe ze zich voelde en ik kon niet boos op haar zijn, maar Paul was woest toen hij terugkwam. Hij heeft zo weinig geduld met Jasmine. Ze is een lastig kind, maar toch...

Maar goed, jij hebt genoeg eigen familieperikelen zonder dat ik je ook nog eens met de mijne opzadel. Het nieuws waar je vast en zeker op hebt zitten wachten kwam toen Nai-li's bankier die avond langskwam (zoals zij hem ook opgedragen had). Het was het equivalent van het voorlezen van het testament, hoewel je ongetwijfeld weet dat alleen de modernste Chinezen daadwerkelijk een testament hebben. Normaal gesproken behoren alle bezittingen toe aan de familie en krijgt iedereen een gelijk deel van de erfenis, of het nu om geld, goederen of schulden gaat. Maar gezien de merkwaardige aard van deze familie, had Nai-li speciale regelingen getroffen. Ik heb je al geschreven over haar plannen voor Ling-yi (die op mij de indruk begint te wekken de ware heldin van deze familie te zijn; hoewel ik blij ben dat ze zal vertrekken om haar eigen leven te gaan leiden, misgun ik haar haar beloning in het geheel niet). De enige vraag die nog restte was hoeveel liquide middelen er waren. Het bleek om een rond totaal te gaan van om en nabij de honderdduizend Mexicaanse dollars, waarvan een derde naar Jin gaat en tweederde naar Paul, die ook de huizen krijgt. Die zijn financieel echter zo goed als waardeloos, aangezien het nooit bij Paul zou opkomen ze te verkopen. Dus zo staan de zaken ervoor. We zijn misschien niet zo bemiddeld als jouw Eugene, maar veel solventer dan voorheen. Paul is aan het regelen dat we op de terugweg naar Sjanghai langs Kuling gaan, om een stuk grond te zoeken en te beginnen met het waanzinnige proces van de planning van ons nieuwe huis.

Het enige mysterie dat resteert is Mulan. Zij en Jin zijn gedurende dit hele proces zo afstandelijk geweest, en een tijdje lang ging ik ervan uit dat ze weer in hun oude vijandigheid jegens mij waren vervallen, maar nu denk ik dat er misschien meer speelt. Mulan was zichtbaar bedroefd toen de bankier zijn nieuws had verteld, en ik denk dat ze werkelijk heeft gemeend dat Nai-li misschien zou breken met de aloude traditie en dat ze haar – een vrouw – in de erfenis zou laten delen. Ze zei tegen niemand een woord, en het is nu vierentwintig uur later en ik heb haar de hele dag niet gezien. Jin beweert van niets te weten. Paul is meer dan een uur geleden naar haar vertrekken gegaan, dus wellicht dat ik iets hoor wanneer hij terugkomt. Jij, meisje, zult echter op dat verhaal moeten wachten, want ik kan mijn ogen nauwelijks openhouden.

Vertrouw erop dat jullie wat koele briesjes krijgen terwijl wij smoren in deze vervloekte hogedrukpan. Goddank voor muskietennetten, meer kan ik er niet van zeggen, en welterusten.

Liefs, Hope

Paul was al op en vertrokken toen Hope de volgende ochtend wakker werd. Jasmine was 's nachts bij haar in bed geglipt en lag nog te slapen, met haar pony uitgewaaierd en haar lippen vaneen in een zeldzame vredige glimlach. Hope spreidde het laken losjes over haar uit en klom onder het net vandaan. Ze was juist klaar met baden en aankleden toen ze een schaduw langs het doorschijnende raam zag strijken. Mulan liep door de galerij.

Het gezicht van het meisje ging nu eens niet schuil achter een wit masker, en ze keek Hope aan met onkarakteristieke directheid. 'Kan ik u spreken, alstublieft?'

Hope zuchtte. 'Dat heb ik al drie maanden uit jouw mond willen horen. Natuurlijk.'

Ze gingen naar buiten om tussen de rotsen te gaan zitten. Mulan gunde haar handen weer geen rust. 'Ik ben een slechte dochter geweest voor u en mijn vader,' zei ze.

Ik moet toegeven dat je ons nu niet direct met veel warmte hebt onthaald, merkte Hope bij zichzelf op, maar tegen Mulan zei ze: 'Je bent een lieve kleindochter geweest.'

'Zo denkt mijn vader er niet over.' Mulan sprak aarzelend in voortreffelijk maar ongeoefend Engels. De zorg waarmee ze haar woorden vormde verhoogde hun ondertoon van grote aandrang. 'Ik heb een waardeloos leven voor mezelf gemaakt. Toen ik u ontmoet, meen ik dat mijn vader de doctrine van vrije liefde accepteert. Ik wil hem laten zien dat ook ik moderne vrouw ben.'

'Jij *bent* een moderne vrouw. Je hebt gestudeerd. Aurora University! Hoeveel vrouwen in China kunnen hetzelfde beweren?'

'Ik wil hem niet alleen volgen maar ook straffen.' Mulan sloeg haar ogen neer. 'Ik houd mezelf voor ik houd van die rijke man. Hij neemt mij mee in zijn automobiel. Hij heeft een grammofoon. Hij dineert met mij in restaurants. Ik vind hem knap, en als hij zegt dat hij met me wil trouwen weiger ik hem niet.'

'Aa.' Hope herinnerde zich de opmerking van Paul toen hij haar inlichtte over het voorgenomen huwelijk van Mulan, dat het gezichtsverlies voor de familie te groot zou zijn als hij er zijn veto over uitsprak. Ze rechtte haar rug en gebaarde naar Pearl, die hun kant op kwam huppelen, dat ze terug moest gaan om bij haar zusje te kijken. 'En dus kreeg je je zin, en nu is het afschuwelijk, en jij weet niet hoe je hier weer uit moet komen.'

Mulan keek op.

'Ik begrijp het beter dan jij je kunt voorstellen. Niet dat ik enig idee heb of ik je kan helpen. Maar hoe erg... waarom ben je niet gelukkig met hem?'

Bij wijze van antwoord duwde Mulan haar lange gazen mouwen omhoog.

Hope wist zich nog net in te houden om geen kreet te slaken. De littekens konden in gewelddadigheid wedijveren met die van Paul, maar waren onregelmatiger, alsof een mespunt er al draaiend doorheen was getrokken, en haar armen bijna tot op de spieren had opengehaald.

Toen ze weer op adem was gekomen, bedekte Hope een arm van het meisje met haar eigen handen. Mulan trok haar arm niet terug. Ze reageerde helemaal niet. 'Heb je dit je vader laten zien?'

Mulan schudde haar hoofd. 'Het is beschamend.'

'Maar als hij moet begrijpen...' Hope moest het wel vragen: 'Zijn er nog meer?'

Mulan gebaarde naar haar enkels, de kraag van haar gewaad.

'Maar waarom?'

De ogen van Mulan stonden angstig. 'Ik draag buitenlandse jurk. Deze zijn onbedekt. Dalin is mohammedaan.'

'Maar dat rechtvaardigt, zelfs voor een mohammedaan... dit nog niet!'

'Alles is anders voor de echtgenote. Moet binnen blijven. Mag niet lezen. Moet betrekkingen met hem hebben om het even wanneer... Omdat ik hem slechts één dochter schenk, geen zoon, hij slaat mij.'

'Wat heb je je vader hier *wel* van verteld?'

'Alleen dat ik bij Dalin weg moet.'

'Maar Paul is een redelijke man. Als je uitlegt...'

'Hij zegt wat ik lijd, ik roep over mijzelf af. Ik sluit mij aan bij familie van mijn man, mijn verplichting is aan die familie.'

'O ja, zegt hij dat?' Hope verstijfde. 'Laat mij met hem praten.'

'Hij is met Yen naar het telegraafkantoor.' Mulan aarzelde. 'Ik moet vandaag vertrekken. Ik reis met Ling-yi.'

'Waarom heb je zo lang gewacht om bij mij te komen!'

'Ik denk Nai-nai zal mij helpen. Geld nalaten om mijn vrijheid te kopen.'

'Wat zou dat kosten?'

'Ik denk vele duizenden.'

Hope schudde haar hoofd. 'Dat soort bedragen heb ik niet. Heb je het ook aan Jin en Ling-yi verteld?'

'Niet Ling-yi. Zij zou nooit kunnen begrijpen. Jin weet het. Hij wil zijn geld met mij delen, maar alleen als vader het goedvindt.'

'Waarom moet uitgerekend Jin een dergelijke voorwaarde stellen?'

Mulan fronste haar voorhoofd. 'Dit is een familiekwestie. En Jin is eerste zoon.'

Hope hief haar armen. 'Nou, jij kunt niet terug, Mulan!'

Maar het meisje zat wat aan haar gewaad te frunniken en meed de blik van Hope. 'Een van de wachten van mijn man komt om het middaguur.'

Dat maakte een abrupt einde aan de opgewondenheid van Hope. Mulan had haar eigen verzoek gesaboteerd!

'Ik weet het ook niet meer,' zei ze na een omzichtige stilte. 'Natuurlijk zal ik proberen met Paul te praten, maar je moet me beloven dat je hem die littekens laat zien. Wat voor fouten jij ook gemaakt hebt, ze zijn niks erger dan wij weleens gemaakt hebben. Niemand verdient een dergelijke behandeling.'

Maar Paul en Yen waren nog altijd niet terug toen de wacht van Dalin arriveerde, met strikte orders de jonge vrouwen mee te nemen met de boot van twee uur. Het was een brede, besnorde Yunnanees in een soldatenuniform en met een Mauser in zijn holster. Hij gaf opdracht de bagage in één wagen te laden en ging toen onbewogen naast de tweede staan, waarin Mulan en Ling-yi zouden rijden. Hope probeerde tijd te rekken door de kinderen mee naar buiten te nemen om ook afscheid te nemen, maar die waren onverschillig jegens Ling-yi, wier dialect ze niet verstonden en wier positie in het huishouden voor hen altijd duister was gebleven; en ze waren op hun hoede voor Mulan, die Pearl al snel de bijnaam van Geestvrouw had gegeven. Bovendien wilden ze weer verder met hun spel. Het afscheid van Jin was nauwelijks minder plichtmatig. Hij was duidelijk geïrriteerd door de ellende van Mulan en legde een goedmoedige minachting aan de dag voor de ouderwetse gedweeheid van Ling-yi. Uiteindelijk konden ze het vertrek niet langer uitstellen.

Ling-yi zat al in de wagen toen Hope Mulan naar zich toe trok en haar stiekem een papieren pakje in handen duwde. Het bevatte de stersaffier die Daisy Tan voor haar gekocht had in Peking... en het aquamarijnen en paarlen halssnoer dat Paul haar gegeven had toen ze voor het eerst in China aankwam. 'Misschien kan Ling-yi deze voor je verkopen,' fluisterde ze. 'Het spijt me dat ik niets meer kan doen.'

De protesten van Mulan werden onderbroken door het gekletter van een paar riksja's. Paul zweette enorm onder zijn platte strohoed en leek even niet te begrijpen waarom de vrouwen bij de poort bijeen stonden. Zowel Ling-yi als Mulan had hem op de hoogte gebracht van hun geplande vertrek, maar hij werd helemaal in beslag genomen door het nieuws dat Sun de Kantonese regering weer eens ontbonden had. Hope probeerde zijn aandacht te trekken, zei dat hij Mulan weer binnen moest roepen, maar de wacht klakte met zijn hakken tegen elkaar en liet Laoyeh op respectvolle toon weten dat het gezelschap meteen moest vertrekken. Mulan trok haar handen – en het pakje – terug in haar lange mouwen, en klom in de wagen.

'Je hebt hem gehoord,' zei Paul toen Hope weer protesteerde. 'De boot wacht niet.'

Toen gingen zijn ogen naar Ling-yi. Hij nam haar op met een beheerstheid die Hope een koude rilling over de rug joeg, want ze begreep dat hij deze vrouw – deze echtgenote – nooit meer ook maar één gedachte waardig zou keuren. Al even beheerst zwaaide hij naar zijn dochter. Die boog haar hoofd en reed weg.

Hope volgde Paul naar zijn studeerkamer.

'Je had Mulan niet moeten dwingen om te vertrekken.'

'Ik heb haar niet gedwongen!'

'Je bent niet tussenbeide gekomen. Dat komt op hetzelfde neer.'

'Ik heb een keer geprobeerd tussenbeide te komen.' Paul deed zijn bril af en wreef zich in de ogen. 'Acht jaar geleden heb ik alles gedaan wat in mijn vermogen lag om haar over te halen niet met die man te trouwen.'

'O ja?' Haar woorden hadden een akelige ondertoon, en Paul

keek haar scherp aan. Hij duwde de deur naar het aangrenzende vertrek open, waar Pearl en Morris zaten, en zei hun dat ze hun zusje mee moesten nemen naar de oude kinderhof, om met haar in het zand te spelen.

Toen ze weg waren zei hij: 'Vanwaar die plotselinge belangstelling voor het huwelijk van Mulan?'

Hope wikte en woog haar woorden, de verschillende benaderingen. Mulan had een mijnenveld gelegd in een gebied dat zelfs op het eerste gezicht al verraderlijk was.

'Haar mouw bleef vanmorgen ergens achter haken,' loog ze. 'Ik zag die afgrijselijke littekens en vroeg hoe ze daaraan kwam. Ze wilde het niet vertellen, maar ik drong aan, en toen kwam het er allemaal uit. Je moet haar helpen een scheiding te krijgen, Paul!'

Ze had verwacht dat hij zou vragen over wat voor littekens ze het had. In plaats daarvan tikte hij met het kussentje van zijn duim op zijn lippen en staarde naar het getraliede raam. Een muskiet zoemde bij haar oor. Hope gaf een tik, en verpletterde het beest op haar wang, waarna ze het vol afschuw met de rug van haar hand wegveegde. Wat was het toch met dit land, dit volk – Paul! – dat eerlijk medeleven zo beschamend maakte?

'Je zou nergens voor terugdeinzen,' gooide ze het over een andere boeg, 'je zou vechten tot je erbij neerviel om Suns ideaal van een vrij en verenigd China te bereiken. Waarom weiger je hetzelfde te doen voor je dochter?'

Paul liet zijn handen op de leuningen van zijn stoel zakken en articuleerde langzaam, alsof hij het tegen een onnozel kind of een buitenlander had. 'Mulan heeft elk voordeel gehad. Ze is verwend, opgevoed, ze heeft vrijheid gekregen. Ik heb instructies gegeven, zij en Jin moesten mijn voorbeeld volgen, alle vrijheid hebben van moderne mannen en vrouwen. Mijn moeder heeft mijn instructies hierin precies opgevolgd. *Dit* is wat mijn dochter met haar vrijheid verkiest.'

Hij keek nu langs haar heen, en zijn gezicht verried zo'n geemotioneerdheid dat Hope wist dat ze de zaak verder moest laten rusten. Maar ze bleef dat verminkte vlees voor zich zien, en ze bleef zich de verschrikking voor de geest halen van intimiteit met een man die tot zoiets in staat was. 'Je praat alsof ze vrijwillig voor kruisiging heeft gekozen, alleen om jou te treiteren.'

'En jij houdt haar voor een slachtoffer wat ze niet is.'

'Ze was nog een kind. Kinderen maken fouten. Ze moeten niet gedwongen worden die de rest van hun leven als een molensteen om hun nek te dragen.'

'Als fouten de loop van het lot verleggen, kunnen ze niet ongedaan worden gemaakt.'

Er liep een koude rilling over haar rug, al wist Hope eerst niet waarom. Toen besefte ze dat ze niet langer aan Mulan dacht. Ze zag haar eigen kinderen voor zich. Zichzelf. 'Er is niets aan te doen,' fluisterde ze.

'Wat?'

'*Mei fatse*,' zei ze verbitterd. 'In vertaling.'

Het zweet parelde weer op zijn voorhoofd. 'Je vindt me wreed en onverschillig.'

'Ik zal er vast wel weer overheen komen.'

'Wat zou je willen dat ik deed?'

'Haar helpen.' Hij stak een sigaret op. Zijn handen beefden. 'Op zijn minst aanbieden haar te helpen.'

'Hoe denk je dat de man van Mulan wist dat ze haar plicht hier gedaan had? Na drie maanden wist hij dat hij vandaag zijn wacht moest sturen?'

Hope ging staan en liep naar de deuropening. Ze richtte haar blik strak op de rotspartij. In de verwarring van die ochtend had ze er niet aan gedacht om dergelijke logistieke vragen te stellen. Het voor de hand liggende antwoord was dat Paul hem had ingelicht, maar ze hield haar mond.

'Ik heb weleens geprobeerd de macht van die man voor jou te beschrijven,' zei Paul. 'Geen grotere bron van rijkdom dan de handel in wapens en munitie in een land waar een burgeroorlog woedt. Geen sinisterder vrienden dan de vrienden van de man die daarin handelt. In jouw land noemen ze zulke mannen gangsters. Toen ik voor het eerst vernam van de fascinatie van Mulan voor die man, heb ik haar duidelijk gemaakt wat voor leven hij haar zou geven. Weet je, ze lachte als een aap, ze dreef de spot met mij.'

'Maar ze had geen keus...'

'Ah. Ze vertelt jou nogal wat, die dochter van mij. Maar ik hoorde van haar flirt met Dalin de eerste keer dat ik terugkom uit Amerika. Ik spreek haar er toen op aan. Nog twee jaren verstrijken voor haar dochter werd geboren. Dus je vergist je. Ze had keus. Nu houden niet ik maar haar man en kind haar eraan. En zij zou het aandurven hen beiden te verlaten.'

De vochtige hitte drukte tegen haar gezicht. Ze had niet eens aan het kind van Mulan gedacht. 'Maar als zij en haar dochter ons in Sjanghai kwamen bezoeken, zouden we kunnen regelen dat ze het land uit konden...'

Paul smeet zijn sigaret in de bronzen kwispedoor naast zijn stoel. 'Heeft hij het kind toegestaan naar de begrafenis van haar Nai-nai te gaan? Die man is niet onnozel.'

'Ze is jouw kleinkind.' Hope staarde hem aan. 'Je hebt haar zelfs nog nooit gezien, of wel?'

'Acht jaar lang praat je niet over Mulan. Haar kind bestaat niet. Nu loop je over van medelijden en bezorgdheid, en je neemt niet de tijd om na te denken. Nee, ik zie het kind niet. Zij behoort tot zijn familie, Hope, niet de mijne. Je kunt zo'n man als Dalin niet zomaar de voet dwars zetten.'

'Maar dergelijke mensen reageren toch zeker wel op geld?'

Hij trok aan de nagel van zijn duim. 'Zou jij je huis in Kuling willen opgeven?'

Hope aarzelde. Ze dacht aan de halssnoeren. 'Als dat genoeg was om hun vrijheid te kopen...'

'Nog niet half.'

'Hoe weet je dat als je hem nooit gesproken hebt...'

Paul maakte een cederhouten kistje op zijn bureau open en trok er een opgevouwen vel papier uit. 'Jouw Chinees zou goed genoeg moeten zijn om dit te lezen. Hij is praktisch analfabeet.'

Hope beet zich op de lip bij die neerbuigende opmerking maar nam het briefje aan en liep terug naar haar stoel. Hoewel het penseelwerk ruw was en de karakters oneffen, was de boodschap zo klaar als een klontje: 'In ruil voor uw dochter accepteer ik uw huis in Wuchang – met uw hoogst bewonderenswaardige bibliotheek. In ruil voor mijn dochter, accepteer ik uw huis in Sjanghai plus een order van uw vriend Sun Yat-sen voor één miljoen dollars aan artillerie en ammunitie.'

Ze fronste en probeerde vastberaden te blijven. 'Zou Sun het geld beschikbaar stellen? Hij heeft wel wapens nodig.'

'Hope.' Met een zucht ging hij staan en liep om het bureau heen. 'Je stelt mijn geduld op de proef. Weet je nog toen Yüan Shih-k'ai een lening van de Japanners accepteerde onder voorwaarde dat er Japanse wapens van gekocht worden? En weet je nog dat de wapens die ze zonden oud en roestig waren? Ze explodeerden in de gezichten van de Chinese soldaten. Drie jaar lang heeft Dalin de krijgsheren in Peking van wapens voorzien. Ze hebben beloofd hem gouverneur van Szechwan te maken. Dit is geen deal die hij voorstelt. Het is een aanbod om mij te ruïneren en de revolutie rondom mij neer te halen.' Paul nam het briefje uit haar verstijvende vingers. 'Je moet het geloven, met Dalin heb je maar één manier en dat is oorlog. En als zo'n oorlog verklaard wordt, is niemand veilig voor hem. Mulan niet, haar dochter niet. Ik niet. Onze kinderen niet. Zelfs jij niet, Hope.'

Hij zei het zacht, en hij had er duidelijk meteen spijt van. Het hadden wel scheermesjes kunnen zijn zoals ze door haar ziel sneden. Hope keek hem aan. 'Nee,' zei ze hardvochtig. 'Zelfs ik niet. Want ik behoor aan jou toe.'

Maar hij liet zich niet uit de tent lokken. 'Het was verkeerd van haar om met jou te praten.'

'Ze wist niet waar ze het zoeken moest,' zei ze. Er viel een lange stilte en toen, zonder dat ze besefte dat het gebeurde, begon ze te huilen.

5

4 JULI 1920

Lieve Hope,

Happy Independence Day! De Amerikaanse clubs geven een hele show weg hier in S-town, met rode, witte en blauwe wimpels, sterretjes, watermeloenpicknicks en slappe Stars and Stripes op elk marineschip en elke Standard Oil-tanker in de haven. Vanavond worden we onthaald op vuurwerk bij de Bund – tenminste diegenen die zin hebben zich in de poel des avonds naar buiten te slepen om te gaan staan wegkwijnen. Volgens mij heeft er in geen maand een briesje door deze straten gewaaid, en in Nantao stapelen de lijken van de choleraslachtoffers zich op met een alarmerende snelheid. Ik benijd je wel dat je naar Kuling gaat!

Even wat die kwestie met je stiefdochter betreft. Het verbaast me echt dat jouw Paul je nog langer duldt, gansje van me! Hij moet ofwel het geduld van een heilige hebben, of het moet eerlijk is eerlijk ware liefde zijn die op jouw pad is gekomen. Wil je nu echt niet bij je positieven komen en nu eens voorgoed tot je laten doordringen dat je in China bent? Dat meisje heeft zich in een wanhopige situatie gemanoeuvreerd, zeker, maar Paul heeft gelijk: ze heeft het zichzelf aangedaan. Denk eens aan al die arme vrouwen die als slavinnen worden verkocht, of aan je meid in Berkeley waar je me over verteld hebt, die door haar eigen vader naar de bordelen in San Francisco was gestuurd! Je moet Paul niet de schuld geven van zijn tegenzin, en je moet jezelf ook niet verwijten dat je niet kunt helpen. Er is iets aan het hele verhaal dat er bij mij niet in wil. Misschien is het mijn cynische aard, of misschien heb ik bepaalde dingen vaker meegemaakt dan jij, maar jouw Mulan kan best meer gedaan hebben dan een korte rok aantrekken om die littekens te verdienen. Let wel, niet dat ik haar man verschoon: die klinkt als een volle neef van die 'hondenvleesgeneraal' in het noorden – die waarvan ze zeggen dat hij het liefst gesmoorde brak eet en dat hij vijftig concubines heeft uit verschillende landen, elk met haar 'veroverde' vlag boven haar waskom! Maar hoe het ook zij, je moet goed beseffen, onschuldig meisje dat je bent, dat sommige vrouwen net zo ondeugend zijn als hun mannen. O, ik zie al voor me dat je je neus ophaalt en je hoofd in de nek werpt, maar het is waar. Ik adviseer je om heel goed en heel lang na te denken voor je je er verder mee inlaat.

Wat *mijn* gelukkige gezinnetje betreft, Eugene is met zijn nieuwe Nummer Drie naar de koelte van Tsingtao vertrokken, waar hij ongetwijfeld een of ander plannetje smeedt om geld te lenen van de Japanners om aan de oude Sun te lenen. Als hij me één ding geleerd heeft, die man van mij, is het dat alles – eer, zaken, plicht, en genegenheid – rond een as draait. En die as is overleving. Noem ons goddeloos als je het niet laten kunt, maar op dat punt begrijpen mijn Chinese 'heer' en ik elkaar perfect... en ik wil wedden dat je Mulan het daarmee eens zou zijn.

Ik kan me voorstellen dat je je handen vol hebt met je eigen kinderen, Paul, je werk en nu je droomhuis in de heuvels. Tussen twee haakjes, ik denk inderdaad dat je verhaal over de begrafenis van de oude Nai-nai bij Cadlow heel goed zou vallen, en Jed zegt dat hij een hele lading begrafenisfoto's heeft om erbij te doen als die van jou niks worden.

Dus ik zie je in september, schat, en bouw snel! Gene zegt dat als jij (en Paul!?) ons uitnodigen, de jongens en ik volgende zomer wel mogen komen logeren.

Een overvloed aan liefs,
Sarah

23 augustus 1920
Kuling
Liefste Sarah,

We zijn eindelijk terug in het paradijs. Hetzelfde huis dat Paul eerder voor ons geregeld had, dezelfde heldere, glinsterende koele lucht, dezelfde geuren van pijnbomen en mos en hoogte die als het zuiverste elixer zijn na het slijk, de stank, de dood en het drama dat we beneden hebben doorstaan. Ik voel me genezen, bruisend, bijna alsof ik hier onder een betovering sta. Volgens mij voelen we het allemaal. De kinderen rennen rond als geesten, met niets dan het hoogst noodzakelijke aan. Pearl is helemaal verslingerd aan het gezag dat ik haar over Morris en Jasmine geef, maar ze neemt het zo serieus als een welpenleidster en heeft energieke bergwandelaars van ze gemaakt. En ook van Yen, arme ziel, aangezien hij degene is die meestal achter hen aan sjokt om ervoor te zorgen dat hun niets overkomt. Maar in zekere zin is het maar goed ook, omdat hij meer van ze houdt dan Ahnie, en hij ze allerlei mythische verhalen vertelt over de oude heiligdommen en tempels die ze ontdekken. Zelfs hierboven lijkt het of de aarde bol staat van de geschiedenis. Een deel van mij wil met hen mee, maar een ander deel geniet zo van deze tijd met Paul, onze opgewonden voorbereidingen voor ons huis, dat ik zelden van zijn zijde wijk.

We hebben de schitterendste plek gevonden om te bouwen, vlak boven een beekje, omringd door hellingen vol roze en witte azalea's, rododendronstruiken en berglaurier. Er is een flauwe helling voor een pad en een klein plateau dat perfect is voor de fundering. Iets naar achteren en iets hoger beginnen de pijnbomen, en 's avonds zet een geweldig mooi zuchten in, als een prachtig, droevig snaarinstrument, al is het slechts de wind. We zitten boven in de vallei, Luling, gelukkig op enige afstand van de vrome minachting van de bewoners van het lager gelegen dal. Maar ondanks dat lijken veel van de Amerikanen hier me oprecht vriendelijk en behulpzaam. Ze nodigen onze kinderen uit om te komen spelen, Paul en mij om thee te drinken en komen met de nodige verstandige bouwadviezen. Een Randolph James, die zijn eigen blokhut had gebouwd in de Adirondacks voor hij naar China werd overgeplaatst, heeft beloofd een paar ontwerptekeningen te maken, waar we de komende winter over kunnen peinzen, zodat de bouw volgend voorjaar kan beginnen zodra de sneeuw gesmolten is. Hij en Paul lijken het geweldig goed te kunnen vinden samen – je zou ze samen moeten zien staan delibereren met de plaatselijke timmerlieden en metselaars, eindeloos kibbelend over metingen en de plaatsing van ramen en materialen. Mijn enige absolute eis is een grote overdekte veranda en slaapkamerramen op het oosten.

De zonsopgangen hier zijn werkelijk zo majestueus dat het een misdaad zou zijn om dat na te laten. Voor de rest zijn we op een stilistisch compromis tussen Oost en West uitgekomen, dat we 'bergstijl' noemen. Natuurstenen en houten balken, ietsje schuine daken, ramen met glazen ruiten maar van Chinese proporties, en alles laag gehouden in de vorm van een vleugel, afgezien van een kleine zit-logeerkamer boven, die zo'n beetje als een toren uitzicht zal bieden over de hele vallei.

Goed, ik heb me laten meeslepen door deze verrukkingen, tenminste voor een deel, omdat ik me schaam. Het koele licht van de rede en jouw wijze raad hebben gezegevierd. Hoe komt het dat we wijsheid zoveel gretiger accepteren van vrienden dan van geliefden? Je reprimande verschilde nauwelijks van die van Paul en toch was ik bereid ernaar te luisteren, in plaats van me er koppig voor te blijven afsluiten, zoals ik bij hem heb gedaan. Het antwoord op jouw vraag naar eventuele ontrouw is: ik weet het niet. Toen ik bij Paul, zo bedachtzaam als ik maar kon, informeerde wat hij daarvan dacht, liet hij doorschemeren dat er geruchten waren geweest, en hoewel hij niet zover ging te zeggen dat hij daar geloof aan had gehecht, weet ik heel zeker dat hij dat deed en nog steeds doet. Dus misschien mag Mulan nog van geluk spreken dat ze nog leeft, aangezien Dalin in dat geval het recht zou hebben haar voor een dergelijke misdaad op te sluiten en dood te hongeren – of erger. En misschien probeerde ze mij wel te gebruiken door zichzelf als het slachtoffer af te schilderen, zoals sommigen de gevoelige snaren van missionarissen proberen te raken. Wat zijn waarheid en bedrog toch makkelijk uitwisselbaar in dit land van spiegels! Hoewel we geen mensen kunnen helpen die weigeren zichzelf te helpen, loopt er zo'n dunne lijn tussen weigerachtigheid en machteloosheid dat ik hem vaak zelfs in mezelf niet kan vinden. Ik denk dat je wel zult begrijpen waarom ik het gevoel heb dat ik een rol heb gespeeld in een soort waarschuwend verhaal, en dat ik eruit moet stappen als mijn leven me lief is, wat ook de waarheid is achter de ellendige situatie van Mulan.

Toch kan ik niet doen alsof ik me er beter bij voel dan wanneer ik haar voor mijn ogen over de rand van een afgrond zou zien wegglijden. Overleving mag dan de as zijn waar wij om draaien, maar het is wel een pijnlijk naargeestige wereld als dat het enige is wat we gemeen hebben.

Dus, lieve Sarah, ik moet afsluiten en de kleine prinses Jasmine gaan wekken.

We gaan nog één keer met Paul in de Paradijsvijver zwemmen voor hij naar Kanton vertrekt. Ik neem aan dat je gehoord hebt dat de vroegere bondgenoot van Sun Ch'en Ch'ung-ming, de stad weer heeft ingenomen, dus het pingpongspelletje gaat door, en mijn man ook. Wij blijven hier tot de eerste, en zijn de week voor de school begint weer thuis – op tijd om in oktober weer naar Frenchtown te komen! Ik schrijf als een razende om wat artikelen op voorraad te hebben, want ik weet wel dat ik geen woord op papier krijg zodra die aanval begint.

Bedankt, als altijd, voor je geduld met mij – en voor de significante bijdrage die je hebt geleverd aan de vrede die momenteel in mijn huwelijk heerst. Ik probeer mezelf echt dagelijks voor te houden dat *dat* en de kinderen mijn eerste zorg zijn, maar ik ben onvergeeflijk makkelijk af te leiden.

Tot ziens in september,

Liefs, Hope

6

DE BEGINJAREN TWINTIG NOEMDE ZE BIJ ZICHZELF ALTIJD HARmonicajaren, een tijd van voortdurend inkrimpen en uitdijen, met Sun aan de macht in Kanton, Sun weer verdreven en terug in Sjanghai; een offensief richting modernisering, een traditie die alles weer even hard terugtrok; burgeroorlog tegen het noorden, wapenstilstand met de verscheidene kliekjes rond allerlei krijgsheren; droogte en hongersnood, regenval en overstromingen; ontbinding en reorganisatie van de Kuomintang; de buitenlandse imperialisten zijn de vijand, de buitenlandse mogendheden zijn bondgenoten. De stemmingen en manoeuvres van Paul op welke dag dan ook weerspiegelden zo precies al die verschillende ommezwaaien dat Hope haar pogingen had opgegeven om te raden naar wat er allemaal in hem omging, net zo goed als ze lang geleden haar pogingen had opgegeven om te voorspellen wanneer hij weer thuis zou komen. Maar om de paar weken – of maanden – kwam hij dan toch echt naar huis. Dan zonderden ze zich af in hun suite op de tweede verdieping in het nieuwe huis aan Rue de Grouchy (hun laatste buurt, Hongkew, was zo volgestroomd met verarmde Witrussen en andere oorlogsvluchtelingen dat Paul besloot dat het daar niet geschikt meer was voor Hope en de kinderen), of in de met boeken volgepakte studeerkamer van het huis in Kuling, en bracht Paul haar op de hoogte van de laatste ontwikkelingen. Hij vertelde van het grootse militaire plan van Sun voor een noordelijke expeditie om het land onder nationalistische controle te krijgen, en van de bolsjewistische afgezanten die Sun de oren van het hoofd kletsten met hun beloftes van wapens en expertise – als hij een socialistische koers zou gaan volgen. Soms was Paul didactisch, vaak woedend, en af en toe ontmoedigd. En steeds vaker was hij domweg afgemat.

Op zijn vijftigste had Paul meer dan dertig jaar lang elke dag de revolutie geleefd, geademd en gedroomd. In de ogen van Hope had het maar weinig vruchten afgeworpen. Het land was een bonte lappendeken geworden van altijd wisselende en snel in aantal toenemende leengoederen van krijgsheren, en hoewel Sun door mensen als Paul, die hem nog steeds de omverwerping van de Manchu's toeschreven, op handen werd gedragen, had hij in het huidige China geen werkelijke macht. Door hem koppig te blijven dienen werkte Paul vaak maanden achtereen zonder betaling, en hoewel hij er wel voor zorgde dat het huis in Kuling werd afgebouwd, verdween het restant van de middelen die Nai-li hem had nagelaten al gauw in de failliete boedel van Sun, om te worden uitgedeeld onder de honderd man die zijn persoonlijke lijfwacht vormden – de enige troepen over wie Sun enig werkelijk gezag had. Deze financiële transactie werd uiteraard tot stand gebracht buiten medeweten van Hope, en ze werd al evenmin ooit van tevoren ingelicht wanneer Paul weer in het binnenland verdween om te onderhandelen over de steun van krijgsheren die heel goed vermoord of afgezet konden zijn nog voor het pact bezegeld was. Bij zijn terugkeer vertelde hij verhalen over piraten die hij op de rivier had gezien, of bandieten die hij graven had zien leegroven, of de rokende brandstapels die hij gezien had in gebieden waar cholera- of pokkenepidemieën heersten.

Eén keer, na een bijzonder lang en weerzinwekkend verhaal over een gevecht tussen twee krijgsheren waarbij vier schooljongens in het kruisvuur waren vermoord, vroeg ze: 'Komt het nooit in jouw hoofd op dat *jij* even kwetsbaar bent?'

Hij glimlachte, en kwam met het bekende refrein. 'Ik ben niet belangrijk. Mij zal niets overkomen.'

'Jij bent *wel* belangrijk voor mij en de kinderen. Dat is precies wat ik zou willen dat jij eens tot die dikke kop van je zou laten doordringen.'

'Als mijn kop zo dik is,' zei hij monter, 'zal die mij beschermen.'

Er veranderde niets, en toch, ondanks alle spanningen, brachten deze jaren een nieuwe vrede tussen hen. Hoewel Paul weken achtereen in Wuchang doorbracht, waar hij voortdurend bezig was om namens Sun akkoorden te sluiten met plaatselijke krijgsheren, deinsde ze niet meer terug voor zijn omhelzingen wanneer hij van die bezoeken terugkeerde. Nai-li was dood, en Ling-yi was, zoals Hope voorspeld had, uit zijn gedachten gewist alsof ze nooit bestaan had. Hoewel zijn vermogen om te vergeten haar stof tot nadenken gaf, trainde ze zich erop om het te zien als bevestiging van hun eigen liefde.

Verdwenen waren haar oude fantasieën over samenwerking, over vertalingen van zijn geschriften, over haar aandeel in zijn politieke leven, en toch was Hope tot het besef gekomen dat ze daadwerkelijk zijn partner was op meer dan de voor de hand liggende wijze. Wanneer hij moe en mistroostig was nam ze hem mee naar bed. In haar artikelen voor Cadlow vleide ze hem met anonieme portretten van China's teruggekeerde studenten die 'streefden naar modernisering', en bij die nog altijd zeldzame gelegenheden dat het politiek interessant was om te pronken met een buitenlandse vrouw, verscheen ze in het openbaar aan zijn zijde. Soms trok ze er zelfs op uit als zijn gezant, zoals die gedenkwaardige keer dat ze met de kinderen in een open auto, met gewapende lijfwachten op de treeplanken, naar een feestmaal werd gereden bij Siccawei, met de eerste vrouw van de directeur-generaal van

Sjanghai – die drie volle uren achtereen met haar converseerde in haar knallende Hakka-dialect zonder op te merken dat Hope er geen woord van verstond. En ten slotte was daar nog haar rol als contactpersoon met Jin, die haar gezworen had dat hij haar of de kinderen nooit meer in gevaar zou brengen met zijn politieke activiteiten – maar die niettemin een hartstochtelijk socialist aan het worden was. Dat betekende dat hij en Paul bleven botsen, en het was de taak van Hope om de verzoenende boodschappen en verslagen over Suns milder wordende houding tegenover de bolsjewieken over te brengen die de twee weer bij elkaar brachten.

Tegelijkertijd, al moest ze *Harper's* er een voorschot voor vragen, of er geld voor lenen van Sarah, zorgde Hope dat Pearl, Morris en Jasmine elk najaar naar school konden, met nieuwe schoenen en boeken en gekleed volgens de laatste mode – witte linnen broek en flanellen jasjes voor Morris, plooirokken en bloesjes voor de meisjes – die Hope zelf maakte naar Parijse en Amerikaanse patronen. De zomers brachten ze in Kuling door, meestal met Sarah en Gerald en Ken. (Hoewel Paul Hope aanmoedigde om met Daisy Tan om te gaan, die nu met William en Kuochang in Sjanghai woonde, verzette hij zich niet langer tegen haar voorkeur voor Sarah.) En Paul voegde zich soms bij hen voor wel drie ononderbroken weken. De kinderen werden in die idyllische maanden bruin en sterk, en Hope bleef eindeloos hun huis vervolmaken, ervan overtuigd als ze was dat dat de plek was waar zij hoorde.

Ja, zij en Paul hadden inderdaad een doel samen – een doel dat op curieuze wijze dichterbij kwam doordat ze zo vaak van elkaar gescheiden waren. Hun gezamenlijke doel was het gezin bij elkaar houden, volharden – overleven, zoals Sarah het formuleerde.

Om dat te bereiken waren er dingen die Hope nu uit haar gedachten bande. Stephen Mann met name. Ze droeg zichzelf op hem als dood te beschouwen. Als Sarah ernaar vroeg lachte ze of haalde haar schouders op. En die enkele keer dat de oude verlangens dreigden de kop op te steken (meestal als Paul langdurig van huis was), nam ze zichzelf mee naar buiten om de armoedigste, verschrikkelijkste foto's te maken – verminkte kindertjes met één oog, bedelaars in lompen, opiumschuivers die langs de kant van de weg zaten en stukjes papier en gebruikte blikjes verkochten, met ratten bedekte lijken of mensenhoofden die in de Chinese stad in kooien bungelden – zo lang het haar er maar aan herinnerde hoe triviaal haar eigen besognes waren.

De andere naam die ze rigoureus buiten haar gedachten sloot was Mulan. In de herfst na de dood van Nai-nai hadden ze een bondig briefje van Dalin gekregen waarin werd meegedeeld dat Mulan op een nacht was verdwenen. Ze had haar dochter niet meegenomen, ze had al haar persoonlijke bezittingen achtergelaten en ze had de vier keeshondjes van Dalin vergiftigd om te voorkomen dat die haar vertrek met hun gekef zouden verraden. Paul schreef terug dat hij zijn dochter niet gezien had, noch iets van haar gehoord, maar dat hij Dalin zou inlichten zodra dat het geval mocht zijn. Dagen daarna zag Hope een zwarte Pierce-Arrow om de hoek geparkeerd staan, en een figuur in een blauwe jas en met een slappe vilthoed op hing voortdurend op straat rond. Ze hield de kinderen thuis van school. Uiteindelijk meldde Jed haar dat een lid van de Groene Bende, het beruchtste misdaadsyndicaat van heel Sjanghai, om duplicaten van haar filmpjes had gevraagd, die ze, op aandringen van Paul, door Jed liet overhandigen. Paul verzekerde haar dat er geen grond was voor haar grootste angst, dat Dalin zou proberen Mulan terug te krijgen door de andere kinderen te ontvoeren. 'Een dergelijke tactiek is een laatste redmiddel. Als hij echt een vermoeden had dat ik haar geholpen had, zou hij mij daar rechtstreeks op aanspreken.'

'Heel geruststellend,' repliceerde Hope, maar niet veel later waren de Pierce-Arrow en de bijbehorende figuren verdwenen. Er kwam verder geen bericht van Dalin, en Paul zei dat ze Mulan uit hun hoofd moesten zetten.

Toen, op een avond ergens begin mei 1922, kreeg Hope een briefje waarin ze gevraagd werd naar een herberg in de Chinese stad te komen. Het was geschreven in het Engels en ondertekend met 'Je dochter'. Paul was in Kanton, Jin in Hankow, en Yen was die avond naar de bioscoop. Hope was doodsbang dat het briefje misschien een soort val was en wilde iemand mee hebben. Het was niet waarschijnlijk dat Sarah met haar mee zou voelen of erover zou zwijgen, dus belde Hope Denniston's. Een kwartier later stond Jed Israel met twee riksja's voor de deur.

Omdat ze het nooit eerder over Mulan had gehad, bracht ze hem snel van de situatie op de hoogte. Als altijd overal op voorbereid had hij zijn Speed Graphic over zijn schouder hangen, maar ze liet hem weten dat degene die ze gingen opzoeken misschien zacht gezegd wel elke medewerking zou weigeren. Hij haalde een hand door zijn dikke rode krullen en antwoordde nonchalant dat hij daaraan gewend was. De kracht in zijn stem verbaasde haar, en even was ze afgeleid door het besef dat de stamelende adolescent die ze in Evanston had ontmoet, allang gerijpt was tot een professionele 'Chinaganger'.

Ze gaf een vals adres op in de buurt van French Park, maar niets wees erop dat ze gevolgd werden, en dus reden ze, zoveel mogelijk via achterafstraatjes, verder naar hun echte bestemming. Het was bijna tien uur toen ze bij de herberg aankwamen, een compact, in duister gehuld gebouw, met overal luiken en grendels, en aan weerskanten een textielfabriek. Hope huiverde bij de herinnering aan haar laatste Chinese herberg.

Jed legde een hand op haar schouder. 'Maak je geen zorgen,' zei hij. 'Ik ken deze tent. De eigenaar is een g-goeie vent.'

Ze keek hem aan.

'Ik ken zijn zoon. Die probeert de arbeiders hier in de buurt te organiseren.'

Jed klopte op de deur en identificeerde zich met zijn Chinese naam. Na een korte stilte deed een gedrongen, tuberculeus ogende man open. Zijn welkomstglimlach vervaagde echter toen hij Hope in het oog kreeg, en verdween helemaal toen ze naar Mulan vroeg. Hij ging hen voor naar de andere kant van een binnenplaats, naar een gebouw dat ooit een statig huis moest zijn geweest, maar waarvan elke hal was opgedeeld in kleine kamertjes, een stuk of twintig bij elkaar. De volle maan scheen helder in een wolkeloze lucht, maar in de ogen van Hope maakte de bleke gloed haar omgeving alleen maar desolater.

De kamer waar de herbergier hen heenbracht was nog akeliger. Nog voor de deur opengging werden ze overrompeld door de stank van een volle kamerpot en flarden van een charlestonmuziekje dat zacht jankend werd afgespeeld op een koffergrammofoon. Eén kaal elektrisch peertje flikkerde boven de matras waarop het lichaam van Mulan lag.

De eerste gedachte van Hope was dat haar stiefdochter dood was. Het meisje bewoog niet, en haar ogen stonden glazig. Maar toen zag ze Hope en probeerde te glimlachen. Haar hoofd schommelde op haar schouders. Hope hurkte naast haar neer en pakte haar hand. Haar gezicht was onopgemaakt en ze droeg een mannenbroek en een overhemd dat haar vele maten te groot was. Plotseling vertrok ze haar gezicht, en liet een onwezenlijk geluid horen. Een melkachtige vloeistof sijpelde uit haar mondhoek, en een zoete, metaalachtige geur sneed door de stank die in het vertrek hing.

Hope had een hand op haar voorhoofd, zocht naar haar pols en riep dat Jed hulp moest halen. Mulan probeerde overeind te komen. 'Nee!'

Hope aarzelde, legde toen een arm om haar stijve schouders en schudde haar hoofd: Jed moest toch maar blijven.

'Het is carbol.'

Hope schrok en keek om. In de donkere hoek aan de andere kant van het bed zat een lijvige blonde man in dezelfde kleren als Mulan.

'Ik zeg haar vij beter alleen, maar zij vil u komt.' De stem van de vreemde klonk als een vertrapt dier.

'Waarom?' wilde Hope weten. 'Waarom heeft ze dit gedaan?'

'Dalin.'

Het hoofd van het meisje wiegde naar rechts, en haar ogen werden bizar helder. 'Ivan, kijk,' hijgde ze. 'Foto's.'

Hope keek om en zag tot haar grote weerzin dat Jed zijn camera op een krukje had neergezet en scherpstelde op het paar. Ivan knielde naast het bed neer en pakte Mulans handen. Mulan tuitte haar lippen in een groteske toneelkus.

'Niet bewegen,' zei Jed zacht, zoals altijd zo intens met zijn werk bezig dat hij vergat te stotteren. Hope wilde hem wel aanvliegen en dat stomme apparaatje uit zijn handen grissen. Ze wilde Mulan beetpakken en door elkaar schudden. Maar ze kon zich niet verroeren.

'Tvee jaar vij leven in geheim,' zei de Rus. 'Dalin, hij ontdekt ons.'

Jed schoof zijn geïmproviseerde statief dichter naar het bed terwijl de man vooroverboog om Mulan op het voorhoofd te kussen. De camera klikte. De charleston piepte en leefde weer op. Mulan vertoonde stuiptrekkingen.

'Die vriend van jou, Jed.' Hope hield haar hand voor de lens. 'Hij moet hier iemand kennen die opium heeft. Of morfine. Maakt niet uit, iets om haar pijn te verzachten.'

Even kruisten hun blikken elkaar als degens, toen knikte hij en ging naar buiten. Hope pakte een doekje dat Mulan in haar vuist had geklemd en wiste het zweet van haar voorhoofd. Het was koud als ochtenddauw. 'Waarom heb je dit gedaan?' prevelde ze. 'Waarom?'

Mulan probeerde te slikken. Haar minnaar bracht een smerig glas naar haar lippen. 'Vogeltje,' prevelde hij.

'Kon jij haar hier niet weg krijgen!' zei Hope wanhopig tegen hem.

Zijn grote, diepliggende ogen liepen vol. 'Ik proberen. Ik smeek haar, kom mee naar Rusland. Ze vil niet.'

'Zeg het tegen vader,' zei Mulan. 'Jij ziet. Foto. Laat zien.'

Hope deinsde achteruit. 'Heb je me daarvoor laten komen? Om je vader te straffen?'

Een wilde paniek gleed over het gezicht van Mulan. Ze trok haar knieën op naar haar borst en klampte zich aan Ivans arm vast alsof ze erin wilde klimmen. De stank van de kamerpot, die even was verdrongen door het verschrikkelijke van de situatie, drong zich weer aan Hope op. Ze liep door de kamer, rukte de naald van de knarsende plaat en vond de pot achter een scherm. De inhoud klotste onder het deksel door, maar ze wist hem naar buiten te krijgen. Bij de pomp midden op de binnenplaats waste ze haar handen en polsen. Haar mouwen raakten doorweekt tot aan de ellebogen, maar ze wist zich te beheersen.

Ze stond daar nog steeds toen Jed terugkwam. 'Beter dan opium.' Hij opende zijn hand en liet haar een kleine zwarte capsule zien.

'Wat is het?'

'Cyanide. Carbol kan uren duren, en het is pijnlijk. Dit werkt m-meteen.'

Hope beefde toen ze het ding aannam, dat zo dodelijk was dat het wel levend leek.

Ivan was naast Mulan op de matras gaan zitten en had beschermend een arm om haar schouders geslagen. Met zijn vrije hand streelde hij haar wang. Hope hield haar de pil voor. 'Je kunt er nu een eind aan maken.'

Maar toen Ivan de capsule naar haar mond bracht, zag Mulan Jed achter zijn lens. 'Foto,' smeekte ze. 'Voor mijn man.'

Hope draaide zich vol afschuw om. Het volgende moment hoorde ze een zacht gehijg en de klik van de sluiter van Jed Israel.

Het was haar wens, deelde Ivan hen mee, om op zee te worden begraven.

Hope en Jed liepen zwijgend door de verduisterde straten terug naar Nanking Road. Als Amerikaanse man en vrouw gingen ze de lobby van het Cathay Hotel binnen en liepen door naar de bar. Het was al middernacht geweest, maar niemand probeerde hen tegen te houden. Niemand wierp een blik in hun richting. Jed bestelde twee whisky's. Hope, die zelden iets sterkers dronk dan een vingerhoed vol wijn, goot de hare in één keer naar binnen. De alcohol deed haar hoofd bonzen. Haar gedachten werden helemaal in beslag genomen door Paul.

Opeens legde Jed een hand over haar hand. De felle schittering van barlampen en spiegels werd in zijn ogen weerkaatst. Rond hen leunden paartjes naar elkaar toe, knuffelden, legden hun gezicht in elkaars nek, klampten zich aan elkaar vast en wiegden op de blues van de zwarte pianist in de hoek. De Annamese barkeeper glimlachte.

Een nieuwe weerzin nam bezit van haar toen ze zag hoe ze op Jed moest overkomen. Hoe ze, op dit moment, op Paul zou overkomen. 'Nee,' zei ze. 'Niet doen.'

Jed keek haar strak aan, haalde zijn hand weg en bestelde nog een drankje. Terwijl zij opstond, hief hij zijn glas en zei: 'V-van de b-bruiloft tot het sterfbed. Ik voel me net een lid van de f-f-familie.'

'Wat gemeen.'

'O ja?' Hij hield zijn hoofd scheef en keek haar aan met één oog dicht, alsof hij een foto van haar maakte. 'Waarom h-haatte ze Paul zo?'

'Omdat hij met mij getrouwd is.'

'Met je getrouwd is? Of van je h-h-hield?'

Hope stak een hand uit om zich aan de bar vast te houden. 'Van me hield.'

Jed keek in zijn glas, met gebogen hoofd, en haalde zijn schouders op. 'Dan zou het jou niets moeten uitmaken.'

Voorzichtig raakte ze zijn schouder aan en kuste hem op de wang.

De volgende zondag stond Hope op de pier te wachten toen Paul terugkwam uit Kanton.

Hij glimlachte grimmig naar haar. 'Kon je niet thuis op me wachten?'

'De kinderen hebben hun vriendjes over de vloer. De honden blaften, en Dahsoo is in een rotbui omdat hij vanmorgen de koekjes heeft laten aanbranden... Ik wilde je alleen zien.'

Hij keek naar de bedrijvigheid van koelies en toeristen die aan beide kanten langs hen heen stroomden. 'Dit kun je nauwelijks alleen noemen.'

'We zouden naar de confuciaanse tempel kunnen gaan. Ik wilde... de kinderen weten hier allemaal niets van, en ik wil niet riskeren dat ze ons horen.'

Hij knikte.

De confuciaanse tempel bestond uit een pagode en verscheidene lage, open hallen van de Wijzen waar oudere mannen en vrouwen wierook aanstaken of neerknielden om te mediteren. Achterin lag een kleine, lege tuin waar Hope en Paul naast een lotusvijver een bankje vonden. Daar zaten ze enige tijd naast elkaar zonder te spreken. Hope vond de ogen van Paul ondraaglijk zwaar, zijn gezicht was verstrakt. Toch zag ze dezelfde tederheid in zijn gelaatsuitdrukking waardoor ze verliefd op hem was geworden, en die haar had afgeremd als ze dacht dat die liefde voorbij was. Of niet genoeg.

Ze had hem alleen per telegram laten weten dat Mulan was overleden, dat hij terug moest komen naar Sjanghai. Ze had zichzelf voorgehouden dat het omwille van hem was, zodat ze het hem persoonlijk kon vertellen, en hem meteen zou kunnen troosten.

'Ik kreeg een brief,' zei hij als eerste. 'Dezelfde dag als jouw telegram. Daarin legde ze haar bedoelingen uit, dat ze jou zou oproepen als haar getuige.' Hij keek op naar haar. 'Het spijt me vreselijk, Hope.'

Ze liet zijn woorden bezinken, de volle omvang van Mulans wreedheid... en wanhoop.

'Was het erg?' vroeg hij.

'Ze heeft vreselijke pijn gehad.'

'En die man, die Ivan. Was die erbij?'

'Ja, als ze daar iets aan had. Het leek me nogal een onnozele bruut. Hij treurde wel. Het was duidelijk dat hij haar op zijn manier aanbad, maar volgens mij beschouwde ze hem als weinig meer dan een middel.'

'Middel?'

'Of excuus. Ik denk dat de tragedie van Mulan was dat ze niet in staat was om lief te hebben.'

Paul tuurde naar de weerspiegelingen in het water van de vijver.

'Had ze jou dan over Ivan geschreven?' vroeg Hope.

Hij kuchte en stak een sigaret op. 'Bolsjewick. Een van de klanten van Dalin. Hij sprak geen Chinees, alleen Russisch en Engels. Dalin spreekt geen van beide, maar Mulan sprak Engels. Dus zij was hun tolk.'

'Denk je dat Dalin het weet?'

Paul stak een hand in zijn jasje en overhandigde haar een telegram. *Kung hsi*, luidde de boodschap. Gelukwensen.

Hope huiverde. 'Wat een monster.'

'Ja.' Hij staarde even naar het papiertje, nam het toen van haar over, vouwde het op en stak het weer weg.

'Paul?'

'Mm.'

'Was het fout van mij om naar haar toe te gaan?'

Hij blies een wolk rook uit en trapte de sigaret uit. 'In dergelijke zaken heb je geen goed of fout. Zij zou toch wel haar zin krijgen. Het enige wat ik betreur is de smart waar ze jou ooggetuige van heeft laten zijn, Hsin-hsin. Dat kan ik haar nooit vergeven.'

7

'BEN JE HELEMAAL GEK GEWORDEN?' SARAH ZETTE HAAR KOPJE met een knal op het schoteltje. De thee spetterde over het nieuwe teakhouten tafeltje. 'Je bent drieënveertig. Je hebt een kind dat oud genoeg is om te trouwen. Je ziet je man zelden, en de helft van de tijd moet je elk dubbeltje omkeren om het hele stel van eten en kleren te voorzien. Je *kunt* het niet menen, Hope!'

'Ik heb je niet helemaal naar Kuling uitgenodigd om je als een ondervoed viswijf tegen me te keer te laten gaan.' Hope schoof haar naaiwerk aan de kant en beet in een stuk gezouten pruim, waarvan Ah-nie bezwoer dat het haar maag tot rust zou brengen.

'Maar je *wilt* die baby toch niet?' drong Sarah aan.

'Hoe zou ik dat kunnen?'

'Makkelijk genoeg. Heb je niet je handen vol aan Jazz?'

Hope keek over de balustrade van de veranda naar het beekje, waar de jongste kinderen met bamboestokken en stukjes eendenvet als aas zaten te vissen. De elf jaar oude Morris en Sarah's kleine Ken zaten op een rots en hadden hun hengels uitgeworpen in een diep stuk van de rivier, terwijl de zes jaar oude Jasmine langs de oever huppelde, haar jurk bijna tot haar middel doorweekt. Er was een tijd geweest dat Hope haar naar binnen had geroepen en haar een fikse uitbrander had gegeven, om haar vervolgens naar haar kamer te sturen. Nu liet ze het bij een zucht.

'Dat heb ik, ja. Maar dat heeft niks met deze baby te maken.

Als ik het op mijn gezegende leeftijd voor elkaar kan krijgen, ga ik het zeker niet weigeren!'

Sarah deed haar armen over elkaar. 'Je hebt grote kans dat het fout gaat, hoor.'

'Dank je dat je me daar zo fijntjes op wijst. Mag ik je eraan herinneren, Sarah, dat de kans dat het fout ging bij mij altijd groot is geweest, en dat de kansen altijd gekeerd zijn.'

'Dat is zo.' Sarah keek haar aan met half dichtgeknepen ogen. 'Voel je *echt* nog steeds...?'

Pearl en Gerald kwamen naar buiten. Ze knalden de hordeur achter zich dicht. Pearl droeg een loshangende blauwe hemdjurk en had een opgerolde handdoek onder een arm. 'We gaan Dottie Cheung ophalen en met een paar vrienden zwemmen in de Paradijsvijver.' Pearl leunde over haar moeder heen om haar een kus te geven. 'Ik ben om zes uur terug. Moeten we nog iets meenemen?'

'Nee, dank je.' Hope aarzelde. 'Maar even zwemmen klinkt goed. Zou je je doodschamen als wij ook kwamen met de kleintjes?'

Pearl lachte en schudde haar krullen uit haar gezicht. 'Ons bespioneren, hè? Nee, tuurlijk niet, mama. We leven in een vrij land.'

'O ja?' zei Sarah. 'Dat hoor ik voor het eerst.'

Gerald deed ook een duit in het zakje. 'Dat zegt die Amerikaanse gozer altijd, die Donald Osborne. Pearl is verliefd op hem.'

Pearl kneep hem in de arm. 'Niet waar!'

'Jij bent te jong om verliefd op iemand te zijn,' zei Hope vastbesloten. 'Wegwezen jullie. Als we jullie zien, zien we jullie.'

'En jij vindt niet dat je je handen vol hebt?' vroeg Sarah terwijl Pearl en Gerald achter elkaar aan over het pad holden.

Hope negeerde haar. 'Ik zou best even willen zwemmen.'

'Je hebt het me nooit verteld over jou en Paul.'

'Jij hebt er nooit naar gevraagd,' kaatste Hope terug.

'Nou ja, er *is* een tijd geweest dat ik dacht dat het aardig bekoeld was, tenminste van jouw kant.'

'De tijden veranderen.' Hope ging staan, rekte haar armen uit boven haar hoofd en draaide haar bovenlichaam rond. 'Herinner jij je het korset nog? Dat afschuwelijke gevoel dat je geen *adem* kon krijgen.'

'Je verandert van onderwerp.'

Hope draaide zich om en riep naar Morris dat hij de anderen binnen moest brengen.

Achter haar vroeg Sarah: 'Vraag je je nooit zelfs maar af hoe het met Stephen Mann is?'

De misselijkheid overviel Hope zo plotseling dat ze over de balustrade overgaf in de laurierstruiken. Onverstoorbaar overhandigde Sarah haar een vochtige servet om haar mond mee af te vegen. 'Arme schat. Ik geloof het niet, hè?'

'Wat een vraag! Nee. Inderdaad niet.'

Sarah wees naar de jongens die Jasmine uit het water hesen. 'Zo te zien zwemt die zo al goed genoeg.' En toen: 'Zou je enige hulp op prijs stellen? Om hem te vergeten, bedoel ik?'

Hope wierp haar een argwanende blik toe.

'Een paar weken geleden, toen ik de jongens naar het Sainte Marie's bracht voor hun onderzoeken, hoorde ik een van de verpleegsters over dokter Mann praten. Ik vroeg hoe het met hem was, en ze liet me een mededeling zien dat hij net tot chef de clinique was benoemd bij chirurgie in het Inheemse Ziekenhuis van Chungking.'

Hope zocht steun bij de balustrade. 'Nou, mooi voor hem.'

'Er stonden ook wat persoonlijke gegevens bij.' Sarah zweeg even. 'Er stond dat hij getrouwd was, Hope. Met Anna Van Zyl.'

Het gezicht van Sarah liep over van bezorgdheid. Op dat moment verachtte Hope haar.

'Ik vertel het je alleen,' haastte ze zich erbij te vermelden, 'omdat jij het kind van je man draagt, en je zei dat je hem wilde vergeten.'

'En sinds wanneer ben jij zo wijs en nobel?'

'Overgevoelig!' Sarah gebaarde naar de vissers die het pad op kwamen lopen. Haar hand verdween in een zak van haar jurk. 'Hier.'

Hope keek naar het visitekaartje dat Sarah haar gegeven had. *T.C. Wong, M.D., Vrouwentherapieën en -remedies.*

'Voor het geval je van gedachten verandert over die baby,' zei Sarah.

'Jij slang.' Hope begon het kaartje te verscheuren, maar Sarah hield haar tegen.

'Hij is heel goed.' Ze keken elkaar strak aan.

'Ik wil het niet weten.'

'Het hoeft niet per se,' zei Sarah. 'Maar probeer nu eens één keer om niet alle andere opties bij voorbaat uit te sluiten.'

Hope stak het kaartje in haar naaimand om het voor de kinderen te verbergen. Toen ze zich omdraaide stond Jasmine druipend op het verandatrapje. Haar gezicht straalde een en al trots en vervoering uit. In haar hand hield ze een kronkelende forel.

Met Kerstmis was Hope zes maanden zwanger, bijna vrij van ochtendmisselijkheid, en verwachtte ze (tegen beter weten in) Paul thuis voor een diner met William Tan en de beide families. Ze had het huis versierd met hulst en dennentakken, ze had een schitterende grijze miniatuurspar gevonden aan Flower Street, die de kinderen hadden opgetuigd met kleine zilveren klokjes en glazen versierseltjes die ze in de loop der jaren verzameld hadden. Dahsoo was een biggetje aan het roosteren, een houtvuur brandde, en het grote huis aan de Rue de Grouchy was niks minder knus dan een huis op de prairie in Kansas. Om vier uur was de tafel gedekt, de kinderen hadden hun nieuwe katoenfluwelen en kamgaren kleren aan, en Daisy was juist aangekomen met Kuochang, nu een mooi jongetje van acht en sprekend zijn moeder – of tante, zoals hem geleerd was Suyun te noemen. Paul en William hadden al twee dagen eerder moeten aankomen, maar beide vrouwen waren ervaren genoeg om op eigen houtje te werk te gaan – de mannen kwamen of ze kwamen niet.

Helaas was Hope niet in staat geweest haar aanvankelijke warme gevoelens voor Daisy nieuw leven in te blazen. Nog helemaal afgezien van de manier waarop ze Suyun had behandeld, had Daisy, na haar terugkeer naar Sjanghai, haar rol als 'moderne vrouw' omarmd met een ijver die Hope weerzinwekkend vond. Ze was verkikkerd geraakt op nachtclubs in buitenlandse stijl, renbanen en casino's. Ze had vriendschap gezocht met de vrouwen van de machtigste mannen in de stad, inclusief de concubines van de legendarische Tu Yu-hseng, de uit de goot opgeklommen gangster van wie beweerd werd dat hij de opium- en wapenhandel in de stad controleerde. 'Die vrouwen zijn eenvoudige meisjes,' vertelde ze aan Hope, 'maar wat een sieraden dragen ze! Wat een invloed hebben ze aan hun vingertoppen!' Als dochter van de bevoorrechte vierde vrouw van een rijke zilverhandelaar in Hupei, koesterde Daisy een gecultiveerde waardering voor weelde en 'invloed' en voor het vermogen van bepaalde vrouwen om via de slaapkamer beide te verwerven. Aangezien de politieke status van William net zo precair was als die van Paul, was Hope niet verbaasd toen haar via schoolvriendjes van Pearl (met name de jongens die, op hun zestiende, al de meest decadente gelegenheden frequenteerden) geruchten ter ore kwamen dat Daisy gesignaleerd was aan de arm van mannen met wie ze beslist niet getrouwd was. Uit niets bleek echter dat William dat afkeurde. Paul ging zover om te suggereren dat Daisy dienst deed als spion van William, en dus feitelijk als spion van Sun Yat-sen. Als Sun rapporten nodig had over de hoeveelheid sabelbontjes die Ching-mei over haar met kralen bestikte gewaden droeg, of over het aantal diamanten dat fonkelde aan de vingers van Jade Bell, kon in de ogen van Hope de revolutie nooit ver van de ondergang verwijderd zijn. Dat was in elk geval het niveau van haar inlichtingen wanneer Daisy Hope over haar avonturen vertelde. Hope probeerde haar bezoeken zoveel mogelijk af te houden, tenzij Paul, zoals ook vanavond, persoonlijk verantwoordelijk was voor de uitnodiging.

En zo zaten beide vrouwen bijeen toen het begon te schemeren. Pearl en Jasmine ramden een ragtimedeuntje uit de piano. Morris zat met zijn neus in een boek over Charlie Chaplin, en Kuochang zat met zijn handen tussen zijn knieën, recht en roerloos alsof hij uit steen gehouwen was. 'Waar ga je nu naar school, Kuochang?' vroeg Hope.

'Ik heb hem ingeschreven aan de École,' antwoordde Daisy voor hem. 'Hij is heel gelukkig daar. Kijk, Ho-pah, heb ik je laten zien wat mijn William mij geeft?' Ze trok de mouw van haar ruwzijden jasje op en draaide haar pols naar het licht. Het gouden horloge was ingelegd met smaragden, en in de wijzerplaat blonk een zaadparel.

'Ah,' zei Hope. 'Het is al vijf uur geweest. Ik neem aan dat we zonder hen moeten beginnen.'

Het gezicht van Daisy betrok. 'Jij vindt niet mooi?'

'Het is prachtig.' Hope slaakte een zucht. 'William moet jou wel aanbidden, Daisy. Morris, zou je alsjeblieft dat boek willen neerleggen en arme Kuochang meenemen naar je kamer? Hij zal zich hier bij ons wel vreselijk vervelen.'

'Kuochang vindt niet erg,' wierp Daisy tegen, maar voor Hope de kans kreeg om aan te dringen, klonk een veelzeggend rumoer van stemmen op bij de poort en hoorde ze Paul en William om hun eten en hun vrouwen roepen.

Een halfuur later zaten de twee families aan de grote ronde tafel in de ontvangsthal die tevens fungeerde als officiële eetkamer. De kinderen zaten aan één kant, de volwassenen aan de andere, met Pearl en Morris ertussenin. Ze deden hun uiterste best om twee zeer verschillende conversaties te volgen.

'Ik heb gehoord dat de Chinese jongens op de Ecole er elke dag van langs krijgen,' zei Jasmine, 'en dat jullie de handdoeken van de Franse jongens moeten dragen en hun schoenen poetsen.'

'Jazz!' siste Pearl.

Kuochang haalde zijn schouders op en bleef soep lepelen. 'Soms.'

'Maar dat zet je ze toch wel betaald?' vroeg Morris. 'Of niet?'

Hope stond op het punt het gesprek af te kappen toen ze werd afgeleid door het gelach van de mannen aan haar eigen kant van de tafel. 'Hope,' zei William met een gekrenkte blik. 'Weet je dat je man mij als zijn beste vriend heeft vervangen door een Rus?'

'Een Rus!' Hope zag wel dat hij een grapje maakte. Niettemin kromp ze ineen bij het beeld dat hij had opgeroepen, van Ivan naast het dode lichaam van Mulan.

Paul, die naast haar zat, schonk wat rode wijn in haar glas en spoorde haar aan om te drinken. 'William zit je te provoceren. Het is Sun die de beste vriend is van die Borodin – als je de bolsjewieken moet geloven.'

'Waar *heb* je het over?' vroeg Hope.

William hees zich op in zijn stoel, legde een hand op zijn borst, tekende met zijn vinger een snor en dreunde op: 'Michael Borodin, gekomen om de Chinese revolutie te redden in naam van kameraad Lenin.'

'Ik hoor iets over die man.' Daisy likte als een poes haar lepel af. 'Zijn vrouw is Amerikaanse, geloof ik. Maar heel lelijk en dik.'

'Voor Daisy is het enige interessante aan een man zijn vrouw,' lachte William. 'Ik vraag me af wat dat over mij zegt.'

'Maar wat heeft hij met jou te maken, Paul?' Er school een buitensporige briljantheid in deze badinage die Hope op de een of andere manier schrik aanjoeg.

'Niets meer, als het aan mij ligt.'

'Wat een deemoed!' riep William. 'Ik heb nooit een deemoediger man ontmoet. Jij weet vast niet dat je met een nationale held getrouwd bent, Hope.'

'Ik ga het bijna geloven.'

'Ah! Maar ik bespeur nog enige onzekerheid in je stem. Jij bent niet op de hoogte van zijn geheime missies.'

'Welke?'

Het woord *geheim* was ook aan de andere kant van de tafel doorgedrongen, en alle oren waren nu naar William gericht. Hij hief zijn glas en dronk op de gezondheid van Pauls kinderen. 'Jullie vader kan een draak laten glimlachen. Hij kan een slang handjes laten schudden. Hij kan de loop van rivieren verleggen en de vloed van de zee keren.'

De kinderen rolden met hun ogen en ruzieden verder welk huis het beste van de kolonie was.

William ging verder. Hij richtte zich weer tot Hope. 'De zilveren tong van jouw Paul heeft meer dan één krijgsheer bij de deur van Sun weggehouden. Hij is naar Peking gereisd onder dekking van de duisternis. Hij is onze dr. Sun met troepen te hulp geschoten wanneer hij in de meest benarde situaties verkeerde. En als dank komt de jonge Borodin op de proppen en roept onze held op het matje!'

De lepel van Hope kletterde tegen haar kom. 'Het matje!'

'Laat William het verhaal maar vertellen.' Paul klopte haar op haar hand. Maar Hope, die ternauwernood op de hoogte was van de snel toenemende invloed van Russische adviseurs in de gelederen van Sun, en nog minder van de jonge *sovjetnik* Borodin, zou de hele maaltijd nodig hebben, plus nog vele uren aan de thee en de cognac, alvorens ze een helder idee had van wat haar man de afgelopen weken precies had doorgemaakt.

Michael Borodin was een veteraan van Ruslands recente bolsjewistische revolutie, bevriend met Stalin, en een professioneel revolutionair die naar China was gekomen via Engeland en Amerika ,waar hij inderdaad een vrouw had getrouwd en twee in Amerika geboren kinderen had verwekt. Hij was nog geen drie maanden geleden in Kanton aangekomen om Sun te paaien met beloften van Russische financiële steun, wapens, en alle militaire expertise die vereist was om de macht van Sun in het zuiden te consolideren. Sun noemde Borodin zijn 'Lafayette' en vertrouwde op zijn hulp aan de Kuomintang bij de organisatie van een eigen leger en het opbouwen van een stabiele en onafhankelijke overheid. Borodin had zijn nut meteen bewezen door de leiding op zich te nemen in de strijd tegen de Kantonese krijgsheer Ch'en Ch'ung-ming, die in opstand was gekomen, en voor Sun een klinkende overwinning uit het vuur te slepen.

Paul, die in het Uitvoerend Comité van de Kuomintang zat, had zijn eerste aanvaring met Borodin gedurende de onderhandelingen over deze campagne. De sleutel voor het succes van Sun, zei Borodin, was gelegen in de mobilisering van de massa's in een vrijwilligersleger van miljoenen. Maar om die boeren en arbeiders aan te trekken, moest de regering van Sun hervormingen beloven. Het land moest worden verdeeld onder degenen die het bewerkten. De lonen moesten worden opgetrokken, de werkdagen ingekort. En de belastingen moesten strenger worden gecontroleerd.

Hope herinnerde zich de spanningen tussen Jin en Paul over juist deze onderwerpen, en ze kon zich de reactie van haar man op de voorstellen van Michael Borodin wel voorstellen. 'Grote mond,' noemde Sun Yat-sen Paul vaak schertsend. Hij had zijn lesje nog steeds niet geleerd.

Paul legde aan Borodin uit dat die hervormingen verraad zouden betekenen van de krachtigste supporters van Sun: de geleerden, edelen en kooplieden die China hadden verlost van het juk van de Manchu's. Ze hadden hun bloed gegeven, en miljoenen dollars, voor de visie van Sun van een nieuw China, en ze verwachtten niet om als dank daarvoor van alles beroofd te worden wat ze bezaten. Bovendien zouden ze hun aanzienlijke middelen aanwenden om ervoor te *zorgen* dat dat niet gebeurde. Paul liet Borodin weten dat het Uitvoerend Comité zijn decreet weigerde te ondertekenen.

Borodin ging gewoon door en organiseerde een bont geschakeerd leger uit Chinese communistische en socialistische gelederen, aangevuld met plaatselijke vrijwilligers. Een stuk of zeshonderd rekruten werden naar het front gestuurd. De krijgsheer trok zich terug en Borodin eiste het vertrouwen van Sun op. Borodin had 'de oude man', zoals hij Sun noemde, nodig om zijn doelen in China te bereiken. Maar oppositie zoals die van Liang Po-yu kon hij missen als kiespijn.

Twee dagen voor ze voor de kerstdagen naar Sjanghai zouden terugkeren, werden Paul en William, die ook lid was van het Uitvoerend Comité, uitgenodigd voor een onderhoud met Borodin in de oude cementfabriek in een voorstad van Kanton, die Sun als zijn hoofdkwartier gebruikte in tijden dat het presidentieel paleis in handen van krijgsheren was gevallen. Wachten in KMT-uniform stonden bij de achterdeur en bogen respectvol toen het tweetal naar binnen ging. Nog meer wachten stonden binnen. De twee mannen werden een groot vierkant vertrek binnengeleid dat leeg was op een rij rechte stoelen na, en een tafel waar Borodin achter zat. Borodin was tien jaar jonger dan Paul en William, maar bijna een kop langer, stevig gebouwd, met een groot vierkant voorhoofd, donkere dreigende ogen en een dikke snor waardoor het leek of hij altijd de spot met je dreef. Hij knikte naar Paul en William en vroeg of ze wilden gaan zitten. Het wachten was op de andere 'getuigen'.

De feestvreugde werd verhoogd, zei William, door een gestage regenval van stofdeeltjes en het niet-aflatende gefladder van een duif die vastzat tussen de naakte balken boven hun hoofd.

Uiteindelijk kwamen nog drie leden van het comité binnen, van wie duidelijk was dat ze net zomin wisten wat er aan de hand kon zijn als William en Paul. '*Comrades*,' sprak Borodin hen in het Engels toe, dat, omdat Borodin geen Chinees sprak, in rap tempo de 'officiële' taal van de KMT aan het worden was. 'De Opperste Sovjet van Rusland was nog niet volledig aangesteld of Vladimir Lenin had al een paar van de oudste leden laten vermoorden – mannen wier hart in diepste wezen nog altijd uitging naar het oude bourgeoisregime. Er is besloten dat de Chinese Kuomintang hetzelfde moet doen.'

Na deze bemoedigende inleiding begon hij verschillende van Pauls geheime missies naar noordelijke en plaatselijke krijgsheren af te schilderen als verraad aan Sun Yat-sen. 'U was de contactpersoon die regelde dat de troepen van krijgsheer Fan dr. Sun onder druk zouden zetten om een bondgenootschap te aanvaarden. En jullie...' – zijn blik ging dreigend de rij comitéleden langs – '...waren zijn handlangers.'

Op dit punt aangekomen was William helemaal in vuur en vlam door de rode wijn en de cognac – hij sprong op en liep met grote passen de kamer rond. De kinderen gingen schrijlings op voetenbankjes zitten of vlijden zich neer op armleuningen. Paul had na het eten geprobeerd om tenminste zijn eigen kinderen weg te laten gaan, maar de geur van bloed hing nu in de lucht en Pearl hield vol dat ze het recht hadden tenminste *iets* te weten van wat hun vader deed om in leven te blijven. Hope merkte bij zichzelf op dat in het rijtje redenen dat Paul had om te doen wat hij deed, in leven blijven beslist niet voorkwam, maar hield zich stil tegenover de kinderen. Als hun vader een held was, zoals William staande hield, dan mochten ze daar inderdaad meer van weten.

'U hebt de betekenis van die missies verdraaid,' had Paul gezegd terwijl hij opstond en op Borodin toeliep. 'U weet niets van mijn loyaliteit jegens Sun, niets van deze mannen. Maar als u wilt weten wie de leiding had – wie verantwoordelijk is – ga dan niet verder. Ik ben verantwoordelijk, kameraad Borodin.'

Borodin zat met stomheid geslagen, te meer omdat Paul deze reprimande helemaal in het Russisch had afgestoken. Het was de eerste keer dat de bolsjewiek hoorde dat zijn taal door een Chinees gesproken werd.

Seconden verstreken terwijl Borodin overwoog wat zijn opties waren. Uiteindelijk begon de Rus bitter te glimlachen. Hij ging staan en stak een hand in de jas van zijn gerafelde groene jas. Hij haalde er een van zijn Russische sigaretten uit, gaf die aan Paul, schudde hem de hand en zei: 'U, mijn vriend, bent een man.'

Toen lieten zelfs de zorgvuldig geselecteerde soldaten van Borodin hun geweren zakken. De Rus liet een brullend gelach horen, alsof het allemaal een of andere machiavellistische grap was geweest. Vervolgens nam hij afscheid met de mededeling dat hij de komende paar weken in het noorden zou zitten, maar dat hij hen weer zou zien als het Nationale Congres eind januari bijeenkwam.

'Dr. Sun was tot tranen toe geroerd toen hij vernam wat er gebeurd was,' zei William. 'Hij gaf een verklaring uit over onze loyaliteit en toewijding aan de partij. En daarmee was dat hele verachtelijke zaakje afgesloten. Maar als jouw man er niet geweest was, denk ik dat we allemaal net als die duif aan ons eind waren gekomen.'

'Wat is er dan met die duif gebeurd?' vroeg Jasmine met omfloerste stem.

'Toen wij ook opstapten werd hij door een van de soldaten met één schot uit zijn lijden verlost.'

'William!' Daisy bedekte haar gezicht.

'Helaas is dat niet helemaal het eind van het verhaal,' zei Paul. 'Borodin had op de stoomboot een hut naast de onze, dus de afgelopen drie dagen hebben we ook van zijn gezelschap mogen genieten.'

'Jouw nieuwe beste vriend, hè?' Hope trok een wenkbrauw op. Ze wist niet welke emotie sterker was: woede om de schertsende houding van William of afgrijzen over het gevaar waar ze op het nippertje aan ontsnapt waren.

Paul diepte een vuistvol goud uit zijn zak op. 'Ik denk niet dat onze kameraad er zo over denkt.'

William lachte ruw. '*Pai gow*,' zei hij. 'Hij had het nooit eerder gespeeld, en hij wist van geen ophouden. Een slechte combinatie wanneer je een expert als Paul tegenover je hebt.'

Hope reageerde verder niet op het verhaal van William tot de Tans waren vertrokken en zij en Paul alleen op hun kamer waren. Hij lag op het bed oude Sjanghaise kranten door te nemen, zij zat aan haar kaptafel haar haren te borstelen. Ze praatte tegen de spiegel. 'Jij zou dat nooit verteld hebben, hè? Als William er niet over begonnen was?'

'William overdrijft,' zei hij.

'Hij zoog het niet uit zijn duim.'

'Borodin is een muskiet die rondparadeert als een tijger.' Hij legde de kranten weg en kwam achter haar staan. Ook hij richtte zich tot de spiegel. Hij had zijn bril afgezet, zodat ze de donkergrijze kringen onder zijn ogen kon zien. Een groot deel van het gewicht dat de meningitis hem gekost had, was er weer aangekomen, maar hij had nog steeds iets uitgemergelds, alsof hij de uitputting nabij was.

'Het had niet veel gescheeld of je had voor het vuurpeloton gestaan, Paul.'

'Dat is nooit zijn bedoeling geweest.'

Hope drukte de borstelharen in haar schedelhuid en trok in lange, afgemeten halen. De witte lijnen bij haar slapen en in haar nek leken de absurditeit van haar zwangerschap te onderstrepen. Hij raakte haar haren aan alsof hij ze niet zag.

'Ik begrijp dat je van geen ophouden weet,' zei ze, en ze draaide zich om om hem rechtstreeks aan te kijken, 'maar waarom moet je de inzet altijd weer verhogen?!'

'Heb je liever dat ik kantoorbeambte word?' Paul trok een wenkbrauw op. 'Of misschien zou ik assistent kunnen worden van de jonge Madame Sun?'

'Ach, hou toch op!' Hope draaide zich geërgerd weer terug naar de spiegel. 'Bestaat er voor jou geen middenweg?'

Paul glimlachte en liet zijn handen koppig over haar schouders glijden, en naar beneden langs de voorkant van haar zijden kamerjas. Hij legde een hand om elke borst. 'Ik denk dat dit een hele gelukkige baby wordt.'

Toen ze niet reageerde ving hij haar blik zodanig in de spiegel op dat ze zich, tussen zijn blik en de stevige warmte van zijn lichaam, binnen in hem klemgezet voelde. 'Jij, Hsin-hsin,' zei hij zacht. 'Jij bent mijn middenweg.'

8

THEODORE NEWFIELD LEON WERD LACHEND GEBOREN. 'NOOIT heb ik zo'n baby gezien,' zei de Deense vrouwelijke arts die hem haalde. 'Geen geschreeuw, geen gejammer, maar een enorme, gorgelende giechel. Een kleine Boeddha, hebt u hier!'

Tot de enigszins verbaasde opluchting van Hope leek Teddy inderdaad in geen enkel opzicht nadeel te hebben ondervonden van de gevorderde leeftijd van zijn moeder: hij had alle vereiste ledematen en aanhangsels, en beschikte over zo'n gezonde constitutie dat toen Jasmine drie dagen na zijn komst waterpokken kreeg, Teddy als enige van de kinderen immuun was.

Paul, die ervoor gezorgd had dat hij tijdens de geboorte thuis kon zijn, was bijzonder trots op deze zoon. Hij stond erop dat er een Voltooiing van de Maand-feest voor het kind gehouden werd, waar de Tans en Eugene Chou en Sarah (Paul probeerde Eugene zover te krijgen om geld te geven aan de Kuomintang) allen getuigen waren toen de baby een blad werd voorgehouden met een penseel om karakters mee te schilderen, een speelgoedzwaard, een telraam, een zegel, kruiden, een kompas en een rekenliniaal. Toen de armpjes tegelijkertijd uitschoten naar het penseel en het zwaard, maakten de mannen, die onder het genot van een glaasje een weddenschap waren aangegaan, luidkeels hun blijdschap kenbaar over de aanwinst van deze jonge geleerde voor de revolutie.

Maar de trots waar Paul dit jongste kind mee overlaadde, kon niet als compensatie dienen voor de tijd en aandacht die hij de anderen onthield terwijl ze ouder werden en zich steeds meer bezig gingen houden met hun meest buitenlandse vriendjes en activiteiten. Noch kon het een halt toeroepen aan de sluipende uitholling van het respect voor hun vader dat Hope (ondanks de heldhaftige verhalen van William) de afgelopen paar jaar had bespeurd. Meer dan eens had ze Pearl en Jasmine erop betrapt dat ze het rumoerige gepraat van zijn nachtelijke, met drank overgoten feestjes nabauwden, of de draak staken met zijn gedichten door ze op te dreunen als kinderrijmpjes. En Pearl, inmiddels zestien, geurde met haar rijpende figuur en flirtte openlijk met haar Duitse buurjongen. Vaak vroeg ze zich hardop af wat papa wel zou zeggen als zijn dochter met 'de vijand' trouwde. Morris reageerde op de aanwezigheid van zijn vader door zich op zijn kamer terug te trekken met zijn boeken – geen geschiedenissen van de Taiping- of van de Boxeropstand, die Paul hem probeerde aan te smeren, en zelfs niet de boeken van Conrad en Hawthorne die hij van Hope had gekregen, maar recentelijk geïmporteerde schrijvers als F. Scott Fitzgerald, D.H. Lawrence, Apollinaire en Aldous Huxley. Hope had het vermoeden dat de ressentimenten van de kinderen werden verergerd door hun aanhoudende genegenheid voor Jin, die een betrekking had gevonden (waar Paul achter stond) als grafisch ontwerper voor een uitgeverij aan Honan Road, maar in zijn vrije tijd een nieuwe politieke partij voor arbeiders hielp organiseren (waar Paul niet achter stond). Ze probeerde met hen te praten – ook met Jin – om hun gevoelens van respect aan te moedigen en op zijn minst enige beleefdheid te vragen jegens hun vader en zijn vrienden. Die gesprekken doorstonden ze met een geduldig, lankmoedig gezicht. Af en toe knikten ze beleefd en vouwden hun handen, maar Hope wist maar al te goed dat ze dan misschien wel een bepaald gedrag bij hen kon afdwingen, maar zeker geen genegenheid. Papa moest verdragen en ontzien worden, met fluwelen handschoenen aangepakt. Meer niet.

De zomer na de geboorte van Ted deed zich een incident voor in Kuling dat dit conflict pijnlijk scherpstelde. Ze waren vlak voor zonsopgang gewekt door een ijzingwekkende kreet, gevolgd door schreeuwen en klappen, en de bons van vlees tegen hout. Lampen werden aangestoken en de hele familie verzamelde zich op de veranda, waar Yen een tengere, in donkere kleding gehulde figuur vasthield, bijna optilde.

'Dief!' verklaarde Yen. Hij gaf een ruk aan de ellebogen van de jongen om te laten zien dat zijn tot op de draad versleten zakken uitpuilden. Yen had hem nog in zijn kraag weten te pakken toen hij al bijna het raam uit was.

De kinderen meesmuilden. Ah-nie schudde haar hoofd en trippelde weer terug om bij de slapende Teddy te kijken. Maar Paul was buiten zichzelf. Zijn hele lichaam beefde, en hij begon te schreeuwen dat Dahsoo onmiddellijk naar het dorp moest om Liu te halen, het hoofd van de plaatselijke politie. Daarop wendde hij zich tot de kinderen. Hij zwaaide met zijn armen en blafte dat ze achteruit moesten, en toen tegen de jongen dat hij – en snel een beetje! – zijn zakken leeg moest maken. Maar toen hij hun zilverwerk zag, een bronzen klokje, de tijgeroog-oorhangers van Pearl en een zilveren lucifersdoosje dat van Nai-nai was geweest, had hij het niet meer. Terwijl Yen de dief bij die kostbaarheden wegrukte, klapte Paul in zijn handen en ging brullend tegen de jongen tekeer. Met opengesperde, wanhopige ogen keek hij naar Hope, naar de kinderen, en toen weer naar de dief, die helemaal verstijfd naar de grond stond te staren. Even viel er een stilte. Toen, als door een wesp gestoken, begon Paul zichzelf op de wangen te slaan, waardoor hij de tranen in de ogen kreeg. 'Mep hem in zijn gezicht!' riep hij tegen Yen. 'Mep hem in zijn gezicht!'

Jasmine barstte in lachen uit, struikelde over de drempel en bleef languit op de vloer van de salon liggen. Dat maakte Paul alleen maar kwader, en hij begon van de ene voet op de andere te huppelen. Hope voelde zich diep vernederd. Ze had nog nooit zo'n vertoning gezien, en hoopte dat het ook nooit weer zou gebeuren. Ze droeg Pearl op om Jasmine naar haar kamer te brengen – Morris was allang weer verdwenen. Toen nam ze een sigaret uit de pot bij de sofa en gaf die aan Paul. Hij pakte hem aan zonder haar aan te kijken, evenals het vuurtje dat volgde. De sigaret trilde toen hij zijn eerste trek nam. Eindelijk kondigde een dansende lantaarn de terugkeer van Dahsoo met het hoofd van de politie Liu aan.

Paul stond er zwijgend bij terwijl Yen verslag uitbracht over zijn vangst. Toen, met een nauwkeurigheid die Hope, gezien zijn opgewondenheid, verraste, gaf Paul een volledige opsomming van de spullen die ze op de jongen hadden aangetroffen. Liu, een opgeblazen figuur met spleten tussen de tanden en tegendraadse wenkbrauwen, nam een sigaret aan terwijl de jongen zijn zakken nog eens binnenstebuiten keerde en Yen aan zijn mouwen en pijpen schudde. Een ringetje van Jasmine werd aan de stapel teruggevonden spullen toegevoegd. Het hoofd van de politie vroeg hoe de jongen heette. Hij herkende zijn naam van de lijst draagstoeldragers die het Gap vervoersbureau hem regelmatig deed toekomen. 'Die koelies niet goed,' zei hij met een boze blik op de dief.

Yen werd genoteerd als getuige en de dief werd weggevoerd met kettingen om zijn polsen. Zonder een woord te zeggen glipte Paul naar boven, naar zijn studeerkamer, en liet Hope alleen met de zonsopgang.

Het was een magnifieke zonsopgang, met stralen magenta en gesmolten goud die door de vallei heen schoten, maar Hope kon er alleen maar een schimpscheut in zien. Alleen de baby was dit bespaard gebleven, dacht ze. Voor de anderen zou het slapstickbeeld van hun vader van vanochtend even vernietigend blijven als haar eigen herinnering aan Paul die zich languit op de grond wierp voor zijn moeder. Geen revolutionaire heldendaad, geen subtiel beredeneerd essay of met gejuich begroet dichtwerk kon de herinnering aan zoveel flagrante machteloosheid uitwissen. Noch zouden ze in hun oordeel rekening houden met wat voor bizarre kwellingen uit zijn kinderjaren dan ook die voor deze misstap verantwoordelijk mochten worden gehouden. Wat ertoe deed, wat de uitbarsting van Paul zo pijnlijk onvergetelijk maakte was dat dit de waarachtigste, intiemste glimp van hem was die zijn kinderen ooit hadden opgevangen.

Presidentieel paleis
Kanton
12 oktober 1924
Liefste Hope,
Een nieuwe krijgsheer, Feng Yu-hsiang, heeft Peking ingenomen. Hij is christen, een pragmaticus, een bewonderaar van Sun. Dit is goed nieuws. Hij wil dat er in januari vredesbesprekingen worden gevoerd tussen de belangrijkste facties. Maar dat geeft ons minder dan drie maanden om een unificatieplan op te zetten dat iedereen tevredenstelt – Borodin, de kooplieden die de Kuomintang steunen, en de krijgsheren die aan de tafel zullen aanzitten.
Vandaag vertrek ik naar Hupei om leiders daar over te halen dit vredesplan te steunen, en daarna verder naar Tientsin voor een ontmoeting met dr. Sun. Ik hoop dat ik misschien voor Kerstmis naar Sjanghai kan terugkeren, maar dat kan ik nu niet voorspellen. Ik zend wat ik kan, zeshonderd dollar voor jou tot ik terugkom. Ik mis onze kleine Teddy zo. En al onze kinderen.
Pas goed op ons thuis.
Je man, Paul

Tientsin
20 december 1924
Liefste Hope,
Sun is teruggekomen uit Japan, en we hebben elkaar ontmoet. Hij is ernstig ziek, maar niet neerslachtig, ondanks het feit dat de vredesbesprekingen gedwarsboomd zijn. Herinner je je de oude 'oom' Tuan Ch'i-jui van Madame Shen nog? Nou, die heeft zijn troepen naar Peking gebracht terwijl Feng Yu-hsiang hier in Tientsin was en de regerings-

macht voor zichzelf heeft opgeëist. Daarmee is alle hoop op samenwerking tussen de noordelijke krijgsheren vervlogen, maar dr. Sun wil nu verder gaan met een plan van William en mij om een nieuwe nationalistische hoofdstad te vestigen in Wuhan. Daar op zijn ziekbed heeft dr. Sun zijn zegel aan de intentieverklaring gehecht. Ik ben hoopvol gestemd dat daar misschien iets goeds uit zal voortkomen.

Nu de overeenkomst echter is bezegeld, moeten William en ik voor enige weken naar Wuhan om over de voorwaarden te onderhandelen.

Ik betreur dat ik onze Kerst samen zal missen, maar ik heb wat contanten bijgesloten zodat je cadeautjes voor de kinderen kunt kopen.

Ik kom zo spoedig mogelijk naar huis.

Je man, Paul

Peking

13 maart 1925

Liefste Hope,

Ik heb het gevoel of ik een oudere broer heb verloren. Enkele dagen geleden werd ik ontboden vanuit Wuhan. Bij mijn aankomst vernam ik dat dr. Sun alle vertrouwen in westerse medicijnen had verloren en Chinese kruiden had genomen. Zijn ogen puilden uit en hij kon niet praten. Spoedig had hij ons verlaten, en nu is de hele toekomst – van mij en van China – voorgoed veranderd.

Ik heb de afgelopen weken veel gereisd. Vaak leek het of de vrede onder handbereik lag. Nu zijn alle dromen verbrijzeld.

We hebben geen leider met kracht of visie om dr. Sun te vervangen. Borodin speelt met zijn marionetten. De noordelijke krijgsheren draaien weer als gieren hun rondjes. De jonge maarschalk Chiang Kai-shek, commandant van de nieuwe militaire academie in Kanton, praat over doorzetten van de Noordelijke Expeditie, de grote militaire- en propagandamars vanuit Kanton naar het noorden – waarmee Sun het land onder de Kuomintang hoopte te verenigen – maar daar is nu weinig steun voor.

De begrafenis van Sun zal volgende maand plaatsvinden, hier in de Westelijke Heuvels. Vele honderdduizenden zullen in zijn begrafenisstoet meelopen. Ik moet mij erbij aansluiten. Daarna keer ik naar Sjanghai terug.

Wat daarna gaat gebeuren, weet ik niet. Ik sta voor een berg waar geen weg omheen is. Was jij maar hier, mijn vrouw. Was jij maar hier.

Je man,
Paul

XI

VIJFDE SEIZOEN

Kuling en Wuhan (1926-1927)

I

EEN SCHITTERENDE DAG IN JUNI AAN DE VIJVER VAN DE DRIE GRATIËN. Hope en de kinderen waren een paar weken eerder naar Kuling gekomen, en Sarah en haar twee kinderen waren enige dagen tevoren ook gearriveerd, maar de zomerdrukte was nog niet echt begonnen, en ze hadden het door een bron gevoede meertje bijna voor zichzelf. De oudere kinderen waren op een vlot aan het spelen. Jasmine en een Wit-Russische jongen die ze die ochtend had ontmoet, waadden langs de oever. Hope lag op de deken die ze met Sarah deelde, terwijl Teddy op zijn kleedje naast hen lag te slapen.

'Je figuur is weer mooi teruggekomen.' Uit een ooghoek zag Hope de lange, slanke benen van Sarah in het verlengde van de zonnestralen liggen. 'Je leeftijd in aanmerking genomen,' voegde ze eraan toe.

Hope begon plagerig te pruilen. 'Ik heb een hekel aan mensen die complimentjes uitdelen aan hun minderen. Een heel doorzichtig trucje, weet je dat?'

'Minderen!'

'Ik vrees, lieve schat, dat als het op figuren aankomt, jij mij heel ver achter je laat. Je hoeft echt geen spelletjes te spelen om mij zover te krijgen dat ik dat toegeef.'

'Nou ja, ik...' Maar Sarah smaakte al het genoegen dat Hope gehapt had, en was zo verstandig er verder het zwijgen toe te doen.

Ze zat naast haar of ze zelf een van de Drie Gratiën was, armen losjes om haar knieën, haar korte kapsel glanzend in de zon. Het was waar dat Sarah in de loop der jaren geleidelijk aan mooier was geworden. Ze zei vaak dat haar uiterlijk haar bevrediging en ontsnapping garandeerde. En dat was precies de reden dat dit onderwerp Hope onrustig maakte. Ze vond het onaangenaam Sarah er geregeld op te horen zinspelen dat schoonheid een middel was dat zij beiden gemeen hadden.

De zon gleed achter een wolk en Hope keek verschrikt op terwijl een donkerte over Lu Shan streek. Ze vroeg zich af of dezelfde schaduw ook over Paul zou trekken – waar hij zich ook bevond. De gedachte deed haar huiveren.

Sarah wees naar haar jongens en Morris die door het water naar de kant sprongen. Pearl en haar vriendin Shirley Tsai moedigden hen aan. 'Ze hebben het echt naar hun zin hier,' zei Hope.

'Jij ook,' zei Sarah.

'Ik zou liever hebben dat Paul bij ons was.'

'Niets nieuws onder de zon.'

'Misschien niet.' Ze dacht na. 'Ik hoop het maar.'

'Het lijkt erop of Eugene denkt dat die Noordelijke Expeditie daadwerkelijk kans van slagen heeft. En volgens Gerry denkt Jed Israel er net zo over.'

'Ik weet het niet, maar in elk geval heeft dat plan Jin en Paul weer bij elkaar gebracht. Paul zegt dat die jonge commandant Chiang Kai-shek zich wil bewijzen als opvolger van Sun Yat-sen – en daarom vastbesloten is de expeditie tot een succes te maken. En Jin is tevreden met de gang van zaken omdat Chiang intussen ook de studenten en arbeiders heeft omarmd. Zelfs Borodin is teruggekrabbeld en beweert nu een vriend te zijn... De vraag is of iemand van die lui nog te vertrouwen is.'

'*Iemand* van die lui?' Sarah keek haar aandachtig aan.

Teddy bewoog in zijn slaap. Hope trok zijn dekentje recht, maar de vraag van Sarah had haar zenuwachtig gemaakt, en toen ze zich ervan overtuigd had dat de baby niet wakker werd, haalde ze Pauls meest recente brief uit de zak van haar jasje. Ze had hem vanmorgen nog herlezen voor ze naar de vijver vertrokken. Nu nam ze hem opnieuw door, op zoek naar de geruststelling die hij zo duidelijk bedoeld had over te brengen.

Hong Kong
7 mei 1926
Liefste Hope,

Ik ben paar dagen in Hong Kong voor onderhandelingen over eind aan de algemene staking hier, die vakbonden gesteund door communisten al meer dan een jaar volhouden. We hebben toestemming van Borodin en zijn factie om een overeenkomst te steunen, maar we moeten voorzichtig zijn. Britten hebben op stakers geschoten net als in Sjanghai, en elke dode maakt de roep om wraak alleen maar luider – wat alleen maar meer slachtingen en vernederingen tot gevolg kan hebben. Dat was les van Taipings en Boxers, maar de radicale studenten en ongeschoolde arbeiders hebben dat niet opgepikt. Ik voel geen genegenheid voor Borodin, maar hij begrijpt nu tenminste dat de macht nog altijd bij buitenlanders en generaals berust, en dat er een stevige band nodig is tussen geld van kooplieden en landeigenaren en mankracht van de massa's, om China uit hun greep te krijgen.

Jonge generaal Chiang Kai-shek begrijpt dit ook. Hij heeft in Japan gestudeerd, zijn militaire opleiding genoten in Sovjet-Rusland en heeft vele rijke en machtige vrienden, dus hij ziet alle kanten. Hij heeft vele spanningen gehad met de communisten en sovjet-adviseurs in Kanton, maar heeft, als nieuwe opperbevelhebber van het Nationale Revolutionaire Leger, nu de overhand, en heeft ons bevel gegeven volgende maand met de Noordelijke Expeditie te beginnen.

De troepen zijn sterk, het moreel is uitstekend, er zijn vele honderden cadetten van de nieuwe militaire academie van Chiang, plus vele duizenden vrijwillige propagandisten. Als ik terugkeer naar Kanton is het de bedoeling dat ik de leiding op mij neem van een groep propagandisten die voor de expeditie uit naar Hunan en vandaar naar Kiangsi trekt. Misschien heeft Jin het je verteld, hij heeft toegestemd zich bij ons aan te sluiten en ik heb hem voor mijn eenheid gevraagd. Als alles goed gaat, zullen we jou en de kinderen misschien in augustus weerzien in Kuling.

Maak je alsjeblieft geen zorgen om mij, Hope. Op het platteland willen de mensen vrede. Ze zijn het vechten en de honger moe. Als Borodin en Chiang schouder aan schouder staan, zal het land volgen.

Dit geld is voldoende voor de stoomboot naar Kiukiang en voor een zomer in Kuling. Het spijt me dat ik je niet meer kan sturen, maar mijn loon is schaars. Er is mij een nieuw bedrag beloofd als we in Wuhan aankomen, en dat zal ik dan naar jou sturen. Met oog op veiligheid is het het best om na afloop van het schooljaar naar de berg te gaan en daar te blijven tot je van mij hoort. Alles zal daar goed zijn, geen gevechten.

Je man,
Paul

Sarah gluurde over haar schouder. 'Weet je waar hij is?'

'Op veldtocht naar het noorden vanuit Kanton. Ergens in Hunan. Ik probeer er niet aan te denken.'

'Ik kan me Paul en Jin nauwelijks als soldaten voorstellen.'

'Soldaten! Dacht je dat echt?' Hope lachte hooghartig. 'Dan zou je woorden als wapens moeten rekenen, wat zij waarschijnlijk wel zullen doen ook, maar niet zoals jij bedoelt. Mijn man is propagandist, lieve schat. Hij mag geschoold zijn in militaire tactieken, hij heeft nooit zelfs maar een bajonet aangeraakt. Het plan, zoals ik dat begrepen heb, is dat zijn eenheid *voor* de troepen uit reist, niet met de troepen. Hij heeft ontmoetingen met plaatselijke functionarissen, dorpsleiders en krijgsheren, om die over te halen zich aan te sluiten bij het Verenigd Front van de Kuomintang. Intussen prijzen zijn vrijwilligers – zoals Jin – de revolutie aan bij de dorpelingen, zodat iedereen bij aankomst van de soldaten met bloemen gooit.'

'Of met speren. Wat zegt Paul precies om te voorkomen dat ze zijn hoofd op een blok leggen?'

De baby werd kirrend wakker en rolde om, waarna hij hen met vrolijke zwarte ogen bleef aankijken. Hope trok hem op haar schoot. Hij greep naar haar handdoek om kiekeboe te spelen. Ze gaf hem zijn flesje. 'Hij zegt: "Alleen het Verenigd Nationalistisch Front kan de buitenlandse onderdrukkers uitroeien die arbeiders en kinderen uitbuiten en vermoorden." Het is een opwekkende boodschap, en volgens de verslagen die Yen meebrengt uit Kiukiang werkt hij als een toverspreuk.'

'Ik ben het spoor bijster. Zijn wij nu buitenlandse onderdrukkers of collaborateurs, of beide?'

'Ook daar probeer ik niet aan te denken,' zei Hope. 'Wat het antwoord vandaag ook moge wezen, het is morgen beslist weer iets anders.'

'Wat klink je afgemat.'

'Ik ben moe. Die arme William Cadlow. Ik heb sinds de geboorte van Teddy niets meer geschreven, en hij blijft maar oppeppende briefjes sturen om me weer aan het werk te krijgen, maar de waarheid is, ik kan het niet meer verdragen om er te dicht op te zitten. Het wordt allemaal zo akelig, Sarah. Verhaaltjes over studenten die de charleston dansen en zich kleden als Theda Bara bagatelliseren China. Maar als Paul probeert mij de huidige politieke situatie uit te leggen, loop ik helemaal leeg.'

'Het lijkt mij dat jij wel wat afleiding zou kunnen gebruiken.'

Teddy smeet zijn flesje in de bosjes, duizelig van zijn eigen schranderheid. Hope zuchtte. 'Je zou toch zeggen dat ik dat voldoende had.'

Sarah haalde het flesje uit de bosjes. Ze praatte een decibel te luid. 'Toen Jasmine en ik vanmorgen naar beneden gingen was er enige commotie voor het Fairy Glen Hotel.' Ze gaf de baby een gummi balletje. 'Er was een man aangekomen op een draagbaar. Zijn vrouw gilde om medische bijstand en de man zei dat ze zich koest moest houden. We hoorden dat hij besloten had de berg op te lopen in plaats van te rijden, en dat hij toen was uitgegleden en zijn been had gebroken...'

'Sarah,' onderbrak Hope haar betoog. 'Je bent vuurrood.'

'O, die waardeloze Ierse huid van mij. Neem ik een mooie aanloop, begin jij daarover. Nou, goed, raad eens wie het waren.'

'Nee.' Hope trok het balletje uit Teddy's mond.

'Bal,' zeurde hij.

'Het was Stephen Mann,' zei Sarah.

Hope liet het balletje vallen. Het stuiterde in het water, en het scheelde niet veel of Teddy was erachteraan gekropen. Hope kon hem nog net vastgrijpen, maar hij jammerde erbarmelijk om zijn speeltje.

'Ik pak hem wel,' zei Sarah. Even later dook ze uit het water op met het balletje tussen de tanden. Teddy klapte in zijn handjes en lachte uitbundig.

'Was hij erg gewond?' vroeg Hope toen Teddy weer in zijn spel verdiept was.

'Hij was lijkbleek.' Sarah trok aan de bandjes van haar badpak en haalde een hand door haar druipende krullen. 'Maar hij groette me, en bood zijn verontschuldigingen aan dat hij niet kon opstaan. Even galant als altijd. Hij heeft me ook aan Anna voorgesteld.' Toen Hope niets zei, vervolgde Sarah: 'Ik heb niet gezegd dat jij hier was, Hope. Ik heb niks gezegd... hoor.' Ze haalde haar schouders op. 'Maar terwijl hij zijn been liet behandelen, vertelde Anna mij dat ze van plan waren hier een huis voor de zomer te zoeken. Het schoot me te binnen dat Pearls vriendinnetje Shirley gezegd had dat haar familie alleen deze week kon blijven en ze hun huis wilden verhuren, dus dat zei ik tegen Anna. Ze was me zo dankbaar...'

'Wel wat afleiding,' zei Hope bitter. 'Jij bent me er echt één, Sarah.'

'Wat! Ik ben slechts de boodschapper, Hope. Ga het nu niet aan mij wijten.'

'Jij bent een serpent.'

'O ja, een serpent? En wat ben jij dan? Wat is jouw dokter Mann? We zijn allemaal serpenten op onze eigen manier. Wij doen allemaal ook ons best maar. Je kunt net zo goed de feiten onder ogen zien. Echt, Hope, je zou me moeten bedanken.'

28 juni 1926

Ik zou haar wel kunnen vermoorden. Wurgen met mijn blote handen. Voor een vrouw als Sarah is liefde niets anders dan een spelletje of een hulpmiddel. Volgens mij weet ze niet eens dat het hart erbij te pas komt, maar o, wat geniet ze ervan om anderen te zien kronkelen.

Ik heb hen nog niet gezien, maar Shirley kwam vanavond langs om afscheid te nemen. Ze vertelde ons dat de Manns hun huis zouden huren, en ik moest alle zeilen bijzetten om Pearl ervan te weerhouden meteen naar buiten te hollen om hen te begroeten. Uiteraard was Yen erbij, en die wierp me een blik toe die ik alleen maar als waarschuwing kon opvatten. Teddy zat paardje te rijden op mijn knie, Jazz was aan het 'koorddansen' op de balustrade van de veranda en Morris koos net dat moment uit om zich de kamer in te wagen met bungelend uit zijn mondhoek een sigaret van zijn vader. Het lijkt mij dat dat alles, plus een blik in de spiegel, waarschuwing voldoende zou moeten zijn, maar soms denk ik weleens dat Yen de wijste is van ons allemaal. Hij heeft een geweldig geheugen, en zijn inzicht in de menselijke natuur gaat veel dieper dan wij beseffen. Er zijn tijden geweest, als ik een foto van hem maakte, dat ik het gevoel had dat hij me eigenlijk beklaagde. Andere keren dat hij me bewonderde. Nooit heb ik aan zijn sympathie getwijfeld, en toch, dat mag allemaal zo zijn, zijn loyaliteit geldt Paul. En de mijne ook, zoals hij mij helpt herinneren.

2

HET HUIS VAN DE TSAIS STOND IETS MEER DAN EEN KILOMETER van dat van de Leons, in een weiland dat zich uitstrekte naast het riviertje. Vanaf het pad kon het gezelschap dat hen kwam verwelkomen over de muur heen in de tuin kijken. Een bediende stond met iemand in huis te praten, en een meid was bezig het paadje te vegen dat de buitengebouwen met elkaar verbond. Een grote zilverberk wierp zijn schaduw over de tuin. Onder de boom stond een ligstoel met een rode plaid eroverheen.

Toen het gezelschap de afdaling naar de poort inzette, stapte Anna net het huis uit. Hoewel ze nog een eindje van elkaar verwijderd waren, was Hope geschokt bij het zien van haar uitgedijde, weinig bevallige postuur, en de gekwelde uitdrukking op haar gezicht. Ze droeg een beige hemdjurk die vormeloos tot op haar knieën viel. Haar ooit roodachtig bruine haar, nu in een kort Etonkapsel, was veel grijzer geworden dan dat van Hope, en haar ogen tuurden door een brilletje om te kijken of ze al kon zien wie daar aankwamen.

'Wij zijn het, Miss Van Zyl!' riep Pearl, enthousiast zwaaiend. 'Pearl en Morris Leon. En mama met haar vriendin. Weet u nog!'

Anna sloeg een hand voor haar mond en repte zich naar de poort. 'Stephen,' riep ze over haar schouder. 'Hoor je dat? Het is Hope Leon en de kinderen. Ze *zijn* er!' Tegen de tijd dat ze onder aan de heuvel aankwamen, werd de poort opengegooid en wierp Anna zich in de armen van Hope. 'Ik kan het niet geloven! Na al die jaren? En hier, uitgerekend hier. Hope, ik ben *zo* blij je weer eens te zien. En Pearl! Nee, dat kan niet. Morris! Kleine Morris. Wat ben je groot geworden! O gunst, jullie zien er allemaal zo geweldig uit.' Voor Hope haar mond kon opendoen, biggelden er tranen uit de nog steeds fonkelend blauwe ogen van Anna. De bril ging af. Ze was druk in de weer met een zakdoek, en tussen de bedrijven door kreeg iedereen een omhelzing.

'Ik heb altijd willen schrijven,' zei Anna. 'Zelfs nog voor Stephen en ik trouwden, maar we hadden het altijd zo druk – altijd bezig met verkassen...'

'Geeft niet. Het is leuk je weer te zien.' Hope zweeg, ze kon haar gedachten even niet bijbenen. Sarah ving haar blik op. 'O. Ja, dit is Sarah Chou. Jullie hebben elkaar natuurlijk al ontmoet, maar misschien had je het verband nog niet gelegd. Weet je nog, dat ik je in Peking vaak over haar vertelde?'

'De vrouw met het prachtige kastanjebruine haar! Natuurlijk, dat bent u.' Anna keek alsof ze zo weer met huilen kon beginnen toen Sarah haar gul omarmde.

'Anna!' kwam de stem van Mann vanachter de berk aangalmen. 'Breng ze hierheen, wil je?'

'Pas op,' zei Anna, terwijl ze Hope bij een elleboog pakte. 'Artsen zijn 's werelds meest hopeloze patiënten.'

'O ja?' Hope had het gevoel dat haar glimlach was opgeplakt.

De rode plaid op de ligstoel werd langer toen ze naderbij kwamen, en opeens kon je zien wie erop lag. De hand van Anna viel weg en de kinderen kwamen achter haar staan, en daar stond ze weer, oog in oog met hem, hallo, wat een verrassing en hoe ging het met hem, hoe had dat ongeluk nu toch kunnen gebeuren...

'Ik probeerde de stoïcijn uit te hangen, zoals gewoonlijk.' De vertrouwdheid van zijn stem overspoelde haar als een golf. Zijn haarlijn was geweken, zijn voorhoofd was groter, vierkanter geworden, zijn haar nu een zilverachtig bruin. Hij had een geweldige snor laten staan, en hij was magerder, beniger geworden, maar dezelfde rusteloze kleuren bewogen nog in zijn ogen. Zelfs met zijn been in het gips en zijn tors steunend op zijn ellebogen, leek hij boven haar uit te torenen.

'Ik dacht dat artsen onkwetsbaar waren,' zei ze.

'Je moet van steen zijn om onkwetsbaar te zijn.' Hij nam haar op. 'Je ziet er goed uit, Hope.'

Ze draaide zich abrupt om en gebaarde naar Pearl en Morris. 'Ken je de kinderen nog?'

'Pearl.' Mann schudde zijn hoofd. 'Je bent al echt een dame. En Morris. Zo te zien is er een heel leven verstreken.'

'We hebben een paar dingetjes meegenomen om u welkom te heten.' Pearl hief de mand op die ze bij zich droeg. 'En om u beter te maken. U zult wel merken dat het volslagen onmogelijk is om bedlegerig te zijn in Kuling.'

'Blij het te horen. Dank je.'

'Wat lief van jullie,' zei Anna, met een intonatie alsof het een vraag was. Ze wenkte haar meid. 'Laten we meteen maar wat van die ham nemen, hè? En hier, An-ying, zet deze prachtige lupines in water en breng thee voor onze gasten.'

'En, dokter.' Sarah kwam naast Hope staan, en legde een arm

om haar middel. 'Haat u me heel erg dat ik hen als verrassing heb gehouden?'

'Niet *heel* erg.' Hij grinnikte, en Hope trok zich los. Haar hart bonsde zo hevig dat ze ervan overtuigd was dat iedereen het moest kunnen horen. Ze weigerde Sarah aan te kijken.

'Yen is thuis met de anderen,' zei Morris, die met twee rieten stoelen van het terras kwam aandragen. 'Hij laat u groeten.'

'Doe Yen de groeten van mij,' zei Mann. 'Welke anderen?'

Jasmine en Teddy.' Sarah liet zich in een van de stoelen vallen. 'De twee jongsten van Hope. En mijn jongens Gerald en Ken.'

Hope ging ook zitten. Het onverholen plezier dat Stephen in deze ontmoeting had, ergerde haar bijna net zo als de vrolijkheid van Sarah. Anna leek nergens erg in te hebben. 'Zoveel kinderen,' verzuchtte zij. 'Wat een geluk.'

'Ja, geluk!' Sarah lachte. 'Dat is het juiste woord, heel treffend.'

De bedienden kwamen terug met twee volle theebladen, en de kinderen gingen in het gras zitten. Anna schudde de kussens van haar man op en ging rechtop zitten. Ze hielp hem met zijn theekopje, smeerde een cracker met honing en was gelaten in al haar bewegingen, haar kalmte, haar discipline. En de hele tijd praatte ze over de beproevingen op hun reis naar hier. De vorige week hadden zware stortbuien het dal van de Yangtze blank gezet, net als twee jaar eerder, toen Hope en de kinderen met eigen ogen hadden aanschouwd wat Anna nu beschreef. Door de regenval was de rivier buiten haar oevers getreden en uitgedijd tot een inheemse oceaan. Velden, boerderijen en wegen waren allemaal door het water verzwolgen. Hier en daar stak er een dak boven uit, of dreef het karkas van een varken of het lichaam van een kind. Stoombootpassagiers zagen hele families in boomtoppen zitten, mannen peddelen in houten troggen, vrouwen die zwijgend en met strakke gezichten op het eiland van een dorpsmuur zaten. En rondom, water zover het oog reikte.

'Die arme, arme mensen,' zei Anna. 'Geen spoor van hulp, afgezien van wat ze voor elkaar konden doen.'

'God verhoede dat de stoomboten moesten stoppen en de arme zielen aan boord nemen,' zei Sarah. 'Ik weet er alles van. Het water in de rivier was al aan het stijgen toen we hier naartoe gingen. De Engelsen die met ons meereisden waren al weddenschappen aan het afsluiten over het aantal dodelijke slachtoffers.'

'Buh!' Pearl rimpelde haar neus. 'Kunnen we geen ander onderwerp aansnijden? Hier, mama.' Ze stak haar hand in de mand en haalde de Graflex van Hope eruit. 'Laten we de foto nu maken.'

Hope slaakte een zucht. Ze had geen zin gehad om haar camera mee te nemen, maar de kinderen hadden voet bij stuk gehouden. 'Ik geloof nooit dat dokter Mann...'

'Jawel,' zei hij. 'Absoluut, we moeten iets hebben als herinnering aan deze dag.'

'Ik heb nog steeds die foto die u van ons gemaakt hebt op de renbaan.' Sarah kneep Hope in een arm. 'Weet u nog, dokter?'

'Hoe zou ik het kunnen vergeten?'

Hope deed of ze druk in de weer was met haar camera. In de nasleep van Chapei had ze die foto's vernietigd, en de negatieven erbij.

Ze staarde in de beeldzoeker. 'Er klopt iets niet.'

'O, mama!' Morris zei het vol afschuw. Op zijn veertiende was hij een tovenaar wanneer het om mechanische apparaatjes ging, en hij vond het maar wat leuk om anderen terecht te wijzen wanneer die op dat punt tekortschoten. Hij tilde het luikje voor de lens op. Hope had geen keus meer.

De kinderen poseerden in zwierige houdingen. Anna stelde zich achter de onderuit liggende Mann op en streek haar gerimpelde boezem glad. Sarah leunde tegen de zilverberk en trok als een echte vamp haar clochehoed over één oog. Maar het was Stephen die haar in de weg zat. Elke keer dat ze de groep scherp had, drong zijn blik zo intens door de lens heen dat ze er niet meer naar kijken kon.

Uiteindelijk gaf ze het op. Ze richtte de camera, zocht op de tast naar de ontspanner en deed haar ogen dicht.

Pearl had gelijk wat betreft de geneeskracht van Kuling. Binnen een week liep Stephen Mann op krukken de hele tuin door. Hij waagde zich al over het pad tot aan het taoïstische heiligdom. Tegen het eind van de maand waren hij en zijn canvas hoed en wandelstok geregelde bezoekers bij de Leons, en vaak ging hij met de familie zwemmen, varen of croquet spelen. Allen maakten opmerkingen over de opgewektheid die zijn herwonnen atleticisme leek te vergezellen. Anna maakte gebruik van de uitjes van haar man door op eigen houtje de bergen in te trekken om bloemen te plukken. En Hope onttrok zich zoveel mogelijk aan de attenties van Mann door de kinderen vlak voor zijn komst voor een spelletje bridge te strikken, waarbij hij als vierde man kon aanschuiven, of een plantenproject op te starten met Yen waar Mann spontaan bij betrokken werd, of Jasmine en Teddy te verleiden tot een vlinderjacht of visexpeditie met Mann als expert. Hij gekscheerde wat met de kinderen, hoewel ze al vanaf het eerste bezoek had opgemerkt dat hij verdacht onevenwichtig met de twee jongsten omging. 'Uitbundige meid,' zei hij als Jasmine met beide voeten in modderige plassen sprong, maar het vermogen van de tweeëntwintig maanden oude Teddy om woorden en plaatjes bij elkaar te zoeken in een oud leerboekje van Jasmine ontlokte geen enkel commentaar. Soms betrapte Hope hem erop dat hij het ventje met zo'n zure, ontstemde uitdrukking op zijn gezicht bekeek dat ze in de verleiding kwam hem door elkaar te schudden, *Ja, dat is ons kind – van mij en Paul.*

Maar daar liet ze zich nooit toe verleiden. Ze raakte nooit zijn hand aan, zelfs niet in het voorbijgaan, en hun conversatie was geforceerd onbeduidend. Ze spraken niet over hun tijd in Tientsin, laat staan over hun ontmoeting in Chapei. Maar de combinatie van Manns hernieuwde vitaliteit met alles wat ongezegd bleef maakte Hope steeds meer gespannen. Ze wist dat wat niet tussen haar en Mann gebeurd was haar eigen keus was geweest. Zij was het geweest die in die open deur was blijven staan. Zij was het geweest die was weggereden. En toch, naarmate de weken verstreken werd alles steeds meer verdraaid, tot ze hem de schuld gaf dat hij was vertrokken, hem veroordeelde omdat hij haar onuitgesproken gedachten niet had beantwoord.

Toen, op een lome, bewolkte dag ergens begin augustus, zaten ze naast elkaar op een laag stenen muurtje, en bungelden met hun voeten in de Paradijsvijver. De oudste kinderen waren aan het zwemmen. Teddy waggelde over het strand onder het wakend oog van Ah-nie. Groepjes vakantiegangers liepen rond bij de badhuisjes of lagen te bakken op de met rotsen bezaaide oever, maar niemand bevond zich binnen gehoorsafstand.

'We staan nu quitte,' zei hij opeens. 'Je hoeft echt geen vestingwal op te trekken, hoor.'

Ze hield haar ogen neergeslagen, strak op het water gericht. 'Wat moet ik dan?'

'Dat hangt ervan af.'

Ze leunde naar voren en streek haar rok glad over haar knieën. 'Jij en Anna hebben nooit gezegd hoe het gebeurd is.'

'Het?' Hoewel ze weigerde naar hem te kijken, hoorde ze de sneer in zijn stem.

'Hoe jullie verliefd zijn geraakt.'

Zonder het te beseffen voelde ze aan dat ze met stemverheffing had gesproken. Ze ging opeens overdreven zacht praten, en merkte dat hij dichter naar haar toe leunde om haar te kunnen verstaan. 'Was dat banket van Yüan echt de eerste keer dat jullie elkaar ontmoetten?'

Een ongemakkelijk moment werd gevuld met gelach van het strand en voetstapjes achter hen. Teddy kwam spelen, maar Mann nam de bal uit zijn opgehouden handje en gooide hem terug naar Ah-nie. Teddy draaide zich om als op commando en was weer weg: Ah-nie moest de bal net zo gooien 'als die man'.

'Dat heb je van je hond geleerd,' zei Hope. 'Wat is daarvan geworden trouwens?'

'Die heb ik bij mijn Nederlandse opvolger in Tientsin gelaten. Zijn vrouw had gezelschap nodig, en die pup zadelde me alleen maar met moeilijke herinneringen op.' Hij bleef naar haar kijken terwijl hij zijn pijp stopte. Het aroma van die kersentabak bracht ook moeilijke herinneringen met zich mee, dacht Hope, maar ze zei niets.

'Ja,' vervolgde hij, 'dat was de eerste keer dat wij elkaar ontmoetten. Hoewel je je misschien zult herinneren dat mijn aandacht die avond niet speciaal naar haar uitging.'

Ze wierp een gepijnigde blik op hem. 'Praat niet zo.'

Hij zweeg een tijdje, trok aan zijn pijp. Toen schraapte hij zijn keel en vervolgde zijn relaas alsof zij niets gezegd had. 'Ik liep Anna tegen het lijf in Tientsin na... nou ja, een paar maanden nadat ik jou voor het laatst gezien had. Mevrouw Morrison had haar mee uitgenomen – om haar op te vrolijken, zei ze. We gingen ergens theedrinken, en halverwege begon Anna te huilen. Bleek dat ze nog maar pas geleden gehoord had dat haar verloofde aan de Somme was gesneuveld.' Hij bestudeerde de pijp die in zijn hand rustte. 'En je weet hoe dat soms gaat als mensen troost bij elkaar zoeken.'

Hope hief haar gezicht. De top van de Lu Shan was in wolken gehuld.

'Hé, mama! Kijk!' Jasmine maakte een achterwaartse salto vanaf de steiger.

'Het zijn mijn zaken niet,' zei Hope, 'maar Anna had het er altijd over dat ze een groot gezin wilde...'

Hij liet een spotlachje horen. 'Ja, iemand stuurde me dat artikel van jou over het triomfantelijke bezoek van Margaret Sanger! Helaas is die niet tot aan Chungking gekomen, dus ik kan het moeilijk aan haar wijten, hè?'

'Het spijt me...' De bitterheid in zijn stem schokte haar. Ze had beter moeten weten.

'Waarom? Het is toch nauwelijks jouw fout.' Mann tikte met zijn pijp tegen het muurtje en leegde hem in het water.

'Maar Anna lijkt...' Hope aarzelde. '...lijkt me gelukkig?'

'Ah.' Hij knikte. 'Nou ja, en als je dat gelooft, moet je ook geloven dat die verandering in haar een gunst van de verstrijkende tijd is. Misschien. Misschien was ze van begin af aan wel voorbestemd om op haar dertigste een dikke, humorloze matrone te worden, maar om de een of andere reden is me dat zeven jaar geleden niet opgevallen.'

'Dat is niet aardig.'

'Nee, wreed. Per slot van rekening is ze mijn verzorgster, mijn metgezellin, mijn beschermengel. Maar één ding is ze niet, Hope.'

Een plotseling afvlakken van zijn stem dwong haar hem recht in het gezicht te kijken. Zijn ogen brandden en zijn hele lichaam rekte zich terwijl zijn handen de hare zochten. 'Hope,' herhaalde hij met aandrang.

Maar op datzelfde moment sprong ze op en rende naar het strand. Haar rok schuurde tegen haar benen, haar kreten stuiterden voor haar uit. Ze verraste Teddy, tilde hem veel te plotseling op, draaide hem veel te snel rond, maar hij begon te lachen, ze wist wel dat hij dat doen zou, en zijn steile zwarte haar vloog in haar mond, zijn oogjes schitterden, vingertjes grepen haar bij oren en nek. Het jongetje gilde toen hij haar hoed aftrok en over de golven liet wegzeilen. Onstuimig renden moeder en zoon door het water, spetterend en ploeterend, het water kwam langs haar rok omhoog en Teddy, die alleen maar oog had voor de pret van de situatie, griste de hoed uit het water en trok hem over zijn hoofd, bijtend op de doorweekte linten.

'Ik hou van je,' riep ze, 'weet je, weet je, weet je, ik hou van je!'

Een paar dagen later schrok Hope midden in de nacht wakker uit een droom over de grote aardbeving in San Francisco. De grond was opengescheurd en ze was in de armen van een man gevallen die ze niet kon zien. Hij hield haar vast, wiegde haar, streelde haar naakte huid, maar toen ze probeerde hem aan te kijken kon ze zich niet bewegen. Toen ze probeerde iets te zeggen kon ze haar ogen niet openkrijgen. En toen ze probeerde na te denken, was ze ervan overtuigd dat ze dood was.

Verscheidene minuten bleef ze in het donker zitten, en probeerde wanhopig wakker te blijven en bij haar positieven te komen. Ze hoorde de regen op het dak, die nu ophield, en een dof jachtig geluid gaf aan dat onder de planken vloer een of ander diertje rondrende. Verder lag iedereen te slapen. En dat zou jij ook moeten doen, hield ze zichzelf voor, en ze drukte haar hoofd in het kussen. Maar de droom had haar rusteloos gemaakt, en haar ogen, die eerder niet open hadden gewild, weigerden nu gesloten te blijven. Ze dacht aan Paul, ergens in een dorpshut, ingekwartierd met propagandisten en wachten. Ze dacht aan Stephen bij de Paradijsvijver, nog altijd tastend...

Ze stak de lamp naast haar bed aan. Het was halfvier. Ze was lang van plan geweest een zonsopgang te fotograferen vanaf de Leeuwensprong, en het beloofde deze morgen, na die regen, wel een hele mooie te worden. Gehaast deed ze haar haar en trok wat kleren aan, hulde zich in een oud wollen jasje en zette de breedgerande hoed van Paul op. Ze doofde de lamp en sloop op kousenvoeten naar buiten, wandelschoenen onder één arm, de Graflex bungelend aan de andere. Een paar weken geleden had Mann verteld over de rol van bergen in de taoïstische filosofie als de geboorteplaats van 'de tienduizend dingen', de plek waar *yin* en *yang* eeuwig van plaats verwisselen. Misschien zat daar een artikel in voor Cadlow.

Het pad naar de Leeuwensprong volgde de richel boven het huis van de Manns, en hoewel het te donker was om op haar horloge te kijken – ze had geen lantaarn meegenomen – moest het volgens de berekening van Hope een uur of vier zijn toen ze bij de splitsing naar hun huis kwam. Ze zag geen lichten. Het enige geluid werd gemaakt door de zuchtende boomtoppen en het geruis van het riviertje. Toch bleef ze staan alsof ze iets merkwaardigs had bespeurd. Haar blik gleed langs de maanverlichte muren, de zwarte vierkante ramen. De binnenplaats was leeg. Geen spoor van een insluiper, dacht ze, en het ging niet aan dat zij hier stond, in het donker te loeren.

Toch werd ze door de stilte gefascineerd. Ze hoorde elk druppeltje vocht vallen, elk blaadje ritselen. Elke ademtocht.

Ze huiverde en liep door. Maar ze had nog maar een paar passen gedaan toen ze in het huis een hard kraken hoorde, gevolgd door een meer afgemeten knerpen, alsof er met meubels werd geschoven en weerbarstige deuren werden geopend. Een vleermuis scheerde over haar hoofd, zo dichtbij dat ze de vleugels voelde. Ze slikte een kreet in en ging op haar hurken zitten. Toen de stem van Stephen door het donker snerpte bedekte ze haar gezicht. 'Voor mij,' zei hij, 'daarom.'

Maar toen begon het knerpen weer... 'Godverdomme, wijf!'

Hope vluchtte weg. De camera sloeg tegen haar heup. Haar handen zaten onder het zweet. Haar haar was losgegaan, net als de veters van haar schoenen, maar ze holde alsmaar door, struikelend over boomwortels, glibberend in de modder. Het was drie kilometer naar de Leeuwensprong, aan één stuk door heuvel op. Ze keek niet één keer achterom.

Maar toen ze op haar bestemming was aangekomen, had ze geen idee wat ze daar te zoeken had. De zonsopgang was niets dan gekleurde lucht. En de vallei stond onder water.

Hope liep achterwaarts van het ravijn weg, dat duizend meter diep aan haar voeten gaapte, en liet zich op haar knieën zakken om een duizeling te laten wegtrekken. Ze wilde juist weer opstaan en naar huis gaan toen ze, aan haar rechterhand, een landtong uit een wolk zag oprijzen. Er stonden twee onvolgroeide perzikboompjes op, de laatste vruchten van het seizoen klampten zich nog aan de takken vast.

Perziken, wist Hope nog, werden als voedsel van de Onsterfelijken beschouwd, als symbool van een lang leven, en daarom, ook al hoorden ze in de bergen niet thuis, hadden taoïstische priesters daar die boompjes geplant om de goden gunstig te stemmen. Ongetwijfeld was er ooit een hele boomgaard geweest op die landtong, maar de winters hier waren streng. Alleen deze twee robuuste geesten hadden het overleefd, en stonden daar zij aan zij, zo dicht bij elkaar dat hun wortels elkaar wel moesten raken, al bleven de takken buiten elkaars bereik.

Ze bracht de camera naar haar oog, en stelde hem in op het veranderende licht. Maar hoe beter ze keek, des te minder belangstelling kreeg ze voor de bomen zelf, en des te meer voor de ruimte ertussen. Die lege vorm, veranderlijk en zonder vaste omlijning, enigszins oneffen en eindeloos onvoorspelbaar, had een volstrekt eigen schoonheid, die ze nog maar net begon te onderkennen.

Hengyang, Hunan
10 augustus 1926
Liefste,

Ik heb gehoord dat vanavond post naar Kiukiang gaat en met beetje geluk bereikt deze brief je misschien binnen een week. Het is de eerste gelegenheid die ik heb om te schrijven. Ik vertrouw erop dat je dat begrijpt.

We hebben vele overwinningen met weinig bloedvergieten op onze mars vanuit Kwangtung. Plattelandsmensen weten weinig van revolutie. Velen weten zelfs niet dat de Manchu's zijn gevallen. Dat is allemaal ver weg. Maar ze weten wel dat de krijgsheren nog altijd hun huizen afpakken. Ze weten dat dammen en aquaducten geruïneerd zijn, velden blank komen te staan bij regen, uitdrogen bij droogte, heersers doen niets om te repareren. Of om woekeraars ervan te weerhouden om na elke sprinkhanenplaag hun tarieven te verdubbelen. Dit alles weten onze vriend Borodin en zijn sovjetniki's heel goed uit te buiten.

De studenten in mijn eenheid doen me denken aan mijzelf, mijn tijd in Hupei en Japan. Ze houden me tot 's avonds laat wakker om te discussiëren over theorieën van Marx en Abraham Lincoln, vragen of ik de slaven en indianen heb verdedigd toen ik in Californië was! Ze vermaken zich met schrijven van manifesten en debatteren over de vraag of sociale gerechtigheid betekent dat alle mannen slechts één vrouw zouden moeten hebben, of alle vrouwen veel mannen. Ze noemen iedereen 'kameraad', delen handboeken uit onder dorpelingen die niet kunnen lezen en zingen de Internationale in Russisch dat niemand kan verstaan. Ik ben blij dat Borodin niet met ons meereist. Ik heb hem horen zingen in Kanton. Zijn stem is heel kikkerachtig.

Mijn rol als nestor is niet zingen of pamfletten uitdelen. Ik heb in elke stad ontmoetingen met plaatselijke gouverneur. Ik drink thee en bedank deze krijgsheer dat hij mij ontvangt. Allen hebben gehoord van de discipline en training van de cadetten van generaal Chiang en van de sovjetwapens die ze dragen. Krijgsheer weet beter dan ik hoeveel van onze revolutionaire troepen vlak achter ons aankomen. Maar ik breng hand naar mijn oor als een van onze vliegtuigen overvliegt. Ik merk op dat ons Nationale Revolutionaire Leger sinds ons vertrek uit Kanton met vrijwilligers verdubbeld is. Dan nodig ik deze krijgsheer uit om zich aan te sluiten bij onze hoogst eerbiedwaardige campagne, dat onze troepen hem als bondgenoot in plaats van als vijand mogen beschouwen. Soms bezoeken we twee of drie keer voor we overeenstemming bereiken. Maar nooit meer dan vier keer.

Ik beschrijf deze dingen dat jij je geen zorgen maakt. Onze voortgang is langzaam maar gestadig. Tot afgelopen maand was Jin aan deze zelfde eenheid toegewezen. Nu gaat hij vooruit naar Changsha. Ik heb drie dagen geleden Hengyang bereikt, en generaal Chiang is gisteren aangekomen. Er wordt gesproken over doorstoten naar Wuhan in de komende weken, en ons is volledige betaling beloofd als dat is ingenomen.

Hope, ik heb geen geld om nu te sturen, maar maak je alsjeblieft geen zorgen. Ik zal spoedig betaald worden. Ik zal jou sturen. Mogelijk kan ik jou nog brengen. Voorlopig ben ik er zeker van dat Yen goed op jou en onze kinderen past. Je bent veilig in ons huis. Ik bewaar je foto op mijn borst terwijl ik marcheer. Ik slaap met jouw foto dicht bij me. Er zitten vele jonge meisjes in deze propagandaeenheden. Ze zijn sterk en trots op hun onafhankelijkheid. Vandaag toen ik een van hen een muurkrant zag ophangen, dacht ik aan jou en Mary Jane met jullie spandoeken voor vrouwenstemrecht. Mijn hart weent bij zulke herinneringen. Ik vergeet niet dat jij mijn vrouw bent.

Ik ben jouw man, Paul

3

26 AUGUSTUS 1926

Ze zijn weg. De gevechten waar Paul over schreef hebben deze week Hankow bereikt, en Anna deelde op nogal schrille toon mee dat zij en Mann moesten terugkeren naar de beschaving. Aangezien de rivier terug naar Chungking is afgesloten, reizen ze met Sarah en de jongens naar Sjanghai. Anna heeft het vaak over een terugkeer vandaar naar Zuid-Afrika, en Mann lijkt onverschillig, dus ik verwacht dat zij vertrokken zullen zijn tegen de tijd dat wij weer terug zijn. Sarah heeft geprobeerd me over te halen met hen mee te gaan, en uit praktische overwegingen zou dat misschien verstandig zijn geweest – als we de middelen hadden gehad.

Maar de brief van Paul heeft me erg aangepakt, en het vooruitzicht van vier of vijf dagen op de rivier in het constante gezelschap van de Manns was ongeveer net zo uitnodigend als een week in de ketenen.

Eerlijk gezegd ben ik opgelucht. Het is nooit meer geweest dan een bevlieging. Dat begrijp ik nu. Ik kijk naar de transformatie in Anna, en kan mij niet van de gedachte weerhouden dat daar twee mensen voor nodig zijn. Ik had me altijd voorgesteld dat Mann was voorbestemd voor grootsheid – een vrijdenker, kampioen van de armen en vertrapten, een mens vol mededogen. Maar nu ben ik geneigd te geloven dat hij niet zo heel anders is dan die mannen die in Sjanghai in de clubs rondhangen – gevangen in die fatale combinatie van een adembenemend uiterlijk en een aangeboren heerszucht. O zeker, hij wil goed doen. Ik neem aan dat dat de reden is dat hij al die jaren aan het avonturieren is geweest – proberen zijn ware aard te verbergen achter de vlaggen van Goede Werken en Goede Bedoelingen. Om in Chungking te eindigen – het eind van de wereld – met een onvruchtbare vrouw. Hij heeft me in Tientsin duidelijk genoeg gewaarschuwd, maar ik weigerde te luisteren. Ik hoorde alleen dat hij verliefd op me was.

Hoe kunnen twee mannen grotere tegenpolen zijn dan Paul en Mann? De een zo onvermoeibaar oprecht en de ander zo vol onbewuste slinksheid. Ik houd het voor heel wel mogelijk dat Paul nooit had moeten trouwen, terwijl Mann, zie ik nu, zonder vrouw zou verschrompelen en doodgaan. Toch zou ik mijn man niet willen inruilen. Ondanks alle troost, veiligheid of gezelschap die hij me onthouden heeft. Het verschil tussen Paul en Stephen Mann is dat Paul, ondanks al zijn andere bezigheden en verdeelde loyaliteiten, met heel zijn hart oprecht van mij houdt, terwijl Mann alleen maar kan houden van zijn eigen weerspiegeling in mij.

Maar de opluchting van Hope over het vertrek van de Manns vervaagde terwijl de weken zich voortsleepten en er geen verder bericht kwam van Paul. Terwijl augustus overging in september en de dagen korter en kouder werden, weergalmden de tweelingvalleien van het dichtspijkeren van ramen, het getinkel van zilverwerk en porselein dat werd ingepakt, mannen die met stoeldragers over tarieven onderhandelden en vrouwen met huisbedienden over hun seizoensfooi. Uiteindelijk stond er een hele rij draagstoelen voor elke poort, met hoog opgetaste eigendommen, werden weerspannige kinderen berispt en gromden de dragers ten teken dat de stoelen getild moesten worden. Halverwege de maand was de vallei leeg. Alle plaatselijke bedienden – inclusief hun eigen kok – keerden terug naar hun winterverblijf en baantjes onder aan de berg in Kiukiang. De drijvende steigers in de Paradijsvijver en de Vijver van de Drie Gratiën werden op het strand getrokken, de badhokjes met hangsloten afgesloten, de roeiboten geteerd. De hotels in de lager gelegen vallei werden gesloten en dichtgetimmerd, de kerken, winkels en clubs in de vakantiekolonie gingen allemaal dicht. Er bleef slechts een kleine kolonie achter die er ook overwinterde, het twee man tellende politiekorps, en achter in de vallei de Kuling American School. Deze kostschool, met zijn misplaatst massieve en grimmige Tudor-campus, werd voornamelijk bezocht door kinderen van buitenlanders die in de binnenlanden werkten. De norse aanwezigheid van dit gebouw, en het verschijnen, een enkele keer, van een geüniformeerde scholier in het verlaten dorp, herinnerden de Leons er streng aan – alsof dat nog nodig was – dat de kinderen in een soort onderwijskundig vacuüm waren beland.

Hope deed hieraan wat ze kon. In de loop der jaren waren niet alleen de stuiverromans van Pearl en de Sherlock Holmes-avonturen van Morris in Kuling verzeild geraakt, maar ook *Ivanhoe*, *Bleak House*, *Sister Carrie*, *Paradise Lost* en *Howard's End*. Hope schreef deze boeken nu voor als verplichte leeskost, en liet er door de oudste drie kinderen essays over schrijven. Ze bedacht ook wis- en natuurkundige vraagstukken, drilde hen in hun vocabulaire en gaf aardrijkskunde aan de hand van de gehavende atlas van Paul. En terwijl Ah-nie Teddy vermaakte, schreef Hope in eigen opdracht een nieuwe artikelenreeks voor Cadlow. Ze schreef over het bouwen van een huis in de bergen in China, het leven in een Chinees vakantieoord, het vangen van een dief in Kuling – en probeerde, om kort te gaan, zoveel mogelijk munt te slaan uit hun eigen wederwaardigheden. Als ze *geluk* had, zou het drie maanden duren voor ze een cent voor deze artikelen binnenkreeg, maar het werk gaf haar in elk geval de illusie dat ze iets deed, en was tevens de hernieuwing van een overeenkomst met zichzelf die ze lange tijd verwaarloosd had, namelijk dat ze het nooit zover zou laten komen dat ze financieel afhankelijk zou zijn van Paul.

Bezorgd dat soldaten zich ofwel al vechtend een weg naar de

vallei zouden banen, ofwel erheen zouden vluchten om aan de oorlog te ontkomen, gaf Hope iedereen strenge instructies om binnen het gezichtsveld van het huis te blijven. Ze maakten groepsexcursies om appels en peren te plukken in de boomgaard verderop aan het pad, en Yen en Morris daalden af naar de rivier om de forellen te vangen die voor de familie dagelijkse kost werden. Maar er werden geen wandeltochten door de bergen gehouden, geen 'ontdekkingsreizen', en al snel zetten ze nauwelijks een voet meer buiten de deur. De kinderen speelden backgammon, schaakten of kaartten, doorzochten de lappenmand van Hope op materiaal om jassen, mutsen en wanten te maken, of hielpen Ahnie en Yen. Maar meestal maakten ze ruzie. Pearl speelde de baas over Morris. Morris stak de gek met Teddy. Jasmine vitte op iedereen en vocht met elke tegenstander tot die op de grond lag, wat vaak tot tranen leidde. Een denkbeeldige sneer, een kruimel van een koekje, een regel uit een liedje, zelfs herinneringen leverden conflictstof op.

'Ik wou dat ik net zo'n gele blazer had als jouw vriendin Millie Lim,' zei Jasmine dan bijvoorbeeld tegen Pearl.

'Dat is Doris Hoagland met die blazer.'

'Nee hoor.'

'Dat weet ik het beste, ze is mijn vriendin.'

'Nietes. Je haat haar.'

'Niet waar.'

'Welles. Je hebt zelf tegen mij gezegd dat ze een gezicht als een knol heeft. Hoe dan ook, ik heb Millie zelf in die blazer gezien.'

'Klein liegbeest, je weet niet eens hoe Millie eruitziet.'

En zo ging dat dan door, uur na uur, tot een van de kasten van Morris uiteindelijk een fluitje bleek te bevatten, dat Hope geregeld gebruikte in een pavloviaanse en maar nauwelijks geslaagde poging om de kinderen in bedwang te houden.

Haar enige troost was de berg zelf. In oktober was er een paar keer nachtvorst geweest en was de vallei omgetoverd in een lappendeken van magenta en goud. Hoger in de bergen lag al sneeuw, en de met pijnbomen bedekte hellingen dampten van de mist. Een bros laagje ijs omzoomde elke morgen de rivier, en de geur van brandend hout uit de kachel was zo opvallend en doordringend dat je in de omringende stilte bijna kon horen wat je alleen maar rook. Onder andere omstandigheden stelde Hope zich voor dat deze eenzaamheid en schoonheid haar misschien tot tranen zouden roeren, maar nu kon ze zich geen tranen veroorloven.

'Vijfde seizoen,' zei Yen een keer bij zonsopgang, toen ze hem gezelschap kwam houden op de veranda.

'Wat is het vijfde seizoen?'

Hij gebaarde naar het uitzicht. 'Vroeger wij hebben zomer, winter, lente en herfst, maar nog één meer. Vijf seizoenen, vijf elementen, vijf kleuren, vijf tonen. Harmonie. Vijfde seizoen komt tussen zomer en herfst. Heel kort. Heel helder.'

Hope omklemde haar theekopje. 'Yen?'

Hij knipperde met de ogen tegen het licht.

'Wat vind je dat we moeten doen?'

Er viel een stilte. Toen antwoordde hij kalm: 'Laoyeh zal ons wel laten ophalen.'

'Ik weet hoeveel rijst er nog is, maar alleen jij weet precies hoeveel geld we hebben.'

Hij loenste een beetje, zoals altijd wanneer hij in gedachten verzonken was. Hij zei niets.

'Ik wil graag dat je het me vertelt, Yen.'

Ze wist dat toegeven wat zij vermoedde voor Yen een catastrofaal gezichtsverlies met zich meebracht. Daarom was ze er al die tijd niet over begonnen. Maar hij mocht dan zo zuinig mogelijk met hun middelen zijn omgesprongen, ze wist ook dat hij aanvankelijk slechts rekening had gehouden met een verblijf tot eind augustus. Met zuinigheid kwam je slechts zover en niet verder. De enige winkel in Kuling die nog open was, was een combinatie van slagerij en grutterij waar ze vers varkens- of hertenvlees konden kopen, bloem, honing, meel en een paar wintergroentes, maar allemaal tegen exorbitante prijzen, en slager Wu met zijn zwarte tanden en zijn vrouw liepen over van de verklaringen waarom dezelfde bessensnoepjes die ze een maand geleden nog voor een paar koperen muntjes konden krijgen, nu duizend moesten opbrengen. En waarom het krediet dat hun de hele zomer verleend was met de seizoenwisseling opeens bleek te zijn ingetrokken.

Met een beklagenswaardig gezicht trok Yen het marokijnleren boekje uit zijn zak waarin hij de huishoudelijke uitgaven bijhield – in een absoluut niet te ontcijferen krabbelschrift.

Maar ze schudde haar hoofd. 'Ik beschuldig jou nergens van, Yen. Denk dat alsjeblieft niet. Ik weet dat jij wonderen hebt verricht, en ik zou het echt niet aan jou wijten als we nu geen cent meer hadden. Maar ik moet weten hoe moeilijk we zitten, zodat we samen kunnen besluiten wat we nu moeten.' Ze keek naar hem op. 'Hoeveel hebben we nog?'

Hij sprak zo zacht dat ze hem nauwelijks kon verstaan.
Op de tast zocht ze een stoel en liet zich zakken. 'Daar kunnen we nog niet voor een week rijst van kopen!'
Yen trok aan zijn oor en zijn blik vestigde de aandacht op de zwaaiende gordijnen binnen. De kinderen waren op.
'Goed,' zei ze uiteindelijk, met meer moed dan ze voelde. 'Maak je geen zorgen. Ik heb een plan. Ga je na het ontbijt met me mee naar het dorp?'
Yen gaf geen antwoord. Hij ging al een maand lang elke dag na het ontbijt met haar mee naar het dorp.
In de zomer was het een kwartier lopen naar de lagergelegen vallei, maar nu de rotsen met een laagje ijs waren bedekt, kostte het een halfuur. Ze ontmoetten niemand onderweg, en in het verlaten dorp zagen ze alleen een schurftige hond en een nieuwsgierige geit. Toen ze bij de lage bungalow aankwamen die dienstdeed als politiebureau, stapte Hope zonder kloppen over de drempel, en bleef Yen gebukt onder de dakrand achter haar staan. Het hoofd van politie en zijn plaatsvervanger zaten zoals gewoonlijk te schaken, thee te drinken en Amerikaanse sigaretten te roken: die laatste waren een soort voorschot op hun beloning voor het 'bewaken' van de bezittingen van buitenlanders. Ze keken niet op.
'Nog bericht?' vroeg ze, zoals ze elke dag deed.
De reactie van het hoofd van politie was, zoals gewoonlijk, een trage en overdreven grijnslach waarin hij al de spleetjes tussen zijn tanden ontblootte. Hij droeg een bruin uniform vol vetvlekken en een pet met een leren band. Uit zijn mondhoek bungelde een sigaret: dat had hij zeker van een of andere Amerikaanse filmacteur afgekeken. Zijn hulpje was een boerenjongen met een breed gezicht, die altijd een geweldige belangstelling voor zijn nagels leek te krijgen wanneer Hope binnenkwam. Beiden stonken ontzettend naar knoflook. Helaas moesten eventuele berichten van Paul via dit bureau, en Hope vertrouwde er niet op dat dit stel haar meteen zou inlichten. Toen de Leons voor het eerst naar Kuling waren gekomen, was de politiechef gretig geweest. Hij nam zijn pet af wanneer hij hen op het pad tegenkwam en vroeg maar een klein beetje smeergeld in ruil voor het tekenen van hun bouwvergunning en het aan zijn protectoraat toevoegen van hun bezit. Paul maakte af en toe een babbeltje met hem over plaatselijke krijgsheren of militaire campagnes, en de chef leek hem te respecteren. In elk geval knikte hij verwoed en krabde zich op het hoofd in plaats van boos te kijken, zoals hij gewoonlijk deed wanneer er buiten-

landers in de buurt waren. Maar de drager die vorig jaar bij hen had ingebroken, moet bij zijn verhoor verteld hebben over de woedeaanval van Paul, want sindsdien was het afgelopen met de gedienstigheid van de politiechef.

'Geen bericht,' zei hij nu, in zijn vette bergstreekdialect. Hij nam niet de moeite om de sigaret uit zijn mond te nemen, noch om haar in het Engels antwoord te geven, hoewel hij dat heel goed sprak.

Normaal gesproken zou ze het daarbij gelaten hebben. Ze wilde niets meer met deze man te maken hebben dan absoluut noodzakelijk was, maar er was nu meer noodzakelijk dan die paar woorden die ze gewisseld hadden.

'Chef Liu,' zei ze, terwijl ze haar rug rechtte. 'Bent u zich ervan bewust dat mijn man nauw samenwerkt met generaal Chiang Kaishek?'

De dikke oogleden van de man gingen langzaam omhoog, en kwamen toen weer naar beneden alsof hij een reptiel was dat kon knipogen.

'Hij is op dit moment druk bezig met de Noordelijke Expeditie, die heel Hunan heeft bevrijd en op het punt staat de krijgsheren uit Kiangsi te verdrijven. Zijn eenheid zal waarschijnlijk zeer binnenkort hier in Kuling aankomen.'

Achter haar schraapte Yen zijn keel en duwde de ruwhouten deur dicht. Het vertrek werd abrupt donker en benauwd, en Hope voelde zich meer dan bespottelijk in haar oude gebreide jasje en linnen jurk met lage taille, de bruine gleufhoed uit een ander tijdperk over de oren getrokken. Uit de opengevallen mond van het klaarwakkere hulpje ontsnapte een snurkend geluid. Zijn chef leunde achterover en mikte zijn peuk nonchalant in een kapotte kwispedoor.

'Ik zeg u dit,' dwong Hope zichzelf verder te praten, 'omdat ik weet dat u, chef Liu, een man van eer bent.'

Zijn mondhoeken speelden even met de gedachte aan een glimlach, maar die gedachte werd meteen weer verworpen. 'U wilt dat ik u ergens bij assisteer, denk ik,' zei hij, om daar na een kort stilzwijgen 'Missy' aan toe te voegen.

'Zeker in deze vallei bent u een man van gewicht,' zei ze, 'en overtuigingskracht.'

Hij knikte en streek over het zwarte toefje dat voor snor doorging.

'Ik heb met mijn eigen ogen gezien hoe Mister Wu en Wu Taitai tegen u opkijken.'

Hij knorde.
'Als u tegen Mister Wu zou zeggen dat mijn man een belangrijk iemand is, weet ik dat hij naar u zou luisteren.' Ze keek naar Yen, op zoek naar morele steun, maar die leek op het punt te staan om te gaan huilen en weigerde haar aan te kijken. 'Het enige wat ik vraag is dat de Wu's ons krediet blijven geven, zoals ze de hele zomer al gedaan hebben.'

Het hoofd van politie krabde zijn neus, alsof hij echt over haar verzoek nadacht. 'Zomer is niet herfst,' zei hij uiteindelijk. 'Ik vertel Wu Yao-lu niet hoe hij zijn winkel moet drijven, hij vertelt mij niet hoe ik hier de orde moet handhaven. Gaat u met Wu Taitai praten, zeg haar deze dingen. Misschien kan zij u helpen.'

'Ik *heb* met haar gepraat...' Maar ze voelde dat haar stem op het kookpunt stond. 'Dank u, chef Liu,' besloot ze. 'Ik stel uw raad op prijs.'

Die goede Yen – geen verwijten op de terugweg naar huis, geen chagrijnige blikken of voorzichtige terechtwijzingen. Wat voor schande ze ook over het huis van Liang gebracht mocht hebben, in zijn ogen was hij degene die er niet in geslaagd was de familie voor de bedelstaf te behoeden. Ze wist dat het even nutteloos was om hem te troosten als om zichzelf de les te lezen, maar toch raakte ze even zijn arm aan toen ze de trap voor het huis opliepen. 'Ik moet er niet aan denken waar deze familie zou zijn zonder jou, Yen.'

De grote platte lippen werden op elkaar geperst en hij keek haar strak aan. 'Laoyeh komt terug,' zei hij. 'Dat weet ik.'

Ze glimlachte. 'Ik ook.'

Maar elk sprankje hoop werd de bodem ingeslagen door het tafereel dat hun thuis te wachten stond. Jasmine, Morris en de kleine Teddy zaten rond de houten kaarttafel met scharen en een stapel oude tijdschriften. Daar knipten ze alle afbeeldingen van eten uit, om zich er vervolgens 'te goed aan te doen' met mes en vork.

'Mm hmm.' Jasmine reeg een stukje bruin papier aan haar vork. 'Lekkere biefstuk!'

Morris zoog aan een lege vork. 'Cake met custard.' Hij kreunde. 'En perziken uit blik.'

'O, ja, perziken uit blik!'

'Cake!' riep Teddy, dansend op zijn kousenvoetjes. 'Ik ook!'

Ah-nie, die klaarstond om Teddy op te vangen als hij viel, had haar oog laten vallen op een foto van een gebraden kalkoen uit het Thanksgivingnummer van *Harper's* waarin het laatste artikel van Hope had gestaan.

'Mijn God,' fluisterde Hope, 'wat moet er van ons worden?'
Maar het volgende moment liep ze bedrijvig heen en weer, ze stookte het vuur op, legde haar papieren recht, gaf Yen opdracht water op te zetten voor thee en Ah-nie om Teddy naar bed te brengen voor een slaapje. Als de kinderen er een spelletje van wisten te maken, zou zij zich verdorie ook niet laten kennen.
'Waar is Pearl?' vroeg ze opeens.
Morris haalde zijn schouders op, en likte aan een foto van een gebraden Virginiaham.
'Die is de deur uitgegaan,' zei Jasmine, 'een paar minuten na u en Yen. Ik dacht dat ze achter jullie aan was.'
'Hoe bedoel je de deur uitgegaan?' vroeg Hope op hoge toon. 'Heb ik jullie niet duidelijk genoeg gemaakt dat jullie nooit alleen de deur uit mogen?'
'Schreeuw niet zo.'
'Heeft ze niet gezegd waar ze heenging, Morris?'
'Ik hoop naar de winkel,' zei hij nukkig. 'Wat ik niet over zou hebben voor een doos chocolaatjes.'
Jasmine liet zich zijdelings van haar stoel vallen en kronkelde melodramatisch over de grond, zodat Yen bijna over haar struikelde toen hij met thee voor Hope uit de keuken kwam.
'Laat dat maar,' zei ze tegen hem. 'Pearl is weggegaan...'
Maar op dat moment ging de deur open. Het gewatergolfde korte kapsel van Pearl hing steil naar beneden door de druilerige regen die net was begonnen toen Hope en Yen thuiskwamen. Haar roze trui en rok waren ook doorweekt, maar haar vollemaansgezicht straalde.
'Daar ben ik weer,' zei ze.
'Dat zien we, ja.' Hope aarzelde even. 'Trek eerst die modderige schoenen eens uit.'
Pearl keek haar publiek een voor een aan. 'Ik ben naar de school geweest,' deelde ze vervolgens mee. 'Ze zijn heel aardig daar. Behulpzaam.'
'Behulpzaam,' herhaalde haar moeder.
'Ja.' Pearl aarzelde, maar leegde toen de zak van haar trui op de tafel. Zilveren en koperen munten en niet al te kostbare bankbiljetten bedekten de verknipte tijdschriften.
'Ik hoorde u en Yen praten,' begon Pearl uit te leggen, maar Hope legde haar met een gebaar het zwijgen op.
Ze kon geen woord uitbrengen. Ze wist precies wat Pearl geflikt had. Wat nu ongedaan moest worden gemaakt. Ten koste van alles.

Ze ging alleen die middag, zodra het was opgehouden met regenen. Ze droeg een zakelijk groen gabardine pakje met bijpassende veren toque. Haar Graflex, de enige gift die ze kon bedenken, hield ze onder een arm.

De school leek van dichtbij nog groter en onheilspellender dan uit de verte. De voordeur was enorm. In de hal hing die stugge, institutionele geur die helemaal niets met onderwijs te maken heeft, maar die het onderwijs toch altijd lijkt te vergezellen, en de directrice, ene juffrouw Edith Eaton, wekte een even rechtschapen en puriteinse indruk als haar naam deed vermoeden. Ze droeg haar bruine haar in een streng knotje dat geen haartje de vrijheid liet, haar schildpadbril droeg ze precies midden op haar neus en haar gesteven ronde kraag lag volkomen plat op volkomen hoekige schouders. Ze wist precies wie Hope was, en ze wist alles van het bezoekje van Pearl.

'De kinderen waren maar al te blij dat ze een collecte konden houden.' Ze leunde met een belijdende glimlach over haar bureau. 'De meesten van hen komen uit zendingsfamilies. Liefdadigheid zit ze in het bloed, ziet u.'

'Nou, ik vrees dat het allemaal op een afschuwelijke vergissing berust.'

Miss Eaton bracht haar kin naar voren. 'Werkelijk.'

'Ik ben gekomen om het geld terug te geven.'

'Aha.' De directrice pakte een potlood en draaide dat rond tussen haar vingers. 'Dat lijkt me een beetje pijnlijk. Alsof u de zondagse collecteschaal terugstuurt. Niet netjes. En een klap in het gezicht, nadat de kinderen zich zo genereus hebben betoond.'

'Ah.' Hope bevochtigde haar lippen. 'Maar u zult toch begrijpen dat het voor ons absoluut onmogelijk is dit als liefdadigheid te accepteren.'

Miss Eaton bleef het potlood manipuleren. 'We hebben een of twee Euraziatische jongens hier. De een zijn vader werkt bij Standard Oil. De ander is de Franse consul in Hankow. Het is hun *moeder* die Chinees is.'

Hope klampte haar handen ineen in haar schoot. 'Ik vroeg me af,' zei ze, vol valse opgewektheid, 'of ik de generositeit van uw scholieren misschien kon beantwoorden door foto's van hen te maken. Ik heb mijn eigen apparaat, zoals u ziet. En ik ben tamelijk ervaren.'

'Dat neem ik graag van u aan.'

'Onder de gegeven omstandigheden,' vervolgde Hope, zonder

verder op haar te reageren, 'ben ik niet zo goed uitgerust als ik graag zou willen. Maar ik heb voldoende film om een aantal groepsportretten te maken, zeg één van elke klas.'

'Mevrouw Leon,' zei de directrice op bijtende toon, 'normaal gesproken maken wij aan het eind van ieder schooljaar klassenfoto's.'

'O...'

'De leraar die die foto's meestal maakt zit echter met verlof in Frankrijk. Hij heeft een volledig uitgeruste donkere kamer achtergelaten, met een uitstekende studiocamera en een voorraad filmrolletjes en afdrukpapier die u waarschijnlijk niet eens allemaal nodig zult hebben. Van elke scholier moet een portretfoto worden gemaakt, dus uw aanbod om dat te doen als vergoeding voor de collecte van vanochtend is uiteraard niet aan de orde. Wij betalen meneer Claire voor zijn diensten als fotograaf meestal honderd dollar boven op zijn salaris. Ik ben bereid u hetzelfde aan te bieden. Maar er is nog één ding.'

'J-ja?'

'Ik zou het op prijs stellen als u uw dochter van de campus weg zou houden.' Ze keek Hope vinnig aan. 'Ze heeft vanmorgen nogal wat opwinding veroorzaakt onder de jongens. Ik ben graag bereid u en uw gezin de helpende hand te bieden, maar ik probeer hier een fatsoenlijke, ordentelijke school te leiden.'

Hope voelde de kleur uit haar gezicht wegtrekken. Haar handen werden ijskoud, en als ze maar een millimeter de ruimte had gehad, zou ze haar handen ijskoud in juffrouws Eatons schedeldak hebben geramd. Maar ze zag geen andere uitweg.

'Natuurlijk.' Hope stond op. 'Ik begrijp het volkomen, juffrouw Eaton. Fatsoen, koste wat kost.'

> 23 oktober 1926
>
> Kon Mary Jane maar eens zien wat ze allemaal teweeg heeft gebracht toen ze mij in alle onschuld een Kodak cadeau deed! De afgelopen twee weken waren een schijnbaar eindeloze opeenvolging van blootgegrijnsde brokkeltanden en licht loenzende ogen. Jongens met spuuglokken in hun vlashaar en meisjes met bruin haar en bijpassende sproeten. Hun zorgeloze gezichten bevolken mijn dromen, mijn eigen kinderen verdwijnen bijna helemaal op de achtergrond. Ik heb ze alleen gefotografeerd, met hun cricketteams, in padvindersuniform en in koorformatie. Ik ben het mikpunt van

hun grapjes, hun uitgestoken tong en hun schaamteloze speculaties. Mijn Chinese man staat op de Kuling School afwisselend bekend als gevallen Manchu-prins, als communist, als bandiet, als onderkoning met vijftien vrouwen en als uitgever van Mandarijnse bijbels! Pearl, die zo'n ernstige bedreiging vormde voor de morele orde van juffrouw Eaton, is mij door hen die haar ontmoet hebben (meest jongere jongens) omschreven als 'vrolijk', 'elegant', 'een jofele meid' en 'gezond'. Alles bij elkaar genomen denk ik dat juffrouw Eaton gelijk had dat ik haar in de gaten moest houden, maar de morele orde die beschermd moet worden is niet die van de school maar die van Pearl! Omdat ze er zo onschuldig uitziet en zich ook zo gedraagt, vergeet ik al te gemakkelijk dat ze al achttien is. Als we ooit weer in Sjanghai komen, wordt dat haar laatste schooljaar, en dan beginnen onze zorgen echt.

Maar dat lijkt beestachtig ver weg. Volgens de koelies wordt er overal aan de voet van de berg gevochten. Ook al had ik het geld voor de stoomboot, dan nog zouden we hier nu nooit weg kunnen. Ik kan mezelf er niet toe zetten te geloven dat we hier zullen moeten overwinteren, maar het is een reële mogelijkheid. Als dit klusje voor de gevreesde juffrouw Eaton geklaard is, zal het schrikbeeld van de armoe weer de kop opsteken. Tegen die tijd hebben de kinderen elkaar misschien al opgegeten. We zijn helemaal door onze leesstof heen. De meisjes houden zich onledig met het uithalen van oude truien om nieuwe te breien. Yen leert Morris alle liedjes en verhalen uit zijn kindertijd, en Ah-nie vermaakt Teddy eindeloos met dat arme gummi balletje.

Maar er zijn kleine overwinningen geboekt. Jed Israel zou trots zijn als hij zag wat zijn onwillige leerlinge allemaal doet met zijn afdruklessen. Het was pure bravoure – en wanhoop – die mij ertoe dreef mijn 'fotografische diensten' aan te bieden aan juffrouw Eaton. Wat ik gedaan zou hebben als de school geen donkere kamer had, ik heb geen idee, want de kleine hoeveelheden ontwikkelaar en fixeervloeistof die ik had meegenomen uit Sjanghai waren grotendeels verdampt nadat Morris en Ken eraan gezeten hadden – en de doppen eraf gelaten hadden. Bovendien is het schuurtje waar ik deze zomer wat geliefhebberd heb met afdrukken inmiddels net een iglo. En ik zou me er misschien wel doorheen gesleept hebben, maar nu, met de juiste middelen, begin ik de slag van het ontwikkelen en afdrukken echt te pakken te krijgen.

Ongetwijfeld zou juffrouw Eaton het niet goedkeuren als ze ervan wist, maar ik heb de faciliteiten ook gebruikt om een paar uitzonderlijke portretten te produceren van politiechef Liu en zijn hulpjes en de Wu's, die ik gebruikt heb om weer krediet af te dwingen. In ruil voor de portretten die nu zeer prominent aan de muur hangen in de winkel en het politiebureau, is ons dagelijkse rijstrantsoen nu aangevuld met porties noedels, broodjes, varkensvlees en groentes. Ik had alleen liever gehad dat ik deze truc al in september bedacht had, *voor* de eerste honger was gaan knagen!

Het andere geluk bij het ongeluk van de crisis is mijn schrijfwerk. Ik heb inmiddels een forse voorraad bijna voltooide artikelen voor Cadlow, inclusief een profiel van Yen, een interview met Liu, en een verslag, samengesteld met de hulp van Morris en verschillende scholieren uit Kuling, over het enthousiasme voor de padvinderij dat China de laatste jaren in zijn greep heeft gekregen (naar mijn mening is de padvinderij een nauwkeurige mengeling van zendingsijver en militair vertoon – die ook in het huidige China alomtegenwoordig is, en daarom zo aantrekkelijk is voor jonge jongens die die schijnbaar onverenigbare fenomenen in hun samenhang proberen te doorgronden).

Hoe dan ook, het fotowerk, de artikelen en de kinderen helpen mij allemaal om niet al te lang stil te staan bij de grotere kwesties. Ik moet geloven dat Paul op weg is naar ons, dat hij ons zal bereiken voor we weer berooid zijn, dat wij niet kwetsbaarder voor deze oorlog zijn dan juffrouw Eaton en haar scholieren menen dat we zijn. Ik moet allerlei dingen geloven over wie ik ben, wie mijn kinderen zijn, welke plaats wij innemen in deze krankzinnige wereld – en dus geloof ik daadwerkelijk.

Maar zo af en toe denk ik aan deze zomer, aan Mann en Sarah en mijn dwaze vooroordelen, en voel ik me opeens zoveel eeuwen oud dat de bodem zo onder me wegzakt. Dat is een gevoel waarvan ik heel zeker weet dat juffrouw Eaton het bepaald onfatsoenlijk zou vinden.

Op 16 november was Hope juist bezig met haar laatste reeks afdrukken in de donkere kamer van de Kuling School toen de muren begonnen te weergalmen van het geschreeuw van de scholieren. Ze haalde de foto's zo geduldig mogelijk door ontwikkelaar en fixeerbad, hing ze zorgvuldig op aan het droogrek, waste haar handen en deed haar schort af. Ze trok haar jasje aan, haalde een hand door haar haar en kwam uit de donkere kamer tevoorschijn met alle waardigheid die ze kon opbrengen nu ze was blootgesteld aan al die chemicaliën en ze half verblind was door lichtdeprivatie.

'Wat is er?' vroeg ze aan een klein meisje met vlechten dat richting trap galoppeerde.

'Soldaten!'

'Wat voor soldaten?'

Maar het meisje was weg, en Hope wachtte niet op verdere details. Een halfuur later was ze thuis bij de kinderen en hield Yen de wacht op de veranda. Ze was onderweg geen mens tegengekomen, noch had ze een glimp opgevangen van tenten, kanonnen of verkenningseenheden. Ze had geen idee wat voor soldaten er gesignaleerd waren, bij welk leger ze hoorden of wat hun reden zou kunnen zijn om de berg op te komen. Maar ze was niet van plan zich van haar kinderen te laten scheiden nu het erop aankwam.

Ze gingen allemaal bij de ramen staan, Morris boven in de studeerkamer, Jasmine in de keuken. Pearl en Hope betrokken de wacht op het noorden en zuiden, terwijl Ah-nie en Teddy zich schuilhielden in de kinderkamer, waar Ah-nie bijna onder het bed verdween. Af en toe werd er alarm geslagen, één keer toen Morris iets zag bewegen wat een springend hert bleek te zijn, en verscheidene keren wanneer het vruchtbare brein van Jasmine van een rots of struik weer eens een tot de tanden bewapende soldaat had gemaakt. Maar Hope was om twee uur thuisgekomen. En om vier uur zakte de zon weg achter de bergkam en begonnen ze allemaal schrikachtig te worden.

Plotseling werd Hope geroepen door Yen. Er kwamen twee mannen aanlopen. De ene was politiechef Liu, met gezwollen borstpartij en zijn meest gedienstige frons op het voorhoofd. Achter hem liep met grote passen een man in het bruine uniform van het Nationale Revolutionaire Leger.

Hope liet zich in een stoel op de veranda zakken en probeerde zo rustig mogelijk adem te halen. Onder aan de trap salueerde Liu en klakte zijn hielen tegen elkaar. Zijn metgezel knikte en kwam het trapje op.

'Mevrouw Liang?' Zijn accent was Amerikaans – Yankee, en nu ze hem van dichterbij zag besefte ze dat hij nooit voor meer dan driekwart Chinees kon zijn. Zijn gezicht was even lang als dat van Morris, hoewel zijn ogen iets minder rond waren en zijn voorhoofd iets rechthoekiger was. Hij was stevig gebouwd, jeugdig en vitaal van voorkomen, en zijn gelaatsuitdrukking had iets opens dat je bij volbloed-Chinezen bijna nooit ziet. Zijn houding was officieel genoeg zonder een spoor van gewichtigdoenerij.

'Ja,' antwoordde ze.

'Ik ben luitenant Jung. Ik heb een pakje van uw man.' Hij draaide zich om zodat Liu niet kon zien wat hij deed, stak een hand in zijn jasje en trok er een dikke envelop uit. Ze liet hem in de zak van haar rok glijden.

'Hebt u hem dan gezien?'

'We zaten in dezelfde eenheid die Wuhan binnentrok. Daar is hij nu.'

'Ik had hemzelf verwacht.'

'Ik moet zijn spijt overbrengen. En u ook zeggen dat hij twee keer eerder heeft geprobeerd een bericht te verzenden. Ik was bij hem toen hij Sjanghai telegrafeerde. Hij was zeer ontgoocheld toen hij vernam dat u daar niet was teruggekeerd. Toen ik werd gedetacheerd bij een van de eenheden die Kiukiang moesten innemen, verzocht hij mij hierheen te gaan. Ik ken uw man al jaren. Hij was bevriend met mijn vader, en ik beschouw het als een eer dat hij mij vertrouwt.' De aandacht van de luitenant dwaalde even af naar de kinderen die samendromden bij het raam.

Hij glimlachte. 'U hebt een zoon.'

'Twee.'

Hij salueerde naar de kinderen, en toen Hope knikte tuimelden ze naar buiten.

'Dit is luitenant Jung,' zei ze. 'Hij is een vriend van papa.'

'Waar is papa?' vroeg Pearl meteen. 'Is alles goed met hem?'

Teddy liet de soldaat zijn nieuwe kiezen zien.

'Was u ook bij de gevechten?' wilde Morris weten.

'Is dat een echt pistool?' vroeg Jasmine.

Hope bracht haar kinderen tot zwijgen. 'Het is al laat. Als u deze stormloop kunt hebben, kunt u hier met alle plezier vannacht blijven.'

'Nee, dank u. Ik ben ingekwartierd in het dorp, maar morgenochtend zal ik u en de kinderen vergezellen naar Kiukiang en zorgen dat u veilig aan boord van de stoomboot kunt.'

'Wilt u dan in elk geval iets eten?'

Luitenant Jung antwoordde met een nauwelijks waarneembaar knikje naar de politiechef, die halverwege de trap op was geslopen en naar voren leunde om geen woord te hoeven missen. De soldaat knipoogde naar Hope en draaide zich om naar Liu om hem te laten weten dat hij zo weer met hem mee zou komen. De politiechef liet zich snel weer zakken en viel bijna achterover. Onder aan het trapje salueerde hij nogmaals.

'Ik weet niet hoe ik u bedanken moet,' zei Hope.

De man haakte zijn duim achter zijn leren patroongordel. Zijn ogen gingen weer terug naar Morris, wiens mond was opengevallen van pure bewondering. Opeens stak de luitenant zijn hand uit. Verbaasd keek Morris vlug om zich heen, alsof hij om permissie vroeg, maar voor die kon worden gegeven of geweigerd greep hij de hand van de soldaat al enthousiast beet en begon aan zijn arm te zwengelen.

'Luitenant?' vroeg Hope.

De soldaat keek op.

'Wie is uw vader?'

Hij liet Morris los. 'Zijn naam was Morris Jung. Hij is vorig jaar in Peking overleden.'

Ze stonden elkaar aan te kijken als twee verre familieleden bij een eerste ontmoeting. Er was dat vage gevoel dat dit een belangrijke ontmoeting was, een onduidelijk besef van verbondenheid, maar tegelijkertijd waren beiden totaal verbijsterd. Uiteindelijk was er slechts één ding dat hen verbond. Eén reden voor de nieuwsgierigheid van de soldaat. Waarom Morris naar zijn vader heette. En waarom Hope haar gezin zou moeten toestaan hem dwars door een oorlogszone heen te volgen.

'Heeft mijn man u gezegd dat u dat moest zeggen?' vroeg Hope.

De jongeman keek beledigd. 'Maar het is de waarheid.'

'Waarom kon hijzelf niet komen?'

Hij kromp ineen. Hope keek langs hem heen en gaf Yen een teken dat hij de kinderen binnen moest brengen. Ze gingen schoorvoetend, en de soldaat forceerde een glimlach en verzekerde haar dat hij hen de volgende dag weer zou zien. Hope liep naar het eind van de veranda en wierp een boze blik op de politiechef om hem buiten gehoorsafstand te houden.

'Wat is er gebeurd?' drong ze aan. Ze praatte bijna op fluistertoon.

Uiteindelijk liet de bode zijn masker zakken. Hij sprak kalm en toonloos, zijn lichaam stram in de houding. 'Hij is onder huisarrest geplaatst. Borodin heeft hem aan de kaak gesteld als contrarevolutionair, en gedreigd de bezittingen van uw man in beslag te nemen. Hij stond erop dat ik het niet tegen u zou zeggen, maar...'

Hope keek van hem weg. De duisternis was over de vallei neergedaald. Zo af en toe trilde een zacht wit licht achter de bergen. Na de gebruikelijke stilte zou het in de verte gaan donderen.

Wuchang
29 oktober 1926
Liefste Hope en kinderen,

Op de Tiende van de Tiende heeft ons Nationale Revolutionaire Leger mijn geboortestad 'bevrijd'. Toen we de rivier overstaken stond de Bund van Hankow vol arbeiders en kooplieden die met vlaggen zwaaiden, de stralende zon van de Republiek. 'Lang leve de Republiek!' riepen ze. Er is nauwelijks gevochten, aangezien de meeste plaatselijke generaals zich bij ons hadden aangesloten, en de mensen hier ons unaniem steunden. Daar is nu enige verandering in gekomen. Elke dag brengt verandering.

Dat is reden dat ik hier voorlopig moet blijven en niet bij jullie kan komen. Het spijt me. Ik heb een telegram gestuurd naar Sjanghai en kreeg bericht van Sarah dat jullie in Kuling waren gebleven. Je zult de gelden wel niet ontvangen hebben die ik je in augustus en september gestuurd heb vanuit Changsha. Yen zal zich over jullie ontfermen. Dat weet ik. Maar ik maak me zorgen. Ik vertrouw erop dat luitenant Jung deze brief en deze gelden stipt bij je afgeeft. Als onze troepen succesvol zijn in Kiukiang, weet ik dat dit jou zal bereiken. Wanneer de luitenant onze familierelatie uitlegt, zul je weten dat je op hem kunt vertrouwen, en hij zal ervoor zorgen dat jullie veilig naar ons huis in Sjanghai terugkeren.

Het is gevaarlijk om een volledig verslag van de gebeurtenissen te geven. Ik kan niet zeggen wanneer ik mij bij jullie kan voegen, noch heb ik nieuws van Jin. Toen ik in Changsha aankwam, was hij al vertrokken. Maar weet dat het mij goed gaat. Mijn oude bedienden hier in Wuchang zorgen goed voor mij. Ik weet niet wat er met mijn eigendom hier zal gebeuren. De stemming in deze stad is nu onzeker, maar als ik hoor dat jij en onze kinderen veilig en wel zijn, ben ik tevreden. Soms, tijdens de veldtocht, kijk ik op naar de bergen en denk aan het lied van Wang Wei.

Ik loop tot wateren mijn pad stuiten,
Wend mij dan tot de rijzende wolken.
Ik zend je mijn liefde, mijn zorg. Mijn hart. Hsin-hsin.
Ik ben je man, Paul

4

HEEL GELEIDELIJK, NADAT HOPE EN DE KINDEREN ZICH EEN WEG hadden gebaand door de bomvolle straten van Kiukiang en bespuugd waren door stakende riksjalopers, nadat ze beschimpt waren door een menigte die op het punt stond een als katholieke priester uitgedoste pop te lynchen, nadat haar de machinegeweren waren opgevallen die de buitenlandse concessie afbakenden en ze de muurkranten had gelezen die melding maakten van de publieke onthoofding van fabrieksarbeiders door de door Engeland gesteunde krijgsheer in Sjanghai, nadat ze een Yangtze hadden bereikt die vol lag met kanonneerboten en de geruchten hadden gehoord dat de Kuomintang gescheurd was in een rechtse factie onder generaal Chiang Kai-shek met Nanking als hoofdstad, en een door Michael Borodin in het zadel geholpen linkse regering in Wuhan – pas toen drong volledig tot Hope door hoezeer de geliefde revolutie van Paul uit de hand begon te lopen. De precieze reden dat hij gearresteerd was en het werkelijk gevaarlijke van zijn toestand bleef voor het moment onduidelijk, hoewel Hope veronderstelde dat Borodin Paul als lid van de rechtervleugel op de korrel had genomen. De luitenant kon haar alleen vertellen dat hij de brief en de bijgesloten honderd dollar van Paul had gekregen van William Tan, die Paul 's avonds laat was komen opzoeken alvorens naar Amerika te vertrekken, waar hij als ambassadeur van Chiang zou gaan dienen. William had luchtig gedaan over de arrestatie, alsof Paul alleen maar zijn huis aan het beschermen was. De stad Wuchang was een broeinest van agitatie, verklaarde luitenant Jung. Arbeiders bestormden de buitenlandse concessies, en Borodin had een begin gemaakt met de confiscatie van alle bezittingen van afwezige landeigenaars. De stem van Paul, zo zei de jonge soldaat, was 'een stem van rede in een tijd dat gezond verstand als hoogverraad werd gebrandmerkt'. Die zinsnede klonk nog in haar hoofd na toen Hope de kinderen aan boord van de Britse stoomboot *Tuk Wo* loodste, en in de drie dagen die volgden, dagen dat ze elke avond hartstochtelijke bekentenissen aan Paul schreef, die ze verbrandde nog voor de inkt was opgedroogd.

Op de middag van Thanksgiving Day kwamen ze weer in Sjanghai aan. Ze namen een taxi naar huis. Hope kreeg de indruk dat de hele stad de adem inhield. Ze reden net langs de Holy Trinity Cathedral toen de kerkgangers naar buiten kwamen. De stroom gelovigen was zowel enorm als onnatuurlijk stil. Op Nanking Road knipperden de lichten, de etalages van Sincere en Wing On lagen stampvol geïmporteerd speelgoed en drank, fruit en pudding, en het leek wel of iedereen die vrij had eropaf was gekomen, maar de gezichten stonden eerder zorgelijk dan vrolijk. Tussen de rondstruinende buitenlanders bivakkeerden overal de vluchtelingen.

'Ik heb het gevoel alsof we jaren weg zijn geweest,' zei Pearl. 'Is de stad veranderd, of ben ik het?'

Hope wiste condens van de ruit zodat Teddy naar buiten kon kijken. 'Ik vrees allebei.'

'Is papa ook thuis?' vroeg Jasmine.

'Ik denk het niet.' Hope had er lang over nagedacht, maar ze had besloten dat het zowel voor de kinderen als voor Paul beter was als ze het nieuws van de luitenant voor zich hield. Ze had het zelfs niet tegen Yen gezegd.

Maar toen de taxi voor het huis bleef staan, steeg een holle kreet in haar keelgat op. De lichten waren aan, rook kringelde uit de schoorsteen en schaduwen bewogen langs de gordijnen in de salon. Op dat moment werden al haar angst en woede en hartzeer overspoeld door een gewaarwording van opluchting – zelfs de uitputting van de laatste dagen was even weg. Ze rende al voor de kinderen uit, over het pad, en liet Yen de betaling en de bagage afhandelen. De sleutel was in haar hand. De deur zwaaide open. De stemmen binnen zwegen abrupt.

Ze liep de woonkamer binnen en nam de mensen die daar zaten snel op: vier jongemannen, twee vrouwen. Chinees. Een van de vrouwen zat aan het bureau van Hope, met de pen van Hope in de aanslag boven een schrijfblok. De mannen zaten en stonden, boeken in de handen. De andere vrouw kwam net uit de keuken met een volgeladen theeblad.

Ze gaapten Hope allemaal aan, en de kinderen achter haar, en op dat moment vervloog haar opluchting. Ze waren drie maanden opgehouden geweest. Paul had tegen haar gezegd dat hij voor een jaar huur vooruit had betaald, maar wie wist wat er precies geregeld was? Ze had de huisbaas zelfs nooit gezien. Geen bewoners, geen huur. Natuurlijk. Hun huis was weggegeven.

Ze voelde haar gezicht dik worden van tranen, haar schouders begonnen te trillen. Ze draaide zich om, maar de weg werd haar versperd. Er was iemand achter haar komen staan, handen grepen haar schouders beet. Ze deinsde terug. De kinderen begonnen te giechelen toen zij opkeek, en recht in de bekende, langgerekte zwarte ogen keek.

Jin.

10 december 1926

Het wachten is ondraaglijk. Sinds Jin een week geleden naar Wuhan is vertrokken, heb ik niets gehoord, en ik geef mezelf er afwisselend van langs dat ik de situatie opblaas en verdoem mezelf dat ik al mijn vertrouwen in hem gesteld heb.

Rechtvaardigingen vliegen rond als serpentines. Een zoon zou zijn vader nooit verraden. De positie van Jin als organisator van studenten en voormalig Expeditie-propagandist verschaft hem toegang tot allerlei informatie. Hij kent de doolhof van Wuhan, zowel fysiek als politiek, zou kunnen ontsnappen als het zover moest komen. En wat is per slot van rekening het alternatief? Als ikzelf ging zou ik de kinderen alleen moeten laten, en wat zou ik nu werkelijk voor elkaar kunnen krijgen? Paul heeft onze levens zo gewetensvol apart gehouden dat ik niet eens weet waar hij staat in de huidige hiërarchie. Ik heb overwogen Yen te sturen, en het is best mogelijk dat hij via de bediendenondergrondse contact met Paul zou kunnen leggen, maar hij heeft de status noch de gewiekstheid om onderhandelingen te voeren over zijn vrijlating. William zou natuurlijk de aangewezen figuur zijn geweest – dat die uitgerekend nu het land uit moest! Maar toen William in Wuhan was heeft hij ook niet meer kunnen (of willen) doen dan als boodschapper optreden. Eugene Chou is in Peking, en Jed... wel, ik ben bij Jed langsgegaan, maar wat hij de afgelopen herfst hier allemaal heeft zien gebeuren, heeft hem veranderd op een wijze die mij angst inboezemt. Hij begon uit te varen over de straat-executies waar hij getuige van was geweest – vrienden van hem, zei hij. Parate executies. Een meisje bij Siccawei was van ingewanden ontdaan en vervolgens met haar eigen darmen gewurgd. Ik trok wit weg, maar hij praatte maar door. Zijn ogen straalden een afgrijselijke gloed uit. We waren achter de winkel waar hij zijn studio heeft, en voor ik vertrok wilde hij me per se zijn 'verzameling' laten zien. Ik dacht dat hij het over camera's had, maar hij liet me een doos vol stiletto's, bijlen en automatische wapens zien, allemaal gestolen, zei hij, van de politie van de plaatselijke krijgsheer.

Dus vertelde ik het aan Jin. Die zei dat hij *kanalen* kende. Door de 'revolutionaire studiegroepen' die hij geleid heeft, heeft hij status gekregen als 'organisator'. Ik schrik terug voor de verbale tirannie van de revolutie en de sensationele aspecten ervan. Ik wil zo wanhopig graag geloven dat het werkelijk is wat het lijkt – een spelletje van overjarige jongens dat tot kussengevecht zal worden teruggebracht zodra de scheidsrechter zijn fluitje heeft gevonden. Maar wie is de scheidsrechter nu Sun er niet meer is? Chiang? Borodin? De Britten, met hun herenclubs en hun altijd parate commandoposten? Of de Fransen, van wie iedereen zegt dat ze – samen met Chiang – onder één hoedje spelen met de gangsters van de Groene Bende van Tu Yu-sheng? Of de Japanners, van wier intenties niemand ooit op de hoogte lijkt te zijn voor het te laat is. Paul zou van elk van deze het slachtoffer kunnen worden, het is allemaal zo zinloos. Er is niets wezenlijks veranderd sinds de dagen dat keizerlijke raadsheren elkaars rijst vergiftigden om hogerop te komen.

Als we Paul ooit terugkrijgen...

Nee, ik kan niet meer. Ik kan geen beloftes meer doen. Ik kan die dreigementen niet meer verwoorden. Ik heb Cadlow mijn foto's en artikelen gestuurd. Ik dwing mezelf om meer te schrijven. Twee per maand plus foto's, dat levert honderd dollar op. Geen *mei fatse*. Nee. Ik weiger nog langer een speelbal van het lot te zijn. Ik moet eindelijk realistisch zijn over Paul. En hard voor mezelf. Ik moet mijn eigen zekerheid creëren. Omwille van de kinderen. En van mijzelf.

De weken sleepten zich voort. Nog steeds niets van Jin. Nog geen bericht of geld van Cadlow. Voor het oog hield Hope de schijn op van een zekere routine door te blijven schrijven, naaien en in de donkere kamer werken, en het huishouden draaiende te houden met een budget waar flink in gesnoeid was. Ze dronk thee met Sarah, die ze niet had ingelicht over de arrestatie van Paul, en vernam dat de Manns nog geen maand na hun vertrek uit Kuling op de boot naar Zuid-Afrika waren gestapt. In haar angstige bezorgdheid om Paul had Hope Stephen Mann vrijwel vergeten.

De enige keren dat ze erin slaagde die bezorgdheid van zich af te schudden, was wanneer ze zich zorgen maakte om de kinderen. Met veel overredingskracht en betalingen van boetes wegens achterstallig schoolgeld, had Hope Pearl, Morris en Jasmine weer op school weten te krijgen, maar het leek wel of ze net begonnen waren of de kerstvakantie brak al aan. Omdat er geen geld was voor leuke dingen en hun veiligheid buitenshuis niet gewaarborgd was – er heerste een strijdlustige sfeer in de stad – probeerde Hope de kinderen bij hun boeken te houden, en ze de leerstof te laten inhalen die ze die nazomer gemist hadden. Uiteraard beklaagden ze zich allemaal, Jasmine door haar rolschaatsen onder te binden en furieus voor het huis heen en weer te sprinten, Morris door zich in zijn kamer op te sluiten, en Pearl door Hope te belagen met lange, betraande klaagzangen over alle 'vakantiepret' die ze met haar vriendinnen moest missen.

Op kerstavond kwam er een cheque van William Cadlow ter waarde van vijfhonderd dollar – betaling voor de artikelen die Hope in Kuling had geschreven. Haar opluchting over die cheque werd echter getemperd door het begeleidende schrijven, waarin werd geopperd dat Hope in de toekomst misschien meer commentaar zou kunnen geven op het politieke klimaat in China. De recente successen van de zogenaamde Noordelijke Expeditie hadden de belangstelling van het Amerikaanse publiek gewekt, en de bezorgdheid aangewakkerd over Amerikaanse investeringen in China. Wie waren die twee machtige manipulators, Chiang Kaishek en Michael Borodin? Hoe kon het dat ze het ene moment nog partners waren, en het volgende moment vijanden op leven en dood? Was het misschien mogelijk dat zij een van die twee interviewde?

De volgende dagen verkeerde Hope in grote verwarring. Met Kerstmis waren de kinderen zo opgewonden over de onverwachte overvloed aan geschenken – zijden shawls en kousen, gekleurde kralen, sandalen en een houten gans op wieltjes voor Teddy, alles gekocht in Sincere Department Store, in één enkel wazig uur vlak voor sluitingstijd – en het even onverwachte feestmaal van geroosterde eend en wilde appels, dat ze de onkarakteristieke stilte van hun moeder niet eens opmerkten. Ze vroegen niet of haar iets dwarszat. Ze zetten geen vraagtekens bij haar lauwe reactie op hun grapjes, keken niet op toen ze zich terugtrok achter haar bureau. Terwijl Hope hen opnam bekroop haar de gedachte dat het alle vier net draaitollen waren. Teddy die zijn houten gans over de grond duwde, Morris die helemaal opging in zijn boek... Jasmine die de grammofoon begeleidde op een ukelele die een schoolvriendinnetje uit Hawaï haar geleend had, en Pearl die de charleston oefende...

Je zou zo kunnen verdwijnen, hield Hope zichzelf voor, en je afwezigheid zou hun niet meer opvallen dan die van hun vader. Ahnie zou bij hen blijven. En Yen. Het zou maar voor een week of twee zijn.

Op 3 januari, de ochtend dat de kinderen voor het eerst weer naar school waren, ging de telefoon. Jed wilde dat ze naar de winkel kwam om 'een nieuwe camera' te bekijken die 'net was binnengekomen'. Toen ze aankwam keek hij haar waarschuwend aan en droeg de winkel over aan zijn assistent. Vervolgens wenkte hij haar mee naar achteren.

'Er kwam gisteravond een boodschapper met een briefje van Jin.' Hij overhandigde haar een prop blauw papier. 'Het zat in een patroonhuls gepropt.'

Ze beet op haar lip terwijl ze het verkreukelde briefje gladstreek. Jin schreef dat hij de ontsnapping van Paul niet zonder assistentie voor elkaar kon krijgen, en de tijd begon te dringen. Misschien dat haar vrienden op het Amerikaanse consulaat tussenbeide konden komen, of was William Tan al terug...?

Hope vroeg Jed om een lucifer en een asbak, en verbrandde het briefje. 'Kun jij voor mij een introductie regelen bij Borodin?'

Hij zette een pot water op het kookplaatje. Het was koud in de studio, en somber. Het benige figuur van Jed met zijn kortgewiekte, vlammend rode haar wekte een springerige indruk te midden van de imitatie-Chippendale- en Ming-meubeltjes die hij als rekwisieten gebruikte. Hij was even in de weer met de hoeveelheid theeblaadjes, en pas toen hij een kop thee voor haar klaar had gaf hij haar antwoord. Zijn stem klonk helder en geladen, zonder een spoor van zijn stotteren.

'Waarom?'

'Ze hebben me gevraagd of ik hem wil interviewen.' Ze haalde de brief van Cadlow uit haar tasje.

'Ik dacht dat jij je verre hield van politiek.'

'Liever wel. Maar de Amerikaanse lezers schijnen te willen weten wat die erbarmelijk onbeholpen Chinese Nationalisten heeft omgevormd tot een respectabele strijdmacht.' Ze ging in een van de Chippendale-stoelen zitten. 'Bovendien heb ik van Jin en Paul gehoord dat Borodin in de salons van Kanton het lievelingetje was van iedereen die jong en modern is. Hij spreekt Engels en hij spreekt graag.'

'Het is alsof ik iemand anders hoor, Hope.'

'O ja?' Ze keek strak naar een kalender – een geschenk van een of andere verffabriek – die Jed aan de muur had gehangen. Een zwartgroene berg, gehuld in mist en wolken, woog zwaar op het raster van de dagen. 'En wier stem hoor jij dan wel?'

'Wier.' Jed schudde zijn hoofd. 'Altijd grammaticaal correct. Dat ben jij helemaal. Maar verder... Waar zit Paul trouwens?'

Haar schouders gingen mechanisch omhoog en weer naar beneden. Het verwilderde voorkomen van Jed, zijn ongeschoren kin, zijn krampachtig bewegende groene ogen, en zijn weigering om te gaan zitten inspireerden haar niet bepaald tot vertrouwelijkheid. Ze dacht aan zijn wapenarsenaal achter dat vergulde scherm. Kon het zijn dat zij in die tientallen jaren dat ze Jed inmiddels kende in bepaalde opzichten net zo was veranderd als hij?

'Weet je hoe ze v-vrouwen als jij noemen?' vroeg hij.

'Ik wist niet eens dat er genoeg vrouwen als ik waren om een speciale naam te rechtvaardigen.'

'Sun-w-weduwes.' Jed zette zijn kopje tussen de lenzen, lichtfilters en lege filmdoosjes waar zijn tafel bezaaid mee lag. 'Sun is het symbool van de revolutie-'

'Wcet ik ook,' snauwde Hope. 'Kun je me helpen?'

'Hoe zit het met Madame Sun, de originele weduwe zelf? Die werkt met Borodin samen. Paul kent haar vast wel. Waarom vraag je haar niet om een introductie?'

'Ik heb liever dat Borodin mij ontvangt als Amerikaans journaliste dan als vrouw van Paul.'

'Wat ontzettend on-Chinees.' Jed ontblootte zijn verwaarloosde gebit in een ongegeneerde geeuw. 'Je bent toch niet van p-plan om alleen te gaan?'

'Ik denk dat ik alleen wel beter af zou zijn.'

'Ik heb gehoord dat de situatie in Wuhan aardig gespannen is. Veel anti-buitenlandse protesten.'

'Dat zeggen de kranten, ja. Maar ik hoef daar maar een dag of twee te zijn. Ik wil echt geen gezelschap, Jed.'

'O, maak je geen zorgen. Het was een w-w-w-waarschuwing, geen aanbod.' Hij stak zijn duimen in de zakken van zijn verschoten blauwe jasje en stond op zijn wang te kauwen. Uiteindelijk schudde hij zijn hoofd en pakte een stukje papier. 'Deze man is assistent van Borodin. Je zult hem aantreffen in het hoofdkwartier in Hankow. Als je die brief meeneemt, zal hij je bij Borodin brengen. Maar als ik jou was zou ik Chinese kleren aantrekken en de Britse stoomboten mijden.'

Hope staarde hem aan. Ze had hem nog nooit zo lang horen praten zonder stotteren. Hoewel ze niet goed wist waarom, stemde dat besef haar treurig. Ze nam het papiertje van hem aan, sloeg haar armen om hem heen en bedankte hem met haar gezicht tegen zijn schouder gedrukt. Hij rook naar fotografische chemicaliën en sigarettenrook, salpeter, en, vaag maar onmiskenbaar, chocola. Hij beantwoordde haar omarming stijfjes en wenste haar succes.

Hope liep van Denniston's naar de confuciaanse tempel, waar ze een uur lang alle opties de revue liet passeren. Allemaal waren ze akelig of angstaanjagend, of allebei. Ze kon proberen een telegram naar William te sturen. Of een beroep doen op Madame Sun. Of smeken om interventie van Eugene Chou. Of ze kon naar Borodin gaan. Vertrouwen. Dat was waar elke optie op stukliep. Vertrouwen, het essentiële, het onmogelijke – de les, zag ze nu in, die Paul al die jaren getart had. Zij die macht hadden waren nimmer te vertrouwen, maar als je die macht nodig had had je geen keus.

Ze liet haar ellebogen op haar knieën zakken en wreef met haar duimen over haar slapen. Ze probeerde zich de verhalen voor de geest te halen die Paul altijd vertelde over paleisintriges en ministeriële trucjes, de waanzinnige wereld van gunsten en wedergunsten die geleerden en eunuchs routineus verleenden om invloed aan het hof te krijgen – en hoe vaak je loyaliteiten je de das om konden doen wanneer de rollen opeens werden omgedraaid. De Chinese manier was om nooit iets rechtstreeks te doen. Ze liepen met een boogje om elke geestenmuur heen, stapten over hoge drempels, wendden hun ogen af, vertrouwden op tussenpersonen, allemaal uit angst om te grieven of gegriefd te worden – of verstrikt te raken – door schande of kwaad. En toch zat Paul daar nog. Wuchang was zijn thuis. Hij had vrienden, machtige vrienden die hem inmiddels toch zeker geholpen hadden kunnen hebben om te ontsnappen. Waarom zat hij daar nog?

Ze wist het wel, al had ze wekenlang geweigerd het onder ogen te zien. Hij had Borodin één keer getrotseerd, toen zijn leven op het spel stond. Deze keer lagen ze in de clinch over onroerend goed. Paul zette zijn vrijheid op het spel voor zijn huis. 'Als mijn kop zo dik is, zal die mij beschermen,' had hij geschertst. Zelfs nu, dacht Hope, *weigert* hij te geloven dat hij werkelijk in gevaar is.

Uiteindelijk besloot ze dat ze maar één keus had. Ze ging naar huis en werkte tot vroeg in de middag. Ze nam al haar notities door over haar eerste gesprekken met Paul over zijn studententijd in Tokio, en die van tien jaar later, toen hij de mislukte 'ontsnapping' van Li Yüan-hung uit Peking had voorbereid. Toen ze de namen had die ze hebben moest, trok ze haar duurste en zakelijkste zwarte pakje aan, stak de noodzakelijke documenten bij zich in haar tasje en ging naar het Japanse consulaat.

Twee uur lang vroeg ze de ene onverstoorbare ondersecretaris na de andere om informatie over meneer Nakai Mitsuru, die in haar notities omschreven werd als 'een oude vriend uit Pauls Japanse tijd, nu Raadslid van de Japanse Legatie in Hankow'. Hoewel niemand toegaf de naam te kennen, stond ze uiteindelijk voor de consul-generaal zelf, die een stijve buiging maakte en haar vertelde dat meneer Mitsuru inderdaad nog altijd in Hankow zat, en waarmee kon hij haar van dienst zijn? Deze kleine, strenge man had de macht om haar te helpen, en ze dwong zichzelf om hem te vertrouwen. Hij controleerde haar introductiebrieven met een grimmige omzichtigheid, checkte uitvoerig de documenten waaruit moest blijken dat Paul met Sun Yat-sen had samengewerkt en dat hij in Japan had gestudeerd, en ondervroeg haar met onmiskenbare argwaan over de omstandigheden rond haar huwelijk, maar ze werd geen moment onzeker. Uiteindelijk gaf hij toe. Als zij haar man naar het consulaat in Hankow wist te krijgen, zou hij Mr. Mitsuru opdracht geven hem politiek asiel te geven.

De volgende ochtend, nadat ze de verantwoording voor het huishouden had overgedragen aan een bezorgde maar nu volledig geïnformeerde Yen, ging Hope aan boord van een Belgische stoomboot. Ze was de enige vrouw aan boord. Het duurde slechts enkele uren om tot het besef te komen dat de verhoudingen aan boord van de vaartuigen die naar Sjanghai voeren totaal anders lagen. Er waren gigantische demonstraties geweest tegen de concessies in Hankow, kreeg ze te horen, en de Britse mariniers hadden geweigerd die te bestrijden. Nu waren de concessies – of ze nu Europees, Amerikaans of Japans waren – de vrouwen en kinderen bij honderden aan het evacueren. Voor het eerst, stelde de Chinese stuurman handenwrijvend vast, gaven de imperialisten land terug dat ze gestolen hadden.

Het was schemerdonker, zes dagen later, toen de stoomboot in Wuchang afmeerde. Hoewel het bitter koud was en er een dikke mist hing, weergalmden de smalle straten die vanaf de haven landinwaarts kronkelden van de stemmen, en overal dansten gele lantaarns. Hope trok de dikke gewatteerde jas – een aandenken aan haar dagen in Peking – strak om haar hals dicht, trok haar met bont afgezette muts over haar ogen en sloeg haar arm om de reistas die een verschoning bevatte, haar camera, haar trouwring, en de notities waarvan ze hoopte dat ze er genoeg aan zou hebben voor het interview. Paul bevond zich ergens aan de andere kant van deze duistere doolhof. Ze had overwogen om eerst te proberen naar hem toe te gaan, maar de dreigende blikken van de riksjalopers en de afwezigheid van enig alternatief vervoer hadden die gedachte gauw verdreven. De stoombootkapitein, een dikke bebaarde man die voortdurend met een hand in de zak in zijn kleingeld stond te graaien, had haar verteld dat de lopers nog het meest oorlogszuchtig waren van alle anti-buitenlandse groeperingen in de Drie Steden: ze 'eisten hetzelfde bedrag als wat u voor de stoomboot betaalt voor een stukje door de stad – en roepen hun maatjes erbij als iemand zo stom is om dat niet te betalen. Waanzin is de norm in Wuhan vandaag de dag. Alles lijkt te kunnen daar'.

Bovendien, had ze zichzelf voorgehouden, werd het huis van Paul bewaakt, en zou een clandestien bezoek hem misschien verder in gevaar kunnen brengen – en wellicht ook haar eigen veiligheid op het spel kunnen zetten. Ze moest Jin zien op te sporen. Dus nam ze de eerste de beste veerboot naar Hankow en stak de Bund over, zoals Jed haar had uitgelegd, naar de sombere, hoge villa die Borodin als hoofdkwartier in gebruik had genomen.

Toen ze eenmaal over de drempel was gestapt, was er niets sombers meer aan. Het was alsof ze het oog van een storm betrad. Aan weerskanten van een ooit statige mahoniehouten trap waren kamers, allemaal vol tafels, boeken en stapels papieren en een stuk of tien, twaalf mensen die druk bezig waren kopij te plakken en uit te leggen, te vouwen en te perforeren, en de pagina's te nummeren. Het waren meest jonge mannen en vrouwen, gehuld in de saaie kleuren en het gekreukte katoen van het proletariaat. Een paar stonden te praten in haastige, maar ernstige woordsalvo's, die leken te worden geaccentueerd door de gestage dreun van drukpersen en het getik van schrijfmachines in aangrenzende vertrekken. Hope bleef onopgemerkt in de lege hal staan. Ze moest denken aan het persbureautje van Paul in Chinatown, haar eigen onzekere activisme in Berkeley. Ze had het gevoel alsof ze tegelijkertijd terug en vooruit in de tijd werd gesleept.

Ze sloot haar ogen en haalde een paar keer rustig adem. Toen liep ze naar het grootste vertrek aan de hal, en ging net ver genoeg naar binnen om oogcontact te krijgen met de snelst pratende jongeman, een donkere vent met Chinese gelaatstrekken maar met een ruig zwart briljantinekapsel, en een air van gezag. 'Ik zoek...'

Hope raakte opeens in de war, bloed stroomde naar haar gezicht terwijl haar hersens leken leeg te lopen. Uiteindelijk gooide ze er de enige naam uit die ze bedenken kon. 'Meneer Su.' De vriend van Jed.

Ze voelde haar hart tegen haar ribben bonzen terwijl de man haar nauwkeurig opnam. Hij stond kaarsrecht. 'Ik ben Su,' zei hij in afgebeten Engels.

Ze liet de naam Jed vallen, die de man een lach en een knik ontlokte, waarop ze uitlegde dat ze door het Amerikaanse tijdschrift *Harper's* gestuurd was om meneer Borodin te interviewen. Ze liet de brief zien waarmee ze zichzelf identificeerde. Hope Newfield.

Zonder commentaar liep Su met grote passen de hal in en verdween de trap op. Hope bleef onder aan de trap staan. De hele reis over de rivier lang was ze van afkeer vervuld geweest van de uitvluchten die ze zich gedwongen zag te gebruiken, het gevaar dat opeens op haar weg was gekomen. Bewijs van die afkeer was haar onvermogen om te geloven dat wat ze zag en meemaakte echt was. De geur van inkt en zweet, de dreunende planken vloer, het snoeppapiertje dat uit de vingers van een jong meisje viel terwijl ze het volgende pamflet pakte om op te vouwen – allemaal onecht. Net als de ongewassen groene draperieën en de schilfers email die van de imitatie-ivoren vensterbanken vielen, en de kale peertjes die boven haar hoofd zoemden – niets van al die details maakte de situatie een spat geloofwaardiger. Deze wereld die Paul en Jin en Jed bewoonden, dit rijk van de revolutie stond zover van haar eigen ervaringswereld, hoe lang ze ook langs de zijlijn had staan kijken, dat ze het gevoel moest onderdrukken in een avonturenboek van Morris beland te zijn. Maar erger dan het gevoel van onwerkelijkheid was de verwarring die eruit voortkwam. Haar geest weigerde haar plan te volgen. Ze was van plan geweest naar Jin te vragen, niet naar Su. Jin was hier ook ergens, in de een of andere hoedanigheid; dit was het adres dat in zijn briefje vermeld stond, en ze was naar binnen gestapt met zijn naam op haar tong. Nu had ze zichzelf in deze positie gemanoeuvreerd, nu moest ze er zelf ook maar het beste van maken. Maar dan moest ze niet nog eens de mist in gaan.

Ze hoorde geroezemoes boven, een deur ging open en dicht, een paar laarzen denderden de kale trappen af. Ze trok zich terug, maar het ritme van de laarzen had iets vertrouwds, en zodra de gedaante, een man met ronde oortjes in het uniform van het Noordelijke Expeditieleger, in zicht kwam, riep ze hem zachtjes.

Jin verbleekte toen hij haar zag, en knipperde verschrikt met zijn ogen. Hij greep haar bij de pols, trok haar mee naar een nis onder de trap die vol stond met dozen en kapotte typemachines. Ze spraken op dringende, maar bijna onhoorbare fluistertoon. Toen ze hem vertelde onder wat voor voorwendsel ze naar Wuhan gekomen was, haalde hij zuigend adem. 'Heb je tegen Su gezegd...'

Ze schudde haar hoofd en liet hem haar ringloze hand zien. 'Ik ben hier als journalist, om Borodin te interviewen. Maar ik heb voor Paul protectie geregeld in het Japanse consulaat. Kun jij hem daar krijgen?'

Hij keek haar ongelovig aan, en één verschrikkelijke seconde lang dacht ze dat hij het zou weigeren. Toen knikte hij grimmig. 'Interview Borodin, meteen als het kan, en houd hem zo lang mogelijk bezig – hij zou de Tsjeka vanavond zijn zwarte lijst geven.' Hij aarzelde of hij zich nader verklaren moest. De Tsjeka was de geheime politie van Borodin – en met name de geheime politie die werd ingezet tegen contra-revolutionairen. 'Ga daarna naar de Japanners. Ik breng vader.'

Voor het eerst in al die jaren dat ze hem gekend had, omhelsde Jin haar. Het was een harde, bevende omhelzing, vol doodsangst. Even later was hij weg.

Ze wachtte verscheidene seconden, leunend tegen de zijwand van de nis. Toen beet ze de kleur terug in haar lippen en liep weer terug naar de trap, net toen Su naar beneden kwam. Hij zei dat ze een kwartier kon krijgen, en ging haar voor naar boven, naar een eenvoudig gemeubileerde zitkamer, waar op een veel te vol gepropte leunstoel een grote man met donker haar troonde.

Ze zou Borodin ook zonder Su wel herkend hebben. Ze zag de wollige zwarte snor die William had beschreven, de levenszatte ogen met hun zware oogleden. Zijn zwarte haar was kortgeknipt met een scheiding opzij, zijn wenkbrauwen waren dik en glad. Zijn gezicht was mager, de lijnen erin net zo scherp als de vouwen in zijn broek, maar onder zijn loshangende geborduurde Russische tuniek had hij de bouw van een beer.

'Dus juffrouw Newfield,' zei hij in perfect Engels, met een gebaar dat ze tegenover hem plaats kon nemen, 'u komt hier van *Harper's*?'

'Ik kom,' zei ze, terwijl ze de laatste Amerikaanse grond voor haar geestesoog opriep waarop ze gestaan had, 'van San Francisco.'

En zo begon de schijnvertoning. Een in wit gehulde bediende serveerde haar een kleverig zoet likeurtje. Borodin schonk thee uit een zilveren samovar. Hij stak een onsamenhangend betoog af over het genie van Shakespeare, het raffinement van Tsjechow en zijn eigen passie voor Tsjaikovsky. Ze vroeg zijn mening over het Chinese vernuft. Hij legde uit dat de sleutel van de Chinese revolutie nu net school in de bevrijding van die vernuftige geest, die zo lang vertrapt en verdeeld was geweest door de tegenstrijdige belangen en eisen van gezin, krijgsheren en het keizerlijke systeem.

'Eenmaking en toewijding aan het nationale welzijn – dat zal de ware grootheid van dit volk ontketenen.' Hij vouwde zijn grote handen over een knie. 'Eenwording van de wereld als geheel zal hetzelfde effect op ons allemaal hebben.'

'Ik neem aan dat u eenwording onder het socialisme bedoelt, meneer Borodin?' zei Hope.

Hij zoog zijn wangen naar binnen. 'Zo u wilt.'

'Dan veronderstel ik ook dat u het als een keer ten goede ziet dat buitenlandse concessies weer onder Chinees bestuur komen.'

'In zoverre de concessies imperialistische excessen waren. Maar ik geloof dat mijn Chinese vrienden hun eigen excessen etaleren. Ik ben niet tegen buitenlandse investeringen in China, zolang de voorwaarden eerlijk en gerechtvaardigd zijn. Slavernij, juffrouw Newfield, is nooit eerlijk of gerechtvaardigd. Maar emancipatie van die slaven van de ene dag op de andere, zonder enige voorbereiding op hun vrijheid, is dat ook niet. En dat was helaas het effect van de Chinese omverwerping van het Manchubewind. Mijn goede vriend dr. Sun Yat-sen was een waarlijk groot man, een man met visie. Zoals u weet is zijn jonge vrouw hier bij ons in Wuhan. Treurig genoeg is dr. Sun echter verraden door zijn reactionaire vrienden, wier werkelijke belang bij de revolutie alleen gelegen was in hun eigen aanspraken op de macht van de Manchu's.'

Hope bracht het glaasje likeur naar haar mond en dronk het leeg.

'Hoe staat u tegenover Chiang Kai-shek?' drong ze aan, toen ze weer moed had gevat. 'De mensen schrijven hem bijna net zoveel overwinningen van de Noordelijke Expeditie toe als u.'

'Kameraad Chiang is een voortreffelijk generaal. Jammer dat u vorige maand niet in Kuling was. Dan had u ons samen kunnen interviewen. Wij zijn elkaar niet zo vijandig gezind als sommige mensen het doen voorkomen.'

Hope sloeg haar blik neer naar haar notitieboekje. 'Kuling?'

'Het vakantieoord in de bergen dat zo populair is onder buitenlanders, boven Kiukiang. Bent u daar nooit geweest?'

Ze boog zich over haar pen, en reageerde niet duidelijk.

'Een zeer ontspannen oord voor een ontmoeting der geesten. Vooral in de winter wanneer er geen buitenlandse toeristen zijn.'

Ze staakte haar berekeningen van data en bijna-blunders, en ontmoette zijn fonkelende blik. 'Excuseer meneer Borodin, maar bent u in zekere zin niet ook een toerist?'

Hij lachte. 'Dat ben ik inderdaad, ja. Een revolutionaire toerist, net zoals u een journalistieke toerist bent. Heel grappig. Ik hoop dat u dat in uw artikel gebruikt. Ja, ik ben alleen op doorreis als raadgever en waarnemer. Precies.' Hij lachte nogmaals. 'Precies!'

Er werd aangeklopt. Su schreed het vertrek door en fluisterde Borodin iets in het oor. De deur viel iets open en Hope zag een man op de gang staan in laarzen en het zwarte uniform van de geheime politie. De Tsjeka.

'Dat was ik nog bijna vergeten,' riep ze uit, terwijl ze haar tas doorzocht. Ze haalde de Graflex tevoorschijn. 'Mijn redacteur zal het me nooit vergeven als ik er geen foto bij doe.'

Borodin glimlachte.

'Alstublieft. Ik weet dat u een drukbezet man bent. Nog een paar minuutjes.'

Hij haalde onverschillig de schouders op en zei tegen Su dat hij nog even geduld moest hebben. Maar zijn adjudant ging niet weg. En de deur ging niet dicht. Het brede pokdalige gezicht boven de laarzen nam haar nauwlettend op.

Niettemin nam Hope rustig de tijd. Het gebrek aan licht zou enige aanpassingen vereisen, zei ze. Een witte doek over zijn schoot. Wat schuiven met lampen. Ze verontschuldigde zich dat ze geen flitslicht had meegenomen. Ze moest een lange belichtingstijd nemen, en ze had geen statief, maar (en hier zag ze weer de improvisaties van Jed voor zich bij het sterfbed van Mulan) die tafel was ook heel geschikt. Als meneer Borodin zich ietsje zou willen draaien, o, en had hij ook een kam? Die blouse met die geborduurde bloemen – hoe beeldend ook – zou misschien niet zoveel respect afdwingen als zijn uniformjasje. Ja, veel beter. Bijna klaar. En ze had verzuimd het te vragen, wat had hij van de Verenigde Staten gevonden? Hij was in Valparaiso geweest, of niet? Ze was nog nooit in Indiana geweest. Had hij zijn vrouw daar ontmoet? Fanny. Jammer dat ze er vanavond niet bij kon zijn, maar ze moest zeker in het artikel worden genoemd.

Tegen de tijd dat ze klaar was, had Su nog drie keer geprobeerd om ertussen te komen, en had Hope haar kwartier gerekt tot bijna twee uur. Borodin vroeg of ze wilde wachten en zich, als hij nog wat zaken geregeld had, bij hem wilde voegen om samen met Madame Sun te gaan eten. Hope slaagde erin haar stem voldoende onder controle te houden om hem te bedanken, maar sloeg zijn aanbod beleefd af. 'Ik heb nog een en ander te doen in de concessies.'

'We kunnen u een escorte geven.'

'Nee. Alstublieft, mijn ervaring is dat ik op eigen houtje meer oppik. Ik ben het gewend.'

'Ik bewonder uw moed, juffrouw Newfield,' zei Borodin. 'U bent een indrukwekkende vrouw. Maar dit zijn onzekere tijden voor een buitenlandse vrouw alleen in Hankow. Neem dan in elk geval dit kaartje mee. Als u wordt aangehouden, bent u hiermee verzekerd van een veilige en vrije doorgang.'

Ze glimlachte, knikte welwillend naar meneer Su, en nam met zelfopgelegde kalmte het kaartje aan dat Borodin had getekend met zijn ronde, regelmatige hand.

Buiten lag de donkere rivier nog steeds vol met torpedojagers en kanonneerboten. Hun verlichting schitterde feestelijk in de mist, hun kanonnen hielden zwijgend de wacht terwijl groepjes matrozen de concessies verlieten en de loopplanken opliepen. Hope dook een poortje in waar ze goed zicht op de villa had zonder zelf zichtbaar te zijn.

Er stonden geen wachten. Er verschenen geen gezichten voor de helder verlichte ramen. Ze zou het zonder meer gemerkt hebben als iemand haar gevolgd had, en toch stond ze op haar benen te trillen. Wielen knerpten op het plaveisel. Hoeven lieten hun doffe staccato horen. Wagens leverden hun ladingen huishoudelijke schatten af om hun weg te vervolgen in een murw makende processie. En de hele tijd, als in een andere wereld, ventten de straatverkopers met de noedels en de watergruwel die de honger van de armen moesten stillen, en rookten olielampen in de muilen van winkels en op het dek van de sampans die tussen de oorlogsschepen lagen weggedoken. Wat een uur leek bleek, na een blik op haar horloge, niet meer dan vijf minuten te zijn geweest.

Opeens vloog de voordeur van de villa open en kwamen vijf politiemannen in uniform op rij de trap af. Een glanzend zwarte automobiel gleed uit de schaduw tevoorschijn. Hoewel het te ver was om hun gezichten te kunnen onderscheiden, kon ze aan zijn slepende gang wel zien dat de voorste de Tsjeka-chef was die op instructies had staan wachten terwijl zij haar interview met Borodin gerekt had. Hij blafte een bevel naar de chauffeur, vuurde een groet af op meneer Su, die boven aan de trap stond, en de autoportieren knalden dicht. De wielen begonnen te draaien op het vochtige plaveisel. De wagen verdween richting veerboot naar Wuchang. Het was bijna tien uur toen Hope weer normaal kon ademhalen.

Een paar minuten later werd ze aangehouden door een soldaat in het uniform van het Revolutionaire Leger, maar het kaartje van Borodin had inderdaad de voorspelde uitwerking. In plaats van haar op te brengen, wees de soldaat haar de weg naar het Japanse consulaat, en waarschuwde haar dat ze beter de zij-ingang kon nemen, want voor de hoofdingang werd gepost door arbeiders die in ijzerertsfabrieken werkten die Japans eigendom waren. De afgelopen nacht hadden ettelijke honderden op straat voor de ingang doorgebracht. Ze bedankte hem en zei dat hij haar aan haar oudste zoon deed denken, wat inderdaad zo was. Hij glimlachte en zei dat hij vereerd was, salueerde en liep door.

Hope vocht de hele verdere weg naar het consulaat tegen haar tranen. Ze hield zichzelf voor dat het onzin was. Wat Paul ook mocht overkomen, zij zou over enkele dagen weer terug zijn bij de kinderen. Maar de duisternis, de mist, de ontroostbaar oude echo's van deze stad gaven haar het gevoel dat waar zij zich nu bevond, er geen weg terug meer was. Ze doorzocht haar tasje op de tast naar haar trouwring en deed die om. Toen droogde ze haar tranen en liep verder.

Hope liet het kaartje van Borodin niet aan de Japanse wachten zien. In plaats daarvan duwde ze haar shawl naar achteren zodat ze haar gezicht konden zien, en vroeg of ze meneer Mitsuru kon spreken. Ze werd voorgegaan door een doolhof van gangen en stond uiteindelijk in een grote, nauwelijks gemeubileerde salon ergens binnen in het gebouw. Binnen enkele minuten betrad een man van middelbare leeftijd in een westers kostuum, met waakzame, halfronde ogen, de ruimte en boog.

'Mevrouw Liang,' zei hij in nauwkeurig Engels, 'u bent veilig aangekomen.'

Ze dwong zichzelf door de plichtpleging van een buiging. 'Is hij...?'

'Nog niet. Mijn instructies waren dat ik zijn komst moest afwachten. Klopt dat?'

'Ja. Ja, hij komt hier ook heen.' Onzeker omvatte ze de ene hand met de andere.

'Gaat u alstublieft zitten.' Meneer Mitsuru wachtte tot ze zat en nam toen zelf plaats. 'Ik ken uw man al vele jaren. We hebben samen gestudeerd...'

'Ik weet het.' Haar stem trilde. Haar hand had het mahoniehouten bijzettafeltje gevonden en haar duim wreef rondjes. Ze wist dat haar man fijner onderscheid wist te maken tussen vriend en vijand dan zij. Dit was moeilijker dan ze verwacht had.

'Hij is al enige maanden onder huisarrest. Ik vraag me af of het nodig zou zijn om een gewapend escorte te sturen.'

Hope probeerde vergeefs iets af te lezen aan het gezicht van haar gastheer. Zijn ogen leken niet onvriendelijk, maar zijn gelaatsuitdrukking bleef voortdurend hetzelfde. Als hij had geweten dat Paul onder arrest stond, waarom had hij maanden geleden dan niet een gewapend geleide gestuurd? 'Nee, dank u, meneer Mitsuru,' zei ze uiteindelijk. 'We hebben liever niet dat dit een internationaal incident wordt. Ik heb een discreter... en naar ik meen veiliger manier geregeld om mijn man hierheen te krijgen.'

Mitsuru zat alsof zijn stoel niet van kussens was voorzien. 'Ik wil alleen maar zeggen dat u mij kunt vertrouwen, mevrouw Liang.'

Ze herinnerde zich de warmte en gespannenheid van Jins armen om haar schouders. 'Op een ander vertrouwen,' zei ze, 'is niet makkelijk voor een vrouw in mijn positie.'

'Ik begrijp het.'
'Maar ik zou hier niet zijn als ik u niet vertrouwde, meneer Mitsuru.'
'Dan moeten we wachten.' Hij liep naar een bar met een enorme spiegel in de hoek en kwam terug met een glaasje cognac, dat ze afsloeg, en een schaaltje pinda's, waar ze met onverwachte eetlust op aanviel. Toen hij dat zag deelde hij mee dat hij nog niet gegeten had, en nodigde haar uit om een eenvoudige maaltijd met hem te gebruiken, die hij bestelde bij de in wit gehulde bediende die voor de deur stond.
'De voedselvoorraad is beperkt,' legde hij uit. 'De radicalen hebben druk uitgeoefend op handelaars om de leveringen aan ons zoveel mogelijk te beperken.'
Hope reageerde niet. Bij de ondoordringbare zelfbeheersing van Mitsuru voelde ze zich net een blootliggende zenuw, maar dat wilde ze hem niet laten merken.
In de eetzaal van het consulaat stonden nog minder meubels dan in de salon. De lange tafel en de stoelen, het galgroene tapijt en de elektrische armluchters waren er nog, maar overal waar kasten en meer decoratieve stukken gestaan moesten hebben gaapten nu lege plekken. Het geschreeuw van de demonstranten, dat in het andere vertrek was doorgedrongen als een nauwelijks hoorbaar gefluister, was hier duidelijk hoorbaar.
'U bent zich op een evacuatie aan het voorbereiden,' zei ze.
Een bediende bracht twee kommen misosoep en Mitsuru gebaarde dat ze moest beginnen. 'Dat is niet meer dan prudent. Maar de wrok van de massa's heeft zich voornamelijk op de Britten gericht. U begrijpt, zij zijn de echte vreemden hier, de indringers. De Europeanen zijn kolonisten en imperialisten, en daarom een veel grotere vijand voor China dan haar broeders in Japan.'
Hope grimaste. De soep was venijnig zout. En ondanks zijn ernst en zijn intensiteit klonk Mitsuru toch in de eerste plaats als een speeltje dat je kon opwinden. 'Wanneer hebt u mijn man voor het laatst gezien, meneer Mitsuru?'
'In oktober, kort na zijn aankomst in Hankow. Hij was in goede gezondheid – fit, vermoeid weliswaar van de Expeditie, maar zeer opgewekt. Ik weet nog dat hij zei dat dr. Sun volgens hem zeer tevreden zou zijn geweest.'
'Over het succes van de Expeditie.'
'Ja. De eenheid.'
Hope zuchtte. 'Ik ben bang dat optimisme altijd Pauls achilleshiel is geweest.'

'Paul?'
Ze meed zijn vragende blik. 'Po-yu's Amerikaanse naam. Hij... hij gebruikt die naam zelden buiten de familie.'
Mitsuru knikte.
'En hoe hebt u mijn man leren kennen?'
'We studeerden samen aan de Seijo Gakko.' Hij bracht zijn servetje naar zijn lippen. 'Ik moet tot mijn schaamte bekennen dat onze vriendschap begon toen wij als enigen van onze klas een onvoldoende haalden voor schijfschieten.'
'Ik zou zeggen dat dat alleen maar voor u pleit.'
'Ah ja. Ik herinner mij dat Po-yu een keer vertelde dat zijn Amerikaanse bruid pacifistisch was. Ik vind het vermakelijk dat hetzelfde land dat de cowboy- en indianenoorlogen heeft voortgebracht nu de zaak van de vrede voorstaat.'
Hij bleef beheerst en hoffelijk, zelfs toen hun conversatie een achterdochtige ondertoon kreeg. Hij verontschuldigde zich nogmaals voor de povere kwaliteit van het eten en zij liet de verplichte tegenwerpingen horen, nee hoor, de schotels met varkensvlees en inktvis waren voortreffelijk – een culinair hoogstandje dat des te verbazingwekkender was als je tijdstip en omstandigheden in aanmerking nam. Maar Hope had geen trek meer, en ze weigerde de warme rijstwijn die haar werd aangeboden. Hoewel ze niet meer over Paul spraken, bleef haar man in het centrum van haar gedachte, en was ze opgelucht toen een assistent van Mitsuru binnenkwam.
'Ik moet mezelf excuseren,' zei hij, 'maar blijft u vannacht alstublieft hier als onze gast. Ik heb – discreet – inlichtingen laten inwinnen. Zodra we meer weten krijgt u het te horen.'
Ze werd aan de zorgen van een dienstmeisje toevertrouwd, dat haar voorging naar een schemerig verlichte gastenkamer op de eerste verdieping. Het was al middernacht geweest. Zware geweven gordijnen hingen voor de twee smalle, hoge ramen. Ze doofde het licht alvorens ze opzij te duwen. De kamer lag aan de voorkant van het consulaat, en achter de ronde tuin met oprijlaan ontwaarde ze de bivakkerende demonstranten, onder wie verscheidene vrouwen en kinderen, in elkaar gedoken onder donkere dekens. Overal lagen pamfletten en plakkaten. Het was een ellendig, troosteloos schouwspel, en toch ook angstaanjagend. Deze verpauperde mensen hadden de almachtige Britten uit een van hun belangrijkste bastions weten te verdrijven. Ze waren onontwikkeld, uitgehongerd, koud en boos – ze hadden, kortom, niets

te verliezen. De organisatorische vaardigheden die Borodin hun had aangeleerd, waren als de lucifer geweest bij de lont in het kruitvat.

Hope speurde vruchteloos naar een schaduw of beweging die Jin of Paul kon zijn en liet de gordijnen toen weer dichtvallen. Ze had het voorstel van Mitsuru om een gewapend geleide te sturen zo vastberaden afgewezen. Waarom? Ze wist het niet goed. Het enige wat ze wist, intuïtief, was dat Jin in zijn eentje een grotere kans had om zijn vader te bevrijden – en met name in het huidige klimaat konden ze niet riskeren dat Japanse troepen bloed vergoten om Paul te bevrijden. Ze lag op het bed naar de omtrekken van de bewegingloze plafondventilator te staren. Die blik in de ogen van Jin toen ze hem had gevraagd om Paul hierheen te brengen. Hij verachtte de Japanners, zoals de revolutionaire retoriek er bij hem was ingehamerd. In die blik had ze weerspiegeld gezien dat elke vezel in zijn hele lijf zich tegen deze oplossing verzette. Was het mogelijk dat hij Paul zou bevrijden en ergens anders heenbrengen? Nee. De westerse mogendheden hadden al laten zien dat ze zelfs niet terugschoten om hun eigen onderdanen te beschermen, en Paul kon nergens anders zeker van bescherming zijn. Als dat wel zo was geweest, zou Jin hem daar vast al heen hebben gebracht... Vast.

Ze dacht aan de militaire plunje van Jin, aan het gemak waarmee hij zich door de villa van Borodin bewoog – het feit dat hij wist dat de Tsjeka zou komen, dat de naam van Paul op de zwarte lijst stond. Maar die omhelzing. Ze moest wel geloven... ze geloofde het.

Ze drukte hard met haar knokkels op haar gesloten oogleden, tot het donker explodeerde. De stilte was oorverdovend. Niet het tikken van een klok. Niet de tred van wachten, het geratel van wielen. Zelfs niet het kraken van een plank. Het was alsof de hele stad de adem inhield.

Opnieuw begon ze aan de kinderen te denken, maar toen kwamen de tranen. Ze hield zich in en dwong haar gedachten voorwaarts. Ze had geen andere keus dan Mitsuru te vertrouwen. Als de ochtend gloorde en er nog steeds...

'Hsin-hsin.'

Paul stond in de deuropening. Ongedeerd.

De volgende ochtend vroeg baanden ze zich, vermomd als een evacuerend Japans echtpaar en geëscorteerd door twee mariniers van het consulaat, een weg door sneeuwbuien naar een Japans koopvaardijschip dat vlak bij de villa van Borodin lag aangemeerd. Toen de havenfunctionaris om papieren vroeg toonden de mariniers papieren van Tokutomi Ichiro, een verkoper van herenmode uit Yokohama, en zijn vrouw Nomi. De functionaris begon over inschepingsgeld, en de mariniers tolkten voor de Ichiro's, die helaas geen Chinees spraken, waarop 'Tokutomi', zijn gezicht ingepakt tegen sneeuw en kou, een ongeduldig gebaar maakte en drie keer de gevraagde hoeveelheid in de door motten aangevreten handschoen van de official legde. Die maakte een buiging en draaide zich om. Een kwartier later brak de *Kuriyama* met haar boeg door het ijs en spuugde pluimen witte stoom op in de staalwollen lucht.

De week daarna brachten ze door in het nauwe kamertje dat hun als hut was aangewezen. Ze spraken aarzelend over de kinderen, de lange maanden die tussen hen verstreken waren, de brieven die ze geschreven hadden die nooit waren ontvangen. Ze kropen bij elkaar. Ze huilden. En toen vertelde hij over de geweerschoten, het roepen van zijn wacht die ze met een pistool hadden geslagen, en uiteindelijk de doodsangst die hem ertoe gedreven had om door het dunne gipsen wandje achter het altaar van de keukengod heen te breken, om daar tot de ontdekking te komen dat zijn zoon vanaf de andere kant naar hem toe aan het graven was. Toen de wedren naar de veiligheid met het geschreeuw van de Russische agenten in hun oren, en de haast van Jin toen hij weer in de nacht verdween met de belofte Paul in Sjanghai te ontmoeten.

Over haar eigen rol zei Hope alleen dat Jin haar had laten komen, om zijn opvang te regelen met Mitsuru. Jin heeft jou het leven gered, vertelde ze hem.

XII

VERRAAD

Sjanghai (1927-1932)

I

HET SJANGHAI WAAR DE JAPANSE STOOMBOOT HEN TERUGBRACHT was een andere stad geworden. Nog voor ze in de haven waren hadden ze de kanonneerboten en rivierboten al gezien die tot de reling waren volgepakt met bleke vluchtelingen, meest mannen, na de eerdere evacuatie van vrouwen en kinderen uit het binnenland. Van de bemanning van de *Kuriyama* had Paul vernomen dat de inname van Hankow door het Nationale Revolutionaire Leger, gevolgd door de val van Kiukiang op 7 januari paniek had gezaaid onder de taipans. Standard Oil, Jardine Matheson, Butterfield, de Koninklijke Shell, U.S. Steel, Asiatic Petroleum, American Tobacco – alle grote 'imperialistische' ondernemingen hadden hun werknemers vanuit de binnenlanden naar de enige stad in China gehaald waar genoeg buitenlandse troepen waren om ze te beschermen.

Zodra ze op de pier stapten zag Hope dat het aantal van die troepen vele malen groter was dan een paar dagen geleden bij haar vertrek. De straten waren nu bomvol, niet alleen met vluchtelingen en bedelaars en concessiepatrouilles, maar ook met politiemensen uit de Punjab, die per schip waren aangevoerd vanuit Bombay, Britse matrozen, Franse Annamieten, Japanse en Amerikaanse mariniers. Een prikkeldraadversperring van een meter dik was rond de buitenlandse wijken gelegd, versterkt met zandzakken, tommyguns en pantserwagens. Toen de riksja's van Hope en Paul bij de controlepost werden aangehouden, krulde de Britse officier zijn lip en eiste dat ze zich identificeerden. Paul had niets behalve de Chinese kleren die hij aan had toen hij uit zijn huis in Wuchang was gevlucht. Hope zocht in haar reistas. Toen ze Sjanghai verliet waren identiteitspapieren nog niet verplicht. Uiteindelijk viste ze de brief van Cadlow op. Die gaf als adres Rue de Grouchy en impliceerde dat ze – niettegenstaande haar Chinese kostuum – Amerikaanse was. Ze zei slechts dat Paul 'bij haar' was. De officier liet hen met veel pijn en moeite door, maar waarschuwde hen dat ze van nu af aan wel 'papieren' bij zich moesten hebben.

Eén blik op de andere riksja leerde haar dat Paul woedend was om die uitsmijter, maar binnen enkele minuten waren ze bij huis aangekomen en maakte haar eigen kwaadheid plaats voor opluchting om het weerzien met de kinderen. Met een kreet tilde ze Teddy uit de armen van Ah-nie en de anderen verrasten ze bij een spelletje rounders in de achtertuin met enkele buurkinderen. Vader werd met ingehouden, onzekere blikken begroet, en Hope kreeg een iets opener omhelzing, waarop ze vroegen of het niet spannend was met al die soldaten, en of zij dachten dat er nog echt gevochten ging worden. Het Euraziatische Korps Vrijwilligers oefende dagelijks voor hun huis, en Morris wist te melden dat Gerald Chou zei dat hij over drie maanden dienst kon nemen, zodra hij vijftien was.

Opeens barstte Jasmine in tranen uit. Twee dagen eerder had ze het hek open laten staan, en de honden waren weggelopen. Niemand had ze nadien nog gezien.

25 februari 1927

Oké. Ik geef me over. Het zit me tot hier met die waanzin. Paul levend terughalen was spanning genoeg om het twee levens lang mee uit te zingen, maar het lijkt wel of er geen eind aan de onzekerheid komt. Afgelopen weekend werd Sjanghai weer lamgelegd door stakingen – bijna een half miljoen mensen legden hun werk neer. Geen trams. Geen havenarbeiders. Geen fabrieksfluiten. Chapei was een spookstad, de concessies werden geblokkeerd. Zo'n beetje het enige wat je hoorde was het geroep van demonstrerende studenten en zeepkistredenaars die de 'massa's' toespraken, zoals iedereen ze hardnekkig blijft noemen. Uiteraard was er ook geen school, al zou ik de kinderen toch al niet hebben laten gaan. Paul heeft zich de meeste afgelopen dagen afgezonderd met Eugene Chou, die in de nasleep van Wuchang een trouwe bondgenoot schijnt te zijn geworden. Ik ben bang dat de afkeer van Paul voor Borodin hem in de armen dwingt van even walgelijke, zij het andersdenkende mannen. Ik heb Eugene nooit vertrouwd, al stond hij pal voor mijn neus. Al zijn geld, denk ik, en de minne manier waarop hij Sarah behandelt – zijn laatste huzarenstukje is dat hij *een huwelijk heeft geregeld* voor Ken, en volgens Sarah heeft hij beloofd haar zonder cent op straat te zetten als ze zich daartegen verzet. Ze zegt dat ze minder bang is voor armoe, dan dat Eugene een of andere plaatselijke schurk tegen haar opzet – en ze heeft Gerry naar de States gestuurd om daar zijn geluk te zoeken, om te voorkomen dat hij gaat proberen zijn broer te beschermen. Kennelijk treedt Eugene op als financieel 'adviseur', zowel voor de beruchtste gangster van Sjanghai, Tu Yueh-sheng, als voor onze plaatselijke krijgsheer Sun Chuan-fang. De vriendschap van Paul met Eugene maakt me ziek – en bang, bijna net zo erg als het huwelijk van Sarah. Maar Paul wuift alles weg en Sarah blijft opgewekt. Zij lacht, Paul knikt en sluit zijn ogen. De kinderen spelen, en de arbeiders staken.

We gaan allemaal onze weg in ons eigen universum, we maken plannen, we maken ons zorgen, we fantaseren en beschuldigen, en de enige keer dat onze belangen ooit werkelijk samenvallen is als de zwaarden worden getrokken en de vuurwapens knallen, zoals ze gisteravond weer deden. Er was geen geweld in de concessies, uiteraard niet, en als Paul zijn zin had gekregen, zouden we nooit gehoord hebben wat er gebeurd is, maar vanmiddag kwam Jin opeens hier. Zijn kleren waren gescheurd, hij bloedde in zijn nek en hij zat onder de modder. Paul was in zijn studeerkamer, maar Jin smeekte me hem niet te vertellen dat hij er was. Ik waste hem en gaf hem schone kleren – de wond was niet diep. Ik gaf de bedienden opdracht de kinderen weg te houden en liet Jin alles vertellen wat hij gezien had. Natuurlijk ging het om wraaknemingen op de stakers, alleen deze keer lieten de Britten de krijgsheren het vuile werk opknappen. In plaats van buitenlandse troepen die op de studenten schoten, waren de executiepelotons – en de gevolgde methodes – Chinees. Twee goede vrienden van Jin werden onthoofd terwijl ze weer op de campus probeerden terug te komen. Een dode Chinese baby werd over de hekken van de episcopaalse missie gesmeten, en een oude man – een doodgewone straatventer – werd doodgeschoten omdat hij 'Cake te koop!'

riep, wat in het Sjanghaise dialect net zo klinkt als 'Overweldig de soldaten!'. Mensen die pamfletten uitdeelden werden meegevoerd door de Chinese Stad, voor de troepen van Sun Chuan-fang neergezet en doodgeschoten. Bij wijze van vergelding hebben de communisten alle arbeiders vermoord die het waagden zich te verzetten tegen de vorming van vakbondsafdelingen. Jin was zo bang, hij beefde helemaal. Het was erger dan Wuhan, zei hij, en ik dacht, natuurlijk, zo denk jij erover. In Wuhan stond het leven van zijn vader op het spel en zijn eigen alleen indirect. Ik wou dat ze allebei eens leerden inzien dat we, ondanks alle scheidslijnen, in hetzelfde schuitje zitten.

Maar Jin weigerde te blijven, hij was bang dat Paul naar beneden zou komen en dat het dan op een schreeuwpartij zou uitdraaien. Ik nam Teddy op schoot voor een verhaaltje. Jasmine kwam erbij zitten om te luisteren. Morris was in een hoekje bezig met een modelauto. En Pearl kwam binnen met haar handen vol breiwerk, en af en toe keek ik op en zag die lange naalden... Ik had het gevoel alsof we in een cocon leefden, terwijl buiten alle zijderupsen gek waren geworden, en spoedig alleen wij er nog zouden zijn.

In de tweede helft van maart riepen de vakbonden in Sjanghai op tot een nieuwe algemene staking, en arbeiders in de hele stad begonnen zich te bewapenen. Op de eenentwintigste, rond het middaguur, kwam Jin langs – in jubelstemming – om mee te delen dat de staking was begonnen en dat overal in de Chinese buurten vakbondsleden het met succes opnamen tegen de in grijs gehulde troepen en politiemensen die waren gelieerd aan de krijgsheer van Sjanghai, Sun Chuan-fang. Hoewel de arbeiders slechts gewapend waren met knuppels, bijlen en kleine vuurwapens, bleek het wel te kloppen wat Jin was komen melden: precies negenentwintig uur later werd bekend dat heel Sjanghai buiten de buitenlandse wijken onder nationalistische controle stond. Nog voor de gevechten helemaal ten einde waren, waren de straten al versierd met blauwwitte Kuomintangvlaggen, rode communistische vlaggen en spandoeken waarop een warm welkom werd toegeroepen aan de troepen van de Noordelijke Expeditie, die net op tijd arriveerden om mee te delen in de feestvreugde.

Tot ontzetting van Paul had Chiang Kai-shek bij deze overwinning geen rol van betekenis gespeeld. De opstand was georganiseerd door de studenten en de communisten, en werd dan ook vooral als communistische, en niet zozeer als nationalistische triomf gezien. Alom werd beweerd dat het was afgelopen met Chiang, dat de communisten klaar stonden om de Kuomintang over te nemen. En zo werd de bezorgdheid in de concessies niet weggenomen door de komst van de Noordelijke Expeditie, waar Paul zo hard voor had gewerkt, maar werd de angst onder de buitenlanders er juist door aangewakkerd.

In de weken die volgden peinsde Paul eindeloos over deze ontwikkelingen. Vaak lag hij 's avonds laat nog wakker, en dan vertelde hij Hope over een of ander artikel dat hij gelezen had in de *North China Herald*. Sprak daar inderdaad redactioneel wantrouwen jegens Chiang Kai-shek uit, zoals hij er zelf in proefde? Sinds Wuchang vroeg hij haar vaker dan ooit in het verleden naar haar mening, en hoewel hij het niet met zoveel woorden zei, wist ze dat hij bezig was te proberen zijn volgende politieke bondgenootschap te plannen. Na de opstand had Chiang Kai-shek de man van Sarah, Eugene Chou, in zijn kabinet benoemd, en was William Tan abrupt teruggeroepen uit Washington om als minister van Buitenlandse Zaken te fungeren. Het was duidelijk dat Chiang vroeg of laat ook Paul zou ontbieden, maar of Paul met een politieke benoeming zou – of moest – instemmen was veel minder duidelijk. Hope zei dat hij de kranten goed had gelezen en hielp hem kortaf herinneren dat Chiang met Borodin door Kuling had gestruind terwijl Paul huisarrest had.

'Hij heeft je executie dan misschien wel niet gesanctioneerd,' zei ze, 'maar hij heeft in elk geval ook geen vinger uitgestoken om het te voorkomen.'

'Hij wist het niet. Ik ben niet belangrijk.'

'Borodin vond je anders belangrijk genoeg om bevel te geven je te vermoorden! Waarom? Omdat hij persoonlijk wraak wilde nemen, of omdat hij dacht dat jij je al tot Chiang had bekeerd? Hoe dan ook, Chiang had je belangrijk genoeg moeten achten om je te redden, of niet?'

Maar Paul leek alleen maar moe te worden van de schelheid in haar stem. Hij vertrouwde haar wel zijn twijfels toe, maar zelden zijn keuzes, en als hij zich van haar distantieerde was dat altijd met de gehate frase: 'Jij begrijpt het niet.'

Op een avond wilde ze zich juist klaarmaken om naar bed te gaan, toen hij zei: 'Tijd voor een etentje.'

'Een etentje?'

Zijn spiegelbeeld boven de kaptafel zat op het voeteneind van het bed, ellebogen op knieën in pyjamabroek, nek verzonken tussen de schouders. Zijn haar stak alle kanten op in grijzende toefjes, en zijn stem had een vreemd, metaalachtig timbre. Het leek wel of hij het tegen de muur had. 'Een eenvoudig etentje. In Chinese stijl. Om de thuiskomst van William en Daisy te vieren en de nieuwe aanstelling. Ik vraag Eugene Chou ook. Jij zult het prettig vinden als Sarah er is...' – zijn blik werd even op haar gericht – '... zodat je niet te veel met Daisy zit opgescheept. En Jin komt ook.' Hij haalde een sigaret uit het lakdoosje naast het bed en maakte aanstalten die aan te steken.

'Jin!' Hope draaide zich half naar hem toe. 'Is dat verstandig, met Eugene erbij?'

Paul plantte zijn ellebogen weer op zijn knieën en trok aan zijn sigaret. 'William wil precies weten wat er gebeurd is. Hij vindt het leuk om details van de strijd te vernemen. Jin was op straat tijdens de opstand. Hij kan erover vertellen. Maak je geen zorgen, Hope. Ik geef hem wel instructies.'

'Maar Eugene is berucht om zijn haat jegens alles wat links is. En je weet hoe uitgesproken Jin zijn kan, zeker wanneer hij met de rug tegen de muur staat. Waarom dat risico lopen?'

De hoek van de kamer rond haar man verdween achter een waas. 'Jin komt ook.'

'Je klinkt alsof je hem al gevraagd hebt.'

'Ik heb het hem gezegd.'

'Maar *waarom*?'

Paul hield de sigaret onelegant tussen duim en wijsvinger. Na enige tijd stond hij op en keek haar aan. 'Dit is iets tussen Jin en mij, Hope. Maak je er niet druk om.'

'Me er niet druk om maken! Paul, jij...'

'Nee!' De as van zijn sigaret viel op de grond. Hij schoof het geërgerd weg met zijn blote tenen en drukte de sigaret vervolgens uit in een asbak op haar tafel. 'Jij houdt je erbuiten. Jin komt. Jij regelt de maaltijd, wat je maar wilt. Jij praat met Sarah. Praat met Daisy over Amerika. Jij bemoeit je niet met mij en Jin.' Hij trok zijn kamerjas van de rugleuning van de stoel en zei toen, iets zachter, terwijl hij in de kamerjas gleed en in zijn slippers stapte: 'Ik ben in mijn studeerkamer. Ga jij maar slapen.'

Hoewel hij geen bril op had, kon ze de ronde indrukken ervan in de opgezette huid rond zijn ogen zien. Zijn kaak werd naar voren gestoken toen hij slikte. Hij maakte geen aanstalten de deur te openen.

'Paul.' Ze leunde naar hem toe, raakte zijn mouw aan en ontmoette zijn blik. 'Vertel mij gewoon wiens zaak jij hiermee dient. Jin is je zoon. Hij heeft je leven gered.'

Zijn ogen gleden langs haar heen, en ze voelde een geweldige druk op haar borst toen ze weer dacht aan hun gesprekken tijdens die lange dagen op de stoomboot hierheen vanuit Wuhan, de halve waarheden die ze hem verteld had over de omstandigheden van zijn bevrijding en haar eigen aandeel daarin. Ze had Jin alle eer gelaten, het verhaal zo gereconstrueerd dat hij uit eigen beweging naar Wuhan was teruggekeerd, dat het idee om contact op te nemen met de Japanners van Jin afkomstig was geweest, en dat zij alleen als laatste redmiddel gekomen was, om voor Paul te pleiten bij de Japanners en, als buitenlander tegenover buitenlander, bij Borodin voor het geval het reddingsplan van Jin mocht mislukken. Ze maakte geen melding van het feit dat ze Borodin daadwerkelijk ontmoet had, en later, toen ze het artikel voor Cadlow had uitgetypt, had ze het onder een pseudoniem ingestuurd dat noch met haar, noch met Paul in verband kon worden gebracht. Intussen instrueerde ze Jin en Jed Israel om niets te zeggen over haar werkelijke rol in Wuhan. Haar redenen voor deze versluiering waren meer intuïtief dan specifiek. Ze hield zichzelf voor dat het goed was dat een zoon zijn vader het leven redde, en dat Jin tenslotte ook het grootste risico had gelopen. Misschien kon de kloof tussen die twee nu voorgoed gedicht worden, en kon Jin weer een actieve rol in hun leven gaan spelen. Maar onder al die rechtvaardigingen die ze voor zichzelf opdiste school een ander, onheilspellender besef. Toen ze haar interview met Borodin had uitgeschreven, en later toen ze de foto's had ontwikkeld, en weer herinnerd werd aan de verschrikking en de uitgelatenheid van die twee zenuwslopende uren, was ze tot de conclusie gekomen dat ze het niet oneens kon zijn met alles – zelfs maar met veel – van wat de Rus te berde had gebracht. Hij sprak haar taal. Hij leek een redelijk man. Ze *begreep* hem. En toch had hij opdracht gegeven om haar man te executeren. Hoe kon ze dat ooit aan Paul uitleggen? Hoe moest hij haar nog vertrouwen als ze dat deed? De waarheid was dat ze zichzelf niet meer vertrouwde.

'Ja,' onderbrak Paul haar gedachten. 'Ik heb mijn leven aan Jin te danken. Daarom juist, Hope. *Daarom juist.*'

Twee avonden later hief het gezelschap het glas en dronk op het succes van de Noordelijke Expeditie. Hoewel Jin zich duidelijk niet op zijn gemak voelde in zijn rol als waarnemer van zijn eigen mensen, deinsde hij er niet voor terug om te vertellen over de schermutselingen, de gretigheid waarmee bepaalde politiebataljons zich hadden teruggetrokken, de vreugde waarmee studenten en arbeiders de straat weer voor zich hadden opgeëist. 'Toen de Nationalistische vlag werd gehesen op het postkantoor,' zei hij met een zijdelingse blik op Hope, 'dacht ik aan de jaren dat vader in ballingschap had geleefd, zijn lange vriendschap met dr. Sun, alles wat we de afgelopen zomer hebben doorstaan, en toen was ik zo trots. Tranen welden op in mijn ogen...'

'Ja.' William, die naast Daisy in het middelpunt zat, zwaaide ongeduldig met zijn lepel. 'Goede zoon. Maar vertel eens over de gevechten.'

'De troepen van de krijgsheer gooiden graag hun wapens neer, en de opstandelingen lieten hen graag weglopen. In Nantao, de Chinese Stad, werd er niet echt gevochten.'

'Niet gevochten.' Pearl had erop gestaan dat zij, met haar negentien jaren, te oud was om van het etentje te worden uitgesloten. 'Maar een heleboel vlaggen!'

'Ik heb nog nooit zoveel vlaggen gezien,' viel Sarah haar bij. 'Mijn kleermaker zei dat zijn vrouw voor de winkel stond en elke vlag net zo snel weer verkocht als hij ze maken kon.'

'Heel patriottisch.' Eugene draaide zich om en spuwde in de koperen kwispedoor die Yen met vooruitziende blik achter hem had neergezet. Zijn aanwezigheid had in de loop der jaren niets aan gezag ingeboet, maar de elegantie die Hope ooit geïmponeerd had, had sedert lang plaatsgemaakt voor een grofheid zowel in zijn trekken als in zijn manieren. Zijn kogelvormige hoofd en hals waren dik geworden, en zijn ogen hadden dezelfde gele tint aangenomen als zijn huid. Hij deed Hope aan een enorme pitbull denken.

Jin vervolgde: ''s Middags kwam het enige geweervuur dat ik hoorde uit Chapei. Daar waren de Wit-Russische huurlingen omsingeld. Ik zag vlammen hoger opslaan dan de Commercial Press. En heel veel mensen die probeerden door de wegversperringen heen te dringen om in de settlement te komen.'

Paul schraapte zijn keel, en Jin staakte zijn relaas.

'Gisteren,' zei Daisy op haar gebruikelijke onnozele wijze, 'nog voor ik zelfs maar mijn bagage uitpak, wil William al dat we in Chapei gaan kijken. Daar is niets van over! Ik denk dat is slecht, zeker, veel fabrieken platgebrand, maar ook goed. Nu Chapei herbouwen, allemaal nieuw en schoon.'

Hope ontmoette de blik van Jin. Zijn ogen drukten een en al afkeer uit. De anderen aten gewoon door.

'Je zou er ook weleens bij stil mogen staan,' zei Hope, 'dat duizenden mensen het leven hebben verloren, bij branden en beschietingen. En dat er vijftienhonderd huizen zijn vernietigd.'

'Hope...' Paul klonk scherp, maar William legde hem met een nonchalant gebaar het zwijgen op.

'Hope heeft gelijk. Daisy's woorden waren onnadenkend. Haar tong is dom gemaakt door haar bewondering voor Amerika waar alles zo nieuw en schoon lijkt.'

'Hebt u Berkeley ook gezien,' vroeg Pearl, 'hebt u gezien waar wij gewoond hebben?'

Het fijne hoofdje van Daisy draaide zich zelfgenoegzaam naar Pearl, alsof ze vergeten was dat deze jonge vrouw ooit het kind was geweest dat zij altijd verwende met traktaties en snuisterijtjes. 'Het spijt me, wij bezoeken alleen New York en Washington. Ik vind heel mooi de hoge, hoge gebouwen. Allemaal zo elegant. My Kuo, hij zegt: "Ik kom naar universiteit hier, misschien trouw Amerikaanse bruid, zelfde als oom Liang."'

Hope keek een andere kant op. De gedachte aan die ijdele, inhalige, harteloze vrouw, fladderend over Amerikaanse grond, maakte haar misselijk van afgunst en wrevel. Maar Paul en William barstten uit in een bulderend gelach. 'Niet nodig om naar Amerika te gaan,' corrigeerde Eugene, zijn sikje priemend naar Sarah.

'Hoe is New York?' vroeg Sarah, met een kalmerende blik op Hope. 'Ik heb daar vroeger gewoond.'

Hope gaf Yen een seintje om de volgende gang binnen te brengen, en Jin vervolgde met details over de Wit-Russen die vast hadden gezeten in een gepantserde trein, de duizenden met rode linten versierde executiezwaarden die de arbeiders hadden geconfisqueerd, de aanblik van noordelijke soldaten die al vluchtend hun grijze uniform uittrokken en smeekten om in de concessies te worden toegelaten.

Opeens keek Eugene, die bij dit laatste verslag nukkig zijn grote hoofd had zitten schudden, belangstellend op en onderbrak hem. 'Ik hoor iets over jou,' zei hij, terwijl hij zijn gele ogen halfdicht kneep en Jin aankeek. 'Volgens mij ben jij te bescheiden, mijn neef.'

Pauls hand, half naar zijn lippen gebracht, zakte naar de tafel.

'Ik hoor dat je vader zijn leven aan jou dankt,' vervolgde

Eugene. 'Jij bent een echte goede zoon!'

'Wat is dat?' William praatte hard, rauw en lacherig, net als toen hij hun het verhaal uit de doeken had gedaan van Pauls eerste confrontatie met Borodin.

Jin smakte met zijn lippen en wierp een blik op Hope. Paul hield zich bezig met het in stukken verdelen van de zeebaars die Yen had opgediend, en liet het aan Eugene over om het relaas te doen van zijn ontsnapping uit Wuhan. Zijn versie kwam aardig overeen met wat Hope Paul had wijsgemaakt, dus ze veronderstelde dat het van hem afkomstig was, maar de gedachte dat hij dat Eugene in vertrouwen verteld had gaf haar acuut een onbehaaglijk gevoel. Hope was niet eens zo vrij geweest om het aan Sarah te vertellen, de vriendin die ze het meest vertrouwde, dus hoe kon Paul het dan... *waarom* zou hij besloten hebben het aan Eugene te vertellen.

'*Gan bei!*' donderden de mannen, terwijl ze hun glazen hieven voor een toost op Jin.

'Nou, Liang,' zei William, 'dan is de beurt nu aan jou. Drie keer drinken op de gezondheid van je zoon, want als zijn gezondheid hem in de steek had gelaten, zou jij hier niet eens gezeten hebben om het glas te heffen!'

Eugene lachte iets te hard en trommelde op de tafel. Paul zuchtte overdreven en schudde het hoofd, maar hief toen plichtmatig drie keer het glas en leegde het drie keer. Toen hij daarmee klaar was liep hij om de tafel heen naar Jin. Vader en zoon omhelsden elkaar. Paul streek Jin over zijn hoofd alsof hij een kind was, en Hope werd getroffen door de gemaaktheid van dat gebaar. Van al zijn kinderen was Teddy de enige bij wie hij dat deed. Bij Jin nooit. Het gelach bleef geforceerd aanhouden. De vrouwen klapten in hun handen. De mannen vielen aan op de volgende gangen, maar zowel Jin als Paul waren onrustig. Paul rookte de hele maaltijd door. Jin tikte met zijn stokjes tegen zijn glas, richtte zich op Pearl en liet haar zien hoe je een servet kon vouwen in de vorm van een zwaan, wat haar als kind altijd in verrukking had gebracht. Daisy en Sarah praatten over winkelen in New York. De conversatie van de mannen kwam onverbiddelijk weer uit op politiek. De recente bewegingen van communisten onder die jongeman Mao Tse-tung in Hunan. Het gebied dat nog ingenomen moest worden door het Expeditieleger. De indruk van William dat de buitenlandse mogendheden sympathie begonnen op te brengen voor Chiang Kaishek. Hope kon haar aandacht er niet bij houden. Hun fixatie was zo hardnekkig, als de golven van de zee die op de kust rolden, bracht elke nieuwe ontwikkeling minieme verschuivingen met zich mee van licht en zand, maar nooit een definitieve oplossing of conclusie – nooit iets om je aan vast te klampen.

Ze werd naar de conversatie teruggetrokken door een subtiele maar onmiskenbare verandering in Eugene's toon. 'Maar jij,' zei hij tegen Jin, 'volgens mij heb jij wel een beetje verstand van politiek. Hoe komt het dat jij al wist dat Borodin je vader veroordeeld had?' Hij deed zijn ogen wijdopen en keek de tafel rond. 'Zou het kunnen dat je een *spion* bent?'

Daisy bracht haar hand naar haar mond en giechelde bewonderend, terwijl Pearl, die naar de verhalen van Daisy en Sarah over Fifth Avenue had zitten luisteren, met een verdwaasde uitdrukking op haar gezicht opkeek. Sarah nipte vastbesloten aan haar wijn, alsof een reactie van haar kant haar man alleen maar zou aanmoedigen.

'Het zou best eens kunnen dat hier een spion aan tafel zit, ja,' antwoordde Jin opeens rustig. 'Of meer.'

Hope merkte dat Paul naast haar weer een sigaret opstak. De rook omhulde hem al.

'Meer?' Eugene tuitte zijn vlezige lippen en liet zijn blik de tafel rondgaan. 'Maar dan wel voor dezelfde partij, hoop ik.'

'En welke partij is dat?' pareerde Jin.

Eugene streek over zijn baardje. 'De partij die strijdt voor een vrij en verenigd China, natuurlijk.'

'En welke partij is dat?' bleef Jin aandringen.

De sigaret van Paul viel op zijn bord. Zijn hand ging naar zijn glas, dat hij hief naar Eugene. 'Op de Kuomintang!'

Dat was een vreselijke vergissing. Iedereen behalve Jin hief het glas.

'Jij drinkt niet op de partij van je vader,' merkte Eugene op.

'Ik drink niet op de partij die moordenaars in de arm neemt om patriotten te vermoorden. Ik drink niet op de partij die wordt gedomineerd door verraders.'

'Verraders!'

'Mijn zoon heeft geen verstand van politiek.' Paul kwam overeind en leunde achter Hope langs alsof hij Jin in de kraag wilde pakken, maar Jin was ook al opgestaan.

'Verraders zoals die goede vriend van meneer Chou, de gangster Tu.'

Er viel een doordringend, verstikkend moment van stilte. Toen schoot de hand van Paul door de lucht en sloegen zijn knokkels zo hard tegen de kaak van zijn zoon dat het tafelgerei ervan rammelde. Het hoofd van Jin draaide naar achteren over zijn rechterschouder, maar klapte trillend weer naar voren. Paul blafte hem af in hun oorspronkelijke dialect, met een stem die hij uit zijn keel leek te wringen. Maar de ogen van Jin, al glinsterden ze van tranen, bleven strak op de glimlach van Eugene gericht. Toen liep hij weg bij de tafel, draaide zich om en vertrok.

Tot afgrijzen van Hope begon Paul te lachen. Hij trok aan zijn oor. '*T'a tsui le*!' zei hij. 'Hij is dronken!'

'*T'a chen te tsui le*!' Eugene en William begonnen met Paul mee te gillen. 'Nou, of hij dronken is!'

Hope zat als aan haar stoel genageld, niet bij machte de verbijsterde blik van Pearl te beantwoorden, om de scherts van Daisy te volgen, om de telepathische sympathie van Sarah in ontvangst te nemen. Ze was zich slechts bewust van de duistere en hysterische toon die zo nadrukkelijk doorklonk in het gelach van haar man. Hij had zijn zoon in de kooi van de tijger gehaald om de protectie van de tijger te verwerven. In plaats daarvan had Jin het beest in het oog gestoken – en was de kooi uit gevlucht.

2

IN DE DAGEN DIE VOLGDEN WEIGERDE PAUL OVER JIN TE PRATEN. Hij negeerde de vragende blikken van Hope, wendde zich af als ze hem aanraakte. Hij gaf Yen opdracht voor een maand leeftocht in te slaan. Hij verbood de familie de concessie te verlaten – en Hope, in het bijzonder, om bij Jed Israel in de buurt te komen. Hij bracht zijn dagen en avonden door op bijeenkomsten, de meeste nachten gebogen over zijn bureau. Hope smeekte hem haar te vertellen wat hij wist, wat hem zo in beslag nam – en bang maakte. Maar hij staarde haar alleen maar aan van achter die ronde glazen, als een vis in een aquarium, en ze wist dat ergens tussen hen in iets onherstelbaar geknapt was.

Tijdens een nacht ergens halverwege de maand april werd Hope enigszins verschrikt wakker. Het bed naast haar was leeg.

Ze stond op en keek in de studeerkamer, de keuken, de zitkamer. Het was bewolkt, de schaduwen waren dieper, onheilspellender dan anders, en toch wist ze zeker dat hij in huis was. Van kamer naar kamer holde ze, op blote voeten om de bedienden niet wakker te maken. Yen hoorde haar toch, en kwam haar op de trap tegemoet. Ze verzekerde hem, nee hoor, dat ze niets gehoord had. Ze had alleen honger gekregen. Hij keek haar ongelovig aan; in de vijftien jaar van zijn dienstverband had hij nog nooit gemerkt dat zij 's nachts door het huis dwaalde. Maar hij ging weer naar bed, en zij vervolgde haar speurtocht door de kinderkamer en de kamers van Jasmine en Pearl. De deur van Morris stond op een kier.

Paul zat op het voeteneind van het bed. Het was te donker om zijn gelaatsuitdrukking te kunnen zien, maar hij zat in elkaar gedoken, ellebogen op de knieën, kin in zijn handen. Hij keek niet naar Morris zoals zij soms naar haar slapende kinderen keek. Er sprak geen liefde uit zijn houding... Hij deed eerder denken aan een afvallige christen die zich er, in een moment van zwakte, opeens op betrapt dat hij in een kerk zit.

Hij gaf geen teken dat hij haar had opgemerkt, hoewel ze kon zien dat zijn ogen open waren. De iriserende wijzers van Morris' wekker gaven aan dat het bijna vier uur was. Een paar dappere nachtegalen zongen, en uit de richting van Nanking Road klonken onafgebroken de lage dreunen van beweging en muziek. Een koude, vochtige bries beroerde de zware gordijnen, en ze meende een hond te horen blaffen.

Ze aarzelde, kwam toen naar voren en raakte lichtjes Pauls schouder aan. De aanraking maakte hem niet aan het schrikken, en tot haar verbazing wees hij haar ook niet af.

'Hij is bijna volwassen,' fluisterde ze. Over een paar dagen zou Morris vijftien worden. Hij had al iemand zover gekregen hem net zo'n helm te geven als de vrijwilligers van het Euraziatische Korps Vrijwilligers droegen, hoewel Hope hem verboden had zich erbij aan te sluiten.

Paul rechtte zijn rug en legde zijn hand op die van Hope. 'Hij moet hier weg.'

'Wat?'

'Als hij van school komt, ik zal het regelen. Hij gaat naar Berkeley of Yale. Amerika.'

'Yale! Paul, wat bezielt jou toch?'

Maar hij hield zijn ogen strak op de slapende jongen gericht. Hij drukte slechts haar hand.

Op zijn eenenvijftigste was Paul een sterke man, maar de gebeurtenissen van de afgelopen jaren hadden hun sporen nagelaten op subtiele manieren, die haar verrasten op momenten als deze, wanneer iets wat hij zei of deed Hope haar man als een vreemde deed zien. Plotseling merkte ze dan de crêpepapierachtige zachtheid van zijn hals op, de concentrische rimpels die zich onder zijn oorlelletjes gevormd hadden, de steeds diepere kraaienpoten, de broosheid van zijn sleutelbeen onder zijn dunne zijden kamerjas. Hij stak de ene sigaret met de andere aan en beet onophoudelijk op zijn nagels, zodat zijn vingertoppen eeltig en geel waren geworden, en zijn vingers wel spatels leken – nu, aan het bed van Morris, voelde ze zijn ruwe nagels langs haar pols schrapen, en rook ze de nicotine in zijn huid. Zijn haar was geweken tot achter de kruin, en door het verlies van vier tanden was zijn ooit stevige mond enigszins ingevallen. Maar geen van die veranderingen verklaarde deze onkarakteristieke zorg om de toekomst van zijn zoon.

'Natuurlijk wil ik het...' Ze werd tot zwijgen gebracht door een signaal van een bugel, onmiddellijk weerkaatst door een waterige sirene. Paul stond zo wild op dat Hope bijna haar evenwicht verloor. 'Wat is er?'

Maar hij deed het raam dicht, draaide zich om en wierp een vlugge blik op Morris, die zich niet verroerd had. Toen wenkte hij haar de kamer uit. Bij het licht op de overloop zag ze een spier in zijn wang kloppen. Hij duwde haar voor zich uit.

Ze gingen hun slaapkamer binnen, en met één enkele beweging trok hij haar nachtpon uit en trok haar naar zich toe. Geen woord. Geen geluid. Hij liet zich op de rand van het bed zakken en begroef zijn gezicht tussen haar borsten. Hard en strak dreven zijn knokkels in het vlees onder haar schouderbladen. Een hete, natte stroom gleed langs haar buik naar beneden, en de adem die ze had ingehouden ontsnapte toen ze hem in haar huid voelde jammeren.

Enkele minuten na die sirene barstte het vuur los. Kleine wapens, aanvankelijk, beschoten de postende stakers bij de Tramways Company en de Commercial Press. Toen rukten troepen op naar de spoorwegen en de havens, en zetten hun machinegeweren neer bij gildehuizen en vakbondskantoren. Tegen het ochtendgloren viel een zware regen, en leek het geknetter van machinegeweervuur overal vandaan te komen. Het water in de goten kleurde rood.

Witte Armbanden van gangster Tu doodden Jed Israel toen hij het probeerde op te nemen voor een groepje stakers aan de overkant van de rivier in Pootung. Zijn lichaam werd twee dagen later in een afwateringssloot gevonden, zijn lange rode haar groen van het rioolwater. Zijn hoofd was bijna van zijn romp gescheiden door een automatisch wapen dat preciezer werkte dan enige camera die hij ooit bezeten had.

Het lichaam van Jin werd diezelfde avond bij Hope en Paul op de stoep gedumpt, hoewel het nog weken zou duren voor ze de details van de moord op een rijtje hadden. Hij had de eerste nacht van het bloedbad overleefd, en in de gestage regen van die ochtend had hij samen met enkele honderdduizenden mannen, vrouwen en kinderen gedemonstreerd tussen de ruïnes van Chapei. Ze riepen Chiang Kai-shek, de Kuomintang en de krachten van vrede en gerechtigheid op om een eind te maken aan het bloedbad. Ze waren ongewapend. De soldaten van Chiang stonden in twee rijen aan weerskanten van de Paoshan Road en keken toe terwijl de demonstranten tussen hen door liepen, vrouwen en kinderen voorop. Toen hadden de troepen hun Sam Browns, hun bajonetten, Mausers en tommyguns aangelegd. De achterkant van de schedel van Jin was opengebarsten als een granaatappel, waar het glanzende vruchtvlees uit spettert.

3

JE KON NAUWELIJKS ZEGGEN DAT DAT HET BEGIN VAN HET EINDE was. Het begin van het einde was het begin geweest, maar dat was zo lang geleden dat als Hope terugdacht aan de eerste waarschuwende kanonnade in Berkeley, de geur van geëxplodeerd vlees en been in haar herinnering werd verdreven door de krachtiger geur van rozen. De stank van de dood was nu vers, en de gezichten van de geëxecuteerden trilden nog na in haar ogen. Het grootste verschil maakte echter Paul.

Na afloop van de Witte Terreur, als gezegd kon worden dat het ooit afgelopen was, werd hij een ander mens. Niet alleen ouder, harder of teruggetrokkener. Hij werd de man die hij twintig jaar lang hardnekkig geprobeerd had te verdringen en te veranderen. Hij liet Yen zijn Amerikaanse pakken weggeven en gaf een kleermaker in de Chinese Stad opdracht vier nieuwe zwarte en bruine sjantoeng gewaden te maken, twee fluwelen vesten en drie setjes witzijden ondergoed, één mandarijnenjas met wijde mouwen en drie zwarte zijden geleerdenkapjes. Hij rookte voortaan zijn sigaretten in een ivoren pijpje en liep stijf, trippelend bijna. En de eindeloze uren die hij peinzend over zijn colleges en gedichten doorbracht, rolde hij voortdurend met twee zilveren oefenballen. Academische bezigheden leken vrijwel al zijn tijd, energie en liefde op te slorpen. Hij at niet langer met zijn gezin, meed westers eten en hervatte zijn oude gewoonte om tot diep in de nacht met zijn vrienden mah-jong te spelen of poëziekritieken te zingen. En vaak trok hij zich dagen achtereen terug in het huis in Nantao. Hij leek zijn kinderen nauwelijks op te merken, of het moest zijn om kritiek te leveren op de kortheid van hun jurken, te vragen waarom ze niet studeerden of ze aan te manen wat meer respect te tonen. Er werd met geen woord meer gerept over zijn voorstel om Morris naar een Amerikaanse universiteit te sturen, maar op een dag riep hij de familie bijeen in de zitkamer, en daar was Oude Yu, de dokter van wie Paul nu beweerde dat hij hem van zijn meningitis had 'genezen'. Yu zou elke avond een uur komen om de kinderen onderricht te geven in de taal van hun vaderland, deelde Paul mee. Yu Hu-hsu, zoals de kinderen hem spottend noemden, om zijn lange hangbaard. Zijn stem piepte als krijt op een schoolbord en hij had de walgelijke gewoonte om in zijn neus te peuteren met de zevenenhalve centimeter lange geleerdennagel aan zijn pink. Al snel liet hij de kinderen klassieke verzen nabauwen van de Tang- en Ming-dynastieën, hoewel er geen woord van bleek te blijven hangen toen Hope ze nog eens overhoorde.

Ze veronderstelde dat deze culturele terugval, op de een of andere kronkelige manier die haar begrip te boven ging, voor Paul een manier was om te treuren, compensatie voor het feit dat het politieke klimaat hem beroofde van een fatsoenlijke begrafenis en rouw om zijn zoon. Hij accepteerde geen andere troost, weigerde over de dood van Jin te praten. Hij liet Hope haar werk doen als de moeder van zijn kinderen, en één of twee keer per week werd ze wakker en zag ze hem zich uitkleden aan de voet van het bed, of voelde ze het gewicht van zijn hand op haar borst, en dan nam hij haar zonder kus, zonder tederheid. Hij nam haar met dezelfde onachtzame gulzigheid waarmee hij nu zijn wijn dronk. Andere nachten sliep hij ofwel in zijn studeerkamer, of bleef hij tot de ochtend weg op bijeenkomsten of feestmalen. Ze verzette zich niet. Ze klaagde zelfs niet toen ze de kleverige groene geur van opium op zijn kleren gewaarwerd, of toen hij, na een bijzonder dronken nacht, 's morgens in slaap was gevallen in de riksja, en tienduizend dollar was 'verloren' die hij aan de goktafel gewonnen had.

De waarheid was dat Hope hem benijdde om zijn vermogen zich terug te trekken, hoe destructief, hoe onbegrijpelijk ook. Had zij haar moeder of Irokese grootmoeder maar gekend, dacht ze vaak – die zouden haar misschien enkele rituelen geleerd hebben om met de verschrikking, het verdriet, de *onmogelijkheid* van wat er gebeurd was om te gaan. Maar het enige wat ze bereikt had door naar China te komen was dat dat deel van haar helemaal was afgestorven. Ze was helemaal geen Amerikaanse meer. Ze was een blanke Chinese. Wat had Jin ook alweer gezegd? Als negatief wordt gecombineerd met positief, krijg je nul komma nul.

In juli vluchtte Michael Borodin weg uit Hankow en keerde terug naar de Sovjet-Unie. Paul ging onmiddellijk naar Wuchang om zijn huis weer op te eisen. 'Het is in orde,' rapporteerde hij bij terugkomst. 'Arbeiders hebben enkele hallen betrokken, maar de bibliotheek is nog intact, en de draagstoel van mijn vader ook.' Voor het eerst in weken keek hij haar aan alsof hij een of ander antwoord verwachtte, maar Hope kon geen woorden vinden om op zijn boodschap te reageren.

Ze wist nu dat de familie moest vertrekken, anders zouden ze allemaal verpletterd worden onder het gewicht van deze waanzin. Maar toen ze tegenover Paul suggereerde dat de tijd voor haar gekomen was om de kinderen naar huis te brengen, wilde hij daar niets van weten. De boottarieven waren de pan uitgerezen nu talrijke vluchtelingen uit de binnenlanden terugwilden naar de States. Er was nog geen nieuwe regeringspost voor hem gevonden, en zijn loon van de universiteit was gehalveerd door alle stakingen en andere onderbrekingen. Bovendien konden Chinese staatsburgers onmogelijk een visum krijgen.

Er restte haar slechts één uitweg, maar de ironie wilde dat die haar terug dwong in het werk waar ze nu wanhopig aan probeerde te ontkomen. Na het Borodin-artikel had Cadlow aangeboden haar honorarium op te trekken tot honderd dollar of meer per artikel – op voorwaarde dat ze schreef over de 'onderbuik van de Chinese Burgeroorlog'. Berichten over de Witte Terreur, zoals de slachtingen van de twaalfde april nu genoemd werden, hadden aan de andere kant van de Grote Oceaan een geweldige belangstelling gewekt. Voor de Amerikanen was het bloed dat uit het hoofd van haar stiefzoon was gestroomd ver weg en 'exotisch' genoeg om prikkelend te zijn.

En dus dwong ze zichzelf wekenlang om goed te luisteren wanneer William of Eugene op bezoek kwam. Ze doorzocht de *North China Daily*, *Shen Bao*, de *Kuowen Ch'ou-p'ao*, de *China Weekly Review* op discrepanties die verborgen waarheden onthulden. Ze hield notities bij over de roddels die haar kinderen van schoolvrienden hoorden en die ze thuis navertelden. Maar de mannen hielden het merendeel van hun gesprekken achter gesloten deuren. De redactionele artikelen stemden goeddeels met elkaar overeen. En de kinderen waren nauwelijks een betrouwbare bron te noemen. Ze wist dat ze voor het soort reportages dat Cadlow wilde zien met notitieboekje en camera de straat op moest, naar die delen van de stad die Jin en Jed haar altijd lieten zien, naar hotellobby's en bars zoals het Cathay, naar de havens en fabrieken en goedangs en de ruïnes van Chapei, waar ze zou ontdekken wat er nog over was van de blokken waar ze ooit had geprobeerd te ontsnappen met Stephen Mann – waar Jin in koelen bloede was vermoord. Ze kon zich er niet toe zetten om een voet buiten de Concessie te zetten.

Meevoelende Sarah kwam geregeld langs, met 'inlichtingen uit het veld', zoals ze het noemde. Haar nachten met Eugene waren niet frequent genoeg om veel meer op te leveren dan Hope afluisterde van diens gesprekken met Paul, maar de avonturen van Sarah zelf waren kleurrijker. Ze was op uit de hand gelopen feesten met zeelui geweest in Blood Alley, ze kon de nieuwste, meest protserige nachtclubs beschrijven, tot in details als roze-getinte kroonluchters, en welke maîtresse van Tu waar zong of danste. Ze had verhalen – van de vrouw die haar haar verfde – over Sjanghais meest fantastische perversiteiten en overspelige verhoudingen, in verschillende seksuele, bestiale en door drugs geïnspireerde combinaties. Hope probeerde de obscene verrukkingen die Sarah beschreef als een spons op te zuigen en door haar pen op het papier te laten vloeien, maar bij de artikelen die dat opleverde draaide haar maag om. Terwijl ze uitvoerig vertelde over het nachtleven van Sjanghai, repte Sarah nooit met een woord van de gedwongen verloving van de jonge Ken met een nicht van Chiang Kai-shek.

Langzaam maar zeker, met veel pijn en moeite, gaf Hope haar pogingen om Cadlow tevreden te stellen op – en daarmee ook haar pogingen het geld voor de thuisreis bij elkaar te schrijven. In plaats daarvan begon ze voor zichzelf te schrijven. Ze schreef over idealistische jongelieden die werden gegrepen door de opwinding van de revolutie. Over een tragische jonge vrouw die zichzelf liever vergiftigde dan zich te onderwerpen aan de wreedheid van haar man. Ze schreef over een eenzame, vervreemde arts die zichzelf wijsmaakte dat hij verliefd was op een getrouwde vrouw, en een mooie Ierse die concubine was geworden van een Chinese gangster. Ze vertelde het verhaal van een vader die gedwongen was zijn zoon prijs te geven aan executie door de Witte Terreur.

14 september 1927
Harper's
Beste mejuffrouw Newfield,

Stelt u zich mijn verbazing voor toen ik uw laatste collectie opsloeg. Na uw indringende portret van Borodin afgelopen voorjaar, dacht ik dat we waren overeengekomen dat u die agressievere politieke verslaggeving zou blijven beoefenen. Had u maar melding gemaakt van uw wens om fictie te schrijven, dan hadden we er stap voor stap mee aan de gang gekund.

Ik ben bang dat deze verhalen, hoewel schrijnend en vol kleurrijke details, zowel te fantastisch als te overdadig zijn voor onze lezers om ze te accepteren. Begrijpt u alstublieft goed, wij publiceren inderdaad korte fictiestukken, maar veel minder dan artikelen en essays, en van fictie vragen we in het algemeen dat het een begin heeft, een midden en een verrassend eind – een soort overwelving. Verhalen moeten scherpgesteld zijn, en uitgekiend van compositie, net als uw foto's (die in deze collectie ook node gemist worden), de emotie ingehouden in plaats van in alle hevigheid tot uiting gebracht, de details oordeelkundig geselecteerd in plaats van in het wilde weg door het verhaal gestrooid.

Ik heb het gevoel, mejuffrouw Newfield, dat u zichzelf op de een of andere manier ontlaadt in deze stukken in plaats van er literatuur van te maken. Als u de moeite neemt ze te verfijnen tot echte verhalen, zal ik ze maar al te graag verder met u bespreken. Zoals de zaken er nu voorstaan vrees ik echter dat ze onpubliceerbaar zijn, en ik ben derhalve niet bij machte u het gevraagde voorschot van vijfhonderd dollar te doen toekomen.

Ik hoop dat dit nuttig was en niet zozeer pijnlijk, en dat u uw journalistieke bezigheden niet staakt terwijl u verder experimenteert in andere richtingen.

Met vriendelijke groet,
William Cadlow

Ze reageerde op de brief van Cadlow door er een prop van te maken en die door de kamer te smijten. Hufter. Ze kon net zomin een rechtlijnig, klinisch rapport schrijven over het bloedbad of de lachwekkende regering van Chiang, dan ze haar hysterie de baas had gekund toen ze in juli hoorde dat Chiang gangster Tu had benoemd in de 'Orde van de Briljante Jade' en aangesteld als Commissaris van de Opiumbestrijding. Cadlow had gelijk. Ze was een amateur. Ze was overdadig. Maar hij had ook gelijk toen hij zei dat ze de verhalen had geschreven om andere redenen. Ze hadden als uitlaatklep gediend voor althans een deel van de chaos die in haar binnenste was opgekropt. In elk geval kon ze de naam Jin nu hardop uitspreken, kon ze zich het pure, pijnlijke gestotter van Jed nu herinneren zonder in huilen uit te barsten. Ze kon Paul zijn raadselachtige metamorfose vergeven, al zou ze nooit in staat zijn haar te accepteren. En ze kon doorgaan als moeder voor haar kinderen zonder dat haar hart in haar keel opsprong, elke keer als ze de deur uitgingen. Hoewel dat het meeste moeite kostte.

Die eerste ochtend, binnen enkele uren nadat het machinegeweervuur was gestaakt, was Morris weggeglipt. Hope had meteen Yen achter hem aan gestuurd, maar Morris had een paar jongens uit de buurt ontmoet met wie hij samen ergens in de bosjes was gedoken, waarna ze waren verdwenen. Toen Morris eindelijk terugkwam, bijna twee uur later, sloeg Hope hem huilend in het gezicht en om de oren. Het was voor het eerst dat ze een van haar kinderen sloeg sinds die afschuwelijke nacht dat ze uit Peking vertrokken waren. Veel later bekende Morris dat hij een Chinese jongen had gezien, niet ouder dan hijzelf, die vast had gezeten onder de prikkeldraadversperring – mond opengereten van oor tot oor, kogelgaten in de borst. Hoewel hij die zomer bij de padvinderij ging, praatte Morris nooit meer over het Euraziatische Korps Vrijwilligers, en wanneer zijn toekomst ter sprake kwam, zei hij dat hij heel graag aan een Amerikaanse universiteit zou willen studeren.

Maar de toekomst van Pearl kwam eerst. Ondanks de Terreur – of, wat waarschijnlijker was, vanwege de Terreur – hadden noch haar onvolledige rapport noch haar dubieuze cijfers haar ervan weerhouden om in juni de school te verlaten, een maand voor haar negentiende verjaardag. Toch bleef Pearl een kind. Schijnbaar immuun voor de gruwelen en ontberingen om haar heen, kon ze soms in een geweldig gegiechel uitbarsten, en gebruikte ze uitdrukkingen als 'hem smeren' en 'bedotten' en 'Toedeloe!'. Ze legde haar kapsel in een watergolf, sloeg haar kousen om en bracht rouge aan op haar knieën en wangen. En hoewel ze ijverig knipsels verzamelde uit de *North China Daily*, negeerde ze al het politieke nieuws en knipte alleen artikelen uit over parades van het Amerikaanse Korps Mariniers, de jaarlijkse bijeenkomsten van de renclub, koelies die verdronken waren in de Soochow Creek en kleurrijke auto-ongelukken en branden aan de Bubbling Well Road. En ze sprak weliswaar met droefheid en een soort ontzag over Jin, en over gebeden voor zijn ziel, maar haar verdriet had geen diepte. Het was alsof ze niet helemaal geloofde dat hij dood was – *kon zijn*.

Net zoals haar vader was teruggevallen op zijn Chinese tradities, had Pearl op de verschrikkingen gereageerd door zich in het sociale gewoel van Sjanghai te storten. Feestjes en jongens, zei ze voor de grap, waren haar nieuwe religie. Ze had zich een kringetje binnengewurmd van onnozele maar welgestelde meisjes wier vaders Amerikaanse of Franse katholieken waren en die hun vrijers zochten in het Korps Vrijwilligers van de Concessie. Die vrijwilligers, zei ze, waren 'hartstikke leuk' als je met ze aan de praat raakte. Toen Hope probeerde uit te leggen waarom die jongens nou speciaal zo 'leuk' deden tegen een mooi Euraziatisch meisje, riep Pearl: 'Maar mama, het zijn jongens uit de *beste* families, en ze zijn gewoon aardig. Bovendien, waarom zouden ze mij daar allemaal mee lastigvallen als ze voor een schijntje een *ervaren* Wit-Russische prinses kunnen krijgen!' Uiteindelijk had Hope geen keus dan Pearl botweg duidelijk te maken dat noch haar snoezige, maar tamelijk pretentieloze uiterlijk, noch de 'positie' van haar vader haar tot meer dan een marginale huwelijkskandidaat bestempelden. Bovendien, als ze ooit uit China weg wilden, hadden ze meer geld nodig dan Hope met haar schrijverij kon opbrengen, ook al ging het allemaal weer lekker lopen. En Pearl had de aanleg noch de cijfers om naar de universiteit te gaan. Dus die zomer, terwijl gevechten de rivier – en Kuling – gesloten hielden voor burgers, leerde Hope haar dochter om een baan te zoeken.

Ze omcirkelden advertenties in de *North China Daily*, maakten telefonisch afspraken, kochten Amerikaanse patronen en naaiden goed zittende linnen pakken en 'werkjurken' met een kraagje. Ze oefenden op haar presentatie bij sollicitatiegesprekken (waarbij de elf jaar oude Jasmine een griezelig oog bleek te hebben voor de nuances van een glimlach of zegswijze die Pearl wereldwijzer deden overkomen), en binnen twee weken had Pearl een baan als secretaresse bemachtigd bij Asia Realty, waar ze het typewerk verzorgde en de telefoon opnam voor een gezette, sigaren rokende Cockney genaamd Jim Yeardley. Pearl was zo naïef dat ze dacht dat haar nieuwe baas alleen maar vriendelijk was als hij haar aan het eind van de dag whisky aanbood, maar zijn slaapkamerogen verloren hun glans toen Pearl een keer de voorraadkamer schoonmaakte en op een paar oude kasboeken stuitte die vol met verduisterde contanten van Yeardley bleken te zitten. Meneer Pedersen, de milde eigenaar van het bedrijf, een man met uitpuilende ogen, ontfermde zich over Pearl, maar het arme kind was wekenlang doodsbang voor de ontslagen Yeardley, die had gedreigd zich op haar te zullen wreken. Ze stond erop dat Hope of Yen haar naar haar werk bracht en weer ophaalde, en hoewel de gevreesde Cockney spoorloos bleef, kon Hope zich het volgende voorjaar toch niet aan de indruk onttrekken dat haar dochter misschien een beter figuur zou slaan als bruid dan als secretaresse.

Aan vrijers geen gebrek. Euraziaten, Fransen, Amerikanen en Italianen. Het probleem zat hem in hun bedoelingen. Hope stond erop dat Pearl jongens die met haar uit wilden eerst thuis voorstelde, en ze mocht alleen met een jongen uit als er een of meer andere stelletjes bij waren. Pearl lachte haar moeder uit om haar voorzichtigheid, maar hield zich niettemin aan de gestelde regels. Yeardley had haar een lesje geleerd, en zelfs voor Pearl paradeerden er te veel matrozen en soldaten rond om ze allemaal ter wille te zijn. Uiteindelijk beperkte ze zich zelfs tot één vriend: Trevor Noble, een lieve, zij het tuberculeuze jongen wiens vader bij de American Mail Line werkte. Zijn zuster Googoo was een oude schoolvriendin van Pearl.

Paul was er niet voor. 'Ze hoort getrouwd te zijn,' bromde hij. 'Hoe kan ze zoveel tijd met hem doorbrengen, en toch niet trouwen?'

'Ze zijn elkaar aan het leren kennen.'

'Ze kan hem leren kennen als ze getrouwd zijn!'
'Ze is pas twintig,' hielp Hope hem herinneren. 'Ik was vijfentwintig toen jij mij trouwde.'
'Dat is anders,' zei hij. 'Jij was Amerikaans meisje.'
'Pearl ook, volgens haar paspoort.'
Hij pakte zijn hoofddeksel van de kapstok bij de deur. Ze hadden dit gesprek, zoals de meeste de laatste tijd, in het voorbijgaan.
'Ze zou getrouwd moeten zijn,' herhaalde hij, en vertrok.

3 augustus 1928
p/a Noble
Perceel 112, Mokanshan
Lieve mama,

Nou, we zijn hier veilig aangekomen, en het is heerlijk. Het zwembad is vlak naast de tuin, en de tennisbaan is aan de linkerkant van het huis. Mijn kamer is op de begane grond.

De eerste nacht werd ik ergens wakker van en ik luisterde en luisterde tot ik niets meer hoorde, en toen, zo duidelijk als wat, hoor ik iets bij mijn blindering, net alsof iemand hem probeerde open te maken en binnen te komen. O o! Ik was bang. Ik probeerde te gillen, maar er kwam geen geluid. Ik kon alleen luisteren en luisteren. Ik hield mezelf voor dat het meneer Noble of een bediende was, maar het leek wel of het uren doorging, bovendien zat er een rat in mijn koffer en zat een andere aan mijn bureau te knagen. Nou goed, toen ik genoeg moed had verzameld om te gaan zitten knipte ik de grote lantaarn van Trevor aan, richtte op de luiken, kuchte en zei: 'Ga weg.' Toen begon de hond die onder mijn raam op de veranda slaapt heel hard te blaffen. Ik zei het tegen Trevor en hij kwam de tweede avond naar beneden zonder het tegen iemand te zeggen (voor het geval het iemand was die een grap wilde uithalen), en betrapte de ochtendkoelie die probeerde of hij iets stelen kon. Net als die drager die Yen in Kuling betrapte! Alleen meneer Noble handelde het in één keer af en trapte die man er gewoon uit omdat hij zo brutaal was.

Ik draag mijn mooie jurken niet aangezien ik er al te dwaas uit zou zien. Mevrouw Noble trekt afwisselend de ene en dan de andere jurk aan. We moeten onze eigen bedden opmaken omdat er geen dienstmeisjes zijn, en ik wilde niet dat zij mijn bed opmaakte. Ook zal ik mijn eigen spullen moeten wassen.

Ik vraag me af wat papa overal van zegt?

Hou van jou!

Pearl

Pass. 125 Route de Grouchy

Sjanghai

9 augustus 1928

Liefste Pearl,

Kaart en brief beide ontvangen. Ik hoop in elk geval dat je avonturen nu voorbij zijn, want het klinkt als een nogal onrustbarende verwelkoming!

Ik ben blij te kunnen melden dat het hier regent. Een koele, zachte regen. Ik ben nauwelijks het huis uit geweest sinds jij weg bent, en heb geprobeerd aan mijn artikelen te werken, hoewel ik vrees dat ik in de verkeerde voor zit, zoals mijn vader altijd zei, en ik weet niet hoe ik eruit moet komen.

We missen je wel vreselijk, maar zit daar niet mee. Geniet zoveel je kunt. Maar kijk wel uit dat Trevor niet oververmoeid raakt. TB is niet zomaar wat, zoals je wel zult beseffen. Heb je al wandelingen kunnen maken met Trevor? Loop niet te snel en probeer geen ruzie te maken. Rust en eet goed, dat zijn je marsorders.

Wat de jurken van mevrouw Noble betreft, dat zijn haar zaken en geen maatstaf voor jou. Jij bent jong en lief en aantrekkelijk, en je hebt geen reden daar niet mee te pronken. Het zal Trevor gaan vervelen als hij jou steeds in dezelfde oude jurk ziet. Bovendien, ik heb me aanzienlijke moeite gegeven om die rode voile en de mousseline op tijd klaar te krijgen voor jou om mee te nemen. Ik zou het niet leuk vinden als ze ongedragen mee terugkwamen.

Papa heeft niets gezegd behalve: 'Bloesem heeft maar twee weken?' Dus hij vindt het niet erg. Tegen de tijd dat je terugkomt is hij in Kuling, waar hij langsgaat om het huis te inspecteren voor hij naar Nanking afreist. Hij is benoemd in de Toeziende Yüan, wat betekent dat hij geacht wordt controle uit te oefenen op de bureaucraten van Chiang, en dat hij erop moet toezien dat de regering vrij blijft van corruptie. In elk geval heeft hij weer een salaris. Maar het betekent ook dat hij het grootste deel van de tijd in Nanking zal doorbrengen. Ik weet niet, misschien is het wel het beste zo voor ons allemaal. Hoe dan ook, maak je geen zorgen. Pas gewoon goed op jezelf.

Je liefhebbende mama

4

15 MEI 1929

Onderweg naar Nanking

Lieve Sarah,

Ik heb de afgelopen weken verscheidene keren geprobeerd je te bereiken, maar je hebt mijn telefoontjes niet beantwoord. Ik neem aan dat dat betekent dat Eugene je weer gunstig gezind is, of ben je bezig voorbereidingen te treffen voor de bruiloft van Ken? Hoe dan ook, ik wilde je iets vragen. Ik neem Jasmine en Teddy mee naar Nanking en naar Paul, voor de feestelijkheden ter ere van het nieuwe mausoleum van dr. Sun, en we hebben Morris (moet zijn examens afmaken) en Pearl (kon geen vrij krijgen van haar werk) thuisgelaten met Yen. Zou je het heel erg vinden om bij ze langs te gaan? Ik weet dat Pearl een volwassen vrouw is en Morris bijna een man, maar hoe kan een moeder zich nu *geen* zorgen maken als ze in Sjanghai zitten? Vooral sinds Trevor Noble met Kerstmis is overleden, is Pearl op van de zenuwen, het ene moment vrolijk op het lichtzinnige af, het volgende moment in tranen, en het enige wat haar schijnt te kalmeren is naar de kerk gaan, maar dan nemen haar vriendinnen haar weer mee naar een nachtclub 'om haar op te vrolijken' en... nou ja, je begrijpt het wel. Doe me een plezier, Sarah, en zorg dat ze zich geen moeilijkheden op de hals haalt.

Wat ondergetekende betreft... Je zult je ongetwijfeld afvragen waarom we, gezien de huidige stand van zaken, onderweg zijn naar Nanking. Nou, zoals altijd hoop ik wat foto's te maken en er een verhaal uit te halen. Generalissimo

Chiang schijnt tussen de drie en zes miljoen dollar uit de nationale schatkist te hebben gehaald voor het nieuwe mausoleum van Sun, en ik ben ervan overtuigd dat het met de nodige kleurrijke pracht en praal gepaard zal gaan als het lichaam van onze held uit Peking wordt aangesleept. De kinderen zijn opgewonden omdat Paul heeft beloofd dat ze pony kunnen rijden over de oude stadsmuur zoals Pearl zich herinnert dat ze met Yen in Peking gedaan heeft. Ze zijn zielsblij dat ze eindelijk een avontuur gaan meemaken waar hun oudere broer en zus nu eens niet bij zijn, en Jasmine zal hen ongetwijfeld de rest van hun leven aan dit uitje blijven herinneren.

Ja, maar *jij* dan Hope? Ik hoor het je vragen, Sarah, echt. Maar ik weet eerlijk niet wat ik erop antwoorden moet. Paul geeft torenhoog op van de wederopbouwcampagne van Chiang, volgens hem maakt de nieuwe regering van Nanking een volledig moderne, bijdetijdse stad, en – nu de westerse naties de nationalistische regering erkend hebben – ook een zeer kosmopolitisch centrum. Er wordt zowel Chinees als Engels gesproken, en er is veel meer respect tussen de rassen onderling dan in Sjanghai. Zegt hij. Misschien wordt dat wel het onderwerp voor een volgend artikel, maar we zullen zien of het mij zal overhalen de kinderen weer eens uit hun vertrouwde omgeving weg te halen om daarheen te verhuizen, zoals Paul beweert graag te willen.

Ik zeg 'beweert' omdat het er bij mij niet in wil dat het hem ook maar iets kan schelen. Het heeft geen zin de schijn op te houden, je weet hoe het er bij ons voorstaat sinds Jin er niet meer is. Het is alsof hij aan de ene kant van de spiegel staat en ik aan de andere, en ook al drukken we de handpalmen tegen elkaar, het enige wat we voelen is het koude glas tussen ons in. Jij lacht erom, dat weet ik, en zegt dat ik onnozel ben als ik denk dat het ooit anders is geweest, en misschien heb je wel gelijk. Het enige wat ik weet is dat het nu zo is, en ik weet niet of ik boos of verdrietig moet zijn. Paul is nog dezelfde goede man als altijd. Lief, vriendelijk, zachtmoedig, geduldig op zijn manier, en overdreven genereus. Maar zijn afstandelijkheid nu is hard en niet te beïnvloeden, en zijn verslaving aan de politieke intriges en omwentelingen van dit land lijkt zelfs nog steeds onverminderd toe te nemen. Ongeacht hoe schandelijk corrupt, primitief, achterbaks of tiranniek de leiders ook mogen zijn, hij zou nog liever zien dat zijn zoon werd vermoord en door het slijk gehaald dan dat hij buiten de regering werd gehouden.

Ik zou het hierbij moeten laten. De pen kan een verraderlijk wapen zijn, en ik wil jou niet compromitteren. Het is alleen zo dat Paul en ik, zelfs binnen vier muren – palm-aan-palm zogezegd – zover uit elkaar zijn gegroeid dat we net zo goed in verschillende steden kunnen wonen. Ik zie er niet langer het nut van in om te doen alsof het anders is, of het moest voor het bestwil van de kinderen zijn, maar hun leventje is stevig geworteld in Sjanghai. En er is daar toch sprake van enige bescherming, of niet?

Het is laat. We hebben een comfortabele slaapwagon, en de kinderen liggen lekker te slapen in hun couchettes. Buiten is het zo donker dat we net zo goed door de hoge Sierra's zouden kunnen reizen. Niet te geloven, hè, dat dat alweer drieëntwintig jaar geleden is. Nog zie ik die verbeten, vastberaden uitdrukking op jouw gezicht nadat Kathe in Oakland die koelies tegen het lijf was gelopen! En voel ik de spanning van jouw rug toen we in de trein een couchette deelden. Ik vraag me af of ik over tien jaar even sterke herinneringen zal hebben aan deze reis, schommelend door Kiangsu met mijn slapende kinderen, mijn pen glibberend en schokkend terwijl ik dit schrijf.

Maar ik moet ophouden. Ik post deze brief bij aankomst op het station en bel je zodra we weer thuis zijn – vijf of zes juni.

Hartelijke groeten aan Ken, en liefs, zoals altijd, voor jou,
Hope

1 juni 1929
Ik houd me schuil vanavond. Het is een beestachtige dag geweest, en er is, vrees ik, onherstelbare schade aangericht.

Ik had het kunnen weten toen ik voor het eerst het mausoleum in ogenschouw nam dat we hier feestelijk komen inwijden. Chiang Kai-shek heeft ter 'ere' van dr. Sun een monstrum van marmeren lelijkheid en overdadigheid laten bouwen – tachtigduizend vierkante meter harde, kwetsende steen. Maar hoe ontoepasselijk en ongelikt deze tombe ook mag zijn voor een man die zo naïef bescheiden was als Sun, de feestelijkheden die in opdracht van Chiang zijn georganiseerd om hem in te wijden zijn, heel eenvoudig, bespottelijk. Duizenden hebben uren in de verstikkende hitte gestaan om met vlaggen te zwaaien en nationalistische liederen te zingen, en te luisteren naar de eindeloze toespraken van iedereen in de kring rond Chiang die graag met de Vader van de Republiek geassocieerd wilde worden. De pesterijen van Jasmine en de vragen van Teddy waren bijna net zo hardnekkig als het ceremoniële rumoer, maar veel sympathieker, wat mij betreft. Het mag dan altijd de wens van dr. Sun zijn geweest om te worden begraven in de Paarse Berg, maar ik weet zeker dat hij liever een naamloos graf zou hebben gehad, dan gebruikt te worden zoals vandaag is gebeurd. Ik begin me af te vragen of de Chinese samenleving niet van nature iets heeft dat elke waarlijk nobele ambitie tot stof vermaalt.

Uiteindelijk beklom ook Paul het spreekgestoelte en hield zijn eigen toespraak ter nagedachtenis van Sun. Hij was volkomen oprecht, doorvoeld in zijn woorden en gelaatsuitdrukking, maar wat uit zijn mond kwam werd totaal overschaduwd door de aanblik van de Generalissimo die achter hem zat te knikken, en die zijn glinsterende oogjes half dichtkneep in de welwillende glimlach van een adder. Volgens Sarah is het privé-vermogen van Chiang sinds hij aan de macht is met tientallen miljoenen toegenomen, en toch wordt Paul nog net zo onregelmatig betaald als altijd, en neemt de staatsschuld bijna even snel toe als de rijkdom van de Generalissimo. Ik herinner me de tirades van Paul tegen de Manchu's, die de rijkdommen van China voor zichzelf opeisten, tegen Yüan Shih-k'ai, die geld in eigen zak stak dat hij op kosten van het volk had geleend, en tegen de krijgsheren, die paleizen bouwden en concubines kochten van wat de boeren aan belasting betaalden. Kan mijn man oprecht geloven dat er iets is veranderd?

We kregen ruzie. We waren terug in dit hotel, waar Paul in een suite woont die even kaal en functioneel is als de lobby's opzichtig zijn met hun verguldsels en rode tapijten. De kinderen waren op hun kamer. Ik was in elkaar gezakt in de zitkamer, en Paul beende duidelijk geagiteerd rond. Hij zei dat hij wilde dat ik vanavond met hem mee ging naar de receptie en het diner. Hij had oppas geregeld voor de kinderen. Wel, ik was doorweekt van het zweet en week van uitputting. Ik had zo'n hoofdpijn dat ik het gevoel had alsof er met een kapmes op in werd gehakt, en ik zou de meeste mensen die de festiviteiten bijwoonden liever bespuugd hebben dan dat ik met ze ging zitten praten. Bovendien, dit was voor het eerst dat hij enige aandacht aan mijn aanwezigheid schonk. Ik weigerde.

'Je bent mijn vrouw,' zei hij. 'Je moet meegaan.'

'Is dat een bevel?'

'Als je dat wilt.'

'Dat wil ik niet. Ik ben je dienstmeid niet. En ik wil niets te maken hebben met deze stad of de mensen die het hier voor het zeggen hebben.'

Toen zei hij: 'Dit is mijn werk. Het is wat ik doe. Wie ik ben.'

'Het was al jouw werk voor wij trouwden, en je hebt al die jaren consequent alles gedaan wat in je vermogen lag om mij erbuiten te houden. Nu begrijp ik waarom. En ik wil er niks mee te maken hebben.'

Zijn gezicht werd donker zoals dat gaat bij hem, alsof zijn razernij in hem zit opgesloten, en in zijn binnenste ziedt en kolkt. Ik zette me schrap, ik dacht dat hij zich op de wangen zou slaan, maar tegelijkertijd bad ik dat hij dat zou laten. Ergens had ik liever dat hij een stoel uit het raam zou smijten, liever dat hij zijn vuist door de muur zou rammen, liever zelfs dat hij mij zou slaan als ik ben wat hem woedend maakt, dan dat hij alle woede, alle frustratie en vernedering eerst en alleen tegen zichzelf richt. Als hij mij sloeg, zouden we het tenminste kunnen uitvechten. Dan zou het er tenminste *uit* komen, die afschuwelijke, onzichtbare spanning tussen ons. Dan zouden we kunnen kijven, krijsen en krabben – en misschien dat we ons intussen zouden herinneren hoe het is om elkaar te voelen.

Hij sloeg zichzelf noch mij. Hij schrompelde ineen. Zijn gezicht leek voor mijn ogen weg te kwijnen. Hij slaakte één sidderende zucht, en twee tranen welden op en biggelden over zijn wangen. Zijn vuisten waren gebald, zijn armen gebogen, maar het was de houding van een verlamd kind, niet die van een dreigende man.

Zoveel woorden kwamen op in mijn keel dat ik erin smoorde en er geen enkel geluid uit kwam. Hij maakte me ziek. Ik had met hem te doen. Ik haatte hem. Maar meer dan wat ook werd ik bang van zijn tastbare angst voor mij.

'Laten we gaan, Paul,' zei ik uiteindelijk, met een moeite alsof ik een blok beton moest wegblazen. 'Ik ben al zeventien jaar niet meer in mijn land terug geweest. Ik wil dat Morris in Amerika gaat studeren en dat al mijn kinderen hun andere thuis ook leren kennen.'

Paul richtte zich op, langzaam en met bijna genoeg waardigheid om mij ontzag in te boezemen. 'Mijn kinderen zijn Chinees,' zei hij. 'En jij, mijn vrouw, een Chinees staatsburgeres.'

'China is niet mijn thuis, Paul. Dat zal het nooit zijn.'

Maar opeens voelde ik me onteerd. Mijn benen wiebelden onder mij. Zijn tranen waren gedroogd en zijn gezicht was vertrokken in een vreemde, neerwaartse grimas die tegelijkertijd weerzinwekkend en beschaamd leek. Hij legde een hand tegen mijn wang, een ogenblik maar, maar hij keek me niet aan en ik voelde geen band, geen emotie in zijn aanraking. Ik besefte dat dat de manier is waarop hij tegenwoordig onze kinderen aanraakt, en dat wat ik voelde hetzelfde was als wat zij voor hem voelen. Ik kon niet reageren, en even later liep hij de slaapkamer in. Ik ging naar de kinderen, en een paar minuten later hoorden we deuren die open en dicht gingen en was hij vertrokken.

4 juni 1929

Onderweg

Liefste, fijnste, keurigste Hope,

Je moet me vergeven (al weet ik dat je dat niet zult doen) dat ik geen afscheid van je heb genomen. Ik heb een beeld van een jongen ontmoet. Jimmy Marlowe. Hij komt uit San Diego, Californië, en hij heeft prachtige blauw-groene ogen en armen als bielzen. Je kunt wel zien dat ik helemaal weg van hem ben, en ondanks het leeftijdsverschil (ik durf niet te zeggen hoe groot!), zegt hij hetzelfde van mij. We hebben elkaar nog maar een paar weken geleden in de Casanova ontmoet, hoewel hij al bijna twee jaar in Sjanghai is. Wat een timing, wat een geluk. Hij is zeeman, weet je, en het komt wel heel goed uit dat hij met verlof gaat. Jazeker mevrouw, we vertrekken vanavond. Ik heb Gerry er alles over geschreven en hem gevraagd of hij ons aan de overkant kan afhalen – had ik je al verteld dat hij een meisje heeft, en dat ze in Dallas, Texas, wonen, *of all places*?

Tuurlijk kan ik verder tegen niemand een woord zeggen. O, ik weet wel dat Eugene zich enorm zal opwinden. Het echt beroerde eraan is, dat ik Ken niet kan meenemen. Als ik dat deed, zou de Chou-clan al hun bendes op mijn dak sturen – ze hebben neven in elke Chinatown in Amerika – en weet ik zeker dat ik binnen een maand dood zou zijn, en Ken op zijn best net zover als nu. O jee, Hope. Ik weet wat je denkt. Ik weet dat jij nooit zoiets als dit zou kunnen doen. Maar probeer het alsjeblieft te begrijpen. Twintig jaar lang ben ik als een of ander wezen in een fles gehouden. Ik heb het overleefd, en ik ben erin geslaagd af en toe nog een beetje pret te maken ook, en mijn jongens zijn goede jongens, allebei. Maar ik ben niet vrij geweest, en ik heb niet echt geleefd en dit is een kans die niet weer zal komen. Ik haat dit land. Het is smerig, het is krankzinnig, en het is wreed. In de fuik van Sjanghai zal ik er wel het ergste van zien, maar zo is het nu eenmaal.

Ik denk aan Amerika. Ik denk aan de ruimte, de kleur, de smaak van de lucht. Wat ik mij herinner is vrijheid, Hope.

Dus let alsjeblieft een beetje op mijn lieve Ken. Terwijl ik dit schrijf zit hij met Morris voor zijn examens te blokken. Ze zijn allebei bijna volwassen, weet je dat? Ze hebben ons nauwelijks meer nodig, en aangezien ik geen andere kleintjes heb moet ik mezelf niet wijsmaken dat ik onmisbaar ben. Dat ben ik niet. Voor niemand behalve mezelf.

Ik hoop echt dat je het een beetje begrijpt. Ik schrijf je zodra ik ben aangekomen en een adres heb. Misschien dat jij ook ooit terugkomt, en dat we dan samen herinneringen zullen ophalen over onze tijd in Sjanghai, en zullen vaststellen dat het absoluut een verrukkelijke tijd was. Dat zou ik leuk vinden.

Het beste, Hope. En liefs.

Sarah

Ze voelde zich verharden. Haar huid, haar ruggengraat, zelfs haar haar, waar nu brede zilveren sporen doorheen liepen – alles leek stijf en hard te worden. Ze haatte die verandering. Het deed haar denken aan de doodskist in het huis van Nai-nai. Die doodskist was daar meer dan vijftien jaar geweest, had op de dood van Nai-nai staan wachten, en ieder najaar was hij opnieuw gelakt om hem kracht te geven voor als het zover was. Maar haar eigen verharding beloofde geen kracht. Die beloofde niets meer dan een zwaar en permanent verlies.

Er was nu niemand meer wie ze zulke gevoelens kon toevertrouwen. Sarah was spoorloos verdwenen. Zelfs Ken, wiens bruiloft de Leons enkele weken na de vlucht van zijn moeder hadden bijgewoond, wist niet waar ze gebleven was. Hoe dan ook, Sarah was Hope deze keer te ver gegaan om haar ooit nog in vertrouwen te kunnen nemen. Dat ze bij Eugene was weggelopen begreep ze veel beter dan dat ze zich al die jaren aan hem onderworpen had. Maar dat ze haar zoon in de steek liet, en wegliep met een man die ze nauwelijks kende... een zeeman nog wel, half zo oud als zijzelf!

Hope probeerde haar emoties te begraven in haar schrijfwerk en de foto's die ze op goed geluk weer was gaan maken – meer als excuus om de deur uit te gaan en alleen te zijn dan om 'de essentie van Sjanghai' vast te leggen, zoals Cadlow haar bleef aansporen om te doen. Maar het begon haar allemaal te ontglippen. Hoewel Cadlow met haar meevoelde, wees hij nu een of twee van elke drie artikelen af – vrijwel alles wat Hope onder haar echte naam instuurde. Alleen de stukken die ze onder pseudoniem schreef bleven overeind, in zijn ogen. 'Als je bang bent, om de een of andere reden,' drong hij aan, 'laten we Hope Newfield wegglippen en verwelkomen we onze nieuwe medewerkster Isabelle Wayland – zo lang haar werk op hetzelfde niveau blijft.' Maar identiteit was slechts een deel van het probleem.

'Ga mee naar de kerk, mama,' smeekte Pearl haar meer dan eens. 'Het is zo groots en mystiek. Je kunt niet anders dan je een deel voelen van iets dat groter is dan je eigen problemen.'

Sinds Trevor Noble overleden was ging Pearl geregeld naar de St. Joseph's Cathedral. Zijn familie hoorde bij de parochie, en zijn requiemmis was er ook gehouden. Verscheidene vriendinnen van Pearl gingen er elke zondag naar de mis, en na verloop van tijd ging ze steeds geregelder mee. 'Het biedt troost,' had ze na Trevor uitgelegd, en later: 'Het is een en al pracht en praal. De katholieken steken zelfs de Chinezen met hun festivals naar de kroon.' Soms sleepte ze Jasmine en Teddy mee, die daartoe werden verleid met het vooruitzicht dat ze er na afloop van de mis met haar vriendinnen ook bij mochten zijn. Er was een jonge priester wiens missie leek te zijn om de 'verloren' Euraziatische jeugd van Sjanghai in de schoot der Kerk te lokken, waarvoor hij een zeer succesvolle strategie had ontwikkeld: na de mis werd de jeugd getrakteerd op ijs en priklimonade. De kring werd groter, en al snel was arme Trevor Noble vrijwel vergeten en kibbelden Pearl en Jasmine over de vraag welke van de jongemannen die ze in de kerk hadden ontmoet de knapste was, welke het beste kon dansen, welke het beste gekleed ging, of de ondeugendste grappen uithaalde. Hope redeneerde dat het allemaal geen kwaad kon – beter de katholieken dan de gangsters van Sjanghai. Maar zijzelf had te veel jaren de tirades van Paul aangehoord over de missionarissen en met name de katholieken, die van de Manchu's de mooiste stukken land kregen toebedeeld en de gunstigste belastingregelingen, en uit naam van de Kerk niet-bekeerde Chinezen brutaliseerden (altijd maar weer die grap over al die Chinezen met blauwe ogen die je alleen in de inheemse missiedorpen zag). Hope had een afkeer van schijnheiligheid, en het leek erop of de christelijke godsdiensten gespecialiseerd waren in het preken van het ene en het doen van het andere. Dus hoewel ze zorgde dat haar kinderen altijd zondagse kleren hadden, en wat kleingeld voor de offerschaal, ging ze niet in op de smeekbedes van Pearl om met hen mee te gaan.

Het huis was op zondag nu gewoonlijk leeg. Morris, die in het voorjaar van 1930 van school was gekomen (en die nog minder enthousiasme voor de Kerk kon opbrengen dan zijn moeder), had een baan aangenomen als leerling-journalist bij de *Evening-Mercury*, en moest elk weekend wachtlopen in de Concessie. De bedienden hadden 's zondags altijd vrij gehad, en hoewel Yen meestal bij huis had rondgehangen, was hij nu definitief vertrokken. Jarenlang hadden de vrienden van Paul Yen fooien gegeven voor het serveren van zijn specialiteit, geroosterd varkensvlees, en het laten vloeien van drank op hun mah-jong- en poëzieavondjes. Jarenlang was het enige verzetje waar Yen zich op vergastte zijn wekelijkse filmavondje geweest, verder gaf hij zijn geld alleen zo af en toe aan een cadeautje voor een van de kinderen uit. De rest had hij gespaard tot hij, op een dag in het najaar van 1929, had meegedeeld dat hij een kleine herberg had gekocht in Hongkew. Ahnie zou hem helpen die te drijven. De kinderen hoefden niet meer verzorgd te worden, zeiden ze, en Laoyeh had de diensten van Yen in Nanking niet nodig. In tranen hadden ze afscheid genomen, en verscheidene weken later had Yen de familie uitgenodigd om hun etablissement te komen bekijken. Zodra ze binnenkwam slaakte Hope een kreet. Toen stroomden de tranen over haar gezicht. Lieve, lieve Yen en Ah-nie. Daar, boven het bureau in de benauwde, schemerig verlichte lobby, hing een enorme, korrelige uitvergroting van een foto die Jed van Hope gemaakt had in het jaar nadat Morris geboren was.

Normaal gesproken verdreef ze de sombere stemming die ze haar *Sunday blues* was gaan noemen door zich op te sluiten in de donkere kamer die ze had ingericht in het oude verblijf van Yen onder de trap, of werkte ze aan een artikel, naaide of schreef in haar dagboek. Als het goed weer was werkte ze ook wel in de tuin. Er was in elk geval altijd wel iets om haar handen en hoofd mee bezig te houden, al bleef er voor haar hart weinig over. Maar er kwam een zondag, begin december 1931, dat de leegte van het huis haar dreigde te verzwelgen. Het was een naargeestige dag, niets uitnodigends aan, afgezien van het feit dat hij een alternatief bood voor haar eigen eenzaamheid. En de garantie van Sjanghai dat ze maar de deur hoefde uit te gaan, om herinnerd te worden aan haar eigen betrekkelijke voorspoed.

Ze vertrok richting Hongkew met het vage idee om even bij Yen langs te gaan. Ze had een nieuwe miniatuur Leica in de zak van haar oude tweedjas gestopt. Het verkeer was druk, hele gezinnen in kruiwagens op weg naar de markt, de gebruikelijke stroom van straatventers die zwaaiden met hun zelfgemaakte speelgoed en confectie, bussen en riksja's die heen en weer reden naar de Bund. Op zijn piëdestal midden op de Route Père Robert voerde de Sikh met zijn rode tulband zijn curieuze verkeersdans op. Koloniale marionetten, had Jed de Sikhs altijd genoemd.

Ze sloeg de fluwelen kraag van haar jas op, trok haar jersey cloche dieper over haar hoofd en maakte een foto van de politieman. Een paar minuten later fotografeerde ze een groepje padvinders die voor een speelgoedwinkel bezig waren houten autootjes en vliegtuigjes te verbranden terwijl hun leider de nukkige verkoper stond uit te foeteren omdat hij de Chinese boycot van Japanse goederen aan zijn laars had gelapt.

Bij de ingang van French Park bleef ze weer staan, voor een heel andere vertoning: de zondagse promenade. Vormelijke Europeanen in vol ornaat, met strakke gezichten dwangmatig aan de wandel; groepjes jonge Chinezen in bakvistenue; geliefden die de schaduw kwamen zoeken. Merkwaardig, dacht Hope, dat het juist de geliefden waren, die zo graag onopgemerkt wilden blijven, die er het meeste uitsprongen. Zoals die man van middelbare leeftijd die een zijpaadje inslaat met zijn jonge vriendin – hij met zijn scherpgerande hoed en streepjespak, zij met haar korte kapsel en rode zijde. Zij zo heel geanimeerd, hij bijna vaderlijk van voorkomen. Maar niet helemaal.

Hope schoof weg achter een taxusboom en overwoog of ze het paar moest fotograferen. De man deed zijn gouden brilletje af en stak hem voorzichtig in zijn borstzak terwijl hij het meisje iets in het oor fluisterde. Ze lachte en legde het hoofd in de nek, waarbij ze zich zo draaide dat zijn lippen niet anders konden dan langs haar wang strijken. Hij pakte haar elleboog en hun lichamen spanden zich, zochten elkaar, maar precies op het moment dat Hope haar camera naar haar ogen bracht richtte de man zich abrupt op, keek links en rechts, en zag Hope zijn gezicht. Zelf stond ze nog steeds achter die boom. Hij zag haar niet, en even later liep het paartje verder. Maar Hope stond als aan de grond genageld.

De man was William Tan.

Ze haalde diep adem. Ze zou nauwelijks verrast moeten zijn. Ze had van meet af aan iets dergelijks bij William aangevoeld, maar toch had ze zich de kunst van het verdringen van zulke vermoedens zo grondig eigengemaakt dat ze nu geschokt was alsof het niet William was die ze betrapt had, maar Paul. Ze zou inderdaad geschokt zijn, besefte ze geschrokken, zelfs nu, als het Paul was geweest.

Ze draaide zich om en stak de Leica in haar zak. Haar blik werd nog steeds getrokken naar de twee figuren die achter het struikgewas verdwenen. Ze had de indruk dat haar geest, haar reflexen weerstand boden aan haar wil, en hoewel een deel van haar brein al wist wat het volgende ogenblik brengen zou, kon ze de informatie niet bereiken. Pas toen William en het meisje helemaal verdwenen waren en zij weer terugliep naar de straat drong tot haar door dat ze toch gezien was. Maar niet door William.

'Dus je maakt nog steeds foto's?'

'Stephen!' Ze sloeg haar hand voor haar mond.

Mann glimlachte. 'Geeft niks, hoor. Een goede fotograaf moet juist de spion uithangen.'

Ze liet haar hand met een zwak gebaar hangen. 'Ik heb er niet een gemaakt hier.'

Er viel een lange stilte terwijl ze elkaar opnamen. Hij was zo heel anders dan ze zich herinnerde en dat zou omgekeerd ook wel gelden. Hij was altijd mager geweest, maar nu was hij vel over been, zijn huid vertoonde diepe groeven, en de ooit volle lippen waren nu dun en dichtgeknepen. De handen die hij uitstak waren kriskras begroeid met stugge grijze haartjes, waar zich dikke aders doorheen slingerden. Alleen zijn ogen hadden nog die rusteloze energie die haar ooit zo diep getroffen had.

'Hoe lang ben jij al terug!'

'Een jaar. Meer. Ik raak het besef een beetje kwijt. Zeg, het is koud hier. Zullen we ergens koffie gaan drinken?'

Ze kauwde op haar lippen, nadenkend. 'Oké. Een paar straten verder is een banketbakkerij. Frans. Daar hebben ze ook koffie.'

'Jij drinkt toch geen koffie, of wel?'

Ze glimlachte. 'Nee. Maar dat is maar een gewoonte.'

'Het hele leven is gewoonte,' zei hij. 'Of het breken met gewoontes.'

Hij nam haar bij de arm. Ze liepen de kant op die zij gewezen had en stonden uiteindelijk voor een roze uitgedost winkeltje met glinsterende etalages vol tompoezen en bladerdeeggebak, roomsoezen en petitfours. Een rij muurlampen met roze kappen gaven het interieur een gezellige gloed, en het cafégedeelte zat halfvol jonge Chinese stelletjes die er 'continentaal' probeerden uit te zien. Pearl had haar over deze gelegenheid verteld, maar Hope was hier zelf nooit geweest.

'Ik weet het niet.' Ze schrok ervoor terug. 'Volgens mij ben ik te oud.'

'Onzin.' Mann hield de deur voor haar open.

Ze vonden een tafeltje achterin, waar ze niet zo opvielen. Een jong meisje met een donker ponykapsel en dromerige ogen nam de bestelling van Mann op. Twee cafés au lait. Hij leegde zijn pijp in de asbak midden op hun tafeltje, en bleef ermee op de glazen rand kloppen.

'Sarah is weggelopen, wist je dat?' zei Hope. 'Met een zeeman...'

Zijn tong streek vluchtig over zijn onderlip. Hij begon te knikken, keek toen van haar weg. 'Anna is ook bij mij weggegaan. Vier jaar geleden.'

'O...' Zijn naam kromp op haar tong. 'Stephen, dat spijt me.'

Hij wilde haar niet aankijken.

Het meisje bracht hun koffie. Hope nipte er argwanend aan. 'Hé, het is lekker!' Haar opluchting over deze kleine ontdekking verbaasde haar.

Hij glimlachte. 'Wel lekker, ja.'

Ze begonnen te praten. Ze vertelde hem over haar kinderen, beschreef de nieuwe onderneming van Yen en de betrekking van Paul bij de Toezicht Yüan in Nanking, hun huis in Kuling waar ze niet meer konden komen sinds de communisten van Mao Tsetung Kiangsi hadden bezet. Hij vertelde in het kort over Anna, die hem in Pretoria in de steek had gelaten voor een botanist waar ze op de kweekschool nog les van had gehad. Over zijn leven in Tientsin sindsdien, in dezelfde kliniek waar hij eerder had gewerkt, en de algehele teneur van het leven in het noorden onder Pekings laatste krijgsheer, wiens lievelingsmethode om tegenstanders te executeren de wurgpaal was.

'Ik vind het verbijsterend,' zei hij, 'hoe de Chinezen ons maar barbaren blijven noemen, terwijl ze zelf zulke beesten als die man hebben rondlopen.'

'Je weet... van Jed Israel?'

Hij knikte langzaam.

'Dat heb je in elk geval niet hoeven meemaken.' Ze richtte haar ogen op het plafond van geperst blik en vocht tegen haar tranen. 'Ze hebben Jin ook doodgeschoten, de zoon van Paul.'

Hij kwam dichterbij met zijn hand, maar probeerde niet haar aan te raken, en ze bleven verscheidene minuten zitten zonder te spreken. De bel boven de deur rinkelde bijna zonder ophouden. Jonge stellen lachten en kletsten, en namen elkaar belangstellend op, maar negeerden Hope en Mann.

'Waar werk je nu?' vroeg ze na een tijdje.

Hij keek haar lang aan en zette zijn hoed af. Hij was kaal geworden boven op zijn hoofd. Hij grinnikte. 'We worden oud, de cirkel is rond. Sjanghai Native.'

'Nee!'

'Nog steeds het meest humane ziekenhuis van Sjanghai.'

Ze bedekte haar gezicht. De tranen die ze daarvoor had ingehouden rolden nu vrijelijk over haar wangen. Ze lachte. Huilde. Ze werden inderdaad oud. Ze kenden elkaar nauwelijks, toch kenden ze elkaar al een eeuwigheid. Ze wist niet wat ze hier deden. Het kon haar zelfs niets schelen. Het was alsof ze het einde van de aarde had bereikt en daar een vriend had getroffen die op haar had staan wachten.

Ze droogde haar tranen met het roze linnen servet dat ze bij de koffie had gekregen. Ze nieste. Ze raakte zijn mouw aan. Hij maakte geen aanstalten de aanraking te beantwoorden, nam haar slechts met geamuseerde tederheid op.

'Ik ga volgende maand naar huis, Hope. Naar Seattle.' Even bleven zijn lippen iets geopend, alsof hij nog iets wilde zeggen, maar toen dronk hij zijn koffie op.

Ze had geen reden om verrast te zijn. En het ging al helemaal niet aan om het spijtig te vinden. Toch deed ze dat. 'Waarom nu,' flapte ze eruit, 'na al die jaren?'

Hij sloeg zijn armen over elkaar, zijn blik rustte op haar met een ongedwongenheid die ze niet van hem kende. 'Ik ben eindelijk oud genoeg om toe te geven dat ik gefaald heb,' zei hij. 'En om te beseffen dat dat geen schande is.'

Na een lange stilte vroeg ze: 'Was het toeval, onze ontmoeting vandaag?'

Hij glimlachte schaapachtig en schudde zijn hoofd. 'Ik heb je bijna de hele tijd willen opzoeken. Ik ben tot aan je huis gekomen, tot aan het hek. Vandaag sloeg ik de hoek om en zag je net vertrekken. Vergeef me, ik ben je gevolgd.'

'Waarom?'

Mann wierp een lange, bestudeerde blik op haar, stopte toen zijn pijp en stak die aan. Hij rookte een tijdje, en keek nog steeds naar haar alsof hij overwoog welke keuzes hij had. Uiteindelijk zei hij bedaard: 'Ik blijf het gevoel houden dat het niet af is tussen ons, Hope.'

Ze forceerde een lachje. 'Het is nooit af... tenzij je doodgaat.'

'Je weet dat ik dat niet bedoel.'

Ze ontweek zijn blik. 'Weet ik wel, maar wat ik je probeer duidelijk te maken, is dat dat idee van iets afmaken een illusie is. Niets pakt ooit zo uit als in onze verbeelding. Het is onmogelijk, wat jij bedoelt.'

'Dat je kunt falen wil ik wel geloven,' zei hij. 'Maar ik ben het niet met je eens.'

'Volgens mij...' Maar haar blik viel op de ruwe, door zorgen verweerde hand die op tafel lag en krampachtig het dof roze servet vasthield. De botten staken eruit als de ribben van een hongerlijder, de knokkels drukten tegen de blauwdooraderde huid als gebleekte doodshoofdjes. Haar hand.

'Loop je een eindje met me mee?' vroeg ze.

'Als je wilt.'

'Ja.' Ze stond op. 'Graag. En we nemen op gepaste wijze afscheid. Jij gaat naar Amerika. Misschien krijg ik nog eens een ansicht uit Seattle?'

Mann trok de pijp uit zijn mond en keek de rook na die eruit bleef opkringelen. Toen, met één beweging, klopte hij de gloeiende as in zijn kopje en stak de lege pijp tussen zijn grote ivoren tanden.

Een kwartier later nam hij bij haar op de hoek afscheid met een droge, gegeneerde kus die even ten oosten van haar lippen landde. Hij vroeg haar de kinderen van hem te groeten. En haar man. Pas goed op jezelf. Hij beloofde te schrijven, en hij zou naar haar artikelen uitkijken als hij weer in de States was. Toen hij glimlachte zag ze de rimpels vanuit zijn ooghoeken uitstralen. Hij tikte aan zijn hoed, en liep weg.

5

TEDDY EN JASMINE MAAKTEN HAAR DOODOP. PEARL WAS NAAR een theevisite in de pastorie, waarna ze uit eten zou gaan met Googoo Noble en enkele anderen. Morris ging naar de film om te vieren dat Paul eindelijk een studietoelage voor hem had geregeld, zodat hij in de herfst naar Californië kon om te studeren. Maar hij ging met Flossie, wat betekende dat de jongste twee niet welkom waren, en bovendien gingen ze naar een film met Greta Garbo. Teddy en Jazz wilden de nieuwe western met Gary Cooper zien, *The Virginian.*

'Was het niet Virginia waar jij bent opgegroeid, mama?' vroeg Teddy vleierig.

'Niet Virginia. Kansas.'

Maar Jasmine was haar jas al aan het aantrekken. 'Er is om vijf uur een voorstelling in het Lyceum. Die kunnen we nog halen als we opschieten.'

Binnen een uur was Hope terug in een wereld waar mannen paard reden en vrouwen aanspraken met '*Ma'am*'. Ze herinnerde zich de lange, wapperende rokken die ze als kind gedragen had, die worstvormige mouwen en slaphangende hoeden die haar het gevoel gaven alsof ze een zonnebloem tegen wil en dank was. In de gezichten van die filmcowboys zag ze zowel de plaaggeesten als de beschermers van haar jeugd, en ze kromp ineen toen het beslissende moment kwam (waar de meer ervaren bioscoopgangers in de zaal hardop op anticipeerden) dat Gary Cooper een beledigende Walter Huston op zijn nummer zette: 'Als je me zo wilt noemen... glimlach.' Niets kon tippen aan de onschuld en eenvoud van deze geëxporteerde visie op Amerika. Geen wonder dat de Chinezen er geen genoeg van konden krijgen.

Het was bijna negen uur toen ze thuiskwamen, en aangezien ze de volgende dag weer naar school moesten bracht ze de kinderen snel naar bed. Binnen een uur kwam ook Morris thuis, Garbo imiterend. 'Geef mij een visky... met ginger ale... en niet te krenterig vezen...' – hij knipperde met zijn lange, dikke zwarte oogwimpers – 'baby.'

Hope gooide haar slipper naar hem. 'Valentino kan ik me bij jou nog voorstellen, maar Garbo, nee. Heb je Pearl niet gezien?'

Hij haalde zijn schouders op en trok een koket pruilmondje. 'Ik heb niemand gezien die mij geen visky vil geven.' Toen bracht hij een sierlijke hand naar zijn voorhoofd en sloop weg naar zijn kamer.

Ze keek hem afgunstig na. Was het in de verste verte mogelijk dat haar kinderen zo luchthartig waren als ze leken? Nee. In één woord. Toch leek hun vermogen om te doen alsof onuitputtelijk. Dat was één ding dat Sjanghai hun geleerd had.

Ze nestelde zich in de kussens van de sofa, zette haar bril recht en sloeg *The Right to Be Happy* van de vrouw van Bertrand Russell open. Verscheidene jaren geleden was ze hier in Sjanghai naar een lezing van Bertrand Russell geweest, en was onder de indruk gekomen van zijn sympathie voor de Chinezen en zijn kritiek op het Britse kolonialisme. Ze vroeg zich af of mevrouw Russell zo uitgesproken kon zijn als haar man. Als het hoofdstuk getiteld 'Seks en ouderschap' een indicatie was, was het antwoord een nadrukkelijk ja. *Er is geen instinct zo belasterd, onderdrukt, misbruikt en verminkt*, schreef mevrouw Russell, *als het seksuele instinct. Toch is de geslachtelijke liefde het meest intense instinctieve genot dat mannen en vrouwen kennen, en ontkenning of frustratie van dit instinct maakt de mens ongelukkiger dan armoe, ziekte of onwetendheid.*

Hope sloeg het boek voorzichtig dicht. Ze knipte het licht uit en lag naar het plafond te staren. Hoe *kon* het dat seks, al had het geen functie meer voor de voortplanting, toch nog altijd zo'n geweldige aantrekkingskracht, zo'n invloed kon hebben? Ze zuchtte en herinnerde zich de hardnekkige attenties van Paul tijdens zijn bezoek de afgelopen week. Hoe weinig ze op ander gebied ook met elkaar deelden, hij kwam nog altijd naar haar.

Een autoportier werd dichtgeslagen, en de straat weergalmde van de jeugdige afscheidsgroeten. Daar, dacht Hope, daar heb je Pearl, ik kan gaan slapen. Maar het gerinkel van sleutels en geklik van sloten dat volgde kwam bij de buren vandaan. Ze keek op de klok. Bijna middernacht. Ze zouden toch niet naar Hongkew zijn gegaan om te dansen? Ze had Pearl gewaarschuwd: met al die stakers die tegen de Japanners demonstreerden was dat te gevaarlijk. Maar Pearl had vinnig geantwoord dat ze inmiddels tweeëntwintig was en heel goed wist hoe de wereld in elkaar zat, en bovendien ging ze met een groepje die allemaal van de kerk waren. Pearl was tweeëntwintig en leek soms wel twaalf, en de jongens waar ze mee omging waren ook niet bepaald vertrouwenwekkend. Pearl wees haar er altijd op dat Trevor in elk geval een goede jongen was geweest. Maar Trevor was dood.

Er ging nog een uur voorbij. Hope maakte zich klaar om naar bed te gaan, ging liggen en deed haar ogen dicht, maar om de tien of vijftien minuten stond ze op om uit het raam te kijken. Buiten hing een winterse nevel, de straatlantaarns wierpen een vlekkerig licht op de kale platanen dat weerkaatst werd op het vochtige plaveisel. Om halftwee belde ze de pastorie. Daar werd niet opgenomen. Ze belde de politie. Nee, ze hadden niemand opgepakt die aan haar signalement voldeed. De hele nacht geen Euraziaten, zeiden ze met nadruk.

Ooit, hield ze zichzelf voor, toen jij zelf tweeënwintig was, ontmoette je een man waar je helemaal ondersteboven van was. Hij nam je mee uit varen. Je raakte elk besef van tijd kwijt. Het was drie uur in de ochtend toen hij je thuisbracht, vier uur voor hij je liet gaan.

'Misschien heeft Pearl haar Frank Pearson wel ontmoet,' zei Hope hardop.

Tien minuten later klonken buiten voetstappen. Het hek kraakte, er werd gemorreld aan het deurslot. Voor Pearl binnen kon komen was Hope al beneden, haar peignoir dichtknijpend, stotterend van kwaadheid en opluchting. Alles wat ze had willen zeggen, ontglipte haar toen de deur opening.

Het gezicht van Pearl was net een krijttekening die door een regenbui verrast was. Het koolzwart waarmee ze haar ogen had omrand, trok nu zwarte sporen langs haar neusvleugels. Haar mond was een misvormde vlek van kersenrode lippenstift, haar haar stond uit in wilde zwarte knopen. Haar huid onder al die make-upresten was asgrauw, haar ogen stonden dof en wezenloos. Ze keek haar moeder aan zonder teken van herkenning, zonder emotie. De vertekende mond bewoog maar er kwam geen geluid uit. Pas toen zag Hope de gescheurde kousen, de kapotgetrokken groene voile, de open jas.

Ze pakte haar versufte kind bij de schouders en schudde haar door elkaar. 'Wie heeft dat gedaan?' riep ze. 'Wie heeft je dit aangedaan?'

'Ik weet het niet.' Pearls neus liep. 'Ze hebben me punch gegeven, en toen...' De duisternis gleed over haar gezicht. 'Ik weet het niet meer.'

Hope verloor haar bezinning die nacht, maar niet haar beheersing, integendeel: haar hele hebben en houden ging in haar beheerstheid zitten. Ze zette de kraan open en hielp haar dochter in het bad, waar ze eerst moest blijven staan. Voorzichtig waste ze het bloed van haar benen, en maakte haar schoon tot diep van binnen, totdat de stank van menselijke pekel en ijzer plaatsmaakte voor de zachte, zoete geur van lavendel. Ze spoelde haar af met de handdouche, spoelde alle vuil weg door de afvoer en schrobde het porselein rond haar voeten tot elk spoor was verdwenen. Pas toen liet ze het bad vollopen en mocht Pearl gaan liggen. Ze masseerde haar schouders en nek, wreef haar armen en benen, handen en voeten en ruggengraat terwijl het hete water om haar heen steeg, en alle pijn en gevoelloosheid oplosten. Ze shampoode Pearls haar met jasmijn, smeerde zalf op de blauwe en ontvelde plekken en strooide talkpoeder uit over de behandelde huid. Ze gaf haar aspirines en abrikozensap voor de hoofdpijn die begon toen de drug uitgewerkt begon te raken, en legde haar in bed tussen smetteloze linnen lakens, waarna ze naast haar ging zitten en teder haar hand vasthield terwijl de slapende ogen heen en weer flitsten achter hun doorschijnende oogleden. Ze verbrandde de kleren.

De hele nacht bleef ze waken bij haar dochter, geobsedeerd door de vuiligheid, het gelach waar haar verbeelding van doortrokken was. Het geschonden en vertrapte vertrouwen. Ze leeft tenminste nog, bleef Hope zichzelf voorhouden. En ze overleeft het ook wel. Ik neem haar mee. Ze krijgt in elk geval een kans erbovenop te komen. Maar Hope kon de vergelijking tussen haar dochter en Jin of Jed of zelfs de vrouwen en kinderen die tijdens de Terreur waren neergemaaid, niet doortrekken. De martelaren waren gewaarschuwd voor de risico's, zij hadden gestaakt, geprotesteerd, gedemonstreerd *voor de zaak waar ze voor stonden.* Zij hadden met ere geleden en waren met ere gestorven. Pearl had niets gerealiseerd, had geleden voor niets anders dan het plezier en de minachting van monsters. Een priester!

Maar haar misselijkheid en verontwaardiging werden aangewakkerd door haar eigen schuldgevoel. Dit was het lot waarvoor zij was weggelopen uit Fort Dodge, alleen om het over haar dochter te brengen.

Aan de ontbijttafel zei ze tegen de anderen dat Pearl ziek was. Ze had koorts, zei Hope, misschien wel griep. Ze zou in bed blijven tot ze het zeker wisten. In de tussentijd mocht er niemand bij haar komen. Teddy en Jasmine maakten ruzie om het laatste stukje bacon. Morris klaagde dat zijn artikel over de vermoorde renbaan-*mafoo* plaats had moeten maken voor een stuk over de anti-Japanse posters. Uitgeput en horendol joeg ze ze allemaal weg, waarna ze een blad meenam naar Pearl, die net wakker werd.

Ze herinnerde zich niets meer vanaf het moment dat ze had gelachen om de mop van vader Desmond over een Chinese bedelaar die aan de hemelpoort klopte. Ze had haar punch opgedronken, het lege glas op een rond tafeltje naast de piano gezet, en voor hij bij de clou was hield alles opeens op. Het volgende wat ze zich herinnerde was dat ze in hun eigen straat op de hoek stond. Een paar mannen hielpen haar overeind en zeiden dat ze naar huis moest lopen. Ze struikelde een paar keer en wist niet meer waar ze was. Toen ze achteromkeek waren de mannen verdwenen. Nee, ze wist niet wie het waren. Ze wist niet of ze ze kende. Als ze ze ooit weerzag zou ze ze niet herkennen.

Toen moest ze lachen. 'Er is niks aan de hand, mama. Doe niet zo mal. Iemand heeft iets in die punch gedaan, en ik ben dronken geworden, meer niet. Laat me nou maar opstaan, dan ga ik naar mijn werk.'

Hope krabbelde terug. Als Pearl zich niets herinnerde, wat had het dan voor zin om haar tot antwoorden te dwingen? 'Je had allemaal blauwe plekken,' was het enige wat ze uiteindelijk zei. 'Ik wil zeker weten dat je niets mankeert.'

De volgende dag ging Pearl weer aan het werk. De vier weken daarna wachtte Hope. Tegen de tijd dat Paul voor de kerst naar huis kwam waren haar ergste vermoedens bevestigd.

Pearl weigerde haar kamer te verlaten. 'Zeg jij het tegen hem, mama,' smeekte ze. 'Ik kan het niet.'

Hope zei dat Pearl geen enkele blaam trof, en hij was haar vader. Hij hield van haar. Maar zelfs in haar eigen oren hadden haar woorden een onwezenlijke klank. Uiteindelijk zei ze tegen Pearl dat ze zich geen zorgen hoefde te maken, zij zou het regelen.

Paul zat met zijn ellebogen op zijn bureau, stevig te roken, terwijl Hope hem vertelde wat er gebeurd was. Hij onderbrak haar niet, reageerde op geen enkele manier tot ze was uitverteld. Toen, toen er niets meer te vertellen viel, drukte hij zijn sigaret uit, trok zijn handen terug in de mouwen van zijn mandarijnengewaad en zei: 'Ze moet trouwen.'

'Trouwen! Maar met wie? Ze...'

'Ik regel het,' zei hij op grimmige toon.

'Regel wat?' Hope was net zo razend om zijn ongevoeligheid en zijn gebrek aan verontwaardiging, als om zijn veronderstelling dat een huwelijk iets kon goedmaken.

'Regel een huwelijk,' zei hij, en eindelijk drong tot haar door wat hij bedoelde. Hij wilde Pearl uithuwelijken. Een vreemde. Chinees.

'Nee!' Ze ging abrupt staan, duizelig.

'Er is geen andere weg, Hope.' Er was hardheid noch droefheid in zijn stem. Het was alsof hij college stond te geven. 'Spoedig zal niemand haar willen hebben.'

Ze voelde iets knappen in haar borst, een hard, droog, broos gevoel, als het breken van een vorkbeentje. Ze staarde naar het rond geworden vlees van Pauls gezicht, de aarzelende kwabben onder zijn kin, de nog fijne oren en afhangende schouders, de afstandelijk turende ogen achter zijn brillenglazen. Ze herinnerde zich hoe hij Mulan had afgedankt, ze herinnerde zich zijn telkens weerkerende minachting voor Sarah, en de genadeloze uitdrukking op zijn gezicht wanneer hij naar Ling-yi keek. Voor deze man had zij hartstocht en medelijden gevoeld, wanhoop en verdriet. Ze had van hem gehouden, hem vereerd. God, ze had hem gehoorzaamd. Ze had haar vaderland opgegeven, haar paspoort, vrienden en familie achtergelaten, vier van zijn kinderen, twee van henzelf, zien sterven zonder dat hij één woord van rouw had gesproken om hun verscheiden. Meer dan eens had ze haar eigen leven voor hem geriskeerd. En ze had hem al zijn schendingen, zijn onbegrijpelijke dwalingen en veelvuldige afwezigheid vergeven in de naam van zijn vader, zijn moeder, zijn jeugd, zijn land. Het was afgelopen.

Er was geen vergiffenis meer over.

'Dat kan niet,' zei ze. 'Ik mag dan mijn staatsburgerschap zijn kwijtgeraakt toen ik met jou trouwde, maar Pearl niet. Zij is een Amerikaans staatsburgeres. Je mag haar... je zult haar niet aanraken!'

'En jij zult haar niet redden,' antwoordde hij kalm.

Toen ging hij naar Pearl. Hope keek toe hoe hij de ruwe toppen van zijn vingers naar haar voorhoofd bracht en zag de lippen van haar dochter trillen terwijl hij haar vasthield. Hij beschuldigde haar niet, hij troostte haar niet. En toen de avond viel was hij vertrokken.

Nooit had ze zichzelf zo verfoeid als dat jaar met Kerstmis. Eerst stuurde ze Pearl naar bed en zei tegen de andere kinderen en de bedienden dat ze een besmettelijke maagziekte had en niet gestoord mocht worden. Toen zei ze tegen een vreselijk teleurgestelde Teddy dat zijn vader, na nog geen twintig uur, was teruggeroepen naar Nanking. De volgende keer, probeerde ze hem te troosten, kun je het nieuwe gedicht voordragen dat Yu Hu-hsu je geleerd heeft, de volgende keer kun je hem meenemen om bij Yen langs te gaan. Maar haar stem had niets troostends, haar beloften niets waarachtigs, en het tere jongetje verstijfde onder haar arm, en zijn kleine kaak trilde niet zozeer van teleurstelling als wel van wrok. Het was niet Paul maar zijn moeder die hij van zich afduwde. Morris en Jasmine waren er wel aan gewend dat hun vader zomaar verdwenen kon zijn, maar ze waren minder begripvol toen Hope meedeelde dat er dit jaar geen kerstcadeaus zouden zijn.

'We moeten elk beetje sparen,' zei ze, en ze hief haar handen toen ze de schrilheid in haar eigen stem gewaarwerd. 'Pearl is ziek!' Ze keek hen smekend aan. 'Pearl is ziek, begrijpen jullie wel! En als we genoeg sparen, misschien kunnen we dan komende zomer allemaal met Morris mee terug naar Amerika.'

Ze zouden het niet weten. Ze mochten het niet weten. Teddy was te jong, en Morris, dat wist ze, zou zich gedwongen voelen zijn zuster te wreken – vermoedelijk door te proberen vader Desmond openlijk aan de kaak te stellen. Maar dat zou de schande voor Pearl alleen maar groter maken, en wie zou het woord van een Euraziaat tegen dat van een katholieke priester geloven? Wat Jasmine aanging, tja, Jasmine was net als Sarah. Ze was op haar vijftiende net zo door de wol geverfd als Pearl onschuldig op haar twintigste. Hope wist dat niets haar jongste dochter ervan zou weerhouden om zich halsoverkop in elk onheil of avontuur te storten dat haar maar wachtte, maar ze had ook een aangeboren hardheid die haar emotioneel onkwetsbaar maakte. De kinderen van Hope hadden hun hele leven blootgestaan aan de waarschuwende vuile blikken, het grove gefluister en de botte hints van Sjanghai – *Euraziatisch gespuis* – en ze waren meer dan meesters in het ontkennen en wegwuiven van dergelijke situaties, ze te ontwijken of er een andere draai aan te geven. Zij had die vaardigheden gestimuleerd. Niet op letten, zei ze dan. Je bent mooi. Je bent briljant. Je bent beter dan dat hele zootje bij elkaar, en nog even en we zijn hier weg. Dan gaan we terug naar Amerika, waar je vrij zult zijn. Ze zei dat soort dingen nog steeds.

Nee, aan wraak of een confrontatie hadden ze niets, ook al behoorde een van beide tot de mogelijkheden. Deze stad, deze mensen waren niets dan passanten, een metropool vol mislukkelingen en oplichters die op onschuld neerdaalden als een zwerm gieren om er het hart uit te rukken. Hoe kon ze hun de ware reden vertellen waarom ze Kerstmis de rug had toegekeerd? Dat heiligste van alle christelijke rituelen – ze zag het voor zich: vader Desmond die zijn vervloekte hand ophief om de zegen te geven. Misschien dat een betere vrouw de hele poppenkast zou hebben laten doorgaan – de gebruikelijke boom, de slingers, de geur van geroosterd vlees en gelach, en de schittering van kleine surprises, vol liefde en beloftes. Ze herinnerde zich de verrukking van die eerste kerst in Sjanghai, dat stomme kromgegroeide boompje onder de lachende Boeddha, en zij drieën die dansten terwijl Pearl kraaide: 'Ooh la la!'

Met Kerstmis gaven William en Daisy Tan een galadiner. Ze stuurde de jongste kinderen, in hun mooiste kerstkleren, met de verontschuldigingen van Pearl en haarzelf. Pearl bleef de hele dag gekruld om haar kussen liggen. Hope doorzocht haar kasten.

Ze keerde haar tasjes binnenstebuiten. Ze snuffelde in dozen met brieven, artikelen, doorzocht oude kranten, keerde laden om. Pearl was niet het eerste meisje dat door die schoften was misbruikt.

Denk na, hield ze zichzelf voor. Je weet dat je het bewaard hebt. En nu weet je ook waarom. Ze zag die dag nog voor zich, de lichtval door de bladeren, de zilveren stuiptrekkingen van de forel in Jasmine's handen. Ze herinnerde zich de heftigheid van Sarah, haar eigen trotse afwijzing. Hoeveel baby's had ze zien doodgaan. Om haar eigen levensbloed af te snijden? Nooit!

De zwartgelakte naaidoos die ze mee terug had genomen uit Kuling stond op een open plank boven haar bureau. Onder het onderste bakje lag het roomwitte velijn, alsof ze het net had weggelegd.

T.C. Wong, M.D. Vrouwentherapieën en -remedies.

6

DE PRAKTIJK VAN DOKTER WONG WAS IN HONGKEW, BIJ HET JApanse consulaat om de hoek. Het was er overal smetteloos, verbazingwekkend wit. Het lijstwerk van de wachtkamer was versierd met krullen van bladgoud die terugkwamen op de witte tafels en de bijpassende stoelen. De lampen schenen achter matglas, de ramen gingen schuil achter bergen sneeuwwit damast. In een opwelling had Hope zich voorgesteld als een vriendin van mevrouw Eugene Chou – welke mevrouw Chou zei ze er niet bij – en de assistente had toegestemd in een afspraak buiten het spreekuur om. Dus er waren geen andere patiënten, alleen één Chinese verpleegster en de dokter zelf. De verpleegster was dik, haar ogen en mond verdwenen bijna in rollen roze vlees, maar ze had een warme en sympathieke glimlach en knikte vrijmoedig toen Hope uitlegde waar ze voor kwamen. En dokter Wong boezemde niet minder vertrouwen in. Hij was een grootvaderlijk type, klein en tenger, maar kaarsrecht, met dik wit haar dat recht naar achteren was geborsteld en alerte, scherpe ogen. Zijn vragen waren louter medisch van aard. Bloedgroep. Allergieën? Vatbaar voor infecties? Geschiedenis van attaques of flauwtes? En discreet. Geen woord over de vader.

Hope bleef erbij, en hield gedurende de hele procedure Pearls hand vast. Ze zag erop toe dat elk instrument gesteriliseerd was, en elk oppervlakje in de behandelkamer steriel. Goedkeurend liet ze haar oog vallen op de grote kruik ontsmettingsmiddel, de pan met kokend water, de gewassen handdoeken en de vlekkeloze kapjes waarmee zowel dokter als verpleegster mond en neus bedekten. Ze zag dat de injectienaald was schoongeveegd met alcohol en zorgde dat Pearl een beetje ontspannen was, en rustig ademhaalde voor ze begonnen. Ze glimlachte. O, ze glimlachte in die jonge, wezenloze ogen, en ze praatte over Berkeley, het mooie witte huisje waar Pearl was geboren, en over de mist die 's avonds over de heuvels trok als de zachtste, dikste deken ter wereld.

Een uur later zaten ze in een taxi op weg naar huis. Pearl kreunde zacht, en op haar voorhoofd brak wat zweet door. Hope had een flesje met pijnstillers meegekregen. Ze had een arm om haar dochter heengeslagen, zodat haar korte haren uitwaaierden over haar mouw. Pearl had de ogen dicht, en om de paar tellen kromp ze ineen van de pijn. Dokter Wong had gezegd dat als alles 'volgens het boekje' ging, ze ongeveer een week bloedingen zou hebben, maar niet meer dan twee dagen ongemak. 'Daarna goed als nieuw.' Dokter Wong leek veel Amerikaanse patiënten te hebben en had daar enkele frasen aan overgehouden.

Het was bijna zeven uur. De maan werd verduisterd door dikke, gewatteerde wolken zodat de weerkaatsing van elektrisch licht op de motorkappen en het chroom van de hen omringende auto's en de etalages van de winkeltjes van Honkew nog kunstmatiger leek dan anders. Veel van de katoen- en papiermolens in de buurt hadden juist van ploeg gewisseld, en in de straten was het een komen en gaan van wagens en trams die waren volgepakt met arbeiders. Het verkeer kroop.

Plotseling kwamen enkele tientallen Japanse posters de hoek om, zwaaiend met spandoeken, fakkels en anti-Chinese leuzen schreeuwend. De taxi bleef staan toen er een aantal mensen voor sprong. Pearl kreunde, en Hope wiste haar voorhoofd.

De posters waren op weg naar een Chinese handdoekenfabriek, een meter of honderd verderop. Chinese arbeiders probeerden hun al duwend, dringend en vloekend de weg te versperren. Van alle kanten stroomden mensen toe. De chauffeur leunde op de claxon, maar dat hielp weinig, het kabaal leek de pijn van Pearl alleen maar erger te maken. Hope smeekte de man om door te rijden, maar hij draaide zich om en keek haar vol afkeer aan. Ze probeerde hem duidelijk te maken dat ze niet bedoeld had dat hij over die arbeiders heen moest rijden, maar dat was uiteraard precies wat ze bedoeld had. Rijd over iedereen heen die in de weg staat om mijn dochter hier veilig weg te krijgen.

Ogen, lippen, platte wangen en voorhoofden drukten tegen het glas. Hope legde haar hand over de ogen van Pearl en beschermde haar met haar eigen lichaam. De chauffeur had de portieren op slot gedaan, maar de mensen trommelden op motorkap en ramen. Een angstaanjagend, oerwoudachtig getrommel, primitief en onverzadigbaar. De gezichten hadden zich teruggetrokken, de auto werd nu omringd door uitgestrekte armen. Hij begon heftig te schudden. Een baksteen stuiterde over de motorkap. Hope hoorde de Japanse posters razen in plaats van roepen, en in de verte begonnen oranje vlammen langs de onderste ramen van de San Yufabriek te lekken. Nog steeds beschermd door haar verdoving en pijn, kroop Pearl dieper bij Hope weg. Een beetje onduidelijk vroeg ze wat er aan de hand was. De chauffeur riep dat ze zich moesten bukken, dat hij probeerde achteruit te rijden – hij was nu bang genoeg voor zijn eigen hachje dat het hem niet meer uitmaakte wie hij onder de wielen kreeg, maar achter hen stond ook alles vast, niet alleen met mensen, maar ook met vrachtauto's en riksja's die leeg waren achtergebleven. Voor hen verscheen nu een pantserwagen, zwart met het rijzende-zonembleem van het Japanse leger. De chauffeur wierp zijn portier open en was weg, gegrepen door de menigte en meteen opgeslokt door de kolkende duisternis. Een wirwar van handen danste door de open deur naar binnen. De voorruit leek vloeibaar te worden. De taxi weergalmde metaalachtig toen schoten losbarstten. Machinegeweervuur.

Hope deed het portier open, greep Pearl bij de schouders en viel uit de auto. Een schreeuw rees op terwijl drie jongens langs hen heen drongen, op de motorkap sprongen en daar iets overheen goten uit een blik. Ze negeerden de beide vrouwen. Hope sleepte Pearl met zich mee, die net overeind kon blijven maar in een waas meeliep en bleef vragen of dit een nachtmerrie was. Ze hadden nog geen acht meter afgelegd toen iemand een lucifer gooide en de taxi in een vlammenzee van twee verdiepingen hoog explodeerde. De hitte zoog aan hun kleren. Hope voelde haar kousen smelten. Een volgende klap deed de grond trillen en wierp hen naar voren, naar de rivier.

'Mama,' kreunde Pearl, 'mama, blijf alsjeblieft staan.'

Maar het was te gevaarlijk. Ze zaten vast in een gillende zee, en werden niet rechtstreeks aangevallen, maar wel heen en weer geduwd en geslingerd, meegesleept door de heftige bewegingen van de mensenmassa. Rondom werden riksjalopers vertrapt en geslagen. Bedelaars werden getrapt, etalageruiten met stenen ingegooid. De Chinese arbeiders die het brandende gebouw probeerden te verlaten, werden weer naar binnen gedreven. Geüniformeerde Japanners stonden op straathoeken te kijken en deden niets om de waanzin te stoppen.

Ze waren bij de Garden Bridge aangekomen voor de eerste claxons en brandweersirenes klonken. Plotseling begon Pearl heftig te stuiptrekken, ze boog zich over de reling van de brug en kotste alles eruit in het zwart daar beneden.

'Mama,' fluisterde ze met een gekwelde stem. 'Ik heb geplast.'

XIII

LOT

Sjanghai (1932)

I

De aarde zal zich openen en ons verzwelgen. De oorlogen zullen ontvlammen en ons omringen. Er is altijd gevaar buiten de muren, lonkend aan de poorten. We zullen omkomen of doorzetten. Het lot zal beslissen.

Deze woorden werden de litanie van Hope in de eindeloze dagen en nachten die volgden, terwijl ze waakte bij haar bewusteloze dochter. Terwijl ze haar uiterste best deed om het voorbeeld van haar man te volgen, om te *aanvaarden.*

Maar Paul omarmde het lot net zo intuïtief als de aanwezigheid van geesten, de onvermijdelijkheid van krijgsheren, de macht van gangsters, de opkomst van Chiang Kai-shek en zijn schurkenbende. Hij was getraind in de kunst van het compromissen sluiten met het kwaad, hij had al vroeg geleerd de waarde in te zien van de vernedering van het bonzen met je hoofd op de stenen vloer, de vernedering van het mes in je rug. Tegelijkertijd doorgrondde hij de inherente verraderlijkheid van trots, weerlegde hij elke overwinning en bagatelliseerde hij elke winst met dezelfde bedrevenheid als waarmee zijn eigen moeder hem op zijn geboortedag een meisjesnaam had gegeven en hem in zijn kinderjaren had wijsgemaakt dat de geesten hem als waardeloos zouden beschouwen en zich de moeite zouden besparen om hem weg te halen. Hij verstond de kunst zijn ware gevoelens geheim te houden, opdat ze hem niet konden verraden – hem noch zijn familie.

Hope had zich te lang vastgeklampt aan haar geloof in veiligheid, die plek die ze ooit aan Pearl had beloofd, waar geen goed of fout was, waar de waarheid het enige was wat ertoe deed. Ze had haar verteld dat het gevaar buiten school, in wat anderen zouden denken of doen, dat de meest waarachtige veiligheid lag bij hen die we liefhebben en absoluut vertrouwen. Maar het ernstigste gevaar voor Pearl had gescholen in hen die ze het meest vertrouwde, en Hope zag nu in dat geen waarheid dubbelhartiger was dan de waarheid van haar eigen hart.

Het enige wat ze gewild had, was Pearl beschermen, de verschrikking wegnemen die ze had doorgemaakt, en haar weer het leven geven waar ze voor bestemd was. Haar redden. Maar er was iets verkeerd gegaan. Pearl had een infectie gekregen. Het bloeden hield niet meer op. De paniek van de gevechten die rond hen waren uitgebroken, giftige middelen die haar waren toegediend, de waanzin die van voren af aan begon, en geen ontsnapping... Op de Garden Bridge was ze in elkaar gezakt en in shocktoestand geraakt voor Hope haar in het ziekenhuis kon krijgen. De bloedvloeiing was ernstig, en binnen enkele uren had Pearl bloedvergiftiging ontwikkeld, en had ze gigantische bloedtransfusies nodig. Als Stephen Mann er niet geweest was, zou ze voor de volgende zonsopgang overleden zijn. Nu lag ze in coma.

Buiten waren de Japanse aanvallen op Hongkew grootscheepser geworden, officieel, en andermaal was Sjanghai oorlogsgebied geworden. Pantserwagens denderden langs het ziekenhuis. Zware beschietingen deden de muren deinen. De nachtelijke hemel was een waas van oker, de dag zwart van de rook van de vuren die over Chapei raasden.

Hope bleef aan het bed van haar dochter en martelde zichzelf met schuld en spijt en de nieuwe herinneringen die in haar hart waren geëtst – het lijkwit van Pearls bewusteloze gelaat, het levenloze gewicht van haar hand, de pijn in de ogen van Stephen toen hij zei dat hij verder niets meer kon doen. En de zachte cadans van de stem van Paul, terwijl hij probeerde haar weg te trekken. *Mei fatse.*

Terwijl de dagen van haar wake zich rekten tot weken, hoorde Hope de twee mannen bij de ingang van de zaal staan praten. Ze wisselden details uit over de beschietingen, troepenbewegingen, de kansen op een wapenstilstand tussen het Chinese Negentiende Marsorder Leger, dat Chapei verdedigde, en de opperbevelhebber van de Japanse strijdkrachten, admiraal Shiozawa. Het geplande vertrek van Mann naar Amerika was uitgesteld, of dat nu kwam door de gevechten of door Pearl durfde Hope niet te vragen. Paul verdeelde zijn tijd tussen bezoeken aan het ziekenhuis, oppassen op de andere kinderen, en diplomatieke missies naar het Japanse consulaat. Vanwege zijn banden met de Japanners had Chiang Kai-shek Paul aangesteld om te onderhandelen over een bestand, wat volgens hem op capitulatie van de Chinese wijken in de stad zou neerkomen.

Hope waardeerde het gezelschap van beide mannen, het gemurmel van hun stemmen, en aanvaardde de kommen thee en soep die ze op hun aandringen naar binnen werkte, maar haar schuldgevoelens verdrongen alles behalve Pearl. Nadat ze haar laatste baby begraven had, had ze gezworen dat ze zichzelf van kant zou maken voor ze nog een van haar kinderen zag sterven. Er waren zoveel lijken geweest sindsdien, zoveel zinloze doden, en toch zou ze graag haar eigen leven hebben gegeven voor Pearl, als dat mogelijk was. Het was mogelijk, maar op een andere manier dan ze zich had voorgesteld.

Op acht maart, toen de gevechten werden gestaakt, was Pearl nog steeds bewusteloos. Bijna drie maanden had het Negentiende Marsorder Leger, dertigduizend strijdlustige, meest onbetaalde jonge soldaten onder commando van een opstandige Kantonese generaal, Chapei uit naam van China verdedigd. Volgens Stephen hadden ze zich staande gehouden met gewone geweren en machinegeweren tegen aanhoudende beschietingen door de Japanse luchtmacht en artillerie. Maar ze hadden geen enkele steun gekregen van Chiang Kai-shek, die bereid leek Sjanghai op een presenteerblaadje af te staan als dat de Japanners kon verzoenen, en uiteindelijk waren de jonge, toegetakelde helden (zoals Stephen ze zag) gedwongen geweest zich terug te trekken. Nu, terwijl de Japanse mariniers oprukten om North Station te bezetten, was Paul aan boord van het oorlogsschip de *Azumo* gegaan, waar admiraal Shiozawa de buitenlandse pers ontving.

Hoewel Hope nauwelijks luisterde, legde Stephen uit dat het voor het grootste deel aan de diplomatie van Paul te danken was dat de strijd zich had beperkt tot Chapei en Hongkew, en de wapens tot bajonetten, machinegeweren en granaten van dertig pond. Als de Japanse officieren hun zin hadden gekregen, zei Stephen, zouden die Kantonese jongens zijn verpulverd door tien, vijftien keer zo zware artilleriebeschietingen. Maar in ruil voor Japanse onderwerping aan Pauls politiek van conflictbeheersing, had de admiraal zijn aanwezigheid geëist op de persconferentie na het staakt-het-vuren. Hij wilde er zeker van zijn dat het tot de westerse correspondenten doordrong dat Japan zich uit humanitaire overwegingen had ingehouden.

'Paul is absoluut geniaal in zijn bescheidenheid,' zei Mann. 'De ironie is dat hij daar veel meer mee bereikt dan de meeste van zijn landgenoten met wapens.'

Hope leunde achterover tegen de muur en staarde Stephen aan. Voor het eerst drong het tot haar door dat de twee mannen die ze zo lang voor rivalen had gehouden, bondgenoten waren geworden. Maar het volgende moment werd die gedachte weggevaagd door een moeizaam gekreun van haar dochter.

Pearl had haar ogen opgeslagen, haar lippen bewogen. Hope leunde over haar heen, pakte haar handen. Pearl glimlachte en vroeg om water.

2

DIE AVOND GING HOPE NAAR HUIS. VOOR HET EERST SINDS HUN confrontatie voor kerst zaten zij en Paul alleen bij elkaar. Ze had geen tranen meer over. Pearl zou het overleven. Misschien dat ze zelfs nog kinderen kon krijgen. Paul had haar even gezien nadat ze was bijgekomen. Hij had haar voorhoofd gekust, haar hand gedrukt. Zo simpel was de blokkade opgeheven. Nu zou hij Hope gaan vertellen wat er gebeuren moest. En deze keer zou zij daarin toestemmen.

'Je weet,' begon hij, 'dat ik de familie altijd bij elkaar wil.'

Ze boog haar hoofd. In de kamer van Jasmine stond de radio aan, en de vloer boven hun hoofd kraakte onder haar gedans. Teddy was die avond met haar en Morris meegeweest naar het ziekenhuis. Ze hadden gelachen, verhalen verteld en op chocola gesabbeld, en Pearl had naar hen geglimlacht.

'Ik weet jij bent nooit gelukkig in Sjanghai.' Hij kneep opeens zijn ogen halfdicht en boog zich voorover om de lamp naast de sofa uit te doen. Het licht in de hal was nog aan, en buiten was het volle maan, maar de zitkamer was nu zo donker dat de sigaret van Paul lag te gloeien waar hij hem in de asbak had laten liggen. 'Ik wil dat jij komt naar Nanking.'

Een moment ging voorbij. Twee. 'Goed,' zei ze. 'Maar Pearl?

Vind je nog steeds...' Ze herkende haar eigen stem niet, kon de gedachte niet afmaken.'

'Nee.' Paul pakte de sigaret weer op, draaide hem rond tussen zijn vingers en legde hem weer neer. 'Niet meer. Ik zeg, jij had gelijk. Van nu af aan is Nanking te gevaarlijk. Japanners, communisten. Misschien paar maanden, misschien één, twee jaar, wie zal het zeggen? Wat er met Pearl is gebeurd... China wordt nu opgegeten, van binnen en van buiten.'

Ze voelde zijn ogen op haar rusten, door het donker heen. 'En wij erbij,' zei ze.

'Hsin-hsin,' zei hij zacht. 'Jij bent mijn vrouw.'

Ze probeerde zich de slanke jongeman voor de geest te halen die voor haar was verschenen op die verstikkende voorjaarsdag zesentwintig jaar geleden, en hem in te passen in de brede, gezette gedaante die tegenover haar opdoemde. Maar Paul ging schuil onder zijn winterse lagen katoen en zijde, achter zijn steeds dikkere lenzen, zijn ingeslikte verdriet. Ze had het nooit begrepen. Daar had hij gelijk in. Tot nu toe.

'Ik ben jouw vrouw,' beaamde ze.

'Zul je dan doen wat ik vraag?'

'Ja.'

'Dokter Mann.'

Met een ruk keek ze weer op.

'Hij heeft vriend uit Chungking bij American Tobacco, kan overtocht regelen, visa. Ik betaal ticket voor jou en Pearl en kleintjes. Morris is al geregeld door studietoelage. Het beste is als jullie gaan zodra Pearl beter is. Dokter Mann zegt dat hij voor jullie kan zorgen.'

Plotseling begreep ze waarom hij het licht had uitgedaan. De schaduw van de kamer was net water, omhullend en verdovend. Indringend. 'Je stuurt ons weg.'

'Jij vraagt vele jaren om naar huis te gaan.'

'En al die jaren heb jij dat geweigerd. Ik heb een thuis gemaakt in Kuling...'

'Niemand kan nog naar Kuling, Hope. Misschien wel heel veel jaar niet meer. Misschien wel nooit meer.'

Ze wilde huilen, maar kon niet. Kuling leek nu al een droom. 'Ik dacht dat we er geen geld voor hadden,' zei ze.

Zijn schouders gingen omhoog en zakten weer naar beneden. 'Het huis in Nantao.'

Spoedig na de dood van Jin had Paul het huis van zijn moeder verhuurd, maar op zijn onnavolgbare wijze had hij het aan een van zijn poëzievrienden verhuurd, die er vrijwel niets voor hoefde te betalen. 'Hoe bedoel je?'

'Ik heb het aan Eugene Chou verkocht. Hij wil zijn hele familie binnen dezelfde muren.'

Ze slikte met moeite. 'Je bedoelt Ken en zijn vrouw.'

'Iedereen. Behalve Sarah en Gerald, natuurlijk.'

Hij bracht de sigaret naar zijn mond, ze zag de gloeiende as trillen.

'Maar jij zou het huis van je moeder niet verkopen alleen om ons naar Amerika te sturen.'

'Nee.' Zijn stem klonk anders nu. 'Ik sta bij Eugene in het krijt... en bij William.'

'In het krijt?' Even wist ze niet waar hij het over had. 'Je bedoelt... gokschulden.'

Hij trok aan zijn sigaret zonder antwoord te geven. Ze liep naar het raam. Er was een tijd geweest dat dingen als de goklust van Paul even onaanvechtbaar waren als de kleur van witkalk. Nu waren de scheidslijnen opgelost. De witte muur achter in de tuin werd zwart in de schaduw, blauw in het maanlicht. Wat was het: zwart, blauw... of wit? Wij zijn stervelingen, allemaal, dacht ze, met momenten van zwakte, momenten van kracht, het vermogen lief te hebben en te haten, af en toe door elkaar heen, en elkaar in verrukking te brengen en gruwelijk teleur te stellen. We verlokken en verraden, slaan wonden, vormen littekens en gaan dood. En er is allemaal niets aan te doen.

Toen ze zich omdraaide had hij de sigaret uitgedrukt en zat met zijn handen breeduit op zijn omhulde dijen, zijn gezicht naar de stoel waar ze net uit was opgestaan.

'Amerika is mijn land niet meer,' zei ze.

Hij zuchtte. 'Jij herinnert mij eraan dat Pearl nog een Amerikaans staatsburgeres is. En dokter Mann zegt dat de wetten veranderd zijn. Als je nu terugkeert, teken een verklaring, en jij bent ook Amerikaanse.'

'Als ik jou verloochen.'

Hij aarzelde. 'Dat zal wel.'

Ze stak een hand uit naar een van de lage rozenhouten bijzettafeltjes die ze gekocht had tijdens die eerste vlaag van herinrichtingswoede aan Pushi Road. Terwijl haar duim langs de ingelegde bladeren van ivoor en parelmoer gleed was ze zich opeens, heel sterk, bewust van de kleine veranderingen die het oppervlak had ondergaan, en voelde ze een versplinterd geraamte in plaats van gepolijst hout. Ze probeerde zich kwaad te maken op Mann omdat hij Paul dit plan had aangepraat, maar hij bood haar alleen maar aan wat ze zelf al zolang geprobeerd had voor elkaar te krijgen, waar ze Paul zelf al zolang om gesmeekt had.

'Maar ik wil jou niet verloochenen.'

'Nee?'

Hij zat heel stil – rechter dan eerst – en toch had hij iets buitengewoon ontspannens, zoals hij daar met zijn ene hand in de andere, rustig zat te ademen. Hij zou haar niet veroordelen.

'Nee,' zei hij. 'Net zomin als jij mij.'

'Maar voor mij is het niet nodig.'

Ze betrapte zich erop dat ze zijn woorden aan een nader onderzoek onderwierp alsof hij een vreemde taal had gesproken, of zich misschien niet correct had uitgedrukt omdat hij Engels sprak. Het kwam haar voor dat iemand anders – Mann bijvoorbeeld – allerlei betekenissen en toespelingen in deze woorden zou hebben gelegd. Ze zouden een uitnodiging hebben verhuld, of een beschuldiging, of een smeekbede. Maar Paul mocht dan een klassiek meester zijn van de metafoor en de toespeling, hij bedoelde precies wat hij zei. Voor hem was het niet nodig zijn vrouw te verloochenen. Zijn huis, zijn vrienden, zijn werk, alles waar hij in geloofde bleef hetzelfde. Ze had hem kinderen geschonken, en de troost van haar lichaam. Nu vertrok zij en bleef hij, omwille van hun kinderen – en toch waren zij nog hetzelfde.

3

ZE VERTROKKEN OP DE TWINTIGSTE VERJAARDAG VAN MORRIS, twintig jaar en vier maanden nadat Hope en Pearl in China waren aangekomen. Het was lente, helder en winderig, en de bomen langs de Bund waren gemeen groen. De kinderen waren blij, had Hope geconcludeerd, niet zozeer omdat ze weggingen, maar omdat ze naar Amerika gingen. Bij alles wat ze hadden doorgemaakt, waren ze nog jong genoeg om het leven te zien in termen van mogelijkheden. Ook Pearl, hoewel verbleekt en verzwakt, keek uit naar lange dagen in de zon, en naar de hernieuwde kennismaking met haar geboorteland, dat ze zich alleen herinnerde in een enkele droom. Maar terwijl ze over de kade liepen, in hun gabardine pakken en jersey jurken, uitgelaten lachend met de vrienden die hen waren komen uitzwaaien, leken haar kinderen al een ander universum te bewonen dan hun vader.

Paul bleef op de achtergrond, zwijgzaam, rokend, zelfs nu in beslag genomen door de dringende besprekingen waar hij in Loyang uit was weggelopen, en door de benarde machtspositie van de nationalisten, tussen de Japanners aan de ene en de communisten aan de andere kant... Hij liet Stephen Mann de bagage regelen, gaf de tickets aan Hope. Alleen Paul droeg Chinese kleren – een lang zwart gewaad met een marineblauw vest, donkere kousen en linnen schoenen. Hij was blootshoofds, en zijn bril was, zoals altijd, naar het puntje van zijn neus gezakt.

Een hoorn tetterde, door een megafoon klonk een mannenstem. De passagiers begonnen aan boord te gaan. Jasmine zoende zonder gêne al haar vriendjes, terwijl de andere kinderen handen schudden. Stephen riep een groet naar Yen, die de loopplank op kwam snellen, met Ah-nie in zijn kielzog. De kinderen slaakten verrukte kreten toen Yen hun allemaal kamferhouten kralen gaf, met de woorden dat die over hen zouden waken. Hope drukte zijn beide handen en omarmde Ah-nie, en ze begonnen allemaal te huilen.

Opeens was er geen tijd meer. De kinderen en Stephen gingen vooruit. Paul bracht een hand naar de wang van zijn vrouw. Hope ging op haar tenen staan en kuste hem, publiekelijk, schaamteloos, ze sloeg haar armen om zijn nek en haar tranen stroomden over hun beider gezichten.

Hij gaf haar zacht een laatste duwtje, en toen was ze aan boord met de anderen. Van ergens midden op de rivier klonk nog eens drie keer een sirene, en de tender gooide de trossen los.

Ze kneep haar ogen dicht tegen het felle zonlicht. Het deinen van de boot maakte het moeilijk om haar blik strak te richten, maar het hele stuk tot aan de bocht in de haven hield ze hem in het oog – een lange, gezette, in donker gehulde figuur, een arm geheven en langzaam zwaaiend, terwijl het water tussen hen breder werd.

EPILOOG

Naar het noorden kijkend zie ik een rij bergen
Naar het zuiden kijkend zie ik het water rustig stromen.
In één jaar is mijn baard wit geworden,
In het hart van de nacht valt regen op een eenzame boot.
Als het tij opkomt zakken de zeilen,
De koude rivier weergalmt van stenen klokken.
De gouden zon werpt zijn schuine stralen,
En vermenigvuldigt de paviljoens voor mijn ogen.

ANTWOORD

CHUNGKING
(FEBRUARI 1942)

I

CONTROLERENDE YUAN
Chungking, Szechuan
2 april 1939

Mijn liefste Hope,
Ik heb brief ontvangen, geschreven door Morris, op één week geleden. Zei dat jij mij een brief had gestuurd, maar ik heb niet ontvangen. Het is lang dat ik jou kan schrijven. Ik hoop dat je het kunt begrijpen.

Voor vorig jaar mei ik vertrek Nanking met een kleine koffer naar Kuling. Maar ons huis van Kuling bezet door Chinese leger, alle mensen berg af gedreefd. Oude politiechef Liu bijna moord door hun, omdat hij tegen hun zei mijn spullen niet kapotmaken. Nu weet ik niet, kan bewaard blijven hoeveel.

Afgelopen jaar mei tot augustus ben ik Wuchang geweest in mijn familiehuis. Onze boeken, kleren, en alle dingen, allemaal in beslag leger, kapotgemaakt en verbrand (ook van mijn vader en moeder). De Japanse vluchtmacht heeft gebombareerd elke dag. Rond mijn huis alles vernietigd of verbrand. Maar mijn huis nog goed, niet kapot toen.

Vorig jaar september ik vertrekt Hankow naar Chungking op de rivierweg, per stoomboot, een maand daar. Ik heb een tas zomerkleren, alleen die deken die jij mij in Sjanghai geeft, toen in winter had ik kleren nodig, want oude kleren in Kuling, kon niet meenemen.

Ik ontving een brief uit Hankow, zei dat mijn huis op bevel regering was verbrand voor ze daar vertrekken. Toen in Nanking, in Kuling, in Wuchang, mijn bezit allemaal verloren. Paar dagen geleden, hier in Chungking, Japanse vluchtmacht heeft gebombareerd en verbrand mijn enige huis, alles geruïneerd terwijl in berggat was.

Liefste Hope, hier is alles weg voor mij, alles veranderen. Ik weet niet hoe ik moet doen in toekomst. Ik denk als ik naar jou kom, zal nu beter zijn. Alleen zoveel tijd verstreken. Houd je nog plaats voor mij in je hart, je huis? Ik weet pas zeker als jij antwoord.

Ik wacht je antwoord af
Je man, Paul

Nu zal Paul dan eindelijk zijn antwoord krijgen.

Ik ben op weg naar Chungking. William Cadlow, op de drempel van zijn pensionering, heeft me één laatste kans gegeven. 'Je boft dat ik nog niet dood ben, of verhuisd naar Timboektoe,' schreef hij toen ik afgelopen maand contact met hem zocht. 'Tien jaar. Je verdwijnt pardoes van de kaart, en nu wil je dat ik jou naar Chungking stuur, zomaar even? Ik heb elk recht om te weigeren, weet je dat? En dat zou ik doen ook, als ik niet op de een of andere manier het gevoel had dat ik je dit verschuldigd ben – dit betoon van vriendschap, hoe ver naar de achtergrond gedreven ook. Hoe dan ook, sinds Pearl Harbor heb ik overal gezocht naar iemand die ik naar Chungking kon sturen. Onze lezers hunkeren naar schetsen die onze Chinese bondgenoten neerzetten als levende, bloedende, hartstochtelijke medemensen – anders en apart van de Japanners. Als iemand ze kan demystificeren, Hope, ben jij dat.'

Ik lachte hardop toen ik die laatste zin las, en dacht: de oude Hope zou die woorden hebben doorgeseind aan Sarah, met een of ander cryptisch briefje erbij vol zelfkritiek. Maar het laatste wat ik van Sarah hoorde was vier jaar geleden, dat ze op het punt stond in het huwelijk te treden met een kunstmestbaron in Boca Raton, en dat ze 'net zo lief nooit meer aan China zou denken'. Ze zou eerder ontsteld zijn dat ik terugging dan dat ze die opmerking van Cadlow amusant zou vinden. Ik ben blij dat Sarah me heeft opgespoord nadat we in Los Angeles waren aangekomen, en dat we nog steeds, op goed geluk, contact houden, maar ik benijd haar niet langer om het gemak waarmee ze haar leven telkens opnieuw een andere draai geeft. Wat voor haar een vaardigheid is om te overleven, heeft voor mij averechts gewerkt. Tien crisisjaren lang heb ik het hoofd redelijk boven water kunnen houden als lerares schrijven en Engelse literatuur, en als schoolfotografe. Ik heb mijn eigen kinderen zien opgroeien. Morris is naar Washington verhuisd en documentarist geworden, en Jasmine speelt rolletjes in Hollywoodfilms als 'exotisch Euraziatisch' zangeresje. Pearl heeft een dochtertje en een Amerikaanse man die haar verbiedt te onthullen dat ze half Chinees is, en Teddy, die nog Chinees staatsburger is, is opgeroepen in het Amerikaanse leger, zodat hij alsnog Amerikaan is geworden – en misschien wel spoedig als Amerikaan zal sneuvelen. En al die tijd heb ik geprobeerd me op de achtergrond te houden en opgewekt te blijven, om China en Paul uit mijn gedachten te verdringen en me te concentreren op dit leven apart, maar Cadlow heeft gelijk. Mijn taak is – en is altijd geweest – het demystificeren van mijn Chinese bondgenoot. Mijn man. Mijn geliefde. Mijn verleden.

En dus ronken de vliegtuigen waarin we de eindeloze reis maken door. We zijn in één week acht keer op vier continenten geland. We hebben gevlogen in DC-3's, watervliegtuigjes en gecamoufleerde militaire vliegtuigen, over oceanen en woestijnen, verduisterde gebieden en slagvelden. We hebben gereisd met diplomaten en soldaten, Rode Kruis-medewerkers en journalisten, nachten doorgebracht in hangars, pensions, herbergen en USO-lounges. Meer dan eens heb ik niet geweten waar ik wakker werd.

Wat er gaat gebeuren als we eindelijk in Chungking aankomen kan ik niet voorspellen. Paul weet alleen dat Morris komt om in opdracht van het Internationale Rode Kruis een documentaire te maken over de oorlog van China. Het postale verkeer is drastisch verbeterd sinds Amerika zich ook in de oorlog heeft gestort: brieven die er voorheen maanden – of jaren – over deden vliegen nu af en aan. Paul heeft dan ook voor Morris kunnen regelen dat hij verscheidene functionarissen ontmoet en dat hij in het Pershotel van Chungking kan verblijven. Hij heeft voorspeld dat zijn zoon trots zal zijn op de moed waarmee Chinezen hun land verdedigen. De toon van zijn twee brieven van na Pearl Harbor is zo naïef optimistisch dat het moeilijk te geloven is dat ze door dezelfde persoon geschreven zijn als de brief in mijn hand.

Ikzelf heb Paul alleen geschreven dat ik zijn brief heb ontvangen, met drie jaar vertraging, en dat ik over zijn verzoek aan het nadenken ben...

Maar nu, terwijl we opstijgen vanaf Calcutta, zijn we zo dichtbij. Het is heet in de cabine, en vol militair en ambtelijk personeel.

Tegenover ons zit een nog vrij jonge Canadees, een industrieel adviseur of zoiets, die me aan Stephen Mann doet denken met zijn zelfbewuste houding, waarmee hij uitstraalt dat hij niet weet of hij zich moet manifesteren of doodgeneren. Hij heeft hetzelfde kuiltje in de kin, hetzelfde hoekige gezicht, hetzelfde dunner wordende zandkleurige haar dat Stephen ook altijd had. Zelfs Morris maakt een opmerking over de gelijkenis als de man zijn pijp te voorschijn haalt. Ik wijs hem op het verschil in de ogen; onze medereiziger heeft een heldere, doordringende groene blik. Morris haalt zijn schouders op en zegt dat hem nooit is opgevallen wat voor kleur ogen dokter Mann precies had. Dan vraagt hij zich af wat er van Mann geworden zal zijn. Ik zie de industrieel adviseur zijn pijp stoppen en aansteken met lange trekken, naar binnen gezogen wangen en intense ogen.

Tijdens onze drie lange weken aan boord van de *President Coolidge* was Stephen Mann heel bezorgd om Pearl. Hij was attent tegenover mij, voorzichtig joviaal met de anderen. Hij dineerde met ons, speelde met de kinderen shuffle aan dek of rende met ze om het zwembadje heen, en wandelde over de boot met zijn pijp in de hand. Hij en ik dansten en genoten van de frisse avondlucht. We haalden geen herinneringen op. Drie dagen na ons vertrek uit Honolulu, in een grijze, dichte nevel, vroeg hij me ten huwelijk.

Nu, terwijl Morris zich op zijn werkzaamheden begint voor te bereiden, stel ik me voor hoe ik zou proberen deze reis aan Stephen uit te leggen. Nee, ik weet wel hoe ik deze reis aan hem uit zou leggen. Wat ik me voorstel is zijn reactie. Het oplichten van die gele stofjes in zijn ogen. De gespannen kaak, het bewegen van zijn borst terwijl hij lucht naar binnen zoog en weer uitblies, zelfs het hangen van zijn benige schouders: overal zou teleurstelling uit spreken. Zijn reactie zou niet anders zijn, daar ben ik van overtuigd, dan op de pier in San Pedro, toen ik hem bedankte voor alles wat hij gedaan had, voor mij, maar vooral voor Pearl, en hem te verstaan gaf dat hij terug moest gaan naar Seattle, naar zijn familie, naar huis. 'Er is geen weg terug, Hope,' had hij gezegd. 'Begrijp je dat nog niet?'

Ik zou tegen hem zeggen: *ik ga terug omdat mijn huwelijk nog niet af is.*

2

NU WE DE DALING BOVEN CHUNGKING INZETTEN OPENT HET WOLkendek zich af en toe, en staat ons enkele glimpen toe van een brakke rivier en krijtgrijze rotspartijen. Ik ontwaar het verkoolde skelet van een kathedraal, en de straatjes van een middeleeuwse stad die op ooghoogte voorbijkomen terwijl wij verder dalen, het ravijn in. Mist en regen stromen van de vleugels, en onze wielen knallen op het water, dat tegen de raampjes spettert tot ze grip krijgen op het gele zand van de landingsbaan. Als we uit het vliegtuig klimmen slaat de regen om in hagel. We rennen naar het eind van de landtong, waar een open bootje op ons ligt te wachten. Morris legt een arm om mijn schouders en trekt een vierkant stuk zeildoek over onze hoofden, maar binnen enkele seconden is de regen dwars door alles heen gesijpeld: drie jassen, een jasje, een jurk en ondergoed (we mogen niet meer dan een kilo bagage meenemen, en wat we aanhebben wordt niet meegewogen). Intussen torent Chungking, hoog op de rotsen, boven ons uit als de schaduw van een geweldig slagschip, onaangedaan door onze ontberingen.

Een uur later is de regen afgenomen. We hebben onze tassen in de voormalige school laten staan die nu dienstdoet als onderkomen voor de buitenlandse pers in Chungking, en banen ons bij het verblekende licht een weg over de glibberig geworden, hier en daar opgevroren helling naar de stad. Het is een kilometer of vier, vijf, helemaal heuvelopwaarts, maar de bussen die ons passeren slingeren levensgevaarlijk, tot barstens toe als ze zijn volgeladen met wel vijf keer zoveel passagiers als waarvoor ze gebouwd zijn. Ze braken giftige houtoliedampen uit. Een riksja kost vierhonderd Chinese dollars. Het is oorlog, en dus lopen we.

Morris sjokt zwijgend naast me mee. We beklimmen de schijnbaar eindeloze trappen, de ene na de andere glibberige tree uit steen gehouwen, maar hij bestudeert de passerende gezichten en kapotte muren met een zekere afwezigheid – zijn gedachten zijn nog bij het gezelschap buitenlanders in de lobby van het pershotel. Klaarblijkelijk was het niet bij mijn zoon opgekomen dat zijn moeder de oudste en een van de weinige vrouwen zou zijn van de in Chungking bijeengestroomde pers. Hij moet me op weg naar boven, naar onze kamers, zeker zes keer gevraagd hebben of ik me echt wel goed voelde, of ik niet wilde uitrusten, en of ik niet bij papa wilde intrekken nadat we hem verrast hadden. Arme jongen. Hij heeft opeens geen idee van wat ik hier doe, en hij is gegeneerd en bezorgd. Onder zijn knappe bravoure – en in rechtstreekse tegenspraak met het leven dat hij geleefd heeft – gelooft hij nog altijd in orde en conventie en uiterlijkheden. Ik zei *ja*, *nee* en *nee*, en dat als we nog de weg wilden vinden, we beter konden gaan voor het donker werd. Misschien had ik hem die brief van Paul moeten laten zien. Vermoedelijk had ik maanden geleden al mijn kinderen om commentaar en advies moeten vragen. Maar waar ik wel het lef had om de wereld meer dan halfrond te reizen, had ik niet het lef mijn kinderen in vertrouwen te nemen. Niet voor ik Paul één laatste keer gezien had.

Morris heeft het adres – een steegje aan de Straat van de Zeven Sterren – maar we moeten vier in zwart uniform gehulde politieagenten de weg vragen voor we bij het juiste steegje zijn. Het is vlak bij de Wang Lung Men-trappen, de oeroude toegangsweg bij de rotsen op, van de oever van de rivier helemaal naar de stad. Maar de gestucte gevels die nu langs deze *hut'ung* in de modder staan hebben niets fraais of antieks. De muren hebben, in het vochtige schemerlicht, de kleur van stinkend water. Het gebouw waar mijn man woont heeft de vorm van een schoenendoos met vierkante raampjes, zwartgeblakerde schoorsteenpotten, en roet op de klimplanten langs de ruwe voorgevel. Door de verduisteringsgordijnen lijkt het net of het leeg staat, ondanks de mannen – sommigen in uniform, anderen in traditionele gewaden – die de ingang in en uit dribbelen.

'Alles goed, mama?' vraagt Morris weer. 'Als hij er niet is, denk ik dat we beter een briefje kunnen achterlaten om te zeggen dat jij er ook bent.'

Ik knijp in zijn hand. 'Misschien wil hij ons dan helemaal niet ontvangen.'

'Is *dat* waar je bang voor bent?'

'Nee!' Ik zeg het op spottende toon. Maar opeens voel ik me zo dwaas. Al die afstand, al die tijd, en nog steeds speel ik met halve waarheden.

Ik dring me naar voren en vraag een jongeman met de intens rode wangen van een teringlijder welke deur van Liang Po-yu is. Hij wijst drie trappen op. Ik bedank hem en wens hem een goede gezondheid. Hij schenkt me een curieuze blik, en ik besef dat het trapgat weergalmt van de stemmen. De deur waar hij naar gewezen heeft staat open.

Morris gaat nu voorop. De trap is smal en steil, en nauwelijks verlicht. Er is geen verwarming, en het gebouw is doordrongen van de geuren van schimmel en goedkope bakolie. De stemmen boven klinken echter schertsend. Hun vertrouwdheid bezorgt me zowel koude rillingen als een gevoel van warmte, en ik breng elke zenuw in het geweer tegen de opwelling om op de vlucht te slaan.

Paul is niet zichtbaar als we op de deuropening toelopen, maar zijn vrienden wel. Over Morris' schouder zie ik drie mannen van uiteenlopende grootte en leeftijd, allemaal in ruwe blauwe katoenen gewaden. Een ijzeren vloerlamp met een roze, met kwasten versierde kap, schijnt in hun lachende gezichten en op hun met modder besmeurde schoenen. Ze staan voor een kaart aan de muur vol rode en gele en blauwe speldjes, te speculeren over de meest strategische doelen voor de komende Amerikaanse luchtaanvallen. De vloer is kaal, het plafond laag. Het voeteneind van een smal metalen bed is zichtbaar, met een zorgvuldig opgevouwen geelbruine deken, de ooit satijnen zoom tot op de draad versleten.

Ik heb moeite met ademhalen. Morris raakt mijn schouder slechts licht aan, stapt over de drempel en verdwijnt naar links. Ik hoor een uitroep. Paul. Hij klinkt rauw, maar ook aangenaam verrast. De mannen bij de kaart draaien zich om en kijken. Ze glimlachen al hun tanden bloot wanneer ik ook naar binnen kom om mijn man en zoon elkaar te zien omhelzen.

Morris torent boven zijn vader uit. Even ben ik verward, dan verbluft. De vlekkerig grijze katoenen voering van zijn gewaad. De spaarzame toefjes zilvergrijs haar. Zijn handen, om Morris' schouders geworpen, zijn in een reflex gebald, de huid is leerachtig en bruingevlekt. Wanneer hij Morris loslaat zie ik de slijtage in zijn gezicht, de vouwen in zijn voorhoofd, de rimpels rond zijn mondhoeken. Zijn lippen zijn gekrompen rond een tandeloze mond. Het vlees hangt onder zijn ogen. Hij heeft bijna al zijn haar verloren, en zijn ooit dikke, donkere wenkbrauwen zijn plukkerig en wit geworden, als door motten aangevreten.

De kamer om ons heen is stilgevallen. Paul neemt mij op met hetzelfde bedachtzame ongeloof waarmee ik ook hem bestudeer. Er is een droefheid in zijn ogen, zo vol, zo diep, dat mijn hart erdoor verscheurd wordt. Geen van ons verroert zich. Dan zegt Morris iets. De vrienden van Paul beginnen zich te roeren, en opeens besef ik dat iedereen in de kamer precies weet wie ik ben. Ze buigen en groeten me beleefd. Iemand biedt een kom thee aan.

Paul loopt om Morris heen en blijft voor mij staan. Hij ruikt naar kaneel en nicotine en het vocht dat in de lagen van zijn kleren ligt begraven.

'Ik schrijf weer,' mompel ik, en ik haal de kleine chromen Leica uit mijn tasje die ik speciaal voor deze reis heb aangeschaft. 'En foto's. Cadlow heeft me gestuurd.'

De zware huid rond zijn grijs geworden ogen wordt zacht. 'Je gaat weer over China schrijven.'

'Ja.'

'*Look, Missus*,' komt een van de jongere mannen in het groepje tussenbeide, in het Engels. Ik volg zijn uitgestrekte arm naar een afgeladen bureau waarop ik het oude inktstel van Paul herken, en zijn onyx zegel met de gesneden leeuwenkop. 'Alle vrienden van Liang Po-yu kunnen zijn Amerikaanse vrouw zien.'

Ik kijk naar de muur boven het bureau. Daar hangt een foto – een glimlachend, grootmoederachtig portret dat Jasmine vijf jaar geleden door een van haar filmvrienden van mij heeft laten maken. Haar broers en zuster hadden er elk een afdruk van gekregen, als kerstcadeau. En ze had er een naar haar vader gestuurd. Die had hem meegenomen toen hij uit Nanking wegvluchtte, die had hem meegenomen naar ons huis in Kuling, en vandaar weer naar Wuchang. Hij had hem die maand op de rivier bij zich gehouden. Oorlogsjaar na oorlogsjaar had hij de foto bewaard.

Hij hing zonder lijst aan een kale muur vol scheuren, geflankeerd door mistige berglandschappen en een laagje houtskool – even schokkend voor mij als mijn levende aanwezigheid geweest moet zijn voor die mannen – voor Paul. Maar hij heeft een ereplek.

3

HET IS LAAT EN BITTER KOUD OP DE BINNENPLAATS VAN HET HOTEL. De sterren zijn als messneden, de wolken paarse schaduwen die naar het westen drommen. Ik weet dat ik naar bed zou moeten gaan, proberen te slapen, maar ik weet ook dat ik dat niet kan.

Bijna een week is verstreken sinds onze aankomst hier. Het

weer is enigszins opgeklaard. Ik heb drie notitieboekjes en twintig filmrolletjes vol. Paul heeft Morris en mij zijn kantoor bij de controlerende Yuan laten zien, al was er niet veel meer te bezichtigen dan rij na rij bureaus, verf die in gele vellen van de muren bladderde en tientallen jongens en meisjes wier ouders 'in de regering' zaten en wier enige taak als assistent-schrijver uit klokkijken leek te bestaan. Later, toen we over de zuidoever stonden uit te kijken, wees Paul ons de aan de ketting gelegde Europese stoomboten aan die tot modieuze restaurants waren omgebouwd voor de kliek van de Generalissimo. Gisteren liepen we langs het half-geruïneerde ziekenhuis waar, zo zei hij, dokter Mann nog altijd in ere wordt gehouden. We bezochten de krater waar Pauls laatste huis had gestaan, en toen huurde hij een auto om ons naar de grot te rijden waar hij in het voorjaar en de zomer gescholen had voor de bombardementen. De grotten liggen kilometers buiten de stad, diep weggedoken in de grijs-groene rotswanden, afgesloten met bamboehekken, en alleen te bereiken via een trap met honderden treden.

'In de winter lijkt het hier somber en koud, maar in de zomer, als het in de stad zo heet is, is het verrassend behaaglijk hier.' Paul verontschuldigde zich toen hij besefte dat hij op het Mandarijnenchinees was overgestapt.

Vandaag hebben hij en ik voor het eerst een paar uur samen doorgebracht. Morris had de hele middag afspraken met zijn Rode Kruis-sponsors, dus toen Paul klaar was op zijn werk liepen we naar een theehuis boven aan de Wang Lung Men-trappen. Binnen was het een drukte en een oorverdovend kabaal, maar we liepen door naar het terras buiten, dat we voor onszelf hadden. Uiteraard was het bewolkt en ontzettend koud, maar Paul leek, in zijn gebruikelijke lagen kleren, ongevoelig voor de temperatuur. Ik hield mijn handschoenen aan en stak ze aan de bovenkant in de mouwen van mijn jas. Ik was blij toen de thee werd geserveerd.

Ons tafeltje had uitzicht over de kloof van de Yangtze, en de fluweelgroene heuvels en bergen in de verte. Paul wees naar de gele, hoedvormige villa's die her en der in de heuvels stonden. 'Veel buitenlandse weduwen wonen nog in die huizen. Ze begrijpen het niet.'

Ik kromp ineen bij die bekende frase. 'Begrijpen wat niet?'

'Deze oorlog. Geschiedenis. Wij vechten. Wij verliezen alles, maar we gaan door. Ze horen hier nu niet.'

'Hebben ze dat ooit wel gedaan?'

Hij nipte van zijn thee en tuurde in de verte. 'Soms kan er plek zijn voor iedereen. Nu niet.'

Toen hij zich weer naar mij omdraaide stond zijn gezicht anders, en had iets dubbelzinnigs gekregen – het was een subtiele verandering, maar toch. Hij keek me niet aan en hij zei niets. Beneden, aan de oever van de rivier, kwamen kinderen bijeen voor een optocht. Ik kon ze niet zien over de rand van het ravijn, maar ik hoorde hun stemmen, helder, druk en pijnlijk jong te midden van al hun trommels en bekkens.

'En jij dan, Paul?' vroeg ik. 'In die brief – die er zo lang over deed om bij mij te komen – zei je dat voor jou hier ook alles verdwenen was. Je vroeg of je terug kon komen naar Amerika.'

Hij diepte zijn bril op uit een spleet in zijn gewaad en trok de pootjes achter zijn oren. Ze accentueerden het uilachtige van zijn gezicht, vergeleken met de mijne, die een schooljuffrouw van me maakte. We bestudeerden elkaar door onze brillen.

'*Mei fatse*,' zei hij. 'Toen jij niet antwoordt, denk ik, dat is het lot. Ik verlies alles. Ik ga door.'

'Maar nu? Nu heeft het lot mij hier gebracht.'

'Nu komt veel dat ik verloren heb terug bij mij. Mijn werk, mijn vrienden. Mijn land.' Hij glimlachte. 'Mijn zoon en vrouw.'

Er klonk gegalm van instrumenten en het gesmoorde gestamp van linnen schoenen. De kinderen klommen naar boven, de oude stenen trappen op. Plotseling stak Paul zijn hand uit over het verweerde tafeltje en pakte mijn hand. Door de jersey van mijn handschoenen voelde ik de platheid van zijn blote vingertoppen. Ik keek en zag dat zijn nagels, net als zijn huid, dik en bruin waren geworden van ouderdom, maar dat hij er niet meer op beet. Toen zijn vingers boven aan de handschoen waren aangekomen en zachtjes om mijn pols gleden, stroomde een vertrouwde, maar bijna vergeten sensatie langs de binnenkant van mijn arm naar boven. Hij draaide mijn handpalm naar boven en duwde de mouw omhoog. Verscheidene seconden zat hij naar de blauwe lijnen te staren die hij ooit zo had liefgehad.

Toen trok hij de mouw weer naar beneden, stopte de handschoen erbij in, en trok zijn hand weer terug. Hij zette zijn bril af en wreef in zijn ogen zoals hij dat altijd gedaan had. 'Het is goed dat je naar Amerika bent gegaan.'

Onze thee was koud geworden. Hij wenkte een meisje in de deuropening om onze kommen met hete thee te vullen. Boven aan de trap verscheen de draak van de kinderoptocht: vele meters geel satijn, ingedrukt en uitgetrokken als een harmonica, met rode lampions als ogen en een verentooi op de kop, woest, en toch van een hartverscheurende onschuldigheid. Dansende en musicerende kinderen maakten de optocht compleet. En in hun kielzog kwamen de venters die speelgoed verkochten – beschilderde ballen, houten aapjes en beren.

Paul stak zijn hand op en riep een meisje met een lange bamboestok waar lampionnen aan hingen. 'Hsin-hsin,' zei hij. 'Voor jou, deze.'

Hij hield een kleine lampion op, gemaakt van hout en zeegroen oliepapier. Er hing een porseleinen bootje in, gevuld met raapzaadolie. De grijze dag was net donker genoeg: toen het meisje het lampje aanstak kwam de lampion tot leven, want tussen het licht en het doorschijnende groen aan de buitenkant hingen twee bewegende ringen met schaduwfiguurtjes. Toen Paul zachtjes aan de touwtjes trok, begonnen twee optochten hun rondjes te draaien: bovenaan een vloot oorlogsschepen en een leger dat onder de vlag van de oude Han-dynastie marcheerde; onderaan een huwelijkswagen waar lintjes achteraan sleepten, de verstrengelde takken van twee bomen, een vogel en een vissersboot, en een dampende trein, met in elke coupé één figuurtje dat naar buiten zat te turen.

De ring van vrede en de ring van oorlog draaiden met verschillende snelheden. Af en toe draaiden ze de andere kant op en passeerden elkaar in tegengestelde richting. Ze werden verlicht door dezelfde bron, draaiden binnen elkaars bereik, maar hoewel hun schaduwen elkaar soms raakten, bleven ze apart, afzonderlijk waarneembaar. Dat deed niets af aan de schoonheid van de lampion. Sterker nog, dat was juist wat hem zo betoverend maakte.

DANKBETUIGINGEN

Mijn dank, allereerst, aan mijn vader, Maurice Liu, wiens herinneringen aan mensen en plaatsen en feilloze geheugen als het gaat om historische feiten en ontwikkelingen, zoveel witte vlekken hebben helpen invullen. Ook aan mijn oom en tantes, Herb en Aileen Luis en Loti Hipple, en mijn moeder, Jane Liu, voor het toelichten van de herinneringen van pa met hun eigen geschiedenissen en research, en aan mijn nicht Caroline Robertson Brown voor de vele verhalen, foto's en documenten die ze aan de 'archieven' van haar moeder ontleende. Ik ben geweldige dank verschuldigd aan wijlen Blossom Luis Robertson, die betreurenswaardig genoeg overleed voor ze haar eigen China-roman had voltooid, maar die de weg heeft gebaand voor dit boek.

Van meet af aan hebben mijn redacteur, Jamie Raab, en mijn agent, Richard Pine, de harde en milde kritiek geleverd waarvoor ik eeuwig dankbaar ben. Ik wil ook dank zeggen aan Maureen Egen, Liv Blumer en Nancy Wiese voor jullie onuitputtelijke enthousiasme en harde werk; aan Arthur Pine en Lori Andiman voor jullie humor en ijver; aan John Aherne voor zijn technische assistentie; aan Eric Edson, Cai Emmons, Hugh Gross en Arnold Margolin voor hun loodsdiensten bij de eerste hachelijke hoofdstukken; en aan Linda Ashour voor haar scherpzinnige advies bij de laatste loodjes.

Mijn vertalers, Adam Schorr, Shu Min Li en Joy Shaw hebben niet alleen deskundig advies gegeven over de Chinese cultuur, geschiedenis en taal; door mij in staat te stellen de memoires te lezen van Liu Ch'eng-yü hebben ze mij ook een man doen leren kennen met een unieke humor, moed, scherpzinnigheid en menselijkheid – die toevallig ook nog mijn grootvader was.

Dank aan Neil Thompson en Suzanne Dewberry voor hun opgewekte toewijding bij het speuren naar immigratiepapieren, paspoorten en dergelijke van familie; aan Denice Wheeler voor het relaas van Evanston als 'huwelijkshoofdstad' van het Oude Westen; aan Esther Katz voor haar moeite om me op het laatste nippertje nog informatie te geven over Margaret Sanger; en aan Thomas Chinn voor het demystificeren van het oude Chinatown van San Francisco, zijn politiek en zijn bevolking.

Tot slot, want zij hebben mij de tijd gegund, en het geduld, het inzicht en de liefde, die het mogelijk hebben gemaakt te schrijven en te blijven schrijven, bedank ik mijn 'mannen', Graham, Daniel, en vooral Marty, met heel mijn hart.